数理統計学
ハンドブック

豊田秀樹

監訳

Introduction to
Mathematical Statistics
6th edition

Robert V. Hogg
Joseph W. McKean
Allen T. Craig

朝倉書店

To Ann and to Marge

Authorized translation from the English language edition, entitled
INTRODUCTION TO MATHEMATICAL STATISTICS, 6th Edition, ISBN: 0130085073
by HOGG, ROBERT V.; CRAIG, ALLEN; MCKEAN, JOSEPH W.,
published by Pearson Education, Inc, publishing as Prentice Hall,
Copyright © 2005 Pearson Education, Inc.

All rights reserved. No part of this book may be reproduced or transmitted in any form
or by any means, electronic or mechanical, including photocopying, recording
or by any information storage retrieval system,
without permission from Pearson Education, Inc.

JAPANESE language edition published by ASAKURA PUBLISHING CO LTD,
Copyright © 2006.

監訳者まえがき

　本書は，Robert V. Hogg と Joseph McKean と Allen T. Craig によって2004年に Prentice Hall から著された *Introduction to Mathematical Statistics* の第6版の全訳である．この本は50年の長きにわたって読み継がれ，統計学に本格的に入門しようと志した多くの学徒によって熟読されてきた名著である．

　原書は，大学院教育で利用された長い歴史を有しているが，ただ期間が長いだけでなく，統計学の進歩にあわせて内容を更新し，たゆみなく版が重ねられてきた．特に今回公刊された第6版は，ブートストラップ法，EMアルゴリズム法，ギブスサンプリング法，マルコフ連鎖モンテカルロ法など，統計学の最新手法が反映されている．入門書は学問の進歩に取り残されてはいけないし，かといって一時の流行を取り入れるわけにはいかない．その辺の取捨選択のセンスは見事の一語に尽き，第6版は白眉の出来といえる．

　通常，わが国の大学・大学院教育で利用される入門書は頁数が少ない．それに対して本書の原書は700ページを超える大部の力作である．本書を手に取られた方の中には，入門書にしては，分量が多いのではないかと思われた方もいらっしゃるだろう．しかし，本来，入門書は，その学問と読者の出会いを決定づける役割を有している．迷ったときに立ち戻るべき出発点でもある．この意味から，言葉を尽くし，豊富な例を上げ，入門書は学問の真髄を語るべきである．本書を読み進めるならば，分厚い記述や多くの具体例が，かえって概念の理解を容易にすることを，すぐに了解されるであろう．

　多くの学問分野は基礎と応用が層の構造を成しており，統計学は様々な学問分野で道具として利用されることが多い．このため統計学が専門ではないけれども，統計学を利用するという学生・研究者は少なくない．そのような方にも，本書は是非お奨めしたい．少なからぬ一定の期間を用意し，本書の全体像を把握された暁には，確固たる基礎が築かれるはずである．

2006年6月

豊田秀樹

■監訳者
豊田秀樹　早稲田大学文学学術院教授

■翻訳者
尾崎幸謙　　科学技術振興機構
(序文・2.1・3.2・4.3.2・5.7・6.5・7.7・8.5.2・9.8・9.9・11.3・付録B)
室橋弘人　　早稲田大学大学院文学研究科
(1.1・1.2・2.2・3.3・4.4・5.8・6.6・7.8・9.1・10.2・11.4・11.5・付録C)
齋藤朗宏　　早稲田大学大学院文学研究科
(1.4・2.4・3.5・5.1・6.1・7.2・8.1・9.3・10.5・12.2)
中村健太郎　早稲田大学大学院文学研究科
(1.3・2.3・3.4・4.5・5.9・7.1・7.9・9.2・10.8・11.1・12.5・付録A)
川端一光　　早稲田大学大学院文学研究科
(1.5・2.5・3.6・5.2・6.2・7.3・8.2・9.4・10.6・10.7・12.4・12.5)
篠原正裕　　株式会社インテージ
(1.6・1.7・2.6・3.7・5.3)
松本宏之　　株式会社インテージ
(1.8・2.7・4.1・5.4)
池端麻衣　　株式会社イード
(1.9・3.1・4.3・5.6・6.3・7.4・8.3・9.5・10.4・12.3)
角康太郎　　早稲田大学大学院文学研究科
(1.10・4.2・5.5・6.4・7.5・8.4・9.6・10.3・12.1)
福中公輔　　早稲田大学大学院文学研究科
(1.6・2.7・5.4・7.6・8.5.1・9.7・10.1・11.2・付録E)
君島康昭　　早稲田大学大学院文学研究科
(1.8・4.1)
堀辺千晴　　早稲田大学大学院文学研究科
(1.7・3.7)

序

　Allen T. Craig が1978年に亡くなってから，Bob Hogg は本書を最新版に改訂した．Prentice Hall が彼に第6版について考えてみないかと尋ねたとき，友人の Joe McKean のことが彼の頭に浮かび，手伝ってくれないかと申し出た．Joe は私たち2人が賛成する，すばらしい案をたくさん示してくれたから，それはとてもよい選択だった．そして，それらの変更点の概略がこの序文に示してある．

　Joe のアイディアのほかにも，私たちの同僚の Jon Cryer には，第5版に書き込みをしてもらい，たくさんの事柄について変更を行った．また，George Woodworth と Kate Cowles からは，ベイズ統計学の章について多大な提案をもらった．特に Woodworth からは，ベイズ流の証明の多くで用いられる「ダッチブック」について教わった．3人のほかにも，もちろん，他の教授陣や生徒に御礼をしなければならない．しかし，最も感謝しなければならないのは，私たちの特別な友人であり，2002年から2004年まで数理統計学の授業で改訂版を使用してくれた，ペンシルバニア州立大学の Tom Hettmansperger と，2003年の秋学期に数理統計学の授業で同じく改訂版を使用してくれた，カンザス州立大学の Suzanne Dubnicka である．これらの経験から，Tom と Suzanne，そして彼らの生徒たちからは，新しいアイディアや修正点について意見をもらった．

　前の版では，Hogg と Craig は，「実際の」問題について加筆することを抵抗していたが，Joe は少数の比較的重要な変更を挿入した．この本は，大学院での統計学の入門レベルを想定しているが，数学，統計学や保険数理専攻の学部の上級学年にも適している．

　この版と第5版の主な違いは，

- より多くの定義，式そして定理が，章・節ごとに番号を示しながら与えてあるので，どんな事柄でも見つけることが容易である．さらに，多くの定理・定義や例には引用が容易となるように，ボールドで名前が付けられている．
- 変換や積率の生成法など，分布に関する技法の多くは，はじめの3つの章で扱っている．期待値や条件付き期待値の概念は，比較的ゆっくりと，はじめの2つの章で扱っている．
- 特別な分布について扱っている第3章には，現在，正規分布・多変量正規分布・t分布・F分布が含まれ，混合分布についての章が設けられている．
- 第4章は，大標本理論として確率収束，分布収束そして中心極限定理について記

述されている．もし，はじめの半期で教師が授業時間の関係で厳しいと思えば，この章は飛ばして第5章に進んでもよい．

- もし，教師がはじめの半期で統計的推測を含めたいのならば，第5章ではサンプリング・信頼区間そして検定についての導入がなされる．そこでは，1標本位置問題と2標本位置問題に対する多くの正規理論の手法と，関連する大標本での方法が含まれる．この章の最後は，信頼区間と検定に関するモンテカルロ法とブートストラップ法の導入となっている．これらの方法は，本書ではこれ以降も使われる．

- 第6章の最尤推定法は拡張された．例えば，正則条件が示され，最尤推定法の極限分布など，関連する数々の定理についてよりよい証拠を示すことができる．これによって，それらの方法について，より完全な推論が可能となる．EMアルゴリズムについて議論され，いくつかの最尤推定の場合に適用される．

- 第7章から9章には，十分統計量，仮説に対する最良検定，正規モデルに関する推測が含まれている．

- 第10章から12章には新しい事柄が含まれている．第10章には，位置モデルと単純線形回帰に対するノンパラメトリック法が示されている．そこでは，推定と信頼区間および検定が述べられている．最良得点と適応的な方法についての節もある．第11章はベイズ法の導入である．この章には，階層的および経験的ベイズ法に対する，ギブスサンプラーを含む，マルコフ連鎖モンテカルロ法とともに，伝統的なベイズ法が述べられている．第12章は線形モデルに対する最小2乗推定の頑健な方法と，伝統的な方法との比較なされている．そこでは，影響関数と推定量の破局点に関する概念が導入されている．

  必ずしも，すべての教師が2期のコースで，これらの新しい章を含めるわけにはいかないだろうが，これらの章のうちの1つに興味を持ったならば，コースに含めれば大変有益だろう．これら最後の3章は互いに独立している．

- この版では，時として統計ソフトR (Ihaka and Gentleman, 1996) やS-PLUS (S-PLUS, 2000) が利用されている (Venables and Ripley, 2000 をみよ)．生徒は，これらのパッケージが使えなければ，本書が理解できなくなるということはないが，1つのパッケージ (あるいは別のパッケージ) を利用すれば，計算についての感覚が養われるだろう．Rはフリーソフトであり，以下のサイトからダウンロード可能である．

    http://lib.stat.cmu.edu/R/CRAN/

    RにはUNIXに対応したバージョンやMacで起動するものもある．私たちは，このテキストの中でいくつかの (統計的) 方法についてRの関数を書いた．それらは付録Bに載っているが，以下のサイトからダウンロードも可能である．

    http://www.stat.wmich.edu/mckean/HMC/Rcode

    これらの関数はS-PLUSでも使用することができる．

- 指導者や生徒がより簡単に文献に当たることができるように，文献リストが拡張

された.
- 記述の並び方が大幅に改善され，練習問題が追加された．実際，1000題以上の練習問題があり，新しい事例も多く追加されている．

ほとんどの指導者は，2期のコースならば，はじめの9章を扱えば十分だろう．しかし，私たちは残りの3章のうちの，どれか1章を加えることを願っている．実際には，本書は3期連続して行うのに十分であり，私たちはアイオワ大学でかつてそのように教えたことがある．少数のオプション的な節にはアスタリスクが付されている．

以下の査読者には，この本の修正前のバージョンを読んで頂き，感謝している．ブラウン大学のWalter Freiberger，オレゴン大学のJohn Leahy，ポートランド州立大学のBradford Crain，オハイオ州立大学のJoseph S. Verducci，そして，ジョージワシントン大学のHosam M. Mahmoudである．彼らの示唆は，最終のバージョンを編集するのに役立った．

最後に，第5版を$\LaTeX 2_\varepsilon$に変換するための資金を準備してくれたGeorge LobellとPretice Hallそして，この仕事を実行してくれたKimbery Criminには感謝している．それによって，第6版を$\LaTeX 2_\varepsilon$で書くのに大変助かった．また，Ash Abebeにはテクニカルアシスタントとして，特別感謝している．そして最後になったが，私たちの妻，AnnとMargeには私たちの努力を支えてもらい，大変感謝している．読者から高い評価が頂ければ幸いである．

Bob Hogg
Joe McKean

目　　次

1. 確率と分布 ……………………………………………………………… 1
   1.1 はじめに ……………………………………………………………… 1
   1.2 集合論 ………………………………………………………………… 3
   1.3 確率集合関数 ………………………………………………………… 12
   1.4 条件付き確率と独立 ………………………………………………… 25
   1.5 確率変数 ……………………………………………………………… 36
   1.6 離散型確率変数 ……………………………………………………… 45
      1.6.1 変換 ……………………………………………………………… 47
   1.7 連続型確率変数 ……………………………………………………… 49
      1.7.1 変換 ……………………………………………………………… 52
   1.8 確率変数の期待値 …………………………………………………… 58
   1.9 特別な期待値 ………………………………………………………… 64
   1.10 重要な不等式 ……………………………………………………… 73

2. 多変量分布 ……………………………………………………………… 80
   2.1 2つの確率変数の分布 ……………………………………………… 80
      2.1.1 期待値 …………………………………………………………… 86
   2.2 2変量確率変数に対する変数変換 ………………………………… 92
   2.3 条件付き分布と期待値 ……………………………………………… 102
   2.4 相関係数 ……………………………………………………………… 110
   2.5 確率変数の統計的独立性 …………………………………………… 118
   2.6 複数の確率変数への拡張 …………………………………………… 125
      2.6.1 分散-共分散 * …………………………………………………… 131
   2.7 変数変換：確率ベクトル …………………………………………… 135

3. いくつかの特別な分布 ………………………………………………… 143
   3.1 2項分布とその関連分布 …………………………………………… 143
   3.2 ポアソン分布 ………………………………………………………… 152
   3.3 ガンマ分布・カイ2乗分布・ベータ分布 ………………………… 158
   3.4 正規分布 ……………………………………………………………… 171
      3.4.1 混入正規分布 …………………………………………………… 178

- 3.5 多変量正規分布 ………………………………………… 182
  - 3.5.1 応用* ……………………………………………… 189
- 3.6 t 分布および F 分布 ………………………………… 193
  - 3.6.1 t 分布 ……………………………………………… 194
  - 3.6.2 F 分布 ……………………………………………… 196
  - 3.6.3 スチューデントの定理 …………………………… 198
- 3.7 混合分布 ………………………………………………… 201

4. 不偏性，一致性，極限分布 ……………………………… 208
- 4.1 関数の期待値 …………………………………………… 208
- 4.2 確率収束 ………………………………………………… 215
- 4.3 分布収束 ………………………………………………… 219
  - 4.3.1 確率的有界 …………………………………………… 225
  - 4.3.2 デルタ法 ……………………………………………… 227
  - 4.3.3 積率母関数法 ………………………………………… 228
- 4.4 中心極限定理 …………………………………………… 233
- 4.5 多変量分布の漸近的性質* ……………………………… 239

5. 基本的な統計的推測法 ……………………………………… 245
- 5.1 標本抽出と統計量 ……………………………………… 245
- 5.2 順序統計量 ……………………………………………… 250
  - 5.2.1 分位数 ………………………………………………… 254
  - 5.2.2 分位数の信頼区間 …………………………………… 258
- 5.3 分布の許容限界* ………………………………………… 263
- 5.4 その他の信頼区間 ……………………………………… 267
  - 5.4.1 異なる平均の差の信頼区間 ………………………… 271
  - 5.4.2 比率の差の信頼区間 ………………………………… 273
- 5.5 仮説検定概論 …………………………………………… 277
- 5.6 統計的検定に関する追加事項 ………………………… 286
- 5.7 カイ 2 乗検定 …………………………………………… 292
- 5.8 モンテカルロ法 ………………………………………… 300
  - 5.8.1 受容–棄却生成アルゴリズム ……………………… 306
- 5.9 ブートストラップ法 …………………………………… 312
  - 5.9.1 パーセンタイルブートストラップ信頼区間 …… 312
  - 5.9.2 ブートストラップ仮説検定 ……………………… 316

6. 最 尤 法 ……………………………………………………… 325
- 6.1 最尤推定 ………………………………………………… 325

目次

- 6.2 ラオ・クラメールの下限および効率 …………………… 334
- 6.3 最尤検定 …………………………………………………… 347
- 6.4 母数が複数の場合の推定 ………………………………… 357
- 6.5 母数が複数の場合の検定 ………………………………… 366
- 6.6 EM アルゴリズム ………………………………………… 374

7. 十分性 …………………………………………………… 383
- 7.1 推定量の質の指標 ………………………………………… 383
- 7.2 母数の十分統計量 ………………………………………… 389
- 7.3 十分統計量の特性 ………………………………………… 396
- 7.4 完備性と一意性 …………………………………………… 401
- 7.5 分布の指数クラス ………………………………………… 405
- 7.6 母数の関数 ………………………………………………… 410
- 7.7 母数が複数の場合 ………………………………………… 415
- 7.8 最小十分性および補助統計量 …………………………… 423
- 7.9 十分性，完備性，および独立性 ………………………… 428

8. 仮説の最適な検定 …………………………………… 436
- 8.1 最強力検定 ………………………………………………… 436
- 8.2 一様最強力検定 …………………………………………… 446
- 8.3 尤度比検定 ………………………………………………… 455
- 8.4 逐次確率比検定 …………………………………………… 465
- 8.5 ミニマックス法と分類法 ………………………………… 472
  - 8.5.1 ミニマックス法 …………………………………… 472
  - 8.5.2 分類 ………………………………………………… 475

9. 正規モデルに関する推測 …………………………… 479
- 9.1 2次形式 …………………………………………………… 479
- 9.2 1要因分散分析 …………………………………………… 484
- 9.3 非心カイ2乗分布と非心 F 分布 ……………………… 489
- 9.4 多重比較 …………………………………………………… 491
- 9.5 分散分析 …………………………………………………… 496
- 9.6 回帰の問題 ………………………………………………… 502
- 9.7 独立性の検定 ……………………………………………… 512
- 9.8 特定の2次形式の分布 …………………………………… 515
- 9.9 特定の2次形式の独立性 ………………………………… 522

10. ノンパラメトリック統計 ……………………………………… 530
10.1 位置モデル ………………………………………………… 530
10.2 標本中央値と符号検定 …………………………………… 533
10.2.1 漸近相対効率 …………………………………… 539
10.2.2 符号検定に基づく推定式 ……………………… 544
10.2.3 中央値の信頼区間 ……………………………… 545
10.3 ウィルコクスンの符号付き順位 ………………………… 547
10.3.1 漸近相対効率 …………………………………… 552
10.3.2 ウィルコクスンの符号付き順位に基づく推定式 … 555
10.3.3 中央値の信頼区間 ……………………………… 556
10.4 マン・ホイットニー・ウィルコクスン法 ……………… 558
10.4.1 漸近相対効率 …………………………………… 562
10.4.2 マン・ホイットニー・ウィルコクスンに基づく推定方程式 ……… 564
10.4.3 変動母数 Δ の信頼区間 ………………………… 564
10.5 一般順位得点 ……………………………………………… 566
10.5.1 効率 ………………………………………………… 569
10.5.2 一般得点に基づく推定方程式 …………………… 571
10.5.3 最適化：最良の推定値 …………………………… 571
10.6 適応的な方法 ……………………………………………… 578
10.7 単純線形モデル …………………………………………… 583
10.8 関連の指標 ………………………………………………… 589
10.8.1 ケンドールの τ ……………………………………… 589
10.8.2 スピアマンのロー ………………………………… 592

11. ベイズ統計 ……………………………………………………… 597
11.1 主観確率 …………………………………………………… 597
11.2 ベイズ法 …………………………………………………… 601
11.2.1 事前分布と事後分布 ……………………………… 602
11.2.2 ベイズ流点推定 …………………………………… 605
11.2.3 ベイズ流区間推定 ………………………………… 608
11.2.4 ベイズ流検定法 …………………………………… 609
11.2.5 ベイズ流逐次法 …………………………………… 611
11.3 ベイズ統計学の用語と考え方についての続き ………… 612
11.4 ギブスサンプラー ………………………………………… 619
11.5 近年のベイズ統計における手法 ………………………… 626
11.5.1 経験ベイズモデル ………………………………… 629

12. 線形モデル ... 633
12.1 頑健の概念 ... 633
12.1.1 ノルムと推定方程式 ... 634
12.1.2 影響関数 ... 635
12.1.3 推定量の破局点 ... 640
12.2 傾きの最小2乗推定量とウィルコクソン推定量 ... 642
12.2.1 ノルムと推定方程式 ... 643
12.2.2 影響関数 ... 645
12.2.3 切片 ... 647
12.3 線形モデルのLS推定 ... 650
12.3.1 最小2乗 ... 651
12.3.2 正規誤差のもとでのLS推測の基礎 ... 655
12.4 線形モデルのウィルコクソン推定 ... 660
12.4.1 ノルムと推定方程式 ... 660
12.4.2 影響関数 ... 661
12.4.3 漸近分布論 ... 663
12.4.4 切片母数の推定量 ... 665
12.5 一般線形仮説の検定 ... 667
12.5.1 正規誤差を仮定したLS検定の分布論 ... 669
12.5.2 漸近的な性質 ... 671
12.5.3 いくつかの例 ... 672

A. 数学 ... 683
A.1 正則条件 ... 683
A.2 数列 ... 683

B. RとS–PLUSの関数 ... 688

C. 分布に関する表 ... 696

D. 文献 ... 703

E. 練習問題略解 ... 706

索引 ... 753

第1章　確率と分布

1.1　はじめに

　多くの調査に共通する特徴のひとつとして，本質的に等価であるような状況下において繰り返し測定を行うという枠組みに依拠していることがあげられる．例えば医療調査においては投与された薬剤の効果が興味の対象となるだろうし，経済学者は特定の商品の様々な期間における価格に関心を抱くだろう．あるいは農学者ならば，化学肥料が穀物の収量を増加させるかどうかを研究することを望むかもしれない．調査者がこういった現象に関する情報を引き出そうとするためには，実験を行うしかない．実験を行えば，当たり前だが結果を得ることができる．だが実験には，その実施に先立って正確に結果を予測することはできないという性質がある．

　しかし各回の実験結果を予測することができないかわりに，可能な実験結果の総体の性質については，実験の実施に先立って記述することが可能であるとしたらどうだろう．こういった性質をもつ実験を同じ状況下で繰り返すことを確率実験 (random experiment) とよび，得られる複数の結果の集まりを実験空間，あるいは標本空間 (sample space) という．

例 1.1.1.　コインを投げて，裏が出ることを T，表が出ることを H と表すことにする．ここでコイン投げが同じ状況下で複数回繰り返されるならば，これはすなわち確率実験の一例となる．この確率実験の結果は T か H かの2種類なので，標本空間はこれら2つの記号の集まりである．■

例 1.1.2.　赤いサイコロと白いサイコロを振り，結果を (赤いサイコロの出目，白いサイコロの出目) という順番の組み合わせで表すことにする．もしこれら2つのサイコロが同じ状況下で繰り返し振られるならば，このサイコロ投げもまた確率実験と見なすことができる．この場合の標本空間は，36対の出目の組み合わせ (1, 1), ..., (1, 6), (2,1), ..., (2.6), ..., (6.6) によって構成されることになる．■

　ここで $\mathcal{C}$ で標本空間を，c は標本空間に含まれる要素を，そして C は $\mathcal{C}$ に含まれる要素を集めたものを表すとしよう．このとき何らかの実験が行われたならば，その結果は任意の C のうちのいずれかとして得られることになる．これを，事象 (event) C が生起した，とよぶことにする．さらに確率実験が全部で N 回繰り返して行われるものと考えると，N 回の実験の中で特定の事象 C が生起する回数 f を数えることが可能になる．これらを利用して f/N によって定義される値を，N 回の実験における事象

C の相対頻度 (relative frequency) とよぶ. 実際にコイン投げ実験を行ってみるとわかることだが, N が小さいとき, 相対頻度の値は大きくばらつく性質がある. しかし N が大きくなると, 事象 C の相対頻度は一定の値 p に落ち着いていく傾向があることが, 経験的に知られている. このとき p の値は, 将来的に実験を繰り返した場合に得られるであろう事象 C の相対頻度に, ほぼ等しいと解釈することができる. これを利用すれば, 確率実験における個々の結果を予測することはできなくとも, N が大きい場合の事象 C の相対頻度をある程度の精度で予測することは可能になる. この, 特定の事象 C に関連づけられた値 p には, 様々な名称が与えられている. 時として確率実験において C という結果が得られる確率 (probability) とよばれることもあれば, 単に事象 C の確率 (probability of event C) とよばれたり, C の確率測度 (probability measure) とよばれることもある. どの用語が用いられるかは, 文脈によって変わってくることになる.

例 1.1.3. 例 1.1.2 の標本空間を C とし, C は和が 7 に等しいような出目の組み合わせを表すものとする. このとき C は, $(1, 6), (2, 5), (3, 4), (4, 3), (5, 2), (6, 1)$ の 6 つの出目の組み合わせになる. ここで $N = 400$ 回のサイコロ投げが行われ, 結果として出目が 7 になるような組み合わせが $f = 60$ 回生起したならば, 事象 C の相対頻度は $f/N = \frac{60}{400} = 0.15$ となる. よって C に関連づけられる p の値は 0.15 近辺の値であると考えられ, これを事象 C の確率と見なすことができる. ∎

注意 1.1.1. 本節で述べた確率の解釈は, 相対頻度論とよばれるアプローチ (relative frequency approach) によるものである. この考え方は, 明らかに実験が本質的に同一な状況のもとで繰り返し行われることを前提としている. しかし多くの研究者が, 確率という概念をより広範な状況に対して適用可能な, 個人の信念に関する合理的性質をもった測度として拡張することを行っている. この考え方に従えば, 例えば $p = \frac{2}{5}$ という主張は, ある人がもつ主観的な事象 C の生起確率 (personal or subjective probability) が $\frac{2}{5}$ であることを意味しているにすぎなくなる. この値は, その人が賭博に対して特に嫌悪感を抱いているのでなければ, 事象 C が出ることに対して賭ける確率に等しくなるので, 結果としてその人が妥当と考える倍率は $p/(1-p) = \frac{2}{5}/\frac{3}{5} = 2/3$ になると考えられる. これはすなわち, (a) C が生起したならば 3 ポイントを得るが, 生起しなかったならば 2 ポイントを失う, (b) C が生起しなかったならば 2 ポイントを得るが, 生起したならば 3 ポイントを失う, といういずれの条件に対しても, $p = \frac{2}{5}$ という信念をもっている人は賭けることができるということを意味している. しかし 1.4 節で述べるような確率の数理的性質は, 確率が相対頻度であると考える場合と個人の信念であると考える場合との双方において, 一貫して成立することが知られている. よって確率というものに対してどちらの立場をとろうとも, 本書において扱う確率に関する数理的な発展の成果を享受することは可能である. ∎

統計に関する数理的理論を構築することの主たる目的は, 確率実験に対して数理的

朝倉書店

●シリーズ完結!●

現代基礎数学

新井仁之・小島定吉・清水勇二・渡辺 治 編集

基礎数学は,
科学を表現するのに
適切な言葉を整える。

先端の数学は,
時を経て洗練されて
基礎を豊かにする。

社会の情報化が進み,
諸科学を支える数学の
裾野が拡大していることを背景に,
本講座は,幅広い横方向の
広がりを見据えた現代の基礎と,
数学の特質である縦方向の深まりの端緒を揃え,
21世紀初頭に求められている
数学を提供することを目的とする。

2月刊行
新刊!

|11| **フーリエ解析とウェーブレット**…新井 仁之(著)
|17| **多項式と計算機代数**…………横山 和弘(著)

現代数学の抽象性を支える圏の考え方を，
幅広い応用を持つ環と加群の
理論と並行して学ぶ。

16 圏と加群
清水 勇二(著)

A5判／264ページ
2018年3月 刊行
978-4-254-11766-0
定価4,400円(本体4,000円)

確率過程論において理論と応用の両面で
展開してきた対称マルコフ過程と
ディリクレ形式を詳説。

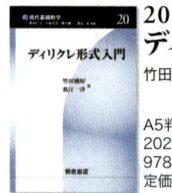

20 ディリクレ形式入門
竹田 雅好・桑江 一洋(著)

A5判／240ページ
2020年2月 刊行
978-4-254-11770-7
定価4,400円(本体4,000円)

大学初年度の知識のみを仮定し，
多項式に焦点を当てて計算機代数の
面白さを丁寧に解説する。

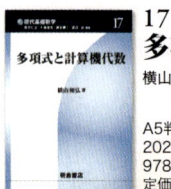

17 多項式と計算機代数
横山 和弘(著)

NEW

A5判／244ページ
2022年2月 刊行
978-4-254-11767-7
定価4,400円(本体4,000円)

近年著しい発展を遂げている，
調和解析的方法を用いた
非線形偏微分方程式の理論への入門書。

21 非線形偏微分方程式
柴田 良弘・久保 隆徹(著)

A5判／224ページ
2012年1月 刊行
978-4-254-11771-4
定価3,630円(本体3,300円)

しゃぼん玉を数学的に表現した
「平均曲率一定曲面」を中心に，
曲面の幾何学の基礎を学ぶ。

18 曲面と可積分系
井ノ口 順一(著)

A5判／224ページ
2015年10月 刊行
978-4-254-11768-4
定価3,630円(本体3,300円)

【キリトリ線】

【お申込み書】 このお申込み書にご記入の上、最寄りの書店にご注文ください。

■書籍名		取扱書店
	冊	
■お名前	□公費／□私費	
■ご住所（〒　　　） TEL.		

朝倉書店
〒162-8707 東京都新宿区新小川町 6-29 ／ 電話03-3260-7631 ／ FAX 03-3260-0180
https://www.asakura.co.jp ／ E-mail : eigyo@asakura.co.jp ／ 価格は2021年12月現在

なモデルを導入することにある．なぜなら，一度そのようなモデルを導入して細部に至るまで確率実験を理論化することができれば，統計家はその理論の枠内において，確率実験の結果について推測を行うことが可能になるからである．これはすなわち，確率実験から何らかの結論を引き出せるということにほかならない．このためのモデルを構築するには，確率に関する理論が必要となる．確率に関する最も一貫した理論のひとつが，集合という概念と，それらの関数を基礎とする論理体系である．そこで1.2 節では，この考え方についての解説を行う．

1.2 集 合 論

集合 (set)，あるいは対象の寄せ集め (collection of objects) という概念が，厳密に定義されることはあまりない．しかし特定の集合に含まれているのがどのような要素であるのかということについては，おおむね誤解のない形での記述を行うことが可能である．例えば正の整数を小さな方から 10 個集めた集合といえば，この中に $\frac{3}{4}$ や 14 は含まれないが，3 が含まれることは明らかである．ある対象が集合に含まれているとき，この対象は集合の要素 (element) であるという．例えば C が $0 \leq x \leq 1$ である実数 x の集合であると仮定すれば，$\frac{3}{4}$ は集合 C の要素であることになる．このことを，$\frac{3}{4} \in C$ と表現する．より一般的な定義を行うならば，$c \in C$ は c が C の要素であることを表す，となる．

今後本書において取り扱われる集合の多くは，数の集合 (set of numbers) である．しかし集合についての記述を行う場合，数の集合よりも点の集合 (set of points) の方が便利な場合が多い．そこでまず，両者をどのようにして関連づけるかについての簡潔な説明を行う．解析幾何学において最も重要となる考え方として，原点と単位が与えられた直線上におけるすべての点が，各々固有の値 x に対応しているというものがある．これはすなわち，1 つの値 x に対して 1 つの点しか対応していないことを意味している．このような点と数の 1 対 1 対応が成立しているならば，数値 x に言及することと点 x に言及することは，全く同一の意味をもつことになる．同様の関係は，2次元空間においても x, y の 2 軸をもつ直交座標系を設定し，平面上の各点に対して値 (x, y) を対応させることで，成立させることができる．このとき点 (x, y) について言及することは，数字 x と y の組について言及することに等しくなる．3 次元以上の空間についても適当な直交座標系を用いることで，この関係を保つことが可能である．すなわち点 $(x_1, x_2, \ldots, x_n)$ は，そのまま数字 $x_1, x_2, \ldots, x_n$ の組を表すと考えることができる．以上の理由により，今後は数の集合のかわりに，曖昧さを排した点の集合を用いることとする．よって，例えば $C = \{x : 0 \leq x \leq 1\}$ という表記は，「C は区間 $0 \leq x \leq 1$ に含まれる点 x の 1 次元集合である」を表すことになる．同様に $C = \{(x, y) : 0 \leq x \leq 1, 0 \leq y \leq 1\}$ は，「C は対になった頂点 $(0, 0)$ と $(1, 1)$ に囲まれた矩形の内部，あるいは境界上にある点 (x, y) の 2 次元集合である」となる．以下ではこれらの

記述をもとに，集合に関する基礎的な代数演算の定義を行う．

> **定義 1.2.1.**
> 集合 C_1 に含まれる要素のすべてが集合 C_2 にも含まれている場合，C_1 は C_2 の部分集合 (subset) であるという．この関係は $C_1 \subset C_2$ と記述する．また，$C_1 \subset C_2$ かつ $C_2 \subset C_1$ であるとき，両集合は全く同一の要素をもっていることになるので，$C_1 = C_2$ と表記する．

例 1.2.1. $C_1 = \{x : 0 \leq x \leq 1\}, C_2 = \{x : -1 \leq x \leq 2\}$ とする．このとき 1 次元集合 C_1 は 1 次元集合 C_2 の部分集合になっているので，$C_1 \subset C_2$ である．以降，集合の次元数が明確である場合には，次元に関する記述を省略することとする．■

例 1.2.2. 2 つの集合 $C_1 = \{(x, y) : 0 \leq x = y \leq 1\}$ と $C_2 = \{(x, y) : 0 \leq x \leq 1, 0 \leq y \leq 1\}$ を考える．このとき C_1 の要素は C_2 に含まれる正方形状の領域の対角線に相当するので，$C_1 \subset C_2$ である．■

> **定義 1.2.2.**
> 集合 C が一切の要素をもたない場合，C を空集合 (null set) とよび，$C = \phi$ と表す．

> **定義 1.2.3.**
> 集合 C_1, C_2 のうち，最低でもいずれか片方に含まれているような要素の集合を，C_1 と C_2 の和集合という．C_1 と C_2 の和集合 (union) は，$C_1 \cup C_2$ と表す．よって複数の集合 $C_1, C_2, C_3, \ldots$ の和集合は，これらの集合のうちどれか 1 つに含まれているような要素の集合であり，$C_1 \cup C_2 \cup C_3 \cup \cdots$ によって表現されることになる．例えば集合の数が k 個である場合には，$C_1 \cup C_2 \cup C_3 \cup \cdots \cup C_k$ である．

例 1.2.3. $C_1 = \{x : x = 8, 9, 10, 11,$ または $11 < x \leq 12\}$ と $C_2 = \{x : x = 0, 1, \ldots, 10\}$ の和集合は，以下のようになる．
$$C_1 \cup C_2 = \{x : x = 0, 1, \ldots, 8, 9, 10, 11, \text{または } 11 < x \leq 12\}$$
$$= \{x : x = 0, 1, \ldots, 8, 9, 10, \text{または } 11 \leq x \leq 12\} ■$$

例 1.2.4. 例 1.2.1 で定義した C_1 と C_2 の和集合は，$C_1 \cup C_2 = C_2$ である．■

例 1.2.5. $C_2 = \phi$ であるとき，すべての C_1 において $C_1 \cup C_2 = C_1$ である．■

例 1.2.6. すべての C において $C \cup C = C$ である．■

例 1.2.7. 以下のような集合 C_k を考えたとき，$C_1 \cup C_2 \cup C_3 \cup \cdots = \{x : 0 < x \leq 1\}$ となる．

1.2. 集合論

$$C_k = \left\{x : \frac{1}{k+1} \leq x \leq 1\right\}, \quad k = 1, 2, 3, \ldots$$

個別の集合 $C_1, C_2, C_3, \ldots$ が 0 を含むことはないので，これらの和集合の要素にも 0 は含まれない．■

定義 1.2.4.
集合 C_1 と C_2 の双方に含まれているような要素の集合を，C_1 と C_2 の積集合 (intersection) とよび，$C_1 \cap C_2$ と記述する．したがって複数の集合 $C_1, C_2, C_3, \ldots$ の積集合は，これらの集合すべてに共通して含まれているような要素の集合となり，$C_1 \cap C_2 \cap C_3 \cap \cdots$ と表すことができる．なお，集合の数 k が定まっている場合には $C_1 \cap C_2 \cap C_3 \cap \cdots \cap C_k$ となる．

例 1.2.8. $C_1 = \{(0,0), (0,1), (1,1)\}$, $C_2 = \{(1,1), (1,2), (2,1)\}$ であるとき，両者の積集合は $C_1 \cap C_2 = \{(1,1)\}$ である．■

例 1.2.9. $C_1 = \{(x,y) : 0 \leq x+y \leq 1\}$ と $C_2 = \{(x,y) : 1 < x+y\}$ は共通の要素をもっていないので，$C_1 \cap C_2 = \phi$ である．■

例 1.2.10. すべての C について $C \cap C = C$ であり，また $C \cap \phi = \phi$ である．■

例 1.2.11.
$$C_k = \left\{x : 0 < x < \frac{1}{k}\right\}, \quad k = 1, 2, 3, \ldots$$

である集合 C_k を考えたとき，$C_1 \cap C_2 \cap C_3 \cap \cdots$ は空集合となる．なぜなら，すべての集合に共通する要素は存在しないからである．■

例 1.2.12. C_1, C_2 が，それぞれ閉じた円の中の点を含む集合であると考えた場合，$C_1 \cup C_2, C_1 \cap C_2$ が表す領域は，図 1.2.1 のベン図に示すとおりとなる．■

例 1.2.13. C_1, C_2, C_3 が，それぞれ閉じた円の中の点を含む集合であると考えた場合，$(C_1 \cup C_2) \cap C_3, (C_1 \cap C_2) \cup C_3$ が表す領域は，図 1.2.2 のベン図に示すとおりとなる．■

定義 1.2.5.
ある議論において，議論の対象となるすべての要素を含む集合を考えることができる．これを空間 (space) とよぶ．空間は $\mathcal{C}, \mathcal{D}$ といった記号で表されることが多い．

例 1.2.14. コイン投げを 4 回行ったときに表が出た回数を x で表すとすると，x は $0, 1, 2, 3, 4$ のいずれかの値しかとらない．よって，このときの空間は $\mathcal{C} = \{0, 1, 2, 3, 4\}$ となる．■

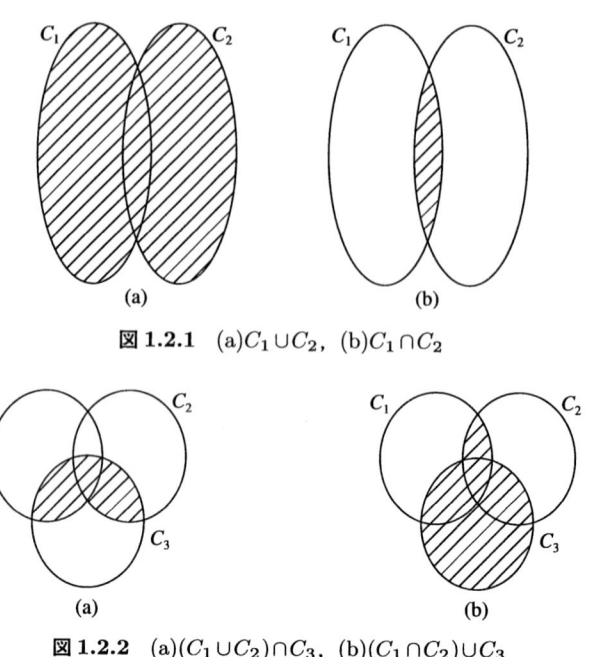

図 1.2.1 (a)$C_1 \cup C_2$, (b)$C_1 \cap C_2$

図 1.2.2 (a)$(C_1 \cup C_2) \cap C_3$, (b)$(C_1 \cap C_2) \cup C_3$

例 1.2.15. 底辺 x, 高さ y であるような非縮退の矩形によって表される領域を考える．この領域が意味をもつためには，x, y が正の値でなければならない．よってこのときの空間は $\mathcal{C} = \{(x,y) : x > 0, y > 0\}$ である．■

定義 1.2.6.
$\mathcal{C}$ が空間を，C が $\mathcal{C}$ の部分集合を表すとする．このとき，C に含まれていない $\mathcal{C}$ の要素の集合を，$\mathcal{C}$ における C の補集合 (complement) とよぶ．C の補集合は C^c と表す．また，$\mathcal{C}^c = \phi$ とする．

例 1.2.16. 例 1.2.14 で定義した $\mathcal{C}$ において，集合 $C = \{0, 1\}$ を考える．このとき，$\mathcal{C}$ における C の補集合は，$C^c = \{2, 3, 4\}$ となる．■

例 1.2.17. $C \subset \mathcal{C}$ であるような C があったとき，$C \cup C^c = \mathcal{C}, C \cap C^c = \phi, C \cup \mathcal{C} = \mathcal{C}, C \cap \mathcal{C} = C, (C^c)^c = C$ である．■

例 1.2.18 (ド・モルガンの法則). 空間 $\mathcal{C}$ において $C_i \subset \mathcal{C}, i = 1, 2$ であるような集合 C_1, C_2 を考えたとき，
$$(C_1 \cap C_2)^c = C_1^c \cup C_2^c \tag{1.2.1}$$

1.2. 集合論

$$(C_1 \cup C_2)^c = C_1^c \cap C_2^c \qquad (1.2.2)$$

という性質が成り立つ．これはド・モルガンの法則 (DeMorgan's law) として知られている．この法則の証明は練習問題 1.2.4 において，読者が自らの手で行ってほしい．■

微積分学の分野では，
$$f(x) = 2x, \quad -\infty < x < \infty$$
や，
$$g(x,y) = \begin{cases} e^{-x-y} & 0 < x < \infty, \quad 0 < y < \infty \\ 0 & \text{それ以外の場合} \end{cases}$$
あるいは
$$h(x_1, x_2, \ldots, x_n) = \begin{cases} 3x_1 x_2 \cdots x_n & 0 \leq x_i \leq 1, \quad i = 1, 2, \ldots, n \\ 0 & \text{それ以外の場合} \end{cases}$$

といった関数が取り扱われることは珍しくない．このとき 1 つめの関数において，例えば「$x=1$ という点」に対応する値は $f(1)=2$ となる．同様に 2 つめの関数において「点 $(-1,3)$」に対応する値は $g(-1,3)=0$ となるし，3 つめの関数において「点 $(1,1,\ldots,1)$」に対応するのは $h(1,1,\ldots,1)=3$ である．こういった点を扱う関数は，そのまま点関数 (point function) とよばれる．点関数とは，与えられた次元をもつ空間内の各点に対して，仮にその点において演算が可能であるならば演算を行い，対応する値を付与するものである．

しかし点関数とは異なり，個別の点だけではなく与えられたすべての点の集合において演算を行うような関数というものを考えることも可能である．こういった関数は集合についての関数，または単に集合関数 (set function) とよばれる．以下に具体的な集合関数と，単純な集合に対してそれらの関数がどのように機能するかという例をいくつか示す．

例 1.2.19. C を 1 次元空間における任意の集合とし，C に含まれる正の整数の数を返す関数 $Q(C)$ を考えると，この $Q(C)$ は集合 C の集合関数と見なすことができる．例えば $C = \{x : 0 < x < 5\}$ のときは $Q(C) = 4$ になるし，$C = \{-2, -1\}$ ならば $Q(C) = 0$ である．また $C = \{x : -\infty < x < 6\}$ であるならば，$Q(C) = 5$ となる．■

例 1.2.20. C を 2 次元空間における任意の集合とし，$Q(C)$ は C が一定の領域を表している場合にはその面積を返すが，そうでない場合には定義できない集合関数であると考える．このとき $C = \{(x,y) : x^2 + y^2 \leq 1\}$ ならば，$Q(C) = \pi$ となる．また $C = \{(0,0), (1,1), (0,1)\}$ ならば，$Q(C) = 0$ である．$C = \{(x,y) : 0 \leq x, 0 \leq y, x+y \leq 1\}$ の場合には $Q(C) = \frac{1}{2}$ になる．■

例 1.2.21. 3 次元空間における集合 C について，C が体積をもつ場合にはその体

積を返し，そうでない場合には未定義となる集合関数 $Q(C)$ を考える．このとき $C = \{(x,y,z): 0 \leq x \leq 2, 0 \leq y \leq 1, 0 \leq z \leq 3\}$ ならば $Q(C) = 6$ となり，$C = \{(x,y,z): x^2 + y^2 + z^2 \geq 1\}$ ならば $Q(C)$ は未定義となる．■

ここで，以下のような表記を導入する．

$$\int_C f(x) dx$$

この記号は，関数 $f(x)$ に関する通常のリーマン積分を，1次元集合 C に含まれる点について行うことを表すものとする．なおこの記法は，例えば関数 $g(x,y)$ の2次元集合 C に含まれる点についてのリーマン積分ならば，

$$\iint_C g(x,y) dx dy$$

といった形で，順次拡張を行うことができるものとする．ただし関数や集合をうまく選ばないと，この積分はそもそも存在できないものになってしまう場合が多いことには注意が必要である．また同様に，

$$\sum_C f(x)$$

によって，$x \in C$ であるようなすべての点における $f(x)$ の総和を表すものとする．こちらの記法についても先ほどと同様に，次元数が増えた場合には

$$\sum_C \sum g(x,y)$$

で $(x,y) \in C$ であるような点における関数 $g(x,y)$ の総和を表す，といった形での拡張を行う．

例1.2.22. C を1次元空間における任意の集合とし，

$$f(x) = \begin{cases} (1/2)^x & x = 1, 2, 3, \ldots \\ 0 & \text{それ以外の場合} \end{cases}$$

である関数 $f(x)$ によって定義される関数 $Q(C) = \sum_C f(x)$ を考える．このとき，$C = \{x: 0 \leq x \leq 3\}$ であるならば，$Q(C)$ は以下のとおりとなる．

$$Q(C) = \frac{1}{2} + \left(\frac{1}{2}\right)^2 + \left(\frac{1}{2}\right)^3 = \frac{7}{8} \quad ■$$

例1.2.23.

$$f(x) = \begin{cases} p^x(1-p)^{1-x} & x = 0, 1 \\ 0 & \text{それ以外の場合} \end{cases}$$

1.2. 集合論

である関数 $f(x)$ によって定義される集合関数 $Q(C) = \sum_C f(x)$ を考える．このとき $C = \{0\}$ ならば

$$Q(C) = \sum_{x=0}^{0} p^x(1-p)^{1-x} = 1-p$$

となる．また $C = \{x : 1 \leq x \leq 2\}$ ならば，$Q(C) = f(1) = p$ である．■

例 1.2.24. 1次元集合 C に対して，

$$Q(C) = \int_C e^{-x} dx$$

と定義される関数 $Q(C)$ を考える．このとき，もし $C = \{x : 0 \leq x \leq \infty\}$ ならば

$$Q(C) = \int_0^\infty e^{-x} dx = 1$$

となり，$C = \{x : 1 \leq x \leq 2\}$ ならば

$$Q(C) = \int_1^2 e^{-x} dx = e^{-1} - e^{-2}$$

である．また $C_1 = \{x : 0 \leq x \leq 1\}, C_2 = \{x : 1 < x \leq 3\}$ であるときには，

$$\begin{aligned}Q(C_1 \cup C_2) &= \int_0^3 e^{-x} dx \\ &= \int_0^1 e^{-x} dx + \int_1^3 e^{-x} dx \\ &= Q(C_1) + Q(C_2)\end{aligned}$$

となる．これに対して $C = C_1 \cup C_2$ かつ $C_1 = \{x : 0 \leq x \leq 2\}, C_2 = \{x : 1 \leq x \leq 3\}$ であるような C を考えると，以下のとおりとなる．

$$\begin{aligned}Q(C) = Q(C_1 \cup C_2) &= \int_0^3 e^{-x} dx \\ &= \int_0^2 e^{-x} dx + \int_1^3 e^{-x} dx - \int_1^2 e^{-x} dx \\ &= Q(C_1) + Q(C_2) - Q(C_1 \cap C_2)\end{aligned}$$ ■

例 1.2.25. C を n 次元空間における任意の集合としたときの，

$$Q(C) = \int \cdots \int_C dx_1 dx_2 \cdots dx_{n-1} dx_n$$

を考える．このとき $C = \{(x_1, x_2, \ldots, x_n) : 0 \leq x_1 \leq x_2 \leq \cdots \leq x_n \leq 1\}$ であるならば，

$$Q(C) = \int_0^1 \int_0^{x_n} \cdots \int_0^{x_3} \int_0^{x_2} dx_1 dx_2 \cdots dx_{n-1} dx_n$$

$$= \frac{1}{n!}$$

となる．ただし，$n! = n(n-1)\cdots 3\cdot 2\cdot 1$ である．■

練習問題

1.2.1. 以下に示す集合 C_1, C_2 の和集合 $C_1 \cup C_2$ および積集合 $C_1 \cap C_2$ を求めよ．
(a) $C_1 = \{0, 1, 2\}, C_2 = \{2, 3, 4\}$
(b) $C_1 = \{x : 0 < x < 2\}, C_2 = \{x : 1 \leq x < 3\}$
(c) $C_1 = \{(x, y) : 0 < x < 2, 1 < y < 2\}, C_2 = \{(x, y) : 1 < x < 3, 1 < y < 3\}$

1.2.2. 以下に示す空間 $\mathcal{C}$ における，集合 C の補集合 C^c を求めよ．
(a) $\mathcal{C} = \{x : 0 < x < 1\}, C = \{x : \frac{5}{8} < x < 1\}$
(b) $\mathcal{C} = \{(x, y, z) : x^2 + y^2 + z^2 \leq 1\}, C = \{(x, y, z) : x^2 + y^2 + z^2 = 1\}$
(c) $\mathcal{C} = \{(x, y) : |x| + |y| \leq 2\}, C = \{(x, y) : x^2 + y^2 < 2\}$

1.2.3. 4つのアルファベット m, a, r, y を組み合わせて文字列を作成することを考える．ここで y が最後の文字になっているような組み合わせの集合を C_1，m が最初の文字になっているような組み合わせの集合を C_2 としたときの，C_1, C_2 の和集合および積集合をあげよ．

1.2.4. 例1.2.18を参照し，ド・モルガンの法則の (1.2.1)(1.2.2) 式をベン図によって示せ．また，ド・モルガンの法則が正しいことを証明し，これを任意の和集合と積集合について一般化することを行え．

1.2.5. ベン図を用いる場合，集合が円で表現されるのに対して，空間 $\mathcal{C}$ は集合を内包する長方形の領域として表される．このとき，以下に示す2つが等しくなることを確認せよ．なお，この性質は分配法則 (distributive law) とよばれる．
(a) $C_1 \cap (C_2 \cup C_3)$ および $(C_1 \cap C_2) \cup (C_1 \cap C_3)$
(b) $C_1 \cup (C_2 \cap C_3)$ および $(C_1 \cup C_2) \cap (C_1 \cup C_3)$

1.2.6. 集合 $C_1, C_2, C_3, \ldots$ 間に $C_k \subset C_{k+1}, k = 1, 2, 3, \ldots$ という関係が成立している場合，これを非減少な列 (nondecreasing sequence) とよぶ．非減少な集合の列の例を示せ．

1.2.7. 集合 $C_1, C_2, C_3, \ldots$ 間に $C_k \supset C_{k+1}, k = 1, 2, 3, \ldots$ という関係が成立している場合，これを非増加な列 (nonincreasing sequence) とよぶ．非増加な集合の列の例を示せ．

1.2.8. 集合 $C_1, C_2, C_3, \ldots$ 間に $C_k \subset C_{k+1}, k = 1, 2, 3, \ldots$ という関係が成立しているとき，$\lim_{k \to \infty} C_k$ は和集合 $C_1 \cup C_2 \cup C_3 \cup \cdots$ を表すことになる．以下の場合における $\lim_{k \to \infty} C_k$ を求めよ．

1.2. 集合論

(a) $C_k = \{x : 1/k \leq x \leq 3-1/k\}, k=1,2,3,\ldots$
(b) $C_k = \{(x,y) : 1/k \leq x^2+y^2 \leq 4-1/k\}, k=1,2,3,\ldots$

1.2.9. 集合 $C_1, C_2, C_3, \ldots$ 間に $C_k \supset C_{k+1}, k=1,2,3,\ldots$ という関係が成立しているとき,$\lim_{k\to\infty} C_k$ は積集合 $C_1 \cap C_2 \cap C_3 \cap \cdots$ を表すことになる.以下の場合における $\lim_{k\to\infty} C_k$ を求めよ.
(a) $C_k = \{x : 2-1/k < x \leq 2\}, k=1,2,3,\ldots$
(b) $C_k = \{x : 2 < x \leq 2+1/k\}, k=1,2,3,\ldots$
(c) $C_k = \{(x,y) : 0 \leq x^2+y^2 \leq 1/k\}, k=1,2,3,\ldots$

1.2.10. 任意の1次元集合 C に対して定義される集合関数 $Q(C) = \sum_C f(x)$ を考える.ただし $f(x)$ は $x=0,1,2,\ldots$ において $f(x) = \left(\frac{2}{3}\right)\left(\frac{1}{3}\right)^x$ であり,それ以外では0となるものとする.この関数に対して $C_1 = \{x : x=0,1,2,3\}$ および $C_2 = \{x: x=0, 1, 2, \ldots\}$ が与えられたときの,$Q(C_1), Q(C_2)$ の値を求めよ.
ヒント:$S_n = a + ar + \cdots + ar^{n-1} = a(1-r^n)/(1-r)$ であり,したがって $|r|<1$ という条件のもとでは $\lim_{n\to\infty} S_n = a/(1-r)$ となることに注意.

1.2.11. 任意の1次元集合 C に対して定義される集合関数 $Q(C) = \int_C f(x)dx$ を考える.ただし $f(x)$ は $0<x<1$ において $f(x) = 6x(1-x)$ であり,それ以外では0となるものとする.また C はそのすべての要素において,積分が成立するものとする.この関数に対して $C_1 = \{x : \frac{1}{4} < x < \frac{3}{4}\}, C_2 = \{\frac{1}{2}\}, C_3 = \{x : 0 < x < 10\}$ が与えられたときの,$Q(C_1), Q(C_2), Q(C_3)$ の値を求めよ.

1.2.12. R^2 に含まれる任意の2次元集合 C に対して定義される集合関数 $Q(C) = \iint_C (x^2+y^2) dx dy$ を考える.ただし C はそのすべての要素において,積分が成立するものとする.この関数に対して $C_1 = \{(x,y) : -1 \leq x \leq 1, -1 \leq y \leq 1\}$,$C_2 = \{(x,y) : -1 \leq x = y \leq 1\}$,$C_3 = \{(x,y) : x^2+y^2 \leq 1\}$ が与えられたときの,$Q(C_1), Q(C_2), Q(C_3)$ の値を求めよ.

1.2.13. $\mathcal{C}$ は $(0,0)$ および $(1,1)$ を対角にもつ矩形の内部,または境界線上の点の集合を表すものとする.このとき,以下に示した $C \subset \mathcal{C}$ における $Q(C) = \iint_C dy dx$ の値を求めよ.
(a) $C = \{(x,y) : 0 < x < y < 1\}$
(b) $C = \{(x,y) : 0 < x = y < 1\}$
(c) $C = \{(x,y) : 0 < x/2 \leq y \leq 3x/2 < 1\}$

1.2.14. $\mathcal{C}$ は各辺の長さが1であるような立方体の内部,あるいはその境界面上の点の集合であるとする.加えてこの立方体の第1オクタントは片方の頂点を $(0,0,0)$ に,反対側の頂点を $(1,1,1)$ においているものと考える.このとき,以下に示した $C \subset \mathcal{C}$ における $Q(C) = \iiint_C dx dy dz$ の値を求めよ.

(a) $C = \{(x, y, z) : 0 < x < y < z < 1\}$
(b) $C = \{(x, y, z) : 0 < x = y = z < 1\}$

1.2.15. $C = \{(x,y,z) : x^2 + y^2 + z^2 \leq 1\}$ であるときの $Q(C) = \iiint_C \sqrt{x^2 + y^2 + z^2} \, dxdydz$ の値を求めよ.
ヒント：極座標を利用せよ.

1.2.16. あるクラブに入会するためには，統計学者か数学者のいずれかでなければならない．クラブの会員 25 人のうち，19 人が統計学者であり，16 人が数学者である．このとき会員のうち何人が，統計学者であると同時に数学者であるか．

1.2.17. 激しいサッカーの試合が終わり，試合開始時に 11 人いた選手のうち，8 人が腰を，6 人が腕を，5 人が膝を傷めた．また，3 人は腰と腕を，2 人は腰と膝を，1 人は腕と膝を傷めたのに対して，3 ヶ所すべてを傷めた選手はいなかった．果たして，以上の報告は正確なものだろうか．

1.3 確率集合関数

$\mathcal{C}$ を標本空間とする．このとき事象の集まりとはどのようであるべきだろうか．1.2 節で論じたように，事象や余事象の他に和事象や積事象 (つまり事象の結合) に確率を付与することにも関心は向けられる．したがって，事象の全体を考えるとき，これらの事象の組み合わせが含まれる必要がある．このような事象の全体は，$\mathcal{C}$ の部分集合の σ 集合体とよばれ，次のように定義される．

> **定義 1.3.1 (σ 集合体).**
> $\mathcal{C}$ の部分集合の集まりを $\mathcal{B}$ とする．もし次が満たされるならば，$\mathcal{B}$ は σ 集合体 (σ–field) である．
> (1). $\phi \in \mathcal{B}$ ($\mathcal{B}$ は空集合ではない)
> (2). もし $C \in \mathcal{B}$ ならば，$C^c \in \mathcal{B}$ ($\mathcal{B}$ が補集合に対して閉じている)
> (3). 集合の列 $\{C_1, C_2, \ldots\}$ が $\mathcal{B}$ に含まれるとき，$\bigcup_{i=1}^{\infty} C_i \in \mathcal{B}$ (つまり $\mathcal{B}$ は可算個の和に対して閉じている)

(1), (2) から σ 集合体は常に ϕ と $\mathcal{C}$ を含むことに注意せよ．また，(2) と (3) によってド・モルガンの法則から σ 集合体は可算個の和に加えて可算個の積についても閉じていることが導かれる．これは事象の全体を扱ううえで必要とされることである．混乱を避けるため，次の同値性に注意されたい．すなわち，$C \subset \mathcal{C}$ とすると，「C が事象であるという命題は，$C \in \mathcal{B}$ と同値である．」本書ではこれらの表現を同じ意味として用いることとする．

次に，σ 集合体の例をいくつか示そう．
1. $\mathcal{C}$ を任意の集合とし，$C \subset \mathcal{C}$ とする．このとき $\mathcal{B} = \{C, C^c, \phi, \mathcal{C}\}$ は σ 集合体で

1.3. 確率集合関数

ある.
2. $\mathcal{C}$ を任意の集合とし, $\mathcal{B}$ を $\mathcal{C}$ のベキ集合 ($\mathcal{C}$ のすべての部分集合の集まり) とする. このとき $\mathcal{B}$ は σ 集合体である.
3. $\mathcal{D}$ が $\mathcal{C}$ の部分集合の空でない集まりと仮定し, 事象の結合

$$\mathcal{B} = \cap \{\mathcal{E} : \mathcal{D} \subset \mathcal{E} \text{ かつ } \mathcal{E} \text{ が } \sigma \text{ 集合体}\} \tag{1.3.1}$$

を考える. 練習問題 1.3.20 が示すように, $\mathcal{B}$ は σ 集合体である. それは $\mathcal{D}$ を含む最小の σ 集合体であり, したがって, しばしば $\mathcal{D}$ によって生成される σ 集合体として言及される.
4. $\mathcal{C} = R$ とする. ここで, R はすべての実数の集合である. $\mathcal{I}$ を R のすべての開区間の集合とし,

$$\mathcal{B}_0 = \cap \{\mathcal{E} : \mathcal{I} \subset \mathcal{E} \text{ かつ } \mathcal{E} \text{ が } \sigma \text{ 集合体}\} \tag{1.3.2}$$

とする. この σ 集合体 $\mathcal{B}_0$ はしばしば実数直線上のボレル (Borel) σ 集合体とよばれる. 練習問題 1.3.21 が示すように, これは実数の開区間だけでなく閉区間, 半開区間も含む. ボレル σ 集合体は重要な σ 集合体である.

標本空間 $\mathcal{C}$ と事象の全体 $\mathcal{B}$ が定義されたので, 確率空間の第3の要素, つまり確率集合関数を定義することができる. その定義を具体的に動機づけるために, 確率に対する相対頻度的なアプローチを考えよう.

注意 1.3.1. 確率の定義は3つの公理からなり, それらは次に示す相対頻度の3つの直感的な性質を動機としている.

C をある事象とする. 確率実験を N 回繰り返すとすると, C の相対的な頻度は $f_C = \#\{C\}/N$ である. ここで, $\#\{C\}$ は N 回の繰り返しの中で C が起こった回数を表す. $f_C \geq 0$ かつ $f_C \leq 1$ であることに注意しよう. これらが最初の2つの性質である. 3つめの性質の考察のために, C_1 と C_2 という互いに素な事象を考える. このとき $f_{C_1 \cup C_2} = f_{C_1} + f_{C_2}$ である. これら3つの相対頻度の性質が確率の公理を形成している. ただし, 第3の性質は可算個の和事象の観点からのものとなる. 確率の公理と同様に, 以下で証明する確率に関する定理が相対頻度の直感的な真実と合致するかを確認されたい. ∎

定義 1.3.2 (確率).
$\mathcal{C}$ をある標本空間とし, $\mathcal{B}$ を $\mathcal{C}$ 上の σ 集合体とする. P を $\mathcal{B}$ 上で定義される実数値関数とする. 次の3つの条件が満たされるとき, P は確率集合関数 (probability set function) である.
  1. $P(C) \geq 0$, $C \in \mathcal{B}$
  2. $P(\mathcal{C}) = 1$
  3. もし $\{C_n\}$ が $\mathcal{B}$ に含まれる集合の列で, かつすべての $m \neq n$ について $C_m \cap$

$C_n = \phi$ ならば，
$$P\left(\bigcup_{n=1}^{\infty} C_n\right) = \sum_{n=1}^{\infty} P(C_n)$$

確率集合関数は，事象の集合 $\mathcal{B}$ にわたって確率がどのように分布しているかを与えるものである．この意味においてここでは確率の分布を議論する．今後しばしば，集合という表記を除き P を確率関数として言及する場合がある．

確率集合関数の他のいくつかの性質は以下の定理に示される．これらの定理のそれぞれの命題においては，特に言明しなくとも，$P(C)$ は標本空間 $\mathcal{C}$ における σ 集合体 $\mathcal{B}$ 上で定義された確率集合関数とする．

定理 1.3.1.
各事象 $C \in \mathcal{B}$ について，$P(C) = 1 - P(C^c)$ である．

証明 $\mathcal{C} = C \cup C^c$ であり，$C \cap C^c = \phi$ である．したがって，定義 1.3.2 の (2), (3) から
$$1 = P(C) + P(C^c)$$
が導かれ，これは求める結果である．■

定理 1.3.2.
空集合の確率は 0，つまり，$P(\phi) = 0$ である．

証明 定理 1.3.1 において $C = \phi$ とすると $C^c = \mathcal{C}$ である．したがって，
$$P(\phi) = 1 - P(\mathcal{C}) = 1 - 1 = 0$$
であり，定理は証明された．■

定理 1.3.3.
もし C_1 と C_2 が $C_1 \subset C_2$ であるような事象ならば，$P(C_1) \leq P(C_2)$ である．

証明
いま，$C_2 = C_1 \cup (C_1^c \cap C_2)$ かつ $C_1 \cap (C_1^c \cap C_2) = \phi$ と変形する．すると定義 1.3.2 から，
$$P(C_2) = P(C_1) + P(C_1^c \cap C_2)$$
となる．定義 1.3.2 の (1) から $P(C_1^c \cap C_2) \geq 0$ であり，したがって，$P(C_2) \geq P(C_1)$ である．■

1.3. 確率集合関数

> **定理 1.3.4.**
> 各事象 $C \in \mathcal{B}$ に対して $0 \leq P(C) \leq 1$ である.

証明 $\phi \subset C \subset \mathcal{C}$ であるから, 定理 1.3.3 から

$$P(\phi) \leq P(C) \leq P(\mathcal{C}), \qquad 0 \leq P(C) \leq 1$$

であり, 求める結果を得る. ■

確率の定義の (3) は, もし C_1 と C_2 が互いに素, つまり $C_1 \cap C_2 = \phi$ ならば, $P(C_1 \cup C_2) = P(C_1) + P(C_2)$ であることを述べている. 次の定理は任意の 2 つの事象についての法則を与える.

> **定理 1.3.5.**
> もし C_1 と C_2 が $\mathcal{C}$ に含まれる事象ならば,
> $$P(C_1 \cup C_2) = P(C_1) + P(C_2) - P(C_1 \cap C_2)$$

証明 $C_1 \cup C_2$ と C_2 の各事象は, それぞれ共通要素をもたない集合の和として

$$C_1 \cup C_2 = C_1 \cup (C_1^c \cap C_2), \qquad C_2 = (C_1 \cap C_2) \cup (C_1^c \cap C_2)$$

のように再表現できる. したがって, 定義 1.3.2 の (3) から

$$P(C_1 \cup C_2) = P(C_1) + P(C_1^c \cap C_2)$$

であり,

$$P(C_2) = P(C_1 \cap C_2) + P(C_1^c \cap C_2)$$

である. 2 番目の式を $P(C_1^c \cap C_2)$ について解き, この結果を 1 番目の式に代入すると

$$P(C_1 \cup C_2) = P(C_1) + P(C_2) - P(C_1 \cap C_2)$$

を得る. これで題意は証明された. ■

注意 1.3.2 (包除公式). 練習問題 1.3.9 のように,

$$P(C_1 \cup C_2 \cup C_3) = p_1 - p_2 + p_3$$

を示すことは容易である. ここで,

$$\begin{aligned}
p_1 &= P(C_1) + P(C_2) + P(C_3) \\
p_2 &= P(C_1 \cap C_2) + P(C_1 \cap C_3) + P(C_2 \cap C_3) \\
p_3 &= P(C_1 \cap C_2 \cap C_3)
\end{aligned} \qquad (1.3.3)$$

である. これは包除公式 (inclusion–exclusion formula)

$$P(C_1 \cup C_2 \cup \cdots \cup C_k) = p_1 - p_2 + p_3 - \cdots + (-1)^{k+1} p_k \tag{1.3.4}$$

に一般化可能である．ここで，p_i は i 番目の集合を含んだすべての可能な積の確率の和である．$k=3$ の場合 $p_1 \geq p_2 \geq p_3$ であることは明らかであるが，より一般的には $p_1 \geq p_2 \geq \cdots \geq p_k$ である．定理 1.3.7 に示されるように

$$p_1 = P(C_1) + P(C_2) + \cdots + P(C_k) \geq P(C_1 \cup C_2 \cup \cdots \cup C_k)$$

である．これはブールの不等式 (Boole's inequality) として知られている．$k=2$ に対しては

$$1 \geq P(C_1 \cup C_2) = P(C_1) + P(C_2) - P(C_1 \cap C_2)$$

であり，ここからボンフェローニの不等式 (Bonferroni's inequality)

$$P(C_1 \cap C_2) \geq P(C_1) + P(C_2) - 1 \tag{1.3.5}$$

が導かれる．これは $P(C_1)$ と $P(C_2)$ が大きい場合にのみ有用である．その他の有益な不等式も包除公式から導かれる．例えば，

$$p_1 \geq P(C_1 \cup C_2 \cup \cdots \cup C_k) \geq p_1 - p_2$$

などや

$$p_1 - p_2 + p_3 \geq P(C_1 \cup C_2 \cup \cdots \cup C_k) \geq p_1 - p_2 + p_3 - p_4$$

などである．

包除公式の符号問題に対する興味深い応用は練習問題 1.3.10 で提供される．■

例 1.3.1. $\mathcal{C}$ を例 1.1.2 の標本空間を表すものとする．確率集合関数によって $\mathcal{C}$ に含まれる 36 の標本点の各々に確率 $\frac{1}{36}$ を付与する．つまり，サイコロに歪みはないとする．いま，$C_1 = \{(1,1),(2,1),(3,1),(4,1),(5,1)\}$，$C_2 = \{(1,2),(2,2),(3,2)\}$ ならば，$P(C_1) = \frac{5}{36}$，$P(C_2) = \frac{3}{36}$ であり，$P(C_1 \cup C_2) = \frac{8}{36}$，$P(C_1 \cap C_2) = 0$ である．■

例 1.3.2. 2 枚の硬貨を投げ，順序づけられた 2 枚の結果 (1 枚目の硬貨の上面と 2 枚目の硬貨の上面) を考える．このとき標本空間は $\mathcal{C} = \{(H,H),(H,T),(T,H),(T,T)\}$ として表される．確率集合関数により $\mathcal{C}$ の各事象に $\frac{1}{4}$ という確率が付与されるものとし，$C_1 = \{(H,H),(H,T)\}$，$C_2 = \{(H,H),(T,H)\}$ とする．このとき，$P(C_1) = P(C_2) = \frac{1}{2}$，$P(C_1 \cap C_2) = \frac{1}{4}$ となり，定理 1.3.5 により $P(C_1 \cup C_2) = \frac{1}{2} + \frac{1}{2} - \frac{1}{4} = \frac{3}{4}$ である．■

$\mathcal{C}$ を標本空間とし，$C_1, C_2, C_3, \ldots$ で $\mathcal{C}$ の事象を表す．もしこれらの事象が共通の要素を同時にもたないのであれば，それらは互いに素な集合とよばれ，対応する事象 $C_1, C_2, C_3, \ldots$ は互いに排反な事象 (mutually exclusive events) とよばれる．このとき定義 1.3.2 に従って $P(C_1 \cup C_2 \cup C_3 \cup \cdots) = P(C_1) + P(C_2) + P(C_3) + \cdots$ である．さらに，もし $\mathcal{C} = C_1 \cup C_2 \cup C_3 \cup \cdots$ ならば，互いに排反な事象はすべての場合を

1.3. 確率集合関数

尽くしている (exhaustive) として特徴づけられ，それらの和事象の確率は明らかに1に等しい．

例 1.3.3 (同様に確からしい場合). k 個の部分集合の和が標本空間 $\mathcal{C}$ となるよう $\mathcal{C}$ を互いに素な部分集合 $C_1, C_2, \ldots, C_k$ に分割する．このとき，事象 $C_1, C_2, \ldots, C_k$ は互いに排反であり，かつ，すべての場合を尽くしている．互いに排反ですべての場合を尽くしている事象 $C_i, i = 1, 2, \ldots, k$ のそれぞれが同じ確率をもつことを「仮定」することが妥当であるような確率実験を考えよう．このとき，必然的に $P(C_i) = 1/k$, $i = 1, 2, \ldots, k$ であり，このような場合，事象 $C_1, C_2, \ldots, C_k$ は同様に確からしい (equally likely) という．事象 E をこれら互いに排反な事象の r 個の和集合とする．例えば，

$$E = C_1 \cup C_2 \cup \cdots \cup C_r, \quad r \leq k$$

である．このとき

$$P(E) = P(C_1) + P(C_2) + \cdots + P(C_r) = \frac{r}{k}$$

である．整数 k はしばしば ($\mathcal{C}$ のある特定の分割において) 確率実験が終結する全体の場合の数とよばれる．また，整数 r は事象 E を満たす場合の数とよばれる．したがって，この用語に従えば $P(E)$ は実験が事象 E を満たす場合の数を実験が終わる全体の場合の数で割ったものと等しい．ただし，次のことは強調しておく必要がある．すなわち，「この方法で」事象 E に確率 r/k を付与するためには，互いに排反ですべての場合を尽くしている事象 $C_1, C_2, \ldots, C_k$ が同じ確率 $1/k$ であることを仮定しなければならない．このとき同様に確からしい事象の上記の仮定は確率モデルの一部となる．実際場面でこの仮定がもしも現実的でないならば，事象 E の確率をこの方法で計算することができないのは明らかである．■

同様に確からしい場合を説明するために，いくつかの初等的な数え上げ規則を用いることは有用である．通常これらは初等代数の課程で議論されるものである．次の注意ではこれらの規則について概説する．

注意 1.3.3 (数え上げ規則). 2つの確率実験を考える．1番目の実験では m 個，2番目の実験では n 個の結果を観測する．1番目の実験に続いて2番目の実験を行うような複合実験では，mn 個の順序のある組として表される mn 個の結果がある．これは積の法則 (multiplication rule)，あるいは mn 法則 (mn–rule) とよばれる．これは容易に2つ以上の実験に拡張される．

A を n 要素の集合とする．含む要素が A の要素であるような k 組の結果に興味があると仮定すると，そのような k 組の種類は積の法則の拡張から $n \cdot n \cdots n = n^k$ 個あることになる．次に，$k \leq n$ として，A の異なる (復元のない) 要素から構成される k 組を考える．最初の要素を選ぶのに n 要素あり，次の要素の候補に $n-1, \ldots,$ k 番目として $n-(k-1)$ あることになる．したがって，積の法則から，このような異なる要素をもつ k 組の種類は $n(n-1) \cdots (n-(k-1))$ ある．このような k 組を順列

(permutation) とよび，n 要素からなる集合から k 個の順列をとることを表すのに P_k^n という記号を用いる．以上から次の公式を得る．

$$P_k^n = n(n-1)\cdots(n-(k-1)) = \frac{n!}{(n-k)!} \tag{1.3.6}$$

次に，順番は重要でなく順列の総数を数え上げるかわりに，A からの k 要素からなる部分集合の数を数えたい状況を考えよう．これらの部分集合の総数を表すのに記号 $\binom{n}{k}$ を用いることとする．A からの k 要素から構成される部分集合を考える．この集合は順列の公式によって $P_k^k = k(k-1)\cdots 1$ 種類の順列があることになる．さらに，これらすべての順列は A からの k 要素からなる他の部分集合から生成される順列とは異なっている．最終的に，A から抽出された異なる k 要素の順列のそれぞれはこれらの部分集合のひとつから生成されるはずであるから，$P_k^n = \binom{n}{k} k!$ を得る．つまり，

$$\binom{n}{k} = \frac{n!}{k!(n-k)!} \tag{1.3.7}$$

である．部分集合のかわりに組み合わせという用語がしばしば用いられる．したがって，n 要素の集合から k 要素をとる場合には，$\binom{n}{k}$ の組み合わせ (combination) がある，という．$\binom{n}{k}$ の他によく使われるもうひとつの記号は C_k^n である．

興味深いことに 2 項式

$$(a+b)^n = (a+b)(a+b)\cdots(a+b)$$

を展開すると

$$(a+b)^n = \sum_{k=0}^{n} \binom{n}{k} a^k b^{n-k} \tag{1.3.8}$$

となる．この理由は，$\binom{n}{k}$ 通りの a のとり方から k の因数を選ぶことができるからである．したがって，$\binom{n}{k}$ は 2 項係数 (binomial coefficient) ともよばれる．■

例 1.3.4 (ポーカーの手札). よくきられた 52 枚 1 組のトランプから無作為にカードを引く状況を考えよう．標本空間 $\mathcal{C}$ は $k = 52$ 通りの結果の和であり，こららの結果の各々が等しい確率 $\frac{1}{52}$ であると仮定することは妥当である．したがって，E_1 をスペードであるという結果の集合とすると $P(E_1) = \frac{13}{52} = \frac{1}{4}$ である．トランプの 1 組には $r_1 = 13$ のスペードがあるからである．つまり，引いたカードがスペードである確率は $\frac{1}{4}$ である．もし E_2 をキングである結果の集合とするならば，トランプには $r_2 = 4$ のキングがあるので $P(E_2) = \frac{4}{52} = \frac{1}{13}$ である．つまり，$\frac{1}{13}$ がキングを引く確率である．適切な r や k を決めるのに何の困難もないため，これらの計算は非常に簡単である．

一方，カードを 1 枚引くのではなく，5 枚のカードをトランプの山に戻さずにランダムに引く状況を考える．つまり 5 枚カードのポーカーの手札である．この例では順序は重要ではないから，手札は 52 の要素からなる集合から抽出された要素 5 の部分

1.3. 確率集合関数

集合である．したがって，(1.3.7) 式からポーカーの手札は $\binom{52}{5}$ 通りある．もしトランプがよくきられているのであれば，各手札は同様に確からしいはずである．つまりそれぞれの確率は $1/\binom{52}{5}$ である．これで，いくつか有名な手役の確率を計算できる準備が整った．E_1 をフラッシュ (5枚のカードがすべて同じスート[1]) という事象とする．スートの選択に $\binom{4}{1}=4$ 通り，各スートで $\binom{13}{5}$ 通りの可能な手札がある．したがって，積の法則を用いると，手札がフラッシュとなる確率は

$$P(E_1) = \frac{\binom{4}{1}\binom{13}{5}}{\binom{52}{5}} = \frac{4 \cdot 1287}{2598960} = 0.00198$$

である．実際のポーカーをしたことがある人ならば気づくであろうが，この確率はストレートフラッシュの確率も含んでいる．

次に，ある数字のカードを3枚得る (その他の2枚は違うカードで異なる数字である) 事象 E_2 の確率を考えよう．どの数字かで $\binom{13}{1}$ 通り，同じ数字の3枚のカードを選ぶのに $\binom{4}{3}$ 通り，その他の種類から2枚のカードを引くのが $\binom{12}{2}$ 通り，その種類をそれぞれスートから1枚引くので $\binom{4}{1}\binom{4}{1}$ 通りある．したがって，ある数字をちょうど3枚引く確率は

$$P(E_2) = \frac{\binom{13}{1}\binom{4}{3}\binom{12}{2}\binom{4}{1}^2}{\binom{52}{5}} = 0.0211$$

となる．

いま，E_3 をちょうど3枚のカードがキングで2枚のカードがクイーンである結果の集合とする．キングを選ぶのは $\binom{4}{3}$ 通りであり，クイーンを選ぶのは $\binom{4}{2}$ 通りである．したがって E_3 の確率は

$$P(E_3) = \binom{4}{3}\binom{4}{2} / \binom{52}{5} = 0.0000093$$

である．事象 E_3 は3枚がある同じ種類，2枚が別の同じ種類であるフルハウスという手札の例である．練習問題 1.3.19 ではフルハウスの確率を決めることが要求される．■

例 1.3.4 と先の議論によって，確率集合関数，つまり定義 1.3.2 の要求を満たす集合関数を定義できるひとつの方法を検討することができる．k 個の異なる標本点からなる空間 $\mathcal{C}$ を考えよう．ここでの議論のため1次元空間を考える．これらの k 個の標本点のひとつで確率実験が終了し，各点が同様に確からしいと仮定することが妥当であるとき，それぞれの点に $1/k$ を付与することができる．また，$C \subset \mathcal{C}$ に対して

$$P(C) = \frac{C に属する標本点の数}{k}$$

---

[1] ♣ や ♡ などトランプの種類のこと．

$$= \sum_{x \in C} f(x), \quad \text{ここで} \quad f(x) = \frac{1}{k}, \; x \in C$$

とする．

　説明のためにサイコロを投げる状況を想定すると，サイコロに偏りがないとするならば $C = \{1, 2, 3, 4, 5, 6\}$ であり，$f(x) = \frac{1}{6}, \; x \in C$ とすることができる．明らかに，このような集合関数は定義 1.3.2 を満たす．

　この説明における「偏りがない」という用語は 6 つの標本点のすべてが同様に確からしくは「ない」かもしれない可能性を示唆している．実際に「いかさま」サイコロというものが存在する．いかさまサイコロの場合，サイコロを投げ続けると，ある目は他の目に比べてより出やすい．例えば，サイコロに細工がされていて，「上側」の目の数に比例して C における出る目の相対頻度が「安定するかのよう」である状況を考えよう．このとき，$f(x) = x/21, x \in C$ を割り当て，対応する確率

$$P(C) = \sum_{x \in C} f(x)$$

が定義 1.3.2 を満たすようにする．これは例えば，$C = \{1, 2, 3\}$ のとき，

$$P(C) = \sum_{x=1}^{3} f(x) = \frac{1}{21} + \frac{2}{21} + \frac{3}{21} = \frac{6}{21} = \frac{2}{7}$$

を意味している．この確率集合関数が現実的であるかどうかは大規模な確率実験を行うことによってのみ確かめることができる．

　本節の最後に，後の節で有用なその他の確率の性質を示す．練習問題 1.2.6 では，事象の列 $\{C_n\}$ に対して，すべての n に対して $C_n \subset C_{n+1}$ であるならば，これを非減少な列とよび，$\lim_{n \to \infty} C_n = \cup_{n=1}^{\infty} C_n$ と表記した．$\lim_{n \to \infty} P(C_n)$ を考えると，この極限をとる操作と確率とを入れ換え可能であるかが問題となる．続く定理において，この問いへの答えは入れ換え可能であるということが示される．結果は非増加な事象の連なりについても成り立つ．この交換可能性から，この定理はしばしば確率の連続性に関する定理 (continuity theorem of probability) とよばれる．

定理 1.3.6.

$\{C_n\}$ を非減少な事象の列とする．このとき

$$\lim_{n \to \infty} P(C_n) = P(\lim_{n \to \infty} C_n) = P\left(\bigcup_{n=1}^{\infty} C_n \right) \tag{1.3.9}$$

である．また，$\{C_n\}$ を非増加な事象の列とすると

$$\lim_{n \to \infty} P(C_n) = P(\lim_{n \to \infty} C_n) = P\left(\bigcap_{n=1}^{\infty} C_n \right) \tag{1.3.10}$$

1.3. 確率集合関数

証明 (1.3.9) 式を証明し, 2 番目の結果は練習問題 1.3.22 として読者に任せることとする.

環 (ring) とよばれる集合を $R_1 = C_1$, かつ, $n > 1$ に対して $R_n = C_n \cap C_{n-1}^c$ と定義する. ここから $\bigcup_{n=1}^{\infty} C_n = \bigcup_{n=1}^{\infty} R_n$, かつ, $m \neq n$ に対して $R_m \cap R_n = \phi$ が成り立つ. また, $P(R_n) = P(C_n) - P(C_{n-1})$ である. 確率の第 3 公理を適用すると次の同値関係が導かれる.

$$P\left[\lim_{n\to\infty} C_n\right] = P\left(\bigcup_{n=1}^{\infty} C_n\right) = P\left(\bigcup_{n=1}^{\infty} R_n\right) = \sum_{n=1}^{\infty} P(R_n) = \lim_{n\to\infty} \sum_{j=1}^{n} P(R_j)$$

$$= \lim_{n\to\infty} \{P(C_1) + \sum_{j=2}^{n} [P(C_j) - P(C_{j-1})]\} = \lim_{n\to\infty} P(C_n)$$

(1.3.11)

これで定理は証明された. ∎

定理 1.3.7 (ブールの不等式).
$\{C_n\}$ を事象の任意の列とする. このとき

$$P\left(\bigcup_{n=1}^{\infty} C_n\right) \leq \sum_{n=1}^{\infty} P(C_n) \qquad (1.3.12)$$

が成り立つ.

証明 $D_n = \bigcup_{i=1}^{n} C_i$ とすると, $\{D_n\}$ は非減少な事象の列であり, $\bigcup_{n=1}^{\infty} C_n$ に至る. またすべての j について $D_j = D_{j-1} \cup C_j$ である. したがって, 定理 1.3.5 より

$$P(D_j) \leq P(D_{j-1}) + P(C_j)$$

であり,

$$P(D_j) - P(D_{j-1}) \leq P(C_j)$$

である. この場合, (1.3.11) 式の各 C_i を D_i で置き換えればよい. このとき, この表現での上述の不等式と $P(C_1) = P(D_1)$ という事実を用いて

$$P\left(\bigcup_{n=1}^{\infty} C_n\right) = P\left(\bigcup_{n=1}^{\infty} D_n\right) = \lim_{n\to\infty} \left\{P(D_1) + \sum_{j=2}^{n} [P(D_j) - P(D_{j-1})]\right\}$$

$$\leq \lim_{n\to\infty} \sum_{j=1}^{n} P(C_j) = \sum_{n=1}^{\infty} P(C_n)$$

が導かれ, 定理は証明された. ∎

練習問題

1.3.1. サイコロを振って 1 から 6 までの正の整数を選ぶ．このとき，標本空間 $\mathcal{C}$ の要素 c は $1,2,3,4,5,6$ である．$C_1 = \{1,2,3,4\}$, $C_2 = \{3,4,5,6\}$ とする．確率集合関数 P によって $\mathcal{C}$ の要素の各々に確率 $\frac{1}{6}$ が付与されるとき，$P(C_1)$, $P(C_2)$, $P(C_1 \cap C_2)$，それから $P(C_1 \cup C_2)$ を計算せよ．

1.3.2. 52 枚で 1 組の通常のトランプからカードを引く確率実験を考える．可能な 52 通りの結果に対して確率集合関数 P により $\frac{1}{52}$ の確率が付与されるとする．C_1 によって 13 枚のハートの全体を表し，C_2 によって 4 枚のキングを表す．$P(C_1)$, $P(C_2)$, $P(C_1 \cap C_2)$, $P(C_1 \cup C_2)$ を計算せよ．

1.3.3. 表が出るまで硬貨を投げ続ける．このとき，標本空間 $\mathcal{C}$ の要素 c は H, TH, TTH, $TTTH$, 以下同様に続く結果である．これらの要素にそれぞれ確率 $\frac{1}{2}$, $\frac{1}{4}$, $\frac{1}{8}$, $\frac{1}{16}$ など，を確率集合関数 P によって割り当てる．このとき，$P(\mathcal{C}) = 1$ であることを示せ．また，$C_1 = \{c : c \text{ は } H, TH, TTH, TTTH, TTTTH\}$ とするとき $P(C_1)$ を計算せよ．次に，$C_2 = \{c : c \text{ は } TTTTH, TTTTTH\}$ とする．$P(C_2)$, $P(C_1 \cap C_2)$，それから $P(C_1 \cup C_2)$ を計算せよ．

1.3.4. 標本空間が $\mathcal{C} = C_1 \cup C_2$ で $P(C_1) = 0.8$ と $P(C_2) = 0.5$ であるとき，$P(C_1 \cap C_2)$ はいくらか．

1.3.5. 標本空間を $\mathcal{C} = \{c : 0 < c < \infty\}$ とする．$C \subset \mathcal{C}$ を $C = \{c : 4 < c < \infty\}$ で定義し，$P(C) = \int_C e^{-x} dx$ とする．$P(C)$, $P(C^c)$, ならびに $P(C \cup C^c)$ を求めよ．

1.3.6. 標本空間が $\mathcal{C} = \{c : -\infty < c < \infty\}$ で $C \subset \mathcal{C}$ が積分 $\int_C e^{-|x|} dx$ が存在するような集合とするとき，この集合関数は確率集合関数ではないことを示せ．また，これを確率集合関数とするためにはどのような定数を掛けたらよいか．

1.3.7. C_1 と C_2 が標本空間 $\mathcal{C}$ の部分集合であるとき，以下を示せ．

$$P(C_1 \cap C_2) \leq P(C_1) \leq P(C_1 \cup C_2) \leq P(C_1) + P(C_2)$$

1.3.8. C_1, C_2, C_3 を 3 つの互いに素な標本空間 $\mathcal{C}$ の部分集合とする．$P[(C_1 \cup C_2) \cap C_3]$ と $P(C_1^c \cup C_2^c)$ を求めよ．

1.3.9. 注意 1.3.2 の状況を考える．
(a) C_1, C_2, C_3 が $\mathcal{C}$ の部分集合であるとき以下を示せ．

$$P(C_1 \cup C_2 \cup C_3) = P(C_1) + P(C_2) + P(C_3) - P(C_1 \cap C_2)$$
$$- P(C_1 \cap C_3) - P(C_2 \cap C_3) + P(C_1 \cap C_2 \cap C_3)$$

(b) (1.3.4) 式で与えた一般的な包除公式を証明せよ．

1.3. 確率集合関数

1.3.10. よくきった2組の通常のトランプを同時にひっくり返す. 例えばスペードのクイーンに対してスペードのクイーンのようにそれぞれのトランプの山から同じカードが現れ, 正確に一致するとしよう. p_M を少なくとも1回正確に一致する確率とすると

(a) 以下の式が成り立つことを示せ.

$$p_M = 1 - \frac{1}{2!} + \frac{1}{3!} - \frac{1}{4!} + \cdots - \frac{1}{52!}$$

ヒント: 合致が i 順目に生起したという事象を C_i で表す. このとき $p_M = P(C_1 \cup C_2 \cup \cdots \cup C_{52})$ である. ここで (1.3.4) 式の一般的な包除公式を用いる. その際に, $P(C_i) = 1/52$ であり, したがって, $p_1 = 52(1/52) = 1$ であること, また, $P(C_i \cap C_j) = 50!/52!$ であり, したがって, $p_2 = \binom{52}{2}/(52 \cdot 51)$ であることに注意せよ.

(b) p_m が近似的に $1 - e^{-1} = 0.632$ に等しいことを示せ.

注意 1.3.4. 多くの演習問題を解くうえで, (1.3.11) から (1.3.19) 式のような, 特定の妥当な仮定をおかなければならない. ∎

1.3.11. 容器に16のチップが入っており, そのうち6つは赤, 7つは白, 3つは青である. 4つを無作為に容器に戻さず抽出するとき, 次の確率を求めよ. (a)4つそれぞれが赤である. (b)4つのうちどれも赤でない. (c)それぞれの色のうち少なくとも1つが含まれている.

1.3.12. 発売された宝くじ1000枚のうち, ある人が10枚を購入した. 5人の当たりを決めるため, 戻さず無作為に5枚のくじが抽選される. この人が少なくとも1つ当たりを得る確率を求めよ.
ヒント: 最初に1つも当たらない確率を計算せよ.

1.3.13. 場に戻すことなく無作為にカードを配り, 13カードブリッジの手札が次のようになる確率を計算せよ. (a)6枚がスペード, 4枚がハート, 2枚がダイヤモンドで1枚がクラブ. (b)13枚すべて同じスート.

1.3.14. 最初の20個の正の整数から無作為に3つの異なる整数を選ぶ. 次の確率を計算せよ. (a)3つの整数の和が偶数. (b) 積が偶数.

1.3.15. 5つの赤いチップと3つの青いチップが容器の中にある. 赤いチップはそれぞれ1,2,3,4,5と番号がふられており, 青はそれぞれ1,2,3となっている. 2つのチップを無作為に非復元抽出するとき, これらのチップが同じ番号か同じ色である確率を求めよ.

1.3.16. 50個の電球のうち, 不良品が2つある. いま検査員が無作為に選んだ電球を戻すことなく5つ検査する.
(a) 5個のうち少なくとも1つが欠陥品である確率を求めよ.

(b) 少なくとも 1 つ不良電球を見つける確率が $\frac{1}{2}$ を超えるためにはいくつの電球を検査する必要があるか.

1.3.17. $C_1,\ldots,C_k$ が標本空間 $\mathcal{C}$ の k 個の事象であるとき, 少なくとも 1 つの事象が起こる確率は, 1 から事象のいずれも生起しない確率を引いた値であること, つまり

$$P(C_1\cup\cdots\cup C_k)=1-P(C_1^c\cap\cdots\cap C_k^c) \tag{1.3.13}$$

が成り立つことを証明せよ.

1.3.18. 3 つの便箋とそれらに対応する封筒がある. 急いでいるため各封筒に各便箋をランダムに入れた. 少なくとも 1 つの便箋が正しい封筒に入っている確率はいくらか.
ヒント: C_i を i 番目の便箋が正しい封筒に入っている事象とする. $P(C_1\cup C_2\cup C_3)$ を展開し求める確率を計算せよ.

1.3.19. 例 1.3.4 で述べたように, よくきられた 1 組のトランプから引かれたポーカーの手札を考える. フルハウス, つまり 3 枚が同じ 1 つの数字で 2 枚が他の種類で同じである手札の確率を求めよ.

1.3.20. $\mathcal{D}$ を $\mathcal{C}$ の部分集合の空でない集まりと仮定する. 事象の全体

$$\mathcal{B}=\cap\{\mathcal{E}:\mathcal{D}\subset\mathcal{E}\text{ かつ }\mathcal{E}\text{ は }\sigma\text{ 集合体}\}$$

を考える. $\phi\in\mathcal{B}$ であることに注意せよ. なぜなら, ϕ はそれぞれの σ 集合体に含まれ, したがって, 特にこれは各々の σ 集合体 $\mathcal{E}\supset\mathcal{D}$ に含まれるからである. 同様に続けて $\mathcal{B}$ が σ 集合体であることを示せ.

1.3.21. $\mathcal{C}=R$ とする. ここで R はすべての実数の集合である. また, $\mathcal{I}$ を R のすべての開区間とする. (1.3.2) 式から実数直線上のボレル σ 集合体を考える. つまり

$$\mathcal{B}_0=\cap\{\mathcal{E}:\mathcal{I}\subset\mathcal{E}\text{ かつ }\mathcal{E}\text{ は }\sigma\text{ 集合体}\}$$

によって与えられる σ 集合体 $\mathcal{B}_0$ である. 定義より $\mathcal{B}_0$ は開区間を含む. $[a,\infty)=(-\infty,a)^c$ であり, $\mathcal{B}_0$ は補集合について閉じているので, $a\in R$ について $[a,\infty)$ の形式のすべての区間を含むことになる. このようにして $\mathcal{B}_0$ が実数上のすべての閉区間と半開区間を含むことを示せ.

1.3.22. (1.3.10) 式を証明せよ.

1.3.23. 区間 $(0,1)$ で無作為に実数を選ぶ確率実験を考える. 任意の部分区間 $(a,b)\subset(0,1)$ に対して, 確率 $P[(a,b)]=b-a$ を付与することは妥当であると考えられる. つまり, ある部分区間から点を取り出す確率は, その部分区間の長さに直接比例するということである. 想定する状況がこのような場合, 適切な部分集合を選び, (1.3.10) 式を用いてすべての $a\in(0,1)$ について $P[\{a\}]=0$ であることを証明せよ.

1.3.24. 事象 C_1, C_2, C_3 を考える.
(a) C_1, C_2, C_3 が互いに排反な事象であるとする. $P(C_i) = p_i$, $i = 1, 2, 3$ であるとき, $p_1 + p_2 + p_3$ の制約はどのようなものか答えよ.
(b) (a) の記法にしたがって, $p_1 = \frac{4}{10}$, $p_2 = \frac{3}{10}$, $p_3 = \frac{5}{10}$ であるならば, C_1, C_2, C_3 は互いに排反であるか.

1.4 条件付き確率と独立

ある種の確率実験においては, 標本空間 $\mathcal{C}$ の部分集合 C_1 の要素である試行結果のみに興味をもつ. すなわち, この目的においては標本空間は事実上部分集合 C_1 になるということである. ここで, C_1 を「新たな」標本空間とする確率集合関数を定義するという問題が起こる.

確率集合関数 $P(C)$ が標本空間 $\mathcal{C}$ 上に定義され, C_1 が $P(C_1) > 0$ であるような $\mathcal{C}$ の部分集合であるとする. 確率実験の結果が C_1 のみの要素であるとき, 本質的に C_1 を標本空間と見なすことができる. C_2 を $\mathcal{C}$ の別の部分集合であるとする. 新しい標本空間 C_1 と比較して, 事象 C_2 の確率を定義したい場合, どのようにすればよいだろうか. 一度定義されたならば, この確率は事象 C_1 を前提とした事象 C_2 の条件付き確率 (conditional probability) とよばれる. あるいはより簡潔に C_1 が所与のもとでの C_2 の条件付き確率とよばれる. こういった条件付き確率は $P(C_2|C_1)$ という記号で表現される. ここでこの記号の定義についてまた疑問が起こる. C_1 は標本空間となっているので, C_2 の要素に注目すると, それは C_1 の要素でもある. すなわち, $C_1 \cap C_2$ の要素である. このことは定義されるべきであるので, $P(C_2|C_1)$ について以下のように定める.

$$P(C_1|C_1) = 1, \quad P(C_2|C_1) = P(C_1 \cap C_2|C_1)$$

さらに, 相対度数の観点から, 空間 C_1 に関する事象 $C_1 \cap C_2$ と C_1 との確率の比と同じように, これらの事象の確率の比を空間 $\mathcal{C}$ に関しても考えなければ論理的に矛盾する. すなわち以下のとおりである.

$$\frac{P(C_1 \cap C_2|C_1)}{P(C_1|C_1)} = \frac{P(C_1 \cap C_2)}{P(C_1)}$$

これら 3 つの望まれる条件は, 以下の関係を含意する.

$$P(C_2|C_1) = \frac{P(C_1 \cap C_2)}{P(C_1)}$$

が $P(C_1) > 0$ である事象 C_1 が所与のもとでの事象 C_2 の条件付き確率の適切な定義 (definition) である. さらに, 以下の 3 点を得る.

1. $P(C_2|C_1) \geq 0$
2. $C_2, C_3, \ldots$ が互いに素な集合であるとき,
$P(C_2 \cup C_3 \cup \cdots |C_1) = P(C_2|C_1) + P(C_3|C_1) + \cdots$

3. $P(C_1|C_1) = 1$

特性 1 と 3 は明白であり，2 の証明は練習問題 1.4.1 に残すこととする．ところで，正確にいえばこれらは確率集合関数が満たさなければならない条件である．したがって，$P(C_2|C_1)$ は C_1 の部分集合について定義される確率集合関数である．これは前提 C_1 に関する条件付き確率集合関数あるいは C_1 が所与のもとでの条件付き確率集合関数とよぶことができる．この C_1 が所与のもとでの条件付き確率集合関数は，$P(C_1) > 0$ のときのみ定義することができる点に注意が必要である．

例 1.4.1. 52 枚 1 組の通常のトランプからランダムに，引いたカードを元に戻すことなく 5 枚配る．最低 4 枚のスペードが手にあるという前提 (C_1) における 5 枚すべてがスペードである (C_2) 条件付き確率は，$C_1 \cap C_2 = C_2$ であるので以下のとおりとなる．

$$P(C_2|C_1) = \frac{P(C_2)}{P(C_1)} = \frac{\binom{13}{5}/\binom{52}{5}}{\left[\binom{13}{4}\binom{39}{1} + \binom{13}{5}\right]/\binom{52}{5}} = \frac{\binom{13}{5}}{\binom{13}{4}\binom{39}{1} + \binom{13}{5}} = 0.0441$$

ここで，これはポーカーにおいてスペードのフラッシュを完成させる確率と異なることは重要である．練習問題 1.4.3 参照．■

条件付き確率集合関数の定義から，以下のようになる．

$$P(C_1 \cap C_2) = P(C_1)P(C_2|C_1)$$

この関係は，しばしば確率の乗法法則 (multiplication rule for probabilities) とよばれる．確率実験の性質を考えたとき $P(C_1)$ と $P(C_2|C_1)$ の双方が与えられると考えられることがある．その場合，これらの条件に従って $P(C_1 \cap C_2)$ の確率を計算することができる．この点は練習問題 1.4.2，練習問題 1.4.3 で示される．

例 1.4.2. 容器に 8 枚のチップが入っている．うち 3 枚のチップは赤で残り 5 枚は青である．2 枚のチップを 1 枚 1 枚，ランダムに元に戻すことなく引く．1 枚目に引いたチップが赤で (C_1)，2 枚目に引いたチップが青である (C_2) 確率を求めたい．このとき，以下の確率を当てはめるのは適切である．

$$P(C_1) = \frac{3}{8}, \quad P(C_2|C_1) = \frac{5}{7}$$

したがって，$P(C_1 \cap C_2) = \left(\frac{3}{8}\right)\left(\frac{5}{7}\right) = \frac{15}{56} = 0.2679$ を得る．■

例 1.4.3. 通常の 1 組のトランプからカードを 1 枚 1 枚，ランダムに元に戻すことなく引く．3 枚目のスペードが 6 回目にカードを引いたときに出現する確率は以下のように計算される．C_1 を 2 枚のスペードが最初の 5 回カードを引く間に出る事象とし，C_2 を 6 回目にカードを引いたときにスペードが出るという事象とする．このとき，計算したい確率は $P(C_1 \cap C_2)$ であり，以下のように計算される．

1.4. 条件付き確率と独立

$$P(C_1) = \frac{\binom{13}{2}\binom{39}{3}}{\binom{52}{5}} = 0.2743, \quad P(C_2|C_1) = \frac{11}{47} = 0.2340$$

よって，必要とされる確率 $P(C_1 \cap C_2)$ は上の2つの数値の積となり，小数点以下4桁までとると 0.0642 となる．■

乗法則は3つあるいはそれ以上の数の事象に拡張することができる．3つの事象の場合，2つの事象の乗法則を用いることで，以下のように得られる．

$$P(C_1 \cap C_2 \cap C_3) = P[(C_1 \cap C_2) \cap C_3] = P(C_1 \cap C_2)P(C_3|C_1 \cap C_2)$$

ここで，$P(C_1 \cap C_2) = P(C_1)P(C_2|C_1)$ である．よって，$P(C_1 \cap C_2) > 0$ のもとで以下のとおりである．

$$P(C_1 \cap C_2 \cap C_3) = P(C_1)P(C_2|C_1)P(C_3|C_1 \cap C_2)$$

この方法は乗法則を4あるいはそれ以上の事象に拡張するときにも用いることができる．k 個の事象に関する一般的な形は数学的帰納法により導くことができる．

例 1.4.4. 通常のトランプの組から4枚のカードを1枚1枚，ランダムに元に戻すとなく引く．スペード，ハート，ダイヤモンド，クラブの順にカードを受け取る確率は $\left(\frac{13}{52}\right)\left(\frac{13}{51}\right)\left(\frac{13}{50}\right)\left(\frac{13}{49}\right) = 0.0044$ である．これは，乗法則の拡張に従っている．■

k 個の排他的で余すことのない $P(C_i) > 0$ で $i = 1, 2, \ldots, k$ である事象 $C_1, C_2, \ldots, C_k$ を考える．これらの事象を $\mathcal{C}$ の分割と考える．ここで，事象 $C_1, C_2, \ldots, C_k$ は同様に起こりやすいものである必要は「ない」．また，C を別の事象とする．したがって，C は $C_1, C_2, \ldots, C_k$ の1つの，そして1つだけの事象と同時に発生する．すなわち以下のとおりである．

$$C = C \cap (C_1 \cup C_2 \cup \cdots C_k) = (C \cap C_1) \cup (C \cap C_2) \cup \cdots \cup (C \cap C_k)$$

$C \cap C_i$, $i = 1, 2, \ldots, k$ は完全に排他なので，以下のように得られる．

$$P(C) = P(C \cap C_1) + P(C \cap C_2) + \cdots + P(C \cap C_k)$$

ここで，$P(C \cap C_i) = P(C_i)P(C|C_i)$, $i = 1, 2, \ldots, k$ なので，以下のようになる．

$$P(C) = P(C_1)P(C|C_1) + P(C_2)P(C|C_2) + \cdots + P(C_k)P(C|C_k)$$
$$= \sum_{i=1}^{k} P(C_i)P(C|C_i)$$

この結果は合計確率の法則 (law of total probability) とよばれることもある．

$P(C) > 0$ もまた仮定する．条件付き確率の定義から，合計確率の法則を用いることで以下のように得られる．

$$P(C_j|C) = \frac{P(C \cap C_j)}{P(C)} = \frac{P(C_j)P(C|C_j)}{\sum_{i=1}^{k} P(C_i)P(C|C_i)} \tag{1.4.1}$$

これがよく知られるベイズの定理 (Bayes' theorem) である．この法則により，C が所与のもとでの C_j の条件付き確率を $C_1, C_2, \ldots, C_k$ の確率と C_i, $i = 1, 2, \ldots, k$ が所与のもとでの C の条件付き確率から計算することが可能となる．

例 1.4.5. ボウル C_1 には 3 枚の赤いチップと 7 枚の青いチップが入っていて，ボウル C_2 には 8 枚の赤いチップと 2 枚の青いチップが入っていることが既知であるとする．すべてのチップは同一のサイズと形である．サイコロを振り，5 か 6 の目が出たらボウル C_1 を選択し，その他の目なら C_2 を選択する．注記になるが，$P(C_1) = \frac{2}{6}$, $P(C_2) = \frac{4}{6}$ を割り当てるのが適切なことは全く自明である．選択されたボウルは別の人によって取り扱われ，1 枚のチップがランダムに取り出される．ここで，チップが赤であるという事象を C と表現する．ボウルの中身を考えると，条件付き確率に $P(C|C_1) = \frac{3}{10}$, $P(C|C_2) = \frac{8}{10}$ を割り当てることは適切である．したがって，赤いチップが引かれたことが所与のもとでのボウル 1 である条件付き確率は以下のとおりである．

$$P(C_1|C) = \frac{P(C_1)P(C|C_1)}{P(C_1)P(C|C_1) + P(C_2)P(C|C_2)} = \frac{\left(\frac{2}{6}\right)\left(\frac{3}{10}\right)}{\left(\frac{2}{6}\right)\left(\frac{3}{10}\right) + \left(\frac{4}{6}\right)\left(\frac{8}{10}\right)} = \frac{3}{19}$$

同じような方法で，$P(C_2|C) = \frac{16}{19}$ と得られる．■

例 1.4.5 において，確率 $P(C_1) = \frac{2}{6}$ と $P(C_2) = \frac{4}{6}$ はボウルを選択する際のランダムな仕組みのために既知であるため，それぞれ C_1, C_2 の事前確率 (prior probability) とよばれる．チップが引かれ赤が観測された後の条件付き確率 $P(C_1|C) = \frac{3}{19}$ と $P(C_2|C) = \frac{16}{19}$ は事後確率 (posterior probability) とよばれる．C_2 の方が C_1 よりも赤の割合が高いため，$P(C_2|C)$ が $P(C_2)$ よりも高いはずで，もちろん $P(C_1|C)$ は $P(C_1)$ よりも低いはずであることは直感的に理解できる．すなわち，ボウル C_2 を手にしている可能性は，チップが引かれる前より赤いチップが引かれた後の方が直感的には高くなるということである．ベイズの定理はこのような確率について厳密に定義する方法を与える．

例 1.4.6. 3 つのプラント C_1, C_2, C_3 はそれぞれ会社の生産量の 10%, 50%, 40% を製造している．プラント C_1 は小さいが，管理者が高品質を信奉していて，生産品のたった 1% しか不良品は出ない．他の C_2, C_3 の 2 つはそれより悪く，それぞれ 3%, 4% が不良品である．すべての生産品は中央倉庫に送られる．1 つの製品がランダムに選ばれ，不良品が観測されることを事象 C とする．この製品がプラント C_1 からきたものである条件付き確率は以下のとおりである．製品がそれぞれのプラントからくる事前確率を $P(C_1) = 0.1$, $P(C_2) = 0.5$, $P(C_3) = 0.4$ と割り当てるのは自然であり，不良品である条件付き確率は $P(C|C_1) = 0.01$, $P(C|C_2) = 0.03$, $P(C|C_3) = 0.04$ である．よって，不良品であることが所与のもとでの C_1 である事後確率は

1.4. 条件付き確率と独立

$$P(C_1|C) = \frac{P(C_1 \cap C)}{P(C)} = \frac{(0.10)(0.01)}{(0.10)(0.01) + (0.5)(0.03) + (0.4)(0.04)}$$

であり，$\frac{1}{32}$ である．事前確率 $P(C_1) = 0.1$ よりもずっと小さいといえる．これは，不良品であったということがクオリティの高いプラントである C_1 で製造されたという可能性を低くしているためであり，小さくなるべくしてなっている．■

例 1.4.7. ある母集団の中の虐待されている子供の割合を調べたいとする．興味のある事象は子供は虐待されている (A) と，その余事象である子供は虐待されていない ($N = A^c$) である．この例の目的から，$P(A) = 0.01$，したがって $P(N) = 0.99$ を仮定する．子供が虐待されているか否かの分類は医者の診断による．医者は完全ではないため，時として虐待されている子供 (A) を虐待されていないと診断 (N_D．ここで，N_D は医者の診断では虐待されていないということを意味する) してしまう．一方で，医者は時として虐待されていない子供 (N) を虐待されていると診断 (A_D) してしまう．こういった誤分類の確率を $P(N_D|A) = 0.04$，$P(A_D|N) = 0.05$ とする．したがって，正しく診断する確率は $P(A_D|A) = 0.96$，$P(N_D|N) = 0.95$ となる．ランダムに抽出した子供が医者によって虐待されていると診断される確率を計算しよう．虐待されているという診断は，$A \cap A_D$ あるいは $N \cap A_D$ の 2 通りに発生するため，以下のとおりである．

$$P(A_D) = P(A_D|A)P(A) + P(A_D|N)P(N)$$
$$= (0.96)(0.01) + (0.05)(0.99) = 0.0591$$

これは，子供が虐待されている確率 0.01 と比べるときわめて高い．さらに，医者がその子供は虐待されていると診断したときに実際に虐待されている確率は以下のようになり，

$$P(A|A_D) = \frac{P(A \cap A_D)}{P(A_D)} = \frac{(0.96)(0.01)}{0.0591} = 0.1624$$

これはきわめて低い．同じようにして，医者がその子供は虐待されていると診断したときに実際は虐待されていない確率は 0.8376 となり，これはきわめて高い．これらの確率が実際の状況を示すものとしてきわめて悪い理由は医者の誤判断の割合が母集団における子供が虐待されている割合 0.01 と比べて非常に高いからである．このような調査を行う場合には，医者をもっと適切に訓練することが望まれるだろう．練習問題 1.4.17 も参照．■

時として，事象 C_1 の存在が，事象 C_2 発生の確率を変えないということは起こりうる．すなわち，$P(C_1) > 0$ のとき以下のとおりである．

$$P(C_2|C_1) = P(C_2)$$

この場合，事象 C_1 と C_2 は独立 (independent) という．さらに，乗法則は以下のように変化する．

$$P(C_1 \cap C_2) = P(C_1)P(C_2|C_1) = P(C_1)P(C_2) \tag{1.4.2}$$

これは，さらに $P(C_2) > 0$ のとき以下のようになる．

$$P(C_1|C_2) = \frac{P(C_1 \cap C_2)}{P(C_2)} = \frac{P(C_1)P(C_2)}{P(C_2)} = P(C_1)$$

$P(C_1) > 0$ かつ $P(C_2) > 0$ であるとき，上で述べた独立は下式と等価である点に注意が必要である．

$$P(C_1 \cap C_2) = P(C_1)P(C_2) \tag{1.4.3}$$

もし $P(C_1) = 0$ あるいは $P(C_2) = 0$ であったらどうなるだろうか．どちらにせよ，(1.4.3) 式右辺は 0 である．また一方，$C_1 \cap C_2 \subset C_1$ かつ $C_1 \cap C_2 \subset C_2$ であるため，左側も 0 となる．よって，(1.4.3) 式を独立の公式な定義とする．すなわち，

定義 1.4.1.
 C_1 と C_2 を 2 つの事象とする．(1.4.3) 式の関係が保たれるならば，C_1 と C_2 は独立であるという

注意 1.4.1. 事象が独立であるということは，統計的独立 (statistically independent, stochastically independent, independent in a probability sense) とよばれる．多くの場合，誤解される可能性がないときのみ独立という言葉を修飾語なしで使う．■

例 1.4.8. 赤いサイコロと白いサイコロを，2 つの上になった面の目の数が独立な事象になるような方法で振る．C_1 を赤いサイコロが 4 の目を出すという事象，C_2 を白いサイコロが 3 の目を出すという事象を示すとするとき，各面が同様に出やすいという仮定から，$P(C_1) = \frac{1}{6}$, $P(C_2) = \frac{1}{6}$ とおく．したがって，独立であるため，順序対 (赤 = 4, 白 = 3) の確率は以下のとおりである．

$$P[(4,3)] = \left(\frac{1}{6}\right)\left(\frac{1}{6}\right) = \frac{1}{36}$$

2 つのサイコロの目の和が 7 になる確率は以下のとおりである．

$$\begin{aligned}
&P[(1,6),(2,5),(3,4),(4,3),(5,2),(6,1)] \\
&= \left(\frac{1}{6}\right)\left(\frac{1}{6}\right) + \left(\frac{1}{6}\right)\left(\frac{1}{6}\right) + \left(\frac{1}{6}\right)\left(\frac{1}{6}\right) + \left(\frac{1}{6}\right)\left(\frac{1}{6}\right) \\
&\quad + \left(\frac{1}{6}\right)\left(\frac{1}{6}\right) + \left(\frac{1}{6}\right)\left(\frac{1}{6}\right) = \frac{6}{36}
\end{aligned}$$

同じような方法で，和が 2,3,4,5,6,7,8,9,10,11,12 となる確率を示すのは容易で，それぞれ以下のとおりとなる．

$$\frac{1}{36}, \frac{2}{36}, \frac{3}{36}, \frac{4}{36}, \frac{5}{36}, \frac{6}{36}, \frac{5}{36}, \frac{4}{36}, \frac{3}{36}, \frac{2}{36}, \frac{1}{36} \blacksquare$$

1.4. 条件付き確率と独立

3つの事象 C_1, C_2, C_3 を考える．もしこれらに対独立 (pairwise independent) が成り立つのならば，かつ成り立つ場合にのみ相互独立 (mutually independent) であるという．すなわち

$$P(C_1 \cap C_3) = P(C_1)P(C_3), \; P(C_1 \cap C_2) = P(C_1)P(C_2)$$
$$P(C_2 \cap C_3) = P(C_2)P(C_3)$$

であり，以下の関係である．

$$P(C_1 \cap C_2 \cap C_3) = P(C_1)P(C_2)P(C_3)$$

より一般的には，n個の事象 $C_1, C_2, \ldots, C_n$ について，あらゆる k 個 $(2 \leq k \leq n)$ の事象の集合に関して以下の関係が真であるのならば，かつ真である場合にのみ，$C_1, C_2, \ldots, C_n$ は相互独立であるという．

$d_1, d_2, \ldots, d_k$ を $1, 2, \ldots, n$ の範囲の別個の整数とするとき，以下のようになる．

$$P(C_{d_1} \cap C_{d_2} \cap \cdots \cap C_{d_k}) = P(C_{d_1})P(C_{d_2}) \cdots P(C_{d_k})$$

特に，$C_1, C_2, \ldots, C_n$ が相互独立であるならば，以下の関係が成立する．

$$P(C_1 \cap C_2 \cap \cdots \cap C_n) = P(C_1)P(C_2) \cdots P(C_n)$$

また，2つの集合と同様に，これらの事象の多くの集合とその余事象は以下のように独立である．

1. 事象 C_1^c と $C_2 \cup C_3^c \cup C_4$ は独立である．
2. 事象 $C_1 \cup C_2^c$，C_3^c と $C_4 \cap C_5^c$ は相互独立である．

誤解を招く可能性がない場合，独立はしばしば相互という修飾語なしに2つ以上の事象を考慮して使われる．

しばしば，いくつかの確率実験のうちのひとつにおける事象は他の確率実験における事象とは独立であるというような連続する確率実験を行うことがある．簡単のために，このような事象を独立実験 (independent experiment) とよび，それぞれの事象は独立であるという意味をもつ．したがって，しばしば独立にコインを弾いたり，独立にサイコロを振ったり，あるいはより一般的に，いくつかの与えられた確率実験において独立に試行するといったことについて言及する．

例 1.4.9. コインを独立に，何回か弾く．事象 C_i は i 回目に弾いたときに表 (H) が出ることを意味することとする．すると，C_i^c は裏 (T) を意味する．C_i と C_i^c は同様に起こりやすいと仮定する．すなわち $P(C_i) = P(C_i^c) = \frac{1}{2}$ である．したがって，HHTH のように順序だった列が得られる確率は，独立より以下のようになる．

$$P(C_1 \cap C_2 \cap C_3^c \cap C_4) = P(C_1)P(C_2)P(C_3^c)P(C_4) = \left(\frac{1}{2}\right)^4 = \frac{1}{16}$$

同じように，3回目で初めて表が出る確率は以下のとおりである．

$$P(C_1^c \cap C_2^c \cap C_3) = P(C_1^c)P(C_2^c)P(C_3) = \left(\frac{1}{2}\right)^3 = \frac{1}{8}$$

また，4回弾いて最低でも1回表が出る確率は以下のとおりである．

$$P(C_1 \cup C_2 \cup C_3 \cup C_4) = 1 - P[(C_1 \cup C_2 \cup C_3 \cup C_4)^c]$$
$$= 1 - P(C_1^c \cap C_2^c \cap C_3^c \cap C_4^c)$$
$$= 1 - \left(\frac{1}{2}\right)^4 = \frac{15}{16}$$

最後の確率の証明は，練習問題 1.4.13 参照. ■

例 1.4.10. コンピュータシステムが，部品 K_1 が機能していない場合迂回して K_2 を使うとする．K_2 が機能していない場合は K_3 が使われる．K_1 が正しく機能しない確率を 0.01 とし，K_2 は 0.03，K_3 は 0.08 とする．さらに，正しく機能しないことは相互独立な事象であると仮定することができる．したがって，システムの誤動作の確率は3つすべての部品が機能していないことになるので以下のとおりである．

$$(0.01)(0.03)(0.08) = 0.000024$$

よって，システムが誤動作しない確率は $1 - 0.000024 = 0.999976$ である．■

練習問題

1.4.1. $P(C_1) > 0$ であり，$C_2, C_3, C_4, \ldots$ が互いに素な集合であるとする．$P(C_2 \cup C_3 \cup \cdots | C_1) = P(C_2|C_1) + P(C_3|C_1) + \cdots$ であることを示せ．

1.4.2. $P(C_1 \cap C_2 \cap C_3) > 0$ であるとき，以下の式を証明せよ．

$$P(C_1 \cap C_2 \cap C_3 \cap C_4) = P(C_1)P(C_2|C_1)P(C_3|C_1 \cap C_2)P(C_4|C_1 \cap C_2 \cap C_3)$$

1.4.3. ポーカーをしているとする．よく切られたトランプから5枚引くと4枚がスペードで残り1枚が別のスートだった．異なるスートのカードを捨てて残りカードからもう1枚引いてスペードのフラッシュ(5枚のカードすべてがスペード)を狙うことにした．フラッシュが完成する確率を調べよ．

1.4.4. よく切られた通常のトランプから4枚のカードを裏返して，元に戻すことなく引いた．スペードと赤のカードが交互に出てくる確率を求めよ．

1.4.5. よく切られた通常のトランプから13枚のカードをランダムに，元に戻すことなく引いた．最低でも2枚のキングが手にあるということが所与のもとで，最低3枚のキングが手にある条件付き確率を求めよ．

1.4.6. タンスには8足の異なる種類のソックスが入っている．そこから6枚(つまり3足分)ランダムに引いたとき，引いた中に最低でも1足の正しい組み合わせが入る確率を求めよ．

ヒント：正しくないペアの確率を求めよ．

1.4.7. 2個のサイコロをその和が7あるいは8となるまで振る．

1.4. 条件付き確率と独立

(a) 8が出るより先に7が出る確率は6/11であることを示せ．
(b) 今度は，7が2回出るか6と8それぞれが最低1回出るまでサイコロを振る．7が2回出る以前に6と8が出る確率は0.546であることを示せ．

1.4.8. ある工場では，機械I, II, IIIが同じ長さの同じバネを生産している．機械I, II, IIIはそれぞれ1%, 4%, 2%の確率で不良品を生産する．工場全体のバネのうち，機械Iは30%, IIは25%, IIIは45%生産している．
(a) ある日生産されたバネ全体の中からランダムにとってきたとする．それが不良品である確率を求めよ．
(b) 選択されたバネが不良品であったことが所与のもとでそれが機械IIで製造されたものである条件付き確率を求めよ．

1.4.9. ボウルIには6枚の赤いチップと4枚の青いチップが含まれている．そのうち5枚のチップをランダムに元に戻すことなく引き，それを元々は空であったボウルIIに移す．そして，ボウルIIからランダムに1枚のチップを引く．それが青であったことが所与のもとでボウルIからIIに移されたのが2枚の赤いチップと3枚の青いチップであった条件付き確率を求めよ．

1.4.10. ある統計学の教授はコンピュータディスクの入った箱を2つもっている．箱C_1にはバーバティムディスク7枚と，3枚のデータ操作用ディスクが入っていて，箱C_2には2枚のバーバティムディスクと8枚のデータ操作用ディスクが入っている．それぞれの箱の配置から，彼女はそれぞれ$P(C_1) = \frac{2}{3}, P(C_2) = \frac{1}{3}$の確率でランダムに箱を選ぶ．そこからランダムにディスクを選ぶとき，それがデータ操作用であるならば事象Cが生起したとする．選択された箱の中でどのディスクも同様に選択されやすいとするとき，$P(C_1|C)$と$P(C_2|C)$を求めよ．

1.4.11. C_1とC_2が独立な事象であるとき，以下の2つの事象の組み合わせも独立であることを示せ．(a)C_1とC_2^c, (b)C_1^cとC_2, (c)C_1^cとC_2^c.
ヒント：(a)について，$P(C_1 \cap C_2^c) = P(C_1)P(C_2^c|C_1) = P(C_1)[1-P(C_2|C_1)]$．$C_1$と$C_2$は独立より$P(C_2|C_1) = P(C_2)$.

1.4.12. C_1とC_2を独立で$P(C_1) = 0.6, P(C_2) = 0.3$である事象とする．(a) $P(C_1 \cap C_2)$, (b) $P(C_1 \cup C_2)$, (c) $P(C_1 \cup C_2^c)$を計算せよ．

1.4.13. 練習問題1.2.4を一般化すると以下のとおりである．
$$(C_1 \cup C_2 \cup \cdots \cup C_k)^c = C_1^c \cap C_2^c \cap \cdots \cap C_k^c$$
$C_1, C_2, \ldots, C_k$が独立な事象で，それぞれ確率$p_1, p_2, \ldots, p_k$に従うとする．$C_1, C_2, \ldots, C_k$のうちの少なくとも1つが生起する確率が以下の式と等しいことを論ぜよ．
$$1 - (1-p_1)(1-p_2) \cdots (1-p_k)$$

1.4.14. 4人がそれぞれ的に向かって撃った．C_k を人 $k, k=1,2,3,4$ が的に命中させた事象であるとする．C_1, C_2, C_3, C_4 が独立であり，それぞれ $P(C_1) = P(C_2) = 0.7$, $P(C_3) = 0.9$, $P(C_4) = 0.4$ であるとする．以下の確率を求めよ．(a) 全員が的に命中させる．(b) ただ1人が命中させる．(c) 誰も命中させられない．(d) 最低1人が命中させる．

1.4.15. あるボウルには全く同じサイズ，形の3個の赤い (R) 球と7個の白い (W) 球が入っている．ボウルから球を1個1個ランダムに，毎回元に戻しながら引く．したがって，1回目に白を引いた事象，2回目に白を引いた事象等には独立を仮定できる．4回の試行について，仮定を確認し，以下の順序に従う確率を求めよ．(a)WWRW，(b)RWWW, (c)WWWR, (d)WRWW．4回の試行のうち，ただ1回赤を引く確率を求めよ．

1.4.16. コインを2度独立にトスし，裏 (T) あるいは表 (H) という結果を得る．標本空間は TT, TH, HT, HH の4つの順序対により構成される．仮定を確認し，それぞれの順序対の確率を計算せよ．最低でも1つが表である確率を求めよ．

1.4.17. 例 1.4.7 について，以下の確率を求めよ．問題点という観点から，これらの意味を説明せよ．(a) $P(N_D)$ (b) $P(N|A_D)$ (c) $P(A|N_D)$ (d) $P(N|N_D)$

1.4.18. サイコロを独立に，最初に6が出るまで振る．奇数回目に振るのが終了したとき Bob の勝利とし，そうでなければ Joe の勝利とする．
(a) サイコロが公正なものであるとき，Bob の勝てる確率を求めよ．
(b) p を6の目の確率であるとするとき，すべての p の範囲 $0 < p < 1$ の中で Bob を有利にする p を示せ．

1.4.19. 通常の52枚一組のトランプからランダムに，毎回引いたカードを元に戻してスペードが出るまで引き続ける．
(a) 最低でも4回は引かなくてはならない確率を求めよ．
(b) 毎回元に戻さないもとでの (a) を求めよ．

1.4.20. ある人が2つの多肢選択項目にランダムに回答する．各々の問題に4つの取りうる選択肢があるとき，最低1つ正解が所与のもとで双方に正解する条件付き確率を求めよ．

1.4.21. 6面の公正なサイコロを6回振るとする．i の目が i 番目の試行 $(i = 1, \ldots, 6)$ で出るとき，適合するとする．
(a) 6回振るうち，最低1回適合する確率を求めよ．(ヒント：C_i を i 番目の試行で適合する事象とし，必要とする確率を求めるために練習問題 1.4.13 を用いる．)
(b) (a) の拡張で，公正な n 面サイコロを n 回独立に振る．$n \to \infty$ としたときの確率の極限を示せ．

1.4. 条件付き確率と独立

1.4.22. プレイヤー A と B が独立な一連のゲームをしている．プレイヤー A がまずサイコロを振り，目が 6 なら勝利である．もしそこで勝利できなければ，プレイヤー B が振り，5 あるいは 6 なら勝利とする．もし出なければ，A が振って 4, 5, 6 なら勝利とする．という流れである．それぞれのプレイヤーの勝つ確率を求めよ．

1.4.23. C_1, C_2, C_3 をそれぞれ独立で，確率 $\frac{1}{2}$, $\frac{1}{3}$, $\frac{1}{4}$ とする．$P(C_1 \cup C_2 \cup C_3)$ を計算せよ．

1.4.24. ボウルには 5 枚の赤，3 枚の白，7 枚の青いチップが入っていて，そこから 4 枚をランダムに，元に戻すことなく引く．4 枚引いたサンプルの中に最低 3 枚の青いチップが含まれていることが所与のもとで，赤 1 枚，白 0 枚，青 3 枚である確率を求めよ．

1.4.25. 相互独立な 3 つの事象 C_1, C_2, C_3 が $P(C_1) = P(C_2) = P(C_3) = \frac{1}{4}$ であるとする．$P[(C_1^c \cap C_2^c) \cup C_3]$ を求めよ．

1.4.26. A がコインをトスし，続いて B がサイコロを振る．これを表が出る，あるいは 1, 2, 3, 4 いずれかが出るまで独立に繰り返し，どちらかが出た時点でゲームを終了する．表が出たとき A の勝利，1, 2, 3, 4 いずれかが出たとき B の勝利とする．A が勝利する確率を求めよ．

1.4.27. 大きな箱の中のそれぞれのバッグには 25 個のチューリップの球根が入っている．60% のバッグの中には 5 個の赤いチューリップと 20 個の黄色いチューリップの球根が，残りの 40% のバッグの中には 15 個の赤いチューリップと 10 個の黄色いチューリップの球根が入っていることがわかっている．バッグをランダムに選び，球根をそのバッグの中からランダムに選んで植える．
(a) 黄色いチューリップである確率を求めよ．
(b) それが黄色いチューリップだったことが所与のもとで，それが 5 個の赤いチューリップと 20 個の黄色いチューリップの球根が入っているバッグから植えられたものである条件付き確率を求めよ．

1.4.28. ボウルにはそれぞれ 1, 2, ..., 10 と番号の振られた 10 枚のチップが入っている．そこから 5 枚のチップを 1 枚 1 枚ランダムに元に戻さず引く．2 枚の偶数のチップを引き，それが偶数回目である確率を求めよ．

1.4.29. ある人が 1 ドルを賭けて通常のトランプから元に戻すことなく 2 枚のカードをランダムに引き，その 2 枚が同じスートだったら b ドル受け取る．賭けが公正であるための b を求めよ．

1.4.30. モンテ・ホール問題 (Monte Hall problem)：3 枚のカーテンがあるとする．1 枚のカーテンの後ろには素晴らしい商品があり，残り 2 枚の後ろにはひどい商品しかない．出場者が 1 枚のカーテンをランダムに選び，そして，Monte Hall が残り 2 枚の

うち，1枚のカーテンを開きひどい商品を明らかにする．Hall はそして出場者がカーテンを替えたいのならばまだ開いていない別のカーテンに替えることができると説明する．出場者はカーテンを替えるべきだろうか？ そのままにするべきだろうか？ もしそのままならば，彼女が勝つ確率は 1/3 である，したがって，問題は変えたときの彼女が勝つ確率を求めることである．

1.4.31. フランスの貴族 Chevalier de Méré は著名な数学者パスカルになぜ以下の2つの問題は違うのか (この違いはゲームをするときによく注意される) 尋ねた．(1) 6面サイコロを独立に4回振ったとき，最低1回6が出ること．(2) サイコロの組を24回独立に振ったとき，6のゾロ目が出ること．比率から，de Méré にとっては確率は同じであるべきとみえた．(1) と (2) の確率を計算せよ．

1.4.32. 猟師 A と B が的を撃つ．的に命中する確率はそれぞれ p_1, p_2 である．独立を仮定すると，p_1 と p_2 を以下の関係になるように選べるか示せ．

$$P(誰も命中しない) = P(1 人命中する) = P(両方命中する)$$

1.5 確率変数

読者は標本空間 $\mathcal{C}$ の要素が数でないとき，$\mathcal{C}$ を記述することは煩わしいと感じるかもしれない．そこで $\mathcal{C}$ の要素 c を数によって表すことによって，ひとつの規則，または規則群を公式化する方法について議論する．まず非常に単純な例を用いて議論をはじめたい．確率実験としてコイン投げを想定し，実験に関連する標本空間を $\mathcal{C} = \{c : c は T あるいは H\}$ と定義する．T と H はそれぞれコインの裏，表を表す．X を c が T のとき $X(c) = 0$ であり，c が H のとき $X(c) = 1$ であるような関数とする．このため X は標本空間 $\mathcal{C}$ 上に定義される実数値関数であり，この関数は私たちの議論を標本空間 $\mathcal{C}$ から，実数空間 $\mathcal{D} = \{0, 1\}$ へと移行させる．ここで確率変数および，その空間についての定義を公式化する．

> **定義 1.5.1.**
> 標本空間 $\mathcal{C}$ を伴う確率実験を考える．関数 X は $c \in \mathcal{C}$ の各要素にそれぞれ唯一の値 $X(c) = x$ を割り当てる関数であり，確率変数 (random variable) とよばれる．X の空間 (space) あるいは範囲 (range) は実数 $\mathcal{D} = \{x : x = X(c), c \in \mathcal{C}\}$ の集合である．

本書では，これ以降 $\mathcal{D}$ は一般的に可算的な集合，あるいは実数の区間を示すものとする．前者のタイプの確率変数を離散型確率変数 (discrete random variable) とよぶ一方で，後者のタイプの確率変数を連続型確率変数 (continuous random variable) とよぶ．この節では離散型確率変数と連続型確率変数の例を示し，続く2節でそれぞれを詳細に議論する．

1.5. 確率変数

確率変数 X は実数直線 R 上に新しい標本空間 $\mathcal{D}$ を導く．このとき事象のクラス $\mathcal{B}$ や，確率 P に相当するものとは何であろうか．

有限空間 $\mathcal{D} = \{d_1, \ldots, d_m\}$ をもつ離散型確率変数 X の場合を考える．このとき興味のある m 個の事象が存在することになり，それらは

$$\{c \in \mathcal{C} : X(c) = d_i\}, \quad i = 1, \ldots, m$$

と与えられる．したがって，この確率変数において $\mathcal{D}$ 上の σ 集合体は $\mathcal{D}$ のすべての部分集合の集合である単一事象 (simple event) の寄せ集め $\{\{d_1\}, \ldots, \{d_m\}\}$ によって生じたひとつでありうる．$\mathcal{F}$ をこの σ 集合体とする．

標本空間と事象の寄せ集めを得たが，確率集合関数に関してはどうであろう．$\mathcal{F}$ におけるいかなる事象 B も

$$P_X(B) = P[\{c \in \mathcal{C} : X(c) \in B\}] \tag{1.5.1}$$

と定義される．ここで P_X が定義 1.3.2 で示した確率の 3 公理を満たすことを証明する必要がある．

最初に $P_X(B) \geq 0$ が成り立つことに注目する．次に X の領域は $\mathcal{C}$ であるため，$P_X(\mathcal{D}) = P(\mathcal{C}) = 1$ が成り立つ．したがって P_X は確率の最初の 2 公理を満たすのである．定義 1.3.2 を参照せよ．さらに練習問題 1.5.10 は第 3 の公理も真であることを示す．したがって P_X は $\mathcal{D}$ 上に定義される確率である．また P_X は確率変数 X によって $\mathcal{D}$ 上に導かれた確率であるということができる．

この議論は以下の関係に注意すると単純化されうる．$\mathcal{F}$ におけるいかなる事象 B も $\mathcal{D} = \{d_1, \ldots, d_m\}$ の部分集合であるため，P_X は

$$P_X(B) = \sum_{d_i \in B} P[\{c \in \mathcal{C} : X(c) = d_i\}]$$

を満たす．したがって P_X は，

$$p_X(d_i) = P_X[\{d_i\}], \quad i = 1, \ldots, m \tag{1.5.2}$$

という関数によって完全に決定される．$p_X(d_i)$ という関数は X の確率度数関数 (probability mass function) とよばれ，pmf と略記される．pmf については簡潔な注意の後，具体的な例を用いて考えることにする．

注意 1.5.1. (1.5.1) 式，(1.5.2) 式において，P_X と p_X の添え字 X は導かれた確率集合関数と，度数関数が確率変数 X に関連していることを示している．複数の確率変数を考慮する場合にはこの表記を頻繁に用いる．それに対して，確率変数の同一性が明確である場合には添え字を省略することもある．■

例 1.5.1 (2 つのサイコロの目の和). X を 2 個 1 組の 6 面サイコロを振ったときの出た目の数の和とする．サイコロの各面には 1 から 6 までの数が記されている．この場合の標本空間は $\mathcal{C} = \{(i,j) : 1 \leq i, j \leq 6\}$ である．サイコロは正確であるから，

$P[\{(i,j)\}] = \frac{1}{36}$ である．確率変数 X は $X(i,j) = i+j$ である．X の空間は $\mathcal{D} = \{2,\ldots,12\}$ である．X の pmf は以下に列挙される．$\mathcal{C}$ における確率空間のための σ 集合体は 2^{36} の部分集合（$\mathcal{C}$ における要素の部分集合の数）から構成されている．しかしながら目下の関心は確率変数 X にあり，これによって生じる 11 個の単一事象のみに興味がある．すなわち $\{X=k\}$, $k=2,\ldots,12$ という事象である．$\mathcal{B}_1 = \{x:x=7,11\}$, $\mathcal{B}_2 = \{x:x=2,3,12\}$ という仮定のもとで X に関連する確率の計算を例示すると以下のようになる．

$$P_X(B_1) = \sum_{x \in B_1} p_X(x) = \frac{6}{36} + \frac{2}{36} = \frac{8}{36}$$

$$P_X(B_2) = \sum_{x \in B_2} p_X(x) = \frac{1}{36} + \frac{2}{36} + \frac{1}{36} = \frac{4}{36}$$

ここで $p_X(x)$ の値は表に与えられているものである．■

x のとりうる範囲	2	3	4	5	6	7	8	9	10	11	12
確率 $p_X(x)$	$\frac{1}{36}$	$\frac{2}{36}$	$\frac{3}{36}$	$\frac{4}{36}$	$\frac{5}{36}$	$\frac{6}{36}$	$\frac{5}{36}$	$\frac{4}{36}$	$\frac{3}{36}$	$\frac{2}{36}$	$\frac{1}{36}$

連続型確率変数の例として次のような単純な実験を考える．区間 $(0,1)$ から 1 つの実数を無作為に選ぶ．そして X を選ばれた数とする．このケースでは $\mathcal{D} = (0,1)$ である．ここでは先ほどみた例のように確率変数によって導かれた確率 P_X は明らかになっていない．しかしながらいくつかの直感的な確率が存在する．例えば，数は無作為に選ばれるため，以下のように割り当てることは合理的である．

$$P_X[(a,b)] = b-a, \quad 0 < a < b < 1 \tag{1.5.3}$$

連続型確率変数 X に対しては，区間の確率によって決定される X の確率モデルが必要とされる．したがって，R 上の事象のクラスを，区間によって発生したボレル σ 集合体 $\mathcal{B}_0$（(1.3.2) 式）と見なす．またこの集合は離散型確率変数を含むことにも注意が必要である．例えば，興味のある事象 $\{d_i\}$ は区間の積集合として表現することができる．例えば $\{d_i\} = \cap_n (d_i - (1/n), d_i]$ である．

さらに発展させ，実数直線 R 上のボレル集合体 $\mathcal{B}_0$（(1.3.2) 式）における，すべてのボレル集合 B に対して，集合 $\{c: X(c) \in B\}$ が $\mathcal{B}$ に存在するならば X は確率変数であるということができる．この議論を進めるとき P_X を一般的に定義することが可能である．すべての $B \in \mathcal{B}_0$ に対して，この確率は

$$P_X(B) = P(\{c: X(c) \in B\}) \tag{1.5.4}$$

として与えられる．練習問題 1.5.10 では先に示された離散的な例の場合のように，P_X は R 上の確率集合関数であることを示している．R 上のボレル σ 集合体 $\mathcal{B}_0$ は区間によって生起するため，より発展的なクラスにおいて区間上の数値が与えられたとき P_X が完全に決定されることが示される．実際に $(-\infty, x]$ という形態をとる半閉区間の数

1.5. 確率変数

値は $P_X(B)$ を一意に決定する．このことは定義 1.5.2 によって与えられる重要な関数を決定する．

> **定義 1.5.2 (累積分布関数).**
> X を確率変数とする．このとき X の累積分布関数 (cumulative distribution function, cdf) は
> $$F_X(x) = P_X((-\infty, x]) = P(X \leq x) \tag{1.5.5}$$
> と定義される．

注意 1.5.2. P は標本空間 $\mathcal{C}$ 上の確率であることを思い出すと，(1.5.5) 式の最右辺の項は定義される必要がある．これを

$$P(X \leq x) = P(\{c \in \mathcal{C} : X(c) \leq x\}) \tag{1.5.6}$$

と定義する．この略語は便利であり後に頻繁に用いられる．

また $F_X(x)$ は単純に分布関数 (df) とよばれることもある．しかしながら本書では $F_X(x)$ が x, あるいは x よりも小さいときに確率を累積させることから累積 (cumulative) という表現を用いる．■

次の例では離散型確率変数に対する cdf について議論を行う．

例 1.5.2 (2つのサイコロの目の和の続き). 例 1.5.1 から，X の空間は $\mathcal{D} = \{2, \ldots, 12\}$ である．仮に $x < 2$ であるとすると，$F_X(x) = 0$ となる．仮に $2 \leq x < 3$ であるならば，$F_X(x) = \frac{1}{36}$ である．同様のことを繰り返す過程で，X の cdf が空間 X の各 i おいて $P(X = i)$ ずつ段階的に増加する増加階段関数であることが理解できる．図 1.5.1 に F_X の図が示されている．ここで $F_X(x)$ が与えられることにより，X の pmf も決定できるということに注意が必要である．■

次の例では連続型確率変数に対する cdf について議論を行う．

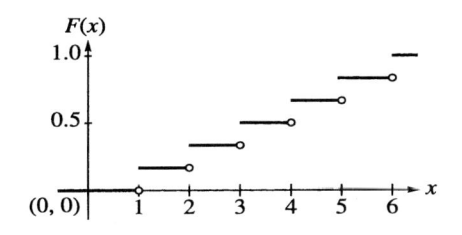

図 1.5.1 正確につくられたサイコロの出た目の cdf

例 1.5.3. X を 0 から 1 の区間で無作為に選ばれた実数とする．いま X の cdf を得

る．まず $x<0$ ならば $P(X\leq x)=0$ である．次に $X>1$ ならば $P(X\leq x)=1$ である．最後に $0<x<1$ ならば，(1.5.3) 式から $P(X\leq x)=P(0<X\leq x)=x-0=x$ となる．したがって X の cdf は

$$F_X(x)=\begin{cases} 0 & x<0 \\ x & 0\leq x<1 \\ 1 & x\geq 1 \end{cases} \tag{1.5.7}$$

と定義することができる．X の cdf の図は図 1.5.2 で与えられている．$f_X(x)$ を

$$f_X(x)=\begin{cases} 1 & 0<x<1 \\ 0 & それ以外の場合 \end{cases}$$

と定義する．次に

$$F_X(x)=\int_{-\infty}^{x} f_X(t)dt, \quad すべての \ x\in R \ に関して$$

と表現する．また，$x=0$ と $x=1$ の場合を除いて $x\in R$ のとき $\frac{d}{dx}F_X(x)=f_X(x)$ が成り立つ．ここで f_X は 1.7 節で確率密度関数 (probability density function, pdf) と定義されるものである．pdf を用いた X の確率の計算法を示すために以下のような式を考える．

$$P\left(\frac{1}{8}<X<\frac{3}{4}\right)=\int_{1/8}^{3/4} f_X(x)dx=\int_{1/8}^{3/4} 1dx=\frac{5}{8} \blacksquare$$

X と Y をそれぞれ 2 つの確率変数とする．このとき X と Y は，すべての $x\in R$ に関してもし $F_X=F_Y$ が成り立つのならば，かつ成り立つ場合にのみ分布の形状が等しく，また $X\stackrel{D}{=}Y$ と表現することが可能である．X と Y は分布の形状において等しい一方で，全く異なる変数であるということに注意することは重要である．例えば，最後の例において確率変数 Y を $Y=1-X$ と定義する．その結果 $Y\neq X$ である．しかしながら Y の空間は区間 (0,1) であり X と等しい．さらに Y の cdf は $y<0$ のとき 0 であり，$y\geq 1$ のとき 1 である．また $0\leq y<1$ のとき，

$$F_Y(y)=P(Y\leq y)=P(1-X\leq y)$$
$$=P(X\geq 1-y)=1-(1-y)=y$$

となる．したがって，Y は X と同じ cdf に従うのである．すなわち $X\stackrel{D}{=}Y$ かつ $Y\neq X$ が成り立つのである．

図 1.5.1 そして図 1.5.2 に描画されている cdf は下限値が 0 であり，上限値が 1 である増加関数を示している．両方の図において，cdf は少なくとも右側連続である．次の定理で証明するように，これらの性質は cdf に対して一般的に真である．

1.5. 確率変数

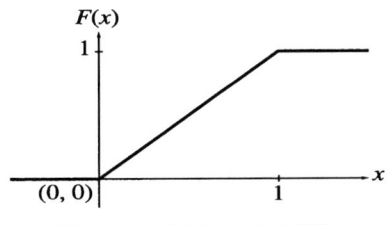

図 1.5.2 例 1.5.3 の分布関数

定理 1.5.1.
X を累積分布関数 $F(x)$ に従う確率変数とする．このとき
(a). すべての a と b に関して，$a<b$ ならば $F(a) \leq F(b)$ が成り立つ，(F は非減少関数)
(b). $\lim_{x \to -\infty} F(x) = 0$, ($F$ の下限値は 0)
(c). $\lim_{x \to \infty} F(x) = 1$, ($F$ の上限値は 1)
(d). $\lim_{x \downarrow x_0} F(x) = F(x_0)$, ($F$ は右側連続)
が成り立つ．

証明 ここでは (a) と (d) に関して証明を与える．(b) と (c) は練習問題 1.5.11 として残す．
(a): $a<b$ だから $\{X \leq a\} \subset \{X \leq b\}$ である．よってその解は P の単調性に従う．定理 1.3.3 を参照せよ．
(b): $\{x_n\}$ を $x_n \downarrow x_0$ のようなすべての実数の数列であるとする．$C_n = \{X \leq x_n\}$ とする．したがって集合の数列 $\{C_n\}$ は減少し，また $\cap_{n=1}^{\infty} C_n = \{X \leq x_0\}$ が成り立つ．したがって 定理 1.3.6 から
$$\lim_{n \to \infty} F(x_n) = P\left(\bigcap_{n=1}^{\infty} C_n\right) = F(x_0)$$
となり，求める結果を得る．■

次の定理は cdf を用いて確率を評価する際に助けとなる．

定理 1.5.2.
X を F_X という cdf に従う確率変数とする．このとき $a<b$ ならば，$P[a<X \leq b] = F_X(b) - F_X(a)$ が成り立つ．

証明
$$\{-\infty < X \leq b\} = \{-\infty < X \leq a\} \cup \{a < X \leq b\}$$
という関係に注意する．右辺の和集合は互いに素な和集合であるため直ちに証明

例 1.5.4. X を機械の部品の年単位の寿命であるとする．X が

$$F_X(x) = \begin{cases} 0 & x < 0 \\ 1 - e^{-x} & 0 \leq x \end{cases}$$

という cdf に従うと仮定する．このとき X の pdf である $\frac{d}{dx}F_X(x)$ は

$$f_X(x) = \begin{cases} e^{-x} & 0 < x < \infty \\ 0 & \text{それ以外の場合} \end{cases}$$

と定義される．実際には $X=0$ の点では導関数は存在しないが，連続変数のケースを示す次の定理 1.5.3 は $P(X=0)=0$ であり，X に関する確率を変化させることなしに $f_X(0)=0$ と割り当てることができることを示している．部品が 1 から 3 年の間に寿命を迎える確率は

$$P(1 < X \leq 3) = F_X(3) - F_X(1) = \int_1^3 e^{-x} dx$$

である．確率は $F_X(3) - F_X(1)$，あるいは積分を計算することで得られる．どちらの方法でも $e^{-1} - e^{-3} = 0.318$ が成り立つ．■

定理 1.5.1 は cdf が右側連続でありかつ単調増加であることを示している．このような関数は可算個の不連続性しかもたないことを示すことができる．次の定理が示すように cdf の不連続性は量 (mass) をもつ．すなわち x が F_X における不連続な部分の点であるならば，$P(X=x) > 0$ が成り立つ．

定理 1.5.3.
すべての確率変数に関して

$$P[X = x] = F_X(x) - F_X(x-) \tag{1.5.8}$$

が成り立つ．ここで，すべての $x \in R$ において $F_X(x-) = \lim_{z \uparrow x} F_X(z)$ が成り立つ．

証明 すべての $x \in R$ において，

$$\{x\} = \bigcap_{n=1}^{\infty} \left(x - \frac{1}{n}, x \right]$$

が得られる．ここで $\{x\}$ は減少する集合の列の限界である．したがって定理 1.3.6 から

$$P[X = x] = P\left[\bigcap_{n=1}^{\infty} \left\{ x - \frac{1}{n} < X \leq x \right\} \right]$$

1.5. 確率変数

$$= \lim_{n \to \infty} P\left[x - \frac{1}{n} < X \leq x\right]$$
$$= \lim_{n \to \infty} [F_X(x) - F_X(x - (1/n))]$$
$$= F_X(x) - F_X(x-)$$

であり，求める解を得る．■

例 1.5.5. X が不連続な cdf

$$F_X(x) = \begin{cases} 0 & x < 0 \\ x/2 & 0 \leq x < 1 \\ 1 & 1 \leq x \end{cases}$$

に従うとする．このとき

$$P(-1 < X \leq 1/2) = F_X(1/2) - F_X(-1) = \frac{1}{4} - 0 = \frac{1}{4}$$

であり，そして

$$P(X = 1) = F_X(1) - F_X(1-) = 1 - \frac{1}{2} = \frac{1}{2}$$

が成り立つ．$1/2$ という値は $x=1$ における F_X のステップの値と等しい．■

$p_X(x)$ という pmf を伴う離散型の確率変数あるいは，$f_X(x)$ という pdf を伴う連続型の確率変数に関連する合計確率は 1 であり，このことから

$$\sum_{x \in \mathcal{D}} p_X(x) = 1, \qquad \int_\mathcal{D} f_X(x) dx = 1$$

は真でなければならない．ここで $\mathcal{D}$ は X の空間である．次の 2 つの例で示すように，pmf あるいは pdf を比率の定数とできるならば，これらの性質を用いて，pmf あるいは pdf を決定することができる．

例 1.5.6. X が

$$p_X(x) = \begin{cases} cx & x = 1, 2, \ldots, 10 \\ 0 & それ以外の場合 \end{cases}$$

という pmf に従うと仮定する．すると

$$1 = \sum_{x=1}^{10} p_X(x) = \sum_{x=1}^{10} cx = c(1 + 2 + \cdots + 10) = 55c$$

となる．したがって $c = 1/55$ である．■

例 1.5.7. X が

$$f_X(x) = \begin{cases} cx^3 & 0 < x < 2 \\ 0 & \text{それ以外の場合} \end{cases}$$

というpdfに従うと仮定する．すると

$$1 = \int_0^2 cx^3 dx = c\frac{x^4}{4}\Big|_0^2 = 4c$$

であり，したがって $c = 1/4$ である．X を含んだ確率計算法を示すために，下式を得る．

$$P\left(\frac{1}{4} < X < 1\right) = \int_{1/4}^1 \frac{x^3}{4} dx = \frac{255}{4096} = 0.06226 \quad \blacksquare$$

練習問題

1.5.1. 通常のトランプの1組から1枚のカードを選ぶとする．その結果 c は52枚のカードの1枚ということになる．c がエースである場合には $X(c)=4$ と表現する．また c がキングである場合には $X(c)=3$，クイーンである場合には $X(c)=2$，ジャックである場合には $X(c)=1$，どれにも該当しない場合は $X(c)=0$ とする．P によって $\frac{1}{52}$ という確率が各結果 c に対して割り当てられると仮定する．このとき確率変数 X の標本空間 $\mathcal{D} = \{0,1,2,3,4\}$ 上に導かれた確率 $P_X(D)$ を記述せよ．

1.5.2. 下記の2つに関して，$p(x)$ が1つの確率変数 X の pmf である条件を満たすような定数 c を求めよ．
(a) $p(x) = c\left(\frac{2}{3}\right)^x$, $x = 1, 2, 3, \ldots$, それ以外では0
(b) $p(x) = cx$, $x = 1, 2, 3, 4, 5, 6$, それ以外では0

1.5.3. $p_X(x) = x/15$, $x = 1, 2, 3, 4, 5$, それ以外では0という関数を X の pmf とするとき，$P(X = 1 \text{ or } 2)$, $P(\frac{1}{2} < X < \frac{5}{2})$, そして $P(1 \leq X \leq 2)$ を求めよ．

1.5.4. $p_X(x)$ を確率変数 X の pmf とする．このとき X の cdf $F(x)$ を求め，以下の条件に従って $p_X(x)$ のグラフを描け．
(a) $p_X(x) = 1$, $x = 0$, それ以外では0
(b) $p_X(x) = \frac{1}{3}$, $x = -1, 0, 1$, それ以外では0
(c) $p_X(x) = x/15$, $x = 1, 2, 3, 4, 5$, それ以外では0

1.5.5. 通常の1組のトランプから復元することなく5枚のカードを引くとする．
(a) 5枚のカードに含まれるハートの数を確率変数 X として，その pmf を求めよ．
(b) $P(X \leq 1)$ を定めよ．

1.5.6. 確率変数 X の確率集合関数 $P_X(D)$ を $P_X(D) = \int_D f(x)dx$ とする．ここでは $f(x) = 2x/9$, $x \in \mathcal{D} = \{x : 0 < x < 3\}$ である．$D_1 = \{x : 0 < x < 1\}$, $D_2 = \{x : 2 < x < 3\}$ とするとき，$P_X(D_1) = P(X \in D_1)$, $P_X(D_2) = P(X \in D_2)$, そして $P_X(D_1 \cup$

1.6. 離散型確率変数

$D_2) = P(X \in D_1 \cup D_2)$ を計算せよ．

1.5.7. 確率変数 X の空間を $\mathcal{D} = \{x : 0 < x < 1\}$ とする．$D_1 = \{x : 0 < x < \frac{1}{2}\}$ で $D_2 = \{x : \frac{1}{2} \leq x \leq 1\}$ であるとき，仮に $P_X(D_1) = \frac{1}{4}$ である場合，$P_X(D_2)$ を求めよ．

1.5.8. cdf が

$$F(x) = \begin{cases} 0 & x < -1 \\ (x+2)/4 & -1 \leq x < 1 \\ 1 & 1 \leq x \end{cases}$$

と与えられている．$F(x)$ のグラフを描画せよ．また (a) $P(-\frac{1}{2} < X \leq \frac{1}{2})$，(b) $P(X = 0)$，(c) $P(X = 1)$，(d) $P(2 < X \leq 3)$ を求めよ．

1.5.9. 1から100までの数が書かれた紙片が入っている壺を考える．i という番号が書かれた紙片が i 枚あると仮定する．例えば25と書かれた紙片は25枚存在することになる．また紙片は番号以外の情報では区別がつかないものとする．無作為に紙片を壺から抽出するとき，紙片に書かれた数を X とする．ここで以下の設問に答えよ．

(a) X は $p(x) = x/5050$, $x = 1, 2, 3, \ldots, 100$，それ以外では0，という pmf に従うことを証明せよ

(b) $P(X \leq 50)$ を計算せよ．

(c) $1 \leq x \leq 100$ において，確率変数 X の cdf は $F(x) = [x]([x]+1)/10100$ であることを示せ．ここで，$[x]$ は x の中で最も大きな整数である．

1.5.10. X を空間 $\mathcal{D}$ を伴う確率変数とする．$\mathcal{D}$ における集合の列 $\{D_n\}$ に関して，

$$\{c : X(c) \in \cup_n D_n\} = \cup_n \{c : X(c) \in D_n\}$$

が成り立つことを示せ．またこの証明によって (1.5.1) 式が確率の第3公理を満たすことを示せ．

1.5.11. 定理1.5.1の b と c を証明せよ．

1.6 離散型確率変数

前節で登場した確率変数の1番目の例は，離散型確率変数の例であり，以下のように定義される．

定義 1.6.1 (離散型確率変数).
　確率変数の空間が有限，または可算であれば，確率変数は離散型確率変数 (discrete random variable) とよぶ．

個々の要素がリストアップされていれば，ある集合 $\mathcal{D}$ は可算である．つまり，$\mathcal{D}$ と

正の整数の間に1対1の対応が存在するということである.

例1.6.1. 結果が表 (H) か裏 (T) になる,一続きの独立なコイントスを想定する.さらに,個々のトスで,HとTは同様に確からしい,つまり $P(H) = P(T) = \frac{1}{2}$ と仮定する.標本空間 $\mathcal{C}$ は TTHTHHT $\cdots$ のような列を構成する.確率変数 X を初めての表を得るのに必要とされるトスの数と等しいとしよう.この与えられた列に関していえば,$X=3$ である.明らかに,X の空間は,$\mathcal{D} = \{1,2,3,4,\ldots\}$ である.Hで始まる列の場合は,$X=1$ であり,$P(X=1) = \frac{1}{2}$ となることがわかる.同様に,THで始まる列の場合,$X=2$ であり,独立であることから,$P(X=2) = (\frac{1}{2})(\frac{1}{2}) = \frac{1}{4}$ の確率を得る.より一般的にいえば,$X=x$ ($x=1,2,3,4,\ldots$) ならば,$x-1$ 回裏が連続した後に続いて,表が出るにちがいない.つまり,TT$\cdots$T と $x-1$ 回裏が出たときは,TT$\cdots$TH となる.したがって,独立であることから,

$$P(X=x) = \left(\frac{1}{2}\right)^{x-1}\left(\frac{1}{2}\right) = \left(\frac{1}{2}\right)^{x}, \; x=1,2,3,\ldots \quad (1.6.1)$$

となり,どの空間も可算である.興味の事象が奇数回のトスにおいて初めて表が現れることであるとする.つまり,$X \in \{1,3,5,\ldots\}$ である.この事象の確率は以下となる.

$$P[X \in \{1,3,5,\ldots\}] = \sum_{x=1}^{\infty}\left(\frac{1}{2}\right)^{2x-1} = \frac{1/2}{1-(1/4)} = \frac{2}{3} \quad \blacksquare$$

前の例が示すように,離散型確率変数に関する確率は,$x \in \mathcal{D}$ に関して $P(X=x)$ の確率を用いて得ることができる.これらの確率は以下のように定義する重要な関数を確定する.

定義1.6.2 (確率度数関数, pmf).

X が空間 $\mathcal{D}$ での離散型確率変数であるとする.X の確率度数関数 (probability mass function, pmf) は以下によって与えられる.

$$p_X(x) = P[X=x] \quad (x \in \mathcal{D}) \quad (1.6.2)$$

---

pmf は以下の2つの性質を満たすことに注意せよ.

(i). $0 \leq p_X(x) \leq 1, x \in \mathcal{D}$ (ii). $\sum_{x \in \mathcal{D}} p_X(x) = 1$ (1.6.3)

より発展的な授業では,離散的な集合 $\mathcal{D}$ に関して関数が性質 (i) と (ii) を満たすならば,この関数は確率変数の分布を一意に決定することが示されるであろう.

X を空間 $\mathcal{D}$ に関する離散型確率変数としよう.定理1.5.3で示したように,$F_X(x)$ の不連続性は量を定義する.つまり,x が F_X の不連続の一点であるならば,$P(X=x) > 0$ となる.今度は,離散型確率変数の空間と正の確率のこれらの点の間の区別をつける.正の確率をもつ X の空間における点の集まりとして,離散型確率変数 X の

1.6. 離散型確率変数

台 (support) を定義する．X の台を記述するには $\mathcal{S}$ がよく用いられる．$\mathcal{S} \subset \mathcal{D}$ と記述するが，$\mathcal{S} = \mathcal{D}$ であるかもしれない．

また，定理 1.5.3 を離散型確率変数の pmf と cdf の間の関係を得るために用いることができる．$x \in \mathcal{S}$ ならば，$p_X(x)$ は x における F_X のステップの大きさと等しい．$x \notin \mathcal{S}$ ならば，$P[X=x]=0$ であり，よって，F_X は x において連続である．

例 1.6.2. 1つのロットは 100 のヒューズで構成されていて，以下の過程で点検されている．これらのヒューズのうち 5 つが無作為に選ばれ，検査される．ヒューズが飛ぶべきアンペア数のもとで，5 つのヒューズがすべてが「飛ぶ」ならば，そのロットは承認される．実際，ロットの中には 20 の欠陥のあるヒューズが存在するならば，適切な仮定のもとでロットが承認される確率は近似的に，

$$\binom{80}{5} \bigg/ \binom{100}{5} = 0.32$$

となる．より一般的に，確率変数 X を検査される 5 つのヒューズの中の欠陥のあるヒューズの数であるとしよう．X の pmf は，

$$p_X(x) = \begin{cases} \binom{20}{x}\binom{80}{5-x} \bigg/ \binom{100}{5}, & x=0,1,2,3,4,5 \\ 0 & \text{それ以外の場合} \end{cases}$$

により与えられる．明らかに，X の空間は $\mathcal{D} = \{0,1,2,3,4,5\}$ である．だから，これは，分布が超幾何分布 (hypergeometric distribution) の実例である離散型の確率変数の例である．上記の論考に基づいて，X の cdf を描画することは容易である．練習問題 1.6.5 参照．■

1.6.1 変換

統計学においてよく遭遇する問題が以下のようなものである．確率変数 X があり，その分布が知られているものとする．しかし，X の変換 (transformation) である確率変数 Y に興味がある．すなわち，$Y = g(X)$ である．特に，Y の分布を決定したい．X は空間 $\mathcal{D}_X$ に関して離散であると仮定する．そのとき，Y の空間は $\mathcal{D}_Y = \{g(x) : x \in \mathcal{D}_X\}$ である．2 つの場合を考えよう．

第一のケースでは，g は 1 対 1 である．このとき，明らかに Y の pmf は以下のように得られる．

$$p_Y(y) = P[Y=y] = P[g(X)=y] = P[X=g^{-1}(y)] = p_X(g^{-1}(y)) \qquad (1.6.4)$$

例 1.6.3 (幾何分布). 例 1.6.1 の幾何確率変数 X を考慮する．X は初めて表が現れるトスの数であることを思い出そう．Y が初めて表が出る前のトスの数とする．このとき，$Y = X - 1$ である．この場合，関数 g はその逆関数が $g^{-1}(y) = y+1$ によって与えられる $g(x) = x-1$ である．Y の空間は $\mathcal{D}_Y = \{0,1,2,\ldots\}$ である．X の pmf は (1.6.1) 式により与えられる．したがって，(1.6.4) 式の表現に基づいて，Y の pmf は

以下のとおりである．

$$p_Y(y) = p_X(y+1) = \left(\frac{1}{2}\right)^{y+1}, \quad y = 0, 1, 2, \dots \blacksquare$$

例 1.6.4. X は以下の pmf に従うとする．

$$p_X(x) = \begin{cases} \dfrac{3!}{x!(3-x)!}\left(\dfrac{2}{3}\right)^x \left(\dfrac{1}{3}\right)^{3-x} & x = 0, 1, 2, 3 \\ 0 & \text{それ以外の場合} \end{cases}$$

確率変数 $Y = X^2$ の $p_Y(y)$ という pmf を求めよう．変換 $y = g(x) = x^2$ は，$\mathcal{D}_X = \{x : x = 0, 1, 2, 3\}$ を $\mathcal{D}_Y = \{y : y = 0, 1, 4, 9\}$ に写像する．一般的には，$y = x^2$ は 1 対 1 の変換を定義してはいない．しかしながら，$\mathcal{D}_X = \{x : x = 0, 1, 2, 3\}$ において x の負の値は存在しないので，1 対 1 の変換と定義する．つまり，単一の値の逆関数 $x = g^{-1}(y) = \sqrt{y} (-\sqrt{y}$ ではない) を得ると以下のようになる．

$$\begin{aligned} p_Y(y) &= P_X(\sqrt{y}) \\ &= \frac{3!}{(\sqrt{y})!(3-\sqrt{y})!}\left(\frac{2}{3}\right)^{\sqrt{y}}\left(\frac{1}{3}\right)^{3-\sqrt{y}}, \quad y = 0, 1, 4, 9 \quad \blacksquare \end{aligned}$$

第二のケースは変換 $g(x)$ が 1 対 1 でない場合である．総合的な法則を展開するかわりに，離散型確率変数に関係する応用のほとんどにおいて，Y の pmf は単純な方法で得ることができる．2 つの例を提示しよう．

例 1.6.3 の幾何確率変数を考慮する．賭博カジノでゲームをすることを想定しよう．初めての表が奇数回のトスで現れれば，カジノに 1 ドル払う．それに対し，トスの偶数の回で初めての表が現れれば，カジノから 1 ドルを勝ち取る．Y を純益としよう．このとき，Y の空間は $\{-1, 1\}$ である．例 1.6.1 では，X が奇数である確率は $\frac{2}{3}$ であることを示した．したがって，Y の分布は $p_Y(-1) = 2/3$ と $p_Y(1) = 1/3$ によって与えられる．

第二の例として，$Z = (X-2)^2$ で，X は例 1.6.1 の幾何確率変数としよう．このとき，Z の空間は $\mathcal{D}_Z = \{0, 1, 4, 9, 16, \dots\}$ である．$X = 2$ のとき，かつそのときにかぎり，$Z = 0$ であることに注意する．$X = 1$ か $X = 3$ のとき，かつそのときにかぎり $Z = 1$ である．対して，空間のほかの値では，$x = \sqrt{z} + 2 (z \in \{4, 9, 16, \dots\})$ によって 1 対 1 の対応が得られる．したがって，Z の pmf は，

$$p_Z(z) = \begin{cases} p_X(2) = 1/4 & (z = 0) \\ p_X(1) + p_X(3) = 5/8 & (z = 1) \\ p_X(\sqrt{z} + 2) = (1/4)(1/2)^{\sqrt{z}} & (z = 4, 9, 16, \dots) \end{cases} \quad (1.6.5)$$

である．確認のために，読者は練習問題 1.6.9 で，空間上の Z の pmf を 1 まで足し上げることを示すことが求められる．

練習問題

1.6.1. X は 4 回の独立なコイントスにおける表の数に等しいとする．同様に確からしい仮定を用いて，X の pmf を決定し，X が奇数になる確率を算出せよ．

1.6.2. ボウルに同じ数で同じ形の 10 個のチップが入っているとする．これらのチップのうち 1 つだけが赤である．ボウルからチップを 1 回に 1 つ，無作為に，ボウルに戻すことなく，赤のチップをひくまでひき続ける．
(a) X の pmf を求め，赤のチップをひくのに必要となる試行数を求めよ．
(b) $P(X \leq 4)$ を計算せよ．

1.6.3. サイコロの上側に 6 が出るまで，サイコロを独立に多くの回数投げる．
(a) X の pmf を求め，初めて 6 が出るのに必要となる投げる回数を求めよ．
(b) $\sum_{x=1}^{\infty} p(x) = 1$ を示せ．
(c) $P(X = 1, 3, 5, 7, \ldots)$ を決定せよ．
(d) $F(x) = P(X \leq x)$ となる cdf を求めよ．

1.6.4. サイコロを独立に 2 回投げ，X は 2 つの結果として得られる値 (上側の目の数) の差の絶対値に等しいとする．X の pmf を求めよ．
ヒント：pmf の式を求める必要はない．

1.6.5. 例 1.6.2 で定義された確率変数 X に関して，X の cdf を描画せよ．

1.6.6. 例 1.6.1 で定義された確率変数 X に関して，X の cdf を描画せよ．

1.6.7. X が $x = 1, 2, 3$ のとき $p(x) = \frac{1}{3}$，それ以外は 0 になる pmf に従うとする．$Y = 2X + 1$ の pmf を求めよ．

1.6.8. X が $x = 1, 2, 3, \ldots$ のとき $p(x) = \left(\frac{1}{2}\right)^x$，それ以外は 0 になる pmf に従うとする．$Y = X^3$ の pmf を求めよ．

1.6.9. (1.6.5) 式の表現で得られる関数が pmf であることを示せ．

1.7 連続型確率変数

前節では，離散型確率変数に関して論じた．統計学上の応用において確率変数の種類でもうひとつ重要なものは，以下で定義する連続型確率変数の分野である．

定義 1.7.1 (連続型確率変数).
累積分布関数 $F_X(x)$ がすべて $x \in R$ に関して連続関数であるとき，確率変数を連続型確率変数 (continuous random variable) という．

定理1.5.3 から，どんな確率変数 X に関しても，$P(X=x) = F_X(x) - F_X(x-)$ であることを思い出そう．したがって，連続型確率変数 X について，離散密度の点は存在しない．つまり，X が連続であるならば，すべての $x \in R$ に関して，$P(X=x) = 0$ である．ほとんどの連続型確率変数は絶対的に連続であり，つまり，いくつかの関数 $f_X(t)$ に関して，

$$F_X(x) = \int_{-\infty}^{x} f_X(t) dt \tag{1.7.1}$$

となる．関数 $f_X(t)$ は X の確率密度関数 (probability density function, pdf) とよばれる．また，$f_X(x)$ が連続であれば，微分積分法の基本定理 (the Fundamental Theorem of Calculus) から，

$$\frac{d}{dx} F_X(x) = f_X(x) \tag{1.7.2}$$

が導かれる．

連続型確率変数 X の台は，$f_X(x) > 0$ になるようなすべての点 x によって構成される．離散型の場合のように，$\mathcal{S}$ で X の台を記述することがしばしばある．

X が連続型確率変数ならば，確率は積分により得ることができる．つまり，

$$P(a < X \leq b) = F_X(b) - F_X(a) = \int_a^b f_X(t) dt$$

となる．また，連続型確率変数について，$P(a < X \leq b) = P(a \leq X \leq b) = P(a \leq X < b) = P(a < X < b)$ である．$f_X(x)$ は X の台を通じて連続で，$F_X(\infty) = 1$ なので，pdf は2つの性質を満たす．

$$\text{(i)}: f_X(x) \geq 0 \quad \text{(ii)}: \int_{-\infty}^{\infty} f_X(t) dt = 1 \tag{1.7.3}$$

確率における発展的な課程では，関数が上記の2つの性質を満たすならば，連続型確率変数の pdf であることが示される．例えば，Tucker(1967) を参照．

例1.5.3 での，区間 $(0,1)$ から無作為に1つの数が選ばれた単純な実験を思い出そう．選ばれた数 X は連続型確率変数の一例である．X の cdf は，$x \in (0,1)$ に関して $F_X(x) = x$ であることを思い出そう．したがって，X の pdf は以下によって与えられる．

$$f_X(x) = \begin{cases} 1 & x \in (0,1) \\ 0 & \text{それ以外の場合} \end{cases} \tag{1.7.4}$$

X の pdf あるいは pmf が X の台において一定であるどんな連続型あるいは離散型確率変数 X も一様分布 (uniform distribution) に従うといわれる．

例1.7.1 (単位円における無作為に選ばれた点). 半径1の円の内部から無作為に1つの点を選ぶ．X は原点から選択された点までの距離とする．実験における標本空間は $\mathcal{C} = \{(w,y) : w^2 + y^2 < 1\}$ である．点は無作為に選択されるので，範囲が等しい $\mathcal{C}$

1.7. 連続型確率変数

の部分集合は等しいように思える．したがって，$\mathcal{C}$ の内部の集合 C にある選択された点が入る確率は C の範囲に比例する．つまり，

$$P(C) = \frac{C \text{ の範囲}}{\pi}$$

となる．$0 < x < 1$ に関して，事象 $\{X \leq x\}$ は半径 x の円の中の点に等しい．したがって，この確率規則 $P(X \leq x) = \pi x^2 / \pi = x^2$ によって，X の cdf は，

$$F_X(x) = \begin{cases} 0 & x < 0 \\ x^2 & 0 \leq x < 1 \\ 1 & 1 \leq x \end{cases} \tag{1.7.5}$$

となる．X の pdf は以下で与えられる．

$$f_X(x) = \begin{cases} 2x & 0 \leq x < 1 \\ 0 & \text{それ以外の場合} \end{cases} \tag{1.7.6}$$

例として，半径 1/4 と 1/2 に囲まれた輪の中に選択した点が入る確率は以下のように与えられる．

$$P\left(\frac{1}{4} < X \leq \frac{1}{2}\right) = \int_{\frac{1}{4}}^{\frac{1}{2}} 2w\,dw = [w^2]_{\frac{1}{4}}^{\frac{1}{2}} = \frac{3}{16} \quad \blacksquare$$

例 1.7.2. 着信した電話が，多忙な交換台をよぶ間の秒単位の時間を確率変数とする．X について妥当な確率モデルは，次の pdf によって与えられるとする．

$$f_X(x) = \begin{cases} \frac{1}{4} e^{-x/4} & 0 < x < \infty \\ 0 & \text{それ以外の場合} \end{cases}$$

f_X は pdf の 2 つの性質を満たすことに注意せよ．つまり，(i) $f(x) \geq 0$ と (ii)

$$\int_0^\infty \frac{1}{4} e^{-x/4} dx = [-e^{-x/4}]_0^\infty = 1$$

である．例として，電話が交換台を呼ぶ間の時間が 4 秒を超える確率は，

$$P(X > 4) = \int_4^\infty \frac{1}{4} e^{-x/4} dx = e^{-1} = 0.3679$$

となる．この場合の pdf と確率は図 1.7.1 に描かれている． $\blacksquare$

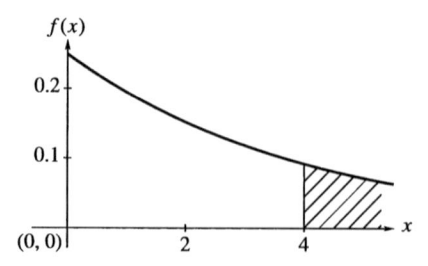

図 1.7.1 例 1.7.2 において，4 より右側の pdf の下側の範囲は $P(X>4)$ である．

1.7.1 変換

X を f_X という pdf が既知である連続型確率変数とする．離散の場合のように，X の変換，つまり $Y = g(X)$，である確率変数 Y の分布に興味があることがよくある．まずその cdf を得ることによって Y の pdf を得ることができる．2 つの例でこれを明らかにする．

例 1.7.3. 例 1.7.1 における確率変数を X とする．X は単位円で，原点から無作為に選ばれた点までの距離であることを思い出そう．このかわりに，距離の 2 乗に興味があると仮定する．つまり，$Y = X^2$ であり．Y の台は X の台と同じ，つまり $\mathcal{S}_Y = (0,1)$ である．Y の cdf は何であろうか．(1.7.5) 式の表現により，X の cdf は，

$$F_X(x) = \begin{cases} 0 & x < 0 \\ x^2 & 0 \leq x < 1 \\ 1 & 1 \leq x \end{cases} \quad (1.7.7)$$

である．y は Y の台であるとする．つまり，$0 < y < 1$ である．このとき，(1.7.7) 式の表現と X の台が正の数のみ含むということを用いて，Y の cdf は，

$$F_Y(y) = P(Y \leq y) = P(X^2 \leq y) = P(X \leq \sqrt{y}) = F_X(\sqrt{y}) = \sqrt{y}^2 = y$$

である．したがって，Y の pdf は，

$$f_Y(y) = \begin{cases} 1 & 0 < y < 1 \\ 0 & それ以外の場合 \end{cases}$$

となる．

例 1.7.4. 確率変数 X の pdf を $-1 < x < 1$ のとき，$f_X(x) = \frac{1}{2}$，それ以外は 0 とする．$Y = X^2$ により，確率変数 Y を定義する．Y の pdf を求めたい．$y \geq 0$ ならば，$P(Y \leq y)$ が以下に等しい．

$$P(X^2 \leq y) = P(-\sqrt{y} \leq X \leq \sqrt{y})$$

したがって，Y の cdf である $F_Y(y) = P(Y \leq y)$ は以下によって与えられる．

1.7. 連続型確率変数

$$F_Y(y) = \begin{cases} 0 & y < 0 \\ \int_{-\sqrt{y}}^{\sqrt{y}} \frac{1}{2} dx = \sqrt{y} & 0 \le y < 1 \\ 1 & 1 \le y \end{cases}$$

よって，Y の pdf は以下のようになる．

$$f_Y(y) = \begin{cases} \dfrac{1}{2\sqrt{y}} & 0 < y < 1 \\ 0 & それ以外の場合 \end{cases} \blacksquare$$

これらの例は累積分布関数法 (cumulative distribution function technique) を説明する．第一の例の変換は1対1であり，このような場合，次の定理で記すように X の pdf を用いて Y の pdf に関する単純な式を得ることができる．

定理 1.7.1.
X は pdf が $f_X(x)$ である連続型確率変数であるとする．$Y = g(X)$ で，$g(x)$ は 1対1の微分可能関数であり，X の台 $\mathcal{S}_X$ 上にあるとする．$x = g^{-1}(y)$ によって g の逆関数を記述し，$dx/df = d[g^{-1}(y)]/dy$ とする．このとき，Y の pdf は，

$$f_Y(y) = f_X(g^{-1}(y)) \left| \frac{dx}{dy} \right| \quad (y \in \mathcal{S}_Y) \tag{1.7.8}$$

によって与えられ，Y の台は，集合 $\mathcal{S}_Y = \{y = g(x) : x \in \mathcal{S}_X\}$ である．

証明 $g(x)$ は1対1で連続であるので，厳密に単調増加あるいは単調減少である．ここでは，厳密に単調増加であると仮定する．Y の cdf は，

$$F_Y(y) = P[Y \le y] = P[g(X) \le y] = P[X \le g^{-1}(y)] = F_X(g^{-1}(y)) \tag{1.7.9}$$

で与えられる．したがって，Y の pdf は，

$$f_Y(y) = \frac{d}{dy} F_Y(y) = f_X(g^{-1}(y)) \frac{dx}{dy} \tag{1.7.10}$$

であり，dx/dy は関数 $x = g^{-1}(y)$ の導関数である．この場合，g は増加するので，$dx/dy > 0$ となる．したがって，$dx/dy = |dx/dy|$ と記述できる．

$g(x)$ を厳密に単調減少と仮定する．このとき (1.7.9) 式は $F_Y(y) = 1 - F_X(g^{-1}(y))$ となる．したがって，Y の pdf は $f_Y(y) = f_X(g^{-1}(y))(-dx/dy)$ である．しかし，g は減少であるので，$dx/dy < 0$ で，したがって，$-dx/dy = |dx/dy|$ となる．それゆえ，(1.7.8) 式は両方のケースで真である．$\blacksquare$

これからは，$dx/dy = (d/dy)g^{-1}(y)$ を変換のヤコビアン (Jacobian)(J と記述する) とよぶ．ほとんどの数学の分野で，$J = dx/dy$ は逆変換 $x = g^{-1}(y)$ のヤコビアンと記述される．だが，本書では，使い勝手がよいために変換のヤコビアンとよぶことにす

例 1.7.5. X は以下の pdf に従うとする．

$$f_X(x) = \begin{cases} 1 & 0 < x < 1 \\ 0 & \text{それ以外の場合} \end{cases}$$

確率変数 $Y = -2\log X$ を考える．X と Y の台集合は，それぞれ $(0,1)$ と $(0,\infty)$ により与えられる．変換 $g(x) = -2\log x$ は，これらの集合の間で1対1である．変換の逆関数は，$x = g^{-1}(y) = e^{-y/2}$ である．変換のヤコビアンは，

$$J = \frac{dx}{dy} = \frac{d}{dy}e^{-y/2} = -\frac{1}{2}e^{-y/2}$$

である．したがって，$Y = -2\log X$ の pdf は以下のようになる．

$$f_Y(y) = \begin{cases} f_X(e^{-y/2})|J| = (1/2)e^{-y/2} & 0 < y < \infty \\ 0 & \text{それ以外の場合} \end{cases} \blacksquare$$

最後に，離散型でも連続型でもない分布の2つの例で，この節を終わりにする．

例 1.7.6. 分布関数が以下によって与えられるとする．

$$F(x) = \begin{cases} 0 & x < 0 \\ (x+1)/2 & 0 \le x < 1 \\ 1 & 1 \le x \end{cases}$$

例えば，

$$P\left(-3 < X \le \frac{1}{2}\right) = F\left(\frac{1}{2}\right) - F(-3) = \frac{3}{4} - 0 = \frac{3}{4}$$

と

$$P(X = 0) = F(0) - F(0-) = \frac{1}{2} - 0 = \frac{1}{2}$$

である．$F(x)$ のグラフは図 1.7.2 で示されている．$F(x)$ は常に連続でもなければ，階

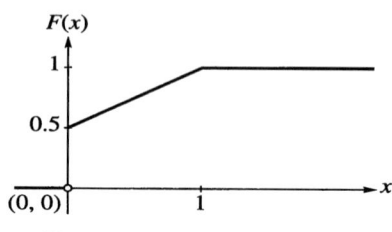

図 1.7.2 例 1.7.6 の cdf のグラフ

1.7. 連続型確率変数

段関数でもない．したがって，対応する分布は連続型でも離散型でもない．これらの型の混合といえるかもしれない．■

　実際，連続型と離散型の混合である分布は実践においてよく現れる．例示すると，寿命試験で，寿命の長さ X が b という数を超えることを知っているが，X の正確な値は未知であることを仮定する．これは，打ち切り (censoring) とよばれる．例えば，がん研究において被験者が姿を消す場合に，これが起こりうる．調査者は被験者がある月数生きていたことはわかるが，正確な寿命の長さは未知である．また，調査者にラットのような動物がすべて死ぬまでを観察する調査時間がない研究でも，これは起こりうる．打ち切りは保険業でも生起する．特に，最高額は超えているが，どの程度かはわかっていない短期払込保険における損失などが考えられる．

例1.7.7.　例として，再保険会社は，200万ドルから1000万ドルの間の風害による損失の保証に同意するため，大きな損失にかかわっている．X を何百万ドルもの，風による損失の大きさに等しいとし，cdf を以下のように仮定する．

$$F_X(x) = \begin{cases} 0 & -\infty < x < 0 \\ 1 - [10/(10+x)]^3 & 0 \leq x < \infty \end{cases}$$

1000万ドルを超える損失が，10 としてのみ報告されるならば，この打ち切り分布のcdf は，

$$F_Y(y) = \begin{cases} 0 & -\infty < x < 0 \\ 1 - [10/(10+x)]^3 & 0 \leq x < 10 \\ 1 & 10 \leq y < \infty \end{cases}$$

で，$y = 10$ で $[10/(10+10)]^3 = \frac{1}{8}$ の急上昇がある．■

練習問題

1.7.1.　標本空間 $\mathcal{C} = \{c : 0 < c < 10\}$ から1つの点を選択する．$C \subset \mathcal{C}$ とし，確率集合関数は $P(C) = \int_C \frac{1}{10} dz$ であるとする．確率変数 X を $X(c) = c^2$ と定義する．X の cdf と pdf を求めよ．

1.7.2.　確率変数 X の空間を $\mathcal{C} = \{x : 0 < x < 10\}$ とし，$P_X(C_1) = \frac{3}{8}$ であるとする．このとき，$C_1 = \{x : 1 < x < 5\}$ である．$P_X(C_2) \leq \frac{5}{8}$ であることを示せ．ただし，$C_2 = \{x : 5 \leq x < 10\}$ である．

1.7.3.　確率変数 X の空間 $\mathcal{C} = \{x : 0 < x < 1\}$ における部分集合 $C_1 = \{\frac{1}{4} < x < \frac{1}{2}\}$ と $C_2 = \{\frac{1}{2} \leq x < 1\}$ が $P_X(C_1) = \frac{1}{8}$ と $P_X(C_2) = \frac{1}{2}$ であるとする．$P_X(C_1 \cup C_2)$，$P_X(C_1^c)$，$P_X(C_1^c \cap C_2^c)$ を求めよ．

1.7.4.　$\int_C [1/\pi(1+x^2)]dx$ が与えられ，このとき $C \subset \mathcal{C} = \{x : -\infty < x < \infty\}$ であ

る．積分が，空間が C である確率変数 X の確率集合関数の機能を果たすことを示せ．

1.7.5. 確率変数 X の確率集合関数を，
$$P_X(C) = \int_C e^{-x} dx, \quad C = \{x : 0 < x < \infty\}$$
とし，$C_k = \{x : 2 - 1/k < x \leq 3\}$, $k = 1, 2, 3, \ldots$ とする．
$\lim_{k \to \infty} C_k$ と $P_X(\lim_{k \to \infty} C_k)$ を求めよ．さらに $P_X(C_k)$ と $\lim_{k \to \infty} P_X(C_k) = P_X(\lim_{k \to \infty} C_k)$ を示せ．

1.7.6. 次に示す X の各々の pdf に関し，$P(|X| < 1)$ と $P(X^2 < 9)$ を求めよ．
(a) $-3 < x < 3$ のとき，$f(x) = x^2/18$, それ以外は 0．
(b) $-2 < x < 4$ のとき，$f(x) = (x+2)/18$, それ以外は 0．

1.7.7. X の pdf が，$1 < x < \infty$ のとき，$f(x) = 1/x^2$ で，それ以外は 0 であるとする．$C_1 = \{x : 1 < x < 2\}$ と $C_2 = \{x : 4 < x < 5\}$ のとき，$P_X(C_1 \cup C_2)$ と $P_X(C_1 \cap C_2)$ を求めよ．

1.7.8. 単一の確率変数 X の分布の最頻値 (mode) は，pdf と pmf を最大化する x の値である．連続型の X に関して，$f(x)$ は連続型でなければならない．そのような x がたった 1 つである場合，分布の最頻値 (mode of distribution) とよばれる．以下の各々の分布の最頻値を求めよ．
(a) $p(x) = (\frac{1}{2})^x$, $x = 1, 2, 3, \ldots$, それ以外は 0．
(b) $f(x) = 12x^2(1-x)$, $0 < x < 1$, それ以外は 0．
(c) $f(x) = \frac{1}{2} x^2 e^{-x}$, $0 < x < \infty$, それ以外は 0．

1.7.9. 離散型あるいは連続型の単一の確率変数 X の分布の中央値 (median) は，$P(X < x) \leq \frac{1}{2}$ と $P(X \leq x) \geq \frac{1}{2}$ となる x の値である．そのような x がたった 1 つであるならば，分布の中央値 (median of distribution) とよばれる．以下の各々の分布の中央値を求めよ．
(a) $p(x) = \frac{4!}{x!(4-x)!} (\frac{1}{4})^x (\frac{3}{4})^{4-x}$, $x = 0, 1, 2, 3, 4$, それ以外は 0
(b) $f(x) = 3x^2$, $0 < x < 1$, それ以外は 0
(c) $f(x) = \frac{1}{\pi(1+x^2)}$, $-\infty < x < \infty$

ヒント：(b) と (c) では，$P(X < x) = P(X \leq x)$ であり，したがって，x が分布の中央値であるならば，共通の値は $\frac{1}{2}$ に等しくならねばならない．

1.7.10. $0 < p < 1$ とする．確率変数 X の分布の第 $(100p)$ パーセンタイル (percentile) (100 番目の分位 (quantile)) は $P(X < \xi_p) \leq p$ と $P(X \leq \xi_p) \geq p$ のようである値 ξ_p である．pdf が $f(x) = 4x^3$, $(0 < x < 1)$, それ以外は 0 である分布の 20 番目のパーセンタイルを求めよ．

ヒント：連続型確率変数 X に関して，$P(X < \xi_p) = P(X \leq \xi_p)$ で，したがって，共

1.7. 連続型確率変数

通の値は p に等しくならねばならない.

1.7.11. 以下の cdf それぞれに関して, $f(x)$ という pdf および 25 パーセンタイルと 60 パーセンタイルを求めよ. また, $f(x)$ と $F(x)$ のグラフを描け.
(a) $F(x) = (1+e^{-x})^{-1}$, $-\infty < x < \infty$
(b) $F(x) = \exp\{-e^{-x}\}$, $-\infty < x < \infty$
(c) $F(x) = \frac{1}{2} + \frac{1}{\pi}\tan^{-1}(x)$, $-\infty < x < \infty$

1.7.12. 以下の各々の確率密度関数に伴う, cdf $F(x)$ を求めよ. また, $f(x)$ と $F(x)$ のグラフを描け.
(a) $f(x) = 3(1-x)^2$, $0 < x < 1$, それ以外は 0.
(b) $f(x) = 1/x^2$, $1 < x < \infty$, それ以外は 0.
(c) $f(x) = \frac{1}{3}$, $0 < x < 1$ あるいは $2 < x < 4$, それ以外は 0.

また, これらの分布各々の中央値と 25 パーセンタイルを求めよ.

1.7.13. $F(x) = 1 - e^{-x} - xe^{-x}$, $0 \leq x < \infty$, それ以外は 0, という cdf を考える. (数値計算によって) この分布の pdf, 最頻値, 中央値を求めよ.

1.7.14. X は $f(x) = 2x$, $0 < x < 1$, それ以外は 0, という pdf に従うとする. X が少なくとも $\frac{1}{2}$ であることが得られたとき, X が少なくとも $\frac{3}{4}$ である確率を計算せよ.

1.7.15. すべての実現値 z に関する不等式,
$$P(X > z) \geq P(Y > z) \tag{1.7.11}$$
において, 少なくとも 1 つの z の値で狭義の不等号が成立するのであれば, 確率変数 X は確率変数 Y より確率的に大きい (stochastically larger) とされる. この関係は, cdf が以下の特徴を満たす必要があることを示せ.
$$F_X(z) \leq F_Y(z)$$
ただし, これはすべての実現値 z に関する不等式であり, 少なくとも 1 つの z の値において狭義の不等号が成立するものとする.

1.7.16. X は台 $(-\infty, \infty)$ で, 連続型の確率変数であるとする. 練習問題 1.7.5 の定義を用いて, $Y = X + \Delta$ と $\Delta > 0$ ならば, Y は X より確率的に大きいことを示せ.

1.7.17. 無作為に 1 つの点を選択し, 線分を 2 つの部分にわける. 長いセグメントが短いものの少なくとも 3 倍となる確率をもとめよ. 一様分布であることを仮定せよ.

1.7.18. 暑い夏の日にある店で注文されたアイスクリームのガロン数を X とする. X の pdf を $f(x) = 12x(1000-x)^2/10^{12}$, $(0 < x < 1000)$, それ以外は 0 であると仮定する. ある特定の日の在庫を使い果たす確率を 0.05 になるように, ここ数日それぞれでもっておくべきアイスクリームのガロン数はいくらか.

1.7.19. $f(x)=|x|/4, -2<x<2$, それ以外は 0 である pdf に従う分布の 25 パーセンタイルを求めよ．

1.7.20. X が $f(x)=x^2/9, 0<x<3$, それ以外は 0 である pdf に従うとする．$Y=X^3$ の pdf を求めよ．

1.7.21. X の pdf が $f(x)=2xe^{-x^2}, 0<x<\infty$, それ以外は 0 であるとき，$Y=X^2$ の pdf を決定せよ．

1.7.22. $-\frac{\pi}{2}<x\leq\frac{\pi}{2}$ に関して，一様な pdf が $f_X(x)=\frac{1}{\pi}$ とする．$Y=\tan X$ の pdf を求めよ．これはコーシー分布 (Cauchy distribution) の pdf である．

1.7.23. X が $f(x)=4x^3, 0<x<1$, それ以外は 0 である pdf に従うとする．$Y=-\ln X^4$ の cdf と pdf を求めよ．

1.7.24. $f(x)=\frac{1}{3}, -1<x<2$, それ以外は 0 を X の pdf とする．$Y=X^2$ の cdf と pdf を求めよ．
ヒント：以下の 2 つの場合の $P(X^2\leq y)$ を考えよ．：$0\leq y<1$ と $1\leq y<4$.

1.8 確率変数の期待値

本節では，本書の残りを通し使用していく期待値という演算子について紹介する．

定義 1.8.1 (期待値).

X は確率変数であるとする．X が $f(x)$ という pdf に従う連続型確率変数であり，かつ

$$\int_{-\infty}^{\infty}|x|f(x)dx<\infty$$

であるならば，そのとき X の期待値 (expectation, expected value) は

$$E(X)=\int_{-\infty}^{\infty}xf(x)dx$$

である．X が $p(x)$ という pmf に従う離散型確率変数であり，かつ

$$\sum_x|x|p(x)<\infty$$

であるならば，そのとき X の期待値は以下となる．

$$E(X)=\sum_x xp(x)$$

期待値 $E(X)$ は X の数学的期待値 (mathematical expectation), X の平均 (mean) とよばれることがある．平均という名称が用いられるとき，しばしば $E(X)$ を μ に

1.8. 確率変数の期待値

よって表現する．すなわち $\mu = E(X)$ である．

例 1.8.1 (定数の期待値). 実現値が1つの定数しかない離散型の確率変数，すなわち定数 k においてそのすべての量を伴う確率変数を考える．これは $p(k) = 1$ という pmf に従う離散型確率変数である．$|k|$ は有限であるから，定義より以下が得られる．

$$E(k) = kp(k) = k \quad \blacksquare \tag{1.8.1}$$

注意 1.8.1. 期待値という用語はその起源を偶然性を伴うゲームにもつ．このことは以下のように説明することができる．4つの小さく同じようなチップは，それぞれ，1,1,1,2 という番号が付与されており，1つのボウルの中に入れられ混ぜられている．プレーヤーは目隠しをされ，そのボウルから1枚のチップを引く．彼女が1の番号が付与された3枚のチップのうちの1枚を引いたならば，彼女は1ドルを受け取るものとする．彼女が2の番号のチップを引いたならば，彼女は2ドルを受け取るとする．1ドルに対しては「$\frac{3}{4}$ の請求権」をもち，2ドルに対しては「$\frac{1}{4}$ の請求権」をもつプレーヤーだと仮定することは適切である．彼女の「全体の請求権」は $(1)(\frac{3}{4}) + (2)(\frac{1}{4}) = \frac{5}{4}$，すなわち 1.25 ドルである．このように X の期待値はこのゲームにおいて正確なプレーヤーの請求権である．■

例 1.8.2. 離散型の確率変数 X は以下の表によって与えられた pmf に従うとする．

x	1	2	3	4
$p(x)$	$\frac{4}{10}$	$\frac{1}{10}$	$\frac{3}{10}$	$\frac{2}{10}$

ここで，x がはじめの4つの正の整数のどれとも等しくなければ，$p(x) = 0$ である．この例は pmf を描くために必ずしも式を利用する必要がないということを示している．そして，以下を得る．

$$E(X) = (1)\left(\frac{4}{10}\right) + (2)\left(\frac{1}{10}\right) + (3)\left(\frac{3}{10}\right) + (4)\left(\frac{2}{10}\right) = \frac{23}{10} = 2.3 \quad \blacksquare$$

例 1.8.3. X は

$$f(x) = \begin{cases} 4x^3 & 0 < x < 1 \\ 0 & \text{それ以外の場合} \end{cases}$$

という pdf に従うとする．そのとき以下となる．

$$E(X) = \int_0^1 x(4x^3)dx = \int_0^1 4x^4 dx = \left[\frac{4x^5}{5}\right]_0^1 = \frac{4}{5} \quad \blacksquare$$

確率変数 X の関数を考える．この関数を $Y = g(X)$ とよぶ．Y は確率変数なので，はじめに Y の分布を求めることによってその期待値を得ることができる．しかしなが

ら，以下の定理のように，Y の期待値を決定するために X の分布を用いることができる．

定理 1.8.1.
X を確率変数とし，関数 g を $Y = g(X)$ とする．
(a). X を $f_X(x)$ という pdf に従う連続型確率変数であるとする．この場合に $\int_{-\infty}^{\infty} |g(x)|f_X(x)dx < \infty$ であるならば，そのとき Y の期待値は存在し，かつその期待値は以下となる．
$$E(Y) = \int_{-\infty}^{\infty} g(x)f_X(x)dx \qquad (1.8.2)$$
(b). X を $p_X(x)$ という pmf に従う離散型確率変数であるとする．X の台を $\mathcal{S}_X$ によって表現する．$\sum_{x \in \mathcal{S}_X} |g(x)|p_X(x) < \infty$ であるならば，そのとき Y の期待値は存在し，かつその期待値は以下となる．
$$E(Y) = \sum_{x \in \mathcal{S}_X} g(x)p_X(x) \qquad (1.8.3)$$

証明 ここでは離散型の場合における証明を与える．連続型の場合のための証明は解析的により高度な結果を要する．練習問題 1.8.1 も参照のこと．絶対収束の仮定
$$\sum_{x \in \mathcal{S}_X} |g(x)|p_X(x) < \infty \qquad (1.8.4)$$
は以下の結果が真であることを示す．
(c). 数列 $\sum_{x \in \mathcal{S}_X} g(x)p_X(x)$ は収束する．
(d). (1.8.4) 式と **(c)** の数列のいずれかを任意に再配列したものは最初の数列と同じ値に収束する．

ここで意味する再配列とは Y の台集合 $\mathcal{S}_Y$ の全体を通して行われるものである．**(d)** の結果は以下の
$$\sum_{x \in \mathcal{S}_X} |g(x)|p_X(x) = \sum_{y \in \mathcal{S}_Y} \sum_{\{x \in \mathcal{S}_X : g(x) = y\}} |g(x)|p_X(x) \qquad (1.8.5)$$
$$= \sum_{y \in \mathcal{S}_Y} |y| \sum_{\{x \in \mathcal{S}_X : g(x) = y\}} p_X(x) \qquad (1.8.6)$$
$$= \sum_{y \in \mathcal{S}_Y} |y|p_Y(y) \qquad (1.8.7)$$

を示す．(1.8.4) 式から，(1.8.5) 式の左辺は有限である．よって，(1.8.7) 式の最後の項も同様に有限である．それゆえ $E(Y)$ は存在する．**(d)** を用いることで (1.8.5)-(1.8.7) 式と同様であり，かつ絶対値を伴わない方程式のその他の集合を得ることができる．すなわち

1.8. 確率変数の期待値

$$\sum_{x \in S_X} g(x) p_X(x) = \sum_{y \in S_Y} y p_Y(y) = E(Y)$$

が最終的な結果である. ■

定理 1.8.1 は期待値という演算子 E が線形演算子であることを示す.

定理 1.8.2.
$g_1(X)$ と $g_2(X)$ を確率変数 X の関数とする. $g_1(X)$ と $g_2(X)$ の期待値は存在するものとする. そのとき任意の定数 k_1 と k_2 に関して, $k_1 g_1(X) + k_2 g_2(X)$ の期待値は存在し, かつその期待値は以下の

$$E[k_1 g_1(X) + k_2 g_2(X)] = k_1 E[g_1(X)] + k_2 E[g_2(X)] \tag{1.8.8}$$

によって与えられる.

証明 連続型の場合における期待値は, 以下の三角不等式と積分の線形性との仮定より存在することが導かれる.

$$\int_{-\infty}^{\infty} |k_1 g_1(x) + k_2 g_2(x)| f_X(x) dx$$
$$\leq |k_1| \int_{-\infty}^{\infty} |g_1(x)| f_X(x) dx + |k_2| \int_{-\infty}^{\infty} |g_2(x)| f_X(x) dx < \infty$$

(1.8.8) 式の結果は積分の線形性を用いることで同様に導かれる. 離散型の場合の証明は和の線形性を用いることで同様に導かれる. ■

以下の例はこれらの定理を説明する.

例 1.8.4. X は

$$f(x) = \begin{cases} 2(1-x) & 0 < x < 1 \\ 0 & それ以外の場合 \end{cases}$$

という pdf に従うとする. そのとき

$$E(X) = \int_{-\infty}^{\infty} x f(x) dx = \int_0^1 (x) 2(1-x) dx = \frac{1}{3}$$
$$E(X^2) = \int_{-\infty}^{\infty} x^2 f(x) dx = \int_0^1 (x^2) 2(1-x) dx = \frac{1}{6}$$

であり, 当然,

$$E(6X + 3X^2) = 6\left(\frac{1}{3}\right) + 3\left(\frac{1}{6}\right) = \frac{5}{2}$$

である. ■

例 1.8.5. X は

$$p(x) = \begin{cases} x/6 & x = 1, 2, 3 \\ 0 & \text{それ以外の場合} \end{cases}$$

という pmf をもつとする．そのとき，

$$E(X^3) = \sum x^3 p(x) = \sum_{x=1}^{3} x^3 \frac{x}{6}$$
$$= \frac{1}{6} + \frac{16}{6} + \frac{81}{6} = \frac{98}{6}$$

となる．■

例 1.8.6. 長さ 5 の水平な線分をランダムに 2 つの部分に分割する．いま X を左側の部分の長さとするならば，X は

$$f(x) = \begin{cases} 1/5 & 0 < x < 5 \\ 0 & \text{それ以外の場合} \end{cases}$$

という pdf に従うと仮定することができる．X の長さの期待値は $E(X) = \frac{5}{2}$ であり，長さ $5-x$ の期待値は $E(5-x) = \frac{5}{2}$ である．しかし 2 つの長さの積の期待値

$$E[X(5-X)] = \int_0^5 x(5-x)\left(\frac{1}{5}\right)dx = \frac{25}{6} \neq \left(\frac{5}{2}\right)^2$$

である．すなわち，一般的に，積の期待値は期待値の積と等しくならない．■

例 1.8.7. 5 つのチップの入ったボウルがあり，そのチップは手の感触だけで区別されることはない．3 つのチップのそれぞれには \$1 とマークされ，残りの 2 つのチップにはそれぞれ \$4 とマークされている．プレーヤーは目隠しされ，2 つのチップをボールから無作為かつ非復元に引く．プレーヤーには引いた 2 つのチップの値の合計と同じだけの金額が支払われ，ゲームは終了する．もしゲームをプレーするために 4.75 ドル必要であるならば，続けて参加すべきであろうか．手の感触だけではチップを区別することはできないので，引かれ得る 10 組のチップそれぞれは同じ確率で引かれると仮定する．確率変数 X を選択された 2 つのチップのうち，\$1 とマークされたチップの数とする．そのとき，この仮定のもとで，X は

$$p(x) = \begin{cases} \binom{3}{x}\binom{2}{2-x} \Big/ \binom{5}{2} & x = 0, 1, 2 \\ 0 & \text{それ以外の場合} \end{cases}$$

という超幾何 pmf に従う．$X = x$ であるならば，プレーヤーは $u(x) = x + 4(2-x) = 8 - 3x$ ドル受け取る．よって，数学的期待値は以下の

$$E[8 - 3X] = \sum_{x=0}^{2}(8-3x)p(x) = \frac{44}{10}$$

1.8. 確率変数の期待値

すなわち 4.40 ドルと等しい.

練習問題

1.8.1. 定理 1.8.1 の証明は離散型の場合のためのものであった. 連続型の場合のための証明は解析的により高度な結果を要する. だが, 加えて関数 $g(x)$ は 1 対 1 であるとき, 連続型の場合のための結果が真であることを示せ.
ヒント：はじめに $y = g(x)$ は厳密に増加していることを仮定する. そのとき, 積分 $\int_{x \in S_X} g(x) f_X(x) dx$ におけるヤコビアン dx/dy による変数変換法を用いよ.

1.8.2. X を離散型か連続型かいずれか一方の確率変数とする. $g(X) \equiv k$, ここで k は定数, であるならば, $E(g(X)) = k$ であることを示せ.

1.8.3. X は $f(x) = (x+2)/18$, $-2 < x < 4$, それ以外は 0, という pdf をもつとする. $E(X)$, $E[(X+2)^3]$, そして $E[6X - 2(X+2)^3]$ を求めよ.

1.8.4. $p(x) = \frac{1}{5}$, $x = 1, 2, 3, 4, 5$, それ以外は 0, は離散型の確率変数 X の pmf であると仮定する. $E(X)$ と $E(X^2)$ を計算せよ. また, $(X+2)^2 = X^2 + 4X + 4$ とおき, $E[(X+2)^2]$ を求めるために 2 つの結果を利用せよ.

1.8.5. X を数値の集合 $\{51, 52, \ldots, 100\}$ から無作為に選択した番号とする. $E(1/X)$ を近似せよ.
ヒント：積分範囲 $E(1/X)$ を求めることで, 適切な上下界を求めよ.

1.8.6. $p(x)$ という pmf は $x = -1, 0, 1$ 上において正であり, それ以外は 0 とする.
(a) $p(0) = \frac{1}{4}$ のとき, $E(X^2)$ を求めよ.
(b) $p(0) = \frac{1}{4}$ であり, かつ $E(X) = \frac{1}{4}$ のとき, $p(-1)$ と $p(1)$ を決定せよ.

1.8.7. X は $f(x) = 3x^2$, $0 < x < 1$, それ以外は 0 という pdf に従うとする. 各辺が確率変数 X と $(1-X)$ である長方形を考える. 長方形の面積の期待値を決定せよ.

1.8.8. $2 とマークされたチップが 8 個, $5 とマークされたチップが 2 個, 合計 10 個のチップがボウルに入っている. ある人に無作為かつ非復元でこのボウルから 3 つのチップを選択させる. その人が結果の金額の合計を受け取るとき, 彼の期待値を求めよ.

1.8.9. X は $f(x)$ という pdf に従う連続型の確率変数であるとする. m は X の分布の唯一の中央値であり b は実数の定数であるとき, 期待値は存在するという条件のもとで

$$E(|X-b|) = E(|X-m|) + 2 \int_m^b (b-x) f(x) dx$$

であることを示せ. またどのような b の値によって $E(|X-b|)$ が最小になるか.

1.8.10. $f(x) = 2x$, $0 < x < 1$, それ以外は 0, を X の pdf とする.
(a) $E(1/X)$ を計算せよ.
(b) $Y = 1/X$ の cdf と pdf を求めよ.
(c) $E(Y)$ を計算せよ. また **(a)** で得られた回答とその結果を見比べよ.

1.8.11. 2 つの別の整数は 1 から 6 までの正の整数から無作為かつ非復元に選ばれる. それら 2 つの数値の差の絶対値の期待値を計算せよ.

1.8.12. X は $f(x) = 1/x^2$, $1 < x < \infty$, それ以外は 0 という pdf に従うとする. $E(X)$ が存在しないことを示せ.

1.8.13. X はゼロにおいて左右対称なコーシー分布に従うとする. なぜ $E(X) = 0$ ではないのかを示せ.

1.8.14. X は $f(x) = 3x^2$, $0 < x < 1$, それ以外は 0 という pdf に従うとする.
(a) $E(X^3)$ を計算せよ.
(b) $Y = X^3$ が一様分布 $(0, 1)$ に従うことを示せ.
(c) $E(Y)$ を計算し, **(a)** で得られた回答とその結果を見比べよ.

1.9 特別な期待値

ある期待値は, もしそれが存在するならば, それらを表現する特別な名前と記号をもっている. まず, X を $p(x)$ という pmf に従う離散型の確率変数とする. すると,

$$E(X) = \sum_x xp(x)$$

となる. もし, X の台が $\{a_1, a_2, a_3, \ldots\}$ とすると,

$$E(X) = a_1 p(a_1) + a_2 p(a_2) + a_3 p(a_3) + \cdots$$

となる. この積和は, 値 $a_1, a_2, a_3, \ldots$ の各 a_i に関する「重み」が $p(a_i)$ であるような「加重平均」であると考えられる. この $E(X)$ を X の値の算術平均, もしくはもっと簡単に, X の平均値 (mean value)(または分布の平均値) とよぶ.

定義 1.9.1 (平均).
 X をその期待値が存在するような確率変数とする. X の平均値 μ は $\mu = E(X)$ と定義される.

平均は確率変数の (0 のまわりの)1 次の積率である. その他の特別な期待値には, 2 次の積率が含まれる. X を台 $\{a_1, a_2, \ldots\}$ に関して, $p(x)$ という pmf に従う離散型の確率変数とすると,

$$E[(X-\mu)^2] = \sum_x (x-\mu)^2 p(x) = (a_1-\mu)^2 p(a_1) + (a_2-\mu)^2 p(a_2) + \cdots$$

1.9. 特別な期待値

となる．この積和は，値 $a_1, a_2, \ldots$ の平均値 μ からの偏差の 2 乗の「加重平均」と解釈できるだろう．そのときの $(a_i - \mu)^2$ に関する「重み」は $p(a_i)$ である．また，この積和は X の μ のまわりの 2 次の積率と考えられる．これは，すべての種類の確率変数にとって重要な期待値であり，通常は分散として扱われる．

定義 1.9.2 (分散).
X の有限な平均が μ であり，また $E[(X-\mu)^2]$ が有限であるような確率変数 X を考える．そのとき，X の分散 (variance) は $E[(X-\mu)^2]$ と定義される．通常，σ^2 または $\mathrm{Var}(X)$ と表記される．

$\mathrm{Var}(X)$ に関する以下の等式は重要である．
$$\sigma^2 = E[(X-\mu)^2] = E(X^2 - 2\mu X + \mu^2)$$
また，E は線形演算子であるので
$$\sigma^2 = E(X^2) - 2\mu E(X) + \mu^2 = E(X^2) - 2\mu^2 + \mu^2 = E(X^2) - \mu^2$$
である．これらはしばしば X の分散を計算するより簡単な方法となる．

σ (分散の正の平方根) は通常，X の標準偏差 (standard deviation)(または，分布の標準偏差) とよばれる．σ の値はしばしば，平均値 μ に対するその空間における点の散らばりの測度として解釈される．もしその空間がただ 1 つの点 k のみを含み，$p(k) > 0$ とすると，$p(k) = 1$, $\mu = k$, $\sigma = 0$ となる．

注意 1.9.1. 連続型の確率変数 X が，$f_X(x) = 1/(2a)$, $-a < x < a$, それ以外は 0 という pdf に従うとすると，X の分布の標準偏差は $\sigma_X = a/\sqrt{3}$ となる．次に，連続型の確率変数 Y が，$f_Y(y) = 1/(4a)$, $-2a < y < 2a$, それ以外は 0 という pdf に従うとすると，Y の分布の標準偏差は $\sigma_Y = 2a/\sqrt{3}$ となる．ここで，Y の標準偏差は X の 2 倍である．このことは，Y に対する確率が X に対する確率よりも (平均 0 に関して) 2 倍広く分布しているということを意味している．■

次に 3 つめの特別な期待値について定義する．

定義 1.9.3 (積率母関数 (mgf)).
X は $h > 0$ に関して $-h < t < h$ であるときに，e^{tX} の期待値が存在するような確率変数であるとする．X の積率母関数 (moment generating function) は関数 $M(t) = E(e^{tX})$, $-h < t < h$ で定義される．以後，確率変数の積率母関数を表す際には mgf と略記する．

実際に必要とされることは，mgf が 0 を含む開近傍に存在するということだけである．もちろんそのような区間は $(-h, h)$, $h > 0$ の形で表される区間を含むだろう．さらに，$t = 0$ の場合，$M(0) = 1$ であることは明白である．しかし mgf が存在するためには，それが 0 のまわりの開区間に存在しなくてはいけないことに注意すべきである．

例で紹介されるように，すべての分布が mgf をもっているわけではない．

いくつかの確率変数について議論するときに，M に添え字をつけた M_X はそれが X の mgf であることを表すのに便利である．

X と Y を mgf をもつ 2 つの確率変数とする．もし X と Y が同じ分布に従うならば，すなわち，すべての z に関して $F_X(z) = F_Y(z)$ であるならば，間違いなく 0 の近傍で $M_X(t) = M_Y(t)$ である．しかし，mgf の最も重要な特徴のひとつは，この文章の逆もまた真であることである．すなわち，mgf は一意に分布を特定する．これを定理として記述する．ただし，この証明は本文の範囲を超えるので Chung(1974) を参照されたい．まず，離散型確率変数の場合について確かめてみよう．

定理 1.9.1.

0 のまわりの開区間において，それぞれが積率母関数 M_X と M_Y に従う確率変数 X と Y を考える．すべての $t \in (-h, h)$，$h > 0$ に対して $M_X(t) = M_Y(t)$ であるならば，またそのときのみ，すべての $z \in R$ に対して $F_X(z) = F_Y(z)$ である．

この定理は重要であるため，その主張を妥当なものとすることが望ましい．もしその確率変数が離散型であれば，それは可能である．例えば，

$$M(t) = \frac{1}{10}e^t + \frac{2}{10}e^{2t} + \frac{3}{10}e^{3t} + \frac{4}{10}e^{4t}$$

が，すべての実数 t に対する離散型の確率変数 X の mgf であるとする．もし，台 $\{a_1, a_2, a_3, \ldots\}$ に関する X の pmf が $p(x)$ とすると，

$$M(t) = \sum_x e^{tx} p(x)$$

より，

$$\frac{1}{10}e^t + \frac{2}{10}e^{2t} + \frac{3}{10}e^{3t} + \frac{4}{10}e^{4t} = p(a_1)e^{a_1 t} + p(a_2)e^{a_2 t} + \cdots$$

が導かれる．これは，すべての実数 t に対して成立するため，右辺は 4 つの項から構成されるべきであり，またその 4 つの項がそれぞれ対応する左辺の項と等しくなるべきである．したがって，$a_1 = 1$，$p(a_1) = \frac{1}{10}$；$a_2 = 2$，$p(a_2) = \frac{2}{10}$；$a_3 = 3$，$p(a_3) = \frac{3}{10}$；$a_4 = 4$，$p(a_4) = \frac{4}{10}$ となる．もしくはもっと簡単に，X の pmf は以下のように表現できる．

$$p(x) = \begin{cases} x/10 & x = 1, 2, 3, 4 \\ 0 & \text{それ以外の場合} \end{cases}$$

一方，X が連続型の確率変数である場合を考える．X の mgf が

$$M(t) = \frac{1}{1-t}, \quad t < 1$$

と与えられているとしよう．すなわち，

1.9. 特別な期待値

$$\frac{1}{1-t} = \int_{-\infty}^{\infty} e^{tx} f(x) dx, \quad t < 1$$

である．$f(x)$ をどのようにして求めるかは明らかではない．しかし，pdf が

$$f(x) = \begin{cases} e^{-x} & 0 < x < \infty \\ 0 & それ以外の場合 \end{cases}$$

である分布は $M(t) = (1-t)^{-1}$, $t < 1$ という mgf に従うことは簡単にわかる．したがって，mgf の一意性という主張より，確率変数 X はこの pdf を伴った分布に従う．

$M(t)$ という mgf に従う分布は $M(t)$ によって完全に決められるため，分布のある特性が $M(t)$ から直接得られることは驚くことではないだろう．例えば，$-h < t < h$ に対して $M(t)$ が存在することは，すべての次数の $M(t)$ の導関数が $t=0$ に存在することを示唆している．また，解析の定理から微分や積分 (離散型の場合は和) の順番は交換することができる．すなわち，もし X が連続型であるならば

$$M'(t) = \frac{dM(t)}{dt} = \frac{d}{dt}\int_{-\infty}^{\infty} e^{tx} f(x) dx = \int_{-\infty}^{\infty} \frac{d}{dt} e^{tx} f(x) dx$$
$$= \int_{-\infty}^{\infty} x e^{tx} f(x) dx$$

となる．同様に，もし X が離散型確率変数であるならば

$$M'(t) = \frac{dM(t)}{dt} = \sum_{x} x e^{tx} p(x)$$

となる．ここで $t = 0$ とおくと，どちらの場合も

$$M'(0) = E(X) = \mu$$

を得る．$M(t)$ の 2 次の導関数は

$$M''(t) = \int_{-\infty}^{\infty} x^2 e^{tx} f(x) dx, \quad \sum_{x} x^2 e^{tx} p(x)$$

であるので，$M''(0) = E(X^2)$ となる．したがって，$\text{var}(X)$ は

$$\sigma^2 = E(X^2) - \mu^2 = M''(0) - [M'(0)]^2$$

と等しくなる．例えば，先ほどの例のように $M(t) = (1-t)^{-1}$, $t < 1$ とすると，

$$M'(t) = (1-t)^{-2}, \quad M''(t) = 2(1-t)^{-3}$$

となる．ここから以下が得られる．

$$\mu = M'(0) = 1$$
$$\sigma^2 = M''(0) - \mu^2 = 2 - 1 = 1$$

もちろん μ や σ^2 を以下のように pdf からそれぞれ計算することも可能だろう．

$$\mu = \int_{-\infty}^{\infty} x f(x) dx, \quad \sigma^2 = \int_{-\infty}^{\infty} x^2 f(x) dx - \mu^2$$

ときには，一方の方法が他方の方法より簡単になる．

一般的に，もし m が正の整数で，$M^{(m)}(t)$ が $M(t)$ の m 次の導関数であるならば，t による微分を繰り返すことにより

$$M^{(m)}(0) = E(X^m)$$

を得る．さて，

$$E(X^m) = \int_{-\infty}^{\infty} x^m f(x) dx, \quad \sum_x x^m p(x)$$

である．また，この種の積分（または和）は力学ではモーメント (moment) とよばれる．$M(t)$ は $E(X^m)$, $m=1,2,3,\ldots$ の値を生み出すので，積率母関数 (mgf) という．実際，ときには $E(X^m)$ を分布の m 次のモーメント (m th moment)，または X の m 次のモーメントとよぶことがある．

例 1.9.1. X が以下の pdf に従うとする．

$$f(x) = \begin{cases} (x+1)/2 & -1 < x < 1 \\ 0 & \text{それ以外の場合} \end{cases}$$

すると X の平均値と分散は以下となる．

$$\mu = \int_{-\infty}^{\infty} x f(x) dx = \int_{-1}^{1} x \frac{x+1}{2} dx = \frac{1}{3}$$

$$\sigma^2 = \int_{-\infty}^{\infty} x^2 f(x) dx - \mu^2 = \int_{-1}^{1} x^2 \frac{x+1}{2} dx - \left(\frac{1}{3}\right)^2 = \frac{2}{9} \blacksquare$$

例 1.9.2. X が次の pdf に従うとき，X の平均値は存在しない．

$$f(x) = \begin{cases} 1/x^2 & 1 < x < \infty \\ 0 & \text{それ以外の場合} \end{cases}$$

なぜなら，以下が存在しないためである．

$$\int_1^{\infty} |x| \frac{1}{x^2} dx = \lim_{b \to \infty} \int_1^b \frac{1}{x} dx = \lim_{b \to \infty} (\log b - \log 1) \blacksquare$$

例 1.9.3. 次の級数は $\pi^2/6$ に収束することが知られている．

$$\frac{1}{1^2} + \frac{1}{2^2} + \frac{1}{3^2} + \cdots$$

そこで，離散型の確率変数 X は以下の pmf に従うとする．

$$p(x) = \begin{cases} 6/(\pi^2 x^2) & x = 1, 2, 3, \ldots \\ 0 & \text{それ以外の場合} \end{cases}$$

この分布の mgf は，もしそれが存在するならば，以下によって与えられる．

1.9. 特別な期待値

$$M(t) = E(e^{tX}) = \sum_x e^{tx} p(x) = \sum_{x=1}^{\infty} \frac{6e^{tx}}{\pi^2 x^2}$$

比判定法によって，もし $t>0$ ならばこの級数が発散することが示されるだろう．このように，$-h<t<h$ に対して $M(t)$ が存在するような正の数 h は存在しない．したがって，この例における $p(x)$ という pmf に従う分布は mgf をもたない．■

例1.9.4. X は $M(t)=e^{t^2/2}$, $-\infty<t<\infty$ という mgf に従うとする．X の積率を求めるために，$M(t)$ は何度も微分することができる．しかし，その他の方法を考えることは有益である．関数 $M(t)$ は以下のマクローリン級数によって表現される．

$$e^{t^2/2} = 1 + \frac{1}{1!}\left(\frac{t^2}{2}\right) + \frac{1}{2!}\left(\frac{t^2}{2}\right)^2 + \cdots + \frac{1}{k!}\left(\frac{t^2}{2}\right)^k + \cdots$$
$$= 1 + \frac{1}{2!}t^2 + \frac{(3)(1)}{4!}t^4 + \cdots + \frac{(2k-1)\cdots(3)(1)}{(2k)!}t^{2k} + \cdots$$

一般的に $M(t)$ に対するマクローリン級数は

$$M(t) = M(0) + \frac{M'(0)}{1!}t + \frac{M''(0)}{2!}t^2 + \cdots + \frac{M^{(m)}(0)}{m!}t^m + \cdots$$
$$= 1 + \frac{E(X)}{1!}t + \frac{E(X^2)}{2!}t^2 + \cdots + \frac{E(X^m)}{m!}t^m + \cdots$$

となる．このように，$M(t)$ のマクローリン級数表現における $(t^m/m!)$ の係数は $E(X^m)$ となる．したがって，私たちの扱っている $M(t)$ に対しては，

$$E(X^{2k}) = (2k-1)(2k-3)\cdots(3)(1) = \frac{(2k)!}{2^k k!}, \quad k=1,2,3,\ldots \quad (1.9.1)$$

$$E(X^{2k-1}) = 0, \quad k=1,2,3,\ldots \quad (1.9.2)$$

となる．この結果は 3.4 節において使用される．■

注意 1.9.2. さらに進んだ課程では，mgf を用いて作業することはないだろう．なぜなら，多くの分布が積率母関数をもたないためである．そのかわりに，i が複素数を，t が任意の実数を意味するとし，$\varphi(t) = E(e^{itX})$ を定義する．この期待値は「すべての」分布に関して存在し，分布の特性関数 (characteristic function) とよばれる．なぜ $\varphi(t)$ がすべての実数 t に対して存在するかを確かめよう．連続型確率変数の場合，その絶対値は

$$|\varphi(t)| = \left|\int_{-\infty}^{\infty} e^{itx} f(x) dx\right| \leq \int_{-\infty}^{\infty} |e^{itx} f(x)| dx$$

となることに注目する．しかし，$f(x)$ は非負であるため $|f(x)| = f(x)$ であり，また

$$|e^{itx}| = |\cos tx + i\sin tx| = \sqrt{\cos^2 tx + \sin^2 tx} = 1$$

である．以上のことから

$$|\varphi(t)| \leq \int_{-\infty}^{\infty} f(x)dx = 1$$

を得る．したがって，$\varphi(t)$ の積分はすべての実数 t に対して存在する．離散型の場合，積分のかわりに和がおかれる．

　すべての分布が固有の特性関数に従い，またそれぞれの特性関数には対応する固有の確率分布がある．もし，X が特性関数 $\varphi(t)$ を伴った分布に従うならば，例えば $E(X)$ や $E(X^2)$ が存在するとすると，それらはそれぞれ $iE(X) = \varphi'(0)$ と $i^2 E(X^2) = \varphi''(0)$ によって与えられるだろう．複素関数に詳しい読者なら $\varphi(t) = M(it)$ と書き，また，この本を通して，完全な一般性をもつ定理を証明するかもしれない．

　ラプラス・フーリエ変換を学んだ人は，これらの変換と $M(t)$ や $\varphi(t)$ の間の類似性に気づくだろう．すなわち，これらの変換の一意性によって，私たちはそれぞれの積率母関数や特性関数の一意性を主張することができるのである．■

練習問題

1.9.1. 次の分布それぞれの平均と分散を，もしそれが存在するならば求めよ．
(a) $p(x) = \frac{3!}{x!(3-x)!}\left(\frac{1}{2}\right)^3$, $x = 0, 1, 2, 3$, それ以外は 0
(b) $f(x) = 6x(1-x)$, $0 < x < 1$, それ以外は 0
(c) $f(x) = 2/x^3$, $1 < x < \infty$, それ以外は 0

1.9.2. $p(x) = \left(\frac{1}{2}\right)^x$, $x = 1, 2, 3, \ldots$, それ以外は 0, を確率変数 X の pmf とする．X の mgf, 平均，分散を求めよ．

1.9.3. 次の分布それぞれに関して，$P(\mu - 2\sigma < X < \mu + 2\sigma)$ を計算せよ．
(a) $f(x) = 6x(1-x)$, $0 < x < 1$, それ以外は 0
(b) $p(x) = \left(\frac{1}{2}\right)^x$, $x = 1, 2, 3, \ldots$, それ以外は 0

1.9.4. 確率変数 X の分散が存在するとき，以下を示せ．
$$E(X^2) \geq [E(X)]^2$$

1.9.5. 連続型の確率変数 X が $f(x)$ という pdf に従い，そのグラフが $x = c$ に対して対称であるとする．もし X の平均値が存在するならば，$E(X) = c$ であることを示せ．
ヒント：$E(X-c)$ が 0 であることを，$E(X-c)$ を 2 つの積分 (1 つは $-\infty$ から c まで，もう 1 つは c から ∞ までの積分) の和として書くことによって示す．まず $y = c - x$ とし，次に $z = x - c$ とする．最後に対称条件 $f(c-y) = f(c+y)$ を利用する．

1.9.6. 確率変数 X が平均値 μ, 標準偏差 σ, $M(t)$, $-h < t < h$ という mgf に従うとする．このとき，以下を示せ．

1.9. 特別な期待値

$$E\left(\frac{X-\mu}{\sigma}\right)=0, \quad E\left[\left(\frac{X-\mu}{\sigma}\right)^2\right]=1$$
$$E\left\{\exp\left[t\left(\frac{X-\mu}{\sigma}\right)\right]\right\}=e^{-\mu t/\sigma}M\left(\frac{t}{\sigma}\right), \quad -h\sigma<t<h\sigma$$

1.9.7. $f(x)=\frac{1}{3}$, $-1<x<2$, それ以外は 0, という pdf に従う確率変数 X の積率母関数は以下であることを示せ.

$$M(t)=\begin{cases}(e^{2t}-e^{-t})/3t & t\neq 0 \\ 1 & t=0\end{cases}$$

1.9.8. X をすべての実数 b 対して $E[(X-b)^2]$ が存在するような確率変数とする. $b=E(X)$ のときに, $E[(X-b)^2]$ が最小になることを示せ.

1.9.9. X を $E[(X-a)^2]$ が存在するような確率変数とする. この期待値が 0 となるような離散型の分布の例を示せ. このような分布は退化した分布 (degenerate distribution) とよばれる.

1.9.10. X を $t=1$ の点を含んだある開区間のすべての実数 t に対して, $K(t)=E(t^X)$ が存在するような確率変数とする. $K^{(m)}(1)$ が m 次の階乗モーメント (mth factorial moment) $E[X(X-1)\cdots(X-m+1)]$ と等しいことを示せ.

1.9.11. X を確率変数とする. もし m が正の整数とすると, 期待値 $E[(X-b)^m]$ は, もし存在するならば, 点 b のまわりの分布の m 次の積率とよばれる. 点 7 のまわりの分布の 1 次, 2 次, 3 次の積率を, それぞれ 3,11,15 とする. X の平均 μ を定め, 次に μ のまわりの分布の 1 次, 2 次, 3 次の積率を求めよ.

1.9.12. X を $-h<t<h$ である t に関して $R(t)=E(e^{t(X-b)})$ が存在するような確率変数とする. もし m が正の整数とすると, $R^{(m)}(0)$ が b のまわりの分布の m 次の積率と等しいことを示せ.

1.9.13. X を平均値 μ と, 分散 σ^2 に従う確率変数とする. また, μ を通る垂線のまわりに 3 次の積率 $E[(X-\mu)^3]$ が存在するとする. 次の比, $E[(X-\mu)^3]/\sigma^3$ の値はしばしば歪度 (skewness) の指標として使用される. 次の確率密度関数のグラフをそれぞれ描け. また, この指標がこれらそれぞれの分布に関して, 負の値, ゼロ, 正の値のいずれであるかを示せ. (それぞれの状態は, 左に歪んでいる, 歪んでいない, 右に歪んでいるとよばれる.)

(a) $f(x)=(x+1)/2$, $-1<x<1$, それ以外は 0
(b) $f(x)=\frac{1}{2}$, $-1<x<1$, それ以外は 0
(c) $f(x)=(1-x)/2$, $-1<x<1$, それ以外は 0

1.9.14. X を平均 μ と，分散 σ^2 に従う確率変数とする．また，4 次の積率 $E[(X-\mu)^4]$ が存在するとする．次の比，$E[(X-\mu)^4]/\sigma^4$ の値はしばしば尖度 (kurtosis) の指標として使用される．次の確率密度関数のグラフをそれぞれ描け．また，1 番目の分布に関して，この指標がより小さくなることを示せ．
(a) $f(x)=\frac{1}{2}$, $-1<x<1$, それ以外は 0
(b) $f(x)=3(1-x^2)/4$, $-1<x<1$, それ以外は 0

1.9.15. 確率変数 X は以下の pmf に従う確率変数である．ここで $0<p<\frac{1}{2}$ である．

$$p(x)=\begin{cases} p & x=-1,1 \\ 1-2p & x=0 \\ 0 & \text{それ以外の場合} \end{cases}$$

尖度の指標を p の関数として求めよ．また $p=\frac{1}{3}$, $p=\frac{1}{5}$, $p=\frac{1}{10}$, $p=\frac{1}{100}$ のとき，その値を求めよ．p が減少すると尖度は増加することを確認せよ．

1.9.16. $\psi(t)=\log M(t)$ とする．ここで $M(t)$ は分布の mgf である．$\psi'(0)=\mu$ また，$\psi''(0)=\sigma^2$ であることを証明せよ．この関数 $\psi(t)$ はキュムラント母関数 (cumulant generating function) とよばれる．

1.9.17. 以下の cdf に従う分布の平均と分散を求めよ．

$$F(x)=\begin{cases} 0 & x<0 \\ x/8 & 0 \leq x<2 \\ x^2/16 & 2 \leq x<4 \\ 1 & 4 \leq x \end{cases}$$

1.9.18. $M(t)=(1-t)^{-3}$, $t<1$ という mgf に従う分布の積率を求めよ．
ヒント：$M(t)$ に対するマクローリン級数を求めよ．

1.9.19. X を $0<x<b<\infty$ のときは正であり，それ以外は 0 であるような $f(x)$ という pdf に従う連続型の確率変数とする．以下を示せ．ここで $F(x)$ は X の cdf である．

$$E(X)=\int_0^b [1-F(x)]dx$$

1.9.20. X を非負の整数に対しては正であり，それ以外は 0 であるような $p(x)$ を pmf にもつ離散型の確率変数とする．以下を示せ．ここで $F(x)$ は X の cdf である．

$$E(X)=\sum_{x=0}^{\infty}[1-F(x)]$$

1.10. 重要な不等式

1.9.21. X は $p(x)=1/k$, $x=1,2,3,\ldots,k$, それ以外は 0 という pmf に従うとする. mgf が以下であることを示せ.

$$M(t) = \begin{cases} \dfrac{e^t(1-e^{kt})}{k(1-e^t)} & t \neq 0 \\ 1 & t=0 \end{cases}$$

1.9.22. X は連続型と離散型の混合型の $F(x)$ という cdf に従うとする. すなわち,

$$F(x) = \begin{cases} 0 & x < 0 \\ \dfrac{x+1}{4} & 0 \leq x < 1 \\ 1 & 1 \leq x \end{cases}$$

である. $\mu = E(X)$ と $\sigma^2 = \mathrm{var}(X)$ の適切な定義を定め, それぞれを計算せよ.
ヒント：離散的な部分と連続的な部分それぞれに対応する pmf と pdf を定め, さらに, 離散的な部分の和をとり, 連続的な部分の積分をせよ.

1.9.23. 次のような特徴をもった k 個の連続型の分布を考える. pdf は $f_i(x)$, 平均値は μ_i, 分散は σ_i^2, $i=1,2,\ldots,k$ である. もし $c_i \geq 0$, $i=1,2,\ldots,k$, また $c_1+c_2+\cdots+c_k=1$ ならば, $c_1f_1(x)+\cdots+c_kf_k(x)$ という pdf に従う分布の平均と分散は, それぞれ $\mu = \sum_{i=1}^k c_i\mu_i$ と $\sigma^2 = \sum_{i=1}^k c_i[\sigma_i^2 + (\mu_i - \mu)^2]$ であることを示せ.

1.9.24. X を $f(x)$ という pdf と $M(t)$ という mgf に従う確率変数とする. f が 0 に関して対称 $(f(-x)=f(x))$ であると仮定する. $M(-t) = M(t)$ を示せ.

1.9.25. X は $f(x) = \beta^{-1}\exp\{-x/\beta\}$, $0 < x < \infty$, それ以外は 0 という指数 pdf に従うとする. X の mgf と平均, 分散を求めよ.

1.10 重要な不等式

この節では, 期待値を含む3つの有名な不等式の証明を得る. 本書の以降でこれらの不等式を利用することになるだろう. 有用な結果から始める.

定理 1.10.1.
X を確率変数とし, m を正の整数とする. $E[X^m]$ の存在を仮定する. k が整数で $k \leq m$ ならば, $E[X^k]$ が存在する.

証明 連続的な場合のための証明になるが, 積分を和と置き換えれば, 証明は離散の場合も同様である. $f(x)$ を X の pdf とする. すると,

$$\int_{-\infty}^{\infty} |x|^k f(x) dx = \int_{|x| \leq 1} |x|^k f(x) dx + \int_{|x| > 1} |x|^k f(x) dx$$

$$\leq \int_{|x|\leq 1} f(x)dx + \int_{|x|>1} |x|^m f(x)dx$$
$$\leq \int_{-\infty}^{\infty} f(x)dx + \int_{-\infty}^{\infty} |x|^m f(x)dx$$
$$\leq 1 + E[|X|^m] < \infty \tag{1.10.1}$$

これが，求められる結果である．■

定理 1.10.2 (マルコフの不等式) (Markov's inequality).

$u(X)$ を確率変数 X の非負の関数とする．$E[u(X)]$ が存在するとすると，すべての正の定数 c に対して
$$P[u(X) \geq c] \leq \frac{E[u(X)]}{c}$$
である．

証明 証明は確率変数 X が連続型のときに与えられるが，積分を和と置き換えれば，離散型の場合にも適応される．$A = \{x : u(x) \geq c\}$ とし，X の pdf を $f(x)$ とすると，
$$E[u(X)] = \int_{-\infty}^{\infty} u(x)f(x)dx = \int_A u(x)f(x)dx + \int_{A^c} u(x)f(x)dx$$
となる．この方程式の最右辺においてはどちらの積分も非負であるから，左辺はどちらの積分よりも大きいか同じである．とくに，
$$E[u(X)] \geq \int_A u(x)f(x)dx$$
である．しかし，$x \in A$ ならば $u(x) \geq c$ である．したがって，この不等式の右辺は $u(x)$ を c と置き換えても増加しない．だから，
$$E[u(X)] \geq c \int_A f(x)dx$$
となる．ここで，
$$\int_A f(x)dx = P(X \in A) = P[u(X) \geq c]$$
であり，それは，
$$E[u(X)] \geq cP[u(X) \geq c]$$
ということである．これが，求められる結果である．■

この定理はしばしばチェビシェフの不等式とよばれる不等式の一般化である．この不等式を証明しよう．

1.10. 重要な不等式

定理 1.10.3 (チェビシェフの不等式) (Chebyshev's inequality).
確率変数 X は有限の分散 σ^2 があるとだけ仮定した確率分布に従うとする (定理 1.10.1 より、これは平均 $\mu = E(X)$ が存在することを意味する). このとき、すべての $k > 0$ に対して、
$$P(|X - \mu| \geq k\sigma) \leq \frac{1}{k^2} \tag{1.10.2}$$
である. もしくは、同等に、
$$P(|X - \mu| < k\sigma) \geq 1 - \frac{1}{k^2}$$
である.

証明 定理 1.10.2 において、$u(x) = (x - \mu)^2, c = k^2\sigma^2$ とする. すると、
$$P[(X - \mu)^2 \geq k^2\sigma^2] \leq \frac{E[(X - \mu)^2]}{k^2\sigma^2}$$
となる. この不等式の右辺の分子は σ^2 だから、不等式は、
$$P(|X - \mu| \geq k\sigma) \leq \frac{1}{k^2}$$
となる. これが求められる結果である. 当然, 不等式を意味のあるものにするには, この正数 k は 1 より大きな値としなければならない. ∎

チェビシェフの不等式の便利な型は $\epsilon > 0$ に対し, $k\sigma = \epsilon$ とするとき見いだされる. すると方程式 (1.10.2) は,
$$P(|X - \mu| \geq \epsilon) \leq \frac{\sigma^2}{\epsilon^2}, \quad \text{すべての } \epsilon > 0 \text{ に関して} \tag{1.10.3}$$
である. したがって, $1/k^2$ は確率 $P(|X - \mu| \geq k\sigma)$ の上限である. 続く例では, 特定の場合において, この上限と確率の正確な値が比べられる.

例 1.10.1. X は pdf
$$f(x) = \begin{cases} 1/2\sqrt{3} & -\sqrt{3} < x < \sqrt{3} \\ 0 & \text{それ以外の場合} \end{cases}$$
に従うとする. ここで $\mu = 0, \sigma^2 = 1$ となる. $k = \frac{3}{2}$ なら, 正確な確率は,
$$P(|X - \mu| \geq k\sigma) = P(|X| \geq \frac{3}{2}) = 1 - \int_{-3/2}^{3/2} \frac{1}{2\sqrt{3}} dx = 1 - \frac{\sqrt{3}}{2}$$
となる. チェビシェフの不等式によれば, この確率は $1/k^2 = \frac{4}{9}$ という上限をもつ. $1 - \sqrt{3}/2 = 0.134$ と近似されるので, この場合の正確な確率は, 上限 $\frac{4}{9}$ よりはるかに小さい. $k = 2$ とすれば, 正確な確率は $P(|X - \mu| \geq 2\sigma) = P(|X| \geq 2) = 0$ である. これも, チェビシェフの不等式による $1/k^2 = \frac{1}{4}$ の上限よりはるかに小さい. ∎

前述の例のいずれの場合にも，確率 $P(|X-\mu| \geq k\sigma)$ とその上限 $1/k^2$ はかなり異なる．このことは，この不等式がより正確なものになるかのような印象を与える．しかし，すべての $k > 0$ に対して，そして有限の分散に従うすべての確率変数に対して，不等式を成立させようとすれば，次の例でも示すように，不等式をより正確なものにしようという改善は不可能になる．

例 1.10.2. 離散型の確率変数 X は点 $x = -1, 0, 1$ においてそれぞれ，確率 $\frac{1}{8}, \frac{6}{8}, \frac{1}{8}$ をとるとする．すると，$\mu = 0, \sigma^2 = \frac{1}{4}$ となる．$k = 2$ ならば，$1/k^2 = \frac{1}{4}$，そして，$P(|X-\mu| \geq k\sigma) = P(|X| \geq 1) = \frac{1}{4}$ である．すなわち，確率 $P(|X-\mu| \geq k\sigma)$ は，ここでは上限 $1/k^2 = \frac{1}{4}$ に達する．したがって，この不等式は X の分布について，さらに前提をもうけないと改善することはできない．■

定義 1.10.1.

区間 (a,b)，$-\infty \leq a < b \leq \infty$ 上に定義される関数 ϕ は，(a,b) に含まれるすべての x, y，すべての $0 < \gamma < 1$ について，

$$\phi[\gamma x + (1-\gamma)y] \leq \gamma\phi(x) + (1-\gamma)\phi(y) \tag{1.10.4}$$

ならば，凸 (convex) 関数といわれる．上記の不等式が等号を含まないならば ϕ を狭義の凸 (strictly convex) 関数という．

ϕ の1次，もしくは2次の導関数が存在すれば，次の定理が証明される．

定理 1.10.4.

ϕ が (a,b) において微分可能であれば，
(a) ϕ は，すべての $a < x < y < b$ に対して，$\phi'(x) \leq \phi'(y)$ の場合，そして，その場合のみ凸である
(b) ϕ は，すべての $a < x < y < b$ に対して，$\phi'(x) < \phi'(y)$ の場合，そして，その場合のみ狭義の凸である
ϕ が (a,b) において2次の微分が可能であれば，
(a) ϕ は，すべての $a < x < b$ に対して，$\phi''(x) \geq 0$ の場合，そして，その場合のみ凸である
(b) ϕ は，すべての $a < x < b$ に対して，$\phi''(x) > 0$ の場合，そして，その場合のみ狭義の凸である

もちろん，この定理の2つめの部分は，1つめの部分から得られる．1つめの部分は直感的に正しいと思えるものであるが，その証明は，例えば Hewitt and Stromberg (1965) のように，たいていの解析学の教科書でみることができる．とても有用な確率不等式は凸性から得られる．

1.10. 重要な不等式

定理 1.10.5 (ジェンセンの不等式) (Jensen's inequality).
ϕ が開区間 I 上で凸であり、X が I に含まれる台に従う確率変数で、また有限の期待値をもつなら、
$$\phi[E(X)] \leq E[\phi(X)] \tag{1.10.5}$$
である。X が定数でないとき、ϕ が狭義の凸であればこの不等式は等号を含まない.

証明 ここでの証明では ϕ が 2 次の導関数をもつと想定するが、一般的には凸性のみが必要とされる。ϕ を、$\mu = E[X]$ に関するテイラー級数の 2 次の項まで展開すると、
$$\phi(x) = \phi(\mu) + \phi'(\mu)(x-\mu) + \frac{\phi''(\zeta)(x-\mu)^2}{2}$$
である。ここで ζ は x と μ の間にある。この等式の右辺最終項は非負なので、
$$\phi(x) \geq \phi(\mu) + \phi'(\mu)(x-\mu)$$
となる。両辺の期待値をとると結果が出る。X が定数でなく、すべての $x \in (a,b)$ に対して $\phi''(x) > 0$ なら不等式は等号を含まない。■

例 1.10.3. X を平均 μ と有限の 2 次のモーメントをもつ非縮退の確率変数とする。すると、$\mu^2 < E(X^2)$ となる。これは、ジェンセンの不等式によって、狭義の凸関数 $\phi(t) = t^2$ を使って求められる。■

例 1.10.4 (調和平均と幾何平均). $\{a_1, \ldots, a_n\}$ を正の数の集合とする。$a_1, \ldots, a_n$ のそれぞれの数に $1/n$ をかけることによって確率変数 X の分布を作る。このとき、X の平均を算術平均 (arithmetic mean, AM) といい、$E(X) = n^{-1} \sum_{i=1}^{n} a_i$ である。そして、$-\log x$ は凸関数であるから、ジェンセンの不等式によって、
$$-\log\left(\frac{1}{n}\sum_{i=1}^{n} a_i\right) \leq E(-\log X) = -\frac{1}{n}\sum_{i=1}^{n} \log a_i = -\log(a_1 a_2 \ldots a_n)^{1/n}$$
が得られる。もしくは、同等に、
$$\log\left(\frac{1}{n}\sum_{i=1}^{n} a_i\right) \geq \log(a_1 a_2 \ldots a_n)^{1/n}$$
である。そして、ゆえに、
$$(a_1 a_2 \ldots a_n)^{1/n} \leq \frac{1}{n}\sum_{i=1}^{n} a_i \tag{1.10.6}$$
となる。この不等式の左辺は幾何平均 (geometric mean, GM) といわれる。そして、(1.10.6) は任意の正の数の有限集合に対して、GM $\leq$ AM ということと同様である。
(1.10.6) において、a_i を $1/a_i$ と置き換える (これもまた正である)。すると、

$$\frac{1}{n}\sum_{i=1}^{n}\frac{1}{a_i} \geq \left(\frac{1}{a_1}\frac{1}{a_2}\cdots\frac{1}{a_n}\right)^{1/n}$$

が得られる．もしくは同様に，

$$\frac{1}{\frac{1}{n}\sum_{i=1}^{n}\frac{1}{a_i}} \leq (a_1 a_2 \ldots a_n)^{1/n} \tag{1.10.7}$$

となる．この不等式の左辺は調和平均 (harmonic mean, HM) といわれる．(1.10.6) と (1.10.7) をまとめると，任意の正の数の有限集合に対して，

$$\text{HM} \leq \text{GM} \leq \text{AM} \tag{1.10.8}$$

という関係が得られる．■

練習問題

1.10.1. X を平均 μ に従う確率変数とし，$E[(X-\mu)^{2k}]$ が存在するとする．$d>0$ に対して，$P(|X-\mu|\geq d) \leq E[(X-\mu)^{2k}]/d^{2k}$ を示せ．$k=1$ のとき，これは本質的にチェビシェフの不等式である．$(2k)$ 番目のモーメントが存在するとき，これはすべての $k=1,2,3\ldots$ に適用できるという事実は，通常，$P(|X-\mu|\geq d)$ に対して，チェビシェフの結果より小さな上限を規定する．

1.10.2. X を $P(X\leq 0)=0$ となる確率変数とし，$\mu=E(X)$ が存在するとする．$P(X\geq 2\mu) \leq \frac{1}{2}$ となることを示せ．

1.10.3. X を $E(X)=3$, $E(X^2)=13$ となるような確率変数とする．チェビシェフの不等式を用いて，$P(-2<X<8)$ に対する下限を決定せよ．

1.10.4. X を mgf が $M(t)$, $-h<t<h$ をもつ確率変数とする．

$$P(X\geq a) \leq e^{-at}M(t),\ 0<t<h$$
$$P(X\leq a) \leq e^{-at}M(t),\ -h<t<0$$

を証明せよ．

ヒント：定理 1.10.2 において，$u(x)=e^{tx}$, $c=e^{ta}$ とする．注．これらの結果は，$P(X\geq a)$ と $P(X\leq a)$ の下限は，それぞれ $0<t<h$, $-h<t<0$ のときの $e^{-at}M(t)$ の最小値以下となることを示す．

1.10.5. X の mgf がすべての実数値 t に関して存在し，

$$M(t)=\frac{e^t-e^{-t}}{2t},\ t\neq 0,\ M(0)=1$$

で与えられるものとする．前の問題の結果を用いて，$P(X\geq 1)=0$, かつ，$P(X\leq -1)=0$ となることを示せ．ここでは h は無限大であることに注目せよ．

1.10.6. X を正の確率変数，すなわち，$P(X\leq 0)=0$ とする．以下を示せ．

1.10. 重要な不等式

(a) $E(1/X) \geq 1/E(X)$
(b) $E[-\log X] \geq -\log[E(X)]$
(c) $E[\log(1/X)] \geq \log[1/E(X)]$
(d) $E[X^3] \geq [E(X)]^3$

第2章　多変量分布

2.1　2つの確率変数の分布

2つの確率変数については，次の例を使って説明を始めることにする．コインのトスを3回行い，並べられた数字のペア (はじめの2回でHとなった数, 3回すべての中でHとなった数) に興味があるとする．ここで，HとTは表と裏をそれぞれ意味する．したがって，標本空間は $\mathcal{C} = \{c : c = c_i, i = 1, 2, \cdots, 8\}$ であり，c_1 は TTT, c_2 は TTH, c_3 は THT, c_4 は HTT, c_5 は THH, c_6 は HTH, c_7 は HHT, c_8 は HHH を表す．X_1 と X_2 を，$X_1(c_1) = X_1(c_2) = 0$, $X_1(c_3) = X_1(c_4) = X_1(c_5) = X_1(c_6) = 1$, $X_1(c_7) = X_1(c_8) = 2$ となり，$X_2(c_1) = 0$, $X_2(c_2) = X_2(c_3) = X_2(c_4) = 1$, $X_2(c_5) = X_2(c_6) = X_2(c_7) = 2$, $X_2(c_8) = 3$ となるような2つの関数とする．したがって，X_1 と X_2 は標本空間 $\mathcal{C}$ 上に定義された実数関数であり，標本空間から並べられた数のペアの空間へと概念を拡張する．

$$\mathcal{D} = \{(0,0), (0,1), (1,1), (1,2), (2,2), (2,3)\}$$

したがって，X_1 と X_2 は空間 $\mathcal{C}$ 上に定義された2つの確率変数であり，この例では，これらの確率変数の空間は2次元のユークリッド空間 R^2 の部分集合である2次元の集合 $\mathcal{D}$ である．よって，(X_1, X_2) は $\mathcal{C}$ から $\mathcal{D}$ へのベクトル関数である．確率ベクトルの定義を定式化しよう．

定義 2.1.1 (確率ベクトル).
標本空間 $\mathcal{C}$ において確率実験が行われるとする．2つの確率変数 X_1 と X_2 を考える．X_1 と X_2 は，$\mathcal{C}$ に含まれる個々の要素 c に並べられた数字の唯一のペア $X_1(c) = x_1, X_2(c) = x_2$ を割り当てる．そして，(X_1, X_2) を確率ベクトル (random vector) とよぶ．(X_1, X_2) の空間は，並べられたペアの集合 $\mathcal{D} = \{(x_1, x_2) : x_1 = X_1(c), x_2 = X_2(c), c \in \mathcal{C}\}$ である．

確率ベクトルはしばしばベクトルの記法 $\boldsymbol{X} = (X_1, X_2)'$ を用いて表される．ここで，$'$ は行ベクトル (X_1, X_2) の転置を表す．

$\mathcal{D}$ を確率ベクトル (X_1, X_2) に対応した空間とする．そして，A は $\mathcal{D}$ の部分集合であるとする．1つの確率変数の場合と同じように，事象 A に言及することにしよう．$P_{X_1, X_2}[A]$ と表される事象 A の確率を定義したい．1.5節の確率変数と同じように，ここでは，次のように与えられる累積分布関数 (cummulative distribution function,

2.1. 2つの確率変数の分布

cdf) の観点から，すべての $(x_1, x_2) \in R^2$ に対して，一意に P_{X_1, X_2} を定義することが可能である．

$$F_{X_1, X_2}(x_1, x_2) = P[\{X_1 \leq x_1\} \cap \{X_2 \leq x_2\}] \tag{2.1.1}$$

X_1 と X_2 は確率変数であるから，上記の積集合に含まれる個々の事象や事象で構成される積集合は，元の標本空間 C に含まれる事象である．したがって，次のようにうまく表現される．確率変数と同じように，$P[\{X_1 \leq x_1\} \cap \{X_2 \leq x_2\}]$ を $P[X_1 \leq x_1, X_2 \leq x_2]$ と記述する．練習問題 2.1.3 では次式が証明される．

$$\begin{aligned}P[a_1 \leq X_1 \leq b_1, a_2 \leq X_2 \leq b_2] = &F_{X_1, X_2}(b_1, b_2) - F_{X_1, X_2}(a_1, b_2) \\ &- F_{X_1, X_2}(b_1, a_2) + F_{X_1, X_2}(a_1, a_2)\end{aligned} \tag{2.1.2}$$

したがって，$(a_1, b_1] \times (a_2, b_2]$ の形の集合に対して導かれた確率は，cdf の観点から定式化することが可能である．R^2 上のこの形の集合は R^2 の部分集合のボレル σ 集合体を構成する．これが R^2 の中で用いる σ 集合体である．より発展的な授業では，cdf が R^2 上での確率 (確率ベクトル (X_1, X_2) に対する導かれた確率分布) を一意に定めることを証明してもよい．この cdf をしばしば (X_1, X_2) の同時累積分布関数 (joint cummulative distribution function) とよぶ．

確率変数と同じように，主として 2 つの種類の確率ベクトルを問題とする．つまり離散と連続である．はじめに，離散型について議論する．

確率ベクトル (X_1, X_2) は，その空間 $\mathcal{D}$ が有限または可算ならば，離散確率ベクトル (discrete random vector) である．したがって，X_1 と X_2 はともに離散である．(X_1, X_2) の同時確率度数関数 (joint probability mass function, pmf) は，すべての $(x_1, x_2) \in \mathcal{D}$ に対して，次のように定義される．

$$p_{X_1, X_2}(x_1, x_2) = P[X_1 = x_1, X_2 = x_2] \tag{2.1.3}$$

確率変数と同じように，pmf は唯一の cdf を規定する．そして，それは 2 つの性質をもつ．

(i). $0 \leq p_{X_1, X_2}(x_1, x_2) \leq 1$, (ii). $\sum\sum_{\mathcal{D}} p_{X_1, X_2}(x_1, x_2) = 1$ (2.1.4)

すべての事象 $B \in \mathcal{D}$ に対して，次が成立する．

$$P[(X_1, X_2) \in B] = \sum\sum_{B} p_{X_1, X_2}(x_1, x_2)$$

例 2.1.1. 本節のはじめの例で定義された離散確率ベクトル (X_1, X_2) を考える．その pmf は次のように便利な表に表すことができる．

	X_2 の台			
	0	1	2	3
X_1 の台 0	$\frac{1}{8}$	$\frac{1}{8}$	0	0
1	0	$\frac{2}{8}$	$\frac{2}{8}$	0
2	0	0	$\frac{1}{8}$	$\frac{1}{8}$

■

離散型確率ベクトル (X_1, X_2) の台 (support) について言及した方が便利な場合がときにはある．それらは，$p(x_1, x_2) > 0$ となる空間 (X_1, X_2) に含まれるすべての点 (x_1, x_2) である．先の例では，台は 6 つの点 $\{(0,0),(0,1),(1,1),(1,2),(2,2),(2,3)\}$ で構成された．

$F_{X_1,X_2}(x_1,x_2)$ という cdf が連続であるならば，空間 $\mathcal{D}$ をもつ確率ベクトル X_1, X_2 は連続 (continuous) 型であるという．ほとんどの場合，本書の連続型の確率ベクトルは，非負関数の積分によって表現される cdf に従う．つまり，$F_{X_1,X_2}(x_1, x_2)$ は，すべての $(x_1, x_2) \in R^2$ に対して，以下のように表現される．

$$F_{X_1,X_2}(x_1,x_2) = \int_{-\infty}^{x_2} \int_{-\infty}^{x_1} f_{X_1,X_2}(w_1, w_2) dw_1 dw_2 \qquad (2.1.5)$$

この被積分関数を (X_1, X_2) の同時確率密度関数 (joint probability density function, pdf) とよぶ．連続な $f_{X_1,X_2}(x_1, x_2)$ の各点において，以下が成立する．

$$\frac{\partial^2 F_{X_1,X_2}(x_1,x_2)}{\partial x_1 \, \partial x_2} = f_{X_1,X_2}(x_1, x_2)$$

pdf は 2 つの性質によって基本的に特徴づけられる．

$$\text{(i)} \ f_{X_1,X_2}(x_1,x_2) \geq 0, \quad \text{(ii)} \ \int_\mathcal{D} \int f_{X_1,X_2}(x_1,x_2) dx_1 dx_2 = 1 \qquad (2.1.6)$$

すべての事象 $A \in \mathcal{D}$ に対して，

$$P[(X_1, X_2) \in A] = \int_A \int f_{X_1,X_2}(x_1,x_2) dx_1 dx_2$$

となる．$P[(X_1, X_2) \in A]$ は集合 A 上の表面 $z = f_{X_1,X_2}(x_1, x_2)$ の下の体積と同じであることに注意してほしい．

注意 2.1.1. 単一の確率変数と同じように，文脈から明らかな場合には同時 cdf, pdf, pmf から下付き添え字 (X_1, X_2) を省くこともある．f_{X_1,X_2} のかわりに f_{12} という記法を用いることもある．(X_1, X_2) のかわりに，しばしば (X, Y) を確率ベクトルの表記として用いることもある．■

例 2.1.2. 以下の式は，連続型の 2 つの確率変数 X_1 と X_2 の pdf とする．

2.1. 2つの確率変数の分布

$$f(x_1, x_2) = \begin{cases} 6x_1^2 x_2 & 0 < x_1 < 1, 0 < x_2 < 1 \\ 0 & それ以外の場合 \end{cases}$$

例えば以下のようになる.

$$P(0 < X_1 < \frac{3}{4}, \frac{1}{3} < X_2 < 2) = \int_{1/3}^{2} \int_{0}^{3/4} f(x_1, x_2) dx_1 dx_2$$

$$= \int_{1/3}^{1} \int_{0}^{3/4} 6x_1^2 x_2 dx_1 dx_2 + \int_{1}^{2} \int_{0}^{3/4} 0 dx_1 dx_2 = \frac{3}{8} + 0 = \frac{3}{8}$$

この確率は, 長方形の集合 $\{(x_1, x_2) : 0 < x_1 < \frac{3}{4}, \frac{1}{3} < x_2 < 1\} \in R^2$ 上の表面 $f(x_1, x_2) = 6x_1^2 x_2$ の下の体積と同じであることに注意してほしい. ■

連続型確率ベクトル (X_1, X_2) に対して, (X_1, X_2) の台 (support) には $f(x_1, x_2) > 0$ となるすべての (x_1, x_2) の点が含まれる. 確率ベクトルの台を $\mathcal{S}$ とする. 単一の確率変数の場合と同じように $\mathcal{S} \subset \mathcal{D}$ である.

R^2 上の $f_{X_1, X_2}(x_1, x_2)$ という pdf の定義を, 定義域以外では 0 であることを用いて拡張する. 空間 $\mathcal{D}$ を何度も参照する面倒を避けるために, このように一貫して記述することにする. すると, 以下のように置き換わる.

$$\int_{\mathcal{D}} \int f_{X_1, X_2}(x_1, x_2) dx_1 dx_2 \ を \ \int_{-\infty}^{\infty} \int_{-\infty}^{\infty} f(x_1, x_2) dx_1 dx_2 \ で$$

同様に, 便利な集合上の $p_{X_1, X_2}(x_1, x_2)$ の pmf を, 定義域以外では 0 であることを用いて拡張する. すると, 以下のように置き換わる.

$$\sum_{\mathcal{D}} \sum p_{X_1, X_2}(x_1, x_2) \ を \ \sum_{x_2} \sum_{x_1} p(x_1, x_2) \ で$$

最後に, 1つまたはそれ以上の変数の pmf または pdf が明示的に定義されたならば, その確率変数が連続型であるか離散型であるかが知りたい. 例えば, 以下の式が2つの離散型の確率変数 X と Y の pmf であることは明らかだろう.

$$p(x, y) = \begin{cases} 9/4^{x+y} & x = 1, 2, 3, \cdots, \ y = 1, 2, 3, \cdots \\ 0 & それ以外の場合 \end{cases}$$

一方, 以下の式は明らかに2つの連続型の確率変数 X と Y の pdf である.

$$f(x, y) = \begin{cases} 4xye^{-x^2-y^2} & 0 < x < \infty, 0 < y < \infty \\ 0 & それ以外の場合 \end{cases}$$

このような場合には, 2つの単純な種類の確率変数のうちのどちらを考えているのかを特記する必要はないだろう.

(X_1, X_2) を確率ベクトルとする. したがって, X_1 と X_2 はそれぞれ確率変数である. それらの分布は次のように (X_1, X_2) の同時分布の観点から得ることが可能である. x_1 における X_1 の cdf を規定する事象は $\{X_1 \leq x_1\}$ であることを思い出しても

らいたい．しかし，以下が成立する．

$$\{X_1 \leq x_1\} = \{X_1 \leq x_1\} \cap \{-\infty < X_2 < \infty\}$$
$$= \{X_1 \leq x_1, -\infty < X_2 < \infty\}$$

確率をとると，すべての $x_1 \in R$ に対して以下となる．

$$F_{X_1}(x_1) = P[X_1 \leq x_1, -\infty < X_2 < \infty] \tag{2.1.7}$$

定理 1.3.6 より，この式は $F_{X_1}(x_1) = \lim_{x_2 \uparrow \infty} F(x_1, x_2)$ と記述することが可能である．したがって，1 変量と 2 変量の cdf の間には関係があり，pdf と pmf のいずれに拡張できるかは (X_1, X_2) が離散型か連続型かに依存する．

はじめに，離散的な場合を考える．$\mathcal{D}_{X_1}$ を X_1 の台とする．$x_1 \in \mathcal{D}_{X_1}$ に対して，(2.1.7) 式は次の式と同等である．

$$F_{X_1}(x_1) = \sum_{w_1 \leq x_1, -\infty < x_2 < \infty} \sum p_{X_1, X_2}(w_1, w_2)$$
$$= \sum_{w_1 \leq x_1} \left\{ \sum_{x_2 < \infty} p_{X_1, X_2}(w_1, w_2) \right\}$$

cdf は一意に定まるから，括弧内の量は w_1 で評価された X_1 の pmf でなければならない．つまり，すべての $x_1 \in \mathcal{D}_{X_1}$ に対して，次が成立する．

$$p_{X_1}(x_1) = \sum_{x_2 < \infty} p_{X_1, X_2}(x_1, x_2) \tag{2.1.8}$$

これが何を意味するのかに注目してもらいたい．X_1 が x_1 である確率を求めるためには，x_1 を固定して p_{X_1, X_2} をすべての x_2 に関して足し上げればよい．これは，行が X_1 の台の値，列が X_2 の台の値からなる同時 pmf の表でいえば，X_1 の分布は行の周辺和によって得られることを指す．同様に，X_2 の pmf は列の周辺和によって得られる．例として，例 2.1.1 で議論した同時分布を考える．周辺和を表に加えると以下のようになる．したがって，この表の最終行は X_2 の pmf であり，一方，最終列は X_1

		\multicolumn{4}{c}{X_2 の台}	
		0	1	2	3	$p_{X_1}(x_1)$
X_1 の台	0	$\frac{1}{8}$	$\frac{1}{8}$	0	0	$\frac{2}{8}$
	1	0	$\frac{2}{8}$	$\frac{2}{8}$	0	$\frac{4}{8}$
	2	0	0	$\frac{1}{8}$	$\frac{1}{8}$	$\frac{2}{8}$
$p_{X_2}(x_2)$		$\frac{1}{8}$	$\frac{3}{8}$	$\frac{3}{8}$	$\frac{1}{8}$	

の pmf である．一般に，これらの分布は表の周辺で集計されるから，しばしばそれらを周辺 (marginal) pmf とよぶ．

2.1. 2つの確率変数の分布

例 2.1.3. 同じ形で同じ大きさの 10 枚のチップが入ったボウルから無作為に 1 枚のチップをとる確率実験を考える．各チップには並べられた数字のペアが書いてあり，$(1,1)$ が 1 枚，$(2,1)$ が 1 枚，$(3,1)$ が 2 枚，$(1,2)$ が 1 枚，$(2,2)$ が 2 枚，$(3,2)$ が 3 枚である．確率変数 X_1 と X_2 は，並べられたペアのそれぞれ 1 つめと 2 つめの値と定義する．したがって，$p(x_1, x_2)$ という X_1 と X_2 の同時 pmf は，定義域以外では $p(x_1, x_2)$ を 0 としたときに，次の表のとおりである．

	x_1 = 1	2	3	$p_2(x_2)$
x_2 = 1	$\frac{1}{10}$	$\frac{1}{10}$	$\frac{2}{10}$	$\frac{4}{10}$
2	$\frac{1}{10}$	$\frac{2}{10}$	$\frac{3}{10}$	$\frac{6}{10}$
$p_1(x_1)$	$\frac{2}{10}$	$\frac{3}{10}$	$\frac{5}{10}$	

同時確率は各行と各列で足し上げられ，それらの和はそれぞれ X_1 と X_2 の周辺確率密度関数として周辺に集計されている．$p(x_1, x_2)$ に対してこのようにするために，公式が必要ではないことに注目してほしい．■

次に，連続型の場合を考える．$\mathcal{D}_{X_1}$ を X_1 の台とする．$x_1 \in \mathcal{D}_{X_1}$ に対して，(2.1.7) 式は次の式と同等である．

$$F_{X_1}(x_1) = \int_{-\infty}^{x_1} \int_{-\infty}^{\infty} f_{X_1, X_2}(w_1, x_2) dx_2 dw_1$$
$$= \int_{-\infty}^{x_1} \left\{ \int_{-\infty}^{\infty} f_{X_1, X_2}(w_1, x_2) dx_2 \right\} dw_1$$

cdf は一意に定まるから，括弧内の量は w_1 で評価されたときの X_1 の pdf でなければならない．つまり，すべての $x_1 \in \mathcal{D}_{X_1}$ に対して，

$$f_{X_1}(x_1) = \int_{-\infty}^{\infty} f_{X_1, X_2}(x_1, x_2) dx_2 \tag{2.1.9}$$

となる．したがって，連続型の場合には X_1 の周辺 pdf は x_2 を積分消去することで得られる．同様に，X_2 の pdf は x_1 を積分消去することで得られる．

例 2.1.4. X_1 と X_2 が次の同時 pdf に従うとする．

$$f(x_1, x_2) = \begin{cases} x_1 + x_2 & 0 < x_1 < 1, 0 < x_2 < 1 \\ 0 & \text{それ以外の場合} \end{cases}$$

X_1 の周辺 pdf は，以下のようになり，定義域以外では 0 である．

$$f_1(x_1) = \int_0^1 (x_1 + x_2) dx_2 = x_1 + \frac{1}{2}, \quad 0 < x_1 < 1$$

そして，X_2 の周辺 pdf は，以下のようになり，定義域以外では 0 である．

$$f_2(x_2) = \int_0^1 (x_1+x_2)dx_1 = \frac{1}{2}+x_2, \quad 0<x_2<1$$

$P(X_1 \leq \frac{1}{2})$ のような確率は，$f_1(x_1)$ と $f(x_1,x_2)$ のどちらからでも計算できる．なぜなら，以下の式が成立するからである．

$$\int_0^{1/2}\int_0^1 f(x_1+x_2)dx_2dx_1 = \int_0^{1/2} f_1(x_1)dx_1 = \frac{3}{8}$$

しかし，$P(X_1+X_2 \leq 1)$ のような確率を見つけるためには，次のように $f(x_1,x_2)$ という同時 pdf を使わなければならない．

$$\int_0^1 \int_0^{1-x_1} (x_1+x_2)dx_2dx_1 = \int_0^1 \left[x_1(1-x_1) + \frac{(1-x_1)^2}{2}\right]dx_1$$
$$= \int_0^1 \left(\frac{1}{2} - \frac{1}{2}x_1^2\right)dx_1 = \frac{1}{3}$$

この2つめの確率は，集合 $\{(x_1,x_2): 0<x_1, x_1+x_2 \leq 1\}$ 上の表面 $f(x_1,x_2)=x_1+x_2$ の下の体積である．■

2.1.1 期待値

期待値の概念は直接的な方法で拡張される．(X_1, X_2) は確率ベクトルであり，$Y = g(X_1, X_2)$ をある実数関数，つまり $g: R^2 \to R$ とする．そして，Y は確率変数であり，Y の分布を得ることでその期待値は決まる．しかし，定理 1.8.1 は確率ベクトルに対しても真である．この定理の証明は離散型の場合も含んでいたことに注目してほしい．そして，練習問題 2.1.11 でその確率ベクトルへの拡張が証明される．

(X_1, X_2) は連続型とする．もし，以下の式が成立するならば，$E(Y)$ は存在する．

$$\int_{-\infty}^{\infty}\int_{-\infty}^{\infty} |g(x_1,x_2)|f_{X_1,X_2}(x_1,x_2)dx_1dx_2 < \infty$$

そして，以下が成立する．

$$E(Y) = \int_{-\infty}^{\infty}\int_{-\infty}^{\infty} g(x_1,x_2)f_{X_1,X_2}(x_1,x_2)dx_1dx_2 \tag{2.1.10}$$

同様に，(X_1, X_2) は離散型とする．もし，以下の式が成立するならば，$E(Y)$ は存在する．

$$\sum_{x_1}\sum_{x_2} |g(x_1,x_2)|p_{X_1,X_2}(x_1,x_2) < \infty$$

そして，以下が成立する．

$$E(Y) = \sum_{x_1}\sum_{x_2} g(x_1,x_2)p_{X_1,X_2}(x_1,x_2) \tag{2.1.11}$$

次に E が線形演算子であることを証明する．

2.1. 2つの確率変数の分布

定理 2.1.1.
(X_1, X_2) は確率ベクトルとする。$Y_1 = g_1(X_1, X_2)$ そして $Y_2 = g_2(X_1, X_2)$ は期待値の存在する確率変数とする。すると，どのような実数 k_1, k_2 に対しても以下が成立する。
$$E(k_1 Y_1 + k_2 Y_2) = k_1 E(Y_1) + k_2 E(Y_2) \tag{2.1.12}$$

証明 連続型の場合でこの証明を行う。$k_1 Y_1 + k_2 Y_2$ の期待値の存在は，三角不等式と積分の線形性から直接的に得られる。つまり，

$$\int_{-\infty}^{\infty} \int_{-\infty}^{\infty} |k_1 g_1(x_1, x_2) + k_2 g_2(x_1, x_2)| f_{X_1, X_2}(x_1, x_2) dx_1 dx_2$$
$$\leq |k_1| \int_{-\infty}^{\infty} \int_{-\infty}^{\infty} |g_1(x_1, x_2)| f_{X_1, X_2}(x_1, x_2) dx_1 dx_2$$
$$+ |k_2| \int_{-\infty}^{\infty} \int_{-\infty}^{\infty} |g_2(x_1, x_2)| f_{X_1, X_2}(x_1, x_2) dx_1 dx_2 < \infty$$

となる。再度，積分の線形性を用いると，

$$E(k_1 Y_1 + k_2 Y_2)$$
$$= \int_{-\infty}^{\infty} \int_{-\infty}^{\infty} [k_1 g_1(x_1, x_2) + k_2 g_2(x_1, x_2)] f_{X_1, X_2}(x_1, x_2) dx_1 dx_2$$
$$= k_1 \int_{-\infty}^{\infty} \int_{-\infty}^{\infty} g_1(x_1, x_2) f_{X_1, X_2}(x_1, x_2) dx_1 dx_2$$
$$+ k_2 \int_{-\infty}^{\infty} \int_{-\infty}^{\infty} g_2(x_1, x_2) f_{X_1, X_2}(x_1, x_2) dx_1 dx_2$$
$$= k_1 E(Y_1) + k_2 E(Y_2)$$

となり，証明がなされた。∎

X_2 のどのような関数 $g(X_2)$ の期待値も2つの方法で得ることが可能なことにも注意してほしい。

$$E(g(X_2)) = \int_{-\infty}^{\infty} \int_{-\infty}^{\infty} g(x_2) f(x_1, x_2) dx_1 dx_2$$
$$= \int_{-\infty}^{\infty} g(x_2) f_{X_2}(x_2) dx_2$$

2つめの単積分の形は，2重積分をはじめに x_1 に関して行うことで得られる。次の例ではこれらの考えが示されている。

例 2.1.5. X_1 と X_2 は次の pdf に従うとする。

$$f(x_1, x_2) = \begin{cases} 8x_1x_2 & 0 < x_1 < x_2 < 1 \\ 0 & \text{それ以外の場合} \end{cases}$$

すると，

$$E(X_1 X_2^2) = \int_{-\infty}^{\infty} \int_{-\infty}^{\infty} x_1 x_2^2 f(x_1, x_2) dx_1 dx_2$$
$$= \int_0^1 \int_0^{x_2} 8x_1^2 x_2^3 dx_1 dx_2$$
$$= \int_0^1 \frac{8}{3} x_2^6 dx_2 = \frac{8}{21}$$

となる．さらに，

$$E(X_2) = \int_0^1 \int_0^{x_2} x_2(8x_1 x_2) dx_1 dx_2 = \frac{4}{5}$$

となる．X_2 は $f_2(x_2) = 4x_2^3$, $0 < x_2 < 1$，定義域以外では 0 という pdf に従うから，後者の方法により期待値は次のようにしても得られる．

$$E(X_2) = \int_0^1 x_2(4x_2^3) dx_2 = \frac{4}{5}$$

したがって，以下のようになる．

$$E(7X_1 X_2^2 + 5X_2) = 7E(X_1 X_2^2) + 5E(X_2)$$
$$= (7)\left(\frac{8}{21}\right) + (5)\left(\frac{4}{5}\right) = \frac{20}{3} \blacksquare$$

例 2.1.6. 例 2.1.5 に続いて，確率変数 Y は $Y = X_1/X_2$ と定義されるものとする．$E(Y)$ を 2 つの方法で求める．1 つめは，定義どおり，つまり Y の分布を求めて，そして期待値を決定する方法である．$0 < y \leq 1$ に対して Y の cdf は，

$$F_Y(y) = P(Y \leq y) = P(X_1 \leq yX_2) = \int_0^1 \int_0^{yx_2} 8x_1 x_2 dx_1 dx_2$$
$$= \int_0^1 4y^2 x_2^3 dx_2 = y^2$$

となる．したがって，Y の pdf は次のようになる．

$$f_Y(y) = F_Y'(y) = \begin{cases} 2y & 0 < y < 1 \\ 0 & \text{それ以外の場合} \end{cases}$$

すると，

$$E(Y) = \int_0^1 y(2y) dy = \frac{2}{3}$$

となる．2 つめの方法としては，(2.1.10) 式の表現を用いて，$E(Y)$ を次のように直接

2.1. 2つの確率変数の分布

的に求める.

$$E(Y) = E\left(\frac{X_1}{X_2}\right) = \int_0^1 \left\{\int_0^{x_2} \left(\frac{x_1}{x_2}\right) 8x_1 x_2 dx_1\right\} dx_2$$
$$= \int_0^1 \frac{8}{3} x_2^3 dx_2 = \frac{2}{3} \blacksquare$$

次に,確率ベクトルに対する積率母関数を定義する.

定義 2.1.2 (確率ベクトルの積率母関数).
$\boldsymbol{X} = (X_1, X_2)'$ を確率ベクトルとする. h_1, h_2 が正であるとき, $|t_1| < h_1, |t_2| < h_2$ に対して $E(e^{t_1 X_1 + t_2 X_2})$ が存在するならば,それは $M_{X_1, X_2}(t_1, t_2)$ と記述され, $\boldsymbol{X}$ の積率母関数 (moment-generating function, mgf) とよばれる.

確率変数と同じように,もし存在するならば,確率ベクトルの mgf は確率ベクトルの分布を一意に定める.

$\boldsymbol{t} = (t_1, t_2)'$ とすると, $\boldsymbol{X}$ の mgf は以下のように記述される.

$$M_{X_1, X_2}(\boldsymbol{t}) = E\left[e^{\boldsymbol{t}' \boldsymbol{X}}\right]$$

したがって,確率変数の mgf と極めて似ている.また X_1 と X_2 の mgf は直ちに,それぞれ $M_{X_1, X_2}(t_1, 0)$ と $M_{X_1, X_2}(0, t_2)$ と記述される.混乱を招かないならば, M の下付き添え字はしばしば省略される.

例 2.1.7. 連続型の確率変数 X と Y は次の同時 pdf に従うとする.

$$f(x, y) = \begin{cases} e^{-y} & 0 < x < y < \infty \\ 0 & \text{それ以外の場合} \end{cases}$$

この同時分布の mgf は, $t_1 + t_2 < 1$ そして $t_2 < 1$ のときに,

$$M(t_1, t_2) = \int_0^\infty \int_x^\infty \exp(t_1 x + t_2 y - y) \, dy dx$$
$$= \frac{1}{(1 - t_1 - t_2)(1 - t_2)}$$

となる.さらに, X と Y の周辺分布の積率母関数は,それぞれ以下のようになる.

$$M(t_1, 0) = \frac{1}{1 - t_1}, \quad t_1 < 1$$
$$M(0, t_2) = \frac{1}{(1 - t_2)^2}, \quad t_2 < 1$$

もちろん,これらの積率母関数は,それぞれ定義域以外では 0 とした場合の,

$$f_1(x) = \int_x^\infty e^{-y} dy = e^{-x}, \quad 0 < x < \infty$$

および，定義域以外では 0 とした場合の，
$$f_2(y) = e^{-y} \int_0^y dx = ye^{-y}, \quad 0 < y < \infty$$
の積率母関数である．■

確率変数ベクトル自体の期待値の定義も必要となるだろうが，要素ごとの期待値として定義されるから，これは新しい概念ではない．

> **定義 2.1.3 (確率ベクトルの期待値).**
> $\boldsymbol{X} = (X_1, X_2)'$ を確率ベクトルとする．X_1 と X_2 の期待値が存在するならば，$\boldsymbol{X}$ の期待値 (expected value) は存在する．もし，存在するならば，期待値は次のように与えられる．
> $$E[\boldsymbol{X}] = \begin{bmatrix} E(X_1) \\ E(X_2) \end{bmatrix} \tag{2.1.14}$$

練習問題

2.1.1. X_1 と X_2 の pdf を，$0 < x_1 < 1, 0 < x_2 < 1$ において，$f(x_1, x_2) = 4x_1 x_2$，それ以外では 0 とする．$P(0 < X_1 < \frac{1}{2}, \frac{1}{4} < X_2 < 1)$, $P(X_1 = X_2)$, $P(X_1 < X_2)$ そして $P(X_1 \leq X_2)$ を求めよ．
ヒント：$P(X_1 = X_2)$ は，$f(x_1, x_2) = 4x_1 x_2$ のなす表面の下，$x_1 x_2$ 平面上の線分 $0 < x_1 = x_2 < 1$ 上の体積であることを思い出してもらいたい．

2.1.2. $A_1 = \{(x, y) : x \leq 2, y \leq 4\}$, $A_2 = \{(x, y) : x \leq 2, y \leq 1\}$, $A_3 = \{(x, y) : x \leq 0, y \leq 4\}$ そして $A_4 = \{(x, y) : x \leq 0, y \leq 1\}$ を，2 つの確率変数 X と Y で構成され，2 次元平面全体を表す空間 $\mathcal{A}$ の部分集合とする．$P(A_1) = \frac{7}{8}$, $P(A_2) = \frac{4}{8}$, $P(A_3) = \frac{3}{8}$ そして $P(A_4) = \frac{2}{8}$ のとき，$P(A_5)$ を求めよ．ただし，$A_5 = \{(x, y) : 0 < x \leq 2, 1 < y \leq 4\}$ である．

2.1.3. $F(x, y)$ を X, Y の分布関数とする．すべての実数の定数 $a < b, c < d$ に対して，$P(a < X \leq b, c < Y \leq d) = F(b, d) - F(b, c) - F(a, d) + F(a, c)$ を示せ．

2.1.4. $x + 2y \geq 1$ の場合には 1 と等しく，$x + 2y < 1$ の場合には 0 と等しいような関数 $F(x, y)$ は 2 つの確率変数の分布関数ではないことを証明せよ．
ヒント：次の式が 0 より小さくなるような 4 つの数 $a < b, c < d$ を求めよ．
$$F(b, d) - F(a, d) - F(b, c) + F(a, c)$$

2.1.5. 非負関数 $g(x)$ は以下の性質をもっているとする．

2.1. 2つの確率変数の分布

$$\int_0^\infty g(x)dx = 1$$

以下の式が 2 つの連続型の確率変数 X_1 と X_2 の pdf の条件を満たすことを証明せよ．ただし，定義域以外では 0 である．

$$f(x_1, x_2) = \frac{2g(\sqrt{x_1^2 + x_2^2})}{\pi\sqrt{x_1^2 + x_2^2}}, \quad 0 < x_1 < \infty \quad 0 < x_2 < \infty$$

ヒント：極座標を使用せよ．

2.1.6. X と Y の pdf は，$0 < x < \infty, 0 < y < \infty$ において $f(x,y) = e^{-x-y}$，それ以外で 0 とする．このとき，$Z = X + Y$ の場合に，$P(Z \le 0)$, $P(Z \le 6)$ そしてより一般的に $0 < z < \infty$ に対して $P(Z \le z)$ を計算せよ．Z の pdf は何だろうか．

2.1.7. 確率変数 X と Y は，$0 < x < 1, 0 < y < 1$ において $f(x,y) = 1$，それ以外では 0 とする．積 $Z = XY$ の cdf と pdf を求めよ．

2.1.8. 通常のトランプ 1 組から，無作為かつ非復元に 13 枚のカードを引く．X をそれら 13 枚のうち，スペードのカードの枚数とするとき，X の pmf を求めよ．さらに，Y をそれら 13 枚のうち，ハートのカードの枚数とするとき，$P(X=2, Y=5)$ を求めよ．X と Y の同時 pmf は何だろうか．

2.1.9. 確率変数 X_1 と X_2 は次のように記述される同時 pmf に従うとする．

(x_1, x_2)	(0,0)	(0,1)	(0,2)	(1,0)	(1,1)	(1,2)
$p(x_1, x_2)$	$\frac{2}{12}$	$\frac{3}{12}$	$\frac{2}{12}$	$\frac{2}{12}$	$\frac{2}{12}$	$\frac{1}{12}$

そして，$p(x_1, x_2)$ はそれ以外では 0 である．
(a) 例 2.1.3 のように，長方形の配列に，周辺に各周辺 pdf を集計して確率を書け．
(b) $P(X_1 + X_2 = 1)$ は何だろうか．

2.1.10. 確率変数 X_1 と X_2 の同時 pdf は，$0 < x_1 < x_2 < 1$ において $f(x_1, x_2) = 15x_1^2 x_2$，それ以外では 0 とする．周辺 pdf を求め，$P(X_1 + X_2 \le 1)$ を計算せよ．
ヒント：X_1 と X_2 の空間を描き，各周辺 pdf を決定する積分の極限を注意して選びなさい．

2.1.11. 2 つの確率変数 X_1 と X_2 は，$(x_1, x_2) \in \mathcal{S}$ に対して，$p(x_1, x_2)$ という同時 pmf に従うとする．ただし，$\mathcal{S}$ は X_1, X_2 の台である．$Y = g(X_1, X_2)$ は次式のような関係が成立する関数とする．

$$\sum\sum_{(x_1, x_2) \in \mathcal{S}} |g(x_1, x_2)| p(x_1, x_2) < \infty$$

定理 1.8.1 の証明に従って，次式を示せ．

$$E(Y) = \sum_{(x_1,x_2) \in \mathcal{S}} \sum g(x_1,x_2) p(x_1,x_2) < \infty$$

2.1.12. 2つの確率変数 X_1 と X_2 は,$x_1=1,2, x_2=1,2$ において $p(x_1,x_2)=(x_1+x_2)/12$ という同時 pmf をもち,それ以外では 0 とする.$E(X_1)$, $E(X_1^2)$, $E(X_2)$, $E(X_2^2)$ そして $E(X_1X_2)$ を求めよ.$E(X_1X_2)=E(X_1)E(X_2)$ だろうか.$E(2X_1-6X_2^2+7X_1X_2)$ を求めよ.

2.1.13. 2つの確率変数 X_1 と X_2 の同時 pdf は,$0<x_1<1$, $0<x_2<1$ において $f(x_1,x_2)=4x_1x_2$,それ以外では 0 とする.$E(X_1)$, $E(X_1^2)$, $E(X_2)$, $E(X_2^2)$ そして $E(X_1X_2)$ を求めよ.$E(X_1X_2)=E(X_1)E(X_2)$ だろうか.$E(3X_2-2X_1^2+6X_1X_2)$ を求めよ.

2.1.14. 2つの確率変数 X_1 と X_2 の同時 pmf は,x_1, x_2 を整数とするとき,$1 \leq x_i < \infty$, $i=1,2$ において $p(x_1,x_2)=(1/2)^{x_1+x_2}$,それ以外では 0 とする.$X_1$, X_2 の同時 mgf を求めよ.$M(t_1,t_2)=M(t_1,0)M(0,t_2)$ を証明せよ.

2.1.15. 2つの確率変数 X_1 と X_2 の同時 pdf は,$0<x_1<x_2<\infty$ において $f(x_1,x_2)=x_1\exp\{-x_2\}$,それ以外では 0 とする.$X_1$, X_2 の同時 mgf を求めよ.$M(t_1,t_2)=M(t_1,0)M(0,t_2)$ となるだろうか.

2.1.16. X と Y の同時 pdf は,$x+y<1$, $0<x$, $0<y$ において $f(x,y)=6(1-x-y)$,それ以外では 0 とする.$P(2X+3Y<1)$ と $E(XY+2X^2)$ を求めよ.

2.2　2変量確率変数に対する変数変換

確率変数ベクトル (X_1,X_2) の同時分布が既知であるときに,$Y=g(X_1,X_2)$ という変換を行った後の分布を求めたい場合にはどうすればよいだろうか.もちろん,直接 Y の cdf を求められることもあるだろう.しかしもうひとつの手段として,変数変換を利用する方法がある.確率変数に対する変数変換については,すでに 1.6, 1.7 節で取り扱った.本節ではこれを,確率変数ベクトルに対する理論に拡張する.離散型確率変数と連続型確率変数は別個に取り扱った方がわかりやすいため,まずは離散型変数の場合についての議論を行う.

議論の前提として,以下のような状況を想定する.まず,2つの離散型確率変数 X_1, X_2 は同時 pmf $p_{X_1,X_2}(x_1,x_2)$ に従い,$p_{X_1,X_2}(x_1,x_2)>0$ であるようなすべての場合において 2 次元空間内の点の集合 $\mathcal{S}$ と対応しているものとする.すなわち,$\mathcal{S}$ は (X_1,X_2) の台である.ここで,空間 $\mathcal{S}$ から空間 $\mathcal{T}$ への 1 対 1 変換を行う 2 つの変数変換 $y_1=u_1(x_1,x_2)$ および $y_2=u_2(x_1,x_2)$ を考える.このとき新しい 2 つの確率変数 $Y_1=u_1(X_1,X_2)$, $Y_2=u_2(X_1,X_2)$ の同時 pmf は,以下のように求められる.

2.2. 2変量確率変数に対する変数変換

$$p_{Y_1,Y_2}(y_1,y_2) = \begin{cases} p_{X_1,X_2}[w_1(y_1,y_2), w_2(y_1,y_2)] & (y_1,y_2) \in \mathcal{T} \\ 0 & \text{それ以外の場合} \end{cases}$$

ただし $x_1 = w_1(y_1, y_2)$, $x_2 = w_2(y_1, y_2)$ は，それぞれ $y_1 = u_1(x_1, x_2)$, $y_2 = u_2(x_1, x_2)$ の 1 変量の逆変換である．これらの同時 pmf である $p_{X_1,X_2}[w_1(y_1,y_2), w_2(y_1,y_2)]$ から，y_2 を足し上げることによって Y_1 の，あるいは y_1 を足し上げることによって Y_2 の，周辺 pmf を得ることができる．

この変数変換の技法を使ううえで注意しなければならないのは，2 つの古い変数を置き換えるためには，2 つの新しい変数が必要になることである．以下の例が，このことを理解する助けとなるだろう．

例 2.2.1. X_1, X_2 が

$$p_{X_1,X_2}(x_1,x_2) = \frac{\mu_1^{x_1} \mu_2^{x_2} e^{-\mu_1} e^{-\mu_2}}{x_1! x_2!}$$

$$x_1 = 0, 1, 2, 3, \ldots, \quad x_2 = 0, 1, 2, 3, \ldots$$

かつ，それ以外では 0 であるような同時 pmf に従っているとする．ただし μ_1, μ_2 は正の実数であるような定数である．よってこれらの確率変数の空間 $\mathcal{S}$ は，非負の整数である x_1, x_2 によって構成される点 (x_1, x_2) の集合となる．ここで $Y_1 = X_1 + X_2$ の pmf を求めることを考える．変数変換の技法を利用しようとするならば，もうひとつ別の確率変数 Y_2 を定義しなければならない．ただし Y_2 は特に興味の対象とはならないので，単純な 1 対 1 変換であるようなものを Y_2 として選ぶことにする．最も単純な変換としては，$Y_2 = X_2$ があげられる．以上を利用すると，$y_1 = x_1 + x_2, y_2 = x_2$ によって空間 $\mathcal{S}$ の要素は，

$$\mathcal{T} = \{(y_1, y_2) : y_2 = 0, 1, \ldots, y_1, \ y_1 = 0, 1, 2, \ldots\}$$

の上に 1 対 1 の写像として変換されることになる．ただし $(y_1, y_2) \in \mathcal{T}$ なので，$0 \le y_2 \le y_1$ であることには注意が必要である．これらの変換の逆関数は $x_1 = y_1 - y_2$, $x_2 = y_2$ となるので，Y_1 と Y_2 の同時 pmf は

$$p_{Y_1,Y_2}(y_1,y_2) = \frac{\mu_1^{y_1-y_2} \mu_2^{y_2} e^{-\mu_1-\mu_2}}{(y_1-y_2)! y_2!}, \quad (y_1,y_2) \in \mathcal{T}$$

かつ，それ以外では 0, となる．したがって，Y_1 の周辺 pmf は

$$p_{Y_1}(y_1) = \sum_{y_2=0}^{y_1} p_{Y_1,Y_2}(y_1,y_2)$$

$$= \frac{e^{-\mu_1-\mu_2}}{y_1!} \sum_{y_2=0}^{y_1} \frac{y_1!}{(y_1-y_2)! y_2!} \mu_1^{y_1-y_2} \mu_2^{y_2}$$

$$= \frac{(\mu_1+\mu_2)^{y_1} e^{-\mu_1-\mu_2}}{y_1!}, \quad y_1 = 0, 1, 2, \ldots$$

かつ，それ以外では 0，となる．■

次に連続型確率変数の場合を議論するが，まずは cdf を利用する方法の例を示す．

例 2.2.2. 単位正方形 $\mathcal{S} = \{(x,y) : 0 < x < 1, \ 0 < y < 1\}$ の中からランダムに点 (X, Y) を選ぶような確率実験を考える．ただし興味がある変数は X でも Y でもなく，$Z = X + Y$ であるとする．適当な確率モデルが決定されれば，Z の pdf を求めることは難しくない．単位正方形を扱う今回の実験の場合，正方形内の各点が選ばれる確率は等しいと仮定することが自然である．このとき X と Y の pdf は，以下のように表すことができる．

$$f_{X,Y}(x,y) = \begin{cases} 1 & 0 < x < 1, \quad 0 < y < 1 \\ 0 & \text{それ以外の場合} \end{cases}$$

これはまた，確率モデルそのものである．これを利用すれば，Z の cdf を $F_Z(z) = P(X + Y \leq z)$ によって導くことができる．すなわち，

$$F_Z(z) = \begin{cases} 0 & z < 0 \\ \int_0^z \int_0^{z-x} dy dx = \dfrac{z^2}{2} & 0 \leq z < 1 \\ 1 - \int_{z-1}^1 \int_{z-x}^1 dy dx = 1 - \dfrac{(2-z)^2}{2} & 1 \leq z < 2 \\ 1 & 2 \leq z \end{cases}$$

である．このときすべての z に対して $F'_Z(z)$ が存在するので，Z の pdf は

$$f_Z(z) = \begin{cases} z & 0 < z < 1 \\ 2 - z & 1 \leq z < 2 \\ 0 & \text{それ以外の場合} \end{cases}$$

と導かれる．■

以上を踏まえたうえで，連続型確率変数に対する変数変換の一般的な理論についての説明に移ることにしよう．まず，確率変数ベクトル (X_1, X_2) は pdf として同時連続分布であるような $f_{X_1, X_2}(x_1, x_2)$ に従い，その台は $\mathcal{S}$ であるとする．ここで，関数 $y_1 = u_1(x_1, x_2), y_2 = u_2(x_1, x_2)$ によって，R^2 内の空間 $\mathcal{S}$ から同じ R^2 内の空間 $\mathcal{T}$ の上への 1 対 1 対応であるような変換の結果として得られる確率変数 Y_1, Y_2 を考える．このとき $\mathcal{T}$ の台は 2 次元集合 (Y_1, Y_2) である．ここで，x_1, x_2 を y_1, y_2 を利用して表すことを考えてみる．これは一般的に，$x_1 = w_1(y_1, y_2), x_2 = w_2(y_1, y_2)$ という形で表記することができる．このとき 2 次の行列式

$$J = \begin{vmatrix} \partial x_1 / \partial y_1 & \partial x_1 / \partial y_2 \\ \partial x_2 / \partial y_1 & \partial x_2 / \partial y_2 \end{vmatrix}$$

2.2. 2変量確率変数に対する変数変換

を変換のヤコビアン (Jacobian) とよび, J という記号で表す. 一般的に1階微分は連続であり, したがって $\mathcal{T}$ に対するヤコビアン J が 0 に等しくなることはないと仮定される.

ここで解析学の知識から, 以下のようにして (Y_1, Y_2) の同時 pdf を導くことができる. まず, 空間 $\mathcal{S}$ 内の部分集合を A, そして1対1対応の変換によって導かれる空間 $\mathcal{T}$ 内の A に対応する部分集合を B で表すとする (図 2.2.1 を参照).

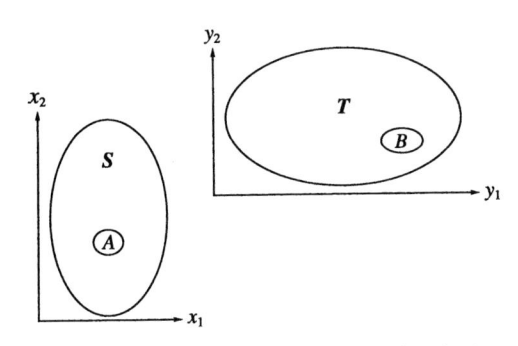

図 2.2.1 (X_1, X_2) の台 $\mathcal{S}$ と (Y_1, Y_2) の台 $\mathcal{T}$

ここで変換は1対1であることを仮定しているので, 事象 $\{(X_1, X_2) \in A\}$ と $\{(Y_1, Y_2) \in B\}$ は等しい. したがって

$$P[(Y_1, Y_2) \in B] = P[(X_1, X_2) \in A]$$
$$= \iint_A f_{X_1, X_2}(x_1, x_2) dx_1 dx_2$$

が成立する.

次に, この積分の中の変数を $y_1 = u_1(x_1, x_2)$, $y_2 = u_2(x_1, x_2)$ か, $x_1 = w_1(y_1, y_2)$, $x_2 = w_2(y_1, y_2)$ を利用して変換することを行う. これは既知の解析学の定理 (例えば Buck, 1965, p.304 などを参照) を利用して求めることが可能であり, 具体的には

$$\iint_A f_{X_1, X_2}(x_1, x_2) dx_1 dx_2 = \iint_B f_{X_1, X_2}[w_1(y_1, y_2), w_2(y_1, y_2)] |J| dy_1 dy_2$$

となる. したがって $\mathcal{T}$ に含まれるすべての B について

$$P[(Y_1, Y_2) \in B] = \iint_B f_{X_1, X_2}[w_1(y_1, y_2), w_2(y_1, y_2)] |J| dy_1 dy_2$$

という関係が成り立つので, Y_1 と Y_2 の同時 pdf は

$$f_{Y_1,Y_2}(y_1,y_2) = \begin{cases} f_{X_1,X_2}[w_1(y_1,y_2), w_2(y_1,y_2)]|J| & (y_1,y_2) \in \mathcal{T} \\ 0 & \text{それ以外の場合} \end{cases}$$

となることがわかる．したがって Y_1 の周辺 pdf である $f_{Y_1}(y_1)$ は，上で導いた $f_{Y_1,Y_2}(y_1,y_2)$ を y_2 によって積分することで求められる．以下に，いくつかの例を示す．

例 2.2.3. (X_1, X_2) が以下のような同時 pdf に従っているとする．

$$f_{X_1,X_2}(x_1,x_2) = \begin{cases} 1 & 0 < x_1 < 1, \quad 0 < x_2 < 1 \\ 0 & \text{それ以外の場合} \end{cases}$$

このとき (X_1,X_2) の台は $\mathcal{S} = \{(x_1,x_2): 0 < x_1 < 1, 0 < x_2 < 1\}$ となる（図 2.2.2 を参照）．

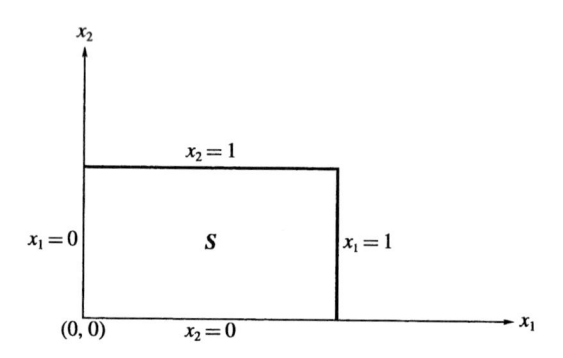

図 2.2.2 例 2.2.3 における (X_1,X_2) の台

ここで $Y_1 = X_1 + X_2$ と $Y_2 = X_1 - X_2$ という変数を考える．これらを導く変換は

$$y_1 = u_1(x_1,x_2) = x_1 + x_2$$
$$y_2 = u_2(x_1,x_2) = x_1 - x_2$$

であり，いずれも1対1対応である．よってこの変換により，y_1y_2 平面上における $\mathcal{S}$ の写像を表す集合 $\mathcal{T}$ を決定することができる．逆に x_1x_2 平面上の $\mathcal{T}$ の写像を表す集合 $\mathcal{S}$ は，

$$x_1 = w_1(y_1,y_2) = \frac{1}{2}(y_1+y_2)$$
$$x_2 = w_2(y_1,y_2) = \frac{1}{2}(y_1-y_2)$$

によって求められる．以上の関係から，$\mathcal{T}$ の境界は以下に示すように $\mathcal{S}$ の境界に変換することができる．

2.2. 2変量確率変数に対する変数変換

$x_1 = 0$ を $0 = \frac{1}{2}(y_1 + y_2)$ へ

$x_1 = 1$ を $1 = \frac{1}{2}(y_1 + y_2)$ へ

$x_2 = 0$ を $0 = \frac{1}{2}(y_1 - y_2)$ へ

$x_2 = 1$ を $1 = \frac{1}{2}(y_1 - y_2)$ へ

したがって $\mathcal{T}$ は，図 2.2.3 のように導かれる．また，この変換のヤコビアンは

$$J = \begin{vmatrix} \partial x_1/\partial y_1 & \partial x_1/\partial y_2 \\ \partial x_2/\partial y_1 & \partial x_2/\partial y_2 \end{vmatrix} = \begin{vmatrix} 1/2 & 1/2 \\ 1/2 & -1/2 \end{vmatrix} = -\frac{1}{2}$$

である．

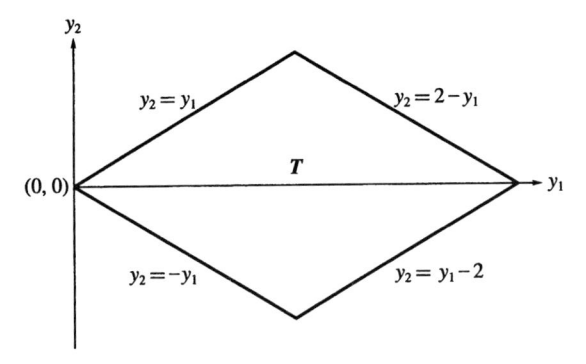

図 2.2.3 例 2.2.3 における (Y_1, Y_2) の台

ここでは $\mathcal{S}$ の境界を変換して $\mathcal{T}$ を導く方法を示したが，不等式

$$0 < x_1 < 1, \quad 0 < x_2 < 1$$

から直接求める方法を用いたいこともあるだろう．その場合，これら4本の不等式は

$$0 < \frac{1}{2}(y_1 + y_2) < 1, \quad 0 < \frac{1}{2}(y_1 - y_2) < 1$$

と変形できるので，これらを分解した

$$-y_1 < y_2, \quad y_2 < 2 - y_1, \quad y_2 < y_1, \quad y_1 - 2 < y_2$$

が，集合 $\mathcal{T}$ を規定することが導かれる．

以上から，(Y_1, Y_2) の同時 pdf は

$$f_{Y_1,Y_2}(y_1,y_2) = \begin{cases} f_{X_1,X_2}\left[\dfrac{1}{2}(y_1+y_2), \dfrac{1}{2}(y_1-y_2)\right] \times |J| = \dfrac{1}{2} & (y_1,y_2) \in \mathcal{T} \\ 0 & \text{それ以外の場合} \end{cases}$$

となる．ここで Y_1 の周辺 pdf は

$$f_{Y_1}(y_1) = \int_{-\infty}^{\infty} f_{Y_1,Y_2}(y_1,y_2) dy_2$$

によって求めることができるので，図 2.2.3 の場合を当てはめると，

$$f_{Y_1}(y_1) = \begin{cases} \int_{-y_1}^{y_1} \dfrac{1}{2} dy_2 = y_1 & 0 < y_1 \leq 1 \\ \int_{y_1-2}^{2-y_1} \dfrac{1}{2} dy_2 = 2-y_1 & 1 < y_1 < 2 \\ 0 & \text{それ以外の場合} \end{cases}$$

となる．同様にして Y_2 の周辺 pdf は

$$f_{Y_2}(y_2) = \begin{cases} \int_{-y_2}^{y_2+2} \dfrac{1}{2} dy_1 = y_2+1 & -1 < y_2 \leq 0 \\ \int_{y_2}^{2-y_2} \dfrac{1}{2} dy_1 = 1-y_2 & 0 < y_2 < 1 \\ 0 & \text{それ以外の場合} \end{cases}$$

である．■

例 2.2.4. 同時 pdf

$$f_{X_1,X_2}(x_1,x_2) = \begin{cases} \dfrac{1}{4} \exp\left(-\dfrac{x_1+x_2}{2}\right) & 0 < x_1 < \infty,\quad 0 < x_2 < \infty \\ 0 & \text{それ以外の場合} \end{cases}$$

に従うような X_1, X_2 を利用して定められる，$Y_1 = \frac{1}{2}(X_1 - X_2)$, $Y_2 = X_2$ という 2 つの確率変数を考える．この両者の関係は，$y_1 = \frac{1}{2}(x_1 - x_2)$, $y_2 = x_2$ または $x_1 = 2y_1 + y_2$, $x_2 = y_2$ という式により，$\mathcal{S} = \{(x_1,x_2): 0 < x_1 < \infty, 0 < x_2 < \infty\}$ から $\mathcal{T} = \{(y_1,y_2): -2y_1 < y_2,\ 0 < y_2,\ -\infty < y_1 < \infty\}$ の上への 1 対 1 対応の変換として定義される．この変換のヤコビアンは

$$J = \begin{vmatrix} 2 & 1 \\ 0 & 1 \end{vmatrix} = 2$$

2.2. 2変量確率変数に対する変数変換

となるので，したがって Y_1 と Y_2 の同時 pdf は

$$f_{Y_1,Y_2}(y_1,y_2) = \begin{cases} \dfrac{|2|}{4}e^{-y_1-y_2} & (y_1,y_2) \in \mathcal{T} \\ 0 & \text{それ以外の場合} \end{cases}$$

と導かれる．以上より，Y_1 の pdf は

$$f_{Y_1}(y_1) = \begin{cases} \displaystyle\int_{-2y_1}^{\infty} \dfrac{1}{2}e^{-y_1-y_2}\,dy_2 = \dfrac{1}{2}e^{y_1} & -\infty < y_1 < 0 \\ \displaystyle\int_{0}^{\infty} \dfrac{1}{2}e^{-y_1-y_2}\,dy_2 = \dfrac{1}{2}e^{-y_1} & 0 \leq y_1 < \infty \end{cases}$$

または，

$$f_{Y_1}(y_1) = \dfrac{1}{2}e^{-|y_1|}, \quad -\infty < y_1 < \infty$$

と求められる．これは 2 重指数 (double exponential) 分布，またはラプラス分布 (Laplace distribution) とよばれるものである．■

例 2.2.5. 以下のような同時 pdf に従う確率変数 X_1, X_2 を考える．

$$f_{X_1,X_2}(x_1,x_2) = \begin{cases} 10x_1 x_2^2 & 0 < x_1 < x_2 < 1 \\ 0 & \text{それ以外の場合} \end{cases}$$

これらを元にした $Y_1 = X_1/X_2, Y_2 = X_2$ という変換の逆変換は $x_1 = y_1 y_2, x_2 = y_2$ となるので，ヤコビアンは

$$J = \begin{vmatrix} y_2 & y_1 \\ 0 & 1 \end{vmatrix} = y_2$$

と求められる．したがって，(X_1, X_2) の台 $\mathcal{S}$ を規定する不等式は

$$0 < y_1 y_2, \quad y_1 y_2 < y_2, \quad y_2 < 1$$

と変形することが可能になるが，これは

$$0 < y_1 < 1, \quad 0 < y_2 < 1$$

という (Y_1, Y_2) の台 $\mathcal{T}$ を規定する不等式に等しい．したがって (Y_1, Y_2) の同時 pdf は

$$f_{Y_1,Y_2}(y_1,y_2) = 10 y_1 y_2 y_2^2 |y_2| = 10 y_1 y_2^4, \quad (y_1,y_2) \in \mathcal{T}$$

となる．これを利用することで Y_1 の周辺 pdf は

$$f_{Y_1}(y_1) = \int_0^1 10 y_1 y_2^4 \, dy_2 = 2y_1, \quad 0 < y_2 < 1$$

かつ，それ以外では 0，と導くことができる．同様にして Y_2 の周辺 pdf は

$$f_{Y_2}(y_2) = \int_0^1 10 y_1 y_2^4 dy_1 = 5y_2^4, \quad 0 < y_1 < 1$$

かつ，それ以外では 0，となる．■

　確率変数の分布関数を求めるための方法として，変数変換と cdf を利用する方法以外に，積率母関数 (mgf) を利用する方法がある．この手法は，特に確率変数の線形関数に対して有効に機能する．すでに 2.1.1 項において，$Y = g(X_1, X_2)$ であるときの $E(Y)$ は，仮に期待値が存在するならば

$$E(Y) = \int_{-\infty}^{\infty} \int_{-\infty}^{\infty} g(x_1, x_2) f_{X_1, X_2}(x_1, x_2) dx_1 dx_2$$

によって求められることを示した．ただし，上式は確率変数が連続型の場合であり，離散型の場合には，積分が総和に置き換えられる．ここで，関数 $g(X_1, X_2)$ を $\exp\{tu(X_1, X_2)\}$ と置き換えれば，この式は $Z = u(X_1, X_2)$ の mgf を求める式に等しくなることがわかる．こうして導かれた mgf が何らかの分布に属しているならば，Z はその分布に従っていると見なすことができる．以下では例 2.2.1 と 2.2.4 を mgf を利用した方法で解き直すことで，この手法の有効性を示す．

例 2.2.6 (例 2.2.1 の続き). 確率変数 X_1, X_2 の同時 pmf は，以下のようなものであった．

$$p_{X_1, X_2}(x_1, x_2) = \begin{cases} \dfrac{\mu_1^{x_1} \mu_2^{x_2} e^{-\mu_1} e^{-\mu_2}}{x_1! x_2!} & x_1 = 0, 1, 2, 3, ..., \\ & x_2 = 0, 1, 2, 3, ..., \\ 0 & それ以外の場合 \end{cases}$$

ただし μ_1, μ_2 は，任意の正の実数であるような定数である．ここで $Y = X_1 + X_2$ という変換を考えるにあたって，以下のような期待値を利用する．

$$\begin{aligned}
E(e^{tY}) &= \sum_{x_1=0}^{\infty} \sum_{x_2=0}^{\infty} e^{t(x_1+x_2)} p_{X_1, X_2}(x_1, x_2) \\
&= \sum_{x_1=0}^{\infty} e^{tx_1} \frac{\mu_1^{x_1} e^{-\mu_1}}{x_1!} \sum_{x_2=0}^{\infty} e^{tx_2} \frac{\mu_2^{x_2} e^{-\mu_2}}{x_2!} \\
&= \left[e^{-\mu_1} \sum_{x_1=0}^{\infty} \frac{(e^t \mu_1)^{x_1}}{x_1!} \right] \left[e^{-\mu_2} \sum_{x_2=0}^{\infty} \frac{(e^t \mu_2)^{x_2}}{x_2!} \right] \\
&= \left[e^{\mu_1(e^t - 1)} \right] \left[e^{\mu_2(e^t - 1)} \right] \\
&= e^{(\mu_1 + \mu_2)(e^t - 1)}
\end{aligned}$$

下から 2 行目の式の大カッコの中身が，それぞれ X_1 と X_2 の mgf を表していることに注意したい．このことから，Y の mgf は X_1 の mgf における μ_1 を $\mu_1 + \mu_2$ で置き換えたものに等しいことがわかる．したがって mgf の一意性から，Y の pmf は

2.2. 2変量確率変数に対する変数変換

$$p_Y(y) = e^{-(\mu_1+\mu_2)} \frac{(\mu_1+\mu_2)^y}{y!}, \quad y = 0, 1, 2, \ldots$$

となるはずである.これは例 2.2.1 において得られた結果と等しい.■

例 2.2.7 (例 2.2.4 の続き). 同時 pdf

$$f_{X_1,X_2}(x_1,x_2) = \begin{cases} \dfrac{1}{4}\exp\left(-\dfrac{x_1+x_2}{2}\right) & 0 < x_1 < \infty, \quad 0 < x_2 < \infty \\ 0 & \text{それ以外の場合} \end{cases}$$

に従う X_1, X_2 に対して $Y = (1/2)(X_1 - X_2)$ という変換を行うことによって得られる確率変数の mgf は, 区間 $1-t>0$ かつ $1+t>0$, すなわち $-1<t<1$ において, 以下のように与えられる.

$$\begin{aligned}
E(e^{tY}) &= \int_0^\infty \int_0^\infty e^{t(x_1-x_2)/2} \frac{1}{4} e^{-(x_1+x_2)/2} dx_1 dx_2 \\
&= \left[\int_0^\infty \frac{1}{2} e^{-x_1(1-t)/2} dx_1\right]\left[\int_0^\infty \frac{1}{2} e^{-x_2(1+t)/2} dx_2\right] \\
&= \left[\frac{1}{1-t}\right]\left[\frac{1}{1+t}\right] = \frac{1}{1-t^2}
\end{aligned}$$

ところで, 2重指数分布の mgf は区間 $-1<t<1$ において

$$\begin{aligned}
\int_{-\infty}^\infty e^{tx} \frac{e^{-|x|}}{2} dx &= \int_{-\infty}^0 \frac{e^{(1+t)x}}{2} dx + \int_0^\infty \frac{e^{(t-1)x}}{2} dx \\
&= \frac{1}{2(1+t)} + \frac{1}{2(1-t)} = \frac{1}{1-t^2}
\end{aligned}$$

であるから, mgf の一意性より, Y は 2 重指数分布に従うことがわかる.■

練習問題

2.2.1. X_1, X_2 の同時 pmf が, $(x_1, x_2) = (0,0), (0,1), (1,0), (1,1)$ において $p(x_1, x_2) = (\frac{2}{3})^{x_1+x_2}(\frac{1}{3})^{2-x_1-x_2}$ であり, それ以外において 0 であるとする. このとき $Y_1 = X_1 - X_2$ と $Y_2 = X_1 + X_2$ の同時 pmf を求めよ.

2.2.2. X_1, X_2 の同時 pmf が, $x_1 = 1, 2, 3$ および $x_2 = 1, 2, 3$ において $p(x_1, x_2) = x_1 x_2/36$ であり, それ以外において 0 であるとする. このとき $Y_1 = X_1 X_2$ と $Y_2 = X_2$ の同時 pmf を求めよ. また, Y_1 の周辺 pmf も求めよ.

2.2.3. X_1, X_2 の同時 pdf が, $0 < x_1 < x_2 < \infty$ において $h(x_1, x_2) = 2e^{-x_1-x_2}$ であり, それ以外において 0 であるとする. このとき $Y_1 = 2X_1$ と $Y_2 = X_2 - X_1$ の同時 pdf を求めよ.

2.2.4. X_1, X_2 の同時 pdf が, $0 < x_1 < x_2 < 1$ において $h(x_1, x_2) = 8x_1 x_2$ であり, それ以外において 0 であるとする. このとき $Y_1 = X_1/X_2$ と $Y_2 = X_2$ の同時 pdf を

求めよ.
ヒント: S から $\mathcal{T}$ への写像を考える際には，不等式 $0 < y_1 y_2 < y_2 < 1$ を利用せよ.

2.2.5. X_1 と X_2 は，区間 $-\infty < x_i < \infty,\ i = 1, 2$ において同時確率密度関数 $f_{X_1, X_2}(x_1, x_2)$ に従う連続型確率変数であるとする．$f_{X_1, X_2}(x_1, x_2)$ を適当に定め，$Y_1 = X_1 + X_2,\ Y_2 = X_2$ という変換について，以下の問いに答えよ．
(a) f_{Y_1, Y_2} の同時 pdf を求めよ．
(b) 以下に示す

$$f_{Y_1}(y_1) = \int_{-\infty}^{\infty} f_{X_1, X_2}(y_1 - y_2, y_2) dy_2 \tag{2.2.1}$$

が成り立つことを示せ．この式は畳み込み公式 (convolution formula) とよばれることがある．

2.2.6. X_1 と X_2 は区間 $0 < x_i < \infty, i = 1, 2$ において $f_{X_1, X_2}(x_1, x_2) = e^{-(x_1 + x_2)}$ であり，それ以外においては 0 であるような同時 pdf に従う確率変数であるとする．このとき，以下の問いに答えよ．
(a) 公式 (2.2.1) を用いて，$Y_1 = X_1 + X_2$ の pdf を求めよ．
(b) Y_1 の mgf を求めよ．

2.2.7. X_1 と X_2 が，区間 $0 < x_1 < x_2 < \infty$ において $f_{X_1, X_2}(x_1, x_2) = 2e^{-(x_1 + x_2)}$ であり，それ以外においては 0 であるような同時 pdf に従う確率変数であるとする．このとき公式 (2.2.1) を利用して，$Y_1 = X_1 + X_2$ の pdf を求めよ．

2.3 条件付き分布と期待値

2.1 節では，1 組の確率変数に対する同時確率分布が導かれた．また，確率変数のそれぞれの (周辺) 分布を同時分布から復元する方法についても示された．本節では，条件付き分布，つまり，一方の確率変数を特定の値と見なしたときのもう一方の確率変数の分布について論じる．まず，1.4 節で示した条件付き確率の概念から容易に導かれる離散的な場合について論じることとする．

X_1 と X_2 は，台集合 $\mathcal{S}$ において正，それ以外では 0，であるような同時 pmf に従う離散型確率変数とする．この同時 pmf を $p_{X_1, X_2}(x_1, x_2)$ と表記する．$p_{X_1}(x_1)$ と $p_{X_2}(x_2)$ によってそれぞれ X_1 と X_2 の周辺確率密度関数を表す．また，X_1 の台における点を x_1 とする．つまり，$p_{X_1}(x_1) > 0$ である．条件付き確率の定義を用いると，X_2 の台 $\mathcal{S}_{X_2}$ におけるすべての x_2 について

$$P(X_2 = x_2 | X_1 = x_1) = \frac{P(X_1 = x_1, X_2 = x_2)}{P(X_1 = x_1)} = \frac{p_{X_1, X_2}(x_1, x_2)}{p_{X_1}(x_1)}$$

を得る．この関数を

2.3. 条件付き分布と期待値

$$p_{X_2|X_1}(x_2|x_1) = \frac{p_{X_1,X_2}(x_1,x_2)}{p_{X_1}(x_1)}, \quad x_2 \in \mathcal{S}_{X_2} \tag{2.3.1}$$

のように定義する．$p_{X_1}(x_1) > 0$ である任意の固定された x_1 に対して，この関数 $p_{X_2|X_1}(x_2|x_1)$ は，離散型の pmf としての条件を満足する．なぜなら $p_{X_2|X_1}(x_2|x_1)$ は非負であり，かつ

$$\sum_{x_2} p_{X_2|X_1}(x_2|x_1) = \sum_{x_2} \frac{p_{X_1,X_2}(x_1,x_2)}{p_{X_1}(x_1)} = \frac{1}{p_{X_1}(x_1)} \sum_{x_2} p_{X_1,X_2}(x_1,x_2)$$

$$= \frac{p_{X_1}(x_1)}{p_{X_1}(x_1)} = 1$$

だからである．

この $p_{X_2|X_1}(x_2|x_1)$ を離散型確率変数 $X_1 = x_1$ が所与のときの離散型確率変数 X_2 の条件付き pmf (conditional pmf) とよぶ．同様に，$x_2 \in \mathcal{S}_{X_2}$ であるとき，記号 $p_{X_1|X_2}(x_1|x_2)$ を

$$p_{X_1|X_2}(x_1|x_2) = \frac{p_{X_1,X_2}(x_1,x_2)}{p_{X_2}(x_2)}, \quad x_1 \in \mathcal{S}_{X_1}$$

という関係によって定義し，$p_{X_1|X_2}(x_1|x_2)$ を離散型確率変数 $X_2 = x_2$ が所与のときの離散型確率変数 X_1 の条件付き pmf とよぶ．今後しばしば $p_{X_1|X_2}(x_1|x_2)$ を $p_{1|2}(x_1|x_2)$ によって，また $p_{X_2|X_1}(x_2|x_1)$ を $p_{2|1}(x_2|x_1)$ によって短縮表記する．それに類似して，それぞれの周辺 pmf は $p_1(x_1)$ と $p_2(x_2)$ を用いて表す．

いま，$f_{X_1,X_2}(x_1,x_2)$ という同時 pdf をもつ連続型の確率変数を X_1 と X_2 とし，その周辺確率密度関数をそれぞれ $f_{X_1}(x_1)$，$f_{X_2}(x_2)$ とする．上述の結果を用いて連続型確率変数の条件付き pdf の定義を示す．

$f_{X_1}(x_1) > 0$ のとき，記号 $f_{X_2|X_1}(x_2|x_1)$ を次の関係

$$f_{X_2|X_1}(x_2|x_1) = \frac{f_{X_1,X_2}(x_1,x_2)}{f_{X_1}(x_1)} \tag{2.3.2}$$

によって定義する．この関係において，x_1 は $f_{X_1}(x_1) > 0$ を満たすある (任意に) 固定された値とされる．$f_{X_2|X_1}(x_2|x_1)$ が非負であり，かつ

$$\int_{-\infty}^{\infty} f_{X_2|X_1}(x_2|x_1)\, dx_2 = \int_{-\infty}^{\infty} \frac{f_{X_1,X_2}(x_1,x_2)}{f_{X_1}(x_1)}\, dx_2$$

$$= \frac{1}{f_{X_1}(x_1)} \int_{-\infty}^{\infty} f_{X_1,X_2}(x_1,x_2)\, dx_2$$

$$= \frac{1}{f_{X_1}(x_1)} f_{X_1}(x_1) = 1$$

であることは明らかである．つまり，$f_{X_2|X_1}(x_2|x_1)$ は 1 変数の場合における連続型確率変数の pdf の性質をもっている．これは，連続型確率変数 X_1 が値 x_1 であることを所与としたときの，連続型確率変数 X_2 の条件付き pdf (conditional pdf) とよば

れる．$f_{X_2}(x_2) > 0$ であるとき，連続型確率変数 X_2 が x_2 という値であることが与えられたときの連続型確率変数 X_1 の条件付き pdf は

$$f_{X_1|X_2}(x_1|x_2) = \frac{f_{X_1,X_2}(x_1,x_2)}{f_{X_2}(x_2)}, \quad f_{X_2}(x_2) > 0$$

によって定義される．これらの条件付き pdf を以後は，たびたび $f_{1|2}(x_1|x_2)$ と $f_{2|1}(x_2|x_1)$ によってそれぞれ略記する．同様に，それぞれの周辺 pdf を表すために $f_1(x_1)$ と $f_2(x_2)$ を用いることとする．

$f_{2|1}(x_2|x_1)$ と $f_{1|2}(x_1|x_2)$ のそれぞれは 1 変数の確率変数の pdf であるから，それぞれその性質のすべてを満たしている．したがって，確率と数学的期待値を計算することが可能である．確率変数が連続型の場合，その確率

$$P(a < X_2 < b | X_1 = x_1) = \int_a^b f_{2|1}(x_2|x_1)\,dx_2$$

は「$X_1 = x_1$ が所与のとき，$a < X_2 < b$ である条件付き確率」とよばれる．曖昧でなければ，これは $P(a < X_2 < b | x_1)$ という形式でも表記される．同様に，$X_2 = x_2$ が与えられたとき，$c < X_1 < d$ である条件付き確率は

$$P(c < X_1 < d | X_2 = x_2) = \int_c^d f_{1|2}(x_1|x_2)\,dx_1$$

である．$u(X_2)$ が X_2 の関数であるとき，$X_1 = x_1$ が与えられたもとでの $u(X_2)$ の条件付き期待値は，もし存在するならば，

$$E[u(X_2)|x_1] = \int_{-\infty}^{\infty} u(x_2) f_{2|1}(x_2|x_1)\,dx_2$$

で与えられる．特に，その存在を仮定するとき，$E(X_2|x_1)$ は $X_1 = x_1$ が所与のときの X_2 の条件付き分布の平均であり，$E\{[X_2 - E(X_2|x_1)]^2|x_1\}$ はその分散である．分散はより簡略に $\mathrm{var}(X_2|x_1)$ と表記される．簡単のため，これらを $X_1 = x_1$ が所与のときの X_2 の「条件付き平均」，「条件付き分散」とよぶ．すでに述べた結果から，当然，

$$\mathrm{var}(X_2|x_1) = E(X_2^2|x_1) - [E(X_2|x_1)]^2$$

である．同様の手続きによって，$X_2 = x_2$ が所与のときの $u(X_1)$ の条件付き期待値は，もし存在すれば，

$$E[u(X_1)|x_2] = \int_{-\infty}^{\infty} u(x_1) f_{1|2}(x_1|x_2)\,dx_1$$

で与えられる．

離散型の確率変数については，積分のかわりに和を用いることでこれらの条件付き確率，ならびに条件付き期待値が計算される．例による説明は次のとおりである．

例 2.3.1. X_1 と X_2 が

2.3. 条件付き分布と期待値

$$f(x_1, x_2) = \begin{cases} 2 & 0 < x_1 < x_2 < 1 \\ 0 & \text{それ以外の場合} \end{cases}$$

という同時 pdf に従うものとする. このとき, その周辺確率密度関数は, それぞれ

$$f_1(x_1) = \begin{cases} \int_{x_1}^{1} 2\,dx_2 = 2(1-x_1) & 0 < x_1 < 1 \\ 0 & \text{それ以外の場合} \end{cases}$$

および,

$$f_2(x_2) = \begin{cases} \int_{0}^{x_2} 2\,dx_1 = 2x_2 & 0 < x_2 < 1 \\ 0 & \text{それ以外の場合} \end{cases}$$

である. $X_2 = x_2$, $0 < x_2 < 1$ であるとき, X_1 の条件付き pdf は

$$f_{1|2}(x_1|x_2) = \begin{cases} \dfrac{2}{2x_2} = \dfrac{1}{x_2} & 0 < x_1 < x_2 \\ 0 & \text{それ以外の場合} \end{cases}$$

となる. さらに $X_2 = x_2$ が所与のとき, X_1 の条件付き平均は,

$$\begin{aligned} E(X_1|x_2) &= \int_{-\infty}^{\infty} x_1 f_{1|2}(x_1|x_2)\,dx_1 \\ &= \int_{0}^{x_2} x_1 \left(\frac{1}{x_2}\right) dx_1 \\ &= \frac{x_2}{2}, \ 0 < x_2 < 1 \end{aligned}$$

であり, 条件付き分散は,

$$\begin{aligned} \operatorname{var}(X_1|x_2) &= \int_{0}^{x_2} \left(x_1 - \frac{x_2}{2}\right)^2 \left(\frac{1}{x_2}\right) dx_1 \\ &= \frac{x_2^2}{12}, \ 0 < x_2 < 1 \end{aligned}$$

となる. 最後に, $P(0 < X_1 < \frac{1}{2} | X_2 = \frac{3}{4})$ と $P(0 < X_1 < \frac{1}{2})$ の値を比較しよう.

$$P\left(0 < X_1 < \frac{1}{2} \Big| X_2 = \frac{3}{4}\right) = \int_{0}^{1/2} f_{1|2}\left(x_1 \Big| \frac{3}{4}\right) dx_1 = \int_{0}^{1/2} \left(\frac{4}{3}\right) dx_1 = \frac{2}{3}$$

となる一方,

$$P\left(0 < X_1 < \frac{1}{2}\right) = \int_{0}^{1/2} f_1(x_1)\,dx_1 = \int_{0}^{1/2} 2(1-x_1)\,dx_1 = \frac{3}{4}$$

である. ∎

$E(X_2|x_1)$ は x_1 の関数であるから, $E(X_2|X_1)$ は独自の分布, 平均, 分散をもつ確

率変数である．この点について次の例を考える．

例 2.3.2. X_1 と X_2 の同時 pdf を

$$f(x_1, x_2) = \begin{cases} 6x_2 & 0 < x_2 < x_1 < 1 \\ 0 & \text{それ以外の場合} \end{cases}$$

とする．このとき，X_1 の周辺 pdf は

$$f_1(x_1) = \int_0^{x_1} 6x_2 \, dx_2 = 3x_1^2, \ 0 < x_1 < 1$$

かつ，それ以外の区間では 0，である．$X_1 = x_1$（ここで $0 < x_1 < 1$）が所与のとき，X_2 の条件付き pdf は

$$f_{2|1}(x_2|x_1) = \frac{6x_2}{3x_1^2} = \frac{2x_2}{x_1^2}, \ 0 < x_2 < x_1$$

かつ，それ以外の区間では 0，である．$X_1 = x_1$ が与えられたときの X_2 の条件付き平均は

$$E(X_2|x_1) = \int_0^{x_1} x_2 \left(\frac{2x_2}{x_1^2}\right) dx_2 = \frac{2}{3}x_1, \ 0 < x_1 < 1$$

である．いま，$E(X_2|X_1) = 2X_1/3$ は確率変数であり，これを Y とする．$Y = 2X_1/3$ の cdf は

$$G(y) = P(Y \leq y) = P\left(X_1 \leq \frac{3y}{2}\right), \ 0 \leq y < \frac{2}{3}$$

となる．pdf $f_1(x_1)$ から

$$G(y) = \int_0^{3y/2} 3x_1^2 \, dx_1 = \frac{27y^3}{8}, \ 0 \leq y < \frac{2}{3}$$

である．当然，$y < 0$ のとき $G(y) = 0$ であり，$\frac{2}{3} < y$ のとき $G(y) = 1$ である．$Y = 2X_1/3$ の pdf は

$$g(y) = \frac{81y^2}{8}, \ 0 \leq y < \frac{2}{3}$$

かつ，それ以外の区間では 0，である．また，平均は

$$E(Y) = \int_0^{2/3} y \left(\frac{81y^2}{8}\right) dy = \frac{1}{2}$$

となり，分散は

$$\text{var}(Y) = \int_0^{2/3} y^2 \left(\frac{81y^2}{8}\right) dy - \frac{1}{4} = \frac{1}{60}$$

となる．X_2 の周辺 pdf は

2.3. 条件付き分布と期待値

$$f_2(x_2) = \int_{x_2}^{1} 6x_2 \, dx_1 = 6x_2(1-x_2), \ 0 < x_2 < 1$$

かつ，それ以外の区間では0，であるから，$E(X_2) = \frac{1}{2}$，$\mathrm{var}(X_2) = \frac{1}{20}$ であることを示すのは容易である．つまり，

$$E(Y) = E[E(X_2|X_1)] = E(X_2)$$

であり，

$$\mathrm{var}(Y) = \mathrm{var}[E(X_2|X_1)] \leq \mathrm{var}(X_2)$$

である．■

例 2.3.2 は優れた例である．というのも，この例では本節の新しい定義の多くを応用する機会が提供されるだけでなく，確率変数の関数，つまり $Y = 2X_1/3$ の分布を得るcdf技法の復習にも役立つからである．さらに，この例の最後で得られた2つの事実は決して偶然の結果ではなく，それらは一般に成立する．

定理 2.3.1.
(X_1, X_2) を X_2 の分散が有限であるような確率変数ベクトルとする．このとき，
(a) $E[E(X_2|X_1)] = E(X_2)$
(b) $Var[E(X_2|X_1)] \leq Var(X_2)$

証明 次の証明は連続型の場合である．離散型の場合について証明するには，積分を和に変えればよい．
まず (a) を証明する．次の事実

$$\begin{aligned}
E(X_2) &= \int_{-\infty}^{\infty} \int_{-\infty}^{\infty} x_2 f(x_1, x_2) \, dx_2 dx_1 \\
&= \int_{-\infty}^{\infty} \left[\int_{-\infty}^{\infty} x_2 \frac{f(x_1, x_2)}{f_1(x_1)} \, dx_2 \right] f_1(x_1) \, dx_1 \\
&= \int_{-\infty}^{\infty} E(X_2|x_1) f_1(x_1) \, dx_1 \\
&= E[E(X_2|X_1)]
\end{aligned}$$

に注目すれば，はじめの結果を得る．
次に (b) を示す．$\mu_2 = E(X_2)$ として

$$\begin{aligned}
\mathrm{var}(X_2) &= E[(X_2 - \mu_2)^2] \\
&= E\{[X_2 - E(X_2|X_1) + E(X_2|X_1) - \mu_2]^2\} \\
&= E\{[X_2 - E(X_2|X_1)]^2\} + E\{[E(X_2|X_1) - \mu_2]^2\} \\
&\quad + 2E\{[X_2 - E(X_2|X_1)][E(X_2|X_1) - \mu_2]\}
\end{aligned}$$

を得る．上式の右辺の最後の項が0となることを示す．この項は

$$2\int_{-\infty}^{\infty}\int_{-\infty}^{\infty}[x_2-E(X_2|x_1)][E(X_2|x_1)-\mu_2]f(x_1,x_2)\,dx_2dx_1$$
$$=2\int_{-\infty}^{\infty}[E(X_2|x_1)-\mu_2]\left\{\int_{-\infty}^{\infty}[x_2-E(X_2|x_1)]\frac{f(x_1,x_2)}{f_1(x_1)}\,dx_2\right\}f_1(x_1)\,dx_1$$

に等しい．ここで，$E(X_2|x_1)$ は $X_1=x_1$ が所与のときの X_2 の条件付き平均である．[ ] の中の式は

$$E(X_2|x_1)-E(X_2|x_1)=0$$

に等しいから，2重積分は0となる．したがって，

$$\mathrm{var}(X_2)=E\{[X_2-E(X_2|X_1)]^2\}+E\{[E(X_2|X_1)-\mu_2]^2\}$$

である．この式の右辺第1項は非負の関数，つまり $[X_2-E(X_2|X_1)]^2$ の期待値であるから非負である．$E[E(X_2|X_1)]=\mu_2$ なので，第2項は $\mathrm{var}[E(X_2|X_1)]$ となる．したがって，

$$\mathrm{var}(X_2)\geq\mathrm{var}[E(X_2|X_1)]$$

が導かれ，すべて証明されたこととなる．■

直感的に，この結果から次のような有用な解釈を導くことができる．すなわち，確率変数 X_2 と $E(X_2|X_1)$ の双方が同じ平均 μ_2 をもつということである．μ_2 の値が既知でない場合，2つの確率変数のうちどちらも μ_2 の推測に用いることが可能である．しかしながら，$\mathrm{var}(X_2)\geq\mathrm{var}[E(X_2|X_1)]$ であるから，推測としては $E(X_2|X_1)$ をより信頼するだろう．つまり，(X_1,X_2) が (x_1,x_2) であることを観測したとき，未知の μ_2 の推測として x_2 よりも $E(X_2|x_1)$ を選好して用いる可能性があるということである．推定における十分統計量の使用を第6章で学ぶときに，ラオとブラックウェルによるこの有名な結果を利用することとなる．

練習問題

2.3.1. X_1 と X_2 の同時pdfが $f(x_1,x_2)=x_1+x_2$, $0<x_1<1$, $0<x_2<1$, それ以外の区間では0，であるものとする．$X_1=x_1$, $0<x_1<1$ が所与のとき，X_2 の条件付き平均と条件付き分散を求めよ．

2.3.2. $X_2=x_2$ が所与のとき，X_1 の条件付きpdfを $f_{1|2}(x_1|x_2)=c_1x_1/x_2^2$, $0<x_1<x_2$, $0<x_2<1$, それ以外の区間では0，と表し，X_2 の周辺pdfを $f_2(x_2)=c_2x_2^4$, $0<x_2<1$, その他の区間では0，で表す．このとき，以下を求めよ．
(a) 定数 c_1 と c_2
(b) X_1 と X_2 の同時pdf
(c) $P(\frac{1}{4}<X_1<\frac{1}{2}|X_2=\frac{5}{8})$
(d) $P(\frac{1}{4}<X_1<\frac{1}{2})$

2.3. 条件付き分布と期待値

2.3.3. $f(x_1, x_2) = 21x_1^2 x_2^3$, $0 < x_1 < x_2 < 1$, それ以外の区間では 0, を X_1 と X_2 の同時 pdf とする.
(a) $X_2 = x_2$, $0 < x_2 < 1$ が所与のときの X_1 の条件付き平均と条件付き分散を求めよ.
(b) $Y = E(X_1|X_2)$ の分布を求めよ.
(c) $E(Y)$ と $\text{var}(Y)$ を求め, これらと $E(X_1)$, $\text{var}(X_1)$ をそれぞれ比較せよ.

2.3.4. 離散型確率変数 X_1 と X_2 の同時 pmf は, $p(x_1, x_2) = (x_1 + 2x_2)/18$, $(x_1, x_2) = (1,1)$, $(1,2)$, $(2,1)$, $(2,2)$, その他は 0, であるものとする. $x_1 = 1$ または $x_1 = 2$ について, $X_1 = x_1$ が所与のときの X_2 の条件付き平均と (条件付き) 分散を求めよ. また, $E(3X_1 - 2X_2)$ を計算せよ.

2.3.5. X_1 と X_2 を条件付き分布と平均が存在する 2 つの確率変数とする. このとき, 以下を示せ.
(a) $E(X_1 + X_2 \,|\, X_2) = E(X_1 \,|\, X_2) + X_2$
(b) $E(u(X_2) \,|\, X_2) = u(X_2)$

2.3.6. X と Y の同時 pdf が

$$f(x,y) = \begin{cases} 2/(1+x+y)^3 & 0 < x < \infty, \, 0 < y < \infty \\ 0 & \text{それ以外の場合} \end{cases}$$

によって与えられるものとする. このとき,
(a) X の周辺 pdf と, $X = x$ が与えられたときの Y の条件付き pdf を計算せよ.
(b) ある固定された $X = x$ に対して, $E(1 + x + Y | x)$ を計算し, その結果を用いて $E(Y|x)$ を計算せよ.

2.3.7. X_1 と X_2 は $p(x_1, x_2) = (3x_1 + x_2)/24$, $(x_1, x_2) = (1,1)$, $(1,2)$, $(2,1)$, $(2,2)$, その他は 0, という同時 pmf に従う離散型確率変数とする. $x_1 = 1$ であるとき条件付き平均 $E(X_2|x_1)$ を求めよ.

2.3.8. X と Y の同時 pdf が $f(x,y) = 2\exp\{-(x+y)\}$, $0 < x < y < \infty$, その他では 0, であるものとする. $X = x$ が所与のとき, Y の条件付き平均 $E(Y|x)$ を求めよ.

2.3.9. 1 組の普通のトランプから, 場に戻すことなく無作為に 5 枚のカードを引く. 5 枚のカードの中のスペードの数とハートの数をそれぞれ X_1 と X_2 によって表すものとする.
(a) X_1 と X_2 の同時 pmf を求めよ.
(b) 2 つの周辺 pmf を求めよ.
(c) $X_1 = x_1$ が与えられたとき, X_2 の条件付き pmf はどのようになるか答えよ.

2.3.10. X_1 と X_2 の同時 pmf を $p(x_1, x_2)$ とする. $p(x_1, x_2)$ は

(x_1, x_2)	$(0,0)$	$(0,1)$	$(1,0)$	$(1,1)$	$(2,0)$	$(2,1)$
$p(x_1, x_2)$	$\frac{1}{18}$	$\frac{3}{18}$	$\frac{4}{18}$	$\frac{3}{18}$	$\frac{6}{18}$	$\frac{1}{18}$

のように表され，これ以外の (x_1, x_2) では $p(x_1, x_2)$ は 0 に等しいものとする．このとき，2 変数の周辺確率密度関数と条件付き平均を求めよ．

ヒント：矩形に並べて確率を書き出してみよ．

2.3.11. 区間 $(0,1)$ から点を無作為に選び，確率変数 X_1 はその点に対応した数値に等しいものとする．次に，区間 $(0, x_1)$ から無作為に点を選ぶ．ここで，x_1 は X_1 の確率実験による値である．また，この区間から選ばれた点に対応する数値に等しい確率変数を X_2 とする．

(a) 周辺 pdf $f_1(x_1)$ と条件付き pdf $f_{2|1}(x_2|x_1)$ を推測せよ．
(b) $P(X_1 + X_2 \geq 1)$ を計算せよ．
(c) 条件付き平均 $E(X_1|x_2)$ を求めよ．

2.3.12. $f(x)$ と $F(x)$ によって確率変数 X の pdf と cdf をそれぞれ表す．x_0 を固定された値とし，$X > x_0$ が所与のときの X の条件付き pdf を $f(x|X > x_0) = f(x)/[1 - F(x_0)]$, $x_0 < x$, その他では 0，と定義する．この種の条件付き pdf は，時点 x_0 までの生存が与えられたもとでの死亡までの時間に関する問題への応用にみられる．

(a) $f(x|X > x_0)$ が pdf であることを示せ．
(b) $f(x) = e^{-x}$, $0 < x < \infty$, その他では 0，とする．$P(X > 2|X > 1)$ を計算せよ．

2.4 相関係数

本節で得られる結果は X, Y という表記の方がよりなじみ深いため，2 つの確率変数を表す記号として X_1, X_2 よりもむしろ X, Y を利用することとする．連続的な場合と離散的な場合について，これらの考え方を別々に議論するのではなく，ここでは連続的な表記を用いることとする．しかし，離散的な場合もまた同じ特徴をもっている．X と Y が同時 pdf, $f(x,y)$ に従うこととする．$u(x,y)$ が x と y の関数であるならば，$E[u(X,Y)]$ が定義される．期待値の存在する条件は 2.1 節で示されている．本節においては，すべての数学的期待値の存在が仮定される．X と Y の平均（それぞれ μ_1 と μ_2 とする）は $u(x,y)$ をそれぞれ x, y とすることにより得られ，また，X と Y の分散（それぞれ σ_1^2 と σ_2^2 とする）は関数 $u(x,y)$ をそれぞれ $(x-\mu_1)^2$, $(y-\mu_2)^2$ とおくことで得られる．ここで，以下の数学的期待値を考える．

$$\begin{aligned} E[(X-\mu_1)(Y-\mu_2)] &= E(XY - \mu_2 X - \mu_1 Y + \mu_1 \mu_2) \\ &= E(XY) - \mu_2 E(X) - \mu_1 E(Y) + \mu_1 \mu_2 \\ &= E(XY) - \mu_1 \mu_2 \end{aligned}$$

この値は X と Y の共分散 (covariance) とよばれ，しばしば $\mathrm{cov}(X,Y)$ と表記される．

2.4. 相関係数

σ_1 と σ_2 のそれぞれが正数であるとき，以下の値は X と Y の相関係数 (correlation coefficient) とよばれる．

$$\rho = \frac{E[(X-\mu_1)(Y-\mu_2)]}{\sigma_1 \sigma_2} = \frac{\mathrm{cov}(X,Y)}{\sigma_1 \sigma_2}$$

2つの確率変数の積の期待値はそれぞれの期待値の積にそれらの共分散を足したものと等しい，すなわち $E(XY) = \mu_1 \mu_2 + \rho \sigma_1 \sigma_2 = \mu_1 \mu_2 + \mathrm{cov}(X,Y)$ である点に注意が必要である．

例 2.4.1. 確率変数 X と Y が以下の同時 pdf に従うこととする．

$$f(x,y) = \begin{cases} x+y & 0<x<1,\ 0<y<1 \\ 0 & \text{それ以外の場合} \end{cases}$$

X と Y の相関係数 ρ を計算する．このとき，

$$\mu_1 = E(X) = \int_0^1 \int_0^1 x(x+y)dxdy = \frac{7}{12}$$

であり，また

$$\sigma_1^2 = E(X^2) - \mu_1^2 = \int_0^1 \int_0^1 x^2(x+y)dxdy - \left(\frac{7}{12}\right)^2 = \frac{11}{144}$$

となる．同様に，

$$\mu_2 = E(Y) = \frac{7}{12}, \quad \sigma_2^2 = E(Y^2) - \mu_2^2 = \frac{11}{144}$$

である．X と Y の共分散は

$$E(XY) - \mu_1 \mu_2 = \int_0^1 \int_0^1 xy(x+y)dxdy - \left(\frac{7}{12}\right)^2 = -\frac{1}{144}$$

である．したがって，X と Y の相関係数は以下のとおりである．

$$\rho = \frac{-\frac{1}{144}}{\sqrt{\left(\frac{11}{144}\right)\left(\frac{11}{144}\right)}} = -\frac{1}{11} \blacksquare$$

注意 2.4.1. 2つの確率変数，例えば X と Y のある種の分布において，相関係数 ρ は分布の非常に有用な特性を示す．不幸にも，ρ の形式的な定義ではこの事実は明らかにされていない．ここではいくつかの ρ に関して観察する．このうちのいくつかは後により詳細に調べられる．2つの変数の同時分布が相関係数をもつ (すなわち双方の変数の分散が正である) とき，$-1 \leq \rho \leq 1$ を満たすという点はすぐに示される．$\rho = 1$ であるならば，X と Y の確率分布を示した図について，そのすべてを含む $y = a+bx$ かつ $b>0$ の直線が存在する．この極値をとる場合には，$P(Y = a+bX) = 1$ が得られる．もし $\rho = -1$ ならば，$b<0$ である点を除き同様の形が得られる．この点は，以下の興味深い疑問を示唆する．ρ が極値のどちらもとらないとき，X と Y の確率がそ

の線に幅をもって集中していくような xy 平面上の直線は存在するのだろうか．ある制約条件のもとで，これは実際に存在し，また，これまでの条件のもとで ρ を X と Y の確率がその直線に集中する強さの測度と見なすことができる．■

続いて，$f(x,y)$ が 2 つの確率変数 X と Y の同時 pdf を示し，$f_1(x)$ が X の周辺 pdf を示すとする．2.3 節を思い出すと $X=x$ が所与のもとでの Y の条件付き pdf は $f_1(x) > 0$ の点において

$$f_{2|1}(y|x) = \frac{f(x,y)}{f_1(x)}$$

である．そして，$X=x$ が所与のもとでの Y の条件付き平均は確率変数を連続的としたとき

$$E(Y|x) = \int_{-\infty}^{\infty} y f_{2|1}(y|x) dy = \frac{\int_{-\infty}^{\infty} y f(x,y) dy}{f_1(x)}$$

である．この $X=x$ が所与のもとでの Y の条件付き平均はもちろん x の関数，例えば $u(x)$ である．同じようにして，$Y=y$ が所与のもとでの X の条件付き平均は y の関数，例えば $v(y)$ である．

$u(x)$ が x の線形関数，例えば $u(x)=a+bx$ であるとき，Y の条件付き平均は x に線形である，あるいは $E(Y|X)$ は線形条件付き平均であるという．$u(x)=a+bx$ であるとき，定数 a と b は以下の定理に要約される単一の値をもつ．

定理 2.4.1.

(X,Y) が，X と Y の分散が有限で正であり，同時分布をもつとする．X と Y の平均と分散をそれぞれ μ_1, μ_2, σ_1^2, σ_2^2 と表現し，X と Y の相関係数を ρ とする．$E(Y|X)$ が X に線形であるとき，

$$E(Y|X) = \mu_2 + \rho \frac{\sigma_2}{\sigma_1}(X - \mu_1) \tag{2.4.1}$$

かつ以下のとおりとなる．

$$E(Var(Y|X)) = \sigma_2^2(1 - \rho^2) \tag{2.4.2}$$

証明 証明は連続的な場合について与えられる．離散的な場合は積分を和と置き換えることで同じようになる．$E(Y|x) = a + bx$ とする．

$$E(Y|x) = \frac{\int_{-\infty}^{\infty} y f(x,y) dy}{f_1(x)} = a + bx$$

より下式を得る．

$$\int_{-\infty}^{\infty} y f(x,y) dy = (a+bx) f_1(x) \tag{2.4.3}$$

(2.4.3) 式の両辺を x について積分すると，

2.4. 相関係数

$$E(Y) = a + bE(X)$$

あるいは

$$\mu_2 = a + b\mu_1 \tag{2.4.4}$$

を得る. ここで, $\mu_1 = E(X)$ かつ $\mu_2 = E(Y)$ である. (2.4.3) 式の両辺について, まず x をかけたうえで x について積分するとき,

$$E(XY) = aE(X) + bE(X^2)$$

あるいは

$$\rho\sigma_1\sigma_2 + \mu_1\mu_2 = a\mu_1 + b(\sigma_1^2 + \mu_1^2) \tag{2.4.5}$$

を得る. ここで, $\rho\sigma_1\sigma_2$ は X と Y の共分散である. (2.4.4) と (2.4.5) の連立方程式より

$$a = \mu_2 - \rho\frac{\sigma_2}{\sigma_1}\mu_1, \quad b = \rho\frac{\sigma_2}{\sigma_1}$$

を得る. これらの値は (2.4.1) 式の結果を与える.

Y の条件付き分散は以下のように与えられる.

$$\begin{aligned}\text{var}(Y|x) &= \int_{-\infty}^{\infty}\left[y - \mu_2 - \rho\frac{\sigma_2}{\sigma_1}(x - \mu_1)\right]^2 f_{2|1}(y|x)dy \\ &= \frac{\int_{-\infty}^{\infty}\left[(y - \mu_2) - \rho\frac{\sigma_2}{\sigma_1}(x - \mu_1)\right]^2 f(x,y)dy}{f_1(x)}\end{aligned} \tag{2.4.6}$$

この分散は非負であり, かつ高々 x のみの関数である. $f_1(x)$ をかけ x で積分するならば非負の結果が得られるだろう. この結果は

$$\begin{aligned}&\int_{-\infty}^{\infty}\int_{-\infty}^{\infty}\left[(y-\mu_2) - \rho\frac{\sigma_2}{\sigma_1}(x-\mu_1)\right]^2 f(x,y)dydx \\ &= \int_{-\infty}^{\infty}\int_{-\infty}^{\infty}\left[(y-\mu_2)^2 - 2\rho\frac{\sigma_2}{\sigma_1}(y-\mu_2)(x-\mu_1) \right. \\ &\quad \left. + \rho^2\frac{\sigma_2^2}{\sigma_1^2}(x-\mu_1)^2\right]f(x,y)dydx \\ &= E[(Y-\mu_2)^2] - 2\rho\frac{\sigma_2}{\sigma_1}E[(X-\mu_1)(Y-\mu_2)] + \rho^2\frac{\sigma_2^2}{\sigma_1^2}E[(X-\mu_1)^2] \\ &= \sigma_2^2 - 2\rho\frac{\sigma_2}{\sigma_1}\rho\sigma_1\sigma_2 + \rho^2\frac{\sigma_2^2}{\sigma_1^2}\sigma_1^2 \\ &= \sigma_2^2 - 2\rho^2\sigma_2^2 + \rho^2\sigma_2^2 = \sigma_2^2(1-\rho^2)\end{aligned}$$

であり, これが望まれる結果である. ∎

(2.4.6) 式の分散が $k(x)$ で表現されるとき, $E[k(X)] = \sigma_2^2(1-\rho^2) \geq 0$ である点に

注意が必要である．したがって，$\rho^2 \leq 1$ あるいは $-1 \leq \rho \leq 1$ である．条件つき平均が線形であろうとなかろうと，$-1 \leq \rho \leq 1$ であることの証明は練習問題に残してある．練習問題 2.4.7 をみよ．

(2.4.6) 式における分散が正だが x の関数ではないとする．すなわち分散は定数 $k > 0$ である．ここで，k を $f_1(x)$ でかけ，x で積分すると，その結果は k である．ゆえに $k = \sigma_2^2(1-\rho^2)$ である．したがってこの場合，$X = x$ が所与のもとでの Y のそれぞれの条件付き分布の分散は $\sigma_2^2(1-\rho^2)$ である．$\rho = 0$ であるならば，$X = x$ が所与のもとでの Y のそれぞれの条件付き分布の分散は σ_2^2 であり，Y の周辺分布の分散である．一方 ρ^2 が 1 に近いならば，$X = x$ が所与のもとでの Y のそれぞれの条件付き分布の分散は比較的小さくなり，この条件付き分布における確率の平均 $E(Y|x) = \mu_2 + \rho(\sigma_2/\sigma_1)(x-\mu_1)$ の近くへの集中の度合いは強くなる．線形であるならば，同じことは $E(X|y)$ についてもいえる．特に，$E(X|y) = \mu_1 + \rho(\sigma_1/\sigma_2)(y-\mu_2)$ かつ $E[\mathrm{Var}(X|y)] = \sigma_1^2(1-\rho^2)$ である．

例 2.4.2. 確率変数 X と Y が線形条件付き平均 $E[(Y|x)] = 4x+3$ と $E[(X|y)] = \frac{1}{16}y - 3$ に従うとする．線形条件付き平均の一般的な形式に従って，$x = \mu_1$ のとき $E[(Y|x)] = \mu_2$ かつ $y = \mu_2$ のとき $E[(X|y)] = \mu_1$ を得る．その結果，この特別な場合には $\mu_2 = 4\mu_1 + 3$ かつ $\mu_1 = \frac{1}{16}\mu_2 - 3$ であり，すなわち $\mu_1 = -\frac{15}{4}$ かつ $\mu_2 = -12$ を得る．線形条件付き平均の一般的な形式は x と y それぞれの係数の積が ρ^2 に等しくこれらの係数の商が σ_2^2/σ_1^2 に等しいこともまた示す．したがって，$\rho^2 = 4(\frac{1}{16})$ であり，$\rho = \frac{1}{2}(-\frac{1}{2}$ ではない) となる．また $\sigma_2^2/\sigma_1^2 = 64$ である．したがって，この 2 つの線形条件付き平均から μ_1, μ_2, ρ そして σ_2/σ_1 の値は得られるが σ_2 と σ_1 の値は得ることができない．■

例 2.4.3. 相関係数がどのように X と Y の確率の線に関する集中具合を測定するかを示すために確率変数が図 2.4.1 に示される範囲全体に一様に分布するとする．すなわち X と Y の同時 pdf は以下のとおりである．
$$f(x,y) = \begin{cases} 1/4ah & -a+bx < y < a+bx,\ -h < x < h \\ 0 & \text{それ以外の場合} \end{cases}$$

ここで，$b \geq 0$ を仮定するが，この議論は $b \leq 0$ にも変更できる．X の pdf が一様であることを示すのは容易である．すなわち
$$f_1(x) = \begin{cases} \int_{-a+bx}^{a+bx} \dfrac{1}{4ah} dy = \dfrac{1}{2h} & -h < x < h \\ 0 & \text{それ以外の場合} \end{cases}$$

である．条件付き平均と分散は，
$$E(Y|x) = bx, \quad \mathrm{var}(Y|x) = \frac{a^2}{3}$$

2.4. 相関係数

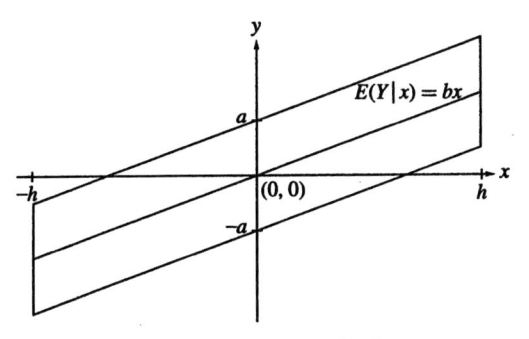

図 2.4.1 例 2.4.3 の図示

である．これらの特性の一般的な表現から

$$b = \rho \frac{\sigma_2}{\sigma_1}, \quad \frac{a^2}{3} = \sigma_2^2 (1 - \rho^2)$$

を得る．さらに，$\sigma_1^2 = h^2/3$ がわかっている．この 3 本の方程式を解けば，相関係数の表現を得る．すなわち

$$\rho = \frac{bh}{\sqrt{a^2 + b^2 h^2}}$$

である．図 2.4.1 を参照し，以下の点に注意する必要がある．

1. a が小さく (大きく) なるに従って，直線への集中の効果はより強く (弱く) なり，ρ は 1(0) に近づく．
2. h が大きく (小さく) なるに従って，直線への集中の効果はより強く (弱く) なり，ρ は 1(0) に近づく．
3. b が大きく (小さく) なるに従って，直線への集中の効果はより強く (弱く) なり，ρ は 1(0) に近づく．■

2.1 節で確率ベクトル (X, Y) に関する mgf を紹介したことを思い出してほしい．確率変数についてのように，同時 mgf もまたそれぞれの積率に関して明示的な定式化を与える．連続型の確率変数について

$$\frac{\partial^{k+m} M(t_1, t_2)}{\partial t_1^k \partial t_2^m} = \int_{-\infty}^{\infty} \int_{-\infty}^{\infty} x^k y^m e^{t_1 x + t_2 y} f(x, y) dx dy$$

である．すなわち，

$$\left. \frac{\partial^{k+m} M(t_1, t_2)}{\partial t_1^k \partial t_2^m} \right|_{t_1 = t_2 = 0} = \int_{-\infty}^{\infty} \int_{-\infty}^{\infty} x^k y^m f(x, y) dx dy$$
$$= E(X^k Y^m)$$

となる．例として表記を単純化するとより明確になる．

$$\mu_1 = E(X) = \frac{\partial M(0,0)}{\partial t_1}, \quad \mu_2 = E(Y) = \frac{\partial M(0,0)}{\partial t_2}$$

$$\sigma_1^2 = E(X^2) - \mu_1^2 = \frac{\partial^2 M(0,0)}{\partial t_1^2} - \mu_1^2$$

$$\sigma_2^2 = E(Y^2) - \mu_2^2 = \frac{\partial^2 M(0,0)}{\partial t_2^2} - \mu_2^2 \qquad (2.4.7)$$

$$E[(X-\mu_1)(Y-\mu_2)] = \frac{\partial M(0,0)}{\partial t_1 \partial t_2} - \mu_1 \mu_2$$

また,これらの式から相関係数 ρ を計算することができる.

(2.4.7) 式が X と Y が離散的な確率変数の場合にも保たれるということは全く明らかなことである.したがって,同時分布の mgf を用いることができるのなら,それを用いて相関係数も計算されるだろう.解説のための例を以下に示す.

例 2.4.4 (例 2.1.7 の続き). 例 2.1.7 において,同時密度

$$f(x,y) = \begin{cases} e^{-y} & 0 < x < y < \infty \\ 0 & それ以外の場合 \end{cases}$$

を考えた.そして,mgf は $t_1 + t_2 < 1$ かつ $t_2 < 1$ において

$$M(t_1, t_2) = \frac{1}{(1-t_1-t_2)(1-t_2)}$$

であることが示された.この分布において (2.4.7) 式は

$$\begin{aligned} &\mu_1 = 1, \ \mu_2 = 2 \\ &\sigma_1^2 = 1, \ \sigma_2^2 = 2 \\ &E[(X-\mu_1)(Y-\mu_2)] = 1 \end{aligned} \qquad (2.4.8)$$

となる.(2.4.8) 式の確認は練習問題に残してある.練習問題 2.4.5 をみよ.この結果を確認せずに受け容れるならば,X と Y の相関係数は $\rho = 1/\sqrt{2}$ となる.■

練習問題

2.4.1. 確率変数 X と Y が以下の同時 pmf に従うとする.
(a) $p(x,y) = \frac{1}{3}$, $(x,y) = (0,0), \ (1,1), \ (2,2)$, それ以外なら 0
(b) $p(x,y) = \frac{1}{3}$, $(x,y) = (0,2), \ (1,1), \ (2,0)$, それ以外なら 0
(c) $p(x,y) = \frac{1}{3}$, $(x,y) = (0,0), \ (1,1), \ (2,0)$, それ以外なら 0
それぞれの場合について,X と Y の相関係数を計算せよ.

2.4.2. X と Y が以下のように示される同時 pmf に従うとする (ただし,表にない部分は $p(x,y) = 0$).

2.4. 相関係数

(x,y)	$(1,1)$	$(1,2)$	$(1,3)$	$(2,1)$	$(2,2)$	$(2,3)$
$p(x,y)$	$\frac{2}{15}$	$\frac{4}{15}$	$\frac{3}{15}$	$\frac{1}{15}$	$\frac{1}{15}$	$\frac{4}{15}$

(a) 平均 μ_1 と μ_2, 分散 σ_1^2 と σ_2^2, 相関係数 ρ を求めよ.

(b) $E(Y|X=1)$, $E(Y|X=2)$, 直線 $\mu_2 + \rho(\sigma_2/\sigma_1)(x-\mu_1)$ を計算せよ. 点 $[k, E(Y|X=k)]$, $k=1,2$ はこの直線上にあるか.

2.4.3. X と Y の同時 pdf を $f(x,y)=2$, $0<x<y$, $0<y<1$ それ以外なら 0 とする. 条件付き平均がそれぞれ $(1+x)/2$, $0<x<1$ かつ $y/2$, $0<y<1$ であることを示せ. X と Y の相関係数が $\rho=\frac{1}{2}$ であることを示せ.

2.4.4. 練習問題 2.4.3 における $X=x$ が所与のもとでの Y の条件付き分布の分散が $(1-x)^2/12$, $0<x<1$ かつ $Y=y$ が所与のもとでの X の条件付き分布の分散が $y^2/12$, $0<y<1$ であることを示せ.

2.4.5. (2.4.8) 式の結果を確認せよ.

2.4.6. X と Y が同時 pdf, $f(x,y)=1$, $-x<y<x$, $0<x<1$ それ以外なら 0 に従うとする. 正の確率密度の集合において, $E(Y|x)$ のグラフが直線を描くのに対して $E(X|y)$ はそうならないことを示せ.

2.4.7. X と Y の相関係数 ρ が存在するとする. $-1 \leq \rho \leq 1$ であることを示せ.
ヒント: 以下の非負の 2 次関数の判別式を考慮せよ. ここで v は実数かつ X や Y の関数ではない.
$$h(v) = E\{[(X-\mu_1) + v(Y-\mu_2)]^2\}$$

2.4.8. $\psi(t_1, t_2) = \log M(t_1, t_2)$, ここで $M(t_1, t_2)$ は X と Y の mgf であるとする.
$$\frac{\partial \psi(0,0)}{\partial t_i}, \frac{\partial^2 \psi(0,0)}{\partial t_i^2}, i=1,2, \frac{\partial^2 \psi(0,0)}{\partial t_1 \partial t_2}$$
から平均, 分散, 2 つの変数の共分散が求まることを示せ. 例 2.4.4 における X と Y の平均, 分散, 共分散を求めるために, この結果を用いよ.

2.4.9. X と Y が同時 pmf, $p(x,y) = \frac{1}{7}$, $(0,0)$, $(1,0)$, $(0,1)$, $(1,1)$, $(2,1)$, $(1,2)$, $(2,2)$, それ以外なら 0 に従うものとする. 相関係数 ρ を求めよ.

2.4.10. X_1 と X_2 が下表に示されるような同時 pmf に従うとする. $p_1(x_1)$, $p_2(x_2)$, μ_1, μ_2, σ_1^2, σ_2^2, ρ を求めよ.

(x_1, x_2)	$(0,0)$	$(0,1)$	$(0,2)$	$(1,1)$	$(1,2)$	$(2,2)$
$p(x_1, x_2)$	$\frac{1}{12}$	$\frac{2}{12}$	$\frac{1}{12}$	$\frac{3}{12}$	$\frac{4}{12}$	$\frac{1}{12}$

2.4.11. $\sigma_1^2 = \sigma_2^2 = \sigma^2$ を X_1 と X_2 の共通な分散とし,ρ を X_1 と X_2 の相関係数とする.以下を示せ.

$$P[|(X_1-\mu_1)+(X_2-\mu_2)| \geq k\sigma] \leq \frac{2(1+\rho)}{k^2}, \quad k>0$$

2.5 確率変数の統計的独立性

X_1 と X_2 が $f(x_1, x_2)$ という同時 pdf と,周辺確率密度関数 $f_1(x_1)$ と $f_2(x_2)$ にそれぞれ従う連続型の確率変数を表現するとする.$f_{2|1}(x_2|x_1)$ という条件付き pdf の定義に従うならば,$f(x_1, x_2)$ という同時 pdf を

$$f(x_1, x_2) = f_{2|1}(x_2|x_1) f_1(x_1)$$

と表現することができる.ここで $f_{2|1}(x_2|x_1)$ が x_1 に依存しないという性質を仮定する.すると X_2 の周辺 pdf は,連続型確率変数において,

$$f_2(x_2) = \int_{-\infty}^{\infty} f_{2|1}(x_2|x_1) f_1(x_1) dx_1$$

$$= f_{2|1}(x_2|x_1) \int_{-\infty}^{\infty} f_1(x_1) dx_1$$

$$= f_{2|1}(x_2|x_1)$$

となる.したがって,$f_{2|1}(x_2|x_1)$ が x_1 に依存しないとき,

$$f_2(x_2) = f_{2|1}(x_2|x_1), \quad f(x_1, x_2) = f_1(x_1) f_2(x_2)$$

が成り立つ.すなわち $X_1 = x_1$ が与えられた X_2 の条件付き分布が,x_1 に関するいかなる仮定からも独立であるとき,$f(x_1, x_2) = f_1(x_1) f_2(x_2)$ が成り立つ.

離散的な場合に関してもまた同様の議論が適用され,以下の定義の括弧中に要約される.

定義 2.5.1 (統計的独立性).

確率変数 X_1 と X_2 が,$f(x_1, x_2)$ という同時 pdf(あるいは $p(x_1, x_2)$ という同時 pmf)と $f_1(x_1)$,$f_2(x_2)$ という周辺 pdf(あるいは $p_1(x_1)$,$p_2(x_2)$ という周辺 pmf)にそれぞれ従うとする.確率変数 X_1 と X_2 が $f(x_1, x_2) \equiv f_1(x_1) f_2(x_2)$(あるいは $p(x_1, x_2) \equiv p_1(x_1) p_2(x_2)$)が成り立つならば,そのときのみ統計的独立 (independent) とよばれる.独立でない確率変数は統計的従属 (dependent) とよばれる.

注意 2.5.1. 先の定義に関しては 2 つの注意がある.まず,2 つの正の関数の積 $f_1(x_1) f_2(x_2)$ は,その積空間上で関数が正であることを意味する.すなわち,$f_1(x_1)$ と $f_2(x_2)$ がそれぞれの空間 $\mathcal{S}_1, \mathcal{S}_2$ において,その空間上でのみ正であるならば,$f_1(x_1)$ と $f_2(x_2)$ との積は積空間 $\mathcal{S} = \{(x_1, x_2) : x_1 \in \mathcal{S}_1, x_2 \in \mathcal{S}_2\}$ においてのみ正である.

2.5. 確率変数の統計的独立性

例えば $S_1=\{x_1:0<x_1<1\}$ かつ $S_2=\{x_2:0<x_2<3\}$ であるならば, $S=\{(x_1,x_2):0<x_1<1, 0<x_2<3\}$ である. 2つめの注意は恒等式に関連している. 定義2.5.1の恒等式は以下のように解釈される. $f(x_1,x_2) \neq f_1(x_1)\,f_2(x_2)$ が成り立ついくつかの点 $(x_1,x_2) \in S$ が存在するかもしれない. しかし A を等式が成立しない点 (x_1,x_2) の集合とするなら, $P(A)=0$ となる. 以後の定理と, それを一般化した場合においても, 非負関数の積と恒等式は同様の方法で解釈される. ∎

例 2.5.1. X_1 と X_2 の同時 pdf を

$$f(x_1,x_2) = \begin{cases} x_1+x_2 & 0<x_1<1, \quad 0<x_2<1 \\ 0 & それ以外の場合 \end{cases}$$

とする. 以下に X_1 と X_2 が従属であることが証明される. このとき, 周辺確率密度関数が

$$f_1(x_1) = \begin{cases} \displaystyle\int_{-\infty}^{\infty} f(x_1,x_2)dx_2 = \int_0^1 (x_1+x_2)dx_2 = x_1+\frac{1}{2} & 0<x_1<1 \\ 0 & それ以外の場合 \end{cases}$$

$$f_2(x_2) = \begin{cases} \displaystyle\int_{-\infty}^{\infty} f(x_1,x_2)dx_1 = \int_0^1 (x_1+x_2)dx_1 = \frac{1}{2}+x_2 & 0<x_2<1 \\ 0 & それ以外の場合 \end{cases}$$

という式で与えられる. $f(x_1,x_2) \not\equiv f_1(x_1)f_2(x_2)$ であるため, 確率変数 X_1 と X_2 は従属である. ∎

以下の定理は周辺確率密度関数の計算を行わずとも例2.5.1の確率変数 X_1 と X_2 が従属であるとの主張を可能にする.

定理 2.5.1.
確率変数 X_1 と X_2 はそれぞれ台 S_1 と S_2 をもち, かつ $f(x_1,x_2)$ という同時 pdf に従うとする. そして X_1 と X_2 は, $f(x_1,x_2)$ が x_1 の非負関数と x_2 の非負関数との積として表せるならば, そのときのみ独立である. すなわち,

$$f(x_1,x_2) \equiv g(x_1)h(x_2)$$

である. ここで $g(x_1)>0, x_1 \in S_1$, それ以外では 0, かつ $h(x_2)>0, x_2 \in S_2$, それ以外では 0, である.

証明 仮に X_1 と X_2 が独立だと仮定すると, $f_1(x_1)$ と $f_2(x_2)$ をそれぞれ X_1 と X_2 の周辺確率密度関数とするとき, $f(x_1,x_2) \equiv f_1(x_1)f_2(x_2)$ が成り立つ. それゆえに $f(x_1,x_2) \equiv g(x_1)h(x_2)$ という条件が満たされる.

逆に, 連続型確率変数に関して, $f(x_1,x_2) \equiv g(x_1)h(x_2)$ ならば,

$$f_1(x_1) = \int_{-\infty}^{\infty} g(x_1)h(x_2)dx_2 = g(x_1)\int_{-\infty}^{\infty} h(x_2)dx_2 = c_1 g(x_1)$$

$$f_2(x_2) = \int_{-\infty}^{\infty} g(x_1)h(x_2)dx_1 = h(x_2)\int_{-\infty}^{\infty} g(x_1)dx_1 = c_2 h(x_2)$$

が得られる．ここで c_1 と c_2 は定数であり，x_1 あるいは x_2 の関数ではない．さらに $c_1 c_2 = 1$ である．なぜなら，

$$1 = \int_{-\infty}^{\infty}\int_{-\infty}^{\infty} g(x_1)h(x_2)dx_1 dx_2$$
$$= \left[\int_{-\infty}^{\infty} g(x_1)dx_1\right]\left[\int_{-\infty}^{\infty} h(x_2)dx_2\right] = c_2 c_1$$

が成り立つからである．これらの結果は，

$$f(x_1, x_2) \equiv g(x_1)h(x_2) \equiv c_1 g(x_1) c_2 h(x_2) \equiv f_1(x_1)f_2(x_2)$$

を意味している．したがって X_1 と X_2 は独立である．■

この定理は離散型確率変数の場合においてもまた真である．同時 pdf を同時 pmf に置き換えるだけでよい．

いま，例 2.5.1 に言及するならば，同時 pdf，

$$f(x_1, x_2) = \begin{cases} x_1 + x_2 & 0 < x_1 < 1, \quad 0 < x_2 < 1 \\ 0 & \text{それ以外の場合} \end{cases}$$

は x_1 の非負関数と x_2 の非負関数との積で表せない．したがって X_1 と X_2 は統計的従属である．

例 2.5.2. 確率変数 X_1 と X_2 の pdf を $f(x_1, x_2) = 8x_1 x_2$, $0 < x_1 < x_2 < 1$，それ以外なら 0，とする．式 $8x_1 x_2$ から X_1 と X_2 は統計的独立になりそうである．しかし，空間 $\mathcal{S} = \{(x_1, x_2) : 0 < x_1 < x_2 < 1\}$ を考慮すると，これは積空間でないことがわかる．このことは一般に，X_1 と X_2 の正の確率密度空間が水平線，垂直線の線分以外で有界ならば，X_1 と X_2 は従属であるということを明らかにする．■

pdf (あるいは pmf) によって統計的独立を議論するかわりに，累積分布関数の観点から独立を議論することが可能である．以下の定理はその等質性を証明する．

定理 2.5.2.
(X_1, X_2) が $F(x_1, x_2)$ という同時 cdf に従い，かつ X_1 と X_2 が $F_1(x_1)$ と $F_2(x_2)$ という周辺 cdf にそれぞれ従うとする．このとき X_1 と X_2 は，

$$F(x_1, x_2) = F_1(x_1)F_2(x_2), \quad \text{いかなる } (x_1, x_2) \in R^2 \text{ に関して} \qquad (2.5.1)$$

であるならば，そのときのみ統計的独立である．

証明 連続型確率変数に関する証明を与える．まず (2.5.1) 式が成り立つと仮定

2.5. 確率変数の統計的独立性

する．このとき混合2次偏微分は，
$$\frac{\partial^2}{\partial x_1 \partial x_2} F(x_1, x_2) = f_1(x_1) f_2(x_2)$$
である．したがって X_1 と X_2 は独立である．逆に，X_1 と X_2 が独立であると仮定する．よって同時 cdf の定義により，
$$F(x_1, x_2) = \int_{-\infty}^{x_1} \int_{-\infty}^{x_2} f_1(w_1) f_2(w_2) dw_2 dw_1$$
$$= \int_{-\infty}^{x_1} f_1(w_1) dw_1 \cdot \int_{-\infty}^{x_2} f_2(w_2) dw_2 = F_1(x_1) F_2(x_2)$$
が成り立つ．したがって (2.5.1) 式の条件は真である．■

次に，統計的に独立な確率変数を含んだ事象の確率計算をしばしば簡略化する定理を与える．

定理 2.5.3.

X_1 と X_2 は，任意の $a<b$ そして $c<d$ に関して以下の条件
$$P(a < X_1 \leq b, c < X_2 \leq d) = P(a < X_1 \leq b) P(c < X_2 \leq d) \tag{2.5.2}$$
が満たされるならば，そのときのみ独立である．ここで a,b,c,d は定数である．

証明 X_1 と X_2 が独立ならば，定理 2.5.2 と (2.1.2) 式の応用は，
$$P(a < X_1 \leq b, c < X_2 \leq d) = F(b,d) - F(a,d) - F(b,c) + F(a,c)$$
$$= F_1(b) F_2(d) - F_1(a) F_2(d)$$
$$\quad - F_1(b) F_2(c) + F_1(a) F_2(c)$$
$$= [F_1(b) - F_1(a)][F_2(d) - F_2(c)]$$
を証明する．これは (2.5.2) 式の右辺である．逆に (2.5.2) 式の条件は (X_1, X_2) の同時 cdf は周辺 cdf の積に因数分解できることを意味し，そしてそのことは，次に定理 2.5.2 から X_1 と X_2 が独立であることを意味する．■

例 2.5.3 (例 2.5.1 の続き). (2.5.2) 式の条件に関して独立性は必要である．例えば，例 2.5.1 の統計的に従属な変数 X_1 と X_2 を考慮する．これらの確率変数に関して，
$$P\left(0 < X_1 < \frac{1}{2}, 0 < X_2 < \frac{1}{2}\right) = \int_0^{1/2} \int_0^{1/2} (x_1 + x_2) dx_1 dx_2 = \frac{1}{8}$$
を得るが，それに反して，
$$P\left(0 < X_1 < \frac{1}{2}\right) = \int_0^{1/2} \left(x_1 + \frac{1}{2}\right) dx_1 = \frac{3}{8}$$

$$P\left(0<X_2<\frac{1}{2}\right) = \int_0^{1/2}\left(\frac{1}{2}+x_1\right)dx_2 = \frac{3}{8}$$

もまた成り立つ．したがって，(2.5.2) 式の条件は支持されない．■

統計的独立な確率変数を得ているとき，通常，確率の計算が単純になるばかりではなく，いくつかの積率母関数を含む，多くの期待値の計算も同様に比較的簡単なものとなる．次の結果は非常に役に立つので，定理の形で述べることにする．

定理 2.5.4.
X_1 と X_2 は独立であり，かつ $E(u(X_1))$ と $E(v(X_2))$ が存在すると仮定する．このとき，
$$E[u(X_1)v(X_2)] = E[u(X_1)] E[v(X_2)]$$
が成り立つ．

証明 連続型確率変数の場合において証明を行う．X_1 と X_2 の独立性は，X_1 と X_2 の同時 pdf は $f_1(x_1)f_2(x_2)$ であることを意味する．よって，期待値の定義から
$$\begin{aligned}
E[u(X_1)v(X_2)] &= \int_{-\infty}^{\infty}\int_{-\infty}^{\infty} u(x_1)v(x_2)f_1(x_1)f_2(x_2)dx_1 dx_2 \\
&= \left[\int_{-\infty}^{\infty} u(x_1)f_1(x_1)dx_1\right]\left[\int_{-\infty}^{\infty} v(x_2)f_2(x_2)dx_2\right] \\
&= E[u(X_1)] E[v(X_2)]
\end{aligned}$$
を得る．これが求める解である．■

例 2.5.4. X と Y をそれぞれ平均 μ_1 と μ_2，正の分散 σ_1^2 と σ_2^2 をもつ 2 つの統計的に独立な確率変数とする．X と Y が統計的に独立であると X と Y の相関係数は 0 となることを証明する．X と Y の共分散が，
$$E[(X-\mu_1)(Y-\mu_2)] = E(X-\mu_1)E(Y-\mu_2) = 0$$
と等しいために，相関係数が 0 となることは真である．■

ここで統計的に独立な確率変数に関する非常に役に立つ定理を証明する．定理の証明は mgf が，それが存在するとき，それは一意であり，確率分布を一意に定めるという主張を論拠としている．

定理 2.5.5.
$M(t_1,t_2)$ という同時 mgf が X_1 と X_2 という確率変数に対して存在すると仮定する．このとき X_1 と X_2 は，
$$M(t_1,t_2) = M(t_1,0)M(0,t_2)$$

2.5. 確率変数の統計的独立性

ならば，そのときのみ統計的独立である．すなわち同時 mgf は周辺 mgf の積に因数分解される．

証明 X_1 と X_2 が統計的に独立であるなら，

$$M(t_1, t_2) = E(e^{t_1 X_1 + t_2 X_2})$$
$$= E(e^{t_1 X_1} e^{t_2 X_2})$$
$$= E(e^{t_1 X_1}) E(e^{t_2 X_2})$$
$$= M(t_1, 0) M(0, t_2)$$

となる．それゆえに X_1 と X_2 の統計的独立性は，同時分布の mgf は 2 つの周辺分布の積率母関数の積に因数分解されることを意味している．

次に X_1 と X_2 の同時分布の mgf が $M(t_1, t_2) = M(t_1, 0) \times M(0, t_2)$ によって与えられると仮定する．いま，X_1 は唯一の mgf をもち，これは連続型確率変数において，

$$M(t_1, 0) = \int_{-\infty}^{\infty} e^{t_1 x_1} f_1(x_1) dx_1$$

によって与えられる．同様に，連続型確率変数において X_2 の唯一の mgf は，

$$M(0, t_2) = \int_{-\infty}^{\infty} e^{t_2 x_2} f_2(x_2) dx_2$$

によって与えられる．したがって，

$$M(t_1, 0) M(0, t_2) = \left[\int_{-\infty}^{\infty} e^{t_1 x_1} f_1(x_1) dx_1 \right] \left[\int_{-\infty}^{\infty} e^{t_2 x_2} f_2(x_2) dx_2 \right]$$
$$= \int_{-\infty}^{\infty} \int_{-\infty}^{\infty} e^{t_1 x_1 + t_2 x_2} f_1(x_1) f_2(x_2) dx_1 dx_2$$

を得る．$M(t_1, t_2) = M(t_1, 0) M(0, t_2)$ が与えられているので，

$$M(t_1, t_2) = \int_{-\infty}^{\infty} \int_{-\infty}^{\infty} e^{t_1 x_1 + t_2 x_2} f_1(x_1) f_2(x_2) dx_1 dx_2$$

となる．しかし $M(t_1, t_2)$ は X_1 と X_2 の mgf である．よってまた，

$$M(t_1, t_2) = \int_{-\infty}^{\infty} \int_{-\infty}^{\infty} e^{t_1 x_1 + t_2 x_2} f(x_1, x_2) dx_1 dx_2$$

である．mgf の一意性は $f_1(x_1) f_2(x_2)$ と $f(x_1, x_2)$ によって記述される 2 つの確率分布は等しいということを意味している．したがって，

$$f(x_1, x_2) \equiv f_1(x_1) f_2(x_2)$$

である．すなわち $M(t_1, t_2) = M(t_1, 0) M(0, t_2)$ ならば，X_1 と X_2 は独立である．これは確率変数が連続型であるときに証明を完成させる．離散型の確率変数に関しては，この証明は積分のかわりに和をとることによってなされる．■

例 2.5.5 (例 2.1.7 の続き). (X,Y) を同時 pdf

$$f(x,y) = \begin{cases} e^{-y} & 0 < x < y < \infty \\ 0 & それ以外の場合 \end{cases}$$

に従う 1 組の確率変数とする. 例 2.1.7 において, $t_1 + t_2 < 1$ かつ $t_2 < 1$ という仮定のもとで, (X,Y) の mgf は,

$$M(t_1, t_2) = \int_0^\infty \int_x^\infty \exp(t_1 x + t_2 y - y) dy dx$$
$$= \frac{1}{(1 - t_1 - t_2)(1 - t_2)}$$

であることを証明した. $M(t_1, t_2) \neq M(t_1, 0) M(t_2, 0)$ なので, 確率変数は従属である. ■

例 2.5.6 (練習問題 2.1.14. の続き). 練習問題 2.1.14 において定義された確率変数 X_1 と X_2 に関して, 同時 mgf は,

$$M(t_1, t_2) = \left[\frac{\exp\{t_1\}}{2 - \exp\{t_1\}}\right]\left[\frac{\exp\{t_2\}}{2 - \exp\{t_2\}}\right], \quad t_i < \log 2, \quad i = 1, 2$$

であることを証明した. さらに $M(t_1, t_2) = M(t_1, 0) M(0, t_2)$ であることを証明した. したがって X_1 と X_2 は統計的に独立な確率変数である. ■

練習問題

2.5.1. 以下の同時 pdf に従う確率変数 X_1 と X_2 は独立であることを証明せよ.

$$f(x_1, x_2) = \begin{cases} 12 x_1 x_2 (1 - x_2) & 0 < x_1 < 1, \quad 0 < x_2 < 1 \\ 0 & それ以外の場合 \end{cases}$$

2.5.2. 確率変数 X_1 と X_2 が, $f(x_1, x_2) = 2e^{-x_1 - x_2}, 0 < x_1 < x_2, 0 < x_2 < \infty$, それ以外なら 0, という同時 pdf に従うと仮定するとき, X_1 と X_2 が従属であることを証明せよ.

2.5.3. $p(x_1, x_2) = \frac{1}{16}$, $x_1 = 1, 2, 3, 4$, かつ $x_2 = 1, 2, 3, 4$, それ以外なら 0, を X_1 と X_2 の同時 pmf とする. X_1 と X_2 が独立であることを証明せよ.

2.5.4. 確率変数 X_1 と X_2 が, $f(x_1, x_2) = 4 x_1 (1 - x_2), 0 < x_1 < 1, 0 < x_2 < 1$, それ以外なら 0, という同時 pdf に従う仮定するとき, $P(0 < X_1 < \frac{1}{3}, 0 < X_2 < \frac{1}{3})$ を求めよ.

2.5.5. X_1 と X_2 を $P(a < X_1 < b) = \frac{2}{3}$ かつ $P(c < X_2 < d) = \frac{5}{8}$ である 2 つの統計的に独立な変数とするとき, $a < X_1 < b, -\infty < X_2 < \infty$ と $-\infty < X_1 < \infty, c < X_2 < d$ という和事象の確率を求めよ.

2.6. 複数の確率変数への拡張

2.5.6. 確率変数 X_1 と X_2 の同時 pdf が，$f(x_1, x_2) = e^{-x_1 - x_2}$, $0 < x_1 < \infty$, $0 < x_2 < \infty$, それ以外なら 0，であるとき，X_1 と X_2 は独立であること，$M(t_1, t_2) = (1-t_1)^{-1}(1-t_2)^{-1}$, $t_2 < 1, t_1 < 1$, であることを証明せよ．また，
$$E(e^{t(X_1 + X_2)}) = (1-t)^{-2}, \quad t < 1$$
であることを証明せよ．続いて $Y = X_1 + X_2$ の平均と分散を求めよ．

2.5.7. 確率変数 X_1 と X_2 が，$f(x_1, x_2) = 1/\pi$, $(x_1 - 1)^2 + (x_2 + 2)^2 < 1$, それ以外なら 0，という同時 pdf に従うとする．このとき $f_1(x_1)$ と $f_2(x_2)$ を求めよ．また X_1 と X_2 は独立であるといえるか．

2.5.8. X と Y が，$f(x, y) = 3x$, $0 < y < x < 1$, それ以外なら 0，という同時 pdf をもつとする．このとき X と Y は統計的独立であるか．もしそうでない場合 $E(X|y)$ を求めよ．

2.5.9. ある人が午前 8:00 から 8:30 までの間に家を出て，かつオフィスに到着するまでに 40 分から 50 分の時間を要すると仮定する．X が出発の時間を表し，かつ Y がオフィスに到着するまでの所要時間を表すとする．これらの確率変数が独立であり，一様に分布するものであると仮定するとき，午前 9:00 までにオフィスに到着する確率を求めよ．

2.5.10. X と Y が，$(0, 0), (1, 1), (1, 0), (1, -1)$ という 4 つの点から構成される空間をもった確率変数であるとする．そして相関係数が 0 に等しくなるように 4 つの点に正の確率を割り当てるとする．このとき X と Y は独立であるか．

2.5.11. x 軸に沿って，それぞれ長さが 2 桁の値をとる 2 つの線分が置かれているとする．1 つの線分の中心点は $x = 0$ から $x = 14$ の間にあり，もう 1 つの線分の中心点は $x = 6$ から $x = 20$ の間にある．これらの中心点に関して統計的独立と一様分布を仮定するとき，2 つの線分が重なる確率を求めよ．

2.5.12. 偏りのないサイコロを振り，1, 2, 3 の目が出たら $X = 0$，4 あるいは 5 の目が出たら $X = 1$，そして 6 の目が出たら $X = 2$ とする．サイコロを独立に 2 回振り，X_1 と X_2 を得るものとする．このとき $P(|X_1 - X_2| = 1)$ を計算せよ．

2.5.13. 例 2.5.6 の X_1 と X_2 に関して，$Y = X_1 + X_2$ の mgf は $e^{2t}/(2 - e^t)^2$, $t < \log 2$ であることを証明せよ．また Y の平均と分散を計算せよ．

2.6 複数の確率変数への拡張

2 つの確率変数に関する概念を直ちに n 個の確率変数に拡張することができる．n 個の確率変数の空間に関する以下の定義を行う．

> **定義 2.6.1.**
> 標本空間 $\mathcal{C}$ での確率実験を想定しよう.個々の要素 $c \in \mathcal{C}$ から確率変数 X_i に唯一の実数 $X_i(c) = x_i$, $i = 1, 2, \ldots, n$ を割り当てる. $(X_1, \ldots, X_n)$ は n 次元の確率ベクトル (random vector) とよぶ.この確率ベクトルの空間 (space) は順序 n 対の集合 $\mathcal{D} = \{(x_1, x_2, \ldots, x_n) : x_1 = X_1(c), \ldots, x_n = X_n(c), c \in \mathcal{C}\}$ である.さらに,A が空間 $\mathcal{D}$ の部分集合であるとしよう.このとき,$P[(X_1, \ldots, X_n) \in A] = P(C)$ であり,$C = \{c : c \in \mathcal{C}$ かつ $(X_1(c), X_2(c), \ldots, X_n(c)) \in A\}$ である.

この節では,ベクトル表記を頻繁に用いる.例えば,$(X_1, \ldots, X_n)'$ を n 次元の列ベクトル $\mathbf{X}$ で,確率変数の実測値 $(x_1, \ldots, x_n)'$ を $\mathbf{x}$ によって示す.同時 cdf は以下のように定義される.

$$F_{\mathbf{X}}(\mathbf{x}) = P[X_1 \leq x_1, \ldots, X_n \leq x_n] \tag{2.6.1}$$

同時 cdf が,

$$F_{\mathbf{X}}(\mathbf{x}) = \sum_{w_1 \leq x_1, \ldots, w_n \leq x_n} \cdots \sum p(w_1, \ldots, w_n)$$

や

$$F_{\mathbf{X}}(\mathbf{x}) = \int_{w_1 \leq x_1, \ldots, w_n \leq x_n} \cdots \int f(w_1, \ldots, w_n) dw_1 \cdots dw_n$$

のように表現されうるとき,n 個の確率変数 $X_1, X_2, \ldots, X_n$ は離散型か連続型の,それぞれ上にあげた分布に従う.連続である場合は以下のようになる.

$$\frac{\partial^n}{\partial x_1 \cdots \partial x_n} F_{\mathbf{X}}(\mathbf{x}) = f(\mathbf{x}) \tag{2.6.2}$$

同時 pdf の定義を拡張する方法に従い,(a) f が定義され,この引数のすべての実数値に関して非負であり,かつ (b) その引数のすべての実数値に関する積分が 1 であるなら,点関数 f が原則的に pdf であることの条件を満たす.同様に,(a) p が定義され,この引数のすべての実数値に関して非負であり,かつ (b) その引数のすべての実数値に関する和が 1 になるならば,その点関数 p が原則的に同時 pmf である条件を満たす.前節のように,確率ベクトルの台集合に言及することが役立つことがある.連続の場合は,これらが正の確率の開集合に配されうる $\mathcal{D}$ のすべての点であるのに対し,離散の場合には,これは正の集合 $\mathcal{D}$ のすべての点である.台集合を示すため $\mathcal{S}$ を使用する.

例 2.6.1.

$$f(x, y, z) = \begin{cases} e^{-(x+y+z)} & 0 < x, y, z < \infty \\ 0 & \text{それ以外の場合} \end{cases}$$

を確率変数 X, Y, Z の pdf とする.このとき X, Y, Z の分布関数は,

2.6. 複数の確率変数への拡張

$$F(x,y,z) = P(X \leq x, Y \leq y, Z \leq z)$$
$$= \int_0^z \int_0^y \int_0^x e^{-u-v-w} du dv dw$$
$$= (1-e^{-x})(1-e^{-y})(1-e^{-z}), \quad 0 \leq x,y,z \leq \infty$$

により与えられ，それ以外は 0 と等しい．(2.6.2) 式の関係は容易に証明される．■

$(X_1, X_2, \ldots, X_n)$ が確率変数ベクトルであるとし，関数 u に関して $Y = u(X_1, X_2, \ldots, X_n)$ とする．2 変量の場合のように，確率変数が連続型であるときに n 重積分

$$\int_{-\infty}^{\infty} \cdots \int_{-\infty}^{\infty} |u(x_1, x_2, \ldots, x_n)| f(x_1, x_2, \ldots, x_n) dx_1 dx_2 \cdots dx_n$$

が存在し，確率変数が離散型のときに n 重の和

$$\sum_{x_n} \cdots \sum_{x_1} |u(x_1, x_2, \ldots, x_n)| p(x_1, x_2, \ldots, x_n)$$

が存在するならば，確率変数の期待値が存在する．もし Y の期待値が存在するならば，このとき連続型の場合は

$$E(Y) = \int_{-\infty}^{\infty} \cdots \int_{-\infty}^{\infty} u(x_1, x_2, \ldots, x_n) f(x_1, x_2, \ldots, x_n) dx_1 dx_2 \cdots dx_n \tag{2.6.3}$$

により，離散型の場合は

$$E(Y) = \sum_{x_n} \cdots \sum_{x_1} u(x_1, x_2, \ldots, x_n) p(x_1, x_2, \ldots, x_n) \tag{2.6.4}$$

によって与えられる．2.1 節で論じた期待値の特性は n 次元の場合においても適用できる．特に，E は線形演算子である．つまり，$Y_j = u_j(X_1, \ldots, X_n)$, $j = 1, \ldots, m$ と個々の $E(Y_i)$ が存在するならば，このとき

$$E\left[\sum_{j=1}^m k_j Y_j\right] = \sum_{j=1}^m k_j E[Y_j] \tag{2.6.5}$$

となる．$k_1, \ldots, k_m$ は定数である．

ここでは，n 個の確率変数の観点から，周辺および条件付き確率密度関数を論じよう．先行して提示した定義のすべては後述の方法で n 変量の場合にそのまま一般化できる．$X_1, X_2, \ldots, X_N$ を $f(x_1, x_2, \ldots, x_n)$ という同時 pdf に従う，連続型確率変数であるとしよう．2 変量の場合と同様の理由により，すべての b に関し，

$$F_{X_1}(b) = P(X_1 < b) = \int_{-\infty}^{b} f_1(x_1) dx_1$$

が得られる．ただし，$f_1(x_1)$ は $(n-1)$ 重積分によって以下のように定義される．

$$f_1(x_1) = \int_{-\infty}^{\infty} \cdots \int_{-\infty}^{\infty} f(x_1, x_2, \ldots x_n) dx_2 \cdots dx_n$$

したがって，$f_1(x_1)$ は確率変数 X_1 の pdf であり，$f_1(x_1)$ は X_1 の周辺 pdf とよばれる．$X_2, \ldots X_n$ の周辺確率密度関数 $f_2(x_2), \ldots, f_n(x_n)$ は各々が $(n-1)$ 重積分により求められる．

この時点までに，個々の周辺 pdf は 1 つの確率変数に関する 1 つの pdf である．この概念を同時確率密度関数に拡張することは便利であり，それを行ってみよう．これまでのように，$f(x_1, x_2, \ldots, x_n)$ を n 個の確率変数 $X_1, X_2, \ldots, X_n$ の同時 pdf とする．だが，ここで，これらの確率変数の $k<n$ となる一群を取り出し，これらの同時 pdf を求めよう．この同時 pdf は k 変量のこの特定の一群の周辺 pdf とよばれる．考えをまとめるため，$n=6$，$k=3$ とし，X_2, X_4, X_5 を選択しよう．このとき，X_2, X_4, X_5 の周辺 pdf は，3 つの変数のこの特定の一群の同時 pdf であり，すなわち確率変数が連続型である場合は，

$$\int_{-\infty}^{\infty} \int_{-\infty}^{\infty} \int_{-\infty}^{\infty} f(x_1, x_2, x_3, x_4, x_5, x_6) dx_1 dx_3 dx_6$$

となる．次に，条件付き pdf の定義を拡張する．$f_1(x_1)>0$ を仮定する．このとき，以下の関係によって記号 $f_{2,\ldots,n|1}(x_2, \ldots, x_n \mid x_1)$ を定義する．

$$f_{2,\ldots,n|1}(x_2, \ldots, x_n \mid x_1) = \frac{f(x_1, x_2, \ldots, x_n)}{f_1(x_1)}$$

そして，$f_{2,\ldots,n|1}(x_2, \ldots, x_n \mid x_1)$ は $X_1 = x_1$ が所与のときの $X_2, \ldots, X_n$ の同時条件付き pdf (joint conditional pdf) とよぶ．例えば，$X_i = x_i$ が所与のときの $X_1, \ldots, X_{i-1}, X_{i+1}, \ldots, X_n$ のように，$n-1$ 個の確率変数の条件付き同時 pdf は，$f_i(x_i) > 0$ とする $f_i(x_i)$ という周辺 pdf によって割った $X_1, \ldots, X_n$ の同時 pdf として定義される．さらに一般的に，$n-k$ 個の確率変数の同時条件付き pdf は，残りの k 変量の値が所与である場合，n 変量の同時 pdf を正の値であるとした k 変量に関する特定の一群の周辺 pdf によって割ったものとして定義される．他に多くの条件付き確率密度関数が存在することが認められる．例えば，練習問題 2.3.12 参照．

ある条件付き pdf は，特定の数の確率変数の pdf であるので，これらの確率変数の関数の期待値が定義されている．条件付き pdf が考慮されているという事実を強調するために，このような期待値は条件付き期待値とよばれる．例えば，$X_1 = x_1$ が所与である $u(X_2, \ldots, X_n)$ の条件付き期待値は，連続型の確率変数に関して，$f_1(x_1) > 0$ であり，次の式で $u(x_2, \ldots, x_n)$ を $|u(x_2, \ldots, x_n)|$ としたときの積分が収束するならば，

$$E[u(X_2, \ldots, X_n) \mid x_1] = \int_{-\infty}^{\infty} \cdots \int_{-\infty}^{\infty} u(x_2, \ldots, x_n) \\ \times f_{2,\ldots,n|1}(x_2, \ldots, x_n \mid x_1) dx_2 \cdots dx_n$$

によって与えられる．便利な確率変数は $h(X_1) = E[u(X_2, \ldots, X_n \mid X_1)]$ によって与えられる．

周辺分布と条件付き分布の上記の論述は，積分のかわりに pmf や和を用いて離散型

2.6. 複数の確率変数への拡張

の確率変数へと一般化できる．

確率変数 $X_1, X_2, \ldots, X_n$ が $f(x_1, x_2, \ldots, x_n)$ という同時 pdf と $f_1(1), f_2(2), \ldots, f_n(n)$ という周辺確率密度関数に各々従うとしよう．X_1 と X_2 の統計的独立の定義は，次のような $X_1, X_2, \ldots, X_n$ の相互な独立性に一般化される．確率変数 $X_1, X_2, \ldots, X_n$ は，連続型の場合，以下のとき，かつこのときにかぎり，相互に独立である (mutually independent) といわれる．

$$f(x_1, x_2, \ldots, x_n) \equiv f_1(x_1) f_2(x_2) \cdots f_n(x_n)$$

離散型の場合は，以下のようなとき，かつそのときにかぎり，$X_1, X_2, \ldots, X_n$ は相互に独立であるといわれる．

$$p(x_1, x_2, \ldots, x_n) \equiv p_1(x_1) p_2(x_2) \cdots p_n(x_n)$$

$X_1, X_2, \ldots, X_n$ が相互に独立であるとしよう．このとき，

$$P(a_1 < X_1 < b_1, a_2 < X_2 < b_2, \ldots, a_n < X_n < b_n)$$
$$= P(a_1 < X_1 < b_1) P(a_2 < X_2 < b_2) \cdots P(a_n < X_n < b_n)$$
$$= \prod_{i=1}^{n} P(a_i < X_i < b_i)$$

が成り立つ．ここで，記号 $\prod_{i=1}^{n} \phi(i)$ は

$$\prod_{i=1}^{n} \phi(i) = \phi(1) \phi(2) \cdots \phi(n)$$

になると定義される．統計的に独立な確率変数 X_1 と X_2 に関する

$$E[u(X_1) v(X_2)] = E[u(X_1)] E[v(X_2)]$$

という定理は，相互に独立である確率変数 $X_1, X_2, \ldots, X_n$ に関して，

$$E[u(X_1) u_2(X_2) \cdots u_n(X_n)] = E[u_1(X_1)] E[u_2(X_2)] \cdots E[u_n(X_n)]$$

あるいは，

$$E\left[\prod_{i=1}^{n} u_i(X_i)\right] = \prod_{i=1}^{n} E[u_i(X_i)]$$

となる．

n 個の確率変数 $X_1, X_2, \ldots, X_n$ の同時分布の積率母関数 (mgf) は次のように定義される．各々の h_i が正である場合，$-h_i < t_i < h_i, i = 1, 2, \ldots, n$ に関して，

$$E[\exp(t_1 X_1 + t_2 X_2 + \cdots + t_n X_n)]$$

が存在するとしよう．この期待値は $M(t_1, t_2, \ldots, t_n)$ によって示され，$X_1, \cdots, X_n$ の同時分布の mgf（あるいは単純に $X_1, \cdots, X_n$ の mgf）とよばれる．1 変量，2 変量の場合のように，この mgf は一意であり，n 変量の同時分布を（したがって，すべての周辺分布も）一意に決定する．例えば，X_i の周辺分布の mgf は $M(0, \ldots, 0, t_i,$

$0,\ldots,0), i=1,2,\ldots,n$ のようになり，X_i と X_j の周辺分布の mgf は $M(0,\ldots,0,t_i,$ $0,\ldots,0,t_j,0,\ldots,0)$ などとなる．この章の定理 2.5.5 が一般化され，因数分解

$$M(t_1,t_2,\ldots,t_n)=\prod_{i=1}^{n}M(0,\ldots,0,t_i,0,\ldots,0) \tag{2.6.6}$$

が成り立つならば，これは $X_1,\cdots,X_n$ の相互な独立性に関して，必要十分条件である．ベクトル表記では同時 mgf が

$$M(\mathbf{t})=E[\exp(\mathbf{t}'\mathbf{X})], \quad \mathbf{t}\in B\subset R^n$$

のように記述できることをしめす．このとき，$B=\{\mathbf{t}:-h_i<t_i<h_i, i=1,\ldots,n\}$ である．

例 2.6.2. X_1,X_2,X_3 は 3 つの相互に独立である確率変数であり，各々以下の pdf に従うとしよう．

$$f(x)=\begin{cases} 2x & 0<x<1 \\ 0 & \text{それ以外の場合} \end{cases} \tag{2.6.7}$$

X_1,X_2,X_3 の同時 pdf は，$f(x_1)f(x_2)f(x_3)=8x_1x_2x_3$, $0<x_i<1$, $i=1,2,3$, それ以外は 0 である．このとき，例として，$5X_1X_2^3+3X_2X_3^4$ の期待値は以下のようになる．

$$\int_0^1\int_0^1\int_0^1(5x_1x_2^3+3x_2x_3^4)8x_1x_2x_3\,dx_1dx_2dx_3=2$$

Y を X_1,X_2,X_3 の最大値としよう．このとき，例として，

$$P\left(Y\leq\frac{1}{2}\right)=P\left(X_1\leq\frac{1}{2},X_2\leq\frac{1}{2},X_3\leq\frac{1}{2}\right)$$
$$=\int_0^{1/2}\int_0^{1/2}\int_0^{1/2}8x_1x_2x_3\,dx_1dx_2dx_3$$
$$=\left(\frac{1}{2}\right)^6=\frac{1}{64}$$

を得る．同様の方法で，Y の cdf は以下のようになる．

$$G(y)=P(Y\leq y)=\begin{cases} 0 & y<0 \\ y^6 & 0\leq y<1 \\ 1 & 1\leq y \end{cases}$$

したがって，Y の pdf は

$$g(y)=\begin{cases} 6y^5 & 0<y<1 \\ 0 & \text{それ以外の場合} \end{cases}$$

となる．∎

2.6. 複数の確率変数への拡張

注意 2.6.1. X_1, X_2, X_3 が相互に独立であるならば，これらは対独立 (pairwise independent) である (すなわち，$i \neq j$, $i, j = 1, 2, 3$ である場合に X_i と X_j が統計的に独立である). しかしながら，S.Bernstein が示したように，対独立が必ずしも相互な独立を意味するわけではないことを次の例で示す．X_1, X_2, X_3 は以下の同時 pmf に従うとする．

$$f(x_1, x_2, x_3) = \begin{cases} 1/4 & (x_1, x_2, x_3) \in \{(1,0,0), (0,1,0), (0,0,1), (1,1,1)\} \\ 0 & \text{それ以外の場合} \end{cases}$$

$i \neq j$ のときの，X_i と X_j の同時 pmf は

$$f_{ij}(x_i, x_j) = \begin{cases} 1/4 & (x_i, x_j) \in \{(0,0), (1,0), (0,1), (1,1)\} \\ 0 & \text{それ以外の場合} \end{cases}$$

であり，これに対して X_i の周辺 pmf は以下のようになる．

$$f_i(x_i) = \begin{cases} 1/2 & x_i = 0, 1 \\ 0 & \text{それ以外の場合} \end{cases}$$

明らかに，$i \neq j$ ならば，

$$f_{ij}(x_i, x_j) \equiv f_i(x_i) f_j(x_j)$$

が得られ，このとき，X_i と X_j は統計的に独立である．しかしながら，

$$f_{ij}(x_1, x_2, x_3) \not\equiv f_1(x_1) f_2(x_2) f_3(x_3)$$

である．このとき，X_1, X_2, X_3 は相互に独立ではない．

相互に (mutual) 独立と対 (pairwise) 独立の間に誤解が生じないかぎり，通常は修飾語句の「相互に (mutual)」を外す．したがって，例 2.6.2 にこの慣例を使用する場合，X_1, X_2, X_3 は統計的に独立な確率変数であると述べられ，それはこれらが相互に独立であることを意味している．時々，強調のために，相互な独立 (mutual indenpendent) を使うので，読者はこれが対独立 (pairwise independent) と異なることを思い出してほしい．

加えて，いくつかの確率変数は相互に独立であり，同じ分布に従うならば，これらは独立同分布に従う (independent and identically distributed) とよび，iid と簡略する．したがって，例 2.6.2 における確率変数は (2.6.7) 式の表現で与えられた共通の pdf に従う iid である．■

2.6.1 分散-共分散 *

2.4 節では，2 つの変数間の共分散を論じた．この節では，この論述を n 変量の場合に拡張したい．$\mathbf{X} = (X_1, \ldots, X_n)'$ が n 次元の確率ベクトルであるとする．$E(\mathbf{X}) = (E(X_1), \ldots, E(X_n))'$ すなわち，確率ベクトルの期待値が要素の期待値のベクトルであることを思い起こそう．ここで $\mathbf{W}$ は $m \times n$ の確率変数の行列，例えば確率変数 W_{ij}

に関して $\mathbf{W} = [W_{ij}], 1 \leq i \leq m$ と $1 \leq j \leq n$ であると仮定する．常に行列は，$mn \times 1$ の確率変数ベクトルに引き伸ばしうることに注意せよ．したがって，確率変数行列の期待値を以下のように定義する．

$$E[\mathbf{W}] = [E(W_{ij})] \tag{2.6.8}$$

続く定理で示すように，期待値演算子の線形性がこの定義から得られる．

定理 2.6.1.
$\mathbf{W}_1$ と $\mathbf{W}_2$ が $m \times n$ の確率変数の行列，$\mathbf{A}_1$ と $\mathbf{A}_2$ が $k \times m$ の定数の行列，$\mathbf{B}$ は $n \times l$ の定数の行列であるとする．このとき，

$$E[\mathbf{A}_1\mathbf{W}_1 + \mathbf{A}_2\mathbf{W}_2] = \mathbf{A}_1[E(\mathbf{W}_1)] + \mathbf{A}_2[E(\mathbf{W}_2)] \tag{2.6.9}$$

$$E[\mathbf{A}_1\mathbf{W}_1\mathbf{B}] = \mathbf{A}_1 E[\mathbf{W}_1]\mathbf{B} \tag{2.6.10}$$

となる．

証明 確率変数の演算子 E の線形性のために，(2.6.9) 式の (i,j) 番目の要素に関して以下を得る．

$$E\left[\sum_{s=1}^n a_{1is}W_{1sj} + \sum_{s=1}^n a_{2is}W_{2sj}\right] = \sum_{s=1}^n a_{1is}E[W_{1sj}] + \sum_{s=1}^n a_{2is}E[W_{2sj}]$$

したがって，(2.6.8) 式により，(2.6.9) 式は真である．(2.6.10) 式の導出は同様の方法に従う．■

$\mathbf{X} = (X_1, \ldots, X_n)'$ を，$\sigma_i^2 = \mathrm{Var}(X_i) < \infty$ であるような n 次元の確率変数であるとしよう．$\mathbf{X}$ の平均 (mean) は $\boldsymbol{\mu} = E[\mathbf{X}]$ であり，分散・共分散行列 (variance–covariance matrix) を，

$$\mathrm{Cov}(\mathbf{X}) = E[(\mathbf{X}-\boldsymbol{\mu})(\mathbf{X}-\boldsymbol{\mu})'] = [\sigma_{ij}] \tag{2.6.11}$$

と定義する．このとき，$\sigma_{ii} = \sigma_i^2$ である．練習問題 2.6.7 が示すように，$\mathrm{Cov}(\mathbf{X})$ の i 番目の対角要素は $\sigma_i^2 = \mathrm{Var}(X_i)$ で，(i,j) 番目の非対角要素は $\mathrm{cov}(X_i, X_j)$ である．よって，分散共分散行列という名前は適切である．

例 2.6.3 (例 2.4.4 の続き). 例 2.4.4 において，同時 pdf

$$f(x,y) = \begin{cases} e^{-y} & 0 < x < y < \infty \\ 0 & \text{それ以外の場合} \end{cases}$$

を考慮し，2 次までの積率は以下のように示された．

$$\begin{aligned}
&\mu_1 = 1, \quad \mu_2 = 2, \\
&\sigma_1^2 = 1, \quad \sigma_2^2 = 2, \\
&E[(X-\mu_1)(Y-\mu_2)] = 1
\end{aligned} \tag{2.6.12}$$

2.6. 複数の確率変数への拡張

$\mathbf{Z} = (X, Y)'$ としよう．このとき，現在の表記を用いて，以下を得る．

$$E[\mathbf{Z}] = \begin{bmatrix} 1 \\ 2 \end{bmatrix}, \quad \mathrm{Cov}(\mathbf{Z}) = \begin{bmatrix} 1 & 1 \\ 1 & 2 \end{bmatrix} \quad \blacksquare$$

後に必要となる $\mathrm{cov}(X_i, X_j)$ の 2 つの特性は次の定理に要約される．

定理 2.6.2.

$\mathbf{X} = (X_1, \ldots, X_n)'$ は，$\sigma_i^2 = \sigma_{ii} = \mathrm{Var}(X_i) < \infty$ となるような，n 次元の確率変数ベクトルとしよう．$\mathbf{A}$ は $m \times n$ の定数行列とする．このとき，

$$\mathrm{Cov}(\mathbf{X}) = E[\mathbf{XX}'] - \boldsymbol{\mu}\boldsymbol{\mu}' \tag{2.6.13}$$

$$\mathrm{Cov}(\mathbf{AX}) = \mathbf{A}\,\mathrm{Cov}(\mathbf{X})\mathbf{A}' \tag{2.6.14}$$

である．

証明 定理 2.6.1 を用いて (2.6.13) 式を導く．すなわち，

$$\begin{aligned}
\mathrm{Cov}(\mathbf{X}) &= E[(\mathbf{X} - \boldsymbol{\mu})(\mathbf{X} - \boldsymbol{\mu})'] \\
&= E[\mathbf{XX}' - \boldsymbol{\mu}\mathbf{X}' - \mathbf{X}\boldsymbol{\mu}' + \boldsymbol{\mu}\boldsymbol{\mu}'] \\
&= E[\mathbf{XX}'] - \boldsymbol{\mu}E[\mathbf{X}'] - E[\mathbf{X}]\boldsymbol{\mu}' + \boldsymbol{\mu}\boldsymbol{\mu}'
\end{aligned}$$

で，望む結果が得られる．(2.6.14) 式の証明は練習問題のひとつとして残しておく．∎

すべての分散・共分散行列は非負定値 (positive semi–definite, psd) 行列である．つまり，すべてのベクトル $\mathbf{a} \in R^n$ に関して，$\mathbf{a}'\mathrm{Cov}(\mathbf{X})\mathbf{a} \geq 0$ である．これを確認するために，$\mathbf{X}$ を確率変数ベクトルとし，$\mathbf{a}$ は $n \times 1$ の定数ベクトルとしよう．このとき，$Y = \mathbf{a}'\mathbf{X}$ が確率変数であり，したがって，非負の分散をもつ．すなわち，

$$0 \leq \mathrm{Var}(Y) = \mathrm{Var}(\mathbf{a}'\mathbf{X}) = \mathbf{a}'\mathrm{Cov}(\mathbf{X})\mathbf{a} \tag{2.6.15}$$

となり，したがって，$\mathrm{Cov}(\mathbf{X})$ は psd である．

練習問題

2.6.1. X, Y, Z が $f(x, y, z) = 2(x + y + z)/3$, $0 < x < 1$, $0 < y < 1$, $0 < z < 1$, それ以外は 0 という同時 pdf に従うとする．

(a) X, Y, Z の周辺確率密度関数を求めよ．

(b) $P(0 < X < \frac{1}{2}, 0 < Y < \frac{1}{2}, 0 < Z < \frac{1}{2})$ と $P(0 < X < \frac{1}{2}) = P(0 < Y < \frac{1}{2}) = P(0 < Z < \frac{1}{2})$ を計算せよ．

(c) X, Y, Z は統計的に独立であるか．

(d) $E(X^2 Y Z + 3XY^4 Z^2)$ を求めよ．

(e) X, Y, Z の cdf を定めよ．

(f) $Z=z$ が所与のときの, X と Y の条件付き分布を求め, $E(X+Y\,|\,z)$ を求めよ.

(g) $Y=y$ と $Z=z$ が所与であるときの X の条件付き分布を定め, $E(X\,|\,y,z)$ を求めよ.

2.6.2. $0<x_1<\infty$, $0<x_2<\infty$, $0<x_3<\infty$, それ以外は 0 となる $f(x_1,x_2,x_3)=\exp[-(x_1+x_2+x_3)]$ が X_1,X_2,X_3 の同時 pdf としよう.

(a) $P(X_1<X_2<X_3)$ と $P(X_1=X_2<X_3)$ を求めよ.

(b) X_1,X_2,X_3 の同時 mgf を定めよ. これらの確率変数は統計的に独立であるか.

2.6.3. X_1,X_2,X_3,X_4 を 4 つの統計的に独立な確率変数とし, 各々が $f(x)=3(1-x)^2$, $0<x<1$, それ以外は 0 という pdf に従うとする. Y がこれらの 4 つの変数の最小値である場合, Y の cdf と pdf を求めよ.

ヒント: $P(Y>y)=P(X_i>y, i=1,\ldots,4)$ である.

2.6.4. 偏りのないサイコロが無作為に統計的独立に 3 回投げられる. 確率変数 X_i が i 番目の試行 $(i=1,2,3)$ に現れる目の数と等しいとする. 確率変数 Y は $\max(X_i)$ と等しいとする. Y の cdf と pmf を求めよ.

ヒント: $P(Y\le y)=P(X_i\le y, i=1,2,3)$ である.

2.6.5. $M(t_1,t_2,t_3)$ が注意に続く例 2.6.2 に記述された Bernstein の例における確率変数 X_1,X_2,X_3 の mgf とする.

$$M(t_1,t_2,0)=M(t_1,0,0)M(0,t_2,0),\ M(t_1,0,t_3)=M(t_1,0,0)M(0,0,t_3)$$
$$M(0,t_2,t_3)=M(0,t_2,0)M(0,0,t_3)$$

が真であっても,

$$M(t_1,t_2,t_3)\ne M(t_1,0,0)M(0,t_2,0)M(0,0,t_3)$$

であることを示せ. このとき, X_1,X_2,X_3 は対独立であり, 相互に独立ではない.

2.6.6. X_1,X_2,X_3 を, 平均, 分散, 相関係数が各々 μ_1,μ_2,μ_3; $\sigma_1^2,\sigma_2^2,\sigma_3^2$; $\rho_{12},\rho_{13},\rho_{23}$ によって記述される, 3 つの確率変数であるとしよう. 定数 b_2 と b_3 に関して, $E(X_1-\mu_1\,|\,x_2,x_3)=b_2(x_2-\mu_2)+b_3(x_3-\mu_3)$ を仮定する. 分散と相関係数を用いて, b_2 と b_3 を定めよ.

2.6.7. $\mathbf{X}=(X_1,\ldots,X_n)'$ が (2.6.11) 式の分散・共分散行列をもつ n 次元の確率ベクトルであるとする. $\mathrm{Cov}(\mathbf{X})$ の i 番目の対角要素が $\sigma_i^2=\mathrm{Var}(X_i)$, (i,j) 番目の非対角要素が $\mathrm{Cov}(X_i,X_j)$ であることを示せ.

2.6.8. X_1,X_2,X_3 が $f(x)=\exp(-x)$, $0<x<\infty$, それ以外は 0 である共通の pdf に従う iid であるとする. 以下を求めよ.

(a) $P(X_1<X_2\,|\,X_1<2X_2)$

(b) $P(X_1<X_2<X_3\,|\,X_3<1)$

2.7 変数変換：確率ベクトル

2.2 節では，連続型の 2 つの確率変数の 2 つの関数による同時 pdf の決定は本質的には 2 重積分における変数変換を扱った解析学の定理の系であった．この定理は n 重積分へと自然に拡張される．この拡張を以下に示す．n 次元空間 $\mathcal{S}$ の部分集合 A 上での

$$\int\cdots\int_A h(x_1, x_2, \ldots, x_n) dx_1 dx_2 \cdots dx_n$$

という形の積分を考える．以下の

$$y_1 = u_1(x_1, x_2, \ldots, x_n),\ y_2 = u_2(x_1, x_2, \ldots, x_n), \ldots, y_n = u_n(x_1, x_2, \ldots, x_n)$$

と，それらの逆関数である

$$x_1 = w_1(y_1, y_2, \ldots, y_n),\ x_2 = w_2(y_1, y_2, \ldots, y_n), \ldots, x_n = w_n(y_1, y_2, \ldots, y_n)$$

は，$\mathcal{S}$ を $y_1, y_2, \ldots, y_n$ 空間の $\mathcal{T}$ 上へ写像するような，したがって $\mathcal{S}$ の部分集合 A を $\mathcal{T}$ の部分集合 B 上へと写像するような 1 対 1 変換であるとする．逆関数の 1 次偏導関数は連続であり，$n \times n$ の行列式 (これをヤコビアンとよぶ)

$$J = \begin{vmatrix} \partial x_1/\partial y_1 & \partial x_1/\partial y_2 & \cdots & \partial x_1/\partial y_n \\ \partial x_2/\partial y_1 & \partial x_2/\partial y_2 & \cdots & \partial x_2/\partial y_n \\ \vdots & \vdots & & \vdots \\ \partial x_n/\partial y_1 & \partial x_n/\partial y_2 & \cdots & \partial x_n/\partial y_n \end{vmatrix}$$

は $\mathcal{T}$ においてすべての点で 0 でないものとする．すると，

$$\int\cdots\int_A h(x_1, x_2, \ldots, x_n) dx_1 dx_2 \cdots dx_n$$
$$= \int\cdots\int_B h[w_1(y_1, \ldots, y_n), w_2(y_1, \ldots, y_n), \ldots, w_n(y_1, \ldots, y_n)]|J| dy_1 dy_2 \cdots dy_n$$

となる．この定理の条件が満たされるならば必ず，n 個の確率変数の n 個の関数の同時 pdf を決定することができる．2.2 節における記法を適切に (2 次空間に対し n 次空間を示すために) 変えることで，確率変数 $Y_1 = u_1(X_1, X_2, \ldots, X_n), \ldots, Y_n = u_n(X_1, X_2, \ldots, X_n)$ の同時 pdf，ここで $X_1, \ldots, X_n$ の同時 pdf は $h(x_1, \ldots, x_n)$ は以下の

$$g(y_1, y_2, \ldots, y_n) = |J| h[w_1(y_1, \ldots, y_n), \ldots, w_n(y_1, \ldots, y_n)]$$

によって与えられる．ここで $(y_1, y_2, \ldots, y_n) \in \mathcal{T}$ である．それ以外は 0 によって与えられる．

例 2.7.1. X_1, X_2, X_3 は

$$h(x_1, x_2, x_3) = \begin{cases} 48 x_1 x_2 x_3 & 0 < x_1 < x_2 < x_3 < 1 \\ 0 & それ以外の場合 \end{cases} \quad (2.7.1)$$

という同時 pdf に従うものとする．いま $Y_1 = X_1/X_2, Y_2 = X_2/X_3, Y_3 = X_3$ とすると，そのとき逆変換は

$$x_1 = y_1 y_2 y_3, \quad x_2 = y_2 y_3, \quad x_3 = y_3$$

によって与えられる．そのヤコビアンは

$$J = \begin{vmatrix} y_2 y_3 & y_1 y_3 & y_1 y_2 \\ 0 & y_3 & y_2 \\ 0 & 0 & 1 \end{vmatrix} = y_2 y_3^2$$

である．さらに，その台を定義する不等式は

$$0 < y_1 y_2 y_3, \quad y_1 y_2 y_3 < y_2 y_3, \quad y_2 y_3 < y_3, \quad y_3 < 1$$

であり，上式は Y_1, Y_2, Y_3 の台 $\mathcal{T}$ として

$$\mathcal{T} = \{(y_1, y_2, y_3) : 0 < y_i < 1, i = 1, 2, 3\}$$

と簡略化される．以上から Y_1, Y_2, Y_3 の同時 pdf は

$$g(y_1, y_2, y_3) = 48 (y_1 y_2 y_3)(y_2 y_3) y_3 |y_2 y_3^2|$$
$$= \begin{cases} 48 y_1 y_2^3 y_3^5 & 0 < y_i < 1, \ i = 1, 2, 3 \\ 0 & それ以外の場合 \end{cases} \quad (2.7.2)$$

であり，周辺 pdf は

$$g_1(y_1) = 2 y_1, 0 < y_1 < 1, \text{それ以外は } 0$$
$$g_2(y_2) = 4 y_2^3, 0 < y_2 < 1, \text{それ以外は } 0$$
$$g_3(y_3) = 6 y_3^5, 0 < y_3 < 1, \text{それ以外は } 0$$

である．$g(y_1, y_2, y_3) = g_1(y_1) g_2(y_2) g_3(y_3)$ なので，確率変数 Y_1, Y_2, Y_3 は互いに統計的独立である．■

例 2.7.2. X_1, X_2, X_3 は

$$f(x) = \begin{cases} e^{-x} & 0 < x < \infty \\ 0 & それ以外の場合 \end{cases}$$

という共通の pdf に従う iid とする．X_1, X_2, X_3 の同時 pdf は

$$f_{X_1, X_2, X_3}(x_1, x_2, x_3) = \begin{cases} e^{-\sum_{i=1}^3 x_i} & 0 < x_i < \infty, i = 1, 2, 3 \\ 0 & それ以外の場合 \end{cases}$$

である．そして，

2.7. 変数変換：確率ベクトル

$$Y_1 = \frac{X_1}{X_1+X_2+X_3}, \ Y_2 = \frac{X_2}{X_1+X_2+X_3}, \ Y_3 = X_1+X_2+X_3$$

によって示される確率変数 Y_1, Y_2, Y_3 を考える．すると，逆変換は

$$x_1 = y_1 y_3, \ x_2 = y_2 y_3, \ x_3 = y_3 - y_1 y_3 - y_2 y_3$$

によって与えられ，そのヤコビアンは

$$J = \begin{vmatrix} y_3 & 0 & y_1 \\ 0 & y_3 & y_2 \\ -y_3 & -y_3 & 1-y_1-y_2 \end{vmatrix} = y_3^2$$

である．X_1, X_2, X_3 の台は

$$0 < y_1 y_3 < \infty, \ 0 < y_2 y_3 < \infty, \ 0 < y_3(1-y_1-y_2) < \infty$$

の上へ写像し，また上式を

$$\mathcal{T} = \{(y_1, y_2, y_3) : 0 < y_1, \ 0 < y_2, \ 0 < 1-y_1-y_2, 0 < y_3 < \infty\}$$

によって与えられる台 $\mathcal{T}$ とする．したがって Y_1, Y_2, Y_3 の同時 pdf は

$$g(y_1, y_2, y_3) = y_3^2 e^{-y_3}, \quad (y_1, y_2, y_3) \in \mathcal{T}$$

であり，Y_1 の周辺 pdf は

$$g_1(y_1) = \int_0^{1-y_1} \int_0^\infty y_3^2 e^{-y_3} dy_3 dy_2 = 2(1-y_1), \ 0 < y_1 < 1$$

それ以外は 0，である．同様に Y_2 の周辺 pdf は

$$g_2(y_2) = 2(1-y_2), \ 0 < y_2 < 1$$

それ以外は 0，であり，Y_3 の周辺 pdf は

$$g_3(y_3) = \int_0^1 \int_0^{1-y_1} y_3^2 e^{-y_3} dy_2 dy_1 = \frac{1}{2} y_3^2 e^{-y_3}, \ 0 < y_3 < \infty$$

それ以外は 0，である．$g(y_1, y_2, y_3) \neq g_1(y_1) g_2(y_2) g_3(y_3)$ なので，確率変数 Y_1, Y_2, Y_3 は統計的従属な確率変数である．

しかしながら，Y_1 と Y_3 の同時 pdf は

$$g_{13}(y_1, y_3) = \int_0^{1-y_1} y_1^2 e^{-y_3} dy_2 = (1-y_1) y_3^2 e^{-y_3}, \ 0 < y_1 < 1, \ 0 < y_3 < \infty$$

それ以外は 0，であることに注意しなさい．したがって Y_1 と Y_3 は統計的独立である．同様の方法によって，Y_2 と Y_3 もまた統計的独立であることが示される．Y_1 と Y_2 の同時 pdf は

$$g_{12}(y_1, y_2) = \int_0^\infty y_3^2 e^{-y_3} dy_3 = 2, \ 0 < y_1, 0 < y_2, y_1+y_2 < 1$$

それ以外は 0，であるので，Y_1 と Y_2 は統計的従属であることがわかる．∎

いま，変数変換を行う際に遭遇するようないくつかの他の問題を考えてみよう．X

は
$$f(x) = \frac{1}{\pi(1+x^2)}, \quad -\infty < x < \infty$$
というコーシー pdf に従うとし，$Y = X^2$ とする．Y の pdf $g(y)$ を求めよう．まず，変数変換 $y = x^2$ を考える．この変数変換は X の空間 $\mathcal{S} = \{x : -\infty < x < \infty\}$ を $\mathcal{T} = \{y : 0 \leq y < \infty\}$ へ写像する．しかしながら，この変換は 1 対 1 対応ではない．$y = 0$ の場合を除く，$y \in \mathcal{T}$ のそれぞれは $x \in \mathcal{S}$ の 2 点に一致する．例えば $y = 4$ であるならば，$x = 2$ または $x = -2$ を得る．そのような例では，$\mathcal{S}$ を，$y = x^2$ が A_1 と A_2 のそれぞれを $\mathcal{T}$ へ写像する 1 対 1 変換を示すような，共通部分をもたない 2 つの集合 A_1 と A_2 の和として表現する．いま，A_1 を $\{x : -\infty < x < 0\}$ とし，A_2 を $\{x : 0 \leq x < \infty\}$ とすると，A_1 は $\{y : 0 < y < \infty\}$ へ写像され，一方 A_2 は $\{y : 0 \leq y < \infty\}$ へ写像され，それらの集合は同じではない．この問題の困難さは $x = 0$ が $\mathcal{S}$ の要素となっていることに起因する．ここでコーシー pdf に考えを戻し，$f(0) = 0$ としよう．すると新しい $\mathcal{S}$ は $\mathcal{S} = \{-\infty < x < \infty, x \neq 0\}$ である．そのとき $A_1 = \{x : -\infty < x < 0\}$ であり $A_2 = \{x : 0 < x < \infty\}$ である．ゆえに逆関数 $x = -\sqrt{y}$ をもつ $y = x^2$ は A_1 を $\mathcal{T} = \{y : 0 < y < \infty\}$ へ写像し，変換は 1 対 1 対応である．同じく，逆関数 $x = \sqrt{y}$ をもつ変換 $y = x^2$ は A_2 を $\mathcal{T} = \{y : 0 < y < \infty\}$ へ写像し，変換は 1 対 1 対応である．確率 $P(Y \in B)$，ここで $B \subset \mathcal{T}$，を考えよう．$A_3 = \{x : x = -\sqrt{y}, y \in B\} \subset A_1$ とし，$A_4 = \{x : x = \sqrt{y}, y \in B\} \subset A_2$ とする．すると $X \in A_3$ あるいは $X \in A_4$ であるとき，そしてそのときのみ $Y \in B$ である．ゆえに，
$$P(Y \in B) = P(X \in A_3) + P(X \in A_4)$$
$$= \int_{A_3} f(x) dx + \int_{A_4} f(x) dx$$
を得る．上式において 1 番目の積分は $x = -\sqrt{y}$ とする．それゆえそのヤコビアン（これを J_1 とする）は $-1/2\sqrt{y}$ である．さらに，集合 A_3 は B へ写像される．また，2 番目の積分は $x = \sqrt{y}$ とする．それゆえそのヤコビアン（これを J_2 とする）は $1/2\sqrt{y}$ である．さらに，集合 A_4 は同様に B へと写像される．最終的に，
$$P(Y \in B) = \int_B f(-\sqrt{y}) \left| -\frac{1}{2\sqrt{y}} \right| dy + \int_B f(\sqrt{y}) \frac{1}{2\sqrt{y}} dy$$
$$= \int_B [f(-\sqrt{y}) + f(\sqrt{y})] \frac{1}{2\sqrt{y}} dy$$
となる．したがって Y の pdf は
$$g(y) = \frac{1}{2\sqrt{y}} [f(-\sqrt{y}) + f(\sqrt{y})], \quad y \in \mathcal{T}$$
によって与えられる．また，コーシー pdf である $f(x)$ より以下となる．

2.7. 変数変換：確率ベクトル

$$g(y) = \begin{cases} 1/[\pi(1+y)\sqrt{y}] & 0 < y < \infty \\ 0 & \text{それ以外の場合} \end{cases}$$

すでに行われた連続型の確率変数の議論により，2つの逆関数，$x = -\sqrt{y}$ と $x = \sqrt{y}$ が得られた．以上が，変換 $y = x^2$ がそれぞれを同じ $\mathcal{T}$ へ写像するように，2つの共通部分をもたない部分集合となる区画 $\mathcal{S}$ (あるいは $\mathcal{S}$ の修正形) を探した理由である．3つの逆関数があるのであれば，3つの共通部分をもたない部分集合となるような区画 $\mathcal{S}$ (あるいは $\mathcal{S}$ の修正形) を探すであろうし，それ以上の場合も同様である．以上の詳細な議論が後の段落の容易な理解につながることであろう．

$h(x_1, x_2, \ldots, x_n)$ を連続型の確率変数 $X_1, X_2, \ldots, X_n$ の同時 pdf であるとする．$\mathcal{S}$ をこの同時 pdf $h(x_1, x_2, \ldots, x_n) > 0$ である n 次元空間とし，$\mathcal{S}$ を $y_1, y_2, \ldots, y_n$ 空間の $\mathcal{T}$ へ写像する変数変換 $y_1 = u_1(x_1, x_2, \ldots, x_n), \ldots, y_n = u_n(x_1, x_2, \ldots, x_n)$ を考える．もちろん $\mathcal{S}$ の各点は $\mathcal{T}$ の1つの点のみに対応する．しかし，$\mathcal{T}$ の点は $\mathcal{S}$ において1つ以上の点と対応する．つまり，この変数変換は1対1対応ではない．しかしながら，$\mathcal{S}$ を

$$y_1 = u_1(x_1, x_2, \ldots, x_n), \ldots, y_n = u_n(x_1, x_2, \ldots, x_n)$$

となるように有限個，例えば k 個，の互いに共通部分をもたない集合 $A_1, A_2, \ldots, A_k$ の和として表現することができるならば，$\mathcal{T}$ への各 A_i の1対1変換であると定義できる．したがって，$\mathcal{T}$ における各点はそれぞれの $A_1, A_2, \ldots, A_k$ の1点に厳密に対応する．$i = 1, \ldots, k$ に関して，

$$x_1 = w_{1i}(y_1, y_2, \ldots, y_n),\ x_2 = w_{2i}(y_1, y_2, \ldots, y_n), \ldots, x_n = w_{ni}(y_1, y_2, \ldots, y_n)$$

とし，k 個の変換のそれぞれがもつ n 個の逆関数の k 個の群を表す．1次偏導関数は連続であり，かつ

$$J_i = \begin{vmatrix} \partial w_{1i}/\partial y_1 & \partial w_{1i}/\partial y_2 & \cdots & \partial w_{1i}/\partial y_n \\ \partial w_{2i}/\partial y_1 & \partial w_{2i}/\partial y_2 & \cdots & \partial w_{2i}/\partial y_n \\ \vdots & \vdots & & \vdots \\ \partial w_{ni}/\partial y_1 & \partial w_{ni}/\partial y_2 & \cdots & \partial w_{ni}/\partial y_n \end{vmatrix}, \quad i = 1, 2, \ldots, k$$

のそれぞれは $\mathcal{T}$ においてすべての点で 0 ではないものとする．k 個の互いに排反な事象の和の確率を考え，それらの事象のそれぞれの確率に対する変数変換の方法を適用することで，$Y_1 = u_1(X_1, X_2, \ldots, X_n), Y_2 = u_2(X_1, X_2, \ldots, X_n), \ldots, Y_n = u_n(X_1, X_2, \ldots, X_n)$ の同時 pdf は以下によって与えられる．

$$g(y_1, y_2, \ldots, y_n) = \sum_{i=1}^{k} |J_i| h[w_{1i}(y_1, \ldots, y_n), \ldots, w_{ni}(y_1, \ldots, y_n)]$$

ただし $(y_1, y_2, \ldots, y_n) \in \mathcal{T}$，かつそれ以外は 0 とする．任意の Y_i，例えば Y_1 の pdf は以下となる．

$$g_1(y_1) = \int_{-\infty}^{\infty} \cdots \int_{-\infty}^{\infty} g(y_1, y_2, \ldots, y_n) dy_2 \cdots dy_n$$

例 2.7.3. X_1 と X_2 は

$$f(x_1, x_2) = \begin{cases} \dfrac{1}{\pi} & 0 < x_1^2 + x_2^2 < 1 \\ 0 & \text{それ以外の場合} \end{cases}$$

によって与えられる1つの単位円の中に定義される同時pdfに従うとする．$Y_1 = X_1^2 + X_2^2$ かつ $Y_2 = X_1^2/(X_1^2 + X_2^2)$ とする．したがって $y_1 y_2 = x_1^2$ であり，かつ $x_2^2 = y_1(1-y_2)$ である．台 $\mathcal{S}$ は $\mathcal{T} = \{(y_1, y_2) : 0 < y_i < 1, i = 1, 2\}$ へ写像する．それぞれ順序づけられた対 $(y_1, y_2) \in \mathcal{T}$ に関して，

$x_1 = \sqrt{y_1 y_2}$ と $x_2 = \sqrt{y_1(1-y_2)}$ であるような (x_1, x_2)

$x_1 = \sqrt{y_1 y_2}$ と $x_2 = -\sqrt{y_1(1-y_2)}$ であるような (x_1, x_2)

$x_1 = -\sqrt{y_1 y_2}$ と $x_2 = \sqrt{y_1(1-y_2)}$ であるような (x_1, x_2)

$x_1 = -\sqrt{y_1 y_2}$ と $x_2 = -\sqrt{y_1(1-y_2)}$ であるような (x_1, x_2)

によって与えられる $\mathcal{S}$ 中の4つの点が存在する．1番目のヤコビアンの値は

$$J_1 = \begin{vmatrix} \frac{1}{2}\sqrt{y_2/y_1} & \frac{1}{2}\sqrt{y_1/y_2} \\ \frac{1}{2}\sqrt{(1-y_2)/y_1} & -\frac{1}{2}\sqrt{y_1/(1-y_2)} \end{vmatrix}$$

$$= \frac{1}{4}\left\{-\sqrt{\frac{1-y_2}{y_2}} - \sqrt{\frac{y_2}{1-y_2}}\right\} = -\frac{1}{4}\frac{1}{\sqrt{y_2(1-y_2)}}$$

である．4つのヤコビアンのそれぞれの絶対値は $1/4\sqrt{y_2(1-y_2)}$ であることは容易に理解できる．したがって，Y_1 と Y_2 の同時pdfは4つの項の和であり，

$$g(y_1, y_2) = 4\frac{1}{\pi}\frac{1}{4\sqrt{y_2(1-y_2)}} = \frac{1}{\pi\sqrt{y_2(1-y_2)}}, \quad (y_1, y_2) \in \mathcal{T}$$

と表記することができる．ゆえに，Y_1 と Y_2 は定理2.5.1から統計的独立な確率変数である．■

もちろん，2変量の場合と同様に以下のことに留意することでmgfの方法を用いることができる．つまり，$Y = g(X_1, X_2, \ldots, X_n)$ が確率変数の関数であるならば，そのとき Y のmgfは連続型の場合，以下によって与えられる．

$$E(e^{tY}) = \int_{-\infty}^{\infty} \int_{-\infty}^{\infty} \cdots \int_{-\infty}^{\infty} e^{tg(x_1, x_2, \ldots, x_n)} h(x_1, x_2, \ldots, x_n) dx_1 dx_2 \cdots dx_n$$

ここで $h(x_1, x_2, \ldots, x_n)$ は同時pdfである．離散型の場合には積分を和に変えればよい．この方法は，独立な確率変数の線形関数を扱う場合に特に有効である．

2.7. 変数変換：確率ベクトル

例 2.7.4 (例 2.2.6 の発展). X_1, X_2, X_3 は

$$p(x_1, x_2, x_3) = \begin{cases} \dfrac{\mu_1^{x_1} \mu_2^{x_2} \mu_3^{x_3} e^{-\mu_1 - \mu_2 - \mu_3}}{x_1! x_2! x_3!} & x_i = 0, 1, 2, \ldots, \ i = 1, 2, 3 \\ 0 & \text{それ以外の場合} \end{cases}$$

という同時 pmf に従う統計的独立な確率変数であるとする．$Y = X_1 + X_2 + X_3$ であるならば，Y の mgf は X_1, X_2, X_3 の統計的な独立性より，

$$\begin{aligned} E(e^{tY}) &= E\left(e^{t(X_1 + X_2 + X_3)}\right) \\ &= E\left(e^{tX_1} e^{tX_2} e^{tX_3}\right) \\ &= E\left(e^{tX_1}\right) E\left(e^{tX_2}\right) E\left(e^{tX_3}\right) \end{aligned}$$

となる．例 2.2.6 において以下の

$$E(e^{tX_i}) = \exp\{\mu_i(e^t - 1)\}, \ i = 1, 2, 3$$

を求めた．したがって，

$$E(e^{tY}) = \exp\{(\mu_1 + \mu_2 + \mu_3)(e^t - 1)\}$$

である．しかし，これは

$$p_Y(y) = \begin{cases} \dfrac{(\mu_1 + \mu_2 + \mu_3)^y e^{-(\mu_1 + \mu_2 + \mu_3)}}{y!} & y = 0, 1, 2, \ldots \\ 0 & \text{それ以外の場合} \end{cases}$$

という pmf の mgf であり，$Y = X_1 + X_2 + X_3$ はこの分布に従う．■

例 2.7.5. X_1, X_2, X_3, X_4 は

$$f(x) = \begin{cases} e^{-x} & x > 0 \\ 0 & \text{それ以外の場合} \end{cases}$$

という共通な pdf に従う独立な確率変数とする．$Y = X_1 + X_2 + X_3 + X_4$ であるならば，そのとき例 2.7.4 の議論と同様に，X_1, X_2, X_3, X_4 の統計的な独立性より，

$$E(e^{tY}) = E(e^{tX_1}) E(e^{tX_2}) E(e^{tX_3}) E(e^{tX_4}) \tag{2.7.3}$$

となる．1.9 節では

$$E(e^{tX_i}) = (1-t)^{-1}, \ t < 1, \ i = 1, 2, 3, 4$$

であることをみた．したがって，

$$E(e^{tY}) = (1-t)^{-4}$$

である．3.3 節では，これが

$$f_Y(y) = \begin{cases} (1/3!) y^3 e^{-y} & 0 < y < \infty \\ 0 & \text{それ以外の場合} \end{cases}$$

というpdfに従う分布のmgfであることを求める．したがってYはこの分布に従う．■

練習問題

2.7.1. X_1, X_2, X_3 はiidとし，それぞれ $f(x)=e^{-x}, 0<x<\infty$，それ以外は0，というpdfに従う分布に従うものとする．以下の
$$Y_1 = \frac{X_1}{X_1+X_2}, \quad Y_2 = \frac{X_1+X_2}{X_1+X_2+X_3}, \quad Y_3 = X_1+X_2+X_3$$
は互いに独立であることを示せ．

2.7.2. $f(x)=\frac{1}{2}, -1<x<1$，それ以外は0，は確率変数Xのpdfであるとき，$Y=X^2$のpdfを求めよ．

2.7.3. $f(x)=\frac{1}{4}, -1<x<3$，それ以外は0，というpdfにXが従うとき，$Y=X^2$のpdfを求めよ．
ヒント：ここで$\mathcal{T}=\{y:0\leq y<9\}$と事象$Y\in\mathcal{B}$は，$\mathcal{B}=\{y:0<y<1\}$ならば，2つの互いに排反な事象の和である．

2.7.4. X_1, X_2, X_3 は $f(x)=e^{-x}, x>0$，それ以外は0という共通のpdfに従うiidであるとする．$Y_1=X_1, Y_2=X_1+X_2, Y_3=X_1+X_2+X_3$ の同時pdfを求めよ．

2.7.5. X_1, X_2, X_3 は $f(x)=e^{-x}, x>0$，それ以外は0という共通のpdfに従うiidであるとする．$Y_1=X_1/X_2, Y_2=X_3/(X_1+X_2), Y_3=X_1+X_2$ の同時pdfを求めよ．また，Y_1, Y_2, Y_3は互いに独立か．

2.7.6. X_1, X_2 は $f(x_1, x_2)=1/\pi, 0<x_1^2+x_2^2<1$ という同時pdfに従うとする．また，$Y_1=X_1^2+X_2^2$ かつ $Y_2=X_2$ とする．Y_1とY_2の同時pdfを求めよ．

2.7.7. X_1, X_2, X_3, X_4 は $f(x_1,x_2,x_3,x_4)=24, 0<x_1<x_2<x_3<x_4<1$，それ以外は0，という同時pdfに従うとする．$Y_1=X_1/X_2, Y_2=X_2/X_3, Y_3=X_3/X_4, Y_4=X_4$ の同時pdfを求めよ．またそれらが互いに独立であることを示せ．

2.7.8. X_1, X_2, X_3 はすべての$t\in R$に関して $M(t)=((3/4)+(1/4)e^t)^2$ という共通のmgfに従うiidであるとする．
(a) 確率 $P(X_1=k), k=0,1,2$ を決定せよ．
(b) $Y=X_1+X_2+X_3$ のmgfを求めよ．また確率 $P(Y=k), k=0,1,2,\ldots,6$ を決定せよ．

第3章　　いくつかの特別な分布

3.1　2項分布とその関連分布

第1章では，一様分布 (uniform distribution) と超幾何分布 (hypergeometric distribution) を導入した．この章では，統計学において頻繁に利用されるその他いくつかの重要な確率変数の分布について論じる．まず，2項分布とそれに関連した分布から始める．

ベルヌイ実験 (Bernoulli experiment) は確率実験である．その結果は，互いに排他的，かつ，すべての場合をつくす2つの状態のうちの1つに分類される．例えば，成功または失敗 (あるいは，男性または女性，生存または死亡，良品または欠陥品) などである．一連のベルヌイ試行 (Bernoulli trials) は，ベルヌイ実験が複数回独立に行われ，成功の確率 p が試行ごとに同じであり続けるときに生じる．すなわち，そのような連続において，p はそれぞれの試行における成功の確率を意味するとする．

X を以下のように定義されるベルヌイ試行に付随する確率変数とする．

$$X(成功)=1, \quad X(失敗)=0$$

すなわち，2つの結果である成功と失敗が，それぞれ1と0によって表されている．X の pmf は以下のように書くことができ，

$$p(x)=p^x(1-p)^{1-x}, \ x=0,1 \tag{3.1.1}$$

X はベルヌイ分布 (Bernoulli distribution) に従うという．X の期待値と分散は，

$$\mu = E(X) = \sum_{x=0}^{1} xp^x(1-p)^{1-x} = (0)(1-p)+(1)(p) = p$$

$$\sigma^2 = \text{var}(X) = \sum_{x=0}^{1}(x-p)^2 p^x(1-p)^{1-x} = p^2(1-p)+(1-p)^2 p = p(1-p)$$

となる．また，X の標準偏差は $\sigma = \sqrt{p(1-p)}$ である．

n 回の一連のベルヌイ試行において，i 回目の試行に付随するベルヌイ確率変数を X_i と表記する．すると観測された n 回の一連のベルヌイ試行は，n 個の0と1の組となるだろう．そのような一連のベルヌイ試行において，しばしば成功の発生順序ではなく，その合計回数に興味をもつことがある．もし，確率変数 X が，n 回のベルヌイ試行において観測された成功数と等しいとすると，X のとりうる値は $0, 1, 2, \ldots, n$ である．もし x 回成功したならば，ここで $x = 0, 1, 2, \ldots, n$ であるが，失敗は $n-x$

回となる．n 回の試行において x 回の成功の位置を選択する方法の数は以下である．
$$\binom{n}{x} = \frac{n!}{x!(n-x)!}$$
試行は独立であり，それぞれの試行において成功と失敗の確率はそれぞれ p と $1-p$ であるので，これら選択方法の各確率は $p^x(1-p)^{n-x}$ となる．したがって X の pmf, すなわち $p(x)$ は，これら $\binom{n}{x}$ 個の相互に排他的な事象の確率の和となる．つまり，以下である．
$$p(x) = \begin{cases} \binom{n}{x} p^x(1-p)^{n-x} & x=0,1,2,\dots,n \\ 0 & \text{それ以外の場合} \end{cases}$$
n が正の整数のとき
$$(a+b)^n = \sum_{x=0}^{n} \binom{n}{x} b^x a^{n-x}$$
であることを思い出そう．ここから，$p(x) \geq 0$，かつ
$$\sum_x p(x) = \sum_{x=0}^{n} \binom{n}{x} p^x(1-p)^{n-x} = [(1-p)+p]^n = 1$$
であることは明白である．そのため $p(x)$ は，離散型の確率変数 X の pmf であるための条件を満たしている．この $p(x)$ の形の pmf となる確率変数 X は，2 項分布 (binomial distribution) に従うといい，そのときの $p(x)$ を 2 項 pmf (binomial pmf) とよぶ．2 項分布は $b(n,p)$ という記号によって表される．定数の n と p は 2 項分布の母数 (parameter) とよばれる．したがって，もし X が $b(5, \frac{1}{3})$ であるというならば，X は
$$p(x) = \begin{cases} \binom{5}{x} \left(\frac{1}{3}\right)^x \left(\frac{2}{3}\right)^{5-x} & x=0,1,\dots,5 \\ 0 & \text{それ以外の場合} \end{cases} \tag{3.1.2}$$
という 2 項 pmf に従っていることを意味する．

2 項分布の mgf は，すべての実数 t に対して，以下のように簡単に得ることができる．
$$M(t) = \sum_x e^{tx} p(x) = \sum_{x=0}^{n} e^{tx} \binom{n}{x} p^x(1-p)^{n-x} = \sum_{x=0}^{n} \binom{n}{x} (pe^t)^x (1-p)^{n-x}$$
$$= [(1-p)+pe^t]^n$$
X の平均 μ と分散 σ^2 は $M(t)$ より計算される．すなわち，
$$M'(t) = n[(1-p)+pe^t]^{n-1}(pe^t)$$
$$M''(t) = n[(1-p)+pe^t]^{n-1}(pe^t) + n(n-1)[(1-p)+pe^t]^{n-2}(pe^t)^2$$
であることから，以下のように得られる．

3.1. 2項分布とその関連分布

$$\mu = M'(0) = np$$
$$\sigma^2 = M''(0) - \mu^2 = np + n(n-1)p^2 - (np)^2 = np(1-p)$$

例 3.1.1. X を公正なコインによる $n=7$ 回の独立なトスにおける表(成功)の回数とする．X の pmf は

$$p(x) = \begin{cases} \binom{7}{x} \left(\frac{1}{2}\right)^x \left(1-\frac{1}{2}\right)^{7-x} & x = 0, 1, 2, \ldots, 7 \\ 0 & \text{それ以外の場合} \end{cases}$$

である．したがって，X は以下の mgf に従い，

$$M(t) = \left(\frac{1}{2} + \frac{1}{2}e^t\right)^7$$

平均 $\mu = np = \frac{7}{2}$ と分散 $\sigma^2 = np(1-p) = \frac{7}{4}$ に従う．さらに，以下が得られる．

$$P(0 \leq X \leq 1) = \sum_{x=0}^{1} p(x) = \frac{1}{128} + \frac{7}{128} = \frac{8}{128}$$

$$P(X=5) = p(5) = \frac{7!}{5!2!} \left(\frac{1}{2}\right)^5 \left(\frac{1}{2}\right)^2 = \frac{21}{128} \ \blacksquare$$

たいていのコンピュータパッケージは2項確率を得るコマンドをもっている．X が $b(n,p)$ の2項分布に従うとすると，R (Ihaka and Gentleman, 1996) や S-PLUS (S-PLUS, 2000) のコマンドは以下となる．`dbinom(k,n,p)` のコマンドは $P(X=k)$ を返し，`pbinom(k,n,p)` のコマンドは累積確率 $P(X \leq k)$ を返す．

例 3.1.2. もし，確率変数 X の mgf が

$$M(t) = \left(\frac{2}{3} + \frac{1}{3}e^t\right)^5$$

であるならば，X は $n=5$ かつ $p=\frac{1}{3}$ の2項分布に従う．すなわち，X の pmf は

$$p(x) = \begin{cases} \binom{5}{x} \left(\frac{1}{3}\right)^x \left(\frac{2}{3}\right)^{5-x} & x = 0, 1, 2, \ldots, 5 \\ 0 & \text{それ以外の場合} \end{cases}$$

である．ここで，$\mu = np = \frac{5}{3}$，かつ，$\sigma^2 = np(1-p) = \frac{10}{9}$ である．$\blacksquare$

例 3.1.3. もし Y が $b(n, \frac{1}{3})$ であるならば，$P(Y \geq 1) = 1 - P(Y=0) = 1 - \left(\frac{2}{3}\right)^n$ である．いま，$P(Y \geq 1) > 0.80$ となる n の最小値を求めたいとする．$1 - \left(\frac{2}{3}\right)^n > 0.80$ より，$0.20 > \left(\frac{2}{3}\right)^n$ である．直接的に，または対数を使うことにより，$n=4$ が解であることがわかる．すなわち，成功の確率が $p = \frac{1}{3}$ である確率実験を $n=4$ 回独立に繰

り返す間に，少なくとも 1 回成功する確率は 0.80 より大きい．■

例 3.1.4. Y を成功の確率が p である確率実験を n 回独立に繰り返したときの成功の回数と等しいとする．すなわち，Y は $b(n,p)$ である．比率 Y/n は成功の相対度数とよばれる．(1.10.3) 式，チェビシェフの不等式の 2 つめの形態を思い出そう (定理 1.10.3)．この結果を適用すると，すべての $\epsilon > 0$ に対して，

$$P\left(\left|\frac{Y}{n} - p\right| \geq \epsilon\right) \leq \frac{\mathrm{Var}(Y/n)}{\epsilon^2} = \frac{p(1-p)}{n\epsilon^2}$$

を得る．さて，固定されたすべての $\epsilon > 0$ に対し，前の不等式の右辺の項は，十分に大きな n に対して 0 に接近する．すなわち，

$$\lim_{n \to \infty} P\left(\left|\frac{Y}{n} - p\right| \geq \epsilon\right) = 0 \quad \text{かつ} \quad \lim_{n \to \infty} P\left(\left|\frac{Y}{n} - p\right| < \epsilon\right) = 1$$

である．これは固定されたすべての $\epsilon > 0$ に対して成り立つので，ある意味では，成功の相対頻度は n の値が大きくなると成功の確率 p に近づくことがわかる．この結果は，大数の弱法則 (weak law of large numbers) の 1 つの形である．このことは第 1 章において確率の最初の議論で少し触れられたが，第 4 章においても関連した概念に沿って再度検討されるだろう．■

例 3.1.5. 互いに独立な確率変数 X_1, X_2, X_3 が同じ $F(x)$ という cdf に従っているとする．Y を X_1, X_2, X_3 の中央値とする．Y の cdf，すなわち $F_Y(y) = P(Y \leq y)$ を定めるために，確率変数 X_1, X_2, X_3 のうち少なくとも 2 つが y よりも小さいか等しいとき，またそのときのみ，$Y \leq y$ となることに注目しよう．もし，$X_i \leq y$, $i = 1, 2, 3$ ならば，i 番目の「試行」が成功であるとする．ここでそれぞれの「試行」は成功確率 $F(y)$ に従う．このようにすると，$F_Y(y) = P(Y \leq y)$ は 3 回の独立した試行において少なくとも 2 回成功する確率となる．したがって，

$$F_Y(y) = \binom{3}{2}[F(y)]^2[1 - F(y)] + [F(y)]^3$$

となる．もし $F(x)$ が，X の pdf が $F'(x) = f(x)$ となるような連続型 cdf であるならば，Y の pdf は以下のようになる．

$$f_Y(y) = F'_Y(y) = 6[F(y)][1 - F(y)]f(y) \quad \blacksquare$$

例 3.1.6. 一定の成功確率 p に従う確率実験の一連の独立な繰り返しを考える．確率変数 Y は，r 番目の成功より前におけるこの系列での失敗の合計数を表すとする．すなわち，$Y + r$ は r 回の成功をちょうど得るために必要な試行の数に等しい．ここで r は固定された正の整数である．Y の pmf を定めるために，y を $\{y : y = 0, 1, 2, \dots\}$ の要素とする．すると，確率の乗法法則により，$P(Y = y) = g(y)$ は最初の $y + r - 1$ 回の試行でちょうど $r - 1$ 回成功する確率

3.1. 2項分布とその関連分布

$$\binom{y+r-1}{r-1} p^{r-1}(1-p)^y$$

と，$(y+r)$ 番目の試行で成功する確率 p との積に等しくなる．したがって，Y の pmf は

$$p_Y(y) = \begin{cases} \binom{y+r-1}{r-1} p^r(1-p)^y & y=0,1,2,\ldots \\ 0 & \text{それ以外の場合} \end{cases} \quad (3.1.3)$$

となる．この $p_Y(y)$ の形の pmf に従う分布は，負の 2 項分布 (negative binomial distribution) とよばれる．また，そのような $p_Y(y)$ を負の 2 項 pmf とよぶ．この分布の名前は，$p_Y(y)$ が $p^r[1-(1-p)]^{-r}$ を展開したときの一般項であることに由来している．この分布の mgf が，$t < -\ln(1-p)$ に対して $M(t) = p^r[1-(1-p)e^t]^{-r}$ であることを示すのは演習として残しておく．もし，$r=1$ ならば，Y は

$$p_Y(y) = p(1-p)^y, \quad y=0,1,2,\ldots \quad (3.1.4)$$

それ以外は 0 という pmf に従い，その mgf は $M(t) = p[1-(1-p)e^t]^{-1}$ となる．$r=1$ という特別な場合において，Y は幾何分布 (geometric distribution) に従うという．∎

同じ成功確率に従ういくつかの独立な 2 項分布があるとする．そのとき，これらの確率変数の和は，次の定理で示されるように，2 項分布に従うことがわかる．mgf を用いることによって迅速で簡単な証明ができることに注目しよう．

定理 3.1.1.
 $X_1, X_2, \ldots, X_m$ を，X_i が $i=1, 2, \ldots, m$ において $b(n_i, p)$ の 2 項分布に従うような互いに独立な確率変数であるとする．$Y = \sum_{i=1}^m X_i$ とする．そのとき，Y は $b(\sum_{i=1}^m n_i, p)$ の 2 項分布に従う．

証明 X_i の独立性と X_i の mgf を用いると，Y の mgf は以下のように得られる．

$$M_Y(t) = E\left[\exp\left\{\sum_{i=1}^m tX_i\right\}\right] = E\left[\prod_{i=1}^m \exp\{tX_i\}\right]$$
$$= \prod_{i=1}^m E[\exp\{tX_i\}] = \prod_{i=1}^m (1-p+pe^t)^{n_i} = (1-p+pe^t)^{\sum_{i=1}^m n_i}$$

したがって，Y は $b(\sum_{i=1}^m n_i, p)$ の 2 項分布に従う．∎

2 項分布は以下のように多項分布に一般化することができる．確率実験を独立に n 回繰り返したとする．それぞれの繰り返しにおいて，実験の結果は相互に排他的，かつ，すべての場合をつくす k 個の状態，つまり $C_1, C_2, \ldots, C_k$ のうちのひとつとなる．p_i を結果が要素 C_i になる確率とし，また，p_i は n 回の独立な繰り返しを通して一定であるとする．ここで $i=1,2,\ldots,k$ である．確率変数 X_i を，結果が要素 C_i, $i=$

$1, 2, \ldots, k-1$ となった回数と等しいと定義する. さらに, $x_1, x_2, \ldots, x_{k-1}$ を $x_1 + x_2 + \cdots + x_{k-1} \leq n$ であるような非負の整数とする. そのとき, 実験の結果のうち x_1 回が C_1 となり, ..., x_{k-1} 回が C_{k-1} となり, したがって, $n - (x_1 + \cdots + x_{k-1})$ 回が C_k となる確率は,

$$\frac{n!}{x_1! \cdots x_{k-1}! x_k!} p_1^{x_1} \cdots p_{k-1}^{x_{k-1}} p_k^{x_k}$$

となる. ここで x_k は単に $n - (x_1 + \cdots + x_{k-1})$ を省略したものである. これは, 離散型の $k-1$ 個の確率変数 $X_1, X_2, \ldots, X_{k-1}$ の多項 pmf (multinomial pmf) である. このことが正しいことを確認するために, x_1 個の C_1, x_2 個の $C_2, \ldots, x_k$ 個の C_k の順列の数が

$$\binom{n}{x_1} \binom{n-x_1}{x_2} \cdots \binom{n-x_1-\cdots-x_{k-2}}{x_{k-1}} = \frac{n!}{x_1! x_2! \cdots x_k!}$$

であること, また, これらそれぞれの順列の確率が

$$p_1^{x_1} p_2^{x_2} \cdots p_k^{x_k}$$

であることに注目しよう. したがって, これら 2 つの式の積により, 多項 pmf の公式に一致する正しい確率が得られる.

$k = 3$ のとき, $X = X_1$ かつ $Y = X_2$ とすると, $n - X - Y = X_3$ となる. X と Y は 3 項分布 (trinomial distribution) に従うという. X と Y の同時 pmf は

$$p(x, y) = \frac{n!}{x! y! (n-x-y)!} p_1^x p_2^y p_3^{n-x-y}$$

である. ここで x と y は $x + y \leq n$ となる非負の整数であり, p_1, p_2, p_3 は $p_1 + p_2 + p_3 = 1$ となる正の真分数である. それ以外の場合は, $p(x, y) = 0$ となる. したがって, $p(x, y)$ は 2 つの離散型の確率変数 X と Y の同時 pmf である条件を満たしている. すなわち, $p(x, y)$ は非負であり, かつ, $p(x, y)$ が正であるすべての点 (x, y) についての和は $(p_1 + p_2 + p_3)^n = 1$ に等しい.

もし, n が正の整数で, かつ, a_1, a_2, a_3 が固定された定数ならば, 以下を得る.

$$\sum_{x=0}^{n} \sum_{y=0}^{n-x} \frac{n!}{x! y! (n-x-y)!} a_1^x a_2^y a_3^{n-x-y}$$

$$= \sum_{x=0}^{n} \frac{n! a_1^x}{x! (n-x)!} \sum_{y=0}^{n-x} \frac{(n-x)!}{y! (n-x-y)!} a_2^y a_3^{n-x-y}$$

$$= \sum_{x=0}^{n} \frac{n!}{x! (n-x)!} a_1^x (a_2 + a_3)^{n-x} = (a_1 + a_2 + a_3)^n \qquad (3.1.5)$$

その結果, 3 項分布の mgf は, (3.1.5) 式に従って, すべての実数 t_1 と t_2 に対して

$$M(t_1, t_2) = \sum_{x=0}^{n} \sum_{y=0}^{n-x} \frac{n!}{x! y! (n-x-y)!} (p_1 e^{t_1})^x (p_2 e^{t_2})^y p_3^{n-x-y}$$

3.1. 2項分布とその関連分布

$$= (p_1 e^{t_1} + p_2 e^{t_2} + p_3)^n$$

によって与えられる．X と Y の周辺分布の積率母関数は，それぞれ

$$M(t_1, 0) = (p_1 e^{t_1} + p_2 + p_3)^n = [(1-p_1) + p_1 e^{t_1}]^n$$
$$M(0, t_2) = (p_1 + p_2 e^{t_2} + p_3)^n = [(1-p_2) + p_2 e^{t_2}]^n$$

である．定理 2.5.5 より即座に X と Y が従属な確率変数であることがわかる．それに加え，X は $b(n, p_1)$，Y は $b(n, p_2)$ である．したがって，X と Y の平均と分散は，それぞれ $\mu_1 = np_1$，$\mu_2 = np_2$，かつ，$\sigma_1^2 = np_1(1-p_1)$，$\sigma_2^2 = np_2(1-p_2)$ である．

次に，$X = x$ が与えられたときの Y の条件付き pmf を考える．ここで

$$p_{2|1}(y|x) = \begin{cases} \dfrac{(n-x)!}{y!(n-x-y)!} \left(\dfrac{p_2}{1-p_1}\right)^y \left(\dfrac{p_3}{1-p_1}\right)^{n-x-y} & y = 0, 1, \ldots, n-x \\ 0 & \text{それ以外の場合} \end{cases}$$

である．したがって，$X = x$ が与えられたときの Y の条件付き分布は，$b[n-x, p_2/(1-p_1)]$ である．よって，$X = x$ が与えられたときの Y の条件付き平均は線形関数

$$E(Y|x) = (n-x)\left(\frac{p_2}{1-p_1}\right)$$

である．同様に，$Y = y$ が与えられたときの X の条件付き分布は，$b[n-y, p_1/(1-p_2)]$ であり，かつ，

$$E(X|y) = (n-y)\left(\frac{p_1}{1-p_2}\right)$$

である．さて，例 2.4.2 より相関係数の平方 ρ^2 は，条件付き平均の x と y に関するそれぞれの係数，$-p_2/(1-p_1)$ と $-p_1/(1-p_2)$ の積に等しいことを思い出そう．これらの係数が両方負である（したがって ρ は負である）ことから，以下を得る．

$$\rho = -\sqrt{\frac{p_1 p_2}{(1-p_1)(1-p_2)}}$$

一般的に多項分布の mgf は，すべての実数 $t_1, t_2, \ldots, t_{k-1}$ に対して

$$M(t_1, \ldots, t_{k-1}) = (p_1 e^{t_1} + \cdots + p_{k-1} e^{t_{k-1}} + p_k)^n$$

となる．このように，1 変数の周辺 pmf はそれぞれ 2 項 pmf であり，2 変数の周辺 pmf はそれぞれ 3 項 pmf，などとなる．

練習問題

3.1.1. 確率変数 X の mgf が $(\frac{1}{3} + \frac{2}{3} e^t)^5$ であるとき，$P(X = 2$ または $3)$ を求めよ．

3.1.2. 確率変数 X の mgf が $(\frac{2}{3} + \frac{1}{3} e^t)^9$ であるとき，以下を示せ．

$$P(\mu-2\sigma < X < \mu+2\sigma) = \sum_{x=1}^{5}\binom{9}{x}\left(\frac{1}{3}\right)^{x}\left(\frac{2}{3}\right)^{9-x}$$

3.1.3. X が $b(n,p)$ に従うとき，以下を示せ．
$$E\left(\frac{X}{n}\right) = p, \quad E\left[\left(\frac{X}{n}-p\right)^{2}\right] = \frac{p(1-p)}{n}$$

3.1.4. 互いに独立な確率変数 X_1, X_2, X_3 は，$f(x) = 3x^2$，$0 < x < 1$，それ以外は 0，という同じ pdf に従うとする．これら 3 つの変数のうちちょうど 2 つが $\frac{1}{2}$ をこえる確率を求めよ．

3.1.5. Y を成功確率が $p = \frac{2}{3}$ である確率実験を n 回独立に繰り返したときの成功数とする．$n = 3$ のときの $P(2 \leq Y)$，また，$n = 5$ のときの $P(3 \leq Y)$ を求めよ．

3.1.6. Y を成功確率が $p = \frac{1}{4}$ である確率実験を n 回独立に繰り返したときの成功数とする．$P(1 \leq Y) \geq 0.70$ となる n の最小値を定めよ．

3.1.7. 互いに独立な確率変数 X_1 と X_2 は，それぞれ母数 $n_1 = 3$，$p = \frac{2}{3}$ と $n_2 = 4$，$p = \frac{1}{2}$ である 2 項分布に従うとする．$P(X_1 = X_2)$ を計算せよ．
ヒント：$X_1 = X_2$ となる 4 つの互いに排他的な状態を書き出し，それぞれの確率を計算する．

3.1.8. この演習のためには，2 項分布を得られるような統計ソフトウェアが必要である．ヒントは R または S–PLUS に対して与えられているが，その他のソフトウェアでも利用することができる．

(a) $b(15, 0.2)$ の 2 項分布の pmf を図示せよ．R または S–PLUS を用いる場合，以下のコマンドによりプロットが得られる．

```
x<-0:15
y<-dbinom(x,15,.2)
plot(x,y)
```

(b) $n = 15$，$p = 0.10, 0.20, \ldots, 0.90$ の 2 項分布に対して (a) の作業を繰り返し行え．また，プロットの解釈をせよ．

(c) $p = 0.05$，$n = 10, 20, 50, 200$ の 2 項分布の pmf を図示せよ．また，プロットの解釈をせよ (プロットはどのように収束していくだろうか)．

3.1.9. 2 枚の 5 セント硬貨と 3 枚の 10 セント硬貨をランダムにトスする．適切な仮定をおき，表となった硬貨が，10 セント硬貨よりも 5 セント硬貨の方が多くなる確率を計算せよ．

3.1.10. $X_1, X_2, \ldots, X_{k-1}$ は多項分布に従うとする．

3.1. 2項分布とその関連分布

(a) $X_2, X_3, \ldots, X_{k-1}$ の mgf を求めよ.
(b) $X_2, X_3, \ldots, X_{k-1}$ の pmf を求めよ.
(c) $X_2 = x_2, \ldots, X_{k-1} = x_{k-1}$ が与えられたときの, X_1 の条件付き pmf を定めよ.
(d) 条件付き期待値 $E(X_1|x_2, \ldots, x_{k-1})$ を求めよ.

3.1.11. X は $b(2,p)$, Y は $b(4,p)$ であるとする. $P(X \geq 1) = \frac{5}{9}$ であるとき, $P(Y \geq 1)$ を求めよ.

3.1.12. $x = r$ が $b(n,p)$ の分布の唯一の最頻値のとき, 以下を示せ.
$$(n+1)p - 1 < r < (n+1)p$$
ヒント: 比率 $f(x+1)/f(x) > 1$ となる x の値を定めよ.

3.1.13. X は母数 n と $p = \frac{1}{3}$ の 2 項分布に従うとする. $P(X \geq 1) \geq 0.85$ となる最小の整数 n を定めよ.

3.1.14. X は $p(x) = (\frac{1}{3})(\frac{2}{3})^x$, $x = 0, 1, 2, 3, \ldots$, それ以外は 0 という pmf に従うとする. $X \geq 3$ が与えられたときの X の条件付き pmf を求めよ.

3.1.15. 公正なサイコロを投げることにより, 数 $1, 2, \ldots, 6$ のうち 1 つが選ばれる. この確率実験を 5 回独立に繰り返す. 確率変数 X_1 を, 出た目が集合 $\{x: x = 1, 2, 3\}$ に入った回数, また, 確率変数 X_2 を, 出た目が集合 $\{x: x = 4, 5\}$ に入った回数とする. $P(X_1 = 2, X_2 = 1)$ を計算せよ.

3.1.16. 負の 2 項分布の積率母関数が $M(t) = p^r[1 - (1-p)e^t]^{-r}$ であることを示せ. この分布の平均と分散を求めよ.
ヒント: $M(t)$ を表す和において, $(1-w)^{-r}$ に対するマクローリン級数を利用する.

3.1.17. X_1 と X_2 は 3 項分布に従うとする. 積率母関数を微分して, それらの共分散が $-np_1p_2$ であることを示せ.

3.1.18. 公正なコインをランダムに 5 回独立にトスしたとする. 少なくとも 4 回が表であることが与えられたときに, 5 回とも表である条件付き確率を求めよ.

3.1.19. 公正なサイコロをランダムに 7 回独立に投げたとする. 1 の目がちょうど 2 回出たことが与えられたときに, すべての面が少なくとも 1 回出現する条件付き確率を求めよ.

3.1.20. 2 項分布 $b(n,p)$ の歪度と尖度を計算せよ.

3.1.21. X_1 と X_2 の同時 pmf は,
$$p(x_1, x_2) = \binom{x_1}{x_2} \left(\frac{1}{2}\right)^{x_1} \left(\frac{x_1}{15}\right), \quad \begin{array}{l} x_2 = 0, 1, \ldots, x_1, \\ x_1 = 1, 2, 3, 4, 5 \end{array}$$

それ以外は 0 であるとする．次の値を定めよ．また，(a) と (c) の答えを比較せよ．
(a) $E(X_2)$
(b) $u(x_1) = E(X_2|x_1)$
(c) $E[u(X_1)]$

ヒント：$E(X_2) = \sum_{x_1=1}^{5} \sum_{x_2=0}^{x_1} x_2 p(x_1, x_2)$ であることに注目しよう．

3.1.22. 3 つの公正なサイコロをふる．10 回の独立な試行において，X を 3 つの目がすべて同じである回数，また，Y を 2 つの目だけが同じである回数とする．X と Y の同時 pmf を求め，$E(6XY)$ を計算せよ．

3.1.23. X は幾何分布に従うとしたとき，以下を示せ．
$$P(X \geq k+j | X \geq k) = P(X \geq j) \tag{3.1.6}$$
ここで，k と j は非負の整数である．この状況についてしばしば，X は記憶をもたない (memoryless) ということに注目しよう．

3.1.24. 公正なコインによるトスを独立に繰り返したときに，初めて表が 2 回続けて出現するまでの総試行回数を X とする．u_n はフィボナッチの数列の n 番目に等しいとする．ここで，$u_1 = u_2 = 1$, かつ，$u_n = u_{n-1} + u_{n-2}$, $n = 3, 4, 5, \ldots$ である．
(a) X の pmf が以下であることを示せ．
$$p(x) = \frac{u_{x-1}}{2^x}, \quad x = 2, 3, 4, \ldots$$
(b) 以下を用いて，$\sum_{x=2}^{\infty} p(x) = 1$ を示せ．
$$u_n = \frac{1}{\sqrt{5}} \left[\left(\frac{1+\sqrt{5}}{2} \right)^n - \left(\frac{1-\sqrt{5}}{2} \right)^n \right]$$

3.1.25. 互いに独立な確率変数 X_1 と X_2 は，それぞれ母数 $n_1, p = \frac{1}{2}$ と $n_2, p = \frac{1}{2}$ をもった 2 項分布に従うとする．$Y = X_1 - X_2 + n_2$ は，母数 $n = n_1 + n_2, p = \frac{1}{2}$ をもった 2 項分布に従うことを示せ．

3.2 ポアソン分布

次の級数は，すべての m に対して e^m に収束することを思い出そう．
$$1 + m + \frac{m^2}{2!} + \frac{m^3}{3!} + \cdots = \sum_{x=0}^{\infty} \frac{m^x}{x!}$$
次のように定義された関数 $p(x)$ について考える．
$$p(x) = \begin{cases} (m^x e^{-m})/x! & x = 0, 1, 2, \ldots \\ 0 & \text{それ以外の場合} \end{cases} \tag{3.2.1}$$

3.2. ポアソン分布

ただし，$m>0$ である．$m>0$ だから，$p(x) \geq 0$ であり，そして以下が成立する．

$$\sum_x p(x) = \sum_{x=0}^{\infty} \frac{m^x e^{-m}}{x!} = e^{-m} \sum_{x=0}^{\infty} \frac{m^x}{x!} = e^{-m} e^m = 1$$

つまり，$p(x)$ は離散型の確率変数が pmf であるための条件を満たす．この $p(x)$ の形の pmf をもつ確率変数は母数 m をもつポアソン分布 (Poisson distribution) に従うという．そして，そのような $p(x)$ はすべて，母数 m をもつポアソン pmf (Poisson pmf) とよばれる．

注意 3.2.1. ポアソン pmf の使用は数々の応用例でかなりの成功を収めていることが経験的に示されている．例えば，確率変数 X は，放射性物質から放出され，決められた範囲を決められた時間間隔で通過する α 粒子の数としよう．適当な m の値に対して，X はポアソン分布に従うと仮定できることが発見されている．もうひとつの例として，確率変数 X は，例えば冷蔵庫のドアなどの製品の欠陥の数としよう．たくさんのドアを調べれば，適当な m に対して，X はポアソン分布に従うといわれている．単位時間内の自動車事故の件数 (または，単位時間内の保険請求の件数) には，ポアソン分布に従う確率変数が仮定されるとしばしばいわれる．これらの個々の事例は，複数回の変化 (事故や請求など) が固定された (時間や空間などの) 間隔で起こる過程と考えられる．もしある過程がポアソン分布に従って起こるならば，その過程はポアソン過程 (Poisson process) とよばれる．ポアソン過程であるためのいくつかの条件をこれから列挙する．

$g(x,w)$ は，長さ w の間隔で x が変化する確率とする．さらに，$o(h)$ は $\lim_{h \to 0}[o(h)/h] = 0$ となる任意の関数を表すとする．例えば，$h^2 = o(h)$，$o(h) + o(h) = o(h)$ である．ポアソンの公理は次のようになっている．

1. $g(1,h) = \lambda h + o(h)$，ここで λ は正の定数であり $h > 0$ である．
2. $\sum_{x=2}^{\infty} g(x,h) = o(h)$
3. 変化の回数は，間隔が重複しないならば独立である．

公理 1 と 3 は，実質的には，短い間隔 h で 1 回の変化が起こる確率は，他の重複しない間隔における変化とは独立であり，間隔の長さとおおよそ比例するということを意味している．公理 2 は，同じ短い間隔 h で 2 回またはそれ以上の変化が起こる確率は本質的に 0 と等しいということである．$x=0$ ならば $g(0,0) = 1$ とする．公理 1 と 2 に従うと，間隔 h において少なくとも 1 回の変化が起こる確率は，$\lambda h + o(h) + o(h) = \lambda h + o(h)$ となる．したがって，間隔 h で変化が起こらない確率は $1 - \lambda h - o(h)$ である．間隔 $w+h$ で変化が起こらない確率 $g(0, w+h)$ は公理 3 に従うと，間隔 w で変化が起こらない確率 $g(0,w)$ と間隔 h で変化が起こらない確率 $[1 - \lambda h - o(h)]$ の積となる．つまり，

$$g(0, w+h) = g(0,w)[1 - \lambda h - o(h)]$$

である．そして

$$\frac{g(0,w+h)-g(0,w)}{h}=-\lambda g(0,w)-\frac{o(h)g(0,w)}{h}$$

であり，極限を $h\to 0$ とすれば，次のようになる．

$$D_w[g(0,w)]=-\lambda g(0,w) \tag{3.2.2}$$

この微分方程式の解は，

$$g(0,w)=ce^{-\lambda w}$$

となる．つまり，関数 $g(0,w)=ce^{-\lambda w}$ は (3.2.2) 式を満たす．$g(0,0)=1$ という条件から，$c=1$ であり，したがって，次が成立する．

$$g(0,w)=e^{-\lambda w}$$

もし x が正の整数ならば，$g(x,0)=0$ とする．この公理は，次のことを意味する．

$$g(x,w+h)=[g(x,w)][1-\lambda h-o(h)]+[g(x-1,w)][\lambda h+o(h)]+o(h)$$

したがって，

$$\frac{g(x,w+h)-g(x,w)}{h}=-\lambda g(x,w)+\lambda g(x-1,w)+\frac{o(h)}{h}$$

そして，

$$D_w[g(x,w)]=-\lambda g(x,w)+\lambda g(x-1,w)$$

が $x=1,2,3,\ldots$ に対して成立する．数学的帰納法により，これらの微分方程式の解は，$x=1,2,3,\ldots$ に対する限界条件 $g(x,0)=0$ のもとで，それぞれ，

$$g(x,w)=\frac{(\lambda w)^x e^{-\lambda w}}{x!},\quad x=1,2,3,\ldots.$$

となる．したがって，間隔 w における X に対する変化の回数は母数 $m=\lambda w$ をもつポアソン分布に従う．■

ポアソン分布の mgf はすべての実数 t に対して次のように与えられる．

$$\begin{aligned}M(t)&=\sum_x e^{tx}p(x)=\sum_{x=0}^{\infty}e^{tx}\frac{m^x e^{-m}}{x!}\\&=e^{-m}\sum_{x=0}^{\infty}\frac{(me^t)^x}{x!}\\&=e^{-m}e^{me^t}=e^{m(e^t-1)}\end{aligned}$$

そして，

$$\begin{aligned}M'(t)&=e^{m(e^t-1)}(me^t)\\ M''(t)&=e^{m(e^t-1)}(me^t)+e^{m(e^t-1)}(me^t)^2\end{aligned}$$

3.2. ポアソン分布

であるから，
$$\mu = M'(0) = m$$
$$\sigma^2 = M''(0) - \mu^2 = m + m^2 - m^2 = m$$

となる．つまり，ポアソン分布は $\mu = \sigma^2 = m > 0$ である．このような理由で，ポアソン pmf は，次のように書かれることが多い．

$$p(x) = \begin{cases} (\mu^x e^{-\mu})/x! & x = 0, 1, 2, \ldots \\ 0 & \text{それ以外の場合} \end{cases}$$

したがって，ポアソン pmf の母数 m は平均 μ である．付録 C の表 I には，様々な母数 $m = \mu$ の値におけるおおよその分布が与えられている．逆に，X が母数 $m = \mu$ をもつポアソン分布に従うならば，R や S-PLUS のコマンド dpois(k,m) は $P(X = k)$ の値を返す．累積確率 $P(X \leq k)$ は ppois(k,m) で与えられる．

例 3.2.1. X は母数 $\mu = 2$ をもつポアソン分布に従うと仮定する．このとき，X の pmf は，

$$p(x) = \begin{cases} (2^x e^{-2})/x! & x = 0, 1, 2, \ldots \\ 0 & \text{それ以外の場合} \end{cases}$$

となる．この分布の分散は $\sigma^2 = \mu = 2$ である．$P(1 \leq X)$ を計算したければ，

$$P(1 \leq X) = 1 - P(X = 0)$$
$$= 1 - p(0) = 1 - e^{-2} = 0.865$$

とおおよその値が付録 C の表 I からわかる．■

例 3.2.2. 確率変数 X の mgf が次のように表されるとき，
$$M(t) = e^{4(e^t - 1)}$$

X は $\mu = 4$ をもつポアソン分布に従う．したがって，例えば，

$$P(X = 3) = \frac{4^3 e^{-4}}{3!} = \frac{32}{3} e^{-4}$$

となり，表 I を用いれば，次のようになる．

$$P(X = 3) = P(X \leq 3) - P(X \leq 2) = 0.433 - 0.238 = 0.195 \quad \blacksquare$$

例 3.2.3. 1 フィートのワイヤーにちょうど 1 つの傷がある確率は約 $\frac{1}{1000}$ であり，2 つまたはそれ以上の傷がそこにある確率はどのような実用目的を考えても 0 であるとする．確率変数 X を，3000 フィートのワイヤーにある傷の数とする．重複しない間隔では傷の数が独立であることを仮定すると，$\lambda = \frac{1}{1000}$ そして $w = 3000$ として，ポアソン過程の公理が近似的に成立する．したがって，X は平均 $3000(\frac{1}{1000}) = 3$ をもつ

ポアソン分布に近似的に従う.例えば,3000 フィートのワイヤーに 5 つまたはそれ以上の傷がある確率は,

$$P(X \geq 5) = \sum_{k=5}^{\infty} \frac{3^k e^{-3}}{k!}$$

であり,表Iから,次のように概算される.

$$P(X \geq 5) = 1 - P(X \leq 4) = 1 - 0.815 = 0.185 \blacksquare$$

ポアソン分布は次の重要な加算的性質を満たす.

定理 3.2.1.
 $X_1, \ldots, X_n$ は独立な確率変数であり,X_i は母数 m_i をもつポアソン分布に従うと仮定する.すると,$Y = \sum_{i=1}^{n} X_i$ は母数 $\sum_{i=1}^{n} m_i$ をもつポアソン分布に従う.

証明 Y の mgf を決めることで結果が得られる.個々の X_i が独立であり,個々の X_i の mgf も独立であることを利用すると,次のようになる.

$$M_Y(t) = E(e^{tY}) = E\left(e^{\sum_{i=1}^{n} tX_i}\right)$$
$$= E\left(\prod_{i=1}^{n} e^{tX_i}\right) = \prod_{i=1}^{n} E\left(e^{tX_i}\right)$$
$$= \prod_{i=1}^{n} e^{m_i(e^t - 1)} = e^{\sum_{i=1}^{n} m_i(e^t - 1)}$$

mgf は 1 対 1 対応するから,Y は母数 $\sum_{i=1}^{n} m_i$ をもつポアソン分布に従うと結論づけられる.∎

例 3.2.4 (例 3.2.3 の続き). 例 3.2.3 で示したような 3000 フィートのワイヤーがあるとする.例 3.2.3 の情報から,ワイヤーには 3 つの傷があることが予想され,5 つまたはそれ以上の傷がある確率は 0.185 である.サンプリング計画において,3 つのワイヤーが無作為に選ばれ,ワイヤーの傷の平均個数を計算する.いま,傷の観測値の 3 つの平均が 5 またはそれ以上である確率を決定したいとする.$i = 1, 2, 3$ に対して,X_i は i 番目のワイヤーの傷の数とする.すると,X_i は母数 3 のポアソン分布に従う.X_1, X_2,そして X_3 の平均は,$\overline{X} = 3^{-1} \sum_{i=1}^{3} X_i$ であり,これは $Y = \sum_{i=1}^{3} X_i$ のとき,$Y/3$ と記述することも可能である.先ほどの定理から,個々のワイヤーは互いに独立だから Y は母数 $\sum_{i=1}^{3} 3 = 9$ をもつポアソン分布に従う.したがって,表Iから,求めたい確率は,

$$P(\overline{X} \geq 5) = P(Y \geq 15) = 1 - P(Y \leq 14) = 1 - 0.959 = 0.041$$

となる.したがって,1 つのワイヤーが 5 つまたはそれ以上の傷をもつことは,それほどありえないことでもなく (確率 0.185),3 つの独立なワイヤーの傷の個数の平均が

3.2. ポアソン分布

5つまたはそれ以上になることは，ほとんどない(確率0.041)といえる．■

練習問題

3.2.1. 確率変数 X が $P(X=1) = P(X=2)$ となるようなポアソン分布に従うとき，$P(X=4)$ を求めよ．

3.2.2. 確率変数 X の mgf を $e^{4(e^t-1)}$ とする．$P(\mu - 2\sigma < X < \mu + 2\sigma) = 0.931$ を証明せよ．

3.2.3. 非常に長い原稿中にタイプミスがないページは 13.5％しかないことが発見された．1ページごとのエラーの数はポアソン分布に従う確率変数であるとするとき，ちょうど1つのエラーがあるページの割合を求めよ．

3.2.4. $p(x)$ は負の整数に対してのみ正である pmf とする．$p(x) = (4/x)p(x-1)$, $x=1, 2, 3, \ldots$ のとき，$p(x)$ を求めよ．
ヒント：$p(1) = 4p(0)$, $p(2) = (4^2/2!)p(0)$ であることなどに注意せよ．つまり，$p(0)$ の観点から各 $p(x)$ を求め，$p(0)$ を

$$1 = p(0) + p(1) + p(2) + \cdots.$$

から決定せよ．

3.2.5. X は $\mu = 100$ をもつポアソン分布に従うとする．チェビシェフの不等式を利用して，$P(75 < X < 125)$ の下限を求めよ．

3.2.6. $g(x, 0) = 0$ かつ

$$D_w[g(x, w)] = -\lambda g(x, w) + \lambda g(x-1, w)$$

が $x = 1, 2, 3, \ldots$ に対して成立すると仮定する．$g(0, w) = e^{-\lambda w}$ のとき数学的帰納法により，

$$g(x, w) = \frac{(\lambda w)^x e^{-\lambda w}}{x!}, \quad x = 1, 2, 3, \ldots.$$

を証明せよ．

3.2.7. コンピュータを利用して，次の2つの分布の pmf を重ねて描きなさい．
(a) $\lambda = 2$ のポアソン分布．
(b) $n = 100$ と $p = 0.02$ の2項分布．
なぜこれらの分布は近似的に等しいのだろうか．議論しなさい．

3.2.8. あるタイプのクッキーにチョコレートが含まれている数はポアソン分布に従うとする．このタイプのクッキーに少なくとも2つのチョコレートが含まれている確率が 0.99 以上であってほしい．この分布がとる平均の最小値を求めよ．

3.2.9. 平均 μ のポアソン分布における尖度と歪度の指標を計算せよ.

3.2.10. ある食料雑貨店では,ある種の品物が週に平均して3つ売れる. 1週間のうちに在庫を切らす確率が 0.01 以下であるためには,いくつのストックをもっておけばよいだろうか. ポアソン分布を仮定せよ.

3.2.11. X はポアソン分布に従うとする. $P(X=1)=P(X=3)$ であるとき,この分布の最頻値を求めよ.

3.2.12. X は平均が 1 のポアソン分布に従うとする. もし存在するならば,期待値 $E(X!)$ を計算せよ.

3.2.13. X と Y は, $p(x,y)=e^{-2}/[x!(y-x)!]$, $y=0,1,2,\ldots$; $x=0,1,\ldots,y$ その他では 0 という同時 pmf に従うとする.
(a) この同時分布の mgf, $M(t_1, t_2)$ を求めよ.
(b) X と Y の平均,分散と相関係数を計算せよ.
(c) 条件付き平均 $E(X|y)$ を求めよ.
ヒント:次のことに注意せよ.

$$\sum_{x=0}^{y}[\exp(t_1 x)]y!/[x!(y-x)!] = [1+\exp(t_1)]^y$$

なぜだろうか.

3.2.14. X_1 と X_2 を 2 つの独立な確率変数とする. X_1 と $Y=X_1+X_2$ はそれぞれ平均 μ_1 と $\mu>\mu_1$ をもつポアソン分布に従うと仮定する. X_2 の分布を求めよ.

3.2.15. $X_1, X_2, \ldots, X_n$ は, n 個の互いに独立な確率変数を表しており,積率母関数はそれぞれ $M_1(t), M_2(t), \ldots, M_n(t)$ とする.
(a) $k_1, k_2, \ldots, k_n$ を実数の定数とするとき, $Y=k_1 X_1+k_2 X_2+\cdots+k_n X_n$ は $M(t)$
$=\prod_{1}^{n} M_i(k_i t)$ という mgf に従うことを証明せよ.
(b) $i=1,2,\ldots,n$ に対して $k_i=1$ であり, X_i は平均 μ_i のポアソン分布に従うとき,(a) を利用して, Y は平均 $\mu_1+\cdots+\mu_n$ のポアソン分布に従うことを証明せよ. これは定理 3.2.1 の別の証明である.

3.3 ガンマ分布・カイ2乗分布・ベータ分布

本節ではガンマ (Γ) 分布 (gamma distribution),カイ 2 乗 (χ^2) 分布 (chi-square distribution),ベータ (β) 分布 (beta distribution) を紹介する. 高等解析学の解説書には,以下に示す積分が $\alpha>0$ について必ず存在し,その結果が正の値となることが証明されている.

3.3. ガンマ分布・カイ2乗分布・ベータ分布

$$\int_0^\infty y^{\alpha-1} e^{-y} dy$$

この積分を α のガンマ関数とよび，以下のように記述する．

$$\Gamma(\alpha) = \int_0^\infty y^{\alpha-1} e^{-y} dy$$

$\alpha = 1$ の場合，これは明らかに

$$\Gamma(1) = \int_0^\infty e^{-y} dy = 1$$

となる．また $\alpha > 1$ の場合は，部分積分法より

$$\Gamma(\alpha) = (\alpha-1) \int_0^\infty y^{\alpha-2} e^{-y} dy = (\alpha-1) \Gamma(\alpha-1)$$

と変形できることから，α が1よりも大きな正の整数である場合，

$$\Gamma(\alpha) = (\alpha-1)(\alpha-2) \cdots (3)(2)(1) \Gamma(1) = (\alpha-1)!$$

であることがわかる．なお，すでに示したように $\Gamma(1) = 1$ となることから，$0! = 1$ であることが示唆される．ここで $\Gamma(\alpha)$ を定義する積分において，$y = x/\beta$ とおくことで新たな変数 x, β を導入する．ただし $\beta > 0$ である．これによりガンマ関数は

$$\Gamma(\alpha) = \int_0^\infty \left(\frac{x}{\beta}\right)^{\alpha-1} e^{-x/\beta} \left(\frac{1}{\beta}\right) dx$$

または

$$1 = \int_0^\infty \frac{1}{\Gamma(\alpha) \beta^\alpha} x^{\alpha-1} e^{-x/\beta} dx$$

となる．ここで $\alpha > 0$, $\beta > 0$, $\Gamma(\alpha) > 0$ であることから，以下の式は連続型確率変数の pdf としての条件を満たすことがわかる．

$$f(x) = \begin{cases} \dfrac{1}{\Gamma(\alpha) \beta^\alpha} x^{\alpha-1} e^{-x/\beta} & 0 < x < \infty \\ 0 & \text{それ以外の場合} \end{cases} \tag{3.3.1}$$

この pdf に従うような確率変数 X を，母数 α と β をもつガンマ分布に従っているという．また，この分布を $\Gamma(\alpha, \beta)$ と表記する．

注意 3.3.1. ガンマ分布は，待ち時間を表す確率モデルにおいて頻繁に利用される．例えば寿命試験においては「死亡」までの時間を確率変数と見なし，これがガンマ分布に従うと考える．このような設定が行われる理由を，以下に示す．まず「死亡」の発生はポアソンの公理を満たすことを仮定し，その発生間隔の長さを w で表すこととする．また確率変数 W で，ちょうど k 回の変化 (この場合は製品が寿命を迎えること) が生じるまでに必要な時間を表すことにする．ただし k は，ある固定された正数である．このとき W の cdf は，以下のようになる．

$$G(w) = P(W \le w) = 1 - P(W > w)$$

しかし $w>0$ であるときに $W>w$ という事象は，時間間隔 w の間に k 回よりも少ない変化しか生じないという事象と等価である．したがって時間間隔 w の間に発生する変化の回数を確率変数 X によって表すならば，

$$P(W>w) = \sum_{x=0}^{k-1} P(X=x) = \sum_{x=0}^{k-1} \frac{(\lambda w)^x e^{-\lambda w}}{x!}$$

である．練習問題 3.3.5 において読者は

$$\int_{\lambda w}^{\infty} \frac{z^{k-1} e^{-z}}{(k-1)!} dz = \sum_{x=0}^{k-1} \frac{(\lambda w)^x e^{-\lambda w}}{x!}$$

という式が成立することの証明を求められるが，仮にこの式が正しいと見なすならば，W の cdf は $w>0$ について

$$G(w) = 1 - \int_{\lambda w}^{\infty} \frac{z^{k-1} e^{-z}}{\Gamma(k)} dz = \int_{0}^{\lambda w} \frac{z^{k-1} e^{-z}}{\Gamma(k)} dz$$

であり，$w \leq 0$ については $G(w)=0$ である，と導くことができる．ここで $z=\lambda y$ として積分に対して変数変換を行えば，

$$G(w) = \int_{0}^{w} \frac{\lambda^k y^{k-1} e^{-\lambda y}}{\Gamma(k)} dy, \quad w>0$$

かつ $w \leq 0$ の場合には $G(w)=0$ を得る．ここから W の pdf は

$$g(w) = G'(w) = \begin{cases} \dfrac{\lambda^k w^{k-1} e^{-\lambda w}}{\Gamma(k)} & 0<w<\infty \\ 0 & \text{それ以外の場合} \end{cases}$$

となる．よって W は，$\alpha=k$, $\beta=1/\lambda$ であるときのガンマ分布に従っていることがわかる．なお，W が最初の変化までの待ち時間である，すなわち $k=1$ である場合の W の pdf は，

$$g(w) = \begin{cases} \lambda e^{-\lambda w} & 0<w<\infty \\ 0 & \text{それ以外の場合} \end{cases} \tag{3.3.2}$$

になる．このときの W は，母数 λ をもつ指数分布 (exponential distribution) に従っているとよばれる．■

続いて，ガンマ分布の mgf を求めてみよう．結果は

$$M(t) = \int_{0}^{\infty} e^{tx} \frac{1}{\Gamma(\alpha)\beta^\alpha} x^{\alpha-1} e^{-x/\beta} dx = \int_{0}^{\infty} \frac{1}{\Gamma(\alpha)\beta^\alpha} x^{\alpha-1} e^{-x(1-\beta t)/\beta} dx$$

となるが，ここで $y=x(1-\beta t)/\beta$, $t<1/\beta$, あるいは $x=\beta y/(1-\beta t)$ とおくことで，

$$M(t) = \int_{0}^{\infty} \frac{\beta/(1-\beta t)}{\Gamma(\alpha)\beta^\alpha} \left(\frac{\beta y}{1-\beta t}\right)^{\alpha-1} e^{-y} dy$$

を得る．これをさらに変形することで，ガンマ分布の mgf は

3.3. ガンマ分布・カイ2乗分布・ベータ分布

$$M(t) = \left(\frac{1}{1-\beta t}\right)^\alpha \int_0^\infty \frac{1}{\Gamma(\alpha)} y^{\alpha-1} e^{-y} dy = \frac{1}{(1-\beta t)^\alpha}, \ t < \frac{1}{\beta}$$

と導くことができる．これを利用すれば，導関数は

$$M'(t) = (-\alpha)(1-\beta t)^{-\alpha-1}(-\beta)$$
$$M''(t) = (-\alpha)(-\alpha-1)(1-\beta t)^{-\alpha-2}(-\beta)^2$$

となる．したがってガンマ分布の平均と分散は，それぞれ

$$\mu = M'(0) = \alpha\beta$$
$$\sigma^2 = M''(0) - \mu^2 = \alpha(\alpha+1)\beta^2 - \alpha^2\beta^2 = \alpha\beta^2$$

であることがわかる．

　RやS-PLUSにおいてガンマ分布の確率を計算したい場合，以下のようなコマンドを利用することが可能である．確率変数 X が母数 $\alpha = a$, $\beta = b$ のガンマ分布に従っているとしたとき，コマンド pgamma(x,shape=a,scale=b) によって $P(X \leq x)$ を，またコマンド dgamma(x,shape=a,scale=b) によって x における X のpdfの値を求めることができる．

例3.3.1. 待ち時間 W が $\alpha = k$, $\beta = 1/\lambda$ のガンマ分布に従っているとする．このとき W の期待値は $E(W) = k/\lambda$ である．特に $k=1$ である場合 $E(W) = 1/\lambda$ となるが，これは $k=1$ 回の変化が発生するまでの待ち時間の期待値が，λ の逆数になっていることを意味している．■

例3.3.2. 確率変数 X が，次に示す条件を満たしているものとする．

$$E(X^m) = \frac{(m+3)!}{3!} 3^m, \quad m = 1, 2, 3, \ldots$$

このとき X のmgfは，以下のような級数によって表すことができる．

$$M(t) = 1 + \frac{4!3}{3!1!} t + \frac{5!3^2}{3!2!} t^2 + \frac{6!3^3}{3!3!} t^3 + \cdots$$

しかしこれは，$-1 < 3t < 1$ である場合の $(1-3t)^{-4}$ のマクローリン級数に等しい．したがって X は，$\alpha = 4$, $\beta = 3$ のガンマ分布に従っていることがわかる．■

注意3.3.2. ガンマ分布は待ち時間だけではなく，非負の値をとるような連続型の確率変数全般のモデル化に対して利用することが可能である．例えば一定期間における収入額は，ガンマ分布を用いることでよくモデル化することができる．なぜなら，2つの母数 α と β によってガンマ分布は高い柔軟性をもっているからである．図3.3.1に，母数の値を変化させた場合のガンマ分布をいくつか示す．■

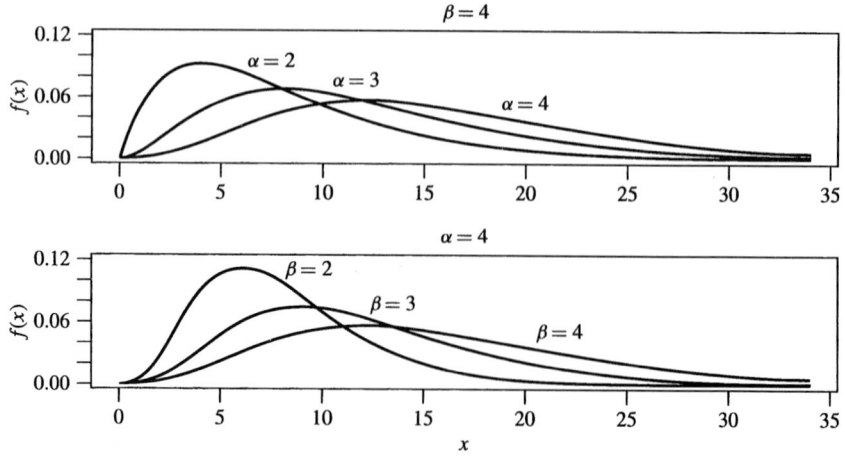

図 3.3.1 ガンマ分布の例

ここで $\alpha = r/2$, $\beta = 2$ の場合のガンマ分布について考えてみよう．ただし r は正の整数であるとする．このとき確率変数 X は，連続型の pdf

$$f(x) = \begin{cases} \dfrac{1}{\Gamma(r/2)2^{r/2}} x^{r/2-1} e^{-x/2} & 0 < x < \infty \\ 0 & \text{それ以外の場合} \end{cases} \quad (3.3.3)$$

に従っており，mgf は

$$M(t) = (1-2t)^{-r/2}, \quad t < \frac{1}{2}$$

となる．このとき X はカイ 2 乗分布に従っているとよばれ，また $f(x)$ のような形の pdf をカイ 2 乗 pdf (chi-square pdf) という．カイ 2 乗分布の平均および分散は，それぞれ $\mu = \alpha\beta = (r/2)2 = r$，および $\sigma^2 = \alpha\beta^2 = (r/2)2^2 = 2r$ となる．また明確な理由は不明だが，母数 r はカイ 2 乗分布 (またはカイ 2 乗 pdf) の自由度とよばれる．カイ 2 乗分布は統計学において重要な役割を果たしており，頻繁に利用されるため，確率変数 X が自由度 r のカイ 2 乗分布に従っていることを表す場合，これを簡潔に $\chi^2(r)$ と表記する．

例 3.3.3. X が以下のような pdf に従っているとき，X は $\chi^2(4)$ である．

$$f(x) = \begin{cases} (1/4)xe^{-x/2} & 0 < x < \infty \\ 0 & \text{それ以外の場合} \end{cases}$$

このとき $\mu = 4$, $\sigma^2 = 8$, かつ $M(t) = (1-2t)^{-2}$, $t < \frac{1}{2}$ となる．■

3.3. ガンマ分布・カイ2乗分布・ベータ分布

例 3.3.4. もし X が積率母関数 $M(t) = (1-2t)^{-8}$, $t < \frac{1}{2}$ に従っているなら，X は $\chi^2(16)$ である．■

確率変数 X が $\chi^2(r)$ であるならば，$c_1 < c_2$ であるような c_1, c_2 について
$$P(c_1 < X < c_2) = P(X \le c_2) - P(X \le c_1)$$
が成立する．なぜなら $P(X = c_2) = 0$ だからである．このような確率を求めたい場合には，
$$P(X \le x) = \int_0^x \frac{1}{\Gamma(r/2)2^{r/2}} w^{r/2-1} e^{-w/2} dw$$
のように，積分の値を計算する必要がある．いくつかの r, x のもとでの確率については，付録 C の表 II に値を示した．また R や S–PLUS といった統計パッケージが利用可能な場合には，X が自由度 r のカイ 2 乗分布に従っているとしたとき，コマンド `pchisq(x,r)` によって $P(X \le x)$ の値を，またコマンド `dchisq(x,r)` によって x における X の pdf の値を，それぞれ求めることができる．

以下に導かれる結果は，本書の後の部分において何度も利用されることになる．そこで，これを定理として示しておくことにする．

定理 3.3.1.
X が $\chi^2(r)$ に従っているとする．ここで $k > -r/2$ ならば $E(X^k)$ が存在し，その値は以下のとおりである．
$$E(X^k) = \frac{2^k \Gamma(\frac{r}{2} + k)}{\Gamma(\frac{r}{2})}, \quad k > -r/2 \tag{3.3.4}$$

証明 カイ 2 乗分布の性質より，
$$E(X^k) = \int_0^\infty \frac{1}{\Gamma(\frac{r}{2})2^{r/2}} x^{(r/2)+k-1} e^{-x/2} dx$$
であることがわかる．ここで積分の内部について $u = x/2$ として変数変換を行うと，
$$E(X^k) = \int_0^\infty \frac{1}{\Gamma(\frac{r}{2})2^{(r/2)-1}} 2^{(r/2)+k-1} u^{(r/2)+k-1} e^{-u} du$$
を得る．これは $k > -(r/2)$ の場合に，求める結果を導く．■

ここで k が非負の整数である場合には，常に条件 $k > -(r/2)$ が満たされることに注意が必要である．したがって χ^2 分布のすべての積率は常に存在し，任意の k 次の積率を (3.3.4) 式によって求めることが可能であることがわかる．

例 3.3.5. X が $\chi^2(10)$ であるとする．このとき付録 C の表 II より，$r = 10$ の場合は

$$P(3.25 \leq X \leq 20.5) = P(X \leq 20.5) - P(X \leq 3.25) = 0.975 - 0.025 = 0.95$$

と求められる．逆に，もし $P(a < X) = 0.05$ ならば，$P(X \leq a) = 0.95$ であることから，$r = 10$ の場合に $a = 18.3$ であることがわかる．■

例 3.3.6. X が $\alpha = r/2$ のガンマ分布に従っているものとする．ただし r は正の整数であり，$\beta > 0$ である．このとき新たな確率変数 $Y = 2X/\beta$ を考え，その pdf を求める．まず，Y の cdf は以下のように導かれる．

$$G(y) = P(Y \leq y) = P\left(X \leq \frac{\beta y}{2}\right)$$

もし $y \leq 0$ であるならば，これは $G(y) = 0$ となる．しかし $y > 0$ である場合には，

$$G(y) = \int_0^{\beta y/2} \frac{1}{\Gamma(r/2)\beta^{r/2}} x^{r/2-1} e^{-x/\beta} dx$$

となる．したがって Y の pdf は，$y > 0$ の場合において

$$g(y) = G'(y) = \frac{\beta/2}{\Gamma(r/2)\beta^{r/2}} (\beta y/2)^{r/2-1} e^{-y/2} = \frac{1}{\Gamma(r/2) 2^{r/2}} y^{r/2-1} e^{-y/2}$$

であることがわかる．よって，Y は $\chi^2(r)$ である．■

ガンマ分布の最も重要な特性のひとつとして，その加法性があげられる．

定理 3.3.2.

独立な確率変数 $X_1, X_2, \ldots, X_n$ があり，$i = 1, \ldots, n$ において X_i が，それぞれ $\Gamma(\alpha_i, \beta)$ に従っていると仮定する．このとき $Y = \sum_{i=1}^n X_i$ によって定義される Y は，$\Gamma(\sum_{i=1}^n \alpha_i, \beta)$ に従う．

証明 独立性の仮定とガンマ分布の mgf から，$t < 1/\beta$ について

$$M_Y(t) = E[\exp\{t\sum_{i=1}^n X_i\}] = \prod_{i=1}^n E[\exp\{tX_i\}]$$

$$= \prod_{i=1}^n (1-\beta t)^{-\alpha_i} = (1-\beta t)^{-\sum_{i=1}^n \alpha_i}$$

を得ることができる．これは $\Gamma(\sum_{i=1}^n \alpha_i, \beta)$ の mgf に等しい．■

ガンマ分布と同様にカイ 2 乗分布も加法性をもっており，この性質は本書においても多用されることになる．よってこれについて，系として記述しておく．カイ 2 乗分布の加法性は，定理 3.3.2 において $\beta = 2$，$\sum \alpha_i = \sum r_i/2$ と見なせば，簡単に導くことが可能である．

系 3.3.1.

独立な確率変数 $X_1, X_2, \ldots, X_n$ があり，$i = 1, \ldots, n$ において X_i が，それぞれ

3.3. ガンマ分布・カイ2乗分布・ベータ分布

$\chi^2(r_i)$ に従っていると仮定する．このとき $Y = \sum_{i=1}^{n} X_i$ によって定義される Y は，$\chi^2(\sum_{i=1}^{n} r_i)$ に従う．

最後に，もうひとつの重要な分布であるベータ分布について触れて，本節を終わりにしよう．ベータ分布は，互いに独立なガンマ分布に従う確率変数から求めることができる．2つの独立な確率変数 X_1, X_2 がガンマ分布に従っているならば，その同時 pdf は

$$h(x_1, x_2) = \frac{1}{\Gamma(\alpha)\Gamma(\beta)} x_1^{\alpha-1} x_2^{\beta-1} e^{-x_1-x_2}, \quad 0 < x_1 < \infty, \; 0 < x_2 < \infty$$

かつ，それ以外においては0となる．ここで新たな確率変数 $Y_1 = X_1 + X_2$，および $Y_2 = X_1/(X_1+X_2)$ を考えたとき，これらが互いに独立であることを以下に示す．

まず，$x_1 x_2$ 平面のうち座標軸上の点を除いた第1象限を空間 S によって表すことにする．このとき

$$y_1 = u_1(x_1, x_2) = x_1 + x_2$$
$$y_2 = u_2(x_1, x_2) = \frac{x_1}{x_1 + x_2}$$

あるいは $x_1 = y_1 y_2$, $x_2 = y_1(1-y_2)$ であるから，ヤコビアンは

$$J = \begin{vmatrix} y_2 & y_1 \\ 1-y_2 & -y_1 \end{vmatrix} = -y_1 \not\equiv 0$$

となる．この変換は，空間 S の要素を $y_1 y_2$ 平面上に存在する空間 $T = \{(y_1, y_2) : 0 < y_1 < \infty, 0 < y_2 < 1\}$ の上に位置づけるような1対1対応の変換である．したがって Y_1 と Y_2 の同時 pdf は

$$g(y_1, y_2) = (y_1) \frac{1}{\Gamma(\alpha)\Gamma(\beta)} (y_1 y_2)^{\alpha-1} [y_1(1-y_2)]^{\beta-1} e^{-y_1}$$
$$= \begin{cases} \dfrac{y_2^{\alpha-1}(1-y_2)^{\beta-1}}{\Gamma(\alpha)\Gamma(\beta)} y_1^{\alpha+\beta-1} e^{-y_1} & 0 < y_1 < \infty, \; 0 < y_2 < 1 \\ 0 & \text{それ以外の場合} \end{cases}$$

と導かれる．よって定理 2.5.1 から，Y_1 と Y_2 が独立であることがわかる．ここで Y_2 の周辺 pdf は

$$g_2(y_2) = \frac{y_2^{\alpha-1}(1-y_2)^{\beta-1}}{\Gamma(\alpha)\Gamma(\beta)} \int_0^\infty y_1^{\alpha+\beta-1} e^{-y_1} dy_1$$
$$= \begin{cases} \dfrac{\Gamma(\alpha+\beta)}{\Gamma(\alpha)\Gamma(\beta)} y_2^{\alpha-1}(1-y_2)^{\beta-1} & 0 < y_2 < 1 \\ 0 & \text{それ以外の場合} \end{cases} \quad (3.3.5)$$

となる．この pdf が，母数 α, β をもつベータ分布とよばれるものである．また $g(y_1, y_2) \equiv g_1(y_1) g_2(y_2)$ であることから，Y_1 の周辺 pdf が

$$g_1(y_1) = \begin{cases} \dfrac{1}{\Gamma(\alpha+\beta)} y_1^{\alpha+\beta-1} e^{-y_1} & 0 < y_2 < \infty \\ 0 & \text{それ以外の場合} \end{cases}$$

となることは明らかである．これは母数が $\alpha+\beta$ と 1 であるようなガンマ分布の形になっている．

Y_2，すなわち母数 α, β をもつベータ分布の平均と分散の導出は，後の練習問題において読者が実際に行うことになる．これらの結果は，それぞれ以下のようになる．

$$\mu = \frac{\alpha}{\alpha+\beta}, \qquad \sigma^2 = \frac{\alpha\beta}{(\alpha+\beta+1)(\alpha+\beta)^2}$$

R や S-PLUS はベータ分布に関する確率を計算することも可能である．確率変数 X が母数 $\alpha=a$, $\beta=b$ のベータ分布に従っているとした場合，コマンド pbeta(x,a,b) により $P(X \leq x)$ を，またコマンド dbeta(x,a,b) により x における X の pdf の値を，それぞれ求めることができる．

例 3.3.7 (ディリクレ分布 (Dirichlet distribution)). 独立な確率変数 X_1, X_2, $\ldots$, X_{k+1} が，それぞれ母数 $\beta=1$ のガンマ分布に従っているものとする．このとき，これらの確率変数の同時 pdf は，以下のように表すことができる．

$$h(x_1, x_2, \ldots, x_{k+1}) = \begin{cases} \displaystyle\prod_{i=1}^{k+1} \frac{1}{\Gamma(\alpha_i)} x_i^{\alpha-1} e^{-x_i} & 0 < x_i < \infty \\ 0 & \text{それ以外の場合} \end{cases}$$

ここで

$$Y_i = \frac{X_i}{X_1 + X_2 + \cdots + X_{k+1}}, \quad i = 1, 2, \ldots, k$$

および $Y_{k+1} = X_1 + X_2 + \cdots + X_{k+1}$ によって定義される，$k+1$ 個の新たな確率変数を考える．この変換は空間 $\mathcal{A} = \{(x_1, \ldots, x_{k+1}) : 0 < x_i < \infty, i = 1, \ldots, k+1\}$ の要素を，以下に示す空間 $\mathcal{B}$ の上に写像するものであると考えられる．

$$\mathcal{B} = \{(y_1, \ldots, y_k, y_{k+1}) : 0 < y_i, i = 1, \ldots, k, \quad y_1 + \cdots + y_k < 1, \quad 0 < y_{k+1} < \infty\}$$

この変換の 1 変量の逆変換は $x_1 = y_1 y_{k+1}, \ldots, x_k = y_k y_{k+1}, x_{k+1} = y_{k+1}(1 - y_1 - \cdots - y_k)$ であることから，ヤコビアンは

$$J = \begin{vmatrix} y_{k+1} & 0 & \cdots & 0 & y_1 \\ 0 & y_{k+1} & \cdots & 0 & y_2 \\ \vdots & \vdots & \vdots & \vdots \\ 0 & 0 & \cdots & y_{k+1} & y_k \\ -y_{k+1} & -y_{k+1} & \cdots & -y_{k+1} & (1 - y_1 - \cdots - y_k) \end{vmatrix} = y_{k+1}^k$$

となる．したがって $Y_1, \ldots, Y_k, Y_{k+1}$ の同時 pdf は，$(y_1, \ldots, y_k, y_{k+1}) \in \mathcal{B}$ のとき

3.3. ガンマ分布・カイ2乗分布・ベータ分布

$$\frac{y_{k+1}^{\alpha_1+\cdots+\alpha_{k+1}-1} y_1^{\alpha_1-1} \cdots y_k^{\alpha_k-1}(1-y_1-\cdots-y_k)^{\alpha_{k+1}-1} e^{-y_{k+1}}}{\Gamma(\alpha_1)\cdots\Gamma(\alpha_k)\Gamma(\alpha_{k+1})}$$

であり,それ以外では0となることが導かれる.これをもとに考えると,$Y_1,\ldots,Y_k$ の同時 pdf は, $0 < y_i$, $i=1,\ldots,k$, $y_1+\cdots+y_k < 1$ のときに

$$g(y_1,\ldots,y_k) = \frac{\Gamma(\alpha_1+\cdots+\alpha_{k+1})}{\Gamma(\alpha_1)\cdots\Gamma(\alpha_{k+1})} y_1^{\alpha_1-1} \cdots y_k^{\alpha_k-1}(1-y_1-\cdots-y_k)^{\alpha_{k+1}-1} \tag{3.3.6}$$

であり,それ以外では0となることが推察される.この形の同時 pdf は,ディリクレ pdf (Dirichlet pdf) とよばれる.$k=1$ の場合,ディリクレ pdf がベータ pdf に一致することは明らかである.また $Y_1,\ldots,Y_k, Y_{k+1}$ の同時 pdf から, Y_{k+1} は母数 $\alpha=\alpha_1+\cdots+\alpha_k+\alpha_{k+1}$ と $\beta=1$ をもつガンマ分布に従っており,なおかつ $Y_1, Y_2, \ldots, Y_k$ と独立であることもわかる.

練習問題

3.3.1. 確率変数 X が積率母関数 $(1-2t)^{-6}$, $t < \frac{1}{2}$ に従っているとする.このときの $P(X < 5.23)$ の値を求めよ.

3.3.2. X が $\chi^2(5)$ であるときに, $P(c < X < d) = 0.95$ および $P(X < c)$ を満たすような定数 c, d を求めよ.

3.3.3. X が母数 $\alpha=3, \beta=4$ のガンマ分布に従っているときの, $P(3.28 < X < 25.2)$ の値を求めよ.
ヒント:$Y = 2X/4 = X/2$ を利用して導かれる,等価な事象 $1.64 < Y < 12.6$ について考えよ.

3.3.4. $E(X^m) = (m+1)!2^m$, $m=1,2,3,\ldots$ を満たすような確率変数 X の mgf および分布関数を求めよ.

3.3.5. 以下の式が成立することを証明せよ.なお,この式はガンマ cdf とポアソン分布との関係を表すものである.

$$\int_\mu^\infty \frac{1}{\Gamma(k)} z^{k-1} e^{-z} dz = \sum_{x=0}^{k-1} \frac{\mu^x e^{-\mu}}{x!}, \quad k=1,2,3,\ldots$$

ヒント:$k-1$ 回の部分積分か,あるいは $z^{k-1}e^{-z}$ の不定積分が,以下のようになることを利用せよ.
$$-z^{k-1}e^{-z} - (k-1)z^{k-2}e^{-z} - \cdots - (k-1)!e^{-z}$$

3.3.6. X_1, X_2, X_3 が iid な確率変数であり,それぞれが $f(x) = e^{-x}$, $0 < x < \infty$, それ以外では 0,という pdf に従っているとする.このとき $Y = \text{minimum}(X_1, X_2, X_3)$ の分布を求めよ.

ヒント: $P(Y \leq y) = 1 - P(Y > y) = 1 - P(X_i > y, \ i = 1, 2, 3)$

3.3.7. X はガンマ分布に従っており，その pdf は
$$f(x) = \frac{1}{\beta^2} x e^{-x/\beta}, \quad 0 < x < \infty$$
かつ，それ以外では 0 である，とする．$x = 2$ がこの分布の唯一の最頻値であるときの，β および $P(X < 9.49)$ の値を求めよ．

3.3.8. 母数 α, β をもつガンマ分布の，尖度および歪度の測度を求めよ．

3.3.9. X は母数 α, β をもつガンマ分布に従っているとする．このとき $P(X \geq 2\alpha\beta) \leq (2/e)^\alpha$ が成り立つことを示せ．
ヒント: 練習問題 1.10.4 の結果を利用せよ．

3.3.10. 自由度が 0 であるようなカイ 2 乗分布の，妥当な定義を与えよ．
ヒント: $\chi^2(r)$ の mgf において，$r = 0$ である場合を考えよ．

3.3.11. コンピュータを利用し，自由度が $r = 1, 2, 5, 10, 20$ である場合のカイ 2 乗分布の pdf のプロットを描け．また，これらに関してコメントを述べよ．

3.3.12. コンピュータを利用して $\Gamma(5, 4)$ の cdf をプロットし，中央値の値を推測せよ．また，中央値を返すコマンドを利用して，正しい結果を確認せよ (R や S–PLUS の場合，コマンド `qgamma(.5,shape=5,scale=4)` を用いよ)．

3.3.13. コンピュータを用いて，$\alpha = 5$, $\beta = 1, 2, 5, 10, 20$ の場合のベータ pdf のプロットを描け．

3.3.14. 注意 3.2.1 においてポアソン分布の仮定に加えて，λ を $D_w[g(0, w)] = -\lambda(w) g(0, w)$ を満たすような非負関数 $\lambda(w)$ に置き換えることを考える．ここでは $\lambda(w) = krw^{r-1}$, $r \geq 1$ を仮定するものとする．
(a) $g(0, 0) = 1$ となることに注意して，$g(0, w)$ を求めよ．
(b) W が，ちょうど 1 回の変化が生じるまでの時間を表すとする．このときの W の分布関数を求めよ．すなわち，$G(w) = P(W \leq w) = 1 - P(W > w) = 1 - g(0, w)$, $0 \leq w$ を求め，ここから W の pdf を導け．この pdf はワイブル分布 (Weibull distribution) とよばれ，物質の破壊強度の研究などで利用されているものである．

3.3.15. X が母数 m をもつポアソン分布に従っているとする．このとき m が，$\alpha = 2, \beta = 1$ のガンマ分布に従うような確率変数の実測値である場合の，$P(X = 0, 1, 2)$ の値を求めよ．
ヒント: まず，X と m の同時 pdf の表現を導け．ここから m を積分消去すれば，X の周辺密度を得ることができる．

3.3. ガンマ分布・カイ2乗分布・ベータ分布

3.3.16. X が $0 < x < 1$ において $f(x) = 1$ であり，それ以外では 0 であるような一様分布に従っているとする．この場合の $Y = -\log X$ の cdf を導け．また，Y の pdf は何か．

3.3.17. 平均と分散の値が自由度 8 のカイ 2 乗分布と等しくなるような，区間 (b, c) における連続型の一様分布を求めよ．これは，適当な b, c を求めることにほかならない．

3.3.18. ベータ分布の平均と分散を導け．
ヒント：ベータ分布の pdf より，$\alpha > 0, \beta > 0$ において
$$\int_0^1 y^{\alpha-1}(1-y)^{\beta-1} dy = \frac{\Gamma(\alpha)\Gamma(\beta)}{\Gamma(\alpha+\beta)}$$
であることがわかっている．

3.3.19. 以下に示すそれぞれの場合において，$f(x)$ がベータ pdf となるような定数 c の値を求めよ．
(a) $f(x) = cx(1-x)^3$, $0 < x < 1$, それ以外では 0
(b) $f(x) = cx^4(1-x)^5$, $0 < x < 1$, それ以外では 0
(c) $f(x) = cx^2(1-x)^8$, $0 < x < 1$, それ以外では 0

3.3.20. $f(x) = cx(3-x)^4$, $0 < x < 3$, それ以外では 0, が pdf となるような定数 c の値を求めよ．

3.3.21. $\alpha = \beta$ であるとき，ベータ pdf のグラフが $x = \frac{1}{2}$ を通る縦線に関して対称となることを示せ．

3.3.22. $k = 1, 2, \ldots, n$ について，以下の式が成り立つことを証明せよ．
$$\int_p^1 \frac{n!}{(k-1)!(n-k)!} z^{k-1}(1-z)^{n-k} dz = \sum_{x=0}^{k-1} \binom{n}{x} p^x (1-p)^{n-x}$$
なお，この式はベータ cdf と 2 項分布との関係を表すものである．

3.3.23. 独立な確率変数 X_1, X_2 を考える．ここで X_1 と $Y = X_1 + X_2$ が，それぞれ自由度 r_1 と r のカイ 2 乗分布に従っているとした場合に，X_2 が自由度 $r - r_1$ のカイ 2 乗分布に従うことを示せ．ただし $r_1 < r$ とする．
ヒント：$M(t) = E(e^{t(X_1+X_2)})$ を求め，X_1 と X_2 が独立であることを利用せよ．

3.3.24. X_1, X_2 が，それぞれ母数 $\alpha_1 = 3, \beta_1 = 3$, および $\alpha_2 = 5, \beta_2 = 1$ をもつガンマ分布に従う，独立な確率変数であるとしたとき，以下の問いに答えよ．
(a) $Y = 2X_1 + 6X_2$ の mgf を求めよ．
(b) Y の分布は何か．

3.3.25. X は指数分布に従っているとする．このとき，以下の問いに答えよ．

(a)
$$P(X > x+y | X > x) = P(X > y) \tag{3.3.7}$$
が成り立つことを証明せよ．この式から，指数分布は記憶をもたないことがわかる．(3.1.6) 式において，離散型の幾何分布が同様の性質をもっていたことに注意せよ．

(b) 連続型の確率変数 Y の cdf を，$F(y)$ によって表す．ただし $F(0)=0$，かつ $y>0$ において $0 < F(y) < 1$ であるものとする．このとき (3.3.7) 式が Y について成立していることを仮定するならば，$y>0$ において $F(y) = 1 - e^{-\lambda y}$ が成り立つことを証明せよ．

ヒント：$g(y) = 1 - F(y)$ が，以下の等式を満たすことを示せ．
$$g(y+z) = g(y)g(z)$$

3.3.26. 連続型の確率変数 X の cdf を $F(x)$，pdf を $f(x)$ によって表すとする．このとき危険率 (hazard rate)(あるいは故障率 (failure rate), 死力 (force of mortality)) は，以下のようにして定義される．
$$r(x) = \lim_{\Delta \to 0} \frac{P(x \leq X < x+\Delta | X \geq x)}{\Delta} \tag{3.3.8}$$

例えば X が，ある道具が故障するまでの時間を表している場合には，上に示した条件付き確率は，時点 x まで故障が発生しなかったときの，区間 $[x, x+\Delta]$ における故障発生率を表していると見なすことができる．したがって $r(x)$ は，$x>0$ であるような時点 x における瞬間的な故障率を表していると解釈できる．これを踏まえたうえで，以下の問いに答えよ．

(a) $r(x) = f(x)/(1-F(x))$ であることを示せ．

(b) 正の値をとる定数 c について $r(x) = c$ が成り立っている場合，元になる分布は指数分布であることを示せ．これはすなわち，指数分布は常に一定の故障率をもっていることを意味している．

(c) 正の値をとる定数 c, b について $r(x) = cx^b$ が成り立っている場合，X がワイブル分布に従っていることを示せ．これはすなわち，
$$f(x) = \begin{cases} cx^b \exp\left\{-\dfrac{cx^{b+1}}{b+1}\right\} & 0 < x < \infty \\ 0 & \text{それ以外の場合} \end{cases} \tag{3.3.9}$$
であることに等しい．

(d) 正の値をとる定数 c, b について $r(x) = ce^{bx}$ が成り立っている場合，X が以下に示すゴンペルツ (Gompertz) cdf に従っていることを示せ．

$$F(x) = \begin{cases} 1-\exp\left\{\dfrac{c}{b}(1-e^{bx})\right\} & 0 < x < \infty \\ 0 & それ以外の場合 \end{cases} \tag{3.3.10}$$

この分布は，しばしば保険会社において寿命の長さの分布をモデル化するために利用される．

3.3.27. Y_1, Y_k が母数 $\alpha_1, \ldots, \alpha_k \alpha_{k+1}$ をもつディリクレ分布に従っているとしたとき，以下の問いに答えよ．
(a) Y_1 が母数 $\alpha = \alpha_1$, $\beta = \alpha_2 + \cdots + \alpha_{k+1}$ をもつベータ分布に従っていることを示せ．
(b) $Y_1 + \cdots + Y_r$, $r \leq k$ が，母数 $\alpha = \alpha_1 + \cdots + \alpha_r$, $\beta = \alpha_{r+1} + \cdots + \alpha_{k+1}$ をもつベータ分布に従っていることを示せ．
(c) $Y_1 + Y_2, Y_3 + Y_4, Y_5, \ldots, Y_k$, $k \geq 5$ が，母数 $\alpha_1 + \alpha_2, \alpha_3 + \alpha_4, \alpha_5, \ldots, \alpha_k, \alpha_{k+1}$ をもつディリクレ分布に従っていることを示せ．

ヒント：例 3.3.7 における Y_i の定義を思い出し，$\beta = 1$ であるようなガンマ分布に従う独立な確率変数の和が，同様にガンマ分布に従うことを利用せよ．

3.4 正規分布

正規分布が一般的に用いられる動機は 4.4 節で示される中心極限定理において明らかとなる．この定理は，正規分布が一般に，応用の点においても，統計的推測の観点からも重要な分布族であることを示すものである．まず標準正規分布から論じ，一般の正規分布に進むこととしよう．

次の積分

$$I = \int_{-\infty}^{\infty} \frac{1}{\sqrt{2\pi}} \exp\left(\frac{-z^2}{2}\right) dz \tag{3.4.1}$$

を考える．被積分関数が正の連続関数であり，積分可能な関数によって有界なため，この積分は存在する．実際に

$$0 < \exp\left(\frac{-z^2}{2}\right) < \exp(-|z|+1), \quad -\infty < z < \infty$$

であり

$$\int_{-\infty}^{\infty} \exp(-|z|+1)\,dz = 2e$$

である．積分 I を計算するため，$I > 0$ であることと I^2 が

$$I^2 = \frac{1}{2\pi} \int_{-\infty}^{\infty} \int_{-\infty}^{\infty} \exp\left(-\frac{z^2+w^2}{2}\right) dzdw$$

と書き直せることに注意する．この積分は極座標変換によって計算可能である．$z =$

$r\cos\theta$ とし，$w=r\sin\theta$ とすると以下のとおりとなる．

$$I^2 = \frac{1}{2\pi}\int_0^{2\pi}\int_0^\infty e^{-r^2/2}r\,dr\,d\theta$$
$$= \frac{1}{2\pi}\int_0^{2\pi} d\theta = 1$$

(3.4.1) 式の被積分関数は R 上で正であり，R にわたって積分した結果が 1 であるから，台を R とする連続型確率変数の pdf である．この確率変数を Z とする．要するに，Z の pdf は

$$f(z) = \frac{1}{\sqrt{2\pi}}\exp\left(\frac{-z^2}{2}\right), \quad -\infty < z < \infty \tag{3.4.2}$$

である．$t \in R$ に対して，Z の mgf は次のように平方完成を用いることで

$$E[\exp\{tZ\}] = \int_{-\infty}^\infty \exp\{tz\}\frac{1}{\sqrt{2\pi}}\exp\left\{-\frac{1}{2}z^2\right\}dz$$
$$= \exp\left\{\frac{1}{2}t^2\right\}\int_{-\infty}^\infty \frac{1}{\sqrt{2\pi}}\exp\left\{-\frac{1}{2}(z-t)^2\right\}dz$$
$$= \exp\left\{\frac{1}{2}t^2\right\}\int_{-\infty}^\infty \frac{1}{\sqrt{2\pi}}\exp\left\{-\frac{1}{2}w^2\right\}dw \tag{3.4.3}$$

と導出される．最後の積分で $w=z-t$ の 1 対 1 の変数変換を行った．(3.4.2) 式から，(3.4.3) 式中の積分の値は 1 である．したがって，Z の mgf は

$$M_Z(t) = \exp\left\{\frac{1}{2}t^2\right\}, \quad -\infty < t < \infty \tag{3.4.4}$$

となる．$M_Z(t)$ の 1 次と 2 次の微分は容易に

$$M'_Z(t) = t\exp\left\{\frac{1}{2}t^2\right\}$$
$$M''_Z(t) = \exp\left\{\frac{1}{2}t^2\right\} + t^2\exp\left\{\frac{1}{2}t^2\right\}$$

であることが示される．これらを $t=0$ で評価した Z の平均と分散は次のとおりである．

$$E(Z) = 0, \quad \text{Var}(Z) = 1 \tag{3.4.5}$$

次に，連続的確率変数 X を $b > 0$ に対して

$$X = bZ + a$$

と定義する．これは 1 対 1 変換である．X の pdf を導出するための逆変換とヤコビアンはそれぞれ $z = b^{-1}(x-a)$ と $J = b^{-1}$ である．$b > 0$ なので，(3.4.2) 式から X の pdf は

3.4. 正規分布

$$f_X(x) = \frac{1}{\sqrt{2\pi}b} \exp\left\{-\frac{1}{2}\left(\frac{x-a}{b}\right)^2\right\}, \quad -\infty < x < \infty$$

であることがわかる．(3.4.5) 式より直ちに $E(X) = a$ と $\text{Var}(X) = b^2$ を得る．今後は X の pdf に対する表記において，a を $\mu = E(X)$ に，b^2 を $\sigma^2 = \text{Var}(X)$ に置き換える．正式には次の定義で示すとおりである．

定義 3.4.1 (正規分布).

確率変数 X の pdf が

$$f(x) = \frac{1}{\sqrt{2\pi}\sigma} \exp\left\{-\frac{1}{2}\left(\frac{x-\mu}{\sigma}\right)^2\right\}, \quad \text{for } -\infty < x < \infty \tag{3.4.6}$$

であるとき，X は正規分布 (normal distribution) に従う，という．母数 μ と σ^2 はそれぞれ X の平均と分散である．しばしば，X は分布 $N(\mu, \sigma^2)$ に従う，という表記がなされる．

この記法に従うと，(3.4.2) 式で表される pdf に従う確率変数 Z の分布は $N(0, 1)$ である．Z は標準正規 (standard normal) 確率変数とよばれる．

X の mgf の導出には，$X = \sigma Z + \mu$ という関係と (3.4.4) 式の Z の mgf を利用する．すなわち，$-\infty < t < \infty$ に対して以下のとおりである．

$$\begin{aligned} E[\exp\{tX\}] &= E[\exp\{t(\sigma Z + \mu)\}] = \exp\{\mu t\} E[\exp\{t\sigma Z\}] \\ &= \exp\{\mu t\} \exp\left\{\frac{1}{2}\sigma^2 t^2\right\} = \exp\left\{\mu t + \frac{1}{2}\sigma^2 t^2\right\} \end{aligned} \tag{3.4.7}$$

上述の議論を Z と X の関係に注意しながら要約すれば，下記のとおりである．

$$Z = \frac{X - \mu}{\sigma} \text{ の分布が } N(0, 1) \text{ である場合にかぎり } X \text{ は分布 } N(\mu, \sigma^2) \text{ に従う}. \tag{3.4.8}$$

例 3.4.1. X の mgf が

$$M(t) = e^{2t + 32t^2}$$

であるとき，X は $\mu = 2$, $\sigma^2 = 64$ の正規分布に従う．さらに，確率変数 $Z = \dfrac{X-2}{8}$ の分布は $N(0, 1)$ である．■

例 3.4.2. 例 1.9.4 において，標準正規確率変数のすべての積率をその積率母関数から導いた．ここでも同様の方法で，分布が $N(\mu, \sigma^2)$ である X のすべての積率を導く．既述したように，分布が $N(0, 1)$ である Z によって $X = \sigma Z + \mu$ と表せる．したがって，簡単な 2 項定理の応用から，すべての非負整数 k に対して，

$$E(X^k) = E[(\sigma Z + \mu)^k] = \sum_{j=0}^{k} \binom{k}{j} \sigma^j E(Z^j) \mu^{k-j} \tag{3.4.9}$$

が成立する．例 1.9.4 では Z のすべての奇数番目の積率は 0 であり，偶数番目の積率は (1.9.1) 式からすべて与えられた．これらを (3.4.9) 式に代入すると X の積率が導出される．■

(3.4.6) 式の正規 pdf のグラフは，図 3.4.1 に示されるとおりである．その特徴として次があげられる．(1) $x=\mu$ を通る垂直な軸に関して対称である．(2) $x=\mu$ において最大値 $1/(\sigma\sqrt{2\pi})$ をとる．(3) x 軸を水平方向の漸近線としてもつ．また，(4) $x=\mu\pm\sigma$ に変曲点が存在することも確認されたい（練習問題 3.5.4 参照）．

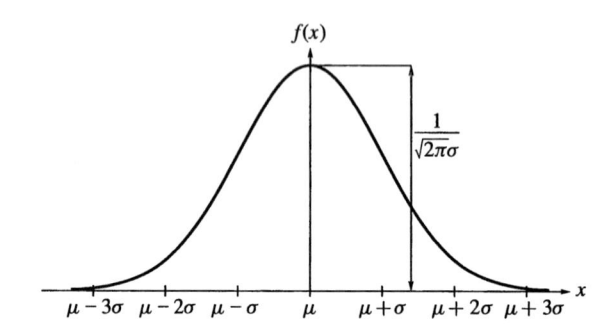

図 3.4.1 (3.4.6) 式の正規密度関数 $f(x)$

本節の最初で議論したように，正規分布は多くの実践的応用に関わっている．特に，正規分布の確率を計算可能にしておく必要がある．しかしながら，正規 pdf は $\exp\{-s^2\}$ といった係数を含んでいる．このため，原始関数を閉じた形式で得ることができず，数値積分を利用しなければならない．(3.4.8) 式の正規分布と標準正規分布に従う確率変数間の関係から，計算の必要があるのは標準正規確率変数についてのみである．このことを確認するために，標準正規確率変数 Z の cdf を

$$\Phi(z) = \int_{-\infty}^{z} \frac{1}{\sqrt{2\pi}} \exp\left\{\frac{-w^2}{2}\right\} dw \tag{3.4.10}$$

によって表し，X の分布を $N(\mu, \sigma^2)$ とする．ある特定の x について $F_X(x) = P(X \leq x)$ を計算したい状況を想定すると，$Z = (X-\mu)/\sigma$ に対して (3.4.8) 式は

$$F_X(x) = P(X \leq x) = P\left(Z \leq \frac{x-\mu}{\sigma}\right) = \Phi\left(\frac{x-\mu}{\sigma}\right)$$

であることを示している．したがって，必要なのは $\Phi(z)$ に関する数値積分計算のみであることがわかる．正規分布の分位数も Z の分位数に基づいて算出可能である．例えば，ある特定の p の値に対して $p = F_X(x_p)$ であるような値 x_p を知りたい場合には，$z_p = \Phi^{-1}(p)$ とし，(3.4.8) 式から $x_p = \sigma z_p + \mu$ とすればよい．

図 3.4.2 は標準正規密度関数を示したものである．z_p から左側の密度関数より下の

3.4. 正規分布

領域が p である. つまり, $\Phi(z_p) = p$ である. 付録 C の表 III には標準正規分布の簡略な表を示した. 表には $z \geq 0$ に対する確率しか示されていないことに注意されたい. $z > 0$ に対して $\Phi(-z)$ を計算する必要がある場合には, Z の pdf が 0 に関して対象であることを利用し

$$\Phi(-z) = 1 - \Phi(z) \tag{3.4.11}$$

とすればよい. 練習問題 3.4.24 を参照せよ. 後の例では正規分布の確率と分位数の計算について説明する.

ほとんどのコンピュータパッケージがこれらの確率を計算する関数を提供している. 例えば, R, または S–PLUS のコマンドでは, **pnorm(x,a,b)** が平均 a, 標準偏差 b の正規分布に従う X の $P(X \leq x)$ を計算する. 一方 **dnorm(x,a,b)** というコマンドは X の x における pdf の値を返す.

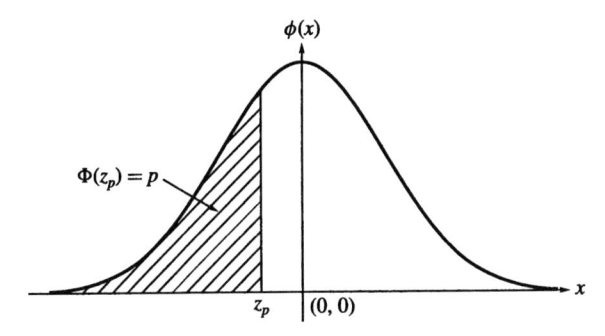

図 3.4.2 標準正規密度関数: $p = \Phi(z_p)$ は z_p の左側の曲線より下の領域である

例 3.4.3. X の分布を $N(2,25)$ とすると, 表 III から,

$$\begin{aligned}P(0 < X < 10) &= \Phi\left(\frac{10-2}{5}\right) - \Phi\left(\frac{0-2}{5}\right) \\ &= \Phi(1.6) - \Phi(-0.4) \\ &= 0.945 - (1 - 0.655) = 0.600\end{aligned}$$

であり,

$$\begin{aligned}P(-8 < X < 1) &= \Phi\left(\frac{1-2}{5}\right) - \Phi\left(\frac{-8-2}{5}\right) \\ &= \Phi(-0.2) - \Phi(-2) \\ &= (1 - 0.579) - (1 - 0.977) = 0.398\end{aligned}$$

である. ∎

例 3.4.4. X の分布を $N(\mu, \sigma^2)$ とする. 表 III から,

$$P(\mu-2\sigma < X < \mu+2\sigma) = \Phi\left(\frac{\mu+2\sigma-\mu}{\sigma}\right) - \Phi\left(\frac{\mu-2\sigma-\mu}{\sigma}\right)$$
$$= \Phi(2) - \Phi(-2)$$
$$= 0.977 - (1 - 0.977) = 0.954$$

である． ∎

例 3.4.5. ある特定の分布 $N(\mu, \sigma^2)$ において 60 以下である確率が 10%，90 以上である確率が 5% であるとする．このとき μ と σ の値は何であろうか．与えられた情報は，確率変数 X の分布が $N(\mu, \sigma^2)$ であることと，$P(X \leq 60) = 0.10$，$P(X \leq 90) = 0.95$ である．したがって，$\Phi[(60-\mu)/\sigma] = 0.10$ であり $\Phi[(90-\mu)/\sigma] = 0.95$ である．表 III を用いると

$$\frac{60-\mu}{\sigma} = -1.282, \quad \frac{90-\mu}{\sigma} = 1.645$$

である．これらの条件を満たすのは近似的に $\mu = 73.1$，$\sigma = 10.2$ である．∎

注意 3.4.1. 本章では，分布に関する母数について 3 種類説明してきた．$N(\mu, \sigma^2)$ の平均 μ は位置母数 (location parameter) とよばれる．この値が変化すると正規 pdf の中心の位置だけが変わるからである．つまり，pdf のグラフの見た目は全く同じまま位置だけが移動する．$N(\mu, \sigma^2)$ の標準偏差 σ は尺度母数 (scale parameter) とよばれる．この値の変化は分布の広がりを変えるからである．つまり，σ の値が小さいと正規 pdf のグラフは高く狭いものとなる一方で，値が大きいとグラフは広がってそれほど高くならない．しかし，μ と σ がどのような値であっても，正規 pdf のグラフは必ずよく知られたあの「釣り鐘型」になる．付言すれば，ガンマ分布の β もまた尺度母数である．一方，ガンマ分布の α は形状母数 (shape parameter) とよばれる．この値の変化は，図 3.3.1 にみられるように pdf の形を変えるからである．2 項分布とポアソン分布の母数 p と μ もそれぞれ形状母数である．∎

次の 2 つの重要な定理で本節ここまでの議論を閉じよう．

定理 3.4.1.
確率変数 X の分布が $N(\mu, \sigma^2)$，$\sigma^2 > 0$ ならば，確率変数 $V = (X-\mu)^2/\sigma^2$ は $\chi^2(1)$ である．

証明 分布が $N(0,1)$ である $W = (X-\mu)/\sigma$ によって $V = W^2$ とすると，V に対する cdf $G(v)$ は $v \geq 0$ に対して

$$G(v) = P(W^2 \leq v) = P(-\sqrt{v} \leq W \leq \sqrt{v})$$

であり，すなわち，

3.4. 正規分布

$$G(v) = 2\int_0^{\sqrt{v}} \frac{1}{\sqrt{2\pi}} e^{-w^2/2}\, dw, \ 0 \leq v$$

かつ

$$G(v) = 0, \ v < 0$$

である．$w = \sqrt{y}$ と表記して積分の変数を変換すると

$$G(v) = \int_0^v \frac{1}{\sqrt{2\pi}\sqrt{y}} e^{-y/2}\, dy, \ 0 \leq v$$

となる．したがって，連続型確率変数 V の pdf $g(v) = G'(v)$ は

$$g(v) = \begin{cases} \dfrac{1}{\sqrt{\pi}\sqrt{2}} v^{1/2-1} e^{-v/2}, & 0 < v < \infty \\ 0 & \text{それ以外の場合} \end{cases}$$

である．$g(v)$ は pdf であるから，

$$\int_0^\infty g(v)\, dv = 1$$

であり，$\Gamma(\frac{1}{2}) = \sqrt{\pi}$ でなければならない．したがって，V の分布は $\chi^2(1)$ である．∎

正規分布の性質のうち最も重要なもののひとつは，独立な正規確率変数間の加法性である．

定理 3.4.2.
$X_1, \ldots, X_n$ を互いに統計的独立な確率変数とする．すなわち，$i = 1, \ldots, n$ に対して，X_i の分布が $N(\mu_i, \sigma_i^2)$ であるとする．また，$a_1, \ldots, a_n$ を定数として $Y = \sum_{i=1}^n a_i X_i$ とする．このとき，Y の分布は $N(\sum_{i=1}^n a_i \mu_i, \sum_{i=1}^n a_i^2 \sigma_i^2)$ である．

証明 $t \in R$ について統計的独立性と正規分布の mgf を用いると，Y の mgf は，

$$M_Y(t) = E[\exp\{tY\}] = E\left[\exp\left\{\sum_{i=1}^n t a_i X_i\right\}\right]$$

$$= \prod_{i=1}^n E\left[\exp\{t a_i X_i\}\right] = \prod_{i=1}^n \exp\left\{t a_i \mu_i + (1/2) t^2 a_i^2 \sigma_i^2\right\}$$

$$= \exp\left\{t \sum_{i=1}^n a_i \mu_i + (1/2) t^2 \sum_{i=1}^n a_i^2 \sigma_i^2\right\}$$

であり，これは分布 $N(\sum_{i=1}^n a_i \mu_i, \sum_{i=1}^n a_i^2 \sigma_i^2)$ の mgf である．∎

この結果に対する簡単な系によって，$X_1, X_2, \ldots, X_n$ が iid の正規確率変数であるときの平均 $\overline{X} = n^{-1} \sum_{i=1}^n X_i$ の分布が与えられる．

> **系 3.4.1.**
>
> $X_1, \ldots, X_n$ を iid の確率変数として,その分布を $N(\mu, \sigma^2)$ とする. $\overline{X} = n^{-1} \sum_{i=1}^{n} X_i$ とすると,$\overline{X}$ の分布は $N(\mu, \sigma^2/n)$ である.

この系は,定理 3.4.2 において $i = 1, 2, \ldots, n$ について単に $a_i = (1/n)$, $\mu_i = \mu$, $\sigma_i^2 = \sigma^2$ と置き換えれば証明される.

3.4.1 混入正規分布

次に,分布が正規分布の混合であるような確率変数を論じる.正規分布のときと同様に,まず,標準化された確率変数から論じる.

観測している確率変数の分布がほとんどの場合は標準正規分布であるが,その一部が,より大きい分散の正規分布に従っている状況を想定しよう.応用場面では,データのほとんどは「良好」であるが,外れ値 (outlier) がある,といった言い方をすることもある.この状況を正確に記述するため,Z を分布 $N(0,1)$ に従う確率変数とし,$I_{1-\epsilon}$ を

$$I_{1-\epsilon} = \begin{cases} 1 & (\text{確率 } 1-\epsilon) \\ 0 & (\text{確率 } \epsilon) \end{cases}$$

のように定義される離散型確率変数とする.また,Z と $I_{1-\epsilon}$ は統計的に独立であるとする.$W = ZI_{1-\epsilon} + \sigma_c Z(1 - I_{1-\epsilon})$ と定義すると W は関心の対象の確率変数である.

Z と $I_{1-\epsilon}$ の統計的独立性は W の cdf が

$$\begin{aligned} F_W(w) &= P[W \leq w] = P[W \leq w, I_{1-\epsilon} = 1] + P[W \leq w, I_{1-\epsilon} = 0] \\ &= P[W \leq w | I_{1-\epsilon} = 1] P[I_{1-\epsilon} = 1] \\ &\quad + P[W \leq w | I_{1-\epsilon} = 0] P[I_{1-\epsilon} = 0] \\ &= P[Z \leq w](1-\epsilon) + P[Z \leq w/\sigma_c]\epsilon \\ &= \Phi(w)(1-\epsilon) + \Phi(w/\sigma_c)\epsilon \end{aligned} \quad (3.4.12)$$

であることを示している.したがって,W の分布は正規分布が混合したものであることが示された.さらに,$W = ZI_{1-\epsilon} + \sigma_c Z(1 - I_{1-\epsilon})$ であるから,

$$E(W) = 0, \quad \text{Var}(W) = 1 + \epsilon(\sigma_c^2 - 1) \quad (3.4.13)$$

を得る.練習問題 3.4.25 を参照せよ.(3.4.12) 式を微分すると,W の pdf は

$$f_W(w) = \phi(w)(1-\epsilon) + \phi(w/\sigma_c)\frac{\epsilon}{\sigma_c}, \quad (3.4.14)$$

である.ここで,ϕ は標準正規分布の pdf である.

一般に,興味をもたれている確率変数が $b > 0$ として $X = a + bW$ であるとき,(3.4.13) 式によって,その平均と分散はそれぞれ

3.4. 正規分布

$$E(X) = a, \quad \text{Var}(X) = b^2(1+\epsilon(\sigma_c^2-1)) \tag{3.4.15}$$

となる．(3.4.12) 式から，X の cdf は

$$F_X(x) = \Phi\left(\frac{x-a}{b}\right)(1-\epsilon) + \Phi\left(\frac{x-a}{b\sigma_c}\right)\epsilon \tag{3.4.16}$$

であり，これは正規 pdf の混合である．

(3.4.16) 式をもとにすれば，混合正規分布の確率を R や S-PLUS を使って知ることは容易である．例えば，上述のように W が (3.4.12) 式の cdf に従っているとしよう．このとき，$P(W \leq w)$ は R のコマンド `(1-eps)*pnorm(w) + eps*pnorm(w/sigc)` によって知ることができる．ここで，`eps` と `sigc` はそれぞれ ϵ と σ_c を表している．同様に w における W の pdf は `(1-eps)*dnorm(w) + eps*dnorm(w/sigc)/sigc` によって得られる．3.7 節では混合分布を一般的に論じる．

練習問題

3.4.1. 次の式

$$\Phi(x) = \int_{-\infty}^{z} \frac{1}{\sqrt{2\pi}} e^{-w^2/2}\, dw,$$

が成立するならば，$\Phi(-z) = 1 - \Phi(z)$ であることを証明せよ．

3.4.2. X の分布が $N(75, 100)$ であるとき，$P(X < 60)$ と $P(70 < X < 100)$ を求めよ．付録 C の表 III か，あるいは，R または S-PLUS を使用できる環境にあればコマンド `pnorm` を利用せよ．

3.4.3. X の分布が $N(\mu, \sigma^2)$ であるとき，$P[-b < (X-\mu)/\sigma < b] = 0.90$ となるような b を求めよ．付録 C の表 III か R または S-PLUS が利用可能であればコマンド `pnorm` を利用せよ．

3.4.4. X の分布が $N(\mu, \sigma^2)$ であり，$P(X < 89) = 0.90$ かつ $P(X < 94) = 0.95$ であるとする．μ と σ^2 を求めよ．

3.4.5. $f(x) = c2^{-x^2}$, $-\infty < x < \infty$ が正規 pdf の条件を満足するように定数 c を決定可能であることを示せ．
ヒント：$2 = e^{\log 2}$ と書き直してみよ．

3.4.6. X が分布 $N(\mu, \sigma^2)$ に従っているとき，$E(|X-\mu|) = \sigma\sqrt{2/\pi}$ を示せ．

3.4.7. $N(\mu, \sigma^2)$ のグラフが $x = \mu - \sigma$ と $x = \mu + \sigma$ において変曲点をもつことを示せ．

3.4.8. $\int_2^3 \exp[-2(x-3)^2]\, dx$ を計算せよ．

3.4.9. 分布 $N(65, 25)$ の第 90%点を求めよ．

3.4.10. 確率変数 X の mgf が e^{3t+8t^2} であるとき，$P(-1<X<9)$ はいくらか．

3.4.11. 確率変数 X の pdf を
$$f(x) = \frac{2}{\sqrt{2\pi}} e^{-x^2/2}, \quad 0 < x < \infty, \quad \text{その他では } 0$$
とする．X の平均と分散を求めよ．
ヒント：$E(X)$ は直接計算し，$E(X^2)$ については，その積分を，$N(0,1)$ に従う確率変数の分散を表す積分と比較することで計算せよ．

3.4.12. X の分布を $N(5,10)$ とする．$P[0.04 < (X-5)^2 < 38.4]$ を求めよ．

3.4.13. X の分布が $N(1,4)$ であるとき，確率 $P(1 < X^2 < 9)$ を計算せよ．

3.4.14. X が分布 $N(75, 25)$ に従うとする．X が 77 より大きいことが所与のとき，X が 80 より大きい条件付き確率を求めよ．練習問題 2.3.12 を参照せよ．

3.4.15. X を $E(X^{2m}) = (2m)!/(2^m m!)$, $m = 1, 2, 3, \ldots$, $E(X^{2m-1}) = 0$, $m = 1, 2, 3, \ldots$ であるような確率変数とする．X の mgf および pdf を求めよ．

3.4.16. 互いに統計的独立な確率変数 X_1, X_2, X_3 の分布を，それぞれ $N(0,1)$, $N(2,4)$, $N(-1,1)$ とする．これら 3 つの確率変数のうち，ちょうど 2 つが 0 より小さい確率を計算せよ．

3.4.17. X が分布 $N(\mu, \sigma^2)$ に従うとき，(3.4.9) 式を用いて X の 3 次と 4 次のモーメントを導け．

3.4.18. 分布 $N(\mu, \sigma^2)$ の歪度と尖度を計算せよ．歪度と尖度の定義については，それぞれ練習問題 1.9.13 と 1.9.14 を参照せよ．

3.4.19. 確率変数 X の分布を $N(\mu, \sigma^2)$ とする．
(a) 確率変数 $Y = X^2$ もまた正規分布に従うか．
(b) a と b を 0 でない定数とする．確率変数 $Y = aX + b$ の分布は正規分布になるか．
ヒント：どちらの場合も，まず $P(Y \leq y)$ を求めよ．

3.4.20. 確率変数 X は分布 $N(\mu, \sigma^2)$ に従う．$\sigma^2 = 0$ のとき，この分布はどのようになるか．
ヒント：$\sigma^2 > 0$ に対する X の mgf について $\sigma^2 \to 0$ としたときの極限を検討せよ．

3.4.21. Y は $a < y < b$ に対して $g(y) = \phi(y)/[\Phi(b) - \Phi(a)]$，それ以外では 0, であるような pdf の切断された (truncated) 分布に従うとする．ここで，$\phi(x)$ と $\Phi(x)$ はそれぞれ標準正規分布の pdf と分布関数である．このとき，$E(Y)$ が $[\phi(a) - \phi(b)]/[\Phi(b) - \Phi(a)]$ に等しいことを示せ．

3.4. 正規分布

3.4.22. $f(x)$ と $F(x)$ をそれぞれ連続型の pdf と cdf とする．ただし，すべての x に対して $f'(x)$ が存在するものとする．pdf が $g(y) = f(y)/F(b)$, $-\infty < y < b$，それ以外では 0，である切断分布の平均をすべての実数 b に対して $-f(b)/F(b)$ とする．このとき $f(x)$ は標準正規分布の pdf であることを証明せよ．

3.4.23. X と Y を統計的に独立な確率変数とし，それぞれの分布を $N(0,1)$ とする．$Z = X + Y$ とするとき，$G(z) = P(X + Y \leq z)$ と表される Z の cdf の積分を求めよ．また，Z の pdf を求めよ．
ヒント：$G(z) = \int_{-\infty}^{\infty} H(x, z)\,dx$ である．ここで，

$$H(x, z) = \int_{-\infty}^{z-x} \frac{1}{2\pi} \exp[-(x^2 + y^2)/2]\,dy$$

である．$\int_{-\infty}^{\infty} [\partial H(x, z)/\partial z]\,dx$ を計算することで $G'(z)$ を求めよ．

3.4.24. X は 0 に関して対称な $f(x)$ で表される pdf に従う確率変数とする (つまり $f(-x) = f(x)$)．X の台上のすべての x について $F(-x) = 1 - F(x)$ であることを示せ．

3.4.25. (3.4.13) 式で与えられる混合正規分布に従う確率変数の平均と分散を導出せよ．

3.4.26. コンピュータが利用可能であるものとする．混入正規確率変数と正規確率変数に対する外れ値の確率を検討せよ．特に，以下の確率変数について，事象 $\{|X| \geq 2\}$ を観測する確率を求めよ．
(a) X の分布が標準正規分布の場合．
(b) X が (3.4.12) 式において $\epsilon = 0.15$, $\sigma_c = 10$ である cdf の混入正規分布に従う場合．
(c) X が (3.4.12) 式において $\epsilon = 0.15$, $\sigma_c = 20$ である cdf の混入正規分布に従う場合．
(d) X が (3.4.12) 式において $\epsilon = 0.25$, $\sigma_c = 20$ である cdf の混入正規分布に従う場合．

3.4.27. コンピュータが利用可能であるものとする．前の練習問題の (a)〜(d) で定義された確率変数の pdf を描け．また，4 つの pdf すべてを重ねて描け．
R または S–PLUS では，コマンド seq を使って pdf の領域の値を簡単に用意できる．例えば，x<-seq(-6,6,.1) は 0.1 間隔で -6 から 6 までの値が並んだベクトルを返す．

3.4.28. X_1 と X_2 をそれぞれ $N(6, 1), N(7, 1)$ に従う確率変数とする．$P(X_1 > X_2)$ を求めよ．
ヒント：$P(X_1 > X_2) = P(X_1 - X_2 > 0)$ と表記し，$X_1 - X_2$ の分布を求めよ．

3.4.29. X_1, X_2, X_3 を分布 $N(1,4)$ に従う iid とするとき，$P(X_1+2X_2-2X_3>7)$ を計算せよ．

3.4.30. ある仕事は連続する3つの工程から構成されている．それぞれの工程の平均と標準偏差は (分単位で)

工程	平均	標準偏差
1	17	2
2	13	1
3	13	2

である．各工程は統計的に独立であり，正規分布に従っていると仮定すると，仕事が完成するまでにかかる時間が 40 分未満である確率はいくらか計算せよ．

3.4.31. X の分布を $N(0,1)$ とする．積率母関数による方法を用いて $Y=X^2$ の分布が $\chi^2(1)$ であることを証明せよ．
ヒント：$w=x\sqrt{1-2t}$, $t<\frac{1}{2}$ と書いて $E(e^{tX^2})$ を表す積分を計算せよ．

3.4.32. X_1, X_2 が標準正規分布に従う iid とするとき，$Y_1=X_1^2+X_2^2$ と $Y_2=X_2$ の同時 pdf と，Y_1 の周辺 pdf を求めよ．
ヒント：Y_1 と Y_2 の空間は $-\sqrt{y_1}<y_2<\sqrt{y_1}, 0<y_1<\infty$ によって与えられることに注意せよ．

3.5 多変量正規分布

本節では多変量正規分布について示す．ここでは，一般的な話として n 次元確率ベクトルについて紹介するが，$n=2$ の 2 変数の場合については詳細な例を提示する．3.4 節の正規分布についてと同様に，最初の議論では，分布の導出は簡単のために標準正規分布について行われ，それを一般的な場合に拡張する．ベクトルと行列の表記もまた使われる．

確率ベクトル $\mathbf{Z}=(Z_1,\ldots,Z_n)'$ を考える．ここで $Z_1,\ldots,Z_n$ は $N(0,1)$ で iid な確率変数である．ここで，$\mathbf{Z}$ の密度は $\mathbf{z}\in R^n$ について以下のとおりである．

$$f_{\mathbf{Z}}(\mathbf{z})=\prod_{i=1}^n \frac{1}{\sqrt{2\pi}}\exp\left\{-\frac{1}{2}z_i^2\right\}=\left(\frac{1}{2\pi}\right)^{n/2}\exp\left\{-\frac{1}{2}\sum_{i=1}^n z_i^2\right\}$$
$$=\left(\frac{1}{2\pi}\right)^{n/2}\exp\left\{-\frac{1}{2}\mathbf{z}'\mathbf{z}\right\} \tag{3.5.1}$$

Z_i は平均 0，分散 1 で相関がないため，$\mathbf{Z}$ の平均ベクトルと共分散行列は以下のとおりである．

$$E[\mathbf{Z}]=\mathbf{0}, \quad \mathrm{Cov}[\mathbf{Z}]=\mathbf{I}_n \tag{3.5.2}$$

3.5. 多変量正規分布

ここで，$\mathbf{I}_n$ は n 次の単位行列である．Z_i の mgf は $\exp\{t_i^2/2\}$ であることを思い出してほしい．よって，Z_i は独立であるため，$\mathbf{Z}$ の mgf はすべての $\mathbf{t} \in R^n$ について以下のとおりである．

$$M_\mathbf{Z}(\mathbf{t}) = E[\exp\{\mathbf{t}'\mathbf{Z}\}] = E\left[\prod_{i=1}^n \exp\{t_i Z_i\}\right] = \prod_{i=1}^n E[\exp\{t_i Z_i\}]$$
$$= \exp\left\{\frac{1}{2}\sum_{i=1}^n t_i^2\right\} = \exp\left\{\frac{1}{2}\mathbf{t}'\mathbf{t}\right\} \tag{3.5.3}$$

これを，$\mathbf{Z}$ は平均ベクトル $\mathbf{0}$ で共分散行列 $\mathbf{I}_n$ の多変量正規分布 (multivariate normal distribution) に従うという．これを簡潔に，$\mathbf{Z}$ は $N_n(\mathbf{0}, \mathbf{I}_n)$ に従うという．

一般的な場合には，$\boldsymbol{\Sigma}$ がサイズ $n \times n$ の対称行列で，半正定置 (psd) 行列とする．ここで，線形代数より $\boldsymbol{\Sigma}$ を常に以下のように分解することができる．

$$\boldsymbol{\Sigma} = \boldsymbol{\Gamma}'\boldsymbol{\Lambda}\boldsymbol{\Gamma} \tag{3.5.4}$$

ここで $\boldsymbol{\Lambda}$ は対角行列 $\boldsymbol{\Lambda} = \text{diag}(\lambda_1, \lambda_2, \ldots, \lambda_n)$ であり，$\lambda_1 \geq \lambda_2 \geq \cdots \geq \lambda_n \geq 0$ は $\boldsymbol{\Sigma}$ の固有値であり，$\boldsymbol{\Gamma}'$ の列ベクトル $\mathbf{v}_1, \mathbf{v}_2, \ldots, \mathbf{v}_n$ は固有ベクトルに対応している．この分解は $\boldsymbol{\Sigma}$ のスペクトル分解 (spectral decomposition) とよばれる．行列 $\boldsymbol{\Gamma}$ は直交行列すなわち $\boldsymbol{\Gamma}^{-1} = \boldsymbol{\Gamma}'$ であり，よって，$\boldsymbol{\Gamma}\boldsymbol{\Gamma}' = \mathbf{I}$ である．練習問題 3.5.19 に示されるとおり，スペクトル分解は以下のような別の形で表記することができる．

$$\boldsymbol{\Sigma} = \boldsymbol{\Gamma}'\boldsymbol{\Lambda}\boldsymbol{\Gamma} = \sum_{i=1}^n \lambda_i \mathbf{v}_i \mathbf{v}_i' \tag{3.5.5}$$

λ_i は非負なので，対角行列 $\boldsymbol{\Lambda}^{1/2} = (\sqrt{\lambda_1}, \ldots, \sqrt{\lambda_n})$ を定義することができる．よって，$\boldsymbol{\Gamma}$ の直交性は下式もまた意味する．

$$\boldsymbol{\Sigma} = \boldsymbol{\Gamma}'\boldsymbol{\Lambda}^{1/2}\boldsymbol{\Gamma}\boldsymbol{\Gamma}'\boldsymbol{\Lambda}^{1/2}\boldsymbol{\Gamma}$$

psd 行列 $\boldsymbol{\Sigma}$ の平方根 (square root) を以下のように定義する．

$$\boldsymbol{\Sigma}^{1/2} = \boldsymbol{\Gamma}'\boldsymbol{\Lambda}^{1/2}\boldsymbol{\Gamma} \tag{3.5.6}$$

ここで，$\boldsymbol{\Lambda}^{1/2} = \text{diag}(\sqrt{\lambda_1}, \ldots, \sqrt{\lambda_n})$ である．ここで，$\boldsymbol{\Sigma}^{1/2}$ は対称で psd であることに注意してほしい．$\boldsymbol{\Sigma}$ が正定値 (pd) 行列である，すなわちすべての固有値が正であると仮定しよう．すると，以下を示すのは容易である．

$$\left(\boldsymbol{\Sigma}^{1/2}\right)^{-1} = \boldsymbol{\Gamma}'\boldsymbol{\Lambda}^{-1/2}\boldsymbol{\Gamma} \tag{3.5.7}$$

練習問題 3.5.11 を参照してほしい．この式の左辺を $\boldsymbol{\Sigma}^{-1/2}$ と表記しよう．この行列は数値に関して指数法則の多くの付加的な特徴に恵まれている．例えば Arnold (1981) を参照してほしい．しかし，ここで私たちが必要としている特徴は上のもののみである．

$\mathbf{Z}$ が $N_n(\mathbf{0}, \mathbf{I}_n)$ に従うとする．$\boldsymbol{\Sigma}$ は psd で対称であり，$\boldsymbol{\mu}$ は $n \times 1$ の定数ベクトルであるとする．確率ベクトル $\mathbf{X}$ を以下のように定義する．

$$\mathbf{X} = \mathbf{\Sigma}^{1/2}\mathbf{Z} + \boldsymbol{\mu} \tag{3.5.8}$$

(3.5.2) 式と定理 2.6.2 より，すぐに以下を得る．

$$E[\mathbf{X}] = \boldsymbol{\mu}, \quad \text{Cov}[\mathbf{X}] = \mathbf{\Sigma}^{1/2}\mathbf{\Sigma}^{1/2} = \mathbf{\Sigma} \tag{3.5.9}$$

さらに，$\mathbf{X}$ の mgf は以下のように与えられる．

$$\begin{aligned}
M_{\mathbf{X}}(\mathbf{t}) &= E\left[\exp\{\mathbf{t}'\mathbf{X}\}\right] = E\left[\exp\{\mathbf{t}'\mathbf{\Sigma}^{1/2}\mathbf{Z} + \mathbf{t}'\boldsymbol{\mu}\}\right] \\
&= \exp\{\mathbf{t}'\boldsymbol{\mu}\} E\left[\exp\{\left(\mathbf{\Sigma}^{1/2}\mathbf{t}\right)'\mathbf{Z}\}\right] \\
&= \exp\{\mathbf{t}'\boldsymbol{\mu}\} \exp\{(1/2)\left(\mathbf{\Sigma}^{1/2}\mathbf{t}\right)'\mathbf{\Sigma}^{1/2}\mathbf{t}\} \\
&= \exp\{\mathbf{t}'\boldsymbol{\mu}\} \exp\{(1/2)\mathbf{t}'\mathbf{\Sigma}\mathbf{t}\} \tag{3.5.10}
\end{aligned}$$

これは以下の定義を導く．

定義 3.5.1 多変量正規分布．

すべての $\mathbf{t} \in R^n$ について，以下の mgf に従う確率ベクトル $\mathbf{X}$ は n 次元の多変量正規分布 (multivariate normal distribution) に従うという．

$$M_{\mathbf{X}}(\mathbf{t}) = \exp\{\mathbf{t}'\boldsymbol{\mu} + (1/2)\mathbf{t}'\mathbf{\Sigma}\mathbf{t}\} \tag{3.5.11}$$

ここで，$\mathbf{\Sigma}$ は対称で psd であり，$\boldsymbol{\mu} \in R^n$ である．これをより簡潔に，$\mathbf{X}$ は $N_n(\boldsymbol{\mu}, \mathbf{\Sigma})$ に従うという．

ここで，この定義は psd 行列 $\mathbf{\Sigma}$ に対してのものであることに注意してほしい．通常，$\mathbf{\Sigma}$ は pd であり，この場合，さらに $\mathbf{X}$ の密度も得られる．$\mathbf{\Sigma}$ が pd であるならば，$\mathbf{\Sigma}^{1/2}$ と，これまでに述べたように，その逆行列は (3.5.7) 式の表現で与えられる．したがって，$\mathbf{X}$ と $\mathbf{Z}$ の相互変換である (3.5.8) 式は，以下の逆行列への変換とヤコビアン $|\mathbf{\Sigma}^{-1/2}| = |\mathbf{\Sigma}|^{-1/2}$ を用いることで 1 対 1 対応する．

$$\mathbf{Z} = \mathbf{\Sigma}^{-1/2}(\mathbf{X} - \boldsymbol{\mu})$$

したがって，$\mathbf{X}$ の pdf は簡潔にいうと以下のように与えられる．

$$f_{\mathbf{X}}(\mathbf{x}) = \frac{1}{(2\pi)^{n/2}|\mathbf{\Sigma}|^{1/2}} \exp\left\{-\frac{1}{2}(\mathbf{x} - \boldsymbol{\mu})'\mathbf{\Sigma}^{-1}(\mathbf{x} - \boldsymbol{\mu})\right\}, \text{ for } \mathbf{x} \in R^n \tag{3.5.12}$$

以下の 2 つの定理は非常に有用である．前者は多変量正規確率ベクトルを線形変換したものは多変量正規分布に従うという意味である．

定理 3.5.1.

$\mathbf{X}$ は $N_n(\boldsymbol{\mu}, \mathbf{\Sigma})$ に従うとする．また，$\mathbf{Y} = \mathbf{A}\mathbf{X} + \mathbf{b}$ とする．ここで，$\mathbf{A}$ はサイズ $m \times n$ の行列であり，$\mathbf{b} \in R^m$ である．このとき，$\mathbf{Y}$ は $N_m(\mathbf{A}\boldsymbol{\mu} + \mathbf{b}, \mathbf{A}\mathbf{\Sigma}\mathbf{A}')$ に従う．

3.5. 多変量正規分布

証明 (3.5.11) 式より, $\mathbf{t} \in R^m$ について $\mathbf{Y}$ の mgf は以下のとおりである.

$$M_{\mathbf{Y}}(\mathbf{t}) = E[\exp\{\mathbf{t}'\mathbf{Y}\}] = E[\exp\{\mathbf{t}'(\mathbf{AX}+\mathbf{b})\}]$$
$$= \exp\{\mathbf{t}'\mathbf{b}\} E[\exp\{(\mathbf{A}'\mathbf{t})'\mathbf{X}\}]$$
$$= \exp\{\mathbf{t}'\mathbf{b}\} \exp\{(\mathbf{A}'\mathbf{t})'\boldsymbol{\mu} + (1/2)(\mathbf{A}'\mathbf{t})'\boldsymbol{\Sigma}(\mathbf{A}'\mathbf{t})\}$$
$$= \exp\{\mathbf{t}'(\mathbf{A}\boldsymbol{\mu}+\mathbf{b}) + (1/2)\mathbf{t}'\mathbf{A}\boldsymbol{\Sigma}\mathbf{A}'\mathbf{t}\}$$

これは $N_m(\mathbf{A}\boldsymbol{\mu}+\mathbf{b}, \mathbf{A}\boldsymbol{\Sigma}\mathbf{A}')$ の mgf である. ∎

この定理の簡単な系は多変量正規確率変数の周辺分布を与える. $\mathbf{X}_1$ を $\mathbf{X}$ のある任意の部分ベクトルとする. ここで次数は $m<n$ としよう. 平均と相関の配置は常に変えることができるので, $\mathbf{X}$ を以下のように表記しても何も損なわれるものはない.

$$\mathbf{X} = \begin{bmatrix} \mathbf{X}_1 \\ \mathbf{X}_2 \end{bmatrix} \tag{3.5.13}$$

ここで, $\mathbf{X}_2$ は $p=n-m$ 次である. 同じように, $\mathbf{X}$ の平均ベクトルと相関行列を分割する. すなわち (3.5.13) 式と同じ次数と表現で以下のように分割する.

$$\boldsymbol{\mu} = \begin{bmatrix} \boldsymbol{\mu}_1 \\ \boldsymbol{\mu}_2 \end{bmatrix}, \quad \boldsymbol{\Sigma} = \begin{bmatrix} \boldsymbol{\Sigma}_{11} & \boldsymbol{\Sigma}_{12} \\ \boldsymbol{\Sigma}_{21} & \boldsymbol{\Sigma}_{22} \end{bmatrix} \tag{3.5.14}$$

例えば, $\boldsymbol{\Sigma}_{11}$ は $\mathbf{X}_1$ の共分散行列であり, $\boldsymbol{\Sigma}_{12}$ は $\mathbf{X}_1$ と $\mathbf{X}_2$ の要素の間のすべての共分散を含む共分散行列であることに注意してほしい. いま, $\mathbf{A}$ を以下のような行列と定義する.

$$\mathbf{A} = [\mathbf{I}_m \vdots \mathbf{O}_{mp}]$$

ここで, $\mathbf{O}_{mp}$ はサイズ $m \times p$ のゼロ行列である. よって, $\mathbf{X}_1 = \mathbf{AX}$ である. したがって, 定理 3.5.1 をこの変形に適用すると, 線形代数を用いて以下の系を得る.

系 3.5.1.
$\mathbf{X}$ は $N_n(\boldsymbol{\mu}, \boldsymbol{\Sigma})$ に従い, (3.5.13) 式や (3.5.14) 式のような表現法で分割されるとする. このとき, $\mathbf{X}_1$ は $N_m(\boldsymbol{\mu}_1, \boldsymbol{\Sigma}_{11})$ に従う.

これは, あらゆる $\mathbf{X}$ の周辺分布もまた正規分布であり, さらに平均と共分散行列は該当する部分ベクトルの平均と共分散行列に関連づけられるという点で, 非常に有用な結果である.

例 3.5.1. この例では, $n=2$ の多変量正規分布について調べる. この場合の分布は 2 変量正規分布とよばれる. ここでは (X_1, X_2) のかわりにいつもの表記法 (X, Y) を用いる. よって, (X, Y) は $N_2(\boldsymbol{\mu}, \boldsymbol{\Sigma})$ に従うと仮定する. ここで, 平均と共分散は以下のとおりである.

$$\boldsymbol{\mu} = \begin{bmatrix} \mu_1 \\ \mu_2 \end{bmatrix}, \quad \boldsymbol{\Sigma} = \begin{bmatrix} \sigma_1^2 & \sigma_{12} \\ \sigma_{12} & \sigma_2^2 \end{bmatrix} \tag{3.5.15}$$

したがって，μ_1 と σ_1^2 はそれぞれ X の平均と分散であり，μ_2 と σ_2^2 はそれぞれ Y の平均と分散である．また，σ_{12} は X と Y の共分散である．ここで，ρ が X と Y の相関係数であるとき $\sigma_{12} = \rho\sigma_1\sigma_2$ であることを思い出してほしい．$\boldsymbol{\Sigma}$ の σ_{12} に $\rho\sigma_1\sigma_2$ を代入すると，$\boldsymbol{\Sigma}$ の行列式は $\sigma_1^2\sigma_2^2(1-\rho^2)$ であることが容易に求められる．$\rho^2 \leq 1$ であることを思い出してほしい．この例の残りの部分のために $\rho^2 < 1$ を仮定する．この場合，$\boldsymbol{\Sigma}$ は逆行列が求められる (pd でもある)．さらに，$\boldsymbol{\Sigma}$ はサイズ 2×2 の行列であるため，その逆行列は以下のように簡単に求められる．

$$\boldsymbol{\Sigma}^{-1} = \frac{1}{\sigma_1^2\sigma_2^2(1-\rho^2)} \begin{bmatrix} \sigma_2^2 & -\rho\sigma_1\sigma_2 \\ -\rho\sigma_1\sigma_2 & \sigma_1^2 \end{bmatrix} \tag{3.5.16}$$

この表現を用い，(3.5.12) 式の形で表現した (X,Y) の pdf は以下のように示される．

$$f(x,y) = \frac{1}{2\pi\sigma_1\sigma_2\sqrt{1-\rho^2}} e^{-q/2}, \quad -\infty < x < \infty, \ -\infty < y < \infty \tag{3.5.17}$$

ここで，

$$q = \frac{1}{1-\rho^2}\left[\left(\frac{x-\mu_1}{\sigma_1}\right)^2 - 2\rho\left(\frac{x-\mu_1}{\sigma_1}\right)\left(\frac{y-\mu_2}{\sigma_2}\right) + \left(\frac{y-\mu_2}{\sigma_2}\right)^2\right] \tag{3.5.18}$$

である．練習問題 3.5.12 を参照のこと．

一般的に，X と Y が独立な確率変数ならば，その相関係数は 0 であることを思い出してほしい．もしこれらが正規分布するならば，系 3.5.1 より X は $N(\mu_1, \sigma_1^2)$ に従い Y は $N(\mu_2, \sigma_2^2)$ に従う．さらに，(X,Y) の同時 pdf である (3.5.17) 式の表現を元にすると，相関係数が 0 ならば X と Y は独立であることを確認することができる．すなわち，2 変量正規分布の場合，独立は $\rho = 0$ と同値である．これが多変量正規分布の場合にも正しいことは定理 3.5.2 で示される．■

例 2.5.4 で示されたように 2 つの確率変数が独立ならば，それらの共分散は 0 であることを思い出してほしい．一般的には逆は正しくない．しかし，以下の定理のように，多変量正規分布の場合には正しい．

定理 3.5.2.
$\mathbf{X}$ は $N_n(\boldsymbol{\mu}, \boldsymbol{\Sigma})$ に従い，(3.5.13) 式や (3.5.14) 式のように分割されるとする．このとき，$\boldsymbol{\Sigma}_{12} = \mathbf{O}$ であれば，またそうであるときのみ $\mathbf{X}_1$ と $\mathbf{X}_2$ は独立である．

証明 第一に，$\boldsymbol{\Sigma}_{21} = \boldsymbol{\Sigma}'_{12}$ であることに注意してほしい．$\mathbf{X}_1$ と $\mathbf{X}_2$ の同時 mgf は以下のように与えられる．

$$M_{\mathbf{X}_1, \mathbf{X}_2}(\mathbf{t}_1, \mathbf{t}_2)$$

3.5. 多変量正規分布

$$= \exp\left\{ \mathbf{t}_1'\boldsymbol{\mu}_1 + \mathbf{t}_2'\boldsymbol{\mu}_2 + \frac{1}{2}(\mathbf{t}_1'\boldsymbol{\Sigma}_{11}\mathbf{t}_1 + \mathbf{t}_2'\boldsymbol{\Sigma}_{22}\mathbf{t}_2 + \mathbf{t}_2'\boldsymbol{\Sigma}_{21}\mathbf{t}_1 + \mathbf{t}_1'\boldsymbol{\Sigma}_{12}\mathbf{t}_2) \right\} \tag{3.5.19}$$

ここで，$\mathbf{t}' = (\mathbf{t}_1', \mathbf{t}_2')$ は $\boldsymbol{\mu}$ と同じように分割されている．系 3.5.1 より，$\mathbf{X}_1$ は $N_m(\boldsymbol{\mu}_1, \boldsymbol{\Sigma}_{11})$ に従い，$\mathbf{X}_2$ は $N_p(\boldsymbol{\mu}_2, \boldsymbol{\Sigma}_{22})$ に従う．よって，これらの周辺 mgf の積は以下のとおりである．

$$M_{\mathbf{X}_1}(\mathbf{t}_1) M_{\mathbf{X}_2}(\mathbf{t}_2) = \exp\left\{ \mathbf{t}_1'\boldsymbol{\mu}_1 + \mathbf{t}_2'\boldsymbol{\mu}_2 + \frac{1}{2}(\mathbf{t}_1'\boldsymbol{\Sigma}_{11}\mathbf{t}_1 + \mathbf{t}_2'\boldsymbol{\Sigma}_{22}\mathbf{t}_2) \right\} \tag{3.5.20}$$

(2.6.6) 式より，$\mathbf{X}_1$ と $\mathbf{X}_2$ は (3.5.19) 式と (3.5.20) 式の表現するものが等しければ，そして等しいときのみ独立である．$\boldsymbol{\Sigma}_{12} = \mathbf{O}$ であれば，したがって $\boldsymbol{\Sigma}_{21} = \mathbf{O}$ であればこれらの表現するものは等しく $\mathbf{X}_1$ と $\mathbf{X}_2$ は独立である．$\mathbf{X}_1$ と $\mathbf{X}_2$ が独立ならば，これらの要素間の共分散はすべて 0 であり，すなわち $\boldsymbol{\Sigma}_{12} = \mathbf{O}$ かつ $\boldsymbol{\Sigma}_{21} = \mathbf{O}$ である．■

系 3.5.1 は多変量正規分布の周辺分布それ自体は正規分布であることを示している．これは，条件付き分布についても正しい．以下の証明が示すように，定理 3.5.1 と 3.5.2 の結果を併せることで以下の定理が得られる

> **定理 3.5.3.**
> $\mathbf{X}$ は $N_n(\boldsymbol{\mu}, \boldsymbol{\Sigma})$ に従い，(3.5.13) 式と (3.5.14) 式の形で分割されるとする．$\boldsymbol{\Sigma}$ が pd であると仮定する．このとき $\mathbf{X}_1 | \mathbf{X}_2$ の条件付き分布は以下のとおりとなる．
> $$N_m(\boldsymbol{\mu}_1 + \boldsymbol{\Sigma}_{12}\boldsymbol{\Sigma}_{22}^{-1}(\mathbf{X}_2 - \boldsymbol{\mu}_2), \boldsymbol{\Sigma}_{11} - \boldsymbol{\Sigma}_{12}\boldsymbol{\Sigma}_{22}^{-1}\boldsymbol{\Sigma}_{21}) \tag{3.5.21}$$

証明 まず確率ベクトル $\mathbf{W} = \mathbf{X}_1 - \boldsymbol{\Sigma}_{12}\boldsymbol{\Sigma}_{22}^{-1}\mathbf{X}_2$ と $\mathbf{X}_2$ の同時分布を考える．この分布は以下の変形により得られる．

$$\begin{bmatrix} \mathbf{W} \\ \mathbf{X}_2 \end{bmatrix} = \begin{bmatrix} \mathbf{I}_m & -\boldsymbol{\Sigma}_{12}\boldsymbol{\Sigma}_{22}^{-1} \\ \mathbf{O} & \mathbf{I}_p \end{bmatrix} \begin{bmatrix} \mathbf{X}_1 \\ \mathbf{X}_2 \end{bmatrix}$$

これは定理 3.5.1 に従う線形変換であるため同時分布は $E[\mathbf{W}] = \boldsymbol{\mu}_1 - \boldsymbol{\Sigma}_{12}\boldsymbol{\Sigma}_{22}^{-1}\boldsymbol{\mu}_2$, $E[\mathbf{X}_2] = \boldsymbol{\mu}_2$ かつ以下の共分散行列に従う多変量正規分布である．

$$\begin{bmatrix} \mathbf{I}_m & -\boldsymbol{\Sigma}_{12}\boldsymbol{\Sigma}_{22}^{-1} \\ \mathbf{O} & \mathbf{I}_p \end{bmatrix} \begin{bmatrix} \boldsymbol{\Sigma}_{11} & \boldsymbol{\Sigma}_{12} \\ \boldsymbol{\Sigma}_{21} & \boldsymbol{\Sigma}_{22} \end{bmatrix} \begin{bmatrix} \mathbf{I}_m & \mathbf{O} \\ -\boldsymbol{\Sigma}_{22}^{-1}\boldsymbol{\Sigma}_{21} & \mathbf{I}_p \end{bmatrix} =$$

$$\begin{bmatrix} \boldsymbol{\Sigma}_{11} - \boldsymbol{\Sigma}_{12}\boldsymbol{\Sigma}_{22}^{-1}\boldsymbol{\Sigma}_{21} & \mathbf{O} \\ \mathbf{O} & \boldsymbol{\Sigma}_{22} \end{bmatrix}$$

よって，定理 3.5.2 より確率ベクトル $\mathbf{W}$ と $\mathbf{X}_2$ は独立である．したがって，$\mathbf{W} | \mathbf{X}_2$ の条件付き分布は $\mathbf{W}$ の周辺分布に等しい．すなわち以下のとおりである．

$$\mathbf{W} | \mathbf{X}_2 \quad \text{は} \quad N_m(\boldsymbol{\mu}_1 - \boldsymbol{\Sigma}_{12}\boldsymbol{\Sigma}_{22}^{-1}\boldsymbol{\mu}_2, \boldsymbol{\Sigma}_{11} - \boldsymbol{\Sigma}_{12}\boldsymbol{\Sigma}_{22}^{-1}\boldsymbol{\Sigma}_{21}) \quad \text{に従う}$$

さらに、この独立から $\mathbf{X}_2$ が所与のもとでの $\mathbf{W}+\boldsymbol{\Sigma}_{12}\boldsymbol{\Sigma}_{22}^{-1}\mathbf{X}_2$ は以下のように与えられる．

$$N_m(\boldsymbol{\mu}_1-\boldsymbol{\Sigma}_{12}\boldsymbol{\Sigma}_{22}^{-1}\boldsymbol{\mu}_2+\boldsymbol{\Sigma}_{12}\boldsymbol{\Sigma}_{22}^{-1}\mathbf{X}_2,\boldsymbol{\Sigma}_{11}-\boldsymbol{\Sigma}_{12}\boldsymbol{\Sigma}_{22}^{-1}\boldsymbol{\Sigma}_{21}) \qquad (3.5.22)$$

これが望まれる結果である． ■

例 3.5.2 (例 3.5.1 の続き)． 再び例 3.5.1 で与えられた 2 変量正規分布の場合について考える．ここでは，$Y=X_1$, $X=X_2$ と役割を変えて考える．(3.5.21) 式の表現は $X=x$ が所与のもとでの Y の条件付き分布は以下のとおりであることを示している．

$$N\left[\mu_2+\rho\frac{\sigma_2}{\sigma_1}(x-\mu_1),\sigma_2^2(1-\rho^2)\right] \qquad (3.5.23)$$

したがって，2 変量正規分布において，$X=x$ が所与のもとでの Y の条件付き平均は x に線形であり，以下のように与えられる．

$$E(Y|x)=\mu_2+\rho\frac{\sigma_2}{\sigma_1}(x-\mu_1)$$

この線形条件付き平均 $E(Y|x)$ における x の係数は $\rho\sigma_2/\sigma_1$ であり，σ_1 と σ_2 はそれぞれ標準偏差を意味するため，ρ は X と Y の相関係数である．これは 2.4 節において証明された一般線形条件付き平均 $E(Y|x)$ における x の係数は相関係数と σ_2/σ_1 の比の積であるという結果に従ったものである．

$X=x$ が所与のもとでの Y の平均と条件付き分布が ($\rho=0$ でないならば)x によって定まるにもかかわらず，分散 $\sigma_2^2(1-\rho^2)$ はあらゆる実数 x について等しい．よって，例えば x がいかなる値であろうとも，$X=x$ が所与のときの Y が条件付き平均から $(2.576)\sigma_2\sqrt{1-\rho^2}$ 単位内に入る条件付き確率は 0.99 である．同じようにして，X と Y の分布における確率のほとんどは，線形条件付き平均のグラフについて以下の範囲に収まる．

$$\mu_2+\rho\frac{\sigma_2}{\sigma_1}(x-\mu_1)\pm(2.576)\sigma_2\sqrt{1-\rho^2}$$

すべての正に固定された σ_2 について，範囲の幅は ρ によって定まる．ρ^2 が 1 に近いとき幅が細くなるため，線形条件付き平均について ρ が X と Y の確率のある範囲への集中傾向の測度となっていることがわかる．このことは 2.4 節の注意で暗示している．

同じようにして，$Y=y$ が所与のもとでの X の条件付き分布が以下に与えられる正規分布であることを示すことができる．

$$N\left[\mu_1+\rho\frac{\sigma_1}{\sigma_2}(y-\mu_2),\sigma_1^2(1-\rho^2)\right] \quad \blacksquare$$

例 3.5.3． ある結婚しているカップルの母集団において夫の身長 X_1 と妻の身長 X_2 が $\mu_1=5.8$ フィート，$\mu_2=5.3$ フィート，$\sigma_1=\sigma_2=0.2$ フィート，$\rho=0.6$ である 2

3.5. 多変量正規分布

変量正規分布に従うと仮定する．$X_1 = 6.3$ が所与のもとでの X_2 の条件付き pdf は平均 $5.3 + (0.6)(6.3 - 5.8) = 5.6$，標準偏差 $(0.2)\sqrt{(1-0.36)} = 0.16$ の正規分布に従う．したがって，夫の身長が 6.3 フィートと与えられている場合，その妻の身長が 5.28～5.92 フィートである確率は以下のとおりである．

$$P(5.28 < X_2 < 5.92 | X_1 = 6.3) = \Phi(2) - \Phi(-2) = 0.954$$

範囲 $(5.28, 5.92)$ は $X_1 = 6.3$ が所与のもとでの妻の身長の 95.4% 予測区間 (prediction interval) と考えることができる．■

確率変数 X が $N(\mu, \sigma^2)$ に従うとき，確率変数 $[(X-\mu)/\sigma]^2$ は $\chi^2(1)$ に従うことを思い出してほしい．この事実の多変量に関する類推から以下の定理が与えられる．

定理 3.5.4.

$\mathbf{X}$ が $N_n(\boldsymbol{\mu}, \boldsymbol{\Sigma})$ に従い，$\boldsymbol{\Sigma}$ が pd であるとする．このとき確率変数 $W = (\mathbf{X} - \boldsymbol{\mu})'\boldsymbol{\Sigma}^{-1}(\mathbf{X}-\boldsymbol{\mu})$ は $\chi^2(n)$ に従う．

証明 $\boldsymbol{\Sigma}^{1/2}$ が (3.5.6) 式のように定義されたとき，$\boldsymbol{\Sigma} = \boldsymbol{\Sigma}^{1/2}\boldsymbol{\Sigma}^{1/2}$ である．このとき $\mathbf{Z} = \boldsymbol{\Sigma}^{-1/2}(\mathbf{X}-\boldsymbol{\mu})$ は $N_n(\mathbf{0}, \mathbf{I}_n)$ である．$W = \mathbf{Z}'\mathbf{Z} = \sum_{i=1}^n Z_i^2$ とする．$i = 1, 2, \ldots, n$ について，Z_i は $N(0,1)$ に従うため，定理 3.4.1 に従い，Z_i^2 は $\chi^2(1)$ に従う．$Z_1, \ldots, Z_n$ は標準正規確率変数であるため，系 3.3.1 より $\sum_{i=1}^n Z_i^2 = W$ は $\chi^2(n)$ に従う．■

3.5.1 応用 *

この節では，多変量正規分布のいくつかの応用について考える．これらは統計学の応用課程にいる者ならばすでに遭遇したことのあるだろうものである．最初は主成分 (principal components) である．独立な成分をもち，元となる行列の全変動を保持するという特徴をもつ多変量正規確率ベクトルの線形関数である．

確率ベクトル $\mathbf{X}$ が多変量正規分布 $N_n(\boldsymbol{\mu}, \boldsymbol{\Sigma})$ に従い，$\boldsymbol{\Sigma}$ は pd であるとする．(3.5.4) 式のように $\boldsymbol{\Sigma}$ を $\boldsymbol{\Sigma} = \boldsymbol{\Gamma}'\boldsymbol{\Lambda}\boldsymbol{\Gamma}$ とスペクトル分解する．$\boldsymbol{\Gamma}'$ の列ベクトル $\mathbf{v}_1, \mathbf{v}_2, \ldots, \mathbf{v}_n$ は行列 $\boldsymbol{\Lambda}$ の主対角である固有値 $\lambda_1, \lambda_2, \ldots, \lambda_n$ に対応する固有ベクトルであることを思い出してほしい．一般性を損なわずに固有値は減少すると仮定する．すなわち $\lambda_1 \geq \lambda_2 \geq \cdots \geq \lambda_n > 0$ である．$\mathbf{Y} = \boldsymbol{\Gamma}(\mathbf{X}-\boldsymbol{\mu})$ という確率変数を定義する．$\boldsymbol{\Gamma}\boldsymbol{\Sigma}\boldsymbol{\Gamma}' = \boldsymbol{\Lambda}$ であるので，定理 3.5.1 より $\mathbf{Y}$ は $N_n(\mathbf{0}, \boldsymbol{\Lambda})$ に従う．よって，要素 $Y_1, Y_2, \ldots, Y_n$ は独立な確率変数であり，$i = 1, 2, \ldots, n$ について，Y_i は $N(0, \lambda_i)$ に従う．確率ベクトル $\mathbf{Y}$ は主成分ベクトル (principal components vector) とよばれる．

確率変数のそれぞれの要素の分散の和を全変動 (total variation, TV) とよぶ．確率変数 $\mathbf{X}$ については，$\boldsymbol{\Gamma}$ が直交行列であるため以下のとおりとなる．

$$TV(\mathbf{X}) = \sum_{i=1}^n \sigma_i^2 = \text{tr}\boldsymbol{\Sigma} = \text{tr}\boldsymbol{\Gamma}'\boldsymbol{\Lambda}\boldsymbol{\Gamma} = \text{tr}\boldsymbol{\Lambda}\boldsymbol{\Gamma}\boldsymbol{\Gamma}' = \sum_{i=1}^n \lambda_i = TV(\mathbf{Y})$$

したがって，$\mathbf{X}$ と $\mathbf{Y}$ は等しい全変動をもつ．

次に，$Y_1 = \mathbf{v}_1'(\mathbf{X}-\boldsymbol{\mu})$ より与えられる $\mathbf{Y}$ の最初の要素を考える．これは，$\boldsymbol{\Gamma}'$ が直交であるため，$\|\mathbf{v}_1\|^2 = \sum_{j=1}^n v_{1j}^2 = 1$ という特徴をもつ $\mathbf{X}-\boldsymbol{\mu}$ の要素の線形結合である．$\|\mathbf{a}\|^2 = 1$ であるような $(\mathbf{X}-\boldsymbol{\mu})$ のある別の線形結合を考える．これをここでは $\mathbf{a}'(\mathbf{X}-\boldsymbol{\mu})$ とよぶ．$\mathbf{a} \in R^n$ と $\{\mathbf{v}_1, \ldots, \mathbf{v}_n\}$ は R^n の基底を成すため，あるスカラーの集合 $a_1, \ldots, a_n$ について，$\mathbf{a} = \sum_{j=1}^n a_j \mathbf{v}_j$ を満たす必要がある．さらに，基底 $\{\mathbf{v}_1, \ldots, \mathbf{v}_n\}$ が直交であるため，以下のとおりである．

$$\mathbf{a}'\mathbf{v}_i = \left(\sum_{j=1}^n a_j \mathbf{v}_j\right)' \mathbf{v}_i = \sum_{j=1}^n a_j \mathbf{v}_j' \mathbf{v}_i = a_i$$

(3.5.5) 式と $\lambda_i > 0$ を用い，以下の不等式を得る．

$$\begin{aligned}\mathrm{Var}(\mathbf{a}'\mathbf{X}) &= \mathbf{a}'\boldsymbol{\Sigma}\mathbf{a} = \sum_{i=1}^n \lambda_i (\mathbf{a}'\mathbf{v}_i)^2 \\ &= \sum_{i=1}^n \lambda_i a_i^2 \leq \lambda_1 \sum_{i=1}^n a_i^2 = \lambda_1 = \mathrm{Var}(Y_1) \end{aligned} \quad (3.5.24)$$

したがって，Y_1 は $\|\mathbf{a}\| = 1$ であるような他のあらゆる線形結合 $\mathbf{a}'(\mathbf{X}-\boldsymbol{\mu})$ の分散と比較して最大の分散をもつ．このため，Y_1 は $\mathbf{X}$ の第 1 主成分 (first principal component) とよばれる．

他の成分 $Y_2, \ldots, Y_n$ についてはどうだろうか．以下の定理が示すように，その関係づけられた固有値の順番に関連してよく似た特徴を有している．このため，これらはそれぞれ第 2 (second)，第 3 (third)，$\ldots$，第 n 主成分 (nth principal component) とよばれる．

定理 3.5.5.
上で述べた状況を考える．$j = 2, \ldots, n$ と $i = 1, 2, \ldots, j-1$ について，$\mathbf{a} \perp \mathbf{v}_i$ かつ $\|\mathbf{a}\| = 1$ であるようなすべてのベクトル $\mathbf{a}$ に関して $\mathrm{Var}[\mathbf{a}'\mathbf{X}] \leq \lambda_j = \mathrm{Var}(Y_j)$ である．

この定理の証明は第 1 主成分に関する証明と類似していて，練習問題 3.5.20 に残してある．線形回帰に関する 2 番目の応用は練習問題 3.5.22 で示される．

練習問題

3.5.1. X と Y は $\mu_x = 2.8$, $\mu_y = 110$, $\sigma_x^2 = 0.16$, $\sigma_y^2 = 100$, $\rho = 0.6$ の 2 変量正規分布に従うとする．以下を計算せよ．
(a) $P(106 < Y < 124)$
(b) $P(106 < Y < 124 | X = 3.2)$

3.5.2. X と Y は $\mu_1 = 3$, $\mu_2 = 1$, $\sigma_1^2 = 16$, $\sigma_2^2 = 25$, $\rho = \frac{3}{5}$ の 2 変量正規分布に従う

3.5. 多変量正規分布

とする．以下の確率を求めよ．
(a) $P(3 < Y < 8)$
(b) $P(3 < Y < 8 | X = 7)$
(c) $P(-3 < X < 3)$
(d) $P(-3 < X < 3 | Y = -4)$

3.5.3. $M(t_1, t_2)$ を 2 変量正規分布の mgf とする．以下の形を用いて共分散を計算せよ．
$$\frac{\partial^2 M(0,0)}{\partial t_1 \partial t_2} - \frac{\partial M(0,0)}{\partial t_1} \frac{\partial M(0,0)}{\partial t_2}$$
ここで，$\psi(t_1, t_2) = \log M(t_1, t_2)$ とする．$\partial^2 \psi(0,0)/\partial t_1 \partial t_2$ はこの共分散を直接与えることを示せ．

3.5.4. U と V をそれぞれ標準正規分布に従う独立な確率変数とする．確率変数 UV の mgf，$E(e^{t(UV)})$ が $(1-t^2)^{-1/2}$, $-1 < t < 1$ であることを示せ．
ヒント: $E(e^{tUV})$ を平均 0 の 2 変量正規 pdf の積分と比較せよ．

3.5.5. X と Y は $\mu_1 = 5$, $\mu_2 = 10$, $\sigma_1^2 = 1$, $\sigma_2^2 = 25$, $\rho > 0$ の 2 変量正規分布に従うとする．$P(4 < Y < 16 | X = 5) = 0.954$ であるときの ρ を求めよ．

3.5.6. X と Y は $\mu_1 = 20$, $\mu_2 = 40$, $\sigma_1^2 = 9$, $\sigma_2^2 = 4$, $\rho = 0.6$ の 2 変量正規分布に従うとする．$X = 22$ が所与のもとで，Y が区間内に入る条件付き確率が 0.90 となる最も狭い Y の範囲を求めよ．

3.5.7. 夫と妻の身長の相関が 0.7 で，夫の平均身長は 5 フィート 10 インチで標準偏差 2 インチ，妻の平均身長 5 フィート 4 インチで標準偏差 1.5 インチとする．2 変量正規分布を仮定すると，夫の身長が 6 フィートのときの最も適切な妻の予測身長はどのくらいか．身長の 95% 予測区間を求めよ．

3.5.8. $-\infty < x < \infty$, $-\infty < y < \infty$ のとき，以下のとおりであるとする．
$$f(x,y) = (1/(2\pi)) \exp\left[-\frac{1}{2}(x^2+y^2)\right] \left\{1 + xy \exp\left[-\frac{1}{2}(x^2+y^2-2)\right]\right\}$$
$f(x,y)$ は同時 pdf ならば，2 変量正規 pdf ではないとする．$f(x,y)$ は実際には同時 pdf で，それぞれの周辺 pdf は正規分布であることを示せ．よって，双方の周辺 pdf が正規分布であることはその同時 pdf が 2 変量正規分布であることを意味しない．

3.5.9. X, Y, Z が以下の同時 pdf に従うとする．
$$\left(\frac{1}{2\pi}\right)^{3/2} \exp\left(-\frac{x^2+y^2+z^2}{2}\right) \left[1 + xyz \exp\left(-\frac{x^2+y^2+z^2}{2}\right)\right]$$
ここで，$-\infty < x < \infty$, $-\infty < y < \infty$, $-\infty < z < \infty$ である．X, Y, Z は明らかに従

属しているにもかかわらず，X, Y, Z は対独立であり，それぞれのペアは 2 変量正規分布に従うことを示せ．

3.5.10. X と Y は $\mu_1 = \mu_2 = 0$, $\sigma_1^2 = \sigma_2^2 = 1$ と相関係数 ρ をもつ 2 変量正規分布に従うとする．a と b は非ゼロの定数であるとき，確率変数 $Z = aX + bY$ の分布を求めよ．

3.5.11. 直接積を計算することで，(3.5.7) 式が正しいことを確かめよ．

3.5.12. (3.5.12) 式の表現は，2 変量の場合には (3.5.17) 式の形となることを示せ．

3.5.13. (3.5.21) 式の表現は 2 変量正規分布の場合には (3.5.23) 式のように簡略化できることを示せ．

3.5.14. $\mathbf{X} = (X_1, X_2, X_3)$ は平均ベクトル $\mathbf{0}$ と分散共分散行列

$$\Sigma = \begin{bmatrix} 1 & 0 & 0 \\ 0 & 2 & 1 \\ 0 & 1 & 2 \end{bmatrix}$$

をもつ多変量正規分布に従うとする．$P(X_1 > X_2 + X_3 + 2)$ を求めよ．
ヒント：$\mathbf{aX} = X_1 - X_2 - X_3$ となるようなベクトル $\mathbf{a}$ を見つけ，定理 3.5.1 を用いよ．

3.5.15. X の分布を $N_n(\boldsymbol{\mu}, \Sigma)$ と仮定する．また，$\overline{X} = n^{-1} \sum_{i=1}^{n} X_i$ とする．
(a) 適当なベクトル $\mathbf{a}$ を用いて $\mathbf{aX}$ で $\overline{X}$ を表現せよ．また，定理 3.5.1 を適用して $\overline{X}$ の分布を求めよ．
(b) 要素となるすべての確率変数 X_i が同じ平均 μ をもつとき，$\overline{X}$ の分布を求めよ．

3.5.16. $\mathbf{X}$ の分布を $N_2(\boldsymbol{\mu}, \Sigma)$ とする．確率変数 $(X_1 + X_2, X_1 - X_2)$ の分布を求めよ．$\mathrm{Var}(X_1) = \mathrm{Var}(X_2)$ のとき $X_1 + X_2$ と $X_1 - X_2$ は独立であることを示せ．

3.5.17. X の分布を $N_3(\mathbf{0}, \Sigma)$ と仮定する．ここで，

$$\Sigma = \begin{bmatrix} 3 & 2 & 1 \\ 2 & 2 & 1 \\ 1 & 1 & 3 \end{bmatrix}$$

であるとき $P((X_1 - 2X_2 + X_3)^2 > 15.36)$ を求めよ．

3.5.18. X_1, X_2, X_3 は iid な確率変数でそれぞれ標準正規分布に従うとする．確率変数 Y_1, Y_2, Y_3 を

$$X_1 = Y_1 \cos Y_2 \sin Y_3, \quad X_2 = Y_1 \sin Y_2 \sin Y_3, \quad X_3 = Y_1 \cos Y_3$$

と定義する．ここで，$0 \le Y_1 < \infty$, $0 \le Y_2 < 2\pi$, $0 \le Y_3 \le \pi$ である．Y_1, Y_2, Y_3 は相互独立であることを示せ．

3.6. t 分布および F 分布

3.5.19. (3.5.5) 式の表現が正しいことを示せ．

3.5.20. 定理 3.5.5 を証明せよ．

3.5.21. $\mathbf{X}$ は平均 $\mathbf{0}$ で以下の共分散行列をもつ多変量正規分布に従うとする．

$$\Sigma = \begin{bmatrix} 283 & 215 & 277 & 208 \\ 215 & 213 & 217 & 153 \\ 277 & 217 & 336 & 236 \\ 208 & 153 & 236 & 194 \end{bmatrix}$$

(a) $\mathbf{X}$ の全変動を求めよ．
(b) 主成分ベクトル $\mathbf{Y}$ を求めよ．
(c) 第 1 主成分は全変動の 90% を説明することを示せ．
(d) 第 1 主成分 Y_1 は本質的に $\overline{X}$ の再尺度化であることを示せ．$(1/2)\overline{X}$ の分散を求め Y_1 の分散と比較せよ．

R あるいは S-PLUS が使用可能ならば，コマンド eigen(amat) で行列 amat のスペクトル分解が得られることに注意してほしい．

3.5.22. これまでの統計学の勉強の中で，読者は重回帰モデルに遭遇していることだろう．それについて以下に手短に書く．$N_n(\mathbf{X}\boldsymbol{\beta}, \sigma^2 \mathbf{I})$ に従うオブザベーション数 n のベクトル $\mathbf{Y}$ があるとする．ここで，$\mathbf{X}$ は値が知られていて，サイズ $n \times p$ でフル列ランク p をもつ行列であり，$\boldsymbol{\beta}$ は $p \times 1$ の未知母数のベクトルである．$\boldsymbol{\beta}$ の最小 2 乗推定量は以下のとおりである．

$$\widehat{\boldsymbol{\beta}} = (\mathbf{X}'\mathbf{X})^{-1}\mathbf{X}'\mathbf{Y}$$

(a) $\widehat{\boldsymbol{\beta}}$ の分布を求めよ．
(b) $\widehat{\mathbf{Y}} = \mathbf{X}\widehat{\boldsymbol{\beta}}$ とする．$\widehat{\mathbf{Y}}$ の分布を求めよ．
(c) $\widehat{\mathbf{e}} = \mathbf{Y} - \widehat{\mathbf{Y}}$ とする．$\widehat{\mathbf{e}}$ の分布を求めよ．
(d) $\mathbf{Y}$ の線形関数として確率ベクトル $(\widehat{\mathbf{Y}}', \widehat{\mathbf{e}}')'$ を用いることで，確率ベクトル $\widehat{\mathbf{Y}}$ と $\widehat{\mathbf{e}}$ は独立であることを示せ．
(e) $\widehat{\boldsymbol{\beta}}$ は最小 2 乗問題，すなわち下式を解くことで得られることを示せ．

$$\|\mathbf{Y} - \mathbf{X}\widehat{\boldsymbol{\beta}}\|^2 = \min_{\mathbf{b} \in R^p} \|\mathbf{Y} - \mathbf{X}\mathbf{b}\|^2$$

3.6 t 分布および F 分布

本節の目的は，統計的推測のある種の問題に対して，非常に役に立つ 2 つの新しい分布を定義することである．これらはそれぞれ，(スチューデントの) t 分布，F 分布とよばれる．

3.6.1 t 分布

W は $N(0,1)$ に従う確率変数を表しており,V は $\chi^2(r)$ に従う確率変数を表しているとする.また W と V は統計的独立であるとする.このとき W と V の同時 pdf,例えば $h(w,v)$ は,W の pdf と V の pdf の積

$$h(w,v) = \begin{cases} \dfrac{1}{\sqrt{2\pi}} e^{-w^2/2} \dfrac{1}{\Gamma(r/2)2^{r/2}} v^{r/2-1} e^{-v/2} & -\infty < w < \infty,\ 0 < v < \infty \\ 0 & \text{それ以外の場合} \end{cases}$$

によって与えられる.新しい確率変数 T を,

$$T = \frac{W}{\sqrt{V/r}}$$

と表現することによって定義する.変数変換の方法が,T の $g_1(t)$ という pdf を得るために用いられる.式,

$$t = \frac{w}{\sqrt{v/r}}, \quad u = v$$

は1対1変換であり $\mathcal{S} = \{(w,v): -\infty < w < \infty,\ 0 < v < \infty\}$ を $\mathcal{T} = \{(t,u): -\infty < t < \infty,\ 0 < u < \infty\}$ 上に写像する変換であると定義する.$w = t\sqrt{u}/\sqrt{r}$,$v = u$ であるため,変換のヤコビアンの絶対値は $|J| = \sqrt{u}/\sqrt{r}$ である.したがって,T と $U = V$ の同時 pdf は

$$g(t,u) = h\left(\frac{t\sqrt{u}}{\sqrt{r}}, u\right)|J|$$

$$= \begin{cases} \dfrac{1}{\sqrt{2\pi}\Gamma(r/2)2^{r/2}} u^{r/2-1} \exp\left[-\dfrac{u}{2}\left(1+\dfrac{t^2}{r}\right)\right] \dfrac{\sqrt{u}}{\sqrt{r}} & |t| < \infty,\ 0 < u < \infty \\ 0 & \text{それ以外の場合} \end{cases}$$

によって与えられる.このとき T の周辺 pdf は,

$$g_1(t) = \int_{-\infty}^{\infty} g(t,u)\,du$$

$$= \int_0^{\infty} \frac{1}{\sqrt{2\pi r}\,\Gamma(r/2)2^{r/2}} u^{(r+1)/2-1} \exp\left[-\frac{u}{2}\left(1+\frac{t^2}{r}\right)\right] du$$

である.この積分において $z = u[1+(t^2/r)]/2$ とすると,

$$g_1(t) = \int_0^{\infty} \frac{1}{\sqrt{2\pi r}\,\Gamma(r/2)2^{r/2}} \left(\frac{2z}{1+t^2/r}\right)^{(r+1)/2-1} e^{-z}\left(\frac{2}{1+t^2/r}\right) dz$$

$$= \frac{\Gamma[(r+1)/2]}{\sqrt{\pi r}\,\Gamma(r/2)} \frac{1}{(1+t^2/r)^{(r+1)/2}}, \quad -\infty < t < \infty \tag{3.6.1}$$

となる.したがって,W が $N(0,1)$ に従い,V が $\chi^2(r)$ に従い,かつ W と V が統計的独立であるならば,このとき,以下は直ちに上述した $g_1(t)$ という pdf に従う.

3.6. t 分布および F 分布

$$T = \frac{W}{\sqrt{V/r}} \tag{3.6.2}$$

確率変数 T の分布は，通常，t 分布 (t–distribution) とよばれている．t 分布はカイ2乗分布に従う確率変数の自由度の数である，母数 r によって一意に定まるということに注意が必要である．r と t の特定の値に対する下式

$$P(T \leq t) = \int_{-\infty}^{t} g_1(w)\,dw$$

のいくつかの近似値が付録 C の表 IV に与えられている．

R あるいは S–PLUS といったコンピュータプログラムは t 分布に関連する確率だけでなく，限界値を得るためにも用いられる．例えばコマンド pt(2.0,15) が自由度 15 で t 分布する確率変数が 2.0 よりも小さい確率を返し，またコマンド dt(2.0,15) がこの分布における 2.0 での pdf の値を返す一方で，コマンド qt(.975,15) は自由度が 15 である t 分布の第 97.5 パーセンタイル点を返す．

注意 3.6.1. t 分布は W.S. Gosset によって，彼がアイリッシュビールの醸造所に勤務していたときに，最初に発見された．Gosset は Student という筆名で出版していた．このため，t 分布はスチューデントの t 分布としてよく知られているのである．■

例 3.6.1 (t 分布の平均と分散). T が自由度 r の t 分布に従うものとする．このとき，(3.6.2) 式のように，$T = W(V/r)^{-1/2}$ と表すことができる．ここで，W は分布 $N(0,1)$，V は分布 $\chi^2(r)$ に従い，かつ W と V は統計的に独立な確率変数である．W と V の独立性と (3.3.4) 式は，$(r/2) - (k/2) > 0$ (すなわち $k < r$) であるとき以下を意味している．

$$E(T^k) = E\left[W^k \left(\frac{V}{r}\right)^{-k/2}\right] = E(W^k) E\left[\left(\frac{V}{r}\right)^{-k/2}\right] \tag{3.6.3}$$

$$= E(W^k) \frac{2^{-k/2} \Gamma\left(\frac{r}{2} - \frac{k}{2}\right)}{\Gamma\left(\frac{r}{2}\right) r^{-k/2}}, \quad k < r \tag{3.6.4}$$

T の平均に関しては $k = 1$ を用いる．T の自由度が 1 を超えるかぎり $E(W) = 0$ であるから，T の平均は 0 になる．分散に関しては $k = 2$ を用いる．この場合，条件は $r > 2$ となる．$E(W^2) = 1$ であるので，(3.6.4) 式から T の分散は

$$\mathrm{Var}(T) = E(T^2) = \frac{r}{r-2} \tag{3.6.5}$$

によって与えられる．したがって，$r > 2$ という自由度をもつ t 分布は平均が 0，分散が $r/(r-2)$ である．■

3.6.2 F 分布

次にそれぞれ自由度 r_1 と r_2 をもった，2つの独立なカイ2乗確率変数 U と V を考える．U と V の $h(u,v)$ という同時 pdf は，このとき，

$$h(u,v) = \begin{cases} \dfrac{1}{\Gamma(r_1/2)\Gamma(r_2/2)2^{(r_1+r_2)/2}} u^{r_1/2-1} v^{r_2/2-1} e^{-(u+v)/2} & 0 < u, v < \infty \\ 0 & \text{それ以外の場合} \end{cases}$$

である．ここで新しい確率変数

$$W = \frac{U/r_1}{V/r_2}$$

を定義し，W の $g_1(w)$ という pdf を求めることにする．下式

$$w = \frac{u/r_1}{v/r_2}, \quad z = v$$

は，集合 $\mathcal{S} = \{(u,v): 0 < u < \infty, 0 < v < \infty\}$ を集合 $\mathcal{T} = \{(w,z): 0 < w < \infty, 0 < z < \infty\}$ の上へ写像する1対1変換であると定義する．$u = (r_1/r_2)zw$, $v = z$ であるため，変換のヤコビアンの絶対値は $|J| = (r_1/r_2)z$ である．確率変数 W と $Z = V$ の $g(w,z)$ という同時 pdf は，このとき，$(w,z) \in \mathcal{T}$ という仮定のもとで，

$$g(w,z) = \frac{1}{\Gamma(r_1/2)\Gamma(r_2/2)2^{(r_1+r_2)/2}} \left(\frac{r_1 zw}{r_2}\right)^{\frac{r_1-2}{2}} z^{\frac{r_2-2}{2}}$$
$$\times \exp\left[-\frac{z}{2}\left(\frac{r_1 w}{r_2} + 1\right)\right] \frac{r_1 z}{r_2}$$

となる．$(w,z) \in \mathcal{T}$ 以外では 0 である．W の $g_1(w)$ という周辺 pdf は，このとき

$$g_1(w) = \int_{-\infty}^{\infty} g(w,z)\,dz$$
$$= \int_0^{\infty} \frac{(r_1/r_2)^{r_1/2}(w)^{r_1/2-1}}{\Gamma(r_1/2)\Gamma(r_2/2)2^{(r_1+r_2)/2}} z^{(r_1+r_2)/2-1} \exp\left[-\frac{z}{2}\left(\frac{r_1 w}{r_2} + 1\right)\right] dz$$

となる．ここで積分変数を

$$y = \frac{z}{2}\left(\frac{r_1 w}{r_2} + 1\right)$$

によって変換するならば，

$$g_1(w) = \int_0^{\infty} \frac{(r_1/r_2)^{r_1/2}(w)^{r_1/2-1}}{\Gamma(r_1/2)\Gamma(r_2/2)2^{(r_1+r_2)/2}} \left(\frac{2y}{r_1 w/r_2 + 1}\right)^{(r_1+r_2)/2-1} e^{-y}$$
$$\times \left(\frac{2}{r_1 w/r_2 + 1}\right) dy$$

3.6. t 分布および F 分布

$$= \begin{cases} \dfrac{\Gamma[(r_1+r_2)/2](r_1/r_2)^{r_1/2}}{\Gamma(r_1/2)\Gamma(r_2/2)} \dfrac{(w)^{r_1/2-1}}{(1+r_1w/r_2)^{(r_1+r_2)/2}} & 0<w<\infty \\ 0 & \text{それ以外の場合} \end{cases}$$

となる.

したがって U と V がそれぞれ r_1 と r_2 という自由度をもった, 統計的に独立なカイ 2 乗変数であるならば, このとき

$$W = \frac{U/r_1}{V/r_2}$$

は直ちに先述した $g_1(w)$ という pdf に従う. この確率変数の分布は, 通常 F 分布 (F-distribution) とよばれる. また W によって表現されたこの比を F によって表現することもある. すなわち

$$F = \frac{U/r_1}{V/r_2} \tag{3.6.6}$$

である. r_1 と r_2 という 2 つの母数によって F 分布が一意に決定されることに注意すべきである. 付録 C の表 V は, r_1, r_2, b の特定の値に対する

$$P(F \le b) = \int_0^b g_1(w)\,dw$$

のいくつかの近似値を与える.

R と S–PLUS のプログラムは, F 分布に従う確率変数の限界値や確率を計算するためにも用いることができる. a と b という自由度をもつ F 分布の 0.025 上側限界点を求めたいとする. これはコマンド qf(.975,a,b) によって得られる. またコマンド df(x,a,b) が F 分布の pdf の x における値を返す一方で, コマンド pf(x,a,b) は F 分布に従う確率変数が x よりも小さい確率を返す.

例 3.6.2 (F 分布の積率). F は r_1 と r_2 という自由度をもつ F 分布に従うとする. このとき, (3.6.6) 式同様に, $F = (r_2/r_1)(U/V)$ と表現することができる. ここで, U と V はそれぞれ, r_1 と r_2 という自由度をもつ, 統計的に独立なカイ 2 乗確率変数である. したがって, F の k 次の積率に関して, 統計的独立性により

$$E(F^k) = \left(\frac{r_2}{r_1}\right)^k E(U^k)\,E(V^{-k})$$

が得られる. ただし右辺の期待値は両方とも存在するという仮定が置かれる. 定理 3.3.1 より, $k > -(r_1/2)$ は常に真であるから, 最初の期待値は常に存在する. しかしながら 2 つめの期待値は $r_2 > 2k$ ならば存在する. すなわち分母の自由度が k の 2 倍よりも大きくなければならない. このことが真であると仮定すると, (3.3.4) 式から F の平均は以下によって与えられることになる.

$$E(F) = \frac{r_2}{r_1}r_1\frac{2^{-1}\Gamma\left(\frac{r_2}{2}-1\right)}{\Gamma\left(\frac{r_2}{2}\right)} = \frac{r_2}{r_2-2} \tag{3.6.7}$$

仮に r_2 が大きいならば $E(F)$ は約 1 となる．練習問題 3.6.6 において $E(F^k)$ に対する一般式が導出される．■

3.6.3 スチューデントの定理 (Student's theorem)

この節で最後に言及するのは，正規確率変数に対する推測において，後の章で重要となる結果に関連している．これは先に導かれた t 分布に対する系であり，またスチューデントの定理として言及されることも多い．

定理 3.6.1.
$X_1, \ldots, X_n$ を平均 μ と分散 σ^2 の正規分布にそれぞれ従う，iid である確率変数とする．確率変数を

$$\overline{X} = \frac{1}{n}\sum_{i=1}^n X_i, \quad S^2 = \frac{1}{n-1}\sum_{i=1}^n (X_i - \overline{X})^2$$

と定義する．このとき，以下が成り立つ．
(a). $\overline{X}$ は分布 $N\left(\mu, \frac{\sigma^2}{n}\right)$ に従う
(b). $\overline{X}$ と S^2 は統計的独立である．
(c). $(n-1)S^2/\sigma^2$ は分布 $\chi^2(n-1)$ に従う．
(d). 確率変数

$$T = \frac{\overline{X} - \mu}{S/\sqrt{n}} \tag{3.6.8}$$

は自由度 $n-1$ のスチューデントの t 分布に従う．

証明 系 3.4.1 において (a) を証明したことに注意してほしい．$\mathbf{X} = (X_1, \ldots, X_n)'$ とする．$X_1, \ldots, X_n$ は iid で $N(\mu, \sigma^2)$ に従う確率変数であるため，$\mathbf{X}$ は多変量正規分布 $N(\mu\mathbf{1}, \sigma^2\mathbf{I})$ に従う．ここで $\mathbf{1}$ は要素がすべて 1 のベクトルを表現している．$\mathbf{v} = (1/n, \ldots, 1/n)' = (1/n)\mathbf{1}'$ とする．$\overline{X} = \mathbf{v}'\mathbf{X}$ であることに注意してほしい．確率ベクトル $\mathbf{Y}$ を $\mathbf{Y} = (X_1 - \overline{X}, \ldots, X_n - \overline{X})'$ によって定義する．下記の変換を考慮する．

$$\mathbf{W} = \begin{bmatrix} \overline{X} \\ \mathbf{Y} \end{bmatrix} = \begin{bmatrix} \mathbf{v}' \\ \mathbf{I} - \mathbf{1}\mathbf{v}' \end{bmatrix} \mathbf{X} \tag{3.6.9}$$

$\mathbf{W}$ は多変量正規確率ベクトルの線形変換であるため，定理 3.5.1 から，平均

$$E[\mathbf{W}] = \begin{bmatrix} \mathbf{v}' \\ \mathbf{I} - \mathbf{1}\mathbf{v}' \end{bmatrix} \mu\mathbf{1} = \begin{bmatrix} \mu \\ \mathbf{0}_n \end{bmatrix} \tag{3.6.10}$$

3.6. t 分布および F 分布

をもつ多変量正規分布に従う．ここで $\mathbf{0}_n$ は要素がすべて 0 のベクトルを表しており，また共分散行列は

$$\boldsymbol{\Sigma} = \begin{bmatrix} \mathbf{v}' \\ \mathbf{I}-\mathbf{1}\mathbf{v}' \end{bmatrix} \sigma^2 \mathbf{I} \begin{bmatrix} \mathbf{v}' \\ \mathbf{I}-\mathbf{1}\mathbf{v}' \end{bmatrix}'$$
$$= \sigma^2 \begin{bmatrix} \frac{1}{n} & \mathbf{0}'_n \\ \mathbf{0}_n & \mathbf{I}-\mathbf{1}\mathbf{v}' \end{bmatrix} \tag{3.6.11}$$

と表現される．$\overline{X}$ は $\mathbf{W}$ の最初の要素であるため，定理 3.5.1 によって (a) をまた得ることができる．次に，共分散は 0 であるので，$\overline{X}$ は $\mathbf{Y}$ と統計的独立である．しかし $\mathbf{S}^2 = (n-1)^{-1}\mathbf{Y}'\mathbf{Y}$ である．したがって，$\overline{X}$ は $\mathbf{S}^2$ とも統計的独立である．よって (b) は真である．

以下の確率変数を考える．

$$V = \sum_{i=1}^{n} \left(\frac{X_i - \mu}{\sigma}\right)^2$$

この式の和における各項は $N(0,1)$ に従う確率変数の平方であり，よって分布 $\chi^2(1)$ に従う (定理 3.4.1)．系 3.3.1 よりシグマの中は統計的独立であるから，V は $\chi^2(n)$ に従う確率変数であると表現できる．以下の恒等式に注意するならば，

$$V = \sum_{i=1}^{n} \left(\frac{(X_i - \overline{X}) + (\overline{X} - \mu)}{\sigma}\right)^2$$
$$= \sum_{i=1}^{n} \left(\frac{X_i - \overline{X}}{\sigma}\right)^2 + \left(\frac{\overline{X} - \mu}{\sigma/\sqrt{n}}\right)^2$$
$$= \frac{(n-1)S^2}{\sigma^2} + \left(\frac{\overline{X} - \mu}{\sigma/\sqrt{n}}\right)^2 \tag{3.6.12}$$

(b) より，最後の式の右辺の 2 つの項は統計的独立である．さらに第 2 項は標準正規確率変数の平方であり，したがって，分布 $\chi^2(1)$ に従う．両辺の mgf をとることにより，

$$(1-2t)^{-n/2} = E\left[\exp\left\{\frac{t(n-1)S^2}{\sigma^2}\right\}\right](1-2t)^{-1/2} \tag{3.6.13}$$

を得る．右辺における $(n-1)S^2/\sigma^2$ の mgf を解くことにより，(c) を得る．最後に，(d) は (3.6.8) 式の T を

$$T = \frac{(\overline{X} - \mu)/(\sigma/\sqrt{n})}{\sqrt{(n-1)S^2/(\sigma^2(n-1))}}$$

と表現するとき，(a)〜(c) によって直ちに導かれる．■

練習問題

3.6.1. T が自由度 10 の t 分布に従うとする．このとき，付録 C の表 IV か，利用可能ならば R あるいは S–PLUS のいずれかによって $P(|T|>2.228)$ を求めよ．

3.6.2. T が自由度 14 の t 分布に従うとする．このとき，$P(-b<T<b)=0.90$ が成り立つように，b を求めよ．また表 IV か，利用可能ならば R あるいは S–PLUS のいずれかを用いよ．

3.6.3. T が自由度 $r>4$ の t 分布に従うとする．T の尖度を求めるために (3.6.4) 式を用いよ．また尖度の定義に関して練習問題 1.9.14 を参照せよ．

3.6.4. コンピュータを利用可能して，以下の (a)～(e) において定義されている確率変数の pdf をプロットせよ．またすべての4つの pdf のプロットを重ねて描画せよ．R あるいは S–PLUS では，pdf の領域の値はコマンド seq によって容易に得られる．例えば，コマンド x<-seq(-6,6,.1) は -6 から 6 の間の値が 0.1 間隔で並んだベクトルを返す．
(a) X は標準正規分布に従う．
(b) X は自由度 1 の t 分布に従う．
(c) X は自由度 3 の t 分布に従う．
(d) X は自由度 10 の t 分布に従う．
(e) X は自由度 30 の t 分布に従う．

3.6.5. コンピュータを利用して，t 確率変数と正規確率変数の「外れ値」の確率を調べよ．特に，以下の確率変数について，$\{|X|\geq 2\}$ という事象が観察される確率を求めよ．
(a) X は標準正規分布に従う．
(b) X は自由度 1 の t 分布に従う．
(c) X は自由度 3 の t 分布に従う．
(d) X は自由度 10 の t 分布に従う．
(e) X は自由度 30 の t 分布に従う．

3.6.6. F を母数 r_1 と r_2 をもつ F 分布に従う確率変数とする．$r_2>2k$ と仮定し，例 3.6.2 を続けよ．また $E(F^k)$ を算出せよ．

3.6.7. F を母数 r_1 と r_2 をもつ F 分布に従う確率変数とする．このとき $r_2>8$ と仮定し，練習問題 3.6.6 の結果を用いて F の尖度を求めよ．

3.6.8. F を母数 r_1 と r_2 をもつ F 分布に従う確率変数とする．このとき $1/F$ は母数 r_2 と r_1 をもつ F 分布に従うことを証明せよ．

3.6.9. F が $r_1=5$ と $r_2=10$ という母数をもつ F 分布に従うとき，$P(F\leq a)=0.05$

3.7. 混合分布

かつ $P(F \leq b) = 0.95$ となるように a と b を求めよ.次に $P(a < F < b) = 0.90$ となるように a と b を求めよ.

ヒント：$P(F \leq a) = P(1/F \geq 1/a) = 1 - P(1/F \leq 1/a)$ と表現し,練習問題 3.6.8 の結果と,表 V あるいは,可能であれば R か S–PLUS を使用せよ.

3.6.10. $T = W/\sqrt{V/r}$ とする.ここで,W と V はそれぞれ,平均 0,分散 1 の正規分布,自由度 r のカイ 2 乗分布に従う統計的独立な確率変数とする.このとき T^2 が $r_1 = 1$ と $r_2 = r$ という母数をもつ F 分布に従うことを証明せよ.

ヒント：T^2 の分子の分布はなにか.

3.6.11. 自由度 $r = 1$ をもつ t 分布とコーシー分布が同一であることを証明せよ.

3.6.12. 以下の式
$$Y = \frac{1}{1 + (r_1/r_2)W}$$
がベータ分布に従うことを証明せよ.ここで W は r_1 と r_2 という母数をもつ F 分布に従う.

3.6.13. X_1, X_2 は $f(x) = e^{-x}, 0 < x < \infty$,それ以外では 0,という pdf を共通にもち,かつ iid であるとする.このとき $Z = X_1/X_2$ が F 分布に従うことを証明せよ.

3.6.14. X_1, X_2, X_3 をそれぞれ自由度 r_1, r_2, r_3 をもつ 3 つの統計的独立なカイ 2 乗変数とする.
(a) $Y_1 = X_1/X_2$ と $Y_2 = X_1 + X_2$ は統計的独立であること,Y_2 は $\chi^2(r_1 + r_2)$ に従うことを証明せよ.
(b) 以下の式
$$\frac{X_1/r_1}{X_2/r_2}, \quad \frac{X_3/r_3}{(X_1+X_2)/(r_1+r_2)}$$
は統計的に独立な F 分布に従う確率変数であることを導け.

3.7 混合分布

3.4.1 項の,混入正規分布に関する論述を思い出そう.これは,正規分布の混合の一例であった.この節では,これを一般的な分布の混合へと拡張する.概して,この論述では連続型の表記法を用いるが,離散型の pmf も同様に取り扱われる.

ここで,k 個の分布があると仮定する.これらの分布は,各々の pdf が $f_1(x), f_2(x), \ldots, f_k(x)$,台 $\mathcal{S}_1, \mathcal{S}_2, \ldots, \mathcal{S}_k$,平均 $\mu_1, \mu_2, \ldots, \mu_k$,分散 $\sigma_1^2, \sigma_2^2, \ldots, \sigma_k^2$,正の値をとる混合確率 $p_1, p_2, \ldots, p_k$,ただし $p_1 + p_2 + \cdots + p_k = 1$ である.$\mathcal{S} = \bigcup_{i=1}^{k} \mathcal{S}_i$ であるとし,以下の関数を考える.

$$f(x) = p_1 f_1(x) + p_2 f_2(x) + \cdots + p_k f_k(x) = \sum_{i=1}^{k} p_i f_i(x), \quad x \in \mathcal{S} \tag{3.7.1}$$

$f(x)$ は非負であり，この $(-\infty,\infty)$ の積分が1と理解することが容易であることに注意せよ．したがって，$f(x)$ は連続型の確率変数 X の pdf である．X の平均は，

$$E(X) = \sum_{i=1}^{k} p_i \int_{-\infty}^{\infty} x f_i(x)\, dx = \sum_{i=1}^{k} p_i \mu_i = \overline{\mu} \tag{3.7.2}$$

によって $\mu_1, \mu_2, \ldots, \mu_k$ の重み付き平均として与えられる．また，2乗の項以外は積分すると0になるので，分散は以下となる．

$$\begin{aligned}
\mathrm{var}(X) &= \sum_{i=1}^{k} p_i \int_{-\infty}^{\infty} (x-\overline{\mu})^2 f_i(x)\, dx \\
&= \sum_{i=1}^{k} p_i \int_{-\infty}^{\infty} [(x-\mu_i)+(\mu_i-\overline{\mu})]^2 f_i(x)\, dx \\
&= \sum_{i=1}^{k} p_i \int_{-\infty}^{\infty} (x-\mu_i)^2 f_i(x)\, dx + \sum_{i=1}^{k} p_i (\mu_i-\overline{\mu})^2 \int_{-\infty}^{\infty} f_i(x)\, dx
\end{aligned}$$

すなわち，

$$\mathrm{var}(X) = \sum_{i=1}^{k} p_i \sigma_i^2 + \sum_{i=1}^{k} p_i (\mu_i - \overline{\mu})^2 \tag{3.7.3}$$

である．分散は単純に k 個の分散の重み付き平均だけでなく，平均の重み付き分散を含む正の値をとる項を含んでいることに注意せよ．

注意 3.7.1. これらの特性が k 個の分布の混合と関連し，$\sum a_i X_i$ のような k 個の確率変数の1次結合とは関係がないことに注意することは，きわめて重要である．■

次の例では，以下の分布が必要である．もし，X が

$$f_1(x) = \begin{cases} \dfrac{1}{\Gamma(\alpha)\beta^\alpha} x^{-(1+\beta)/\beta} (\log x)^{\alpha-1} & x > 1 \\ 0 & \text{それ以外の場合} \end{cases} \tag{3.7.4}$$

という pdf に従うならば，X は母数 $\alpha > 0$ と $\beta > 0$ の対数ガンマ pdf (loggamma pdf) に従うという．この pdf の導出は練習問題 3.7.1 で与えられる．そこで，平均と分散もまた導かれる．$\log \Gamma(\alpha, \beta)$ で，この X の分布を表記する．

例 3.7.1. アクチュアリーは，対数ガンマ分布とガンマ分布の混合がクレームの分布に関する重要なモデルであることを発見した．X_1 が $\log \Gamma(\alpha_1, \beta_1)$，$X_2$ が $\Gamma(\alpha_2, \beta_2)$，混合確率が p と $(1-p)$ であると仮定しよう．このとき，混合分布の pdf は以下のようになる．

3.7. 混合分布

$$f(x) = \begin{cases} \dfrac{1-p}{\beta_2^{\alpha_2}\Gamma(\alpha_2)} x^{\alpha_2-1} e^{-x/\beta_2} & 0 < x \leq 1 \\ \dfrac{p}{\beta_1^{\alpha_1}\Gamma(\alpha_1)} (\log x)^{\alpha_1-1} x^{-(\beta_1+1)/\beta_1} + \dfrac{1-p}{\beta_2^{\alpha_2}\Gamma(\alpha_2)} x^{\alpha_2-1} e^{-x/\beta_2} & 1 < x \\ 0 & \text{それ以外の場合} \end{cases}$$
(3.7.5)

$\beta_1 < 2^{-1}$ であるとき,混合分布の平均と分散は,

$$\mu = p(1-\beta_1)^{-\alpha_1} + (1-p)\alpha_2\beta_2 \tag{3.7.6}$$

$$\sigma^2 = p[(1-2\beta_1)^{-\alpha_1} - (1-\beta_1)^{-2\alpha_1}] \\ + (1-p)\alpha_2\beta_2^2 + p(1-p)[(1-\beta_1)^{-\alpha_1} - \alpha_2\beta_2]^2 \tag{3.7.7}$$

となる.練習問題 3.7.2 参照. ∎

分布の混合は複合 (compounding) とよばれることがある.そのうえ,分布は有限の数の分布に限定する必要はない.次の例で示されるように,連続型の重み関数は,当然 pdf であり,$p_1, p_2, \ldots, p_k$ と置き換えることができる.すなわち,和を積分に置き換える.

例 3.7.2. X_θ は母数 θ のポアソン確率変数であるとしよう.各々が異なる θ の値をもつ無限の数のポアソン分布を混合したい.重み関数が θ の pdf,すなわち母数 α と β のガンマ関数であるとしよう.$x = 0, 1, 2, \ldots$ に関して,複合分布の pmf は,

$$\begin{aligned} p(x) &= \int_0^\infty \left[\frac{1}{\beta^\alpha \Gamma(\alpha)} \theta^{\alpha-1} e^{-\theta/\beta} \right] \left[\frac{\theta^x e^{-\theta}}{x!} \right] d\theta \\ &= \frac{1}{\Gamma(\alpha)\beta^\alpha x!} \int_0^\infty \theta^{\alpha+x-1} e^{-\theta(1+\beta)/\beta} d\theta \\ &= \frac{\Gamma(\alpha+x)\beta^x}{\Gamma(\alpha) x! (1+\beta)^{\alpha+x}} \end{aligned}$$

となる.ただし,3 行目は,2 行目の積分を解くために変数変換 $t = \theta(1+\beta)/\beta$ から得られる.

$\alpha = r$ が正の整数かつ $\beta = (1-p)/p$, $0 < p < 1$ であるとき,この複合の興味深いケースが生じる.この場合,pmf は以下のようになる.

$$p(x) = \frac{(r+x-1)!}{(r-1)!} \frac{p^r (1-p)^x}{x!}, \quad x = 0, 1, 2, \ldots$$

すなわち,複合分布は,各々の成功確率が p で独立な試行の列において,r 回の成功を得るのに何回試行するかという分布と同様である.これは負の 2 項分布 (negative binomial distribution) の形式のひとつである.負の 2 項分布は事故件数のモデルとして巧みに用いられている (Weber, 1971 を参照). ∎

複合では，X の元の分布を，pdf が $f(x|\theta)$ で記述される θ が所与である条件付き分布と考えることができる．このとき，重み関数は θ に関する pdf，すなわち，$g(\theta)$ として扱われる．したがって，同時 pdf は $f(x|\theta)g(\theta)$ であり，複合 pdf は以下のような X の周辺 (無条件) pdf として考える．

$$h(x) = \int_\theta g(\theta) f(x|\theta)\, d\theta$$

ただし，θ が離散分布に従う場合は，積分を和と置き換える．例として，正規分布の平均が 0，分散 σ^2 が $1/\theta > 0$ に等しいと仮定しよう．ただし θ はいくつかの確率モデルから選択されているとする．説明のために，この確率モデルを母数 α と β に従うガンマ分布であるとする．このとき，X は θ を所与とした条件付きな分布 $N(0,1/\theta)$ であるので，X と θ の同時分布は以下のようになる．

$$f(x|\theta)g(\theta) = \left[\frac{\sqrt{\theta}}{\sqrt{2\pi}} \exp\left(\frac{-\theta x^2}{2}\right)\right]\left[\frac{1}{\beta^\alpha \Gamma(\alpha)} \theta^{\alpha-1}\exp(-\theta/\beta)\right]$$

ただし，$-\infty < x < \infty$, $0 < \theta < \infty$ である．それゆえ，X の周辺 (無条件) pdf である $h(x)$ は θ を積分消去することで得られる．すなわち，以下のようになる．

$$h(x) = \int_0^\infty \frac{\theta^{\alpha+1/2-1}}{\beta^\alpha \sqrt{2\pi}\Gamma(\alpha)} \exp\left[-\theta\left(\frac{x^2}{2} + \frac{1}{\beta}\right)\right] d\theta$$

母数が $\alpha + \frac{1}{2}$ と $[(1/\beta)+(x^2/2)]^{-1}$ であるガンマ pdf とこの被積分関数とを比較することで，積分が以下と等しいことがわかる．

$$h(x) = \frac{\Gamma(\alpha+\frac{1}{2})}{\beta^\alpha \sqrt{2\pi}\Gamma(\alpha)}\left(\frac{2\beta}{2+\beta x^2}\right)^{\alpha+1/2}, \quad -\infty < x < \infty$$

$\alpha = r/2$ と $\beta = 2/r$，ただし r が正の整数であるならば，このとき X は自由度 r のスチューデントの t 分布である無条件分布に従うことは興味深い．すなわち，この型の混合や複合を通して，スチューデントの分布の一般形に発展させている．結果として生じる分布 (スチューデントの t 分布の一般形) は，当初の条件つき正規分布より，裾野が厚いことに注意する．

次の2つの例は，この型の複合に関する追加の例証である．

例 3.7.3. 与えられた試行における成功の確率 p は確かでないと仮定した2項分布が与えられているとする．まず，母数 α と β のベータ pdf に従う確率過程によって p が選ばれると仮定しよう．したがって，X は n 回の統計的に独立な試行における成功数であり，条件つき2項分布に従うので，X と p の同時 pdf は以下のようになる．

$$p(x|p)g(p) = \frac{n!}{x!(n-x)!} p^x (1-p)^{n-x} \frac{\Gamma(\alpha+\beta)}{\Gamma(\alpha)\Gamma(\beta)} p^{\alpha-1}(1-p)^{\beta-1}$$

このとき，$x = 0,1,\ldots,n$, $0 < p < 1$ である．それゆえ，X の無条件分布は以下の積分によって与えられる．

$$h(x) = \int_0^1 \frac{n!\Gamma(\alpha+\beta)}{x!(n-x)!\Gamma(\alpha)\Gamma(\beta)} p^{x+\alpha-1}(1-p)^{n-x+\beta-1}\,dp$$
$$= \frac{n!\Gamma(\alpha+\beta)\Gamma(x+\alpha)\Gamma(n-x+\beta)}{x!(n-x)!\Gamma(\alpha)\Gamma(\beta)\Gamma(n+\alpha+\beta)}, \quad x=0,1,2,\ldots,n$$

ここで，α と β を正の整数であると仮定する．$\Gamma(k)=(k-1)!$ であるので，この無条件 (周辺あるいは複合) pdf は以下のように記述できる．

$$h(x) = \frac{n!(\alpha+\beta-1)!(x+\alpha-1)!(n-x+\beta-1)!}{x!(n-x)!(\alpha-1)!(\beta-1)!(n+\alpha+\beta-1)!}, \quad x=0,1,2,\ldots,n$$

条件つき平均 $E(X\,|\,p)=np$ より，$E(p)$ がベータ分布の平均 $\alpha/(\alpha+\beta)$ に等しいとき，無条件平均は $n\alpha/(\alpha+\beta)$ である．■

例3.7.4. この例では，複合により裾の重い歪んだ分布を求める．X は母数 k と θ^{-1} の条件つきガンマ pdf に従うと仮定する．θ に関する重み関数は母数 α と β のガンマ pdf である．それゆえ，X の無条件 (周辺あるいは複合) pdf は以下のようになる．

$$h(x) = \int_0^\infty \left[\frac{\theta^{\alpha-1}e^{-\theta/\beta}}{\beta^\alpha \Gamma(\alpha)}\right]\left[\frac{\theta^k x^{k-1}e^{-\theta x}}{\Gamma(k)}\right]d\theta$$
$$= \int_0^\infty \frac{x^{k-1}\theta^{\alpha+k-1}}{\beta^\alpha \Gamma(\alpha)\Gamma(k)} e^{-\theta(1+\beta x)/\beta}\,d\theta$$

この被積分関数と母数 $\alpha+k$ と $\beta/(1+\beta x)$ のガンマ pdf と比較して，

$$h(x) = \frac{\Gamma(\alpha+k)\beta^k x^{k-1}}{\Gamma(\alpha)\Gamma(k)(1+\beta x)^{\alpha+k}}, \quad 0<x<\infty$$

ということがわかる．これは，一般化パレート分布 (generalized Pareto distribution)(かつ F 分布の一般形) の pdf である．もちろん，$k=1$ (つまり，X は条件付き指数分布) のとき，pdf は

$$h(x) = \alpha\beta(1+\beta x)^{-(\alpha+1)}, \quad 0<x<\infty$$

となる．これはパレート pdf (Pareto pdf) である．これら両方の複合 pdf はもとの (条件付き) ガンマ分布より裾が厚い．

一般化パレート分布の cdf が単純なクローズドフォームで表現できないのに対して，パレート分布の cdf は以下のようになる．

$$H(x) = \int_0^x \alpha\beta(1+\beta t)^{-(\alpha+1)}\,dt = 1-(1+\beta x)^{-\alpha}, \quad 0\le x<\infty$$

これより，$X=Y^\tau$, $0<\tau$ とすることによって，もうひとつの有用な裾の長い分布を生み出すことができる．それゆえ，Y は以下の cdf に従う．

$$G(y) = P(Y\le y) = P[X^{1/\tau}\le y] = P[X\le y^\tau]$$

したがって，この確率は

$$G(y) = H(y^\tau) = 1 - (1+\beta y^\tau)^{-\alpha}, \quad 0 \le y < \infty$$

に等しく，対応する pdf に従う．

$$G'(y) = g(y) = \frac{\alpha\beta\tau y^{\tau-1}}{(1+\beta y^\tau)^{\alpha+1}}, 0 < y < \infty$$

その関連した分布を変形パレート分布 (transformed Pareto distribution) あるいはバー分布 (Burr distribution)(Burr, 1942) とよび，裾野が厚い分布をモデル化する場合に役立つことがわかっている．■

練習問題

3.7.1. Y は $\Gamma(\alpha,\beta)$ という分布に従うことを仮定する．$X = e^Y$ であるとしよう．X の pdf が (3.7.4) 式より与えられることを示せ．X の平均と分散を導け．

3.7.2. 例 3.7.1 において，(3.7.5) 式で与えられる混合分布の pdf を導け．そして，(3.7.6) 式と (3.7.7) 式で与えられるような平均，分散を求めよ．

3.7.3. 混合分布，$(9/10)N(0,1)+(1/10)N(0,9)$ を考える．この尖度が 8.34 であることを示せ．

3.7.4. X が条件付き幾何 pmf, $\theta(1-\theta)^{x-1}, x=1,2,\ldots$ に従うとしよう．ただし，θ は母数 α と β のベータ pdf に従う確率変数の値である．X の周辺 (無条件) pmf が以下のようになることを示せ．

$$\frac{\Gamma(\alpha+\beta)\Gamma(\alpha+1)\Gamma(\beta+x-1)}{\Gamma(\alpha)\Gamma(\beta)\Gamma(\alpha+\beta+x)}, \quad x=1,2,\ldots$$

$\alpha = 1$ ならば，

$$\frac{\beta}{(\beta+x)(\beta+x-1)}, \quad x=1,2,\ldots$$

を得る．これは，ジップの法則 (Zipf's law) のひとつの型である．

3.7.5. X が幾何分布のかわりに条件付き負の 2 項分布に従うとし，練習問題 3.7.4 を繰り返せ．

3.7.6. X が母数 k, α, β の一般化パレート分布に従うとする．変数変換により，$Y = \beta X/(1+\beta X)$ がベータ分布に従うことを示せ．

3.7.7. パレート分布の故障率 (ハザード関数) が以下であることを示せ．

$$\frac{h(x)}{1-H(x)} = \frac{\alpha}{\beta^{-1}+x}$$

以下の cdf に従うバー分布の故障率 (ハザード関数) を求めよ．

3.7. 混合分布

$$G(y) = 1 - \left(\frac{1}{1+\beta y^\tau}\right)^\alpha, \quad 0 \leq y < \infty$$

これら2つの故障率の各々で,変数の値が増加するにつれて何が起こるかに注意せよ.

3.7.8. バー分布に関して, $k < \alpha\tau$ が与えられたときに以下であることを示せ.

$$E(X^k) = \frac{1}{\beta^{k/\tau}} \Gamma\left(\alpha - \frac{k}{\tau}\right) \Gamma\left(\frac{k}{\tau} + 1\right) \bigg/ \Gamma(\alpha)$$

3.7.9. 事故の数 X が平均 $\lambda\theta$ のポアソン分布に従うとしよう. λ は事故が起こる傾向であり, θ が所与のときの母数 $\alpha = h$ と $\beta = h^{-1}$ のガンマ pdf に従うと仮定する. 同時に, θ は事故傾性要因であり, 母数 $\alpha, \lambda = h, k$ の一般化パレート pdf に従うと仮定する. X の無条件 pdf が以下であることを示せ.

$$\frac{\Gamma(\alpha+k)\Gamma(\alpha+h)\Gamma(\alpha+h+k)\Gamma(h+k)\Gamma(k+x)}{\Gamma(\alpha)\Gamma(\alpha+k+h)\Gamma(h)\Gamma(k)\Gamma(\alpha+h+k+x)x!}, \quad x = 0, 1, 2, \ldots$$

これを, 一般化ワーリング pdf (generalized Waring pdf) とよぶことがある.

3.7.10. X は母数 β, τ が固定され, α が与えられる条件つきバー分布に従うとする.
(a) α が幾何 pmf, $p(1-p)^\alpha$, $\alpha = 0, 1, 2, \ldots$ に従うならば, X の無条件分布がバー分布であることを示せ.
(b) α が指数 pdf, $\beta^{-1} e^{-\alpha/\beta}$, $\alpha > 0$ に従う場合, X の無条件 pdf を求めよ.

3.7.11. X が条件つきワイブル pdf に従うとする.

$$f(x|\theta) = \theta\tau x^{\tau-1} e^{-\theta x^\tau}, \quad 0 < x < \infty,$$

であり, $g(\theta)$ という pdf (重み関数) は母数 α と β のガンマ分布であるとしよう. X の複合(周辺) pdf は, バー分布の pdf であることを示せ.

3.7.12. X は母数 α と β のパレート分布に従い, かつ c が正の値をとる定数ならば, $Y = cX$ が母数 α と c/β のパレート分布に従うことを示せ.

第4章 不偏性，一致性，極限分布

前章では確率モデルと分布に関してふれた．次章では，本書の残りの部分で焦点となるであろう統計的推論について議論をはじめる．本章では，漸近理論より導かれたいくつかの道具について紹介する．それらは確率理論だけでなく統計学においても有用である．

ここでの議論では，無作為標本の概念が本章にとって有用であるということを示すために統計学からいくつかの例を用いる．抽出方法におけるより詳細な説明は第5章で行われる．確率変数 X は $f(x;\theta)$ という pdf (あるいは $p(x;\theta)$ という pmf) に従うものとする．ここで θ は実数あるいは実数のベクトルである．$p \geq 1$ に関して R^p の部分集合である $\theta \in \Omega$ を仮定する．例えば，X が分布 $N(\mu,\sigma^2)$ に従うとき θ はベクトル (μ,σ^2) と書け，あるいは X は2項分布に従うとき θ は成功確率 p と書ける．前章において，例えば確率問題の研究においては，θ は既知であった．しかし，統計的には θ は未知である．θ についての情報は標本 $X_1, X_2, \ldots, X_n$ から得られる．しばしばこれは，確率変数 $X_1, X_2, \ldots, X_n$ は独立であり，かつ X という同じ分布に従うことを意味する，無作為標本 (random sample) である，と仮定する．つまり，$X_1, X_2, \ldots, X_n$ は iid である．統計量 (statistic) T は標本の関数である．すなわち $T = T(X_1, X_2, \ldots, X_n)$ である．θ を推定するために T を用いることができる．この場合，T は θ の点推定量 (point estimator) という．例えば，$X_1, X_2, \ldots, X_n$ は平均 μ と分散 σ^2 である分布からの無作為標本であると仮定する．そのとき，統計量 $\overline{X}$ と S^2 はこの無作為標本の標本平均 (sample mean) と標本分散 (sample variance) とよばれる．それらはそれぞれ μ と σ^2 の点推定値である．

その他の説明として，X は成功確率 p のベルヌイ分布に従うという場合を考える．つまり，X はそれぞれ確率 p あるいは $1-p$ をもった1あるいは0の値であると仮定する．ベルヌイ試行を n 回遂行するとしよう．ベルヌイ試行は同じ条件のもとでそれぞれが独立に試行されるということを思い出してほしい．X_i は i 番目の試行の結果であり，$i = 1, 2, \ldots, n$ とする．そのとき $X_1, X_2, \ldots, X_n$ は分布 X からの無作為標本を形成する．ここで興味の対象である統計量は，この標本における成功の比率 $\overline{X}$ である．これは p の点推定値である．

4.1 関数の期待値

$\mathbf{X} = (X_1, \ldots, X_n)'$ をいくつかの実験からの確率ベクトルとする．しばしば $\mathbf{X}$ の関数である $T = T(\mathbf{X})$ は興味の対象となる．例えば，$\mathbf{X}$ が標本であるならば，T は興味の対象となる統計量である．まず $\mathbf{X}$ の線形関数から考えてみよう．すなわち，特定の

4.1. 関数の期待値

ベクトル $\mathbf{a}=(a_1,\ldots,a_n)'$ によって特徴づけられる関数形

$$T=\mathbf{a}'\mathbf{X}=\sum_{i=1}^{n}a_iX_i$$

である．このような確率変数の平均と分散を求めていこう．

T の平均は期待値演算子 E の線形性より直ちに導かれるが，より簡単に参照できるよう，このことを定理として述べておく．

定理 4.1.1.
$T=\sum_{i=1}^{n}a_iX_i$ とする．$E[|X_i|]<\infty, i=1,\ldots,n$ であるならば，以下となる．

$$E(T)=\sum_{i=1}^{n}a_iE(X_i)$$

T の分散のために，まず共分散を含めた非常に一般的な結果について述べる．$\mathbf{Y}=(Y_1,\ldots,Y_m)'$ を他の確率ベクトルとし，かつある特定のベクトル $\mathbf{b}=(b_1,\ldots,b_m)'$ に関して $W=\mathbf{b}'\mathbf{Y}$ とする．

定理 4.1.2.
$T=\sum_{i=1}^{n}a_iX_i$ とし，かつ $W=\sum_{j=1}^{m}b_jY_j$ とする．$i=1,\ldots,n$ と $j=1,\ldots,m$ に関して $E[X_i^2]<\infty$，かつ $E[Y_j^2]<\infty$ であるならば，

$$\mathrm{cov}(T,W)=\sum_{i=1}^{n}\sum_{j=1}^{m}a_ib_j\,\mathrm{cov}(X_i,Y_j)$$

証明 共分散の定義と定理 4.1.1 を用いることで，下の 1 番目の等式が得られ，E の線形性より 2 番目の等式が導かれる．

$$\mathrm{cov}(T,W)=E\left[\sum_{i=1}^{n}\sum_{j=1}^{m}(a_iX_i-a_iE(X_i))(b_jY_j-b_jE(Y_j))\right]$$
$$=\sum_{i=1}^{n}\sum_{j=1}^{m}a_ib_jE[(X_i-E(X_i))(Y_j-E(Y_j))]$$

以上が望まれる結果である．∎

T の分散を求めるためには，単純に定理 4.1.2 で W を T に置き換えればよい．この結果を系として述べる．

系 4.1.1.
$T=\sum_{i=1}^{n}a_iX_i$ とする．$i=1,\ldots,n$ に関して $E[X_i^2]<\infty$，であるならば，

$$\mathrm{Var}(T) = \mathrm{cov}(T,T) = \sum_{i=1}^{n} a_i^2 \mathrm{Var}(X_i) + 2\sum_{i<j} a_i a_j \mathrm{cov}(X_i, X_j) \qquad (4.1.1)$$

$X_1,\ldots,X_n$ が統計的に独立な確率変数なら，そのときその共分散は $\mathrm{cov}(X_i,X_j)$ $=0$ であることに注意しよう．例 2.5.4 を参照のこと．このことは以下の系で記した (4.1.1) 式の簡略形へとつながる．

系 4.1.2.
$X_1,\ldots,X_n$ は有限の分散をもつ統計的に独立な確率変数であるならば，そのとき以下が成り立つ．
$$\mathrm{Var}(T) = \sum_{i=1}^{n} a_i^2 \mathrm{Var}(X_i) \qquad (4.1.2)$$

この結果を得るためには X_i と X_j とがすべての $i \neq j$ に関して無相関でありさえすればよい，ということに注意しよう．例えば，$X_1,\ldots,X_n$ が独立な場合，$\mathrm{Cov}(X_i,X_j) = 0$，$i \neq j$，は真である．

ここで本章のはじめに注目した標本抽出と統計量の議論に戻ろう．$\theta \in \Omega$ に関して $f(x;\theta)$ によって与えられる密度をもつ興味の対象である確率変数 X があるという状況を考えよう．母数 θ は未知であり，それを推定するための標本に基づいた統計量を求める．まず，推定量の特性としてその期待値について述べよう．

定義 4.1.1.
X は pdf $f(x;\theta)$ もしくは pmf $p(x;\theta)$，$\theta \in \Omega$，に従う確率変数とする．$X_1,\ldots,X_n$ は X の分布からの無作為標本とし，T はある統計量とする．もし，
$$E(T) = \theta, \quad \text{すべての } \theta \in \Omega \text{ に関して} \qquad (4.1.3)$$
であるならば，T は θ の不偏推定量 (unbiased estimator) といい，T が不偏推定量でない (つまり，$E(T) \neq \theta$) ならば，T は θ の偏った推定量 (biased estimator) という．

例 4.1.1 (標本平均). $X_1,\ldots,X_n$ は平均 μ と分散 σ^2 をもつ確率変数 X の分布からの無作為標本とする．標本平均 (sample mean) は $\overline{X} = n^{-1}\sum_{i=1}^{n} X_i$ によって与えられることを思い出そう．これは $a_i \equiv n^{-1}$ である標本の観測値の線形結合となっている．つまり，定理 4.1.1 と系 4.1.2 から
$$E(\overline{X}) = \mu, \quad \mathrm{Var}(\overline{X}) = \frac{\sigma^2}{n} \qquad (4.1.4)$$
が得られる．つまり，$\overline{X}$ は μ の不偏推定量である．さらに，$\overline{X}$ の分散は n が大きく

4.1. 関数の期待値

なるにつれ小さくなる．したがって極限的に標本平均 $\overline{X}$ の分布の量は n が大きくなるにつれ μ へと収束していくということがわかる．このことは次節で紹介する．■

例 4.1.2 (標本分散). 上の例では，$X_1, \ldots, X_n$ を平均 μ と分散 σ^2 をもつ確率変数 X の分布からの無作為標本とした．標本分散 (sample variance) は以下によって定義される．

$$S^2 = (n-1)^{-1} \sum_{i=1}^{n} (X_i - \overline{X})^2 = (n-1)^{-1} \left(\sum_{i=1}^{n} X_i^2 - n\overline{X}^2 \right) \tag{4.1.5}$$

ここで2番目の等式はいくつかの代数学の方法によって導かれる．練習問題 4.1.3 を参照．上述の定理と，先ほどの例の結果と，さらに $E(X^2) = \sigma^2 + \mu^2$ ということを用い，以下が得られる．

$$\begin{aligned} E(S^2) &= (n-1)^{-1} \left(\sum_{i=1}^{n} E(X_i^2) - nE(\overline{X}^2) \right) \\ &= (n-1)^{-1} \{ n\sigma^2 + n\mu^2 - n[(\sigma^2/n) + \mu^2] \} \\ &= \sigma^2 \end{aligned} \tag{4.1.6}$$

したがって，標本分散は σ^2 の不偏推定量である．$V = n^{-1} \sum_{i=1}^{n} (X_i - \overline{X})^2$ であるならば，そのとき $E(V) = ((n-1)/n)\sigma^2$ である．つまり V は σ^2 の偏った推定量である．このことが標本分散の定義で n のかわりに $n-1$ で割っている理由のひとつである．■

例 4.1.3 (一様分布からの標本の最大値). $X_1, \ldots, X_n$ を一様分布 $(0, \theta)$ からの無作為標本とする．θ は未知であるとする．θ の直感的な推定値は標本の最大値である．$Y_n = \max\{X_1, \ldots, X_n\}$ とする．練習問題 4.1.2 は Y_n の cdf が

$$F_{Y_n}(t) = \begin{cases} 1 & t > \theta \\ (t/\theta)^n & 0 < t \leq \theta \\ 0 & t \leq 0 \end{cases} \tag{4.1.7}$$

であることを示す．したがって，Y_n の pdf は

$$f_{Y_n}(t) = \begin{cases} (n/\theta^n) t^{n-1} & 0 < t \leq \theta \\ 0 & それ以外の場合 \end{cases} \tag{4.1.8}$$

である．この pdf から，$E(Y_n) = (n/(n+1))\theta$ を示すことは容易である．よって，Y_n は θ の偏った推定量である．しかし，$((n+1)/n)Y_n$ は θ の不偏推定量であることは注意すべきである．■

例 4.1.4 (標本中央値). $X_1, X_2, \ldots, X_n$ は pdf $f(x)$ に従う X の分布からの無作為標本であるとする．$\mu = E(X)$ は存在し，かつ，pdf $f(x)$ は μ に関して対称である

とする．例 4.1.1 において，標本平均は μ の不偏推定量であったことを示した．標本中央値 $T = T(X_1, X_2, \ldots, X_n) = \text{med}\{X_1, X_2, \ldots, X_n\}$ に関してはどうであろうか．標本中央値は 2 つの特性を満たす．(1) 標本の各観測値に b を加える (あるいは減じる) ならば，そのとき標本中央値は b によって増加 (あるいは減少) する．また (2) 標本の各観測値に -1 をかけるならば，そのとき中央値は -1 をかけて得られる．これらの特性を簡潔にしたのが以下である．

$$T(X_1+b, X_2+b, \ldots, X_n+b) = T(X_1, X_2, \ldots, X_n) + b \qquad (4.1.9)$$
$$T(-X_1, -X_2, \ldots, -X_n) = -T(X_1, X_2, \ldots, X_n) \qquad (4.1.10)$$

練習問題 4.1.1 は，もし X_i が μ に関して対称に分布しているならば，確率ベクトル $(X_1-\mu, \ldots, X_n-\mu)$ の分布は確率ベクトル $(-(X_1-\mu), \ldots, -(X_n-\mu))$ の分布と等しい，ということを示す．特に，これらの確率ベクトルのもとで取られた期待値は互いに等しい．このことと (4.1.9) 式と (4.1.10) 式から，以下が得られる．

$$\begin{aligned}
E[T] - \mu &= E[T(X_1, \ldots, X_n)] - \mu = E[T(X_1-\mu, \ldots, X_n-\mu)] \\
&= E[T(-(X_1-\mu), \ldots, -(X_n-\mu))] \\
&= -E[T(X_1-\mu, \ldots, X_n-\mu)] \\
&= -E[T(X_1, \ldots, X_n)] + \mu = -E[T] + \mu \qquad (4.1.11)
\end{aligned}$$

つまり，$2E(T) = 2\mu$ であり，よって $E[T] = \mu$ が得られる．しかしながら，標本中央値は (4.1.9) 式と (4.1.10) 式を満たす．したがって，これらの条件のもとで標本中央値は μ の不偏推定量である．それでは標本中央値は標本平均や標本分散に比べよりよい推定量なのであろうか．この疑問に関しては後に議論する．■

上の例において中央値はひとつの例にすぎないことに注意しよう．つまり，T が条件 (4.1.9) 式と (4.1.10) 式を満たした μ の推定量であり，かつ X の pdf は μ に関して対称であるならば，そのとき T は μ の不偏推定量である．

練習問題

4.1.1. X は b について対称な pdf に従うとする．つまり，すべての $-\infty < x < \infty$ に関して $f(b+x) = f(b-x)$ である．これを X は b について対称に分布しているという．
(a) $Y = X - b$ は 0 について対称に分布していることを示せ．
(b) $Z = -(X-b)$ は (a) での同じ分布 Y に従うことを示せ．
(c) 例 4.1.4 で定義された $(X_1-\mu, \ldots, X_n-\mu)$ と $(-(X_1-\mu), \ldots, -(X_n-\mu))$ が同じ分布に従うことを示せ．

4.1.2. (4.1.7) 式によって得られた cdf を導け．

4.1.3. (4.1.5) 式中の 2 番目の等式を導け．

4.1. 関数の期待値

4.1.4. X_1, X_2, X_3, X_4 は同一の pdf である $f(x)=2x, 0<x<1$, それ以外は 0, に従う 4 つの iid な確率変数であるとする．これら 4 つの確率変数の和 Y の平均と分散を求めよ．

4.1.5. X_1 と X_2 はそれぞれの分散が $\sigma_1^2=k$ と $\sigma_2^2=2$ である 2 つの統計的に独立な確率変数である．$Y=3X_2-X_1$ の分散が 25 と与えられた場合，k を求めよ．

4.1.6. 統計的に独立な確率変数 X_1 と X_2 はそれぞれ平均 μ_1, μ_2 と分散 σ_1^2, σ_2^2 に従うとすると，積 $Y=X_1 X_2$ の平均と分散はそれぞれ $\mu_1 \mu_2$ と $\sigma_1^2 \sigma_2^2 + \mu_1^2 \sigma_2^2 + \mu_2^2 \sigma_1^2$ であることを示せ．

4.1.7. $f(x)=6x(1-x), 0<x<1$, それ以外は 0, という pdf に従う分布からのサイズ 5 の無作為標本の観測値の和 Y の平均と分散を求めよ．

4.1.8. $f(x)=4x^3, 0<x<1$, それ以外は 0, という pdf に従う分布からのサイズ 9 の無作為標本の平均 $\overline{X}$ の平均と分散を決定せよ．

4.1.9. X と Y は $\mu_1=1, \mu_2=4, \sigma_1^2=4, \sigma_2^2=6, \rho=\frac{1}{2}$ に従う確率変数であるとする．$Z=3X-2Y$ の平均と分散を求めよ．

4.1.10. X と Y は平均 μ_1, μ_2 と分散 σ_1^2, σ_2^2 をもつ統計的に独立な確率変数であるとする．$\mu_1, \mu_2, \sigma_1^2, \sigma_2^2$ に関して X と $Z=X-Y$ の相関係数を決定せよ．

4.1.11. μ と σ^2 は確率変数 X の平均と分散を示すとする．$Y=c+bX$, ここで b と c は実数である定数，とする．Y の平均と分散はそれぞれ $c+b\mu$ と $b^2 \sigma^2$ であることを示せ．

4.1.12. $Y=X_1-2X_2+3X_3$ の平均と分散を求めよ．ただし，X_1, X_2, X_3 は自由度 6 のカイ 2 乗分布からの無作為標本の観測値である．

4.1.13. 確率変数 X と Y の相関係数を決定せよ．ただし, $\text{var}(X)=4, \text{var}(Y)=2$, $\text{var}(X+2Y)=15$ であるとする．

4.1.14. X と Y は平均 μ_1, μ_2, 分散 σ_1^2, σ_2^2, 相関係数 ρ である確率変数であるとする．$W=aX+b, a>0$ と $Z=cY+d, c>0$ の相関係数が ρ であることを示せ．

4.1.15. ある人が，サイコロをふり，硬貨を投げ，通常の 1 組のトランプから 1 枚のカードを引く．彼は出たサイコロの目の数だけ 3 ドルを，硬貨の表が出たら 10 ドルで裏が出れば 0 ドルを，そして引いたカードの数（ジャック=11, クイーン=12, キング=13）だけ 1 ドルを受け取る．これら 3 つの確率変数は統計的に独立であり，かつ一様に分布しているとき，受け取る総額の平均と分散を算出せよ．

4.1.16. X_1 と X_2 は非ゼロの分散である統計的に独立な確率変数とする．X_1 と X_2 の平均と分散を利用して $Y=X_1 X_2$ と X_1 の相関係数を求めよ．

4.1.17. X_1 と X_2 は母数 $\mu_1, \mu_2, \sigma_1^2, \sigma_2^2$, そして ρ に従う同時分布に従うとする. 実数である定数 a_1, a_2, b_1, b_2 と, その分布の母数を利用し, 線形関数 $Y = a_1 X_1 + a_2 X_2$ と $Z = b_1 X_1 + b_2 X_2$ の相関係数を求めよ.

4.1.18. X_1, X_2, X_3 は同じ分散であり, かつ相関係数 $\rho_{12} = 0.3$, $\rho_{13} = 0.5$, $\rho_{23} = 0.2$ に従う確率変数とする. 線形関数 $Y = X_1 + X_2$ と $Z = X_2 + X_3$ の相関係数を求めよ.

4.1.19. 10 個の確率変数の和の分散を求めよ. ただし, それぞれの分散は 5 で, かつ各対の相関係数は 0.5 であるとする.

4.1.20. X と Y は母数 $\mu_1, \mu_2, \sigma_1^2, \sigma_2^2, \rho$ に従うとする. X と $[Y - \rho(\sigma_2/\sigma_1)X]$ の相関係数が 0 であることを示せ.

4.1.21. X_1 と X_2 は母数 $\mu_1, \mu_2, \sigma_1^2, \sigma_2^2, \rho$ の 2 変量正規分布に従うとする. $Y_1 = \exp(X_1)$ と $Y_2 = \exp(X_2)$ の平均, 分散, 相関係数を算出せよ.
ヒント: $E[\exp(t_1 X_1 + t_2 X_2)]$ において t_1 と t_2 に適当な値を割り当てることで, Y_1 と Y_2 の様々な積率を求めることができる.

4.1.22. X は $N(\mu, \sigma^2)$ であるとし, 変数変換 $X = \log(Y)$, あるいは同義の, $Y = e^X$ を考える.
(a) まず, X の mgf を用い, $E(e^X)$ と $E[(e^X)^2]$ を決定することにより, Y の平均と分散を決定せよ.
(b) Y の pdf を求めよ. これは対数正規分布 (lognormal distribution) の pdf である.

4.1.23. X_1 と X_2 は母数 n, p_1, p_2 の 3 項分布に従うとする.
(a) $Y = X_1 + X_2$ の分布は何か.
(b) 等式 $\sigma_Y^2 = \sigma_1^2 + \sigma_2^2 + 2\rho\sigma_1\sigma_2$ から, もう一度 X_1 と X_2 の相関係数 ρ を決定せよ.

4.1.24. $Y_1 = X_1 + X_2$ であり, かつ $Y_2 = X_2 + X_3$ とする. ただし X_1, X_2, X_3 は 3 つの統計的に独立な確率変数である. 以下のことを仮定した場合に, Y_1 と Y_2 の同時 mgf と相関係数を求めよ.
(a) X_i は平均 μ_i, $i = 1, 2, 3$, のポアソン分布に従う.
(b) X_i は $N(\mu_i, \sigma_i^2)$, $i = 1, 2, 3$, である.

4.1.25. S^2 は分散 $\sigma^2 > 0$ の分布からの無作為標本の標本分散とする. $E(S^2) = \sigma^2$ であるのに, なぜ $E(S) = \sigma$ でないのか.
ヒント: $E(S) < \sigma$ を示すためにジェンセンの不等式を用いよ.

4.1.26. 上の練習問題では, 分布 $N(\mu, \sigma^2)$ から標本を選択したと仮定する. $(n-1)S^2/\sigma^2$ は分布 $\chi^2(n-1)$ に従うことを思い出そう. 定理 3.3.1 を用いて, σ の不偏

4.2. 確率収束

推定量を決定せよ．

4.1.27. S^2 は分布 $N(\mu, \sigma^2)$ からの無作為標本の標本分散であるとする．定数 $c = (n-1)/(n+1)$ が $E[(cS^2 - \sigma^2)^2]$ を最小とすることを示せ．したがって，σ^2 の推定量 $(n+1)^{-1}\sum_{i=1}^n (X_i - \overline{X})^2$ は cS^2 形の推定量において平均2乗誤差を最小にする．

4.2 確率収束

この節では，確率変数の列が別の確率変数に "近づいて" いくことの定式化を行う．この概念は本書を通じて使用する．

定義 4.2.1.

$\{X_n\}$ を確率変数の列とし，X を標本空間上に定義される確率変数とする．もし，すべての $\epsilon > 0$ に対して

$$\lim_{n \to \infty} P[|X_n - X| \geq \epsilon] = 0$$

なら，もしくは同様に

$$\lim_{n \to \infty} P[|X_n - X| < \epsilon] = 1$$

なら，$\{X_n\}$ は X へ確率収束する (converge in probability) という．もしそうなら，

$$X_n \xrightarrow{P} X$$

と表記する．

もし $X_n \xrightarrow{P} X$ なら，しばしば差 $X_n - X$ の量は 0 に収束しているという．統計学では，しばしば確率変数 X の極限は定数である．つまり，X はある定数 a にすべての量が収束するような，退化した確率変数である．この場合，$X_n \xrightarrow{P} a$ と記述する．同様に，練習問題 4.2.1 で示すように，実数の列の収束 $a_n \to a$ は $a_n \xrightarrow{P} a$ と同等である．

確率収束を示すひとつの方法が，チェビシェフの定理 (1.10.3) を用いることである．この説明は，以下の証明によって得られる．確率変数の列を扱っている事実を強調するために，$\overline{X}$ を $\overline{X}_n$ とするように，確率変数に添え字 n を付けよう．

定理 4.2.1 (大数の弱法則).

$\{X_n\}$ を，共通の平均 μ，分散 $\sigma^2 < \infty$ に従う，iid である確率変数の列とする．$\overline{X}_n = n^{-1} \sum_{i=1}^n X_i$ とすると，以下のとおりである．

$$\overline{X}_n \xrightarrow{P} \mu$$

証明 例 4.1.1 を思い出すと，$\overline{X}_n$ の平均と分散は，おのおの μ と σ^2/n であっ

た．したがって，チェビシェフの定理より，任意の $\epsilon > 0$ に対して，以下を得る．

$$P[|\overline{X}_n - \mu| \geq \epsilon] = P[|\overline{X}_n - \mu| \geq (\epsilon\sqrt{n}/\sigma)(\sigma/\sqrt{n})] \leq \frac{\sigma^2}{n\epsilon^2} \to 0 \quad \blacksquare$$

この定理は，n が ∞ に収束するにつれて，$\overline{X}_n$ の分布のすべての量が μ に収束していることを示している．ある意味では，n が大きくなるのに対して，$\overline{X}_n$ が μ に近づくということである．しかし，どの程度近づくのだろうか．例えば，$\overline{X}_n$ から μ を推定したとするなら，推定の誤差をどう説明すればよいだろう．それは，4.3 節で説明する．

実際に，より上級のコースでは，大数の強法則が証明される (Chung(1974) の 124 ページ参照)．この定理のひとつの結果は，定理 4.2.1 の仮定を，確率変数群 X_i は独立で，それぞれが有限の平均 μ に従うという仮定に弱めることができるということである．したがって，大数の強法則は 1 次の積率の定理であり，一方，弱法則は 2 次の積率の存在を必要とする．

後に有用となるであろう確率収束に関するいくつかの定理がある．次の 2 つの確率収束の定理は共に，線形性のもとで閉じていることを示している．

定理 4.2.2.
$X_n \xrightarrow{P} X$ と $Y_n \xrightarrow{P} Y$ を仮定する．そのとき，$X_n + Y_n \xrightarrow{P} X + Y$ である．

証明 $\epsilon > 0$ としよう．三角不等式を用いて，

$$|X_n - X| + |Y_n - Y| \geq |(X_n + Y_n) - (X + Y)| \geq \epsilon$$

と記述できる．P は集合の要素に対して単調であるから，

$$P[|(X_n + Y_n) - (X + Y)| \geq \epsilon] \leq P[|X_n - X| + |Y_n - Y| \geq \epsilon]$$
$$\leq P[|X_n - X| \geq \epsilon/2] + P[|Y_n - Y| \geq \epsilon/2]$$

が得られる．この定理における仮定によって，最後の 2 つの項が 0 に収束することが望まれた結果を与える． $\blacksquare$

定理 4.2.3.
$X_n \xrightarrow{P} X$ と，a が定数であることを仮定する．そのとき，$aX_n \xrightarrow{P} aX$ である．

証明 もし $a = 0$ なら，結果は即座に出る．$a \neq 0$ を想定しよう．$\epsilon > 0$ とする．結果は以下の等式から得られる．

$$P[|aX_n - aX| \geq \epsilon] = P[|a||X_n - X| \geq \epsilon] = P[|X_n - X| \geq \epsilon/|a|]$$

仮定により，最終項は 0 に収束する． $\blacksquare$

定理 4.2.4.
$X_n \xrightarrow{P} a$ と，a において連続的な実関数 g を仮定する．そのとき，$g(X_n) \xrightarrow{P} g(a)$

4.2. 確率収束

である.

証明 $\epsilon > 0$ を仮定する. そのとき g は a において連続的であるから, もし $|x-a| < \delta$ であるなら, $|g(x)-g(a)| < \epsilon$ であるような $\delta > 0$ が存在する. したがって,

$$|g(x)-g(a)| \geq \epsilon \Rightarrow |x-a| \geq \delta$$

である. この関係において, X_n を x のかわりに用いると以下が得られる.

$$P[|g(X_n)-g(a)| \geq \epsilon] \leq P[|X_n-a| \geq \delta]$$

仮定により, 右辺は $n \to \infty$ に従って 0 に収束する. このことが結果をもたらす. ∎

この定理は多くの有用な結果を与えてくれる. 例えば, もし $X_n \xrightarrow{P} a$ なら,

$X_n^2 \xrightarrow{P} a^2$

$1/X_n \xrightarrow{P} 1/a$, $a \neq 0$ であるとき

$\sqrt{X_n} \xrightarrow{P} \sqrt{a}$, $a \geq 0$ であるとき

である. 実際に, より発展的なクラスでは, もし $X_n \xrightarrow{P} X$ で, g が連続型の関数なら, $g(X_n) \xrightarrow{P} g(X)$ が示される (Tucker (1967) の 104 ページ参照). 次の定理でこれを利用する.

定理 4.2.5.
$X_n \xrightarrow{P} X$ と $Y_n \xrightarrow{P} Y$ を仮定する. そのとき, $X_n Y_n \xrightarrow{P} XY$ である.

証明 上記の結果を用いると, 以下が得られる.

$$X_n Y_n = \frac{1}{2} X_n^2 + \frac{1}{2} Y_n^2 - \frac{1}{2}(X_n - Y_n)^2$$
$$\xrightarrow{P} \frac{1}{2} X^2 + \frac{1}{2} Y^2 - \frac{1}{2}(X-Y)^2 = XY \quad \blacksquare$$

標本抽出と統計量の議論に戻ろう. 分布が未知の母数 $\theta \in \Omega$ をもつ, 確率変数 X がある状況を考える. θ を推定するために, 標本に基づいて統計量を模索する. 直前の節で, 推定量に対する不偏性の特性を紹介した. 今度は一致性について紹介しよう.

定義 4.2.2.
X を, cdf が $F(x,\theta)$, $\theta \in \Omega$ の確率変数とする. $X_1, \ldots, X_n$ を X の分布からの標本とし, T_n は統計量を表現するとする. もし,

$$T_n \xrightarrow{P} \theta$$

なら, T_n を θ の一致推定量 (consistent estimator) という.

もし, $X_1, \ldots, X_n$ が, 有限の平均 μ と分散 σ^2 をもつ分布からの無作為標本なら,

大数の弱法則によって，標本平均 $\overline{X}$ は μ の一致推定量である．

例 4.2.1 (標本分散). $X_1,\ldots,X_n$ を，平均 μ と分散 σ^2 に従う分布からの無作為標本を表すものとする．定理 4.2.1 は $\overline{X}_n \xrightarrow{P} \mu$ を示した．標本分散は σ^2 に確率収束することを示すために，さらに $\text{Var}(S^2) < \infty$ であるように $E[X_1^4] < \infty$ を仮定する．前述の結果を用いて，以下を示すことができる．

$$S_n^2 = \frac{1}{n-1}\sum_{i=1}^n (X_i - \overline{X}_n)^2 = \frac{n}{n-1}\left(\frac{1}{n}\sum_{i=1}^n X_i^2 - \overline{X}_n^2\right)$$
$$\xrightarrow{P} 1 \cdot [E(X_1^2) - \mu^2] = \sigma^2$$

したがって，標本分散は σ^2 の一致推定量である．■

先の例とは違って，場合によっては，分布関数を用いることによって収束が得られる．これを次の例で説明する．

例 4.2.2 (一様分布からの標本の最大値). 例 4.1.3 を見直そう．そこでは，$X_1,\ldots,X_n$ は一様分布 $(0,\theta)$ からの無作為標本であった．$Y_n = \max\{X_1,\ldots,X_n\}$ とする．Y_n の cdf は (4.1.7) 式から得られる．そこから，$Y_n \xrightarrow{P} \theta$ であることと，標本最大値は θ の一致推定値であることが容易にうかがえる．不偏推定量 $((n+1)/n)Y_n$ も一致推定量であることに注意せよ．■

大数の弱法則 (定理 4.2.1) によって，例 4.2.2 を拡張すると，$\overline{X}_n$ が $\theta/2$ の不偏推定量なので，$2\overline{X}_n$ が θ の不偏推定量であるという結果になる．Y_n と $2\overline{X}_n$ が，θ に確率収束するのをどのように説明したかの違いに注意しよう．Y_n に対しては Y_n の cdf を用いたが，$2\overline{X}_n$ に対しては大数の弱法則を用いた．実際に，一様分布のモデルに対して，$2\overline{X}_n$ の cdf はかなり複雑である．多くの状況において統計量の cdf が得られないが，結果を定めるために漸近理論を用いることができる．何個かの違う θ の推定量がある．どれが"最良の"推定量だろうか．後の章でそのような疑問に携わるだろう．

一致性は推定量がもつべき，とても重要な性質である．標本のサイズが大きくなるにつれて，母数に近づけない推定量はよくない推定量である．しかし，不偏性の性質に対しては，同じようによくないとはいえないことに注意しよう．例えば，σ^2 を推定するために，標本分散を用いるかわりに，$V = n^{-1}\sum_{i=1}^n (X_i - \overline{X})^2$ を用いることを仮定する．すると，V は σ^2 に対して一致している．しかし，それは偏っている．なぜなら，$E(V) = (n-1)\sigma^2/n$ だからである．よって，V の偏りは σ^2/n であり，それは $n \to \infty$ に従って消えていく．

練習問題

4.2.1. $\{a_n\}$ を実数の列とする．すなわち，$\{a_n\}$ を，定数の (退化した) 確率変数の列ということもできる．a を実数とする．$a_n \to a$ が $a_n \xrightarrow{P} a$ と等しいことを示せ．

4.3. 分布収束

4.2.2. 確率変数 Y_n が，$b(n,p)$ である分布に従うものとする．
(a) Y_n/n が p に確率収束することを証明せよ．この結果は大数の弱法則のひとつの形である．
(b) $1-Y_n/n$ が $1-p$ に確率収束することを証明せよ．
(c) $(Y_n/n)(1-Y_n/n)$ が $p(1-p)$ に確率収束することを証明せよ．

4.2.3. W_n を，平均 μ と分散 b/n^p に従う確率変数とする．そこで，$p>0$, μ, b は定数である (n の関数ではない)．W_n が μ に確率収束することを証明せよ．
ヒント: チェビシェフの不等式を用いよ．

4.2.4. $X_1,\ldots,X_n$ を，以下の共通の pdf に従う，iid である確率変数とする．

$$f(x) = \begin{cases} e^{-(x-\theta)} & x>\theta,\ -\infty<\theta<\infty \\ 0 & \text{それ以外の場合} \end{cases} \tag{4.2.1}$$

これはずらし指数分布 (shifted exponential) とよばれる．$Y_n = \min\{X_1,\ldots,X_n\}$ とする．確率収束 $Y_n \to \theta$ を，Y_n の cdf と pdf を求めることによって証明せよ．

4.2.5. 練習問題 4.2.4 に対して，Y_n の平均を求めよ．Y_n は θ の不偏推定量であろうか．Y_n に基づく θ の不偏推定量を求めよ．

4.3 分布収束

前節では，確率収束という概念を導入した．この概念によって，例えば，統計量は母数に収束すると正式にいうことができ，さらに，多くの場面で統計量の分布関数が得られなくてもこれを示すことができる．しかし，統計量は推定量にどのくらい近づくのだろうか．例えば，いくらかの信頼性を伴った推定値の誤差を得ることができるのだろうか．この節で議論される収束の手法は，すでに述べた結果とともに，これらの疑問に肯定的な答えを与える．

定義 4.3.1 (分布収束).
 $\{X_n\}$ を確率変数の列とし，X を確率変数とする．F_{X_n} と F_X はそれぞれ，X_n と X の cdf とする．$C(F_X)$ を F_X が連続であるようなすべての点の集合とする．もし，
$$\lim_{n\to\infty} F_{X_n}(x) = F_X(x), \quad (\text{すべての } x \in C(F_X) \text{ に関して})$$
であるならば，X_n は X に分布収束する (converge in distribution) という．この収束は以下のように表記される．
$$X_n \xrightarrow{D} X$$

注意 4.3.1. 確率収束と分布収束におけるこの要素は，統計学者や確率研究者が漸近理論 (asymptotic theory) とよぶものに分類される．しばしば，X の分布は列 $\{X_n\}$ の漸近分布 (asymptotic distribution) もしくは，極限分布 (limiting distribution) であるということがある．正式ではないが，ある状況への漸近について言及することがある．例えば，$X_n \xrightarrow{D} X$(ここで X は標準正規分布に従う) というかわりに，同じことを
$$X_n \xrightarrow{D} N(0,1)$$
と省略して書くこともあるだろう．明らかに，上式の右辺の項は分布であって，あるべきはずの確率変数ではないが，私たちはこの仕様を用いることにする．加えて，$X_n \xrightarrow{D} X$，ここで X は標準正規分布に従うことを意味するために，X_n は極限 (limiting) 標準正規分布に従う，もしくは，同等に $X_n \xrightarrow{D} N(0,1)$ という．■

F_X の連続点のみを考えることの動機は，次の簡単な例によって与えられる．X_n を $\frac{1}{n}$ にそのすべての量をもつ確率変数とし，X を 0 にそのすべての量をもつ確率変数とする．すると，図 4.3.1 で示されるように，X_n のすべての量は 0，すなわち X の分布に収束していく．F_X の不連続点において，$\lim F_{X_n}(0) = 0 \neq 1 = F_X(0)$ である一方，F_X の連続点 x，すなわち $x \neq 0$ においては，$\lim F_{X_n}(x) = F_X(x)$ となる．したがって，定義で示されたように $X_n \xrightarrow{D} X$ となる．

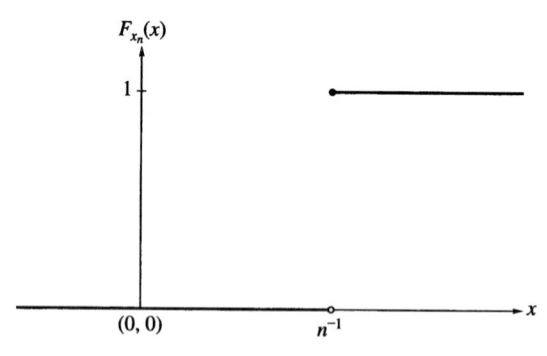

図 4.3.1　n^{-1} にすべての量をもつ X_n の cdf

確率収束は，確率変数の列 X_n が別の確率変数 X に近づいていくことを表現する方法である．一方，分布収束は，F_{X_n} や F_X といった cdf にのみ関心をもつ．簡単な例をあげて説明しよう．X は 0 について対称，すなわち $f_X(-x) = f_X(x)$ であるような，$f_X(x)$ という pdf に従う連続型確率変数であるとする．このとき，確率変数 $-X$ の密度もまた $f_X(x)$ であることを示すのは容易である．このように，X と $-X$ は同じ分布に従う．確率変数の列 X_n を

4.3. 分布収束

$$X_n = \begin{cases} X & n \text{ が奇数のとき} \\ -X & n \text{ が偶数のとき} \end{cases} \tag{4.3.1}$$

と定義する．明らかに，X の台におけるすべての x に対して，$F_{X_n}(x) = F_X(x)$ であるため $X_n \xrightarrow{D} X$ である．一方，列 X_n は X に接近しない．すなわち，$X_n \not\to X$ であり，確率収束しない．

例 4.3.1. $\overline{X}_n$ は

$$F_n(\overline{x}) = \int_{-\infty}^{\overline{x}} \frac{1}{\sqrt{1/n}\sqrt{2\pi}} e^{-nw^2/2}\, dw$$

という cdf に従うとする．もし，変数変換 $v = \sqrt{n}\, w$ がなされるならば，

$$F_n(\overline{x}) = \int_{-\infty}^{\sqrt{n}\, \overline{x}} \frac{1}{\sqrt{2\pi}} e^{-v^2/2}\, dv$$

を得る．また，

$$\lim_{n \to \infty} F_n(\overline{x}) = \begin{cases} 0 & \overline{x} < 0 \\ 1/2 & \overline{x} = 0 \\ 1 & \overline{x} > 0 \end{cases}$$

であることは明らかである．いま，以下の関数

$$F(\overline{x}) = \begin{cases} 0 & \overline{x} < 0 \\ 1 & \overline{x} \geq 0 \end{cases}$$

は cdf であり，$F(\overline{x})$ のすべての連続点において $\lim_{n \to \infty} F_n(\overline{x}) = F(\overline{x})$ である．確かに，$\lim_{n \to \infty} F_n(0) \neq F(0)$ であるが，$F(\overline{x})$ は $\overline{x} = 0$ において連続ではない．したがって，列 $\overline{X}_1, \overline{X}_2, \overline{X}_3, \ldots$ は，$\overline{x} = 0$ において退化する分布に従う確率変数に分布収束する． ∎

例 4.3.2. 列 $X_1, X_2, X_3, \ldots$ が確率変数 X に分布収束しても，一般的に X_n の pmf の極限をとることによって X の分布を定めることはできない．X_n が

$$p_n(x) = \begin{cases} 1 & x = 2 + n^{-1} \\ 0 & \text{それ以外の場合} \end{cases}$$

という pmf に従っていると仮定して，これを説明しよう．明らかに，x のすべての値において $\lim_{n \to \infty} p_n(x) = 0$ である．これは $X_n, n = 1, 2, 3, \ldots$ が分布収束しないことを示しているだろう．しかし，X_n の cdf は

$$F_n(x) = \begin{cases} 0 & x < 2 + n^{-1} \\ 1 & x \geq 2 + n^{-1} \end{cases}$$

であり，かつ，

$$\lim_{n\to\infty} F_n(x) = \begin{cases} 0 & x \leq 2 \\ 1 & x > 2 \end{cases}$$

である．

$$F(x) = \begin{cases} 0 & x < 2 \\ 1 & x \geq 2 \end{cases}$$

は cdf であり，$F(x)$ のすべての連続点において $\lim_{n\to\infty} F_n(x) = F(x)$ であるため，列 $X_1, X_2, X_3, \ldots$ は $F(x)$ という cdf に従う確率変数に分布収束する．∎

上述の例で，一般的に極限分布を pmf や pdf から考えることはできないことが示された．しかし，ある状況下では以下の例で示すように，pdf の列から分布収束を考えることができる．

例 4.3.3. T_n は自由度 n の t 分布に従うとする．ここで $n = 1, 2, 3, \ldots$ である．すなわち，その cdf は

$$F_n(t) = \int_{-\infty}^{t} \frac{\Gamma[(n+1)/2]}{\sqrt{\pi n}\, \Gamma(n/2)} \frac{1}{(1+y^2/n)^{(n+1)/2}}\, dy$$

である．ここで被積分関数は T_n の pdf の $f_n(y)$ である．したがって，

$$\lim_{n\to\infty} F_n(t) = \lim_{n\to\infty} \int_{-\infty}^{t} f_n(y)\, dy = \int_{-\infty}^{t} \lim_{n\to\infty} f_n(y)\, dy$$

である．解析の定理 (ルベーグの収束定理，Lebesgue dominated convergence theorem) より，もし，$|f_n(y)|$ が積分可能な関数によって上から押さえられているならば，極限や積分の順番を交換することが許される．これは

$$|f_n(y)| \leq 10 f_1(y)$$

かつ，すべての実数 t に対して

$$\int_{-\infty}^{t} 10 f_1(y)\, dy = 5 + \frac{10}{\pi} \arctan t < \infty$$

であることから真である．したがって，T_n の pdf の極限を求めることにより極限分布を得ることができる．それは以下である．

$$\lim_{n\to\infty} f_n(y) = \lim_{n\to\infty} \left\{ \frac{\Gamma[(n+1)/2]}{\sqrt{n/2}\, \Gamma(n/2)} \right\} \lim_{n\to\infty} \left\{ \frac{1}{(1+y^2/n)^{1/2}} \right\}$$
$$\times \lim_{n\to\infty} \left\{ \frac{1}{\sqrt{2\pi}} \left[\left(1 + \frac{y^2}{n}\right) \right]^{-n/2} \right\}$$

以下の初等解析学の事実を用いると，3 番目の要素に付随する極限は，明らかに標準正規分布の pdf である．

$$\lim_{n\to\infty}\left(1+\frac{y^2}{n}\right)^n = e^{y^2}$$

2番目の極限は明らかに1に等しい．注意4.3.2より，1番目の極限も1である．したがって，

$$\lim_{n\to\infty} F_n(t) = \int_{-\infty}^{t} \frac{1}{\sqrt{2\pi}} e^{-y^2/2} \, dy$$

であり，T_n は極限標準正規分布に従う．■

注意 4.3.2 (スターリングの公式). より進んだ計算法では，以下の近似値が導かれる．

$$\Gamma(k+1) \doteq \sqrt{2\pi} k^{k+1/2} e^{-k} \tag{4.3.2}$$

これはスターリングの公式 (Stirling's formula) として知られ，k が大きいとき優れた近似値となる．整数 k に対して $\Gamma(k+1) = k!$ であるため，この公式は $k!$ がどのくらい早く大きくなるかという知識を与える．練習問題4.3.20 が示すように，この近似値は例4.3.3における1番目の極限が1であることを示す際に利用される．■

例 4.3.4 (一様分布からの標本の最大値，続き). 例4.1.3を思い出そう．ここで $X_1, \ldots, X_n$ は一様分布 $(0, \theta)$ からの無作為標本とした．再度 $Y_n = \max\{X_1, \ldots, X_n\}$ とするが，今回は確率変数 $Z_n = n(\theta - Y_n)$ を考える．$t \in (0, n\theta)$ とする．このとき，(4.1.7)式の Y_n の cdf を用いると，Z_n の cdf は

$$P[Z_n \le t] = P[Y_n \ge \theta - (t/n)] = 1 - \left(\frac{\theta - (t/n)}{\theta}\right)^n$$

$$= 1 - \left(1 - \frac{t/\theta}{n}\right)^n \to 1 - e^{-t/\theta}$$

となる．最終項の値は，(3.3.2)式で表された平均 θ の指数確率変数の cdf であることに注意しよう．そのため，$Z_n \xrightarrow{D} Z$（ここで Z は $\exp(\theta)$ の分布に従う）となる．■

注意 4.3.3. この節のいくつかの証明を単純化するため，列の $\underline{\lim}$ と $\overline{\lim}$ を利用する．これらの概念になじみのない読者は付録Aを参照されたい．この簡単な注意では，証明の理解に必要な性質に注目する．$\{a_n\}$ を実数の列とし，そこから以下の2つの部分列を定義する．

$$b_n = \sup\{a_n, a_{n+1}, \ldots\}, \quad n = 1, 2, 3 \ldots \tag{4.3.3}$$
$$c_n = \inf\{a_n, a_{n+1}, \ldots\}, \quad n = 1, 2, 3 \ldots \tag{4.3.4}$$

$\{c_n\}$ は非減少の列であるが，$\{b_n\}$ は非増加の列である．したがって，それらの極限は常に存在する（おそらく $\pm\infty$ である）．それぞれを，$\underline{\lim}_{n\to\infty} a_n$ と $\overline{\lim}_{n\to\infty} a_n$ と表記する．さらに，すべての n に対して $c_n \le a_n \le b_n$ である．したがって，サンドウィッチの定理より（付録Aの定理A.2.1を参照），もし，$\underline{\lim}_{n\to\infty} a_n = \overline{\lim}_{n\to\infty} a_n$

であるならば，$\lim_{n\to\infty} a_n$ が存在し，かつ，$\lim_{n\to\infty} a_n = \overline{\lim}_{n\to\infty} a_n$ によって与えられる．

付録で議論されるように，これらの概念のいくつか別の性質は有用である．例えば，$\{p_n\}$ を確率の列とし，$\overline{\lim}_{n\to\infty} p_n = 0$ とする．このとき，サンドウィッチの定理によって，すべての n に対して $0 \leq p_n \leq \sup\{p_n, p_{n+1}, \ldots\}$ であるため，$\lim_{n\to\infty} p_n = 0$ を得る．また，どんな 2 つの列 $\{a_n\}$ や $\{b_n\}$ においても，$\overline{\lim}_{n\to\infty}(a_n + b_n) \leq \overline{\lim}_{n\to\infty} a_n + \overline{\lim}_{n\to\infty} b_n$ がすぐに導かれる． ■

次の定理が示すように，分布収束は確率収束よりも弱い．したがって，分布収束はしばしば弱収束とよばれる．

定理 4.3.1.
もし，X_n が X に確率収束するならば，X_n は X に分布収束する．

証明 x を $F_X(x)$ の連続点とする．また，$\epsilon > 0$ とする．すると
$$F_{X_n}(x) = P[X_n \leq x]$$
$$= P[\{X_n \leq x\} \cap \{|X_n - X| < \epsilon\}] + P[\{X_n \leq x\} \cap \{|X_n - X| \geq \epsilon\}]$$
$$\leq P[X \leq x + \epsilon] + P[|X_n - X| \geq \epsilon]$$
となる．この不等式と，$X_n \xrightarrow{P} X$ という事実に基づき，
$$\overline{\lim}_{n\to\infty} F_{X_n}(x) \leq F_X(x+\epsilon) \tag{4.3.5}$$
であることがわかる．下限を得るために，同様に補集合を用いて続けて以下を示す．
$$P[X_n > x] \leq P[X \geq x - \epsilon] + P[|X_n - X| \geq \epsilon]$$
したがって，
$$\underline{\lim}_{n\to\infty} F_{X_n}(x) \geq F_X(x-\epsilon) \tag{4.3.6}$$
である．$\overline{\lim}$ と $\underline{\lim}$ の関係を利用して，(4.3.5) 式と (4.3.6) 式から以下を得る．
$$F_X(x-\epsilon) \leq \underline{\lim}_{n\to\infty} F_{X_n}(x) \leq \overline{\lim}_{n\to\infty} F_{X_n}(x) \leq F_X(x+\epsilon)$$
$\epsilon \downarrow 0$ とすると，求める結果が得られる． ■

(4.3.1) 式で定義した確率変数の列 $\{X_n\}$ を再度考える．ここで，$X_n \xrightarrow{D} X$ であるが，$X_n \xrightarrow{P} \!\!\!\!\!/ \; X$ である．したがって，先の収束の定理の逆は一般的に真ではない．しかし，もし X が以下の定理で示されるように退化するならば，真となる．

定理 4.3.2.
もし，X_n は定数 b に分布収束するならば，X_n は定数 b に確率収束する．

4.3. 分布収束

証明 $\epsilon > 0$ が与えられているとする.すると,
$$\lim_{n\to\infty} P[|X_n - b| \leq \epsilon] = \lim_{n\to\infty} F_{X_n}(b+\epsilon) - \lim_{n\to\infty} F_{X_n}(b-\epsilon-0) = 1 - 0 = 1$$
であり,これが求める結果である.■

以下の結果は非常に有用となる.

定理 4.3.3.
X_n は X に分布収束するとし,Y_n は 0 に確率収束するとする.このとき,$X_n + Y_n$ は X に分布収束する.

証明は定理 4.3.2 と同様であり,練習問題 4.3.12 に残しておく.この結果はしばしば以下のように用いられる.X_n が X に分布収束することを示すことは困難であるとする.しかし,Y_n が X に分布収束することや,$X_n - Y_n$ が 0 に確率収束することを示すのは容易であるとする.したがって,先の定理より $X_n = Y_n + (X_n - Y_n) \xrightarrow{D} X$ となり,求められる結果が得られる.

次の 2 つの定理は一般的な結果に言及するものである.1 つめの結果の証明はさらに進んだ本において取り扱われる.一方,2 つめのスラツキーの定理 (Slutsky's theorem) は定理 4.3.1 と同様の証明に準じる.

定理 4.3.4.
X_n は X に分布収束するとし,g は X の台に対する連続関数とする.このとき,$g(X_n)$ は $g(X)$ に分布収束する.

定理 4.3.5 (スラツキーの定理).
X_n, X, A_n, B_n を確率変数とし,a と b を定数とする.もし,$X_n \xrightarrow{D} X$,かつ,$A_n \xrightarrow{P} a$,かつ,$B_n \xrightarrow{P} b$ であるならば,以下である.
$$A_n + B_n X_n \xrightarrow{D} a + bX$$

4.3.1 確率的有界

分布収束に関連した概念で,その他に有用なものとして確率変数の列の確率的有界があげられる.

初めに,$F_X(x)$ という cdf に従うある確率変数 X を考える.このとき,$\epsilon > 0$ が与えられると,以下のように X の境界を示すことができる.F_X の下限は 0,かつ,上限は 1 であるため,以下の式が成り立つような η_1 と η_2 を求めることができる.
$$F_X(x) < \epsilon/2, \quad x \leq \eta_1; \quad F_X(x) > 1 - (\epsilon/2), \quad x \geq \eta_2$$
$\eta = \max\{|\eta_1|, |\eta_2|\}$ とすると,以下となる.
$$P[|X| \leq \eta] = F_X(\eta) - F_X(-\eta - 0) \geq 1 - (\epsilon/2) - (\epsilon/2) = 1 - \epsilon \tag{4.3.7}$$

このように, 有界でない確率変数 (例えば, X が $N(0,1)$) は以上の方法によって境界づけられる. これは確率変数の列の有用な概念であるため, 次に定義する.

定義 4.3.2 (確率的有界).
$\epsilon > 0$ に対して, 以下であるような定数 $B_\epsilon > 0$ と整数 N_ϵ が存在するとき, 確率変数の列 $\{X_n\}$ は確率的に有界である (bounded in probability) という.
$$n \geq N_\epsilon \Rightarrow P[|X_n| \leq B_\epsilon] \geq 1-\epsilon$$

次に, F という cdf に従う確率変数 X に分布収束する確率変数の列 $\{X_n\}$ を考える. $\epsilon > 0$ が与えられているとし, X に対して (4.3.7) 式が成り立つような η を選択する. 私たちは常に η と $-\eta$ が F の連続点であるような η を選ぶことができる. すると,
$$\lim_{n\to\infty} P[|X_n| \leq \eta] \geq \lim_{n\to\infty} F_{X_n}(\eta) - \lim_{n\to\infty} F_{X_n}(-\eta-0) = F_X(\eta) - F_X(-\eta) \geq 1-\epsilon$$
を得る. 正確には, $n \geq N$ に対して $P[|X_n| \leq \eta] \geq 1-\epsilon$ となるような大きい N を選択することができる. したがって, 以下の定理が示される.

定理 4.3.6.
$\{X_n\}$ を確率変数の列とし, X を確率変数とする. $X_n \to X$ のように分布収束するとき, $\{X_n\}$ は確率的に有界である.

以下の例が示すように, この定理の逆は真ではない.

例 4.3.5. $\{X_n\}$ を以下の退化した確率変数の列とする. $n=2m$(偶数) に対しては, 確率 1 で $X_{2m} = 2+(1/(2m))$ である. $n=2m-1$(奇数) に対しては, 確率 1 で $X_{2m-1} = 1+(1/(2m))$ である. このとき, 列 $\{X_2, X_4, X_6, \ldots\}$ は退化した確率変数 $Y=2$ に分布収束する. 一方, 列 $\{X_1, X_3, X_5, \ldots\}$ は退化した確率変数 $W=1$ に分布収束する. Y と W の分布は同じでないため, 列 $\{X_n\}$ は分布収束しない. しかし, 列 $\{X_n\}$ のすべての量は $[1, 5/2]$ にあるため, 列 $\{X_n\}$ は確率的に有界である. ∎

確率的に有界である列 (もしくは, ある確率変数に分布収束する列) を判断するひとつの方法は, $|X_n|$ の量が ∞ に発散しないことである. 時には, 分布収束のかわりに確率的有界を用いることができる. 後に必要となる性質を次の定理で与える.

定理 4.3.7.
$\{X_n\}$ を確率的に有界である確率変数の列とする. また, $\{Y_n\}$ を 0 に確率収束する確率変数の列とする. このとき, 以下である.
$$X_n Y_n \xrightarrow{P} 0$$

証明 $\epsilon > 0$ が与えられているとする. また,

4.3. 分布収束

$$n \geq N_\epsilon \Rightarrow P[|X_n| \leq B_\epsilon] \geq 1-\epsilon$$

が成り立つような $B_\epsilon > 0$ と整数 N_ϵ を選択する. すると,

$$\begin{aligned}\varlimsup_{n\to\infty} P[|X_n Y_n| \geq \epsilon] &\leq \varlimsup_{n\to\infty} P[|X_n Y_n| \geq \epsilon, |X_n| \leq B_\epsilon] \\ &\quad + \varlimsup_{n\to\infty} P[|X_n Y_n| \geq \epsilon, |X_n| > B_\epsilon] \\ &\leq \varlimsup_{n\to\infty} P[|Y_n| \geq \epsilon/B_\epsilon] + \epsilon = \epsilon \end{aligned} \quad (4.3.8)$$

となる. ここから求められる結果を得る. ∎

4.3.2 デルタ法

ここまでの3節で議論してきた共通の問題を思い出してみよう. それは, つまり, 確率変数の分布については既知であるが, その関数の分布を求めたいという状況である. これは漸近理論でも成立するし, 定理 4.3.4 や 4.3.5 でもこれを示した. 別のそのような方法としてデルタ法がある. この方法を確立するためには, しばしばヤングの定理 (Young's theorem) という, 剰余に対する平均値の定理の便利な形が必要である. Hardy (1992) や Lehmann (1999) をみよ. $g(y)$ が x において微分可能だとすると, 次のように書くことができる.

$$g(y) = g(x) + g'(x)(y-x) + o(|y-x|) \tag{4.3.9}$$

ここで, o という記法は, 次を意味する.

$b \to 0$ のとき $a/b \to 0$ となる場合, かつその場合のみ $a = o(b)$

小文字の o は確率収束の場面でも用いられる. しばしば, 次のことを意味する $o_p(X_n)$ を用いる.

$n \to \infty$ のとき $Y_n/X_n \xrightarrow{P} 0$ となる場合, かつその場合のみ $Y_n = o_p(X_n)$
$$\tag{4.3.10}$$

関連する記法として, 大文字の O があり, 次のように与えられる.

$n \to \infty$ のとき Y_n/X_n が確率的に有界な場合, かつその場合のみ $Y_n = O_p(X_n)$
$$\tag{4.3.11}$$

次の定理では, 小文字の o の記法について示しているが, これはまた, 定理 4.3.9 の補題でも役に立つ.

定理 4.3.8.
$\{Y_n\}$ は確率変数の連なりであり, 確率的に有界であると仮定する. $X_n = o_p(Y_n)$ と仮定する. すると, $n \to \infty$ となるにしたがって, $X_n \xrightarrow{P} 0$ となる.

証明 $\epsilon > 0$ とする. 連なり $\{Y_n\}$ は確率的に有界であるから, 次のような正の定

数 N_ϵ と B_ϵ が存在する.
$$n \geq N_\epsilon \Longrightarrow P[|Y_n| \leq B_\epsilon] \geq 1-\epsilon \tag{4.3.12}$$
同様に,$X_n = o_p(Y_n)$ だから,$n \to \infty$ となるに従って,次のようになる.
$$\frac{X_n}{Y_n} \xrightarrow{P} 0 \tag{4.3.13}$$
すると,次が得られる.
$$P[|X_n| \geq \epsilon] = P[|X_n| \geq \epsilon, |Y_n| \leq B_\epsilon] + P[|X_n| \geq \epsilon, |Y_n| > B_\epsilon]$$
$$\leq P\left[\frac{X_n}{|Y_n|} \geq \frac{\epsilon}{B_\epsilon}\right] + P[|Y_n| > B_\epsilon]$$

(4.3.13) 式と (4.3.12) 式それぞれから,上式右辺の 1 番目の項と 2 番目の項は n を十分に大きく選ぶことで,任意の小ささになる.したがって,この結果は真である.■

定理 4.3.9.
$\{X_n\}$ は次のような確率変数の連なりとする.
$$\sqrt{n}(X_n - \theta) \xrightarrow{D} N(0, \sigma^2) \tag{4.3.14}$$
関数 $g(x)$ が θ において微分可能であり,$g'(\theta) \neq 0$ とする.すると,次が成立する.
$$\sqrt{n}(g(X_n) - g(\theta)) \xrightarrow{D} N(0, \sigma^2 (g'(\theta))^2) \tag{4.3.15}$$

証明 (4.3.9) 式の表現を利用すると,次が得られる.
$$g(X_n) = g(\theta) + g'(\theta)(X_n - \theta) + o_p(|X_n - \theta|)$$
ここで,o_p は (4.3.10) 式のように解釈される.再度整理すると,次が得られる.
$$\sqrt{n}(g(X_n) - g(\theta)) = g'(\theta)\sqrt{n}(X_n - \theta) + o_p(\sqrt{n}|X_n - \theta|)$$
(4.3.14) 式が成立するから,定理 4.3.6 は,$\sqrt{n}|X_n - \theta|$ は確率的に有界であることを示している.したがって,定理 4.3.8 から,$o_p(\sqrt{n}|X_n - \theta|) \to 0$ となる.よって,(4.3.14) 式と定理 4.3.1 から,この結果は成立する.■

デルタ法の例は,例 4.3.8 と練習問題で示される.

4.3.3 積率母関数法

定義を利用して確率変数 X_n の極限分布関数を求めるためには,正の整数 n に対して,$F_{X_n}(x)$ がわかっていることが必要なことは明らかである.しかし,$F_{X_n}(x)$ を閉じた形で得ることはしばしば難しい.幸いなことに,もし存在するならば,$F_{X_n}(x)$ という cdf に対応する mgf がわかれば,極限 cdf を決定するためには便利なことが多い.
基本的には,レヴィとクラメールの定理のカーティスによる修正である次の定理で

4.3. 分布収束

は，極限分布の問題に対して mgf がどのように用いられるのかが説明されている．この定理の証明は本書の範囲を超えている．より発展的な本ではその証明をすぐに見つけることができる．例えば，Breiman (1968) の 171 ページをみよ．

定理 4.3.10.

確率変数の連なり $\{X_n\}$ は，すべての n に対して $-h < t < h$ のときに存在する $M_{X_n}(t)$ という mgf に従うとする．確率変数 X は，$|t| \leq h_1 \leq h$ に対して存在する $M(t)$ という mgf に従うとする．$|t| \leq h_1$ に対して，$\lim_{n \to \infty} M_{X_n}(t) = M(t)$ ならば，$X_n \xrightarrow{D} X$ である．■

本節と以降の節では，定理 4.3.10 のいくつかの使用例が示されている．それらの例のいくつかでは，発展的な微積分学の課程で証明されるある極限を利用すると便利である．その形の極限は以下のようになっている．

$$\lim_{n \to \infty} \left[1 + \frac{b}{n} + \frac{\psi(n)}{n}\right]^{cn}$$

ここで，b と c は n に依存せず，また，$\lim_{n \to \infty} \psi(n) = 0$ である．すると，以下となる．

$$\lim_{n \to \infty} \left[1 + \frac{b}{n} + \frac{\psi(n)}{n}\right]^{cn} = \lim_{n \to \infty} \left(1 + \frac{b}{n}\right)^{cn} = e^{bc} \tag{4.3.16}$$

例えば，以下となる．

$$\lim_{n \to \infty} \left(1 - \frac{t^2}{n} + \frac{t^2}{n^{3/2}}\right)^{-n/2} = \lim_{n \to \infty} \left(1 - \frac{t^2}{n} + \frac{t^2/\sqrt{n}}{n}\right)^{-n/2}$$

ここで，$b = -t^2, c = -\frac{1}{2}$ そして $\psi(n) = t^2/\sqrt{n}$ である．したがって，すべての固定された値 t に対して，その極限は $e^{t^2/2}$ である．

例 4.3.6. Y_n は分布 $b(n, p)$ に従うとする．すべての n に対して，平均は $\mu = np$ とする．つまり，$p = \mu/n$ である．ここで，μ は定数である．$M_{Y_n}(t)$ の極限を求めることで，$p = \mu/n$ であるときに，2 項分布の極限分布を得たいとする．いま，

$$M_{Y_n}(t) = E(e^{tY_n}) = [(1-p) + pe^t]^n = \left[1 + \frac{\mu(e^t - 1)}{n}\right]^n$$

がすべての実数 t に対して成立する．したがって，すべての実数 t に対して次が成立する．

$$\lim_{n \to \infty} M_{Y_n}(t) = e^{\mu(e^t - 1)}$$

ある分布，つまり平均が μ で mgf が $e^{\mu(e^t - 1)}$ のポアソン分布が存在するから，したがって，この定理とこれまでに述べた条件から，Y_n は平均 μ の極限ポアソン分布に従うことがわかる．

確率変数が極限分布に従うときはいつでも，正式の分布関数の近似として，極限分布を使用することが可能である．この例の結果により，n が大きく，p が小さいときには2項分布の近似としてポアソン分布を使用することが可能となった．この近似の例示として，Y は $n=50$ かつ $p=\frac{1}{25}$ の2項分布に従うとする．すると，おおよそ以下となる．

$$Pr(Y \le 1) = \left(\frac{24}{25}\right)^{50} + 50\left(\frac{1}{25}\right)\left(\frac{24}{25}\right)^{49} = 0.400$$

$\mu = np = 2$ だから，この確率のポアソン近似は次のようになる．

$$e^{-2} + 2e^{-2} = 0.406 \blacksquare$$

例 4.3.7. Z_n が $\chi^2(n)$ に従うとする．すると，Z_n の mgf は $(1-2t)^{-n/2}$, $t < \frac{1}{2}$ である．Z_n の平均と分散はそれぞれ，n と $2n$ である．確率変数 $Y_n = (Z_n - n)/\sqrt{2n}$ の極限分布を調べることにする．いま，Y_n の mgf は以下である．

$$\begin{aligned}
M_{Y_n}(t) &= E\left\{\exp\left[t\left(\frac{Z_n - n}{\sqrt{2n}}\right)\right]\right\} \\
&= e^{-tn/\sqrt{2n}} E(e^{tZ_n/\sqrt{2n}}) \\
&= \exp\left[-\left(t\sqrt{\frac{2}{n}}\right)\left(\frac{n}{2}\right)\right]\left(1 - 2\frac{t}{\sqrt{2n}}\right)^{-n/2}, \quad t < \frac{\sqrt{2n}}{2}
\end{aligned}$$

これは次の形で書くことができる．

$$M_{Y_n}(t) = \left(e^{t\sqrt{2/n}} - t\sqrt{\frac{2}{n}} e^{t\sqrt{2/n}}\right)^{-n/2}, \quad t < \sqrt{\frac{n}{2}}$$

テイラーの公式に従うと，0 と $t\sqrt{2/n}$ の間に次のような数 $\xi(n)$ が存在する．

$$e^{t\sqrt{2/n}} = 1 + t\sqrt{\frac{2}{n}} + \frac{1}{2}\left(t\sqrt{\frac{2}{n}}\right)^2 + \frac{e^{\xi(n)}}{6}\left(t\sqrt{\frac{2}{n}}\right)^3$$

前々式の $M_{Y_n}(t)$ の表現で，$e^{t\sqrt{2/n}}$ を和に置き換えると，次のようになる．

$$M_{Y_n}(t) = \left(1 - \frac{t^2}{n} + \frac{\psi(n)}{n}\right)^{-n/2}$$

ここで，次が成立する．

$$\psi(n) = \frac{\sqrt{2}\, t^3 e^{\xi(n)}}{3\sqrt{n}} - \frac{\sqrt{2}\, t^3}{\sqrt{n}} - \frac{2t^4 e^{\xi(n)}}{3n}$$

$n \to \infty$ となるに従って，$\xi(n) \to 0$ となるから，すべての固定された値 t に対して，$\lim \psi(n) = 0$ となる．この章のはじめで引いた極限定理に従うと，すべての実数 t に対して次のようになる．

$$\lim_{n \to \infty} M_{Y_n}(t) = e^{t^2/2}$$

4.3. 分布収束

つまり，確率変数 $Y_n = (Z_n - n)/\sqrt{2n}$ は極限分布として標準正規分布に従う．■

例 4.3.8 (例 4.3.7 の続き). 先の例の記法に従うと，次のことを示した．

$$\sqrt{n}\left[\frac{1}{\sqrt{2n}}Z_n - \frac{1}{\sqrt{2}}\right] \xrightarrow{D} N(0,1) \tag{4.3.17}$$

しかし，いまは Z_n の平方根に興味があるとする．$g(t) = \sqrt{t}$ そして，$W_n = g(Z_n/(\sqrt{2}n)) = (Z_n/(\sqrt{2}n))^{1/2}$ とする．$g(1/\sqrt{2}) = 1/2^{1/4}$ そして，$g'(1/\sqrt{2}) = 2^{-3/4}$ であることに注意してほしい．デルタ法と定理 4.3.9 と (4.3.17) 式を用いると次のようになる．

$$\sqrt{n}\left[W_n - 1/2^{1/4}\right] \xrightarrow{D} N(0, 2^{-3/2}) \quad ■ \tag{4.3.18}$$

練習問題

4.3.1. 分布 $N(\mu, \sigma^2)$ からサイズ n でランダム抽出された標本の平均を $\overline{X}_n$ とする．$\overline{X}_n$ の極限分布を求めよ．

4.3.2. pdf が $f(x) = e^{-(x-\theta)}, \theta < x < \infty$，その他では 0 という分布からサイズ n でランダム抽出された標本の最小値を Y_1 とする．$Z_n = n(Y_1 - \theta)$ とするとき，Z_n の極限分布を調べよ．

4.3.3. cdf が $F(x)$ そして，pdf が $f(x) = F'(x)$ の連続型の分布からランダムに抽出された標本の最大値を Y_n とする．$Z_n = n[1 - F(Y_n)]$ の極限分布を求めよ．

4.3.4. cdf が $F(x)$，そして pdf が $f(x) = F'(x)$ の連続型の分布からランダムに抽出された標本の下から 2 番目の統計量を Y_2 とする．$W_n = nF(Y_2)$ の極限分布を求めよ．

4.3.5. Y_n は $p_n(y) = 1, y = n$，その他では 0 という pmf に従うとする．Y_n は極限分布をもたないことを証明せよ．(この場合は，確率は無限大まで生起しない．)

4.3.6. $\sigma^2 > 0$ のとき，分布 $N(\mu, \sigma^2)$ からサイズ n でランダム抽出された標本を $X_1, X_2, \ldots, X_n$ とする．和 $Z_n = \sum_1^n X_i$ が極限分布をもたないことを証明せよ．

4.3.7. β が n の関数ではないとき，X_n は，母数 $\alpha = n, \beta$ のガンマ分布に従うとする．$Y_n = X_n/n$ とするとき，Y_n の極限分布を求めよ．

4.3.8. Z_n が $\chi^2(n)$ に従い，$W_n = Z_n/n^2$ とする．W_n の極限分布を求めよ．

4.3.9. X が $\chi^2(50)$ に従うとき，$P(40 < X < 60)$ の近似値を求めよ．

4.3.10. ある年齢集団の人が少なくとも 5 年生きる確率を $p = 0.95$ とする．
(a) もし，そのような人々を 60 人観測して各人の独立を仮定するとき，少なくとも

56 人が 5 年あるいはそれ以上生きる確率を求めよ．
(b) ポアソン分布を用いて，(a) の結果の近似値を求めよ．
　　ヒント：p を 0.05, $1-p=0.95$ として再定義しなさい．

4.3.11. Z_n は母数 $\mu=n$ のポアソン分布に従う確率変数とする．確率変数 $Y_n = (Z_n - n)/\sqrt{n}$ の極限分布は平均 0 で分散 1 の正規分布に従うことを証明せよ．

4.3.12. 定理 4.3.3 を証明せよ．

4.3.13. X_n と Y_n は，n に関係なく，母数 $\mu_1, \mu_2, \sigma_1^2, \sigma_2^2$ の 2 項分布に従うとする．ただし，$\rho = 1 - 1/n$ である．$X_n = x$ が与えられたときの Y_n の条件付き分布を考える．$n \to \infty$ のときのこの条件付き分布の極限を調べよ．$\rho = -1 + 1/n$ のときの極限分布は何だろうか．これらの事実に関する文献は 2.4 節の注意にある．

4.3.14. 母数 $\mu = 1$ のポアソン分布からサイズ n でランダム抽出された標本の平均を $\overline{X}_n$ とする．
(a) $Y_n = \sqrt{n}(\overline{X}_n - \mu)/\sigma = \sqrt{n}(\overline{X}_n - 1)$ の mgf が $\exp[-t\sqrt{n} + n(e^{t/\sqrt{n}} - 1)]$ となることを証明せよ．
(b) $n \to \infty$ のときの Y_n の極限分布を調べよ．
　　ヒント：そのマクローリン級数により，自然対数 e の Y_n の mgf 乗である $e^{t/\sqrt{n}}$ という表現を置き換えよ．

4.3.15. 練習問題 4.3.14 を利用して，$\sqrt{n}(\sqrt{\overline{X}_n} - 1)$ の極限分布を求めよ．

4.3.16. Pdf が $f(x) = e^{-x}$, $0 < x < \infty$, それ以外では 0 という分布からサイズ n でランダム抽出された標本の平均を $\overline{X}_n$ とする．
(a) $Y_n = \sqrt{n}(\overline{X}_n - 1)$ の mgf, $M(t; n)$ は次のようになることを証明せよ．
$$M_{X_n}(t) = [e^{t/\sqrt{n}} - (t/\sqrt{n})e^{t/\sqrt{n}}]^{-n}, \quad t < \sqrt{n}$$
(b) $n \to \infty$ のとき，Y_n の極限分布を求めよ．

4.3.17. 練習問題 4.3.16 を利用して，$\sqrt{n}(\sqrt{\overline{X}_n} - 1)$ の極限分布を求めよ．

4.3.18. pdf が $f(x) = e^{-x}$, $0 < x < \infty$, その他では 0 という分布からのランダム抽出された標本の 1 番目，2 番目，$\cdots$，n 番目の順序統計量を，それぞれ $Y_1 < Y_2 < \cdots < Y_n$ とする．$Z_n = (Y_n - \log n)$ の極限分布を求めよ．

4.3.19. pdf が $f(x) = 5x^4$, $0 < x < 1$, その他では 0 という分布からのランダム抽出された標本の 1 番目，2 番目，$\cdots$，n 番目の順序統計量を，それぞれ $Y_1 < Y_2 < \cdots < Y_n$ とする．$Z_n = n^p Y_1$ が分布収束するための p を求めよ．

4.3.20. (4.3.2) 式のスターリングの公式を用いて，例 4.3.3 のはじめの極限は 1 となることを証明せよ．

4.4 中心極限定理

3.4 節において，平均 μ，分散 σ^2 の正規分布からの無作為抽出標本 $X_1, X_2, \ldots, X_n$ があったとき，すべての正の整数 n について，以下に示す確率変数が平均 0，分散 1 の正規分布に従うということを述べた．

$$\frac{\sum_1^n X_i - n\mu}{\sigma\sqrt{n}} = \frac{\sqrt{n}\,(\overline{X}_n - \mu)}{\sigma}$$

確率論の分野には，中心極限定理 (central limit theorem) とよばれる鮮やかな定理が存在している．この定理の特別な場合として，$X_1, X_2, \ldots, X_n$ が有限の分散 $\sigma^2 > 0$ に従う (すなわち，有限の平均 μ に従う) 分布から得られたサイズ n の無作為標本であるとき，確率変数 $\sqrt{n}\,(\overline{X}_n - \mu)/\sigma$ の分布が標準正規分布に収束するという，驚くべき重要な事実が導かれる．したがって定理の条件が満たされているならば，n の値が大きいとき，確率変数 $\sqrt{n}\,(\overline{X}_n - \mu)/\sigma$ は漸近的に平均 0，分散 1 の正規分布に従うことがわかる．この漸近的な正規分布を利用することで，$\overline{X}$ にかかわる近似的な確率を求めることが可能になる．例えば μ が未知である場合に，その信頼区間を推定したいという統計的課題に対して，$\overline{X}_n$ の漸近分布を利用する．詳しくは 5.4 節を参照せよ．

なお，以降では Y_n が極限標準正規分布に従うという記述で，Y_n が標準正規分布に分布収束するという状態を表すものとする．これについては注意 4.3.1 も参照せよ．

中心極限定理の一般的な形は以下に示すとおりであるが，証明はこれを一部変更した形に対してしか与えられない．しかしこの証明は，特性関数を mgf に変換して扱うことが可能であるかぎりにおいて，十分なものとなっている．

定理 4.4.1.

$X_1, X_2, \ldots, X_n$ が，平均 μ および正の分散 σ^2 をもつような分布から得られた無作為抽出標本であるとする．このとき確率変数 $Y_n = (\sum_1^n X_i - n\mu)/\sqrt{n}\,\sigma = \sqrt{n}\,(\overline{X}_n - \mu)/\sigma$ は，平均 0，分散 1 の正規分布に分布収束する．

証明 証明を行うにあたって，まず積率母関数 $M(t) = E(e^{tX})$ が $-h < t < h$ において存在することを仮定する．ただし以下に示す式中の mgf を，$\varphi(t) = E(e^{itX})$ という常に成立する変換によって特性関数に置き換えれば，より高度な課程において利用される特性関数の形での証明を得ることもできる．

積率母関数が存在するならば，

$$m(t) = E[e^{t(X-\mu)}] = e^{-\mu t} M(t)$$

もまた，$-h < t < h$ において存在している．この $m(t)$ は $X - \mu$ の mgf に相当するため，$m(0) = 1$, $m'(0) = E(X - \mu) = 0$, $m''(0) = E[(X-\mu)^2] = \sigma^2$ となるはずである．よってテイラーの公式より，0 から t の間の値をとり，なおかつ以下

の式を満たすような ξ が存在することがわかる.

$$m(t) = m(0) + m'(0)t + \frac{m''(\xi)t^2}{2} = 1 + \frac{m''(\xi)t^2}{2}$$

この式に $\pm \sigma^2 t^2/2$ の項を加えることで,

$$m(t) = 1 + \frac{\sigma^2 t^2}{2} + \frac{[m''(\xi) - \sigma^2]t^2}{2} \tag{4.4.1}$$

を得る.続いて,以下のような $M_{X_n}(t)$ を考える.

$$\begin{aligned}
M_{X_n}(t) &= E\left[\exp\left(t\frac{\sum X_i - n\mu}{\sigma\sqrt{n}}\right)\right] \\
&= E\left[\exp\left(t\frac{X_1 - \mu}{\sigma\sqrt{n}}\right)\exp\left(t\frac{X_2 - \mu}{\sigma\sqrt{n}}\right)\cdots\exp\left(t\frac{X_n - \mu}{\sigma\sqrt{n}}\right)\right] \\
&= E\left[\exp\left(t\frac{X_1 - \mu}{\sigma\sqrt{n}}\right)\right] \cdots E\left[\exp\left(t\frac{X_n - \mu}{\sigma\sqrt{n}}\right)\right] \\
&= \left\{E\left[\exp\left(t\frac{X - \mu}{\sigma\sqrt{n}}\right)\right]\right\}^n = \left[m\left(\frac{t}{\sigma\sqrt{n}}\right)\right]^n, \quad -h < \frac{t}{\sigma\sqrt{n}} < h
\end{aligned}$$

ここで (4.4.1) 式において t を $t/\sigma\sqrt{n}$ に置き換えれば,$-h\sigma\sqrt{n} < t < h\sigma\sqrt{n}$ において

$$m\left(\frac{t}{\sigma\sqrt{n}}\right) = 1 + \frac{t^2}{2n} + \frac{[m''(\xi) - \sigma^2]t^2}{2n\sigma^2}$$

を満たすような,0 と $t/\sigma\sqrt{n}$ の間の値をとる ξ が存在することを利用すると,

$$M_{X_n}(t) = \left\{1 + \frac{t^2}{2n} + \frac{[m''(\xi) - \sigma^2]t^2}{2n\sigma^2}\right\}^n$$

が導かれる.ただし $m''(t)$ は $t=0$ において連続であり,かつ $n \to \infty$ において $\xi \to 0$ であることから,

$$\lim_{n\to\infty}[m''(\xi) - \sigma^2] = 0$$

が成立する.したがって (4.3.16) 式に示した極限命題から,すべての実数 t において

$$\lim_{n\to\infty} M_{X_n}(t) = e^{t^2/2}$$

であることがわかる.この式は,確率変数 $Y_n = \sqrt{n}\,(\overline{X}_n - \mu)/\sigma$ が極限標準正規分布に従うことを証明している. ∎

注意 4.3.1 において述べたように,中心極限定理は Y_n が極限標準正規分布に従うという形で記述される.しかしこの定理の表すところは,n が大きな固定された値をもつ正の整数であるときに,確率変数 $\overline{X}$ が近似的に平均 μ,分散 σ^2/n の正規分布に従うという形で解釈することもできる.そして実用場面においては,この近似的な正規 pdf が $\overline{X}$ の真の分布であると見なすことが多い.

4.4. 中心極限定理

以下に，このような形の中心極限定理の重要性を理解する助けとなるような，いくつかの例をあげる．

例 4.4.1. $\overline{X}$ が，以下に示すような pdf から得られたサイズ 75 の無作為標本の平均値を表すとする．

$$f(x) = \begin{cases} 1 & 0 < x < 1 \\ 0 & \text{それ以外の場合} \end{cases}$$

このとき，$g(\overline{x})$ のグラフは $0 < \overline{x} < 1$ において，次数 74 である 75 本の異なる多項式によって構成される弧として描かれることになる．このような場合に $P(0.45 < \overline{x} < 0.55)$ のような確率を求めることは，非常に困難である．しかし，$M(t)$ がすべての実数 t において存在することから，中心極限定理が成立する条件は満たされている．よってこの分布が $\mu = \frac{1}{2}, \sigma^2 = \frac{1}{12}$ であることを踏まえると，近似的に

$$P(0.45 < \overline{X} < 0.55) = P\left[\frac{\sqrt{n}(0.45 - \mu)}{\sigma} < \frac{\sqrt{n}(\overline{X} - \mu)}{\sigma} < \frac{\sqrt{n}(0.55 - \mu)}{\sigma}\right]$$
$$= P[-1.5 < 30(\overline{X} - 0.5) < 1.5] = 0.866$$

となることが，付録 B の表 III からわかる．■

例 4.4.2. $X_1, X_2, \ldots, X_n$ が $b(1, p)$ に従う分布から得られた無作為抽出標本であるとする．2 項分布の性質から，$\mu = p, \sigma^2 = p(1-p)$ かつ，$M(t)$ はすべての実数 t に対して存在することは明らかである．このとき $Y_n = X_1 + \cdots + X_n$ は，$b(n, p)$ に従うことが知られている．ポアソン近似を利用せずに Y_n の確率を求める場合には，$(Y_n - np)/\sqrt{np(1-p)} = \sqrt{n}(\overline{X}_n - p)/\sqrt{p(1-p)} = \sqrt{n}(\overline{X}_n - \mu)/\sigma$ が平均 0，分散 1 の極限正規分布に従うことを利用するのがよい．多くの場合，統計学者はこれを単に，

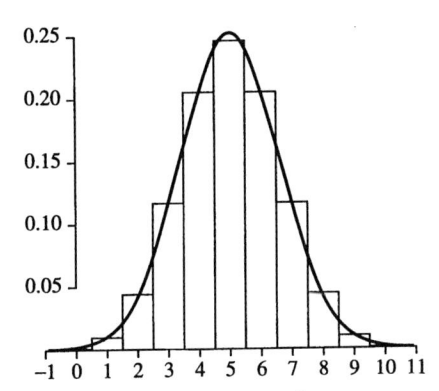

図 4.4.1 $b(10, \frac{1}{2})$ の pmf と $N(5, \frac{5}{2})$ の pdf の同時描画

Y_n または Y が,漸近的に平均 np, 分散 $np(1-p)$ の正規分布に従うという.図 4.4.1 は,$N(5, \frac{5}{2})$ である正規分布と,$b(10, \frac{1}{2})$ である 2 項分布とを重ねて描いたものである.これをみると n が 10 という小さい値であるにもかかわらず,正規分布と,$p = \frac{1}{2}$ であるために $np = 5$ で左右対称となる 2 項分布とが,非常によく似た形になっていることがわかる.なお,図中の矩形の高さは,対応する整数 $0, 1, 2, \ldots, 10$ ごとの確率を表している.ここで区間 $(k-0.5, k+0.5)$ を底辺としている矩形の面積と,$k-0.5$ から $k+0.5$ までの範囲における正規分布の pdf を表す曲線よりも下の部分の面積とが,$n=10$ の場合においてさえ,$k = 0, 1, 2, \ldots, 10$ について近似的に一致していることは重要である.以上において述べたことは,次の例 4.4.3 を理解する助けとなるだろう.■

例 4.4.3. 例 4.4.2 を踏まえて,$n = 100$, $p = \frac{1}{2}$ の場合に,$P(Y = 48, 49, 50, 51, 52)$ を求めることを考える.Y は離散的な確率変数なので,$\{Y = 48, 49, 50, 51, 52\}$ と $\{47.5 < Y < 52.5\}$ は等価な事象である.すなわち,$P(Y = 48, 49, 50, 51, 52) = P(47.5 < Y < 52.5)$ である.ここで $np = 50$, $np(1-p) = 25$ であることから,後者の確率は以下のように変形することができる.

$$P(47.5 < Y < 52.5) = P\left(\frac{47.5 - 50}{5} < \frac{Y - 50}{5} < \frac{52.5 - 50}{5}\right)$$
$$= P\left(-0.5 < \frac{Y - 50}{5} < 0.5\right)$$

中心極限定理より $(Y-50)/5$ は平均 0,分散 1 の正規分布に近似的に従うと見なすことができるので,この確率はおよそ 0.382 であることが,付録 C の表 III からわかる.

なお,一般的に $Y = 48, 49, 50, 51, 52$ と等価な事象として,$47.8 < Y < 52.3$ などではなく $47.5 < Y < 52.5$ が選ばれる理由は,以下のとおりである.確率 $P(Y = 48, 49, 50, 51, 52)$ は,幅は 1 だが高さがそれぞれに異なる 5 つの矩形 $P(Y = 48), \ldots, P(Y = 52)$ の和であると見なすことができる.ここで各矩形が,底辺の中点が点 $48, 49, \ldots, 52$ に対応するように水平軸上に配されていると考えたとき,それらの和が表す領域は,水平軸と正規 pdf の曲線,そして 2 本の垂直軸によって囲まれた領域と非常によく似たものになる.よってこれらの垂直軸が引かれる点である 47.5 および 52.5 を事象の区切りとして採用するのが,最も妥当であると考えられる.この考え方を連続修正 (continuity correction) とよぶ.■

すでに私たちは,n が大きいときには $\overline{X}$ と $\sum_1^n X_i$ が近似的に正規分布に従うことをみてきた.また後の部分においては,他の統計量も漸近正規性をもっていることが示される.これこそが,正規分布が統計学者にとって非常に重要な分布となっている理由である.すなわち,ある事象の背後にある分布が正規分布であることは少ないにもかかわらず,そこから得られた無作為抽出標本に関する統計量の分布は,多くの場合に極めて正規分布に近くなるのである.

4.4. 中心極限定理

また私たちの関心が，漸近正規性をもつ統計量によって構成される関数にある場合も多い．例として，例 4.4.2 の Y_n を考えてみよう．すでに議論されたように，Y_n は $N[np, np(1-p)]$ によって近似される．ここで p の関数である $np(1-p)$ は，Y_n の分散に相当する重要な関数である．よって p が未知である場合には，$np(1-p)$ を推定したいと考えるだろう．例えば $E(Y_n/n) = p$ であることから，$n(Y_n/n)(1-Y_n/n)$ をもって $np(1-p)$ の推定値とする方法が考えられるが，このときの推定値の分布はどのようにして求めたらよいだろうか．推定値もまた，正規分布に従っているのか．また，そうであるならば平均と分散の値は何か．こういった問いに答えるためには，定理 4.3.9 で紹介したデルタ法を利用することができる．

デルタ法の例として，標本平均の関数を考えてみよう．すでに $\overline{X}_n$ が μ に確率収束し，$\overline{X}_n$ が近似的に $N(\mu, \sigma^2/n)$ に従うことは明らかである．これを踏まえたうえで，μ において微分可能であり，かつ $u'(\mu) \neq 0$ であるような $\overline{X}_n$ の関数 $u(\overline{X}_n)$ が存在することを仮定する．このとき定理 4.3.9 より，$u(\overline{X}_n)$ は漸近的に $N\{u(\mu), [u'(\mu)]^2\sigma^2/n\}$ に従うことが導かれる．より厳密にいうならば，

$$\frac{u(\overline{X}_n) - u(\mu)}{\sqrt{[u'(\mu)]^2\sigma^2/n}}$$

が極限標準正規分布に従うことがわかる．

例 4.4.4. Y_n (以降は単に Y と略記する) が，$b(n,p)$ に従っているとする．このとき，Y/n は $N[p, p(1-p)/n]$ に近似的に従うことになる．ところで統計学者は，分散が母数に依存しないような統計量の関数を求めることが多い．しかしこの場合の Y/n の分散は，母数 p の値に依存する形になってしまっている．そこでかわりに，分散が本質的に p から影響を受けないような関数 $u(Y/n)$ を見いだすことは可能だろうか．ここで Y/n が p に確率収束することから，$u(Y/n)$ の p に関するテイラー展開の最初の 2 つの項を用いて，以下のような式を導くことができる．

$$u\left(\frac{Y}{n}\right) \doteq v\left(\frac{Y}{n}\right) = u(p) + \left(\frac{Y}{n} - p\right)u'(p)$$

上式中の $v(Y/n)$ は Y/n の線形関数であるから，もちろん近似的に正規分布に従っている．その母数は明らかに，平均 $u(p)$，分散

$$[u'(p)]^2 \frac{p(1-p)}{n}$$

である．しかし，いま求めたいのは本質的に p に依存しないような分散である．そこで以下の微分方程式を解くことで，その値を固定する．

$$u'(p) = \frac{c}{\sqrt{p(1-p)}}$$

この微分方程式の解は

$$u(p) = (2c) \arcsin \sqrt{p}$$

となる．ここで $u(Y/n)$ が $v(Y/n)$ と近似的に等しいことから，$c = \frac{1}{2}$ とおくことで，

$$u\left(\frac{Y}{n}\right) = \arcsin\sqrt{\frac{Y}{n}}$$

を得る．この変数は平均 $\arcsin\sqrt{p}$，分散 $1/4n$ の正規分布に近似的に従っており，分散が p に依存しない形になっている．■

練習問題

4.4.1. $\overline{X}$ が，$\chi^2(50)$ から得られた，サイズ 100 の無作為標本の平均を表すとする．このとき，$P(49 < \overline{X} < 51)$ の近似値を求めよ．

4.4.2. $\overline{X}$ が，母数 $\alpha = 2, \beta = 4$ のガンマ分布から得られた，サイズ 128 の無作為標本の平均を表すとする．このとき，$P(7 < \overline{X} < 9)$ の近似値を求めよ．

4.4.3. Y が $b(72, \frac{1}{3})$ に従うときの，$P(22 \leq Y \leq 28)$ の近似値を求めよ．

4.4.4. $0 < x < 1$ において $f(x) = 3x^2$，それ以外では 0，という pdf に従う分布から得られたサイズ 15 の無作為標本の平均が，$\frac{3}{5}$ から $\frac{4}{5}$ の間の値をとる近似確率を求めよ．

4.4.5. Y が，$p(x) = \frac{1}{6}, x = 1, 2, 3, 4, 5, 6$，それ以外では 0，という pmf に従う分布から得られた，サイズ 12 の無作為標本の和であるとする．このとき，$P(36 \leq Y \leq 48)$ の近似値を求めよ．

ヒント：興味の対象となっている事象は $Y = 36, 37, \ldots, 48$ であるから，確率を $P(35.5 < Y < 48.5)$ と置き換えよ．

4.4.6. Y が $b(400, \frac{1}{5})$ に従うときの，$P(0.25 < Y/n)$ の近似値を求めよ．

4.4.7. Y が $b(100, \frac{1}{2})$ に従うときの，$P(Y = 50)$ の近似値を求めよ．

4.4.8. Y が $b(n, 0.55)$ に従っているとする．このとき，近似的に $P(Y/n > \frac{1}{2}) \geq 0.95$ となるような n の最小値を求めよ．

4.4.9. 確率変数 X が，$f(x) = 1/x^2, 1 < x < \infty$，それ以外では 0，という pdf に従っているものとする．この分布から得られたサイズ 72 の無作為標本について，50 個以上の標本の値が 3 よりも小さくなる確率の近似値を求めよ．

4.4.10. 小数点以下の桁までの精度で記録された 48 個の測定値があるとする．ここで各々の値を，最も近い整数値に変換することで丸めて和をとったものは，元々の値の和の近似値となる．仮に小数点以下を丸めることによって生じる誤差が，区間 $(-\frac{1}{2}, \frac{1}{2})$ の一様分布に iid に従っているとした場合の，丸め誤差を含む和と真の和とのズレが 2 以内に収まる近似確率を求めよ．

4.4.11. 私たちが n が大きいとき，$\overline{X}$ が $N(\mu,\sigma^2/n)$ に近似的に従うことを知っている．これを踏まえたうえで，$u(\overline{X})=\overline{X}^3$ の漸近分布を求めよ．

4.4.12. $X_1, X_2, \ldots, X_n$ が，平均 μ であるポアソン分布から得られた無作為標本を表すものとする．このとき $Y=\sum_{i=1}^{n} X_i$ は平均 $n\mu$ のポアソン分布に従い，また $\overline{X} = Y/n$ は n が大きな値である場合に，$N(\mu,\mu/n)$ に近似的に従う．ここで Y/n の関数 $u(Y/n)=\sqrt{Y/n}$ の分散が，本質的に μ に依存しないことを示せ．

4.5　多変量分布の漸近的性質 *

　本節では，確率ベクトルの列に対する漸近的概念について簡略に論じる．単変量確率変数に対して導入されたこの概念は，多変量の状況へと自然に一般化される．ここでの展開は概略なので，詳細について関心のある読者は Serfling(1980) などの発展的な教科書を参照されたい．

　まず，記法を準備する．ベクトル $\mathbf{v} \in R^p$ に対して $\mathbf{v}$ のユークリッド距離は

$$\|\mathbf{v}\| = \sqrt{\sum_{i=1}^{p} v_i^2} \tag{4.5.1}$$

と定義された．この距離は次の 3 つの性質を満たす．すなわち，

(a). すべての $\mathbf{v} \in R^p$ に対して，$\mathbf{v}=\mathbf{0}$ の場合にかぎり $\|\mathbf{v}\| \geq 0$, かつ $\|\mathbf{v}\| = 0$
(b). すべての $\mathbf{v} \in R^p$ と $a \in R$ に対して $\|a\mathbf{v}\| = |a|\|\mathbf{v}\|$
(c). すべての $\mathbf{v}, \mathbf{u} \in R^p$ に対して $\|\mathbf{u}+\mathbf{v}\| \leq \|\mathbf{u}\| + \|\mathbf{v}\|$
$$\tag{4.5.2}$$

である．また，R^p の標準基底を $\mathbf{e}_1, \ldots, \mathbf{e}_p$ で表す．ここで，$\mathbf{e}_i$ の i 番目の要素は 1 であり，その他のすべての要素は 0 である．以上から，任意のベクトル $\mathbf{v}' = (v_1, \ldots, v_p)$ を

$$\mathbf{v} = \sum_{i=1}^{p} v_i \mathbf{e}_i$$

と常に表現することができる．次の補題は有用である．

補題 4.5.1.

$\mathbf{v}' = (v_1, \ldots, v_p)$ を R^p における任意のベクトルとすると，以下が成立する．

$$|v_j| \leq \|\mathbf{v}\| \leq \sum_{i=1}^{n} |v_i|, \quad \text{すべての } j=1,\ldots,p \text{ に関して} \tag{4.5.3}$$

証明　すべての j について

$$v_j^2 \le \sum_{i=1}^p v_i^2 = \|\mathbf{v}\|^2$$

であるから，両辺の平方根をとって求める不等式の左側の結果を得る．右側の不等式は以下のように導かれる．

$$\|\mathbf{v}\| = \|\sum_{i=1}^p v_i \mathbf{e}_i\| \le \sum_{i=1}^p |v_i|\|\mathbf{e}_i\| = \sum_{i=1}^p |v_i| \quad \blacksquare$$

$\{\mathbf{X}_n\}$ を p 次元ベクトルの列とする．絶対値は R^1 におけるユークリッド距離であるから，自然な一般化によって確率ベクトルに対する確率収束の定義が与えられる．

定義 4.5.1.

$\{\mathbf{X}_n\}$ を p 次元ベクトルの列とし，$\mathbf{X}$ を同一の標本空間上に定義された確率ベクトルとする．$\{\mathbf{X}_n\}$ が $\mathbf{X}$ に確率収束するとは，すべての $\epsilon > 0$ に対して

$$\lim_{n \to \infty} P[\|\mathbf{X}_n - \mathbf{X}\| \ge \epsilon] = 0 \tag{4.5.4}$$

が成立することである．単変量の場合と同様に，$\mathbf{X}_n \xrightarrow{P} \mathbf{X}$ と表記する．

次の定理が示すように，ベクトルの確率収束は個々の要素が確率収束することと同値である．

定理 4.5.1.

$\{\mathbf{X}_n\}$ を p 次元ベクトルの列とし，$\mathbf{X}$ を同一の標本空間上に定義された確率ベクトルとするとき，以下が成立する．

すべての $j = 1, \ldots, p$ に対して $X_{nj} \xrightarrow{P} X_j$ である場合にかぎり $\mathbf{X}_n \xrightarrow{P} \mathbf{X}$

証明 この定理は補題 4.5.1 から直ちに導かれる．$\mathbf{X}_n \xrightarrow{P} \mathbf{X}$ の成立を仮定すると，(4.5.3) 式の左側の不等式から，すべての j について，$\epsilon > 0$ に対し，

$$\epsilon \le |X_{nj} - X_j| \le \|\mathbf{X}_n - \mathbf{X}\|$$

である．したがって，求める結果は以下のように示される．

$$\overline{\lim}_{n \to \infty} P[|X_{nj} - X_j| \ge \epsilon] \le \overline{\lim}_{n \to \infty} P[\|\mathbf{X}_n - \mathbf{X}\| \ge \epsilon] = 0$$

逆に，すべての $j = 1, \ldots, p$ について $X_{nj} \xrightarrow{P} X_j$ であるならば，(4.5.3) 式の右側の不等式から，任意の $\epsilon > 0$ に対して

$$\epsilon \le \|\mathbf{X}_n - \mathbf{X}\| \le \sum_{i=1}^p |X_{nj} - X_j|$$

である．よって，以下が成立する．

4.5. 多変量分布の漸近的性質 *

$$\overline{\lim}_{n\to\infty} P[\|\mathbf{X}_n - \mathbf{X}\| \geq \epsilon] \leq \overline{\lim}_{n\to\infty} P[\sum_{i=1}^{p} |X_{nj} - X_j| \geq \epsilon]$$

$$\leq \sum_{i=1}^{p} \overline{\lim}_{n\to\infty} P[\|X_{nj} - X_j\| \geq \epsilon/p] = 0 \quad \blacksquare$$

確率収束に関する多くの定理は，この定理に基づいて容易に多変量の場合へと拡張される．いくつかの結果を練習問題に示した．このことは統計学上の定理についても同様にあてはまる．例えば，$X_1,\ldots,X_n$ を平均 μ，分散 σ^2 の確率変数 X の無作為標本とすると，$\overline{X}_n$ と S_n^2 は μ と σ^2 の一致推定量であることが 4.2 節で示された．一方，いま示した定理からも，$(\overline{X}_n, S_n^2)$ が (μ, σ^2) の一致推定量であることがわかる．

もうひとつの簡単な応用例として，多変量の場合の標本平均と標本分散について考察しよう．$\{\mathbf{X}_n\}$ を平均ベクトル $\boldsymbol{\mu}$ と分散共分散行列 $\boldsymbol{\Sigma}$ の iid な確率ベクトルの列とする．各平均を並べたベクトルを

$$\overline{\mathbf{X}}_n = \frac{1}{n} \sum_{i=1}^{n} \mathbf{X}_i \tag{4.5.5}$$

によって表す．もちろん $\overline{\mathbf{X}}_n$ は単なる標本平均が並んだベクトル $(\overline{X}_1,\ldots,\overline{X}_p)'$ である．定理 4.2.1 に示した大数の弱法則から，各 j に対して $\overline{X}_j \to \mu_j$ に確率収束する．したがって，定理 4.5.1 から，$\overline{\mathbf{X}}_n \to \boldsymbol{\mu}$ に確率収束する．

標本分散の場合はどう拡張されるだろうか．$\mathbf{X}_i = (X_{i1},\ldots,X_{ip})'$ とし，$j,k = 1,\ldots,p$ に対して標本分散と標本共分散を

$$S_{n,j}^2 = \frac{1}{n-1} \sum_{i=1}^{n} (X_{ij} - \overline{X}_j)^2 \tag{4.5.6}$$

$$S_{n,jk} = \frac{1}{n-1} \sum_{i=1}^{n} (X_{ij} - \overline{X}_j)(X_{ik} - \overline{X}_k) \tag{4.5.7}$$

と定義する．有限な 4 次の積率の存在を仮定すると，大数の弱法則から，すべての標本分散，標本共分散が，それぞれ分布の分散，共分散に要素ごとに確率収束することが示される．$\mathbf{S}$ を j 番目の対角要素が $S_{n,j}^2$，(j,k) 要素が $S_{n,jk}$ である $p \times p$ 行列とすると，$\mathbf{S} \to \boldsymbol{\Sigma}$ に確率収束する．

分布収束の定義に関しても同様である．以下でベクトル表記によって述べる．

定義 4.5.2.
　分布関数が $F_n(\mathbf{x})$ である確率ベクトル $\mathbf{X}_n$ の列を $\{\mathbf{X}_n\}$ とする．また，$\mathbf{X}$ を分布関数 $F(\mathbf{x})$ に従うある確率ベクトルとする．このとき，$F(\mathbf{x})$ が連続となるすべての点 $\mathbf{x}$ に対して

$$\lim_{n \to \infty} F_n(\mathbf{x}) = F(\mathbf{x}) \tag{4.5.8}$$

> が成り立つならば，$\{\mathbf{X}_n\}$ は $\mathbf{X}$ に分布収束する (converge in distribution) という．これは $\mathbf{X}_n \xrightarrow{D} \mathbf{X}$ と表記される．

4.3 節の多くの定理は，多変量の場合にも同様に成立する．証明は付さないが，2つの重要な定理を示す．

> **定理 4.5.2.**
> 確率ベクトル $\mathbf{X}$ に分布収束する確率ベクトルの列を $\{\mathbf{X}_n\}$ とし，$g(\mathbf{x})$ を $\mathbf{X}$ の台上で連続な関数とすると，$g(\mathbf{X}_n)$ は $g(\mathbf{X})$ に分布収束する．

この定理は，分布収束が周辺分布の収束を意味することの証明に利用できる．$\mathbf{X} = (x_1, \ldots, x_p)'$ として，単に $g(\mathbf{x}) = x_j$ とすればよい．g は連続であるので，求める結果が導かれる．

定義からでは分布収束するか否かを決定し難いことがしばしばある．以下の定理に示すとおり，単変量の場合のように分布収束は積率母関数の収束と同値である．

> **定理 4.5.3.**
> 分布関数と積率母関数がそれぞれ $F_n(\mathbf{x})$ と $M_n(\mathbf{t})$ である確率ベクトル $\mathbf{X}_n$ の列を $\{\mathbf{X}_n\}$ とする．また，$\mathbf{X}$ を分布関数が $F(\mathbf{x})$，積率母関数が $M(\mathbf{t})$ である確率ベクトルとする．このとき，ある $h > 0$ について，$\|\mathbf{t}\| < h$ であるようなすべての $\mathbf{t}$ に対し，
> $$\lim_{n \to \infty} M_n(\mathbf{t}) = M(\mathbf{t}) \tag{4.5.9}$$
> が成立する場合にかぎり，$\{\mathbf{X}_n\}$ は $\mathbf{X}$ に分布収束する．

この定理の証明は，より発展的な教科書，例えば Tucker(1967) などで与えられている．また，証明は通常，積率母関数のかわりに特性関数に対して与えられる．先述したように，特性関数は常に存在するので，対応する特性関数の収束によって分布収束を完全に記述することができる．

$\mathbf{X}_n$ の積率母関数は $E[\exp\{\mathbf{t}'\mathbf{X}_n\}]$ である．$\mathbf{t}'\mathbf{X}_n$ が確率変数であることに注意されたい．この事実は頻繁に利用され，単変量に関する理論から多変量への一般化が導かれる．これに関する最も優れた例は，多変量中心極限定理である．

> **定理 4.5.4 (多変量中心極限定理).**
> 平均ベクトル $\boldsymbol{\mu}$ と正定値の分散共分散行列 $\boldsymbol{\Sigma}$ をもつ iid な確率ベクトルを $\{\mathbf{X}_n\}$ とする．共通の積率母関数 $M(\mathbf{t})$ は $\mathbf{0}$ の開近傍で存在すると仮定する．$\mathbf{Y}_n$ を
> $$\mathbf{Y}_n = \frac{1}{\sqrt{n}} \sum_{i=1}^{n} (\mathbf{X}_i - \boldsymbol{\mu})$$

4.5. 多変量分布の漸近的性質 *

とすると，$\mathbf{Y}_n$ は分布 $N_p(\mathbf{0}, \mathbf{\Sigma})$ に分布収束する．

証明 $\mathbf{t} \in R^p$ を $\mathbf{0}$ の近傍でのベクトルとする．$\mathbf{Y}_n$ の積率母関数は

$$M_n(\mathbf{t}) = E\left[\exp\left\{\mathbf{t}' \frac{1}{\sqrt{n}} \sum_{i=1}^n (\mathbf{X}_i - \boldsymbol{\mu})\right\}\right]$$

$$= E\left[\exp\left\{\frac{1}{\sqrt{n}} \sum_{i=1}^n \mathbf{t}'(\mathbf{X}_i - \boldsymbol{\mu})\right\}\right]$$

$$= E\left[\exp\left\{\frac{1}{\sqrt{n}} \sum_{i=1}^n W_i\right\}\right] \tag{4.5.10}$$

である．ここで，$W_i = \mathbf{t}'(\mathbf{X}_i - \boldsymbol{\mu})$ である．$W_1, \ldots, W_n$ は平均 0，分散 $\text{Var}(W_i) = \mathbf{t}'\mathbf{\Sigma}\mathbf{t}$ の iid であるので，単変量の中心極限定理から

$$\frac{1}{\sqrt{n}} \sum_{i=1}^n W_i \xrightarrow{D} N(0, \mathbf{t}'\mathbf{\Sigma}\mathbf{t}) \tag{4.5.11}$$

となる．一方，(4.5.10) 式は 1 において評価された $(1/\sqrt{n}) \sum_{i=1}^n W_i$ の mgf である．したがって，(4.5.11) 式から，

$$M_n(\mathbf{t}) = E\left[\exp\left\{1 \frac{1}{\sqrt{n}} \sum_{i=1}^n W_i\right\}\right] \to e^{1^2 \mathbf{t}'\mathbf{\Sigma}\mathbf{t}/2} = e^{\mathbf{t}'\mathbf{\Sigma}\mathbf{t}/2}$$

でなければならない．式の最後は分布 $N_p(\mathbf{0}, \mathbf{\Sigma})$ の積率母関数であり，求める結果が示された．■

平均ベクトル $\boldsymbol{\mu}$，分散共分散行列 $\mathbf{\Sigma}$ をもつ分布からの無作為標本を $\mathbf{X}_1, \mathbf{X}_2, \ldots, \mathbf{X}_n$ とする．$\overline{\mathbf{X}}_n$ を標本平均のベクトルとすると，中心極限定理から次の命題が成立する．

$$\overline{\mathbf{X}}_n \text{ は漸近的に分布 } N_p\left(\boldsymbol{\mu}, \frac{1}{n}\mathbf{\Sigma}\right) \text{ に従う．} \tag{4.5.12}$$

頻繁に利用するこの結果は，次に示すように線形変換に対しても重要である．練習問題での読者の課題とするが，その証明は積率母関数を用いて与えられる．

定理 4.5.5.
$\{\mathbf{X}_n\}$ を p 次元確率ベクトルの列とする．$\mathbf{X}_n \xrightarrow{D} N(\boldsymbol{\mu}, \mathbf{\Sigma})$ と仮定し，$\mathbf{A}$ を $m \times p$ の定数からなる行列，$\mathbf{b}$ を定数が並んだ m 次元ベクトルとする．このとき，$\mathbf{A}\mathbf{X}_n + \mathbf{b} \xrightarrow{D} N(\mathbf{A}\boldsymbol{\mu} + \mathbf{b}, \mathbf{A}\mathbf{\Sigma}\mathbf{A}')$ である．

非常に有益であることが明らかとなる定理は，デルタ法の拡張である．定理 4.3.9 を参照せよ．証明は Serfling (1980) の第 3 章に与えられている．

定理 4.5.6.
$\{\mathbf{X}_n\}$ を p 次元確率ベクトルの列とする．また，
$$\sqrt{n}(\mathbf{X}_n - \boldsymbol{\mu}_0) \xrightarrow{D} N_p(\mathbf{0}, \boldsymbol{\Sigma})$$
の成立を仮定する．さらに，$\mathbf{g}$ を $1 \leq k \leq p$，かつ
$$\mathbf{B} = \left[\frac{\partial g_i}{\partial \mu_j}\right], \quad i = 1, \ldots k;\ j = 1, \ldots, p$$
が連続で，$\boldsymbol{\mu}_0$ の近傍において 0 にならない偏微分を並べた $k \times p$ 行列となるような変換 $\mathbf{g}(\mathbf{x}) = (g_1(\mathbf{x}), \ldots, g_k(\mathbf{x}))'$ とする．$\boldsymbol{\mu}_0$ において $\mathbf{B}_0 = \mathbf{B}$ とすると，次が成立する．
$$\sqrt{n}(\mathbf{g}(\mathbf{X}_n) - \mathbf{g}(\boldsymbol{\mu}_0)) \xrightarrow{D} N_k(\mathbf{0}, \mathbf{B}_0 \boldsymbol{\Sigma} \mathbf{B}_0') \tag{4.5.13}$$

練習問題

4.5.1. $\{\mathbf{X}_n\}$ を p 次元確率ベクトルの列とする．すべてのベクトル $\mathbf{a} \in R^p$ に対して以下が成り立つことを証明せよ．
$$\mathbf{a}' \mathbf{X}_n \xrightarrow{D} N_1(\mathbf{a}' \boldsymbol{\mu}, \mathbf{a}' \boldsymbol{\Sigma} \mathbf{a})\ \text{である場合にかぎり},\ \mathbf{X}_n \xrightarrow{D} N_p(\boldsymbol{\mu}, \boldsymbol{\Sigma})$$

4.5.2. $X_1, \ldots, X_n$ を一様分布 (a, b) からの無作為標本とする．$Y_1 = \min X_i$，$Y_2 = \max X_i$ とするとき，$(Y_1, Y_2)'$ がベクトル $(a, b)'$ に確率収束することを示せ．

4.5.3. $\mathbf{X}_n$ と $\mathbf{Y}_n$ を p 次元確率ベクトルとする．$\mathbf{X}$ を p 次元確率ベクトルとして
$$\mathbf{X}_n - \mathbf{Y}_n \xrightarrow{P} \mathbf{0}\ \text{かつ}\ \mathbf{X}_n \xrightarrow{D} \mathbf{X}$$
が成り立つならば，$\mathbf{Y}_n \xrightarrow{D} \mathbf{X}$ であることを証明せよ．

4.5.4. 各 n に対して $\mathbf{X}_n$ と $\mathbf{Y}_n$ が統計的に独立で，それらの mgf が存在するような p 次元確率ベクトルを $\mathbf{X}_n$ と $\mathbf{Y}_n$ とする．このとき，$\mathbf{X}$ と $\mathbf{Y}$ を p 次元確率ベクトルとして，
$$\mathbf{X}_n \xrightarrow{D} \mathbf{X}\ \text{かつ}\ \mathbf{Y}_n \xrightarrow{D} \mathbf{Y}$$
が成立するならば，$(\mathbf{X}_n, \mathbf{Y}_n) \xrightarrow{D} (\mathbf{X}, \mathbf{Y})$ であることを証明せよ．

4.5.5. $\mathbf{X}_n$ が分布 $N_p(\boldsymbol{\mu}_n, \boldsymbol{\Sigma}_n)$ に従っているとき，次を証明せよ．
$$\boldsymbol{\mu}_n \to \boldsymbol{\mu}\ \text{かつ}\ \boldsymbol{\Sigma}_n \to \boldsymbol{\Sigma}\ \text{である場合にかぎり}\ \mathbf{X}_n \xrightarrow{D} N_p(\boldsymbol{\mu}, \boldsymbol{\Sigma})$$

第5章　基本的な統計的推測法

5.1 標本抽出と統計量

　前章では，標本抽出と統計量といった考え方を導入した．本章では，これらの考え方を推定(信頼区間と仮説検定)の基本的な道具として導入するという方向で進める．

　典型的な統計学上の問題として，興味のある確率変数 X があるが，その pdf $f(x)$ あるいは pmf $p(x)$ が未知な場合がある．$f(x)$ あるいは $p(x)$ が不明である状況は，大雑把にいうと以下の2通りのうちのいずれかに分類できる．

(1) $f(x)$ あるいは $p(x)$ が全く未知な場合．
(2) 母数 θ (θ はベクトルでもよい) に関する $f(x)$ あるいは $p(x)$ の形状が既知の場合．

ここでは，(2) について考える．例として以下の3つがある．

(a) X が (3.3.2) 式のように指数分布 $\mathrm{Exp}(\theta)$ に従う場合．ここで，θ は未知である．
(b) X が (3.1.2) 式のように2項分布 $b(n,p)$ に従う場合．ここで，n は既知だが p は未知である．
(c) X が (3.3.1) 式のようにガンマ分布 $\Gamma(\alpha,\beta)$ に従う場合．ここで，α と β は未知である．

私たちはこの問題をしばしば以下のように記述する．確率変数 X が $f(x;\theta)$ あるいは $p(x;\theta)$ という形の密度あるいは度数関数に従う．ここで，ある特定された集合 Ω のもとで $\theta \in \Omega$ である．例として上の (a) では，$\Omega = \{\theta \mid \theta > 0\}$ である．ここで，θ を分布の母数とよぶ．θ は未知であるため，それを推定したい．本章では，推定量のいくつかの望まれる性質について議論する．また，後の章では，推定の一般的な方法論について示す．推定は標本に基づくので，本節ではまず標本抽出の過程について定式化する．

　この考え方を表現するために，$1, \ldots, m$ とラベルが貼られていて，ラベルの数字以外は全く同じ m 個のボールが入った壺を考える．そして，ボールを無作為に壺から選択し，選ばれたボールに振られた番号を記録するという実験を行う．ここで，X は番号を示すものとする．このとき，X の分布は下式より与えられる．

$$P(X=x) = \frac{1}{m}, \quad x = 1, \ldots, m \tag{5.1.1}$$

壺にはたくさんのボールが入っていて，どの程度入っているのか，すなわち m が未知であるという状況を考える．この場合，$\theta = m$ であり，Ω は正の整数の集合である．m の情報を得るために，n 個のボールという標本を抽出する．これを $\mathbf{X} = (X_1, \ldots, X_n)'$

と表記し，X_i を i 番目のボールの番号とする．

ここで，標本を抽出する方法には何通りかが考えられる．ここで関心のある 2 つの方法は以下のとおりである．

1. **復元抽出**：(sampling with replacement) ボールを無作為に選択し，番号を記録した後でそのボールを壺に戻す．そこで壺の中身をかき混ぜて，それから次のボールを選択する．この場合，$X_1, \ldots, X_n$ が相互独立な確率変数であり，それぞれは X として示される同じ分布に従うことを確認するのは容易である．これは，後に無作為標本と定義される．

2. **非復元抽出**：(sampling without replacement) n 個のボールが無作為に選択されるとする．ボールが 1 度選択されたならば，各々の選択ごとにボールを元に戻すことはしない．練習問題 5.1.1 が示すように，$X_1, \ldots, X_n$ は独立ではない．しかし，各々の X_i は同じ分布に従う．この形式の標本抽出はしばしば単純無作為抽出とよばれる．

m が n よりも極めて大きい場合には，この 2 つの抽出に関する枠組みは実質的に等しい．

2 番目の表現として，ある電子部品の生存時間 X に興味がある場合を想定する．X が母数 θ の指数分布に従うと仮定できるとする．うまくすれば，確率実験の試行数 n 回の標本は θ に関する有用な情報を提供してくれる．i 番目の試行は実験状況におくという場面とその生存時間，すなわち X_i を記録するという場面により構成されている．n 回の試行の結果である $X_1, \ldots, X_n$ が標本を構成する．この場合，部品が同一の条件のもとで互いに独立に製造され，試行がやはり同一の条件のもとで独立に行われたならば，標本は無作為と考えられる．次に，無作為標本を正式に定義する．

定義 5.1.1 (無作為標本).

確率変数 $X_1, \ldots, X_n$ が独立であり，かつそれらが同じ分布 X に従うとき（このことを簡潔に，$X_1, \ldots, X_n$ は iid であるという．すなわち独立同分布のことである），確率変数 $X_1, \ldots, X_n$ は確率変数 X のもとで無作為標本 (random sample) を構成する．

$F(x)$ と $f(x)$ をそれぞれ X の cdf と pdf とする．2.6 節に従い，無作為標本 $X_1, \ldots, X_n$ の同時 cdf は以下によって与えられる．

$$F_{X_1, \ldots, X_n}(x_1, \ldots, x_n) = \prod_{i=1}^{n} F(x_i)$$

また，同時 pdf も以下のように与えられる．

$$f_{X_1, \ldots, X_n}(x_1, \ldots, x_n) = \prod_{i=1}^{n} f(x_i)$$

離散確率変数 X とその pmf $p(x)$ に関してもよく似た記述が可能である．標本を表現

5.1. 標本抽出と統計量

する際には，しばしばベクトルを用いて $\mathbf{X} = (X_1, \ldots, X_n)'$ と表記する．次に，統計量について定義する．

定義 5.1.2 (統計量).
n 個の確率変数 $X_1, X_2, X_3, \ldots, X_n$ が確率変数 X の分布から得られた標本を構成するものとする．このとき，あらゆる標本の関数 $T = T(X_1, \ldots, X_n)$ は統計量 (statistic) とよばれる．

より発展的な段階では，関数がボレル可測であることが要求されるだろう．

統計量は標本の関数であるため，統計量もまた確率変数である．統計量はしばしばデータの要約となる．また，統計量 $T = T(X_1, \ldots, X_n)$ は未知母数 θ に関する情報を伝え得る．この場合には，統計量のことを θ の点推定量 (point estimator) とよぶことができる．第4章を思い出すと，$E(T) = \theta$ であるとき T は θ の不偏推定量 (unbiased estimator) であり，確率的に $T \to \theta$ であるとき，T は θ の一致推定量 (consistent estimator) であった．一度無作為標本が抽出されたなら，$X_1, \ldots, X_n$ は $x_1, \ldots, x_n$ として観測され，計算された値 $T(x_1, \ldots, x_n)$ は θ の点推定値 (point estimate) とよばれる．何が "よい" 点推定量を特徴づけるのだろうか．推定量の特徴に関しては後に論じる．以下の簡単な例では，いくつかの推定量の特徴に関する問題が示される．

例 5.1.1 (単純壺問題). 上で述べた壺に関する問題を考える．壺にはそれぞれ $1, \ldots, m$ とラベルが貼ってあり，その番号以外は同じである m 個のボールが入っていたことを思い出してほしい．m は未知であるとする．m を推定するために，ボールの無作為標本 $X_1, \ldots, X_n$ を復元抽出する．各々の X_i の分布は $x = 1, \ldots, m$ について $P(X = x) = 1/m$ である．m の直感的な点推定量は統計量 $T = \max\{X_1, \ldots, X_n\}$ である．これは，m の "よい" 推定量であるようにみえる．しかし，T は m からどの程度離れているのだろうか．この問いに答えるひとつの手段は T の分布を考えることである．T の台は $\{1, \ldots, m\}$ である．T の cdf を定めるために，T が X の測定値の最大値であることから，$1 \leq t \leq m$ に関して事象 $T \leq t$ は以下のように特徴づけられる点に注意してほしい．

$$\{T \leq t\} = \{X_1 \leq t, \ldots X_n \leq t\} = \cap_{i=1}^{n} \{X_i \leq t\}$$

したがって，$X_1, \ldots, X_n$ は iid であるという事実を用いると，T の cdf は以下のとおりである．

$$P[T \leq t] = \prod_{i=1}^{n} P[X_i \leq t] = [P(X_1 \leq t)]^n = \left(\frac{[t]}{m}\right)^n \tag{5.1.2}$$

ここで，$[t]$ は t 以下の最大の整数を意味する．$0 \leq t \leq m$ より以下のとおりである．

$$P[T_n \leq t] = \left(\frac{[t]}{m}\right)^n \to \begin{cases} 0, & t < m \\ 1, & t = m \end{cases}$$

したがって，$T_n \xrightarrow{D} m$ であり，また定理 4.3.2 より $T_n \xrightarrow{P} m$ である．よって，T_n は m の一致推定値となる．

　この問題においては，$E(X) = (m+1)/2$ である点に注意してほしい．したがって，$E(2\overline{X} - 1) = m$ である．ここで $\overline{X} = n^{-1} \sum_{i=1}^{n} X_i$ は標本平均 (sample mean) を意味する．おそらく $2\overline{X} - 1$ もまた不偏であるという点で m のよい推定量であろう．その十分性より，この場合には T の方がよりよい推定量であることを後に示す．■

　本書の後の部分では，推定量の特徴について学ぶ．これらの特徴に基づいて，統計量をある母数を推定する際の有用性の観点から分類することを試みるだろう．このことは，例 5.1.1 の最後であげたような疑問に対して明確に答えるだろう．

例 5.1.2. X は未知の平均 θ をもつ確率変数であるとする．$X_1, \ldots, X_n$ を X の分布からの無作為標本とし，$\overline{X} = n^{-1}\sum_{i=1}^n X_i$ を標本平均とする．このとき，$E(\overline{X}) = \theta$ より，統計量 $\overline{X}$ は θ の不偏点推定量である．ところで，$\overline{X}$ はどの程度 θ に近いだろうか．この疑問について，本章の後の節では一般的な場面を想定して答えるが，ここではある特定の場合に注目する．X は正規分布 $N(\theta, \sigma^2)$ に従い，σ^2 が既知であるとする．3.4 節より，$\overline{X}$ の分布は $N(\theta, \sigma^2/n)$ である．この $\overline{X}$ の分布に関する知識を上の問いに答えるために利用する．$(\overline{X} - \theta)/(\sigma/\sqrt{n})$ は標準正規分布 $N(0,1)$ に従うため，単純な計算より以下が得られる．

$$0.954 = P\left(-2 < \frac{\overline{X} - \theta}{\sigma/\sqrt{n}} < 2\right)$$
$$= P\left(\overline{X} - 2\frac{\sigma}{\sqrt{n}} < \theta < \overline{X} + 2\frac{\sigma}{\sqrt{n}}\right) \tag{5.1.3}$$

(5.1.3) 式の表現は標本が抽出される以前の確率区間 $\left(\overline{X} - 2\frac{\sigma}{\sqrt{n}}, \overline{X} + 2\frac{\sigma}{\sqrt{n}}\right)$ が θ を含む確率は 0.954 であることを示している．標本が抽出された後の実現された区間

$$\left(\overline{x} - 2\frac{\sigma}{\sqrt{n}}, \overline{x} + 2\frac{\sigma}{\sqrt{n}}\right) \tag{5.1.4}$$

は θ を含んでいるかいないかのどちらかである．しかし，標本を抽出する前の高い成功率，すなわち 0.954 より，この区間 (5.1.4) 式を θ の 95.4%信頼区間 (confidence interval) とよぶ．多少の間違いを覚悟すれば，$\overline{x}$ は θ から $2\frac{\sigma}{\sqrt{n}}$ の範囲内にあるということができる．値 $0.954 = 95.4\%$ は信頼係数 (confidence coefficient) とよばれる．例えば θ のそれぞれ 80%，90%，99%信頼区間を求めるために，2 のかわりに 1.282，1.645 あるいは 2.576 を用いることができる．信頼区間の長さは信頼係数が増加するにつれて長くなる．すなわち，信頼係数の増加は明確さの喪失もまた意味することに注意が必要である．一方，どのようなの信頼係数においても，標本数の増加は信頼区間を狭める．5.4 節において，再び平均値の信頼区間について述べる．■

5.1. 標本抽出と統計量

練習問題

5.1.1. 本節最初の壺の問題について，2 つめの標本抽出法 (非復元抽出) に関して以下を示せ．
(a) $i \neq j$ のとき，確率変数 X_i と X_j は独立でない．
　ヒント：2 つの変数の同時 pmf を求めよ．
(b) X_i の分布は (5.1.1) 式より得られる．

5.1.2. $X_1, \ldots, X_n$ はベルヌイ分布 $b(1, p)$ からの無作為標本であり，p は未知であるとする．$Y = \sum_{i=1}^{n} X_i$ とおくとき，
(a) Y の分布を導け．
(b) Y/n は p の不偏推定量であることを示せ．
(c) Y/n の分散を求めよ．

5.1.3. $\overline{X}$ を指数分布 $\mathrm{Exp}(\theta)$ からの無作為標本の平均とする．
(a) $\overline{X}$ は θ の不偏点推定量であることを示せ．
(b) mgf の技法を用い，$\overline{X}$ の分布を導け．
(c) (b) を用いて $Y = 2n\overline{X}/\theta$ が自由度 $2n$ のカイ 2 乗分布に従うことを示せ．
(d) (c) をもとに $n = 10$ の場合の θ の 95%信頼区間を求めよ．
　ヒント：$P\left(c < \dfrac{2n\overline{X}}{\theta} < d\right) = 0.95$ であるような c と d を求め，θ に関する不等式を解け．

5.1.4. $X_1, \ldots, X_n$ をガンマ分布 $\Gamma(2, \theta)$ からの無作為標本とし，θ は未知であるとする．$Y = \sum_{i=1}^{n} X_i$ とおくとき，
(a) Y の分布を導き，cY が θ の不偏推定量となるような c を導け．
(b) $n = 5$ であるとき以下を示せ．
$$P\left(9.59 < \frac{2Y}{\theta} < 34.2\right) = 0.95$$
(c) y が Y の実現値であるとき，一度標本が抽出されたならば，以下が θ の 95%信頼区間となることを (b) を用いて示せ．
$$\left(\frac{2y}{34.2}, \frac{2y}{9.59}\right)$$
(d) 抽出した標本が以下の値をとったとする．
　　　　　44.8079　1.5215　12.1929　12.5734　43.2305
このデータに基づき，(a) で求めたように θ の点推定値を得，(c) で求めたように 95%信頼区間を計算せよ．信頼区間はどのような意味をもつだろうか．

5.1.5. X 人の客が午前 9 時から午前 10 時の間に店に入り，X は母数 θ のポアソン分布に従うとする．10 日間の客の人数の無作為標本が以下の値をとったとする．

9　7　9　15　10　13　11　7　2　12

このデータをもとにして, θ の不偏点推定値を得よ. 客の人数という文脈から, この推定値の意味を説明せよ.

5.1.6. $X_1, X_2, \ldots, X_n$ を連続型の分布からの無作為標本であるとする.
(a) $P(X_1 \leq X_2), P(X_1 \leq X_2, X_1 \leq X_3), \ldots, P(X_1 \leq X_i, i = 2, 3, \ldots, n)$ を求めよ.
(b) 標本抽出を X_1 がもはや最小の測定値ではなくなるまで続けるとする (すなわち $X_j < X_1 \leq X_i,\ i = 2, 3, \ldots, j-1$ である). Y を X_1 が最小の測定値ではなくなるまでの試行回数であるとする (すなわち $Y = j-1$). Y の分布が以下のとおりとなることを示せ.
$$P(Y=y) = \frac{1}{y(y+1)}, \quad y = 1, 2, 3, \ldots$$
(c) Y に平均と分散があるのならば求めよ.

5.2　順序統計量

この節では, 順序統計量の考え方を明らかにし, この統計量のいくつかの簡単な特性を調べることにする. これらの統計量は近年, 統計的推測においていくらか重要な役割を果たすようになってきている. なぜなら, この統計量のいくつかの特性は, 無作為標本が得られた分布に依存しないからである.

$X_1, X_2, \ldots, X_n$ を連続型の分布からの無作為標本とする. そしてこの分布は台 $\mathcal{S} = (a, b)$ をもつ pdf $f(x)$ によって表される. ここで $-\infty \leq a < b \leq \infty$ である. Y_1 をこれらの X_i の中で最も小さいものとし, Y_2 を大きさにおいて次に小さい X_i とし, 以下同様の手続きで繰り返し, そして Y_n を最も大きい X_i とする. すなわち, $X_1, X_2, \ldots, X_n$ が大きさにおいて昇順で並んでいるとき, $Y_1 < Y_2 < \cdots < Y_n$ は $X_1, X_2, \ldots, X_n$ を表現している. このとき $Y_i, i = 1, 2, \ldots, n$ を, 無作為標本 $X_1, X_2, \ldots, X_n$ の, i 番目の順序統計量とよぶ. このとき, $Y_1, Y_2, \ldots, Y_n$ の同時 pdf は以下の定理において与えられる.

定理 5.2.1.
　上述した表記を用いて, $Y_1 < Y_2 < \cdots < Y_n$ を, pdf $f(x)$ であり, 台 (a, b) をもつ連続型の分布からの無作為標本 $X_1, X_2, \ldots, X_n$ に基づいた n 番目の順序統計量とする. このとき $Y_1, Y_2, \cdots, Y_n$ の同時 pdf は以下によって与えられる.
$$g(y_1, y_2, \ldots, y_n) = \begin{cases} n! f(y_1) f(y_2) \cdots f(y_n) & a < y_1 < y_2 < \cdots < y_n < b \\ 0 & \text{それ以外の場合} \end{cases} \quad (5.2.1)$$

5.2. 順序統計量

証明 $X_1, X_2, \ldots, X_n$ の台が，$Y_1, Y_2, \ldots, Y_n$ の台，すなわち $\{(y_1, y_2, \ldots, y_n) : a < y_1 < y_2 < \cdots < y_n < b\}$ 上に写像する，$n!$ 個の互いに素である集合に分割されうることに注意してほしい．これらの $n!$ 個の集合のうちのひとつは $a < x_1 < x_2 < \cdots < x_n < b$ であり，その他は可能な n 個の x の値の順列によって得ることができる．$a < x_1 < x_2 < \cdots < x_n < b$ に関する変換は，$x_1 = y_1, x_2 = y_2, \ldots, x_n = y_n$ であり，1に等しいヤコビアンをもつ．しかしながら，その他の集合に関する変換のヤコビアンは ± 1 のどちらかとなる．それゆえに，以下が証明される．

$$g(y_1, y_2, \ldots, y_n) = \sum_{i=1}^{n!} |J_i| f(y_1) f(y_2) \cdots f(y_n)$$

$$= \begin{cases} n! f(y_1) f(y_2) \cdots f(y_n) & a < y_1 < y_2 < \cdots < y_n < b \\ 0 & \text{それ以外の場合} \end{cases} \blacksquare$$

例 5.2.1. X が，正かつ連続で，台 $\mathcal{S} = (a, b)$，$-\infty \leq a < b \leq \infty$ をもつ pdf $f(x)$ に従う，連続型の確率変数であるとする．X の分布関数 $F(x)$ は以下のように表すことができる．

$$F(x) = \int_a^x f(w) \, dw, \ a < x < b$$

ここで $x \leq a$ ならば $F(x) = 0$ であり，$b \leq x$ ならば $F(x) = 1$ である．それゆえに，$F(m) = \frac{1}{2}$ となる，分布の唯一の中央値 m が存在する．X_1, X_2, X_3 がこの分布からの無作為標本であるとし，$Y_1 < Y_2 < Y_3$ が標本の順序統計量であるとする．ここで $Y_2 \leq m$ である確率を計算する．3つの順序統計量の同時 pdf は以下のとおりである．

$$g(y_1, y_2, y_3) = \begin{cases} 6 f(y_1) f(y_2) f(y_3) & a < y_1 < y_2 < y_3 < b \\ 0 & \text{それ以外の場合} \end{cases}$$

Y_2 の pdf はこのとき，

$$h(y_2) = 6 f(y_2) \int_{y_2}^{b} \int_{a}^{y_2} f(y_1) f(y_3) \, dy_1 \, dy_3$$

$$= \begin{cases} 6 f(y_2) F(y_2) [1 - F(y_2)] & a < y_2 < b \\ 0 & \text{それ以外の場合} \end{cases}$$

であり，したがって以下となる．

$$P(Y_2 \leq m) = 6 \int_a^m \{F(y_2) f(y_2) - [F(y_2)]^2 f(y_2)\} \, dy_2$$

$$= 6 \left\{ \frac{[F(y_2)]^2}{2} - \frac{[F(y_2)]^3}{3} \right\}_a^m = \frac{1}{2} \blacksquare$$

以下の2つの式，

$$\int_a^x [F(w)]^{\alpha-1} f(w)\, dw = \frac{[F(x)]^\alpha}{\alpha}, \quad \alpha > 0$$

$$\int_y^b [1-F(w)]^{\beta-1} f(w)\, dw = \frac{[1-F(y)]^\beta}{\beta}, \quad \beta > 0$$

が一度確認されたならば，$F(x)$ と $f(x)$ によって，任意の順序統計量，例えば Y_k の周辺 pdf を表現することは容易である．これは下記の積分を計算することによって行われる．

$$g_k(y_k) = \int_a^{y_k} \cdots \int_a^{y_2} \int_{y_k}^b \cdots \int_{y_{n-1}}^b n! f(y_1) f(y_2) \cdots f(y_n)\, dy_n \cdots dy_{k+1} dy_1 \cdots dy_{k-1}$$

そしてその解は，以下のとおりである．

$$g_k(y_k) = \begin{cases} \dfrac{n!}{(k-1)!(n-k)!} [F(y_k)]^{k-1} [1-F(y_k)]^{n-k} f(y_k) & a < y_k < b \\ 0 & \text{それ以外の場合} \end{cases}$$

(5.2.2)

例 5.2.2. $Y_1 < Y_2 < Y_3 < Y_4$ が以下の pdf に従う分布からの，サイズ 4 の無作為標本の順序統計量であるとする．

$$f(x) = \begin{cases} 2x & 0 < x < 1 \\ 0 & \text{それ以外の場合} \end{cases}$$

ここで $f(x)$ と $F(x)$ によって Y_3 の pdf を表現する．そして次に $P(\frac{1}{2} < Y_3)$ を計算する．今，$0 < x < 1$ とするとき，$F(x) = x^2$ である．そのため，

$$g_3(y_3) = \begin{cases} \dfrac{4!}{2!\,1!} (y_3^2)^2 (1 - y_3^2)(2y_3) & 0 < y_3 < 1 \\ 0 & \text{それ以外の場合} \end{cases}$$

であり，よって以下のようになる．

$$P(\tfrac{1}{2} < Y_3) = \int_{1/2}^\infty g_3(y_3)\, dy_3$$
$$= \int_{1/2}^1 24(y_3^5 - y_3^7)\, dy_3 = \frac{243}{256}$$

最後に，任意の 2 つの順序統計量の同時 pdf，例えば $Y_i < Y_j$ は，$F(x)$ と $f(x)$ によって容易に表現できる．

$$g_{ij}(y_i, y_j) = \int_a^{y_i} \cdots \int_a^{y_2} \int_{y_i}^{y_j} \cdots \int_{y_{j-2}}^{y_j} \int_{y_j}^b \cdots \int_{y_{n-1}}^b n! f(y_1) \cdots$$

5.2. 順序統計量

$$f(y_n)\,dy_n \cdots dy_{j+1}dy_{j-1}\cdots dy_{i+1}dy_1\cdots dy_{i-1}$$

と表現できる. ここで $\gamma>0$ に対して

$$\int_x^y [F(y)-F(w)]^{\gamma-1}f(w)\,dw = -\left.\frac{[F(y)-F(w)]^\gamma}{\gamma}\right|_x^y$$
$$= \frac{[F(y)-F(x)]^\gamma}{\gamma}$$

であるため, 以下が導かれる.

$$g_{ij}(y_i,y_j)=\begin{cases}\dfrac{n!}{(i-1)!(j-i-1)!(n-j)!}[F(y_i)]^{i-1}[F(y_j)-F(y_i)]^{j-i-1}\\ \quad\times[1-F(y_j)]^{n-j}f(y_i)f(y_j) \qquad a<y_i<y_j<b\\ 0 \qquad\qquad\qquad\qquad\qquad\qquad\qquad\text{それ以外の場合}\end{cases} \quad (5.2.3)$$

注意 5.2.1 (簡便な導出). (5.2.3) 式において与えられたものと同様の, 順序統計量のベクトルの pdf を導出するための簡便法が存在する. Δ_i と Δ_j が小さいとき, 確率 $P(y_i<Y_i<y_i+\Delta_i, y_j<Y_j<y_j+\Delta_j)$ は以下の多項確率によって近似される. n 回の独立な試行において, $i-1$ 回の結果は y_i [各試行において確率 $p_1=F(y_i)$ をもつ事象] よりもかならず小さくなければならない. $j-i-1$ 回の結果は, $y_i+\Delta_i$ と y_j [各試行において近似的な確率 $p_2=F(y_j)-F(y_i)$ をもつ事象] の間にかならず存在しなければならない. $n-j$ 回の結果は $y_j+\Delta_j$ [各試行において近似的な確率 $p_3=1-F(y_j)$ をもつ事象] よりも大きくなければならない. 1 回の結果は y_i と $y_i+\Delta_i$ [各試行において近似的な確率 $p_4=f(y_i)\Delta_i$ をもつ事象] の間に存在しなければならない. 最後に 1 回の結果は y_j と $y_j+\Delta_j$ [各試行において近似的な確率 $p_5=f(y_j)\Delta_j$ をもつ事象] の間に存在しなければならない. この多項確率は

$$\frac{n!}{(i-1)!(j-i-1)!(n-j)!\,1!\,1!}p_1^{i-1}p_2^{j-i-1}p_3^{n-j}p_4p_5$$

であり, そしてこれは $g_{i,j}(y_i,y_j)\Delta_i\Delta_j$ である. ■

順序統計量 $Y_1,Y_2,\ldots,Y_n$ のいくつかの関数はそれ自身で重要な統計量である. いくつかの例をあげると, (a) 無作為標本の範囲 (range) とよばれる Y_n-Y_1, (b) 無作為標本の範囲中央 (midrange) とよばれる $(Y_1+Y_n)/2$, (c) n を奇数とするとき, 無作為標本の中央値 (median) とよばれる $Y_{(n+1)/2}$ などがある.

例 5.2.3. Y_1,Y_2,Y_3 を以下の pdf をもつ分布からの, サイズ 3 の無作為標本の順序統計量とする.

$$f(x)=\begin{cases}1 & 0<x<1\\ 0 & \text{それ以外の場合}\end{cases}$$

ここで標本範囲 $Z_1=Y_3-Y_1$ の pdf を求めることにする. $F(x)=x, 0<x<1$ であ

るので，Y_1 と Y_3 の同時 pdf は．

$$g_{13}(y_1, y_3) = \begin{cases} 6(y_3 - y_1) & 0 < y_1 < y_3 < 1 \\ 0 & それ以外の場合 \end{cases}$$

となる．$Z_1 = Y_3 - Y_1$ に加えて $Z_2 = Y_3$ とする．関数 $z_1 = y_3 - y_1, z_2 = y_3$ はそれぞれ逆関数 $y_1 = z_2 - z_1, y_3 = z_2$ をもっている．そのため，対応する1対1変換のヤコビアンは以下のようになる．

$$J = \begin{vmatrix} \partial y_1/\partial z_1 & \partial y_1/\partial z_2 \\ \partial y_3/\partial z_1 & \partial y_3/\partial z_2 \end{vmatrix} = \begin{vmatrix} -1 & 1 \\ 0 & 1 \end{vmatrix} = -1$$

それゆえに，Z_1 と Z_2 の同時 pdf は以下のようになる．

$$h(z_1, z_2) = \begin{cases} |-1|6z_1 = 6z_1 & 0 < z_1 < z_2 < 1 \\ 0 & それ以外の場合 \end{cases}$$

したがってサイズ3の無作為標本の，範囲 $Z_1 = Y_3 - Y_1$ の pdf は以下のようになる．

$$h_1(z_1) = \begin{cases} \int_{z_1}^1 6z_1 \, dz_2 = 6z_1(1 - z_1) & 0 < z_1 < 1 \\ 0 & それ以外の場合 \end{cases} \blacksquare$$

5.2.1 分位数

X を連続型 cdf $F(x)$ に従う確率変数とする．$0 < p < 1$ に対して，X の第 p 分位数 (pth–quantile) を $\xi_p = F^{-1}(p)$ のように定義する．例えば，$\xi_{0.5}$，すなわち X の中央値は，第 0.5 分位数である．$X_1, X_2, \ldots, X_n$ を X の分布からの無作為標本とする．そして $Y_1 < Y_2 < \cdots < Y_n$ を対応する順序統計量とする．また $k = [p(n+1)]$ とする．次に，下記の結果を導いた後に，ξ_p の推定量を定義する．Y_k の左側に対する pdf $f(x)$ における領域は $F(Y_k)$ である．この領域の期待値は，

$$E(F(Y_k)) = \int_a^b F(y_k) g_k(y_k) \, dy_k$$

である．ここで，$g_k(y_k)$ は (5.2.2) 式で与えられた Y_k の pdf である．この積分において変換 $z = F(y_k)$ を通じて変数変換を行うならば，

$$E(F(Y_k)) = \int_0^1 \frac{n!}{(k-1)!(n-k)!} z^k (1-z)^{n-k} \, dz$$

を得る．この式とベータ pdf の積分とを比較することによって，上の式が

$$E(F(Y_k)) = \frac{n!k!(n-k)!}{(k-1)!(n-k)!(n+1)!} = \frac{k}{n+1}$$

に等しいことを確かめることができる．平均して，Y_k の左側に対して，全領域の $k/(n+1)$ が存在している．$p \doteq k/(n+1)$ であるから，Y_k を分位数 ξ_p の推定量と見なすこと

5.2. 順序統計量

は理にかなっている．したがって Y_k を第 p 標本分位数 (pth sample quantile) とよぶ．また標本の $100p$ パーセンタイル (100pth percentile of the sample) ともよばれる．

注意 5.2.2. ある統計学者たちは，ここで示したものとはわずかに異なる方法で標本分位数を定義している．$1/(n+1) < p < n/(n+1)$ に関するひとつの修正として，仮に $(n+1)/p$ が整数でないのであれば，標本の第 p 分位数は下記のように定義される．$(n+1)p = k+r$ とする．ここで $k = [(n+1)p]$ であり，また r は真分数であり，重み付き平均を用いる．このとき標本の第 p 分位数は，第 p 分位数の推定量としての，下記の重み付き平均である．

$$(1-r)Y_k + rY_{k+1}$$

しかし n が大きくなると，これらの修正された定義のすべては実質的に等しくなる．■

標本分位数は非常に役に立つ記述統計量である．例えば，Y_k が標本の第 p 分位数であるならば，このとき，データのおおよそ $p100\%$ は Y_k よりも小さいか，同等であり，データのおおよそ $(1-p)100\%$ は Y_k よりも大きいか，同等であることを知ることができる．次に分位数の2つの統計的応用を議論する．

データの5数要約 (five number summary) は以下の5つの標本分位数によって構成されている．最小値 Y_1，第1四分位数 ($Y_{[0.25(n+1)]}$)，中央値 ($Y_{[0.50(n+1)]}$)，第3四分位数 ($Y_{[0.75(n+1)]}$)，最大値 (Y_n) である．ここで与えられた中央値は標本数が奇数である場合の表記であることに注意してほしい．n が偶数の場合には，中央値 $\xi_{0.5}$ の推定量として，慣習的に $(Y_{n/2} + Y_{(n/2+1)})/2$ を用いる．この節では，Q_1, Q_2, Q_3 という表記をそれぞれ，標本の第1四分位数，中央値，第3四分位数を表現するために用いることにする．

5数要約はデータを，自身の四分位数に分割することによって，データの簡潔で解釈の容易な記述を可能にする．5数要約は John Tukey の後期の論文 (Tukey, 1977, Mosteller and Tukey, 1977 を参照せよ) において頻繁に使用されている．彼はここで紹介したものとはわずかに異なる，彼がヒンジ (hinge) とよんだ分位数を，第1四分位数と第3四分位数のかわりに用いている．ここでは標本四分位数を用いることにする．

例 5.2.4. 以下のデータは確率変数 X における，サイズ15の無作為標本の順序づけられた実現値である．

```
56  70  89  94  96 101 102 102
102 105 106 108 110 113 116
```

これらのデータに対して，$n+1 = 16$ であるので，5数要約の実現値は $y_1 = 56$, $Q_1 = y_4 = 94$, $Q_2 = y_8 = 102$, $Q_3 = y_{12} = 108$, $y_{15} = 116$ となる．したがって，5数要約に基づくならば，データは56から116までの値をとり，データの中央50%は，94から

108 の値をとり, またデータの中心は 102 である. ∎

5 数要約は有益でかつ迅速なデータのプロットのための基本である. これはデータの箱形図 (boxplot) とよばれている. 箱はデータの中央 50% を取り囲んでおり, 通常, 線分は中央値を示すために用いられる. しかしながら, 両極の順序統計量は外れ値の影響を強く受ける. よって, これらの値のプロットには注意が必要である. ここでは John Tukey によって定義された箱ひげ図 (box and whisker plot) を利用する. この図を定義するために, 潜在的な外れ値を定義する必要がある. $h = 1.5(Q_3 - Q_1)$ とし, 箱の下辺 (lower fence, LF) と, 上辺 (upper fence, UF) を以下の式によって定義する.

$$LF = Q_1 - h, \quad UF = Q_3 + h \tag{5.2.4}$$

箱の辺の外に存在する値, すなわち区間 (LF, UF) の外の点は, 潜在的外れ値 (potential outlier) とよばれ, 箱形図において "0" という記号によって表現される. ひげは箱の辺の隣接値 (adjacent point) とばれる点から突き出ており, また隣接値は, 辺の内部に存在しているが, 最も辺に近い点である. 練習問題 5.2.2 は正規分布から抽出された実現値が潜在的外れ値である確率が 0.006977 であることを証明する.

例 5.2.5 (例 5.2.4 の続き). 例 5.2.4 で与えられたデータを考える. これらのデータに対して, $h = 1.5(108 - 94) = 21$, $LF = 73$, $UF = 129$ である. したがって, 観測値 56 と 70 は潜在的外れ値である. データの上側には外れ値は存在していない. 下側隣接値は 89 である. このデータの箱形図は図 5.2.1 のパネル A に与えられる.

56 という値は Q_1 から $2h$ だけ大きいということに注意してほしい. ある統計学者たちはこのような点を「外れ値」とよび, 「0」以外の記号によってラベル付けしているが, 本書ではこの区別をしない. ∎

実践では, データはいくつかの分布に従うということを仮定することがよくある. 例えば, $X_1, \ldots, X_n$ は未知の平均と分散をもつ正規分布からの無作為標本であると仮定する. このため, X の分布の形状は既知であるが, 特定の母数に関しては未知である. そのような仮定は検証される必要があり, またこの仮定を検証する複数の統計的検定が存在している. そのような検定に関する広範囲にわたる議論については D'Agostino and Stephens (1986) を参照されたい. 2 つめの分位数の統計的応用として, これに関連した診断的プロットのひとつについて議論する.

分布族の位置と尺度を考える. X は $F((x-a)/b)$ という cdf に従う確率変数とする. ここで $F(x)$ は既知であり, a と $b > 0$ は未知である. $Z = (X-a)/b$ とすると, Z は $F(z)$ という cdf に従う. $0 < p < 1$ とし, $\xi_{X,p}$ を X の第 p 分位数であるとする. また $\xi_{Z,p}$ を $Z = (X-a)/b$ の第 p 分位数とする. $F(z)$ は既知であるので, $\xi_{Z,p}$ も既知である. しかし,

5.2. 順序統計量

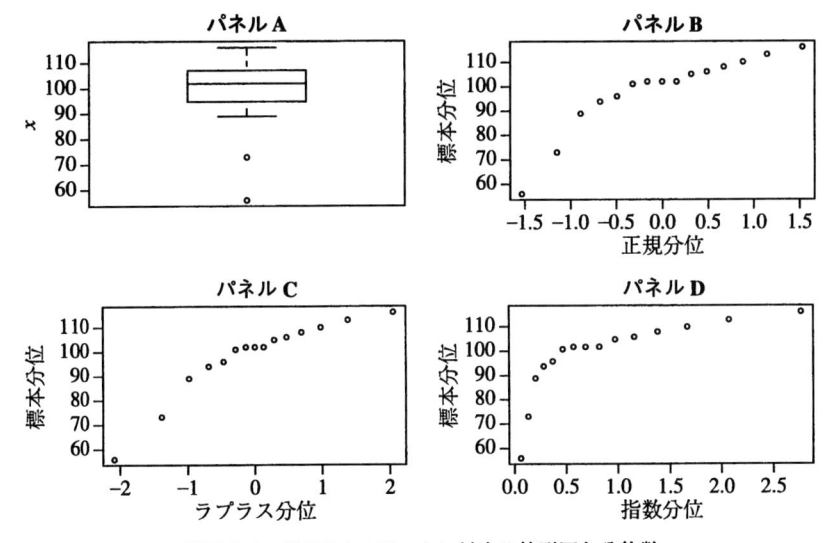

図 5.2.1 例 5.2.4 のデータに対する箱形図と分位数

$$p = P[X \leq \xi_{X,p}] = P\left[Z \leq \frac{\xi_{X,p} - a}{b}\right]$$

であり，ここから次の線形関係を得る．

$$\xi_{X,p} = b\xi_{Z,p} + a \tag{5.2.5}$$

よって X が $F((x-a)/b)$ という形状をもつ cdf に従うならば，X の分位数は Z の分位数に対して線形に関連する．もちろん実際には X の分位数を知ることはできないが，それらを推定することができる．$X_1, \ldots, X_n$ を X の分布からの無作為標本とし，$Y_1 < \cdots < Y_n$ を順序統計量とする．$k = 1, \ldots, n$ に対して，$p_k = k/(n+1)$ とする．このとき，$Y_{(k)}$ は ξ_{X,p_k} の統計量である．対応する $F(z)$ という cdf の分位数を $\xi_{Z,p_k} = F^{-1}(p_k)$ と表現する．$Y_{(k)}$ に対する ξ_{Z,p_k} のプロットは，理論的な cdf $F(x)$ から得られた別の 1 組の分位数に対して，標本から得られた 1 組の分位数をプロットすることから，q–q プロット (q–q plot) とよばれる．上述した議論に基づいて，そのようなプロットの線形性は，X の cdf が $F((x-a)/b)$ という形状であることを示している．

例 5.2.6 (例 5.2.5 の続き). 図 5.2.1 のパネル B, C, D は 3 つの異なる分布に対する，例 5.2.4 のデータの q–q プロットである．標準正規確率変数の分位数がパネル B のプロットのために用いられている．したがって，上述したように，これは $k = 1, 2, \ldots, n$ に対して，$\Phi^{-1}(k/(n+1))$ に対する $Y_{(k)}$ のプロットである．パネル C に対して，標準ラプラス分布 (standard Laplace distribution) の母集団の分位数が用いられる．すな

わち Z の密度は $f(z)=(1/2)e^{-|z|}$, $-\infty<z<\infty$ である．パネル D に関しては，分位数は $f(z)=e^{-z}$, $0<z<\infty$, それ以外では 0, という密度をもつ指数分布から生成されている．これらの分位数の生成は練習問題 5.2.1 において議論される．

線形性から最もかけ離れているプロットはパネル D のものである．このプロットはより正確な分布の指標を与えていることに注意してほしい．回帰直線の上に位置する点に関して，Z の低い分位数は，高い分位数と同じように散らばっていなければならない．すなわち対称分布がより適当である．パネル B と C におけるプロットはパネル D におけるものよりもより線形であるが，依然としてある程度の曲率を含んでいる．パネル B と C では，C がより線形である．実際にそのデータはラプラス分布から生成されたものである．■

正規分位数を用いた，q-q プロットはよく<u>正規 q-q プロット</u>とよばれる．

5.2.2 分位数の信頼区間

以下のデータは確率変数 X におけるサイズ 15 の無作為標本の実現値である．X を cdf $F(x)$ に従う連続型の確率変数とする．$0<p<1$ に対して，ξ_p となるように，分布の $p100$ パーセンタイルを定義する．ここで $F(\xi_p)=p$ である．例えば，X におけるサイズ n の標本に対して，$Y_1<Y_2<\cdots<Y_n$ を順序統計量とする．$k=[(n+1)p]$ とする．このとき標本 $p100$ パーセンタイル Y_k は ξ_p の点推定値である．

ここで ξ_p に関する分布によらない (distribution free) 信頼区間を導出する．これは ξ_p に関する信頼区間であり，分布関数が連続型であるということのほかに，$F(x)$ に関するいかなる仮定からも自由であることを意味している．$i<[(n+1)p]<j$ とし，順序統計量 $Y_i<Y_j$ と事象 $Y_i<\xi_p<Y_j$ を考える．i 番目の順序統計量 Y_i は ξ_p よりも小さいので，X の i における値は少なくとも ξ_p よりも小さいということは必ず真である．さらに，j 番目の順序統計量は ξ_p よりも大きいので，j における X の値よりも小さい X は ξ_p よりも小さくなる．このことを 2 項分布の文脈におくことによって，成功の確率は $P(X<\xi_p)=F(\xi_p)=p$ となる．さらに，事象 $Y_i<\xi_p<Y_j$ は n 回の独立試行において，i 回以上，j 回未満の成功との間を得ることと等しい．したがって，

$$P(Y_i<\xi_p<Y_j)=\sum_{w=i}^{j-1}\binom{n}{w}p^w(1-p)^{n-w} \qquad (5.2.6)$$

であり，これは少なくとも i 回，しかし j 回よりも少ない成功を得る確率である．n, i, j の特定の値が明示されるとき，この確率は計算されうる．この手続きによって，$\gamma=P(Y_i<\xi_p<Y_j)$ が得られることを仮定する．したがって，確率区間 (Y_i, Y_j) が第 p 番目の分位数を含む確率は γ である．仮に Y_i と Y_j の実験値がそれぞれ y_i と y_j であるならば，区間 (y_i, y_j) は ξ_p の $100\gamma\%$ 信頼区間，第 p 番目の分位数として機能する．次の例においてこの性質を中央値のための信頼区間を求めるために用いる．

例 5.2.7 (中央値のための信頼区間)． X を cdf $F(x)$ に従う連続型の確率変数とす

る. $\xi_{1/2}$ を $F(x)$ の中央値とする. たとえば, $\xi_{1/2}$ は $F(\xi_{1/2}) = 1/2$ を導く. $X_1,$ $X_2, \ldots, X_n$ は対応する順序統計量 $Y_1 < Y_2 < \cdots < Y_n$ をもつ X の分布からの無作為標本であるとする. 事前に, Q_2 は $\xi_{1/2}$ の点推定値である標本中央値としておく. $0 < \alpha < 1$ となるように, α を選ぶ. 2項分布 $b(n, 1/2)$ の第 $\alpha/2$ 分位数となるように $c_{\alpha/2}$ をとる. すなわち, $P[S \leq c_{\alpha/2}] = \alpha/2$ である. ここで, S は $b(n, 1/2)$ で分布している. このとき, また $P[S \geq n - c_{\alpha/2}] = \alpha/2$ に注意する. それゆえに, (5.2.6)式の表現と同様に以下となる.

$$P[Y_{c_{\alpha/2}+1} < \xi_{1/2} < Y_{n-c_{\alpha/2}}] = 1 - \alpha \tag{5.2.7}$$

したがって, 標本が抽出されるとき, $y_{c_{\alpha/2}+1}$ と $y_{n-c_{\alpha/2}}$ が順序統計量 $Y_{c_{\alpha/2}+1}$ と $Y_{n-c_{\alpha/2}}$ の実現値であるならば, このとき区間 $(y_{c_{\alpha/2}+1}, y_{n-c_{\alpha/2}})$ は $\xi_{1/2}$ に対する $(1-\alpha)100\%$ 信頼区間である.

この信頼区間を例示するために例 5.2.4 のデータを考えてみる. $\xi_{1/2}$ に関して 88％信頼区間を求めたいとする. このとき $\alpha/2 = 0.060$ である. ここで, $b(15, 0.5)$ で分布している S に対して, $P[S \leq 4] = 0.059$ なので, $c_{\alpha/2} = 4$ である. したがって, $\xi_{1/2}$ に関する 88％ 信頼区間は $(y_5, y_{11}) = (96, 106)$ となる. ∎

2項分布の離散性のために, 中央値に対する信頼区間のための少数の信頼水準のみが算出可能である. ξ に関して, $f(x)$ が左右対称であると仮定することによって, 第10章では分布の離散性が問題とならない, 分布によらない信頼区間を提示する.

練習問題

5.2.1. 例 5.2.6 において議論された, 指数分布とラプラス分布に基づいた, 分布の分位数を表現するクローズドフォームを求めよ.

5.2.2. 以下の分布において観測値が潜在的外れ値である確率を求めよ.
(a) 基礎をなす分布が正規分布であるとき.
(b) 基礎を成す分布がロジスティック (logistic) 分布であるとき. pdf は下記で与えられる

$$f(x) = \frac{e^{-x}}{(1+e^{-x})^2}, \quad -\infty < x < \infty \tag{5.2.8}$$

(c) 基礎を成す分布がラプラス分布であるとき. pdf は下記で与えられる.

$$f(x) = \frac{1}{2} e^{-|x|}, \quad -\infty < x < \infty \tag{5.2.9}$$

5.2.3. 下記の標本データを考える.

```
13    5  202   15   99    4   67   83   36   11  301
23  213   40   66  106   78   69  166   84   64
```

このとき下記に答えよ.

(a) これらのデータの 5 数要約を求めよ．
(b) 外れ値が存在するならば，これを定めよ．
(c) データの箱形図を作成せよ．次にプロットに関して解説せよ．
(d) 中央値 $\xi_{1/2}$ に対する，92%信頼区間を求めよ．

5.2.4. 練習問題 5.2.3 のデータを考える．これらのデータに関する正規 q–q プロットを求めよ．またこのプロットは基礎をなす分布が正規分布であるということを示唆するといえるか．もし存在するならば，異なる理論的分布に関連する分位数がより線形なプロットを導くことを，プロットを用いて示せ．

5.2.5. $Y_1 < Y_2 < Y_3 < Y_4$ を $f(x) = e^{-x}$, $0 < x < \infty$, それ以外では 0，という pdf をもつ分布からの，サイズ 4 の無作為標本の順序統計量とする．このとき $P(3 \leq Y_4)$ を求めよ．

5.2.6. X_1, X_2, X_3 を $f(x) = 2x$, $0 < x < 1$, それ以外では 0，という pdf をもつ連続型の分布からの無作為標本とする．このとき下記を求めよ．
(a) X_1, X_2, X_3 の中で最も小さいものが分布の中央値を超える確率を算出せよ．
(b) $Y_1 < Y_2 < Y_3$ が順序統計量であるとき，Y_2 と Y_3 の相関を求めよ．

5.2.7. $f(x) = \frac{1}{6}$, $x = 1, 2, 3, 4, 5, 6$, それ以外では 0，を離散型の分布の pmf とする．この分布からの，サイズ 5 の無作為標本の最も小さい観測値の pmf は，

$$g_1(y_1) = \left(\frac{7-y_1}{6}\right)^5 - \left(\frac{6-y_1}{6}\right)^5, \quad y_1 = 1, 2, \ldots, 6$$

それ以外では 0，となることを証明せよ．この練習問題において，無作為標本は離散型の分布から得られたものであることに注意してほしい．この教科書に登場するすべての公式は無作為標本は連続型の分布から抽出されたもので，それ以外の分布からではないという仮定のもとに導出されているが，これはなぜか．

5.2.8. $Y_1 < Y_2 < Y_3 < Y_4 < Y_5$ を $f(x) = e^{-x}$, $0 < x < \infty$, それ以外では 0，という pdf をもつ分布からの，サイズ 5 の無作為標本の順序統計量とする．$Z_1 = Y_2$ と $Z_2 = Y_4 - Y_2$ は統計的独立であることを証明せよ．
ヒント：Y_2 と Y_4 の同時 pdf を最初に求めよ．

5.2.9. $Y_1 < Y_2 < \cdots < Y_n$ を $f(x) = 1$, $0 < x < 1$, それ以外では 0，という pdf をもつ分布からの，サイズ n の無作為標本の順序統計量とする．このとき k 番目の順序統計量 Y_k は母数 $\alpha = k$ と $\beta = n - k + 1$ をもつベータ pdf に従うことを証明せよ．

5.2.10. $Y_1 < Y_2 < \cdots < Y_n$ は練習問題 3.3.26 で示したワイブル分布から得られた順序統計量とする．このとき Y_1 の分布関数と pdf を求めよ．

5.2.11. $f(x) = 1$, $0 < x < 1$, それ以外では 0，という pdf をもつ一様分布からの，サ

5.2. 順序統計量

イズ 4 の無作為標本の範囲が $\frac{1}{2}$ よりも小さい確率を求めよ．

5.2.12. $Y_1 < Y_2 < Y_3$ を $f(x) = 2x$, $0 < x < 1$, それ以外では 0，という pdf をもつ分布からの，サイズ 3 の無作為標本の順序統計量とする．このとき，$Z_1 = Y_1/Y_2$, $Z_2 = Y_2/Y_3$ と $Z_3 = Y_3$ は互いに独立であることを示せ．

5.2.13. サイズ 2 の無作為標本が $f(x) = 2(1-x)$, $0 < x < 1$, それ以外では 0，という pdf をもつ分布から得られたものとする．このとき，1 つの標本観測値が少なくとも他の標本よりも 2 倍大きい確率を算出せよ．

5.2.14. $Y_1 < Y_2 < Y_3$ は $f(x) = 1$, $0 < x < 1$, それ以外では 0，という pdf をもつ分布からの，サイズ 3 の無作為標本の順序統計量を表すとする．また $Z = (Y_1 + Y_3)/2$ は標本の範囲中央とする．このとき，Z の pdf を求めよ．

5.2.15. $Y_1 < Y_2$ は $N(0, \sigma^2)$ からのサイズ 2 の無作為標本の順序統計量を表すものとする．
(a) $E(Y_1) = -\sigma/\sqrt{\pi}$ を証明せよ
　ヒント：Y_1 と Y_2 の同時 pdf を，y_1 において最初に積分し，$E(Y_1)$ を計算せよ．
(b) Y_1 と Y_2 の共分散を求めよ．

5.2.16. $x \geq 0$ であるとき $f(x) > 0$ そして，それ以外では $f(x) = 0$ であるような $f(x)$ という pdf をもつ連続型の分布からの，サイズ 2 の無作為標本の順序統計量を $Y_1 < Y_2$ とする．$Z_1 = Y_1$ と $Z_2 = Y_2 - Y_1$ の統計的独立性がガンマ pdf $f(x)$ を特徴づけ，そしてその分布は母数 $\alpha = 1$ と $\beta > 0$ をもつことを証明せよ．
　ヒント：Y_1 と Y_2 の同時 pdf から，Z_1 と Z_2 の同時 pdf を求めるために，変数変換法を用いよ．また関数式 $h(0)h(x+y) \equiv h(x)h(y)$ は解 $h(x) = c_1 e^{c_2 x}$ をもつことを許容する．ここで c_1 と c_2 は定数である．

5.2.17. $Y_1 < Y_2 < Y_3 < Y_4$ は $f(x) = 2x$, $0 < x < 1$, それ以外では 0，という pdf をもつ分布からのサイズ $n = 4$ の無作為標本の順序統計量とする．このとき下記を求めよ．
(a) Y_3 と Y_4 の同時 pdf を求めよ．
(b) $Y_4 = y_4$ が与えられた場合の，Y_3 の条件付き pdf を求めよ．
(c) $E(Y_3|y_4)$ を計算せよ．

5.2.18. 区間 $(0, 1)$ から 2 つの数が無作為に抽出される．これらの値が一様にかつ独立に分布しているならば，これらの数で区間を区切ることによって，結果として得られる 3 つの線分が三角形を形成する確率を算出せよ．

5.2.19. X と Y をそれぞれが $f(x) = 2x$, $0 < x < 1$, それ以外では 0，そして $g(y) = 3y^2$, $0 < y < 1$, それ以外では 0，という確率密度関数に従う統計的独立な確率変数を

表すものとする．また $U=\min(X,Y)$, そして $V=\max(X,Y)$ とする．このとき U と V の同時 pdf を求めよ．

ヒント：ここで2つの逆変換は $x=u, y=v$ そして $x=v, y=u$ によって与えられる．

5.2.20. X と Y の同時 pdf を $f(x,y) = \frac{12}{7}x(x+y)$, $0<x<1$, $0<y<1$, それ以外では 0, とする．また $U=\min(X,Y)$, そして $V=\max(X,Y)$ とする．このとき U と V の同時 pdf を求めよ．

5.2.21. $X_1, X_2, \ldots, X_n$ は連続型か離散型のどちらか一方の分布からの無作為標本であるとする．ここで散布の測度は以下のジニの平均差 (Gini's mean difference) で与えられる．これを踏まえて以下に答えよ．

$$G = \sum_{j=2}^{n} \sum_{i=1}^{j-1} |X_i - X_j| \Big/ \binom{n}{2} \tag{5.2.10}$$

(a) $n=10$ であるとき, $G = \sum_{i=1}^{10} a_i Y_i$ となるような $a_1, a_2, \ldots, a_{10}$ を求めよ．ここで, $Y_1, Y_2, \ldots, Y_{10}$ は標本の順序統計量である．
(b) 正規分布 $N(\mu, \sigma^2)$ から標本が得られるとき, $E(G) = 2\sigma/\sqrt{\pi}$ が成り立つことを証明せよ．

5.2.22. $Y_1 < Y_2 < \cdots < Y_n$ は $f(x) = e^{-x}$, $0<x<\infty$, それ以外では 0, という pdf をもつ指数分布からの, サイズ n の無作為標本の順序統計量とする．このとき以下に答えよ．

(a) $Z_1 = nY_1, Z_2 = (n-1)(Y_2 - Y_1), Z_3 = (n-2)(Y_3 - Y_2), \ldots, Z_n = Y_n - Y_{n-1}$ は統計的独立であり, Z_i はそれぞれ指数分布に従うことを示せ.
(b) $\sum_1^n a_i Y_i$ のような, $Y_1, Y_2, \ldots, Y_n$ のすべての線形関数は, 統計的独立な確率変数の線形関数として表現できることを証明せよ．

5.2.23. Program Evaluation and Review Technique (PERT) において, 多数の下位プロジェクトから構成されているプロジェクトを完遂するための総時間に興味があるとする．例として, X_1, X_2, X_3 は3つの下位目標に対する, 3つの統計的独立な無作為な時間とする．仮にこれらの下位プロジェクトが逐次的(2つめのプロジェクトが開始されるためには, 最初のプロジェクトが事前に完遂されていなければならない, など) なものであるならば, 次に和 $Y = X_1 + X_2 + X_3$ に注目する．これらの下位プロジェクトが並列(同時に実行される) に行われるのであれば, $Z = \max(X_1, X_2, X_3)$ に注目する．これら両方の確率変数が $f(x) = 1$, $0<x<1$, それ以外では 0, という pdf をもつ一様分布に従う場合に, (a) Y の pdf, そして (b) Z の pdf を算出せよ．

5.2.24. Y_n を連続型の分布からの, サイズ n の無作為標本の n 番目の順序統計量を表すとする．このとき, 不等式 $P(\xi_{0.9} < Y_n) \geq 0.75$ が真であるような, n の最小値を

5.3. 分布の許容限界 *

求めよ．

5.2.25. $Y_1 < Y_2 < Y_3 < Y_4 < Y_5$ を連続型の分布からのサイズ 5 の無作為標本の順序統計量を表すものとする．このとき以下を求めよ．
(a) $P(Y_1 < \xi_{0.5} < Y_5)$
(b) $P(Y_1 < \xi_{0.25} < Y_3)$
(c) $P(Y_4 < \xi_{0.80} < Y_5)$

5.2.26. $Y_1 < \cdots < Y_9$ が連続型の分布からのサイズ 9 の無作為標本の順序統計量であるとき，$P(Y_3 < \xi_{0.5} < Y_7)$ を計算せよ．

5.2.27. $P(Y_1 < \xi_{0.5} < Y_n) \geq 0.99$ に対して，n の最小値を求めよ．ここで，$Y_1 < \cdots < Y_n$ は連続型の分布からのサイズ n の無作為標本の順序統計量である．

5.2.28. $Y_1 < Y_2$ は $N(\mu, \sigma^2)$，ここで σ^2 は既知である，分布からの，サイズ 2 の無作為標本の順序統計量を表すとする．このとき下記に答えよ．
(a) $P(Y_1 < \mu < Y_2) = \frac{1}{2}$ を証明し，確率的に変動する長さ $Y_2 - Y_1$ の期待値を算出せよ．
(b) $\overline{X}$ がこの標本の平均であるとき，式 $P(\overline{X} - c\sigma < \mu < \overline{X} + c\sigma) = \frac{1}{2}$ を解く定数 c を求めよ．またこの確率区間の長さと (a) の確率区間の長さの期待値とを比較せよ．

5.2.29. $y_1 < y_2 < y_3$ を連続型の分布からの，サイズ 3 の無作為標本の順序統計量の観測値であるとする．いまこれらの値を知らされることなく，統計学者に無作為な順序でこれらの値が与えられる．彼女は最も大きい値を選択したいとする．しかし，一度観測値を拒絶すると，彼女は再度同じ値を選択できない．彼女が最初の 1 つを選択するならば，明らかに，最大値を選ぶ確率は 1/3 である．そのかわりに，彼女は以下のアルゴリズムを用いることにした．彼女は最初の値を確認した後，これを拒絶する．そして次に 2 番目の値が最初の値よりも大きいならば，2 番目の値をとる．あるいはそうでなければ，3 番目の値をとる．最大値の選択においてこのアルゴリズムが 1/2 の確率をもつことを証明せよ

5.3 分布の許容限界 *

ここでは，5.2 節で取り扱ったことと同様の特色をもつ問題を吟味しよう．特に，考慮している分布に対してあらかじめ定めた割合の確率を特定の確率区間が含む（あるいはこの範囲にわたる）確率を求めることはできるだろうか．また，確率区間を適切に抽出することにより，統計的推測の分布に依存しない方法が使えるだろうか．

X は連続型の分布関数 $F(x)$ に従う確率変数とする．$Z = F(X)$ としよう．このとき，練習問題 5.3.1 で示すように，Z は (0,1) の一様分布に従う．すなわち，$Z = F(X)$

は

$$h(z) = \begin{cases} 1 & 0 < z < 1 \\ 0 & それ以外の場合 \end{cases}$$

という pdf に従い，このとき，$0 < p < 1$ ならば，以下を得る．

$$P[F(X) \leq p] = \int_0^p dz = p$$

ここで，$F(x) = P(X \leq x)$ である．$P(X = x) = 0$ であるので，このとき $F(x)$ は $-\infty$ と x の間に存在する X の分布に関する確率の一部分である．$F(x) \leq p$ ならば，このとき X の分布の $100p\%$ 以下の確率が $-\infty$ と x の間に存在する．しかし，$P[F(X) \leq p] = p$ を思い出そう．すなわち，確率変数 $Z = F(X)$ が p 未満あるいは p に等しい確率は，まさに確率区間 $(-\infty, X)$ が分布に関して $100p\%$ 以下の確率を含む確率である．例えば，$p = 0.70$ ならば，確率区間 $(-\infty, X)$ が分布に関する確率の 70% 以下を含む確率は 0.70 である．確率区間 $(-\infty, X)$ が分布に関する 70% を超える確率を含む確率は $1 - 0.70 = 0.30$ である．

ここで，特定の順序統計量の関数を考えよう．$a < x < b$ のときかつそのときに限り，$X_1, X_2, \ldots, X_n$ が，$f(x)$ という正の値で，連続型である pdf をもつ分布からのサイズ n の無作為標本を意味するとしよう．また，$F(x)$ をその分布関数とする．確率変数 $F(X_1), F(X_2), \ldots, F(X_n)$ を考えよう．これらの確率変数は統計的に独立で，練習問題 5.3.1 に従い，各確率変数は区間 $(0,1)$ の一様分布に従う．したがって，$F(X_1), F(X_2), \ldots, F(X_n)$ は区間 $(0,1)$ の一様分布からのサイズ n の無作為標本である．この無作為標本 $F(X_1), F(X_2), \ldots, F(X_n)$ の順序統計量を考えよう．Z_1 をこれらの $F(X_i)$ の最小のものとし，大きさに従って次の $F(X_i)$ を Z_2，と順に割り当てていき，最大の $F(X_i)$ を Z_n とする．$Y_1, Y_2, \ldots Y_n$ が，$X_1, X_2, \ldots X_n$ の最初の無作為標本の順序統計量であるならば，$F(x)$ が x の非減少 (ここでは，単調増加) 関数である事実が $Z_1 = F(Y_1), Z_2 = F(Y_2), \ldots, Z_n = F(Y_n)$ であることを意味する．したがって，(5.2.1) 式から，$Z_1, Z_2, \ldots, Z_n$ の同時 pdf が以下によって得られる．

$$h(z_1, z_2, \ldots, z_n) = \begin{cases} n! & 0 < z_1 < z_2 < \cdots < z_n < 1 \\ 0 & それ以外の場合 \end{cases} \quad (5.3.1)$$

これは，次の定理の特殊ケースとなる．

定理 5.3.1.

$Y_1, Y_2, \ldots, Y_n$ が，$f(x)$ という pdf と $F(x)$ という cdf に従う連続型の分布からのサイズ n の無作為標本の順序統計量を示すとする．確率変数 $Z_i = F(Y_i)$，$i = 1, 2, \ldots, n$ の同時 pdf は (5.3.1) 式により与えられる．■

$Z = F(X)$ の分布関数が z，$0 < z < 1$ によって与えられるので，(5.2.2) 式から $Z_k =$

5.3. 分布の許容限界 *

$F(Y_k)$ の周辺 pdf は次のベータ pdf であることが得られる.

$$h_k(z_k) = \begin{cases} \dfrac{n!}{(k-1)!(n-k)!} z_k^{k-1}(1-z_k)^{n-k} & 0 < z_k < 1 \\ 0 & \text{それ以外の場合} \end{cases} \quad (5.3.2)$$

さらに,(5.2.3) 式から,$Z_i = F(Y_i)$ と $Z_j = F(Y_j)$ の同時 pdf が,$i<j$ であるもとで,以下によって与えられる.

$$h(z_i, z_j) = \begin{cases} \dfrac{n! z_i^{i-1}(z_j - z_i)^{j-i-1}(1-z_j)^{n-j}}{(i-1)!(j-i-1)!(n-j)!} & 0 < z_i < z_j < 1 \\ 0 & \text{それ以外の場合} \end{cases} \quad (5.3.3)$$

$i<j$ のとき,$Z_j - Z_i = F(Y_j) - F(Y_i)$ という差を考えてみよう.ここで,$F(y_j) = P(X \leq y_j)$ かつ $F(y_i) = P(X \leq y_i)$ である.$P(X = y_i) = P(X = y_j) = 0$ なので,このとき差 $F(y_j) - F(y_i)$ は,y_i と y_j の間にある X の分布に関する確率の一部分である.p が正の真分数であるとしよう.$F(y_j) - F(y_i) \geq p$ ならば,少なくとも X の分布で $100p\%$ の確率が y_i と y_j の間にある.また,$\gamma = P[F(Y_j) - F(Y_i) \geq p]$ が与えられるとしよう.このとき,確率区間 (Y_i, Y_j) は,X の分布に関する確率で少なくとも $100p\%$ を含んでいる確率 γ をもつ.ここで,y_i と y_j がそれぞれ,Y_i と Y_j の実測値を示すならば,区間 (y_i, y_j) は,X の分布で少なくとも $100p\%$ の確率を含むか,含まないかのいずれかである.しかしながら,区間 (y_i, y_j) は,X の分布で $100p\%$ の確率に対する $100\gamma\%$ の許容区間 (tolerance interval) を表している.したがって,y_i と y_j は,X の分布で $100p\%$ の確率に対する $100\gamma\%$ の許容限界 (tolerance limits) とよばれる.

確率 $\gamma = P[F(Y_j) - F(Y_i) \geq p]$ を求める方法のひとつは,$Z_i = F(Y_i)$ と $Z_j = F(Y_j)$ の同時 pdf を与える (5.3.3) 式を用いることである.このとき,求める確率は以下により得られる.

$$\gamma = P(Z_j - Z_i \geq p) = \int_0^{1-p} \left[\int_{p+z_i}^1 h_{ij}(z_i, z_j)\, dz_j \right] dz_i$$

時々,これはかなり煩雑な計算となる.このため,また分布によらない統計的推測においてカバレッジ (coverage) が重要であるため,ここではカバレッジの概念を紹介する.

確率変数 $W_1 = F(Y_1) = Z_1$, $W_2 = F(Y_2) - F(Y_1) = Z_2 - Z_1$, $W_3 = F(Y_3) - F(Y_2) = Z_3 - Z_2, \ldots, W_n = F(Y_n) - F(Y_{n-1}) = Z_n - Z_{n-1}$ を考えよう.確率変数 W_1 は確率区間 $\{x : -\infty < x < Y_1\}$ のカバレッジとよばれ,W_i, $i = 2, 3, \ldots, n$ は確率区間 $\{x : Y_{i-1} < x < Y_i\}$ のカバレッジとよばれる.n 個のカバレッジ $W_1, W_2, \ldots, W_n$ の同時 pdf を求めよう.はじめに,この変換の逆関数は以下によって与えられることに注意しよう.

$$z_i = \sum_{j=1}^{i} w_j, \quad i = 1, 2, \ldots, n$$

また，ヤコビアンが 1 に等しく，正の確率密度の空間が以下であることにも注意する．

$$\{(w_1, w_2, \ldots, w_n) : 0 < w_i, i = 1, 2, \ldots, n, w_1 + \cdots + w_n < 1\}$$

$Z_1, Z_2, \ldots, Z_n$ の同時 pdf は，$0 < z_1 < z_2 < \cdots < z_n < 1$ のとき $n!$，それ以外は 0 であるので，n 個のカバレッジの同時 pdf は以下のようになる．

$$k(w_1, \ldots, w_n) = \begin{cases} n! & 0 < w_i, \ i = 1, \ldots, n, \ w_1 + \cdots + w_n < 1 \\ 0 & \text{それ以外の場合} \end{cases}$$

$k(w_1, \ldots, w_n)$ という pdf は $w_1, w_2, \ldots, w_n$ に関して対称であるから，$r < n$ のもとで，これらのカバレッジのうちの任意の r の総和の分布が，個々の r を一定にした値と正確に同じであることが明らかである．例えば，$i < j$ かつ $r = j - i$ ならば，$Z_j - Z_i = F(Y_j) - F(Y_i) = W_{i+1} + W_{i+2} + \cdots + W_j$ という分布は正確に $Z_{j-i} = F(Y_{j-i}) = W_1 + W_2 + \cdots + W_{j-i}$ という分布と同じである．しかし，Z_{j-i} の pdf は以下の形のベータ pdf である．

$$h_{j-i}(v) = \begin{cases} \dfrac{\Gamma(n+1)}{\Gamma(j-i)\Gamma(n-j+i+1)} v^{j-i-1}(1-v)^{n-j+i} & 0 < v < 1 \\ 0 & \text{それ以外の場合} \end{cases}$$

結果として，$F(Y_j) - F(Y_i)$ がこの pdf に従い，以下のようになる．

$$P[F(Y_j) - F(Y_i) \geq p] = \int_p^1 h_{j-i}(v)\, dv$$

例 5.3.1. $Y_1 < Y_2 < \cdots < Y_6$ が連続型の分布からのサイズ 6 の無作為標本の順序統計量であるとしよう．実測値の区間 (y_1, y_6) を分布の 80% に対する許容区間として用いたい．このとき，被積分関数が $F(Y_6) - F(Y_1)$ の pdf であるので，以下となる．

$$\gamma = P[F(Y_6) - F(Y_1) \geq 0.8]$$
$$= 1 - \int_0^{0.8} 30v^4(1-v)\, dv$$

したがって，近似的に

$$\gamma = 1 - 6(0.8)^5 + 5(0.8)^6 = 0.34$$

となる．すなわち，Y_1 と Y_6 の実測値が，分布の 80% の確率に対する 34% の許容区間となる．■

注意 5.3.1. 許容区間はきわめて重要であり，しばしば信頼区間より望ましい性質がある．例として，メーカーが個々の容器に少なくとも 12 オンスの製品が入るようにす

5.4. その他の信頼区間

る,「満たす」問題を考えよう. X をひとつの容器の内容量であるとしよう. 例えば, 12.1 から 12.3 までが X の分布の 99% に対する 95%の許容区間であることは, メーカー側を満足させることだろう. 連邦政府機関の FDA が認める 12 オンス未満の容器はごく少数だからである.

練習問題

5.3.1. X は $F(x)$ という連続型の cdf に従う確率変数とする. X の空間において, $F(x)$ は単調増加であると仮定しよう. $Z = F(X)$ という確率変数を考える. Z が区間 (0,1) の一様分布に従うことを示せ.

5.3.2. Y_1 と Y_n の各々が, $F(x)$ という連続型の cdf に従う分布からのサイズ n の無作為標本の 1 番目, n 番目の順序統計量であるとしよう. $P[F(Y_n) - F(Y_1) \geq 0.5]$ が少なくとも 0.95 になるような n の最小値を求めよ.

5.3.3. Y_2 と Y_{n-1} は, $F(x)$ という分布関数をもつ連続型の分布からのサイズ n の無作為標本の 2 番目と $(n-1)$ 番目の順序統計量を示す. $0 < p < 1$ において, $P[F(Y_{n-1}) - F(Y_2) \geq p]$ を求めよ.

5.3.4. $Y_1 < Y_2 < \cdots < Y_{48}$ が連続型の分布からのサイズ 48 の無作為標本の順序統計量であるとしよう. 観測された区間 (y_4, y_{45}) を分布の 75% に対する $100\gamma\%$ の許容区間として用いるとしよう.
(a) γ の値は何であるか.
(b) (a) の積分を 2 項分布の部分和として記述できることに注意して近似的にもとめよ. 2 項分布も同様に正規分布に関連した確率によって近似される (4.4 節参照).

5.3.5. $Y_1 < Y_2 < \cdots < Y_n$ が $F(x)$ という分布関数をもつ連続型の分布からのサイズ n の無作為標本の順序統計量であるとしよう.
(a) $U = 1 - F(Y_j)$ の分布は何であるか.
(b) $i < j$ である場合, $V = F(Y_n) - F(Y_j) + F(Y_i) - F(Y_1)$ の分布を決定せよ.

5.3.6. $Y_1 < Y_2 < \cdots < Y_{10}$ を, $F(x)$ という分布関数をもつ連続型の分布からの無作為標本の順序統計量とする. $V_1 = F(Y_4) - F(Y_2)$ と $V_2 = F(Y_{10}) - F(Y_6)$ の同時分布は何か.

5.4　その他の信頼区間

5.1 節で議論した統計的問題について振り返ろう. 興味の対象である確率変数 X は密度関数 $f(x; \theta), \theta \in \Omega$, ここで θ は未知, に従うことを思い出そう. その節では統計量 $T = T(X_1, \ldots, X_n)$, ここで $X_1, \ldots, X_n$ は X の分布からの標本, による θ の推定について議論した. 標本が抽出されたとき, T の値がその母数の真値であることは

ありそうにない．実際，T が連続分布に従うのであれば，そのとき $P_\theta(T=\theta)=0$ である．必要なのは推定の誤差の推定値である．つまり，T がどれだけ θ と離れているか，である．このことは例 5.1.2 と 5.2.7 で μ と $\xi_{1/2}$ のそれぞれの信頼区間を紹介するときに簡単に扱われた．本節では，中心極限定理 (定理 4.4.1) に基づき，さらにこの問題を議論する．本節の最後では，標本が正規分布から抽出された場合について考えるだろう．

混乱を避けるため，θ_0 は母数 θ の真の，そして未知の値を示すとする．T は θ_0 の推定量であり，

$$\sqrt{n}(T-\theta_0) \xrightarrow{D} N(0, \sigma_T^2) \tag{5.4.1}$$

と仮定する．母数 σ_T^2 は $\sqrt{n}T$ の漸近分散であり，実際にはそれはたいてい未知である．しかし，説明のため σ_T^2 は既知として考えよう．

$Z = \sqrt{n}(T-\theta_0)/\sigma_T$ は標準化された確率変数とする．そのとき Z は漸近的に $N(0,1)$ である．したがって，$P(-1.96 < Z < 1.96) \doteq 0.95$ である．このことは以下の代数的な導出につながる．

$$\begin{aligned}
0.95 &\doteq P(-1.96 < Z < 1.96) \\
&= P\left(-1.96 < \frac{\sqrt{n}(T-\theta_0)}{\sigma_T} < 1.96\right) \\
&= P\left(T - 1.96\frac{\sigma_T}{\sqrt{n}} < \theta_0 < T + 1.96\frac{\sigma_T}{\sqrt{n}}\right)
\end{aligned} \tag{5.4.2}$$

区間 $(T-1.96\sigma_T/\sqrt{n}, T+1.96\sigma_T/\sqrt{n})$ は確率変数 T の関数であるので，それを確率区間 (random interval) とよぼう．この導出により，確率区間が θ を含む確率は近似的に 0.95 である．標本が抽出されたとき，t は統計量 T の実現値とする．そのとき確率区間の値は

$$(t-1.96\sigma_T/\sqrt{n}, t+1.96\sigma_T/\sqrt{n}) \tag{5.4.3}$$

によって与えられる．この区間は θ_0 を含んでいるか，含んでいないかである．それは区間が θ_0 を含んだ場合に成功となるようなベルヌイ試行の結果である．確率区間 (5.4.2) 式に基づき，このベルヌイ試行の成功確率は近似的に 0.95 である．よって，たとえ確率区間 (5.4.3) 式が θ_0 を含もうが含むまいが，成功の確率は高いため，成功区間を十分に信頼するのである．よって，5.1 節において与えられた専門用語を用いるならば，区間 (5.4.3) 式を θ_0 のための 95%信頼区間 (95% confidence interval) といい，最初の確率 0.95 = 95% を信頼係数 (confidence coefficient) という．

もちろん実際には，しばしば σ_T は未知である．統計量 S_T は σ_T の一致推定量であると仮定する．そのとき定理 4.3.5 (スラッキーの定理) から以下に従う．

$$\frac{\sqrt{n}(T-\theta_0)}{S_T} \xrightarrow{D} N(0,1)$$

したがって同様の論理展開によって，区間 $(T-1.96S_T/\sqrt{n}, T+1.96S_T/\sqrt{n})$ は θ_0

5.4. その他の信頼区間

を被覆する近似確率 0.95 の確率区間となる．もう一度標本が抽出され，T と S_T の実現値をそれぞれ t と s_t によって示す．そのとき θ_0 の近似的な 95%信頼区間は

$$(t-1.96s_t/\sqrt{n}, t+1.96s_t/\sqrt{n}) \tag{5.4.4}$$

である．この区間は実際に用いられ，しばしば $s_t/\sqrt{n}$ は T の標準誤差 (standard error) とよばれる．

例 5.4.1 (平均 μ の信頼区間). $X_1, \ldots, X_n$ は未知の平均 μ と未知の分散 σ^2 に従う確率変数 X の分布からの無作為標本とする．$\overline{X}$ と S^2 はそれぞれ標本平均と標本分散を示すとする．中心極限定理と定理 4.3.5 から，$\sqrt{n}(\overline{X}-\mu)/S$ は近似分布 $N(0,1)$ に従う．

したがって，μ のための近似的な 95%信頼区間は以下である．

$$(\overline{x}-1.96s/\sqrt{n}, \overline{x}+1.96s/\sqrt{n}) \quad \blacksquare \tag{5.4.5}$$

信頼係数が 0.95 であることに特別な意味は何もない．一般的な信頼係数 $(1-\alpha)$，ここで $0<\alpha<1$，について考えよう．$z_{\alpha/2}$ は標準正規確率変数の上側 $\alpha/2$ 分位数として定義する．つまり，$1-\Phi(z_{\alpha/2})=\alpha/2$，ここで $\Phi(z)$ は (3.4.10) 式によって与えられた標準正規分布関数，である．95%信頼係数に関してあてはまったのと同じ論理がこの一般的な $1-\alpha$ 信頼係数に関してもあてはまる．つまり，これまでのように，S_T は σ_T の一致推定量とする．同様の議論により θ_0 の近似的な $(1-\alpha)100\%$ 信頼区間である以下の区間が導かれる．

$$(t-z_{\alpha/2}s_T/\sqrt{n}, t+z_{\alpha/2}s_T/\sqrt{n}) \tag{5.4.6}$$

例 5.4.1 の場合で，

$$(\overline{x}-z_{\alpha/2}s/\sqrt{n}, \overline{x}+z_{\alpha/2}s/\sqrt{n}) \tag{5.4.7}$$

は μ の近似的な $(1-\alpha)100\%$ 信頼区間である．

しばしばこれらの信頼区間は $t\pm z_{\alpha/2}s_T/\sqrt{n}$ および $\overline{x}\pm z_{\alpha/2}s/\sqrt{n}$ と表記され，これらの項 $z_{\alpha/2}s_T/\sqrt{n}$ と $z_{\alpha/2}s/\sqrt{n}$ はその信頼区間の誤差の部分として考えられる．これらの誤差は，推定値がどれだけ未知母数を推定し，そこなうかの信頼係数 $(1-\alpha)100\%$ 最大点である．

この誤差項の部分は直感的にも合っていることに注意しよう．

1. $\alpha<\alpha^*$ は $z_{\alpha/2}>z_{\alpha^*/2}$ を示すので，信頼係数のより高い値の場合はより大きな誤差項を導き，したがって他の条件が同じであるならば，より広い信頼区間を導く．
2. よりサイズの大きな標本の抽出は誤差の部分を減少させ，したがって他の条件が同じであるならば，より狭い信頼区間を導く．
3. 通常，母数 σ_T はその基となっている分布の尺度母数の一種である．この場合，他の条件が同じであるならば，尺度 (ノイズレベル) の増加は，一般的にはより

大きな誤差項となり，したがって，より広い信頼区間となる．

例 5.4.2 (p の信頼区間). X は成功確率 p のベルヌイ確率変数とする．$X_1, \ldots, X_n$ は X の分布からの無作為標本とする．$\widehat{p} = \overline{X}$ は標本成功比率である．中心極限定理より，$\widehat{p}$ は近似分布 $N(p, p(1-p)/n)$ に従う．大数の弱法則より，$\widehat{p}$ は p の一致推定量であり，そしてさらに，定理 4.2.4 より，$\widehat{p}(1-\widehat{p})$ は $p(1-p)$ の一致推定量である．したがって，p の近似的な $(1-\alpha)100\%$ 信頼区間は以下によって与えられる．

$$(\widehat{p} - z_{\alpha/2}\sqrt{\widehat{p}(1-\widehat{p})/n}, \widehat{p} + z_{\alpha/2}\sqrt{\widehat{p}(1-\widehat{p})/n}) \tag{5.4.8}$$

ここで $\sqrt{\widehat{p}(1-\widehat{p})/n}$ は $\widehat{p}$ の標準誤差とよばれる．■

一般的に，本節においてさらに拡張された信頼区間は近似的なものである．それらは中心極限定理に基づき，またしばしば σ_T の一致推定量を必要とする．次の例では，正規分布から標本抽出した場合の平均に関する正確な信頼区間を発展させる．

例 5.4.3 (正規性のもとでの μ の信頼区間). 確率変数 $X_1, \ldots, X_n$ は分布 $N(\mu, \sigma^2)$ からの無作為標本であると仮定する．$\overline{X}$ と S^2 はそれぞれ標本平均と標本分散を示すとする．定理 3.6.1 の (d) によって，確率変数 $T = (\overline{X} - \mu)/(S/\sqrt{n})$ は自由度 $n-1$ の t 分布に従う．$0 < \alpha < 1$ に関し，$t_{\alpha/2, n-1}$ を自由度 $n-1$ の t 分布の上側 $\alpha/2$ 基準点と定義する．つまり，$\alpha/2 = P(T > t_{\alpha/2, n-1})$ である．(5.4.3) 式と同様の代数的な導出を用いることで，

$$1 - \alpha = P(-t_{\alpha/2, n-1} < T < t_{\alpha/2, n-1}) = P\left(-t_{\alpha/2, n-1} < \frac{\overline{X} - \mu}{S/\sqrt{n}} < t_{\alpha/2, n-1}\right)$$

$$= P\left(\overline{X} - t_{\alpha/2, n-1} \frac{S}{\sqrt{n}} < \mu < \overline{X} + t_{\alpha/2, n-1} \frac{S}{\sqrt{n}}\right) \tag{5.4.9}$$

が得られる．標本が抽出され，$\overline{x}$ と s はそれぞれ統計量 $\overline{X}$ と S の実現値とすると，μ の $(1-\alpha)100\%$ 信頼区間は以下の

$$(\overline{x} - t_{\alpha/2, n-1} s/\sqrt{n}, \overline{x} + t_{\alpha/2, n-1} s/\sqrt{n}) \tag{5.4.10}$$

によって与えられる．$\alpha = 0.05$ に関して，この信頼区間と大標本の 95% 信頼区間である (5.4.3) 式との間における唯一の違いは，$t_{0.025, n-1}$ が 1.96 と置き換わっていることであることに注意しよう．これは一方では正確な値であるのに，他方 (5.4.3) 式は近似である．もちろん，正確さを得るために正規母集団からの標本抽出を仮定しなくてはならない．またこれは一方で $t_{\alpha/2, n-1}$ を用いるが，他方前者は $z_{\alpha/2}$ を用いる．

実際，しばしば母集団が正規であるかどうかはわからない．ではどちらの信頼区間を用いるべきであろうか．一般的に，同じ α に関して，$t_{\alpha/2, n-1}$ に基づいた区間は $z_{\alpha/2}$ に基づいたそれよりも大きい．したがって，区間 (5.4.10) 式は一般的に区間 (5.4.7) 式より保守的である．よって実際には，統計学者は一般的に区間 (5.4.10) 式を好む．■

本書の後の章では，ある特別な場合のためのその他の正確な信頼区間を発展させる

5.4. その他の信頼区間

だろう．またブートストラップ信頼区間を考えるだろう．これらは一般的に σ_T の推定を行わない．

5.4.1 異なる平均の差の信頼区間

興味となっている実際問題は 2 つの分布の比較である．つまり，2 つの確率変数，例えば X と Y の分布の比較である．本節では，X と Y の平均の比較を行う．X と Y の平均をそれぞれ μ_1 と μ_2 によって表そう．特に，差 $\Delta = \mu_1 - \mu_2$ の信頼区間を求める．X と Y の分散は有限であると仮定し，かつ $\sigma_1^2 = \text{Var}(X)$ そして $\sigma_2^2 = \text{Var}(Y)$ と表現されるとする．$X_1, \ldots, X_{n_1}$ は X の分布からの無作為標本とし，$Y_1, \ldots, Y_{n_2}$ は Y の分布からの無作為標本とする．それぞれの標本は互いに独立に集められたと仮定する．$\overline{X} = n_1^{-1} \sum_{i=1}^{n_1} X_i$ と $\overline{Y} = n_2^{-1} \sum_{i=1}^{n_2} Y_i$ は標本平均とする．$\widehat{\Delta} = \overline{X} - \overline{Y}$ とする．統計量 $\widehat{\Delta}$ は Δ の不偏推定量である．

次に，$\widehat{\Delta}$ の漸近分布に基づいた Δ の大標本信頼区間を求める．$n = n_1 + n_2$ によって標本サイズの合計を表そう．標本サイズに関してさらに以下の仮定が必要である．

$$\frac{n_1}{n} \to \lambda_1, \quad \frac{n_2}{n} \to \lambda_2 \quad \text{ただし} \quad \lambda_1 + \lambda_2 = 1 \tag{5.4.11}$$

これは標本サイズの比率は一定であることを示す．中心極限定理 (4.4.1) 式から

$$\sqrt{n_1}(\overline{X} - \mu_1) \xrightarrow{D} N(0, \sigma_1^2)$$

を思い出そう．(5.4.11) 式から，

$$\sqrt{n}(\overline{X} - \mu_1) = \sqrt{\frac{n}{n_1}} \sqrt{n_1}(\overline{X} - \mu_1) \xrightarrow{D} N\left(0, \frac{1}{\lambda_1} \sigma_1^2\right) \tag{5.4.12}$$

が得られる．同様に，

$$\sqrt{n}(\overline{Y} - \mu_2) \xrightarrow{D} N\left(0, \frac{1}{\lambda_2} \sigma_2^2\right) \tag{5.4.13}$$

である．標本は互いに独立であるので，これらの (5.4.12) 式と (5.4.13) 式の結果を結合することが可能であり，以下が得られる．

$$\sqrt{n}[(\overline{X} - \overline{Y}) - (\mu_1 - \mu_2)] \xrightarrow{D} N\left(0, \frac{1}{\lambda_1} \sigma_1^2 + \frac{1}{\lambda_2} \sigma_2^2\right) \tag{5.4.14}$$

この最後の結果は Δ の信頼区間のための基礎である．実際の標本サイズに関して，この結果を

$$\frac{(\overline{X} - \overline{Y}) - (\mu_1 - \mu_2)}{\sqrt{(\sigma_1^2/n_1) + (\sigma_2^2/n_2)}} \quad \text{は極限分布} \quad N(0,1) \quad \text{に従う} \tag{5.4.15}$$

と再表記することが可能であることに注意しよう．この最後の結果から，

$$\left((\overline{x} - \overline{y}) - z_{\alpha/2} \sqrt{\frac{\sigma_1^2}{n_1} + \frac{\sigma_2^2}{n_2}}, (\overline{x} - \overline{y}) + z_{\alpha/2} \sqrt{\frac{\sigma_1^2}{n_1} + \frac{\sigma_2^2}{n_2}} \right) \tag{5.4.16}$$

は $\Delta = \mu_1 - \mu_2$ の近似的な $(1-\alpha)100\%$ 信頼区間であることは容易に理解できる．しかし，実際には分散 σ_1^2 と σ_2^2 は未知であるだろう．それらの分散はそれぞれの標本分散 $S_1^2 = (n_1-1)^{-1}\sum_{i=1}^{n_1}(X_i-\overline{X})^2$ と $S_2^2 = (n_2-1)^{-1}\sum_{i=1}^{n_2}(Y_i-\overline{Y})^2$ によって推定することができる．S_1^2 と S_2^2 は σ_1^2 と σ_2^2 の一致推定量であるから，(5.4.14) 式中の結果は，σ_1^2 と σ_2^2 がそれぞれ S_1^2 と S_2^2 に置き換わっても，やはり真である．練習問題 5.4.18 を参照．このことは

$$\left((\overline{x}-\overline{y})-z_{\alpha/2}\sqrt{\frac{s_1^2}{n_1}+\frac{s_2^2}{n_2}},(\overline{x}-\overline{y})+z_{\alpha/2}\sqrt{\frac{s_1^2}{n_1}+\frac{s_2^2}{n_2}}\right) \quad (5.4.17)$$

によって与えられる $\Delta = \mu_1 - \mu_2$ の近似的な $(1-\alpha)100\%$ 信頼区間を導く．ここで $\sqrt{(s_1^2/n_1)+(s_2^2/n_2)}$ は $\overline{X}-\overline{Y}$ の標準誤差である．

上の信頼区間は近似的なものであった．この場合，X と Y の分布は異なる平均を除き同一である，つまり位置モデル (location model) との仮定をおくならば，正確な信頼区間を得ることができる．具体的には，X と Y の分散は同一であると仮定する．さらに X は $N(\mu_1, \sigma^2)$ に従い，Y は $N(\mu_2, \sigma^2)$ に従うと仮定する．ここで σ^2 は X と Y の共通な分散である．これまでのように，$X_1, \ldots, X_{n_1}$ は X の分布からの無作為標本とし，$Y_1, \ldots, Y_{n_2}$ は Y の分布からの無作為標本とする．標本は互いに独立であり，$n = n_1 + n_2$ を標本サイズの合計とする．Δ の推定量は $\overline{X}-\overline{Y}$ のままである．ここでの目標は，後に定義する確率変数が 3.6 節で定義された t 分布に従うということを示すことである．

$\overline{X}$ は分布 $N(\mu_1, \sigma^2/n_1)$ に従い，$\overline{Y}$ は分布 $N(\mu_2, \sigma^2/n_2)$ に従い，さらに $\overline{X}$ と $\overline{Y}$ は統計的に独立なので，以下の結果が得られる．

$$\frac{(\overline{X}-\overline{Y})-(\mu_1-\mu_2)}{\sigma\sqrt{(1/n_1)+(1/n_2)}} \text{ は } N(0,1) \text{ に従う} \quad (5.4.18)$$

これは後に T 統計量の分子として用いる．

$$S_p^2 = \frac{(n_1-1)S_1^2+(n_2-1)S_2^2}{n_1+n_2-2} \quad (5.4.19)$$

とする．S_p^2 は S_1^2 と S_2^2 の重み付き平均であることに注意しよう．S_p^2 は σ^2 の不偏推定量であることは容易にわかり，σ^2 の併合推定量 (pooled estimator) とよばれる．また $(n_1-1)S_1^2/\sigma^2$ は分布 $\chi^2(n_1-1)$ に従い，$(n_2-1)S_2^2/\sigma^2$ は分布 $\chi^2(n_2-1)$ に従い，S_1^2 と S_2^2 は統計的に独立であるので，$(n-2)S_p^2/\sigma^2$ は $\chi^2(n-2)$ に従う．系 3.3.1 を参照．最後に，S_1^2 は $\overline{X}$ と独立であり，S_2^2 は $\overline{Y}$ と独立であり，さらに無作為標本は互いに独立であるので，S_p^2 は (5.4.18) 式と独立であることが導かれる．それゆえ，スチューデントの t 分布より，

$$T = \frac{[(\overline{X}-\overline{Y})-(\mu_1-\mu_2)]/\sigma\sqrt{n_1^{-1}+n_2^{-1}}}{\sqrt{(n-2)S_p^2/(n-2)\sigma^2}}$$

5.4. その他の信頼区間

$$= \frac{(\overline{X}-\overline{Y})-(\mu_1-\mu_2)}{S_p\sqrt{\frac{1}{n_1}+\frac{1}{n_2}}} \tag{5.4.20}$$

は自由度 $n-2$ の t 分布に従う，ということが得られる．この最後の結果から，以下の信頼区間は $\Delta = \mu_1 - \mu_2$ の正確な $(1-\alpha)100\%$ 信頼区間であることは容易にわかる．

$$\left((\overline{x}-\overline{y})-t_{\alpha/2,n-2}s_p\sqrt{\frac{1}{n_1}+\frac{1}{n_2}},(\overline{x}-\overline{y})+t_{\alpha/2,n-2}s_p\sqrt{\frac{1}{n_1}+\frac{1}{n_2}}\right) \tag{5.4.21}$$

2つの正規分布の未知分散が等しくない場合に遭遇する複雑な議論は練習問題のひとつとして割り当てられる．

例 5.4.4. $n_1 = 10, n_2 = 7, \overline{x} = 4.2, \overline{y} = 3.4, s_1^2 = 49, s_2^2 = 32$ を仮定する．そのとき (5.4.21) 式を用いることで，$\mu_1 - \mu_2$ のための 90%信頼区間は $(-5.16, 6.76)$ である．■

注意 5.4.1. X と Y は正規分布には従っておらず，かつそれらの分布は位置のみ異なると仮定する．S_p^2 は共通の分散 σ^2 の一致不偏推定量であることは容易にわかる．上の (5.4.21) 式の区間はそのとき近似であり正確なものではない．■

5.4.2 比率の差の信頼区間

X と Y はそれぞれベルヌイ分布 $b(1, p_1)$ と $b(1, p_2)$ に従う2つの統計的に独立な確率変数とする．いま，差 $p_1 - p_2$ の信頼区間を求めるという問題に戻ってみよう．$X_1, \ldots, X_{n_1}$ は X の分布からの無作為標本とし，$Y_1, \ldots, Y_{n_2}$ は Y の分布からの無作為標本とする．これまでのように，標本は互いに独立であり，かつ $n = n_1 + n_2$ は標本サイズの合計とする．$p_1 - p_2$ の推定量は，もちろん，$\overline{X} - \overline{Y}$ によって与えられる標本比率における差である．従来からの表記法を用い，$\overline{X}$ と $\overline{Y}$ のかわりにそれぞれ $\hat{p}_1$ と $\hat{p}_2$ と表記しよう．したがって，これまでの議論から (5.4.16) 式のような区間は $p_1 - p_2$ のための近似的な信頼区間として用いられる．ここで，$\sigma_1^2 = p_1(1-p_1)$ と $\sigma_2^2 = p_2(1-p_2)$ である．これらの分散は未知であるが，$\hat{p}_1(1-\hat{p}_1)$ と $\hat{p}_2(1-\hat{p}_2)$ はそれぞれ $p_1(1-p_1)$ と $p_2(1-p_2)$ の一致推定量であることは容易に示される．(5.4.17) 式と同様に，母数に推定量を代入することができる．ゆえに，$p_1 - p_2$ の近似的な $(1-\alpha)100\%$ 信頼区間は以下となる．

$$\hat{p}_1 - \hat{p}_2 \pm z_{\alpha/2}\sqrt{\frac{\hat{p}_1(1-\hat{p}_1)}{n_1}+\frac{\hat{p}_2(1-\hat{p}_2)}{n_2}} \tag{5.4.22}$$

例 5.4.5. これまでの議論において，$n_1 = 100, n_2 = 400, y_1 = 30, y_2 = 80$ とするならば，そのとき $Y_1/n_1 - Y_2/n_2$ の実現値とその標準誤差はそれぞれ 0.1 と $\sqrt{(0.3)(0.7)/100+(0.2)(0.8)/400} = 0.05$ である．ゆえに区間 $(0, 0.2)$ は $p_1 - p_2$ のための近似的な 95.4%信頼区間である．■

練習問題

5.4.1. 分布 $N(\mu, 80)$ からのサイズ 20 の無作為標本の平均 $\overline{X}$ の実現値は 81.2 とする．μ の 95%信頼区間を求めよ．

5.4.2. $\overline{X}$ は分布 $N(\mu, 9)$ からのサイズ n の無作為標本の平均とする．およそ $P(\overline{X} - 1 < \mu < \overline{X} + 1) = 0.90$ となるような n を求めよ．

5.4.3. 正規分布 $N(\mu, \sigma^2)$ からのサイズ 17 の無作為標本は $\overline{x} = 4.7$ かつ $s^2 = 5.76$ であるとする．μ の 90%信頼区間を決定せよ．

5.4.4. $\overline{X}$ は平均 μ で分散 $\sigma^2 = 10$ の分布からのサイズ n の無作為標本の平均を示すとする．確率区間 $(\overline{X} - \frac{1}{2}, \overline{X} + \frac{1}{2})$ が μ を含む確率がおよそ 0.954 となるような n を求めよ．

5.4.5. $X_1, X_2, \ldots, X_9$ は分布 $N(\mu, \sigma^2)$ からのサイズ 9 の無作為標本であるとする．
(a) σ が既知であるなら，信頼区間が確率変数 $\sqrt{9}\,(\overline{X} - \mu)/\sigma$ に基づく場合の μ の 95%信頼区間の長さを求めよ．
(b) σ が未知であるなら，区間が確率変数 $\sqrt{9}\,(\overline{X} - \mu)/S$ に基づく場合の，μ の 95%信頼区間の長さの期待値を求めよ．
　ヒント：$E(S) = (\sigma/\sqrt{n-1})E[((n-1)S^2/\sigma^2)^{1/2}]$ と表せ．
(c) これら 2 つの答えを比較せよ．

5.4.6. $X_1, X_2, \ldots, X_n, X_{n+1}$ は分布 $N(\mu, \sigma^2)$ からのサイズ $n+1$, $n > 1$ の無作為標本とする．また $\overline{X} = \sum_1^n X_i/n$ であり $S^2 = \sum_1^n (X_i - \overline{X})^2/(n-1)$ であるとする．統計量 $c(\overline{X} - X_{n+1})/S$ が t 分布に従うように定数 c を求めよ．$n = 8$ である場合，$P(\overline{X} - kS < X_9 < \overline{X} + kS) = 0.80$ であるように k を決定せよ．観測区間 $(\overline{x} - ks, \overline{x} + ks)$ はしばしば X_9 の 80%予測区間 (prediction interval) とよばれる．

5.4.7. Y は $b(300, p)$ に従うとする．Y の実現値が $y = 75$ であるならば，p の近似的な 90%信頼区間を求めよ．

5.4.8. $\overline{X}$ は分布 $N(\mu, \sigma^2)$ からのサイズ n の無作為標本の平均とする．ここで正の値の分散 σ^2 は既知である．$\Phi(2) - \Phi(-2) = 0.954$ であるので，$P[c_1(\mu) < \overline{X} < c_2(\mu)] = 0.954$ となるような μ に関する $c_1(\mu)$ と $c_2(\mu)$ をそれぞれ求めよ．$c_1(\mu)$ と $c_2(\mu)$ は μ の増加関数であることに注意しよう．各関数 $d_1(\overline{x})$ と $d_2(\overline{x})$ を解け．よって $P[d_2(\overline{X}) < \mu < d_1(\overline{X})] = 0.954$ が得られる．これと本書の以前得られた回答とを比較せよ．

5.4.9. $\overline{X}$ は $\alpha = 4$ と $\beta > 0$ のガンマ型の分布からのサイズ 25 の無作為標本の平均とする．中心極限定理を用い，ガンマ分布の平均 μ の近似的な 0.954 信頼区間を求めよ．

5.4. その他の信頼区間

ヒント：確率変数 $(\overline{X}-4\beta)/(4\beta^2/25)^{1/2} = 5\overline{X}/2\beta - 10$ を用いよ．

5.4.10. $\overline{x}$ は平均 μ と既知である分散 σ^2 の分布からのサイズ n の無作為標本の平均の実現値であるとする．$\overline{x}-\sigma/4$ から $\overline{x}+\sigma/4$ までが μ の近似的な 95% 信頼区間となるように n を求めよ．

5.4.11. ある確率変数に関する 2 項モデルを仮定しよう．区間の中でちょうど 0.02 である p に関する 90% 信頼区間を望むとき，その n を求めよ．
ヒント：$\sqrt{(y/n)(1-y/n)} \leq \sqrt{(\frac{1}{2})(1-\frac{1}{2})}$ であることに注意せよ．

5.4.12. 確率変数 X は母数 μ のポアソン分布に従うとする．この分布からのオブザベーション数 200 である標本は平均が 3.4 である．μ の近似的な 90% 信頼区間を構成せよ．

5.4.13. $Y_1 < Y_2 < \cdots < Y_n$ は pdf $f(x) = 3x^2/\theta^3$, $0 < x < \theta$, それ以外は 0, の分布からのサイズ n の無作為標本の順序統計量とする．
(a) $P(c < Y_n/\theta < 1) = 1 - c^{3n}$, ここで $0 < c < 1$, を示せ．
(b) n は 4 であり，かつ Y_4 の実現値は 2.3 であるならば，θ の 95% 信頼区間はいくつか．

5.4.14. $X_1, X_2, \ldots, X_n$ は $N(\mu, \sigma^2)$ からの無作為標本である．ここで母数 μ と σ^2 は未知である．σ^2 の信頼区間は以下のように求められる．$(n-1)S^2/\sigma^2$ は分布 $\chi^2(n-1)$ の確率変数であることは知られている．よって $P((n-1)S^2/\sigma^2 < b) = 0.975$ と $P(a < (n-1)S^2/\sigma^2 < b) = 0.95$ であるような定数 a と b を求めることができる．
(a) この 2 番目の確率が
$$P((n-1)S^2/b < \sigma^2 < (n-1)S^2/a) = 0.95$$
と表記できることを示せ．
(b) $n=9$ であり，$s^2 = 7.93$ であるならば，σ^2 の 95% 信頼区間を求めよ．
(c) μ が既知であるならば，上述の σ^2 の信頼区間の算出方法はどのように修正されるだろうか．

5.4.15. $X_1, X_2, \ldots, X_n$ は既知である母数 $\alpha = 3$ と未知である $\beta > 0$ のガンマ分布からの無作為標本であるとする．β の信頼区間の構成を議論せよ．
ヒント：$2\sum_1^n X_i/\beta$ の分布はなにか．練習問題 5.4.14 でふれられた方法に従え．

5.4.16. 100 個の画びょうをテーブルの上に投げ，それらの 60 個は針が上を向いた．このタイプの画びょうの針が上を向く確率の 95% 信頼区間を求めよ．試行は独立であると仮定する．

5.4.17. 本書の (5.4.14) 式の証明を完成させよ．

5.4.18. (5.4.17) 式で与えられた信頼区間の背景にある仮定を用い，以下を示せ．
$$\sqrt{\frac{S_1^2}{n_1}+\frac{S_2^2}{n_2}}\bigg/\sqrt{\frac{\sigma_1^2}{n_1}+\frac{\sigma_2^2}{n_2}}\xrightarrow{P}1$$

5.4.19. $N(\mu_1,\sigma^2)$ と $N(\mu_2,\sigma^2)$ の 2 つの正規分布からの，それぞれサイズ 10 である，2 つの独立な無作為標本は $\overline{x}=4.8$, $s_1^2=8.64$, $\overline{y}=5.6$, $s_2^2=7.88$ である．$\mu_1-\mu_2$ の 95％信頼区間を求めよ．

5.4.20. 各母数 $n_1=n_2=100$, p_1,p_2 の 2 項分布に従う，2 つの独立な確率変数 Y_1 と Y_2 は $y_1=50$ かつ $y_2=40$ と観測された．p_1-p_2 の近似的な 90％信頼区間を決定せよ．

5.4.21. 分散 σ_1^2 と σ_2^2 は既知であり，かつ必ずしも等しくない場合の 2 つの正規分布の 2 つの平均間における差 $\mu_1-\mu_2$ の信頼区間を決定することの問題について議論せよ．

5.4.22. 分散が未知であり等しくないという仮定をおいた場合の練習問題 5.4.21 を議論せよ．これは非常に難しい問題であり，この議論は正確にどこが難しいのかを指摘せよ．しかしながら，分散が未知であり，かつそれらの比 σ_1^2/σ_2^2 は既知の定数 k であるならば，そのとき統計量，つまり確率変数 T は再度使用可能である．なぜか．

5.4.23. 練習問題 5.4.22 を説明するため，$X_1,X_2,\ldots,X_9$ と $Y_1,Y_2,\ldots,Y_{12}$ はそれぞれ正規分布 $N(\mu_1,\sigma_1^2)$ と $N(\mu_2,\sigma_2^2)$ からの 2 つの独立な無作為標本と再表現する．$\sigma_1^2=3\sigma_2^2$ は与えられ，かつ σ_2^2 は未知である．$\mu_1-\mu_2$ の 95％信頼区間を算出するのに使用可能である t 分布に従う確率変数を定義せよ．

5.4.24. $\overline{X}$ と $\overline{Y}$ はそれぞれが，サイズ n であり，分布 $N(\mu_1,\sigma^2)$ と $N(\mu_2,\sigma^2)$ からの 2 つの独立な無作為標本の平均とする．ここで共通の分散は既知である．
$$P(\overline{X}-\overline{Y}-\sigma/5<\mu_1-\mu_2<\overline{X}-\overline{Y}+\sigma/5)=0.90$$
であるような n を求めよ．

5.4.25. $X_1,X_2,\ldots,X_n$ と $Y_1,Y_2,\ldots,Y_m$ は，それぞれ正規分布 $N(\mu_1,\sigma_1^2)$, $N(\mu_2,\sigma_2^2)$，ここで 4 つの母数は未知，からの 2 つの独立な無作為標本であるとする．2 つの独立なカイ 2 乗変数の商の形である，分散の比，σ_1^2/σ_2^2, の信頼区間 (confidence interval for the ratio) を構成するため，それぞれはその自由度によって割られ，
$$F=\frac{\frac{(m-1)S_2^2}{\sigma_2^2}/(m-1)}{\frac{(n-1)S_1^2}{\sigma_1^2}/(n-1)}=\frac{S_2^2/\sigma_2^2}{S_1^2/\sigma_1^2}$$
となる．ここで S_1^2 と S_2^2 はそれぞれ標本分散である．

(a) F はどんな種類の分布に従うのか．

(b) 適当な表から，$P(F<b)=0.975$ と $P(a<F<b)=0.95$ となるように a と b を求めよ．
(c) 2番目の確率を

$$P\left[a\frac{S_1^2}{S_2^2} < \frac{\sigma_1^2}{\sigma_2^2} < b\frac{S_1^2}{S_2^2}\right] = 0.95$$

と再表記せよ．σ_1^2/σ_2^2 の95%信頼区間を算出するため，この不等式中に実現値，s_1^2 と s_2^2，を代入せよ．

5.5 仮説検定概論

　点推定と信頼区間は有用な統計的推定方法である．頻繁に使われる，もうひとつの推定の方法に仮説の検定に関するものがある．直前の節のように，関心が，$\theta \in \Omega$ である密度関数 $f(x;\theta)$ に従う確率変数 X にあるとする．理論または予備実験から，ω_0 と ω_1 が Ω の部分集合で，$\omega_0 \cup \omega_1 = \Omega$ である $\theta \in \omega_0$，もしくは $\theta \in \omega_1$ を考えるとしよう．これらの仮説を以下のように表示しよう．

$$H_0 : \theta \in \omega_0, \quad H_1 : \theta \in \omega_1 \tag{5.5.1}$$

仮説 H_0 は帰無仮説 (null hypothesis) といわれ，一方 H_1 は対立仮説 (alternative hypothesis) といわれる．しばしば帰無仮説は，変化がないこと，もしくは差がないことを意味する．一方，対立仮説は変化，もしくは差があることを意味する．対立仮説はしばしば研究仮説といわれる．H_0 か H_1 を採択するための決定規則は，X の分布からの標本 $X_1,\ldots,X_n$ に基づく．したがって，決定は間違いである可能性がある．例えば，本当は $\theta \in \omega_1$ であるのに，$\theta \in \omega_0$ と決定する可能性がある．表5.5.1はさまざまな状況を示している．第8章で示すように，これらの誤りの綿密な分析から，特定の状況における最良の決定規則に導くことができる．しかし，この節では簡単に仮説検定の原理を紹介しよう．概念を定着させるために以下の例を考えよう．

例 5.5.1 (トウモロコシのデータ). 1878年，チャールズ・ダーウィン (Charles Darwin) は，他家受精 (cross-fertilized)，もしくは自家受精 (self-fertilized) のトウモロコシの身長への影響を測定するために，トウモロコシ (*Zea mays*) の身長のデータを記録した．実験は，1本の他家受精のトウモロコシと1本の自家受精のトウモロコシを選び，それらを同じ鉢で育て，後にそれらの身長を測定するというものであった．この例に対する興味深い仮説は，概して他家受精のものの方が，自家受精のものよりも身長が高いというものだろう．これは対立仮説であろう．すなわち，研究員の仮説である．帰無仮説は，自家受精，他家受精にかかわらず，トウモロコシは概して同じ身長に育つというものである．15個の鉢のデータが記録された．

　このデータを $(X_1,Y_1),\ldots,(X_{15},Y_{15})$ と表現しよう．X_i と Y_i は，それぞれ，i 番目の鉢の他家受精と自家受精のトウモロコシの身長である．$W_i = X_i - Y_i$ とする．同

じ鉢で育つなら，X_i と Y_i は統計的独立でない確率変数であろう．しかし，鉢の間に統計的独立を仮定するのは適切であるように思われる．すなわち，1 対の確率ベクトル間の統計的独立である．よって，$W_1,\ldots,W_{15}$ が無作為標本を形成することを仮定しよう．仮説的なモデルとして，

$$W_i = \mu + e_i \quad i = 1,\ldots,15$$

を考える．e_i は連続型の密度関数 $f(x)$ の iid な確率変数である．このモデルに対して，e_i の平均を 0 と仮定しても一般性は損なわれない．なぜなら，0 と仮定しない場合は簡単に μ を再定義できるからである．したがって，$E(W_i) = \mu$ である．さらに，W_i の密度関数は $f_W(x;\mu) = f(x-\mu)$ である．実践場面では，常にモデルの適合が関心事であり，モデルの質を確認するためにデータに基づく吟味が行われるだろう．

もし，$\mu = E(W_i) = 0$ なら $E(X_i) = E(Y_i)$ である．すなわち，平均的には，他家受精のトウモロコシが，自家受精のトウモロコシと同じ身長に育つということである．一方，$\mu > 0$ なら $E(X_i) > E(Y_i)$ である．すなわち，平均的には，他家受精のトウモロコシが，自家受精のものよりも身長が高いということである．このモデルのもとでは，仮説は以下のとおりである．

$$H_0 : \mu = 0, \quad H_1 : \mu > 0 \tag{5.5.2}$$

したがって，$\omega_0 = \{0\}$ は，処遇において差がないことを意味し，$\omega_1 = (0,\infty)$ は差があることを意味する．■

この節の始まりで示した全般的な問題に対して，検定の枠組みを完全なものにするため，決定規則について議論をする必要がある．$X_1,\ldots,X_n$ が，密度関数 $f(x;\theta)$ に従い，$\theta \in \Omega$ である確率変数 X の分布からの無作為標本であることを思い出そう．仮説 $H_0 : \theta \in \omega_0$ 対 $H_1 : \theta \in \omega_1$ の検定を考えよう．ここで，$\omega_0 \cup \omega_1 = \Omega$ である．標本の空間を $\mathcal{D}$ によって表現する．すなわち，$\mathcal{D} = \text{space}\{(X_1,\ldots,X_n)\}$ である．H_0 対 H_1 の検定 (test) は $\mathcal{D}$ の部分集合 C に基づく．この集合 C は棄却域 (critical region) といい，これに対応する決定規則 (検定) は以下のとおりである．

$$(X_1,\ldots,X_n) \in C \text{ なら } H_0 \text{ を棄却 (} H_1 \text{ を採択)} \tag{5.5.3}$$
$$(X_1,\ldots,X_n) \in C^c \text{ なら } H_0 \text{ を保留 (} H_1 \text{ を棄却)}$$

与えられた棄却域に対して，2×2 のディシジョンテーブル (表 5.5.1) は，真の状態に関して，仮説検定の結果を要約している．正しい決定に加えて，2 つの誤りが起こ

表 5.5.1 仮説検定の，2×2 のディシジョンテーブル

決定	真の状態	
	H_0 が真	H_1 が真
H_0 を棄却	第 1 種の誤り	正しい決定
H_0 を採択	正しい決定	第 2 種の誤り

5.5. 仮説検定概論

りうる. H_0 が真であるのに,それを棄却すると,第1種の (Type I) 誤りが起こる. 一方,H_1 が真であるのに,H_0 を採択すると,第2種の (Type II) 誤りが起こる. もちろん,目標はすべてのありうる棄却域から,これらの誤りの確率を最小限にする棄却域を選ぶことである. 一般に,これは不可能である. これらの誤りの確率は,しばしばトレードオフの関係をもっている. これは極端な例を用いて,直ちに確認できる. 単に,$C = \phi$ とする. この棄却域では,H_0 を棄却することはないだろう. すると,第1種の誤りの確率は 0 であろう. しかし,第2種の誤りの確率は 1 である. しばしばこの 2 つの誤りでは,第1種の誤りの方が悪いと考える. したがって,第1種の誤りの確率を抑える棄却域を選ぶことで先に進む. そして,これらの棄却域の中で,第2種の誤りの確率を最小限にするものを選ぶことになる.

定義 5.5.1.
$$\alpha = \max_{\theta \in \omega_0} P_\theta[(X_1, \ldots, X_n) \in C] \tag{5.5.4}$$
であるとき,棄却域 C を危険率 (size) α のものだという.

すべての危険率 α の棄却域の中で,第2種の誤りの確率が低い棄却域を考えたい. また,表 5.5.1 で示したように,第2種の誤りの対,すなわち,H_1 が真のとき H_0 を棄却するという正しい決定をみることもできる. この後者の決定の確率を最大化したいので,その確率をできるかぎり大きくしたい. すなわち,$\theta \in \omega_1$ に対して,以下を最大化したい.

$$1 - P_\theta[第 2 種の誤り] = P_\theta[(X_1, \ldots, X_n) \in C]$$

この等式の右辺の確率は,θ における検定の検定力 (power) という. これは,$\theta \in \omega_1$ が真の状況のとき,検定が選ぶべき θ を検出する確率である. 第2種の誤りの確率を最小化することは,検定力を最大化することと等しい.

棄却域の検定力関数 (power function) を以下のように定義する.

$$\gamma_C(\theta) = P_\theta[(X_1, \ldots, X_n) \in C]; \quad \theta \in \omega_1 \tag{5.5.5}$$

したがって共に危険率 α の棄却域が与えられたとき,すべての $\theta \in \omega_1$ に対して $\gamma_{C_1}(\theta) \geq \gamma_{C_2}(\theta)$ なら,C_1 は C_2 よりよい棄却域である. 第 8 章では,個別の状況に対し,最良棄却域を求める. この節では,仮説検定のこれらの概念をいくつかの例とともに説明しよう.

例 5.5.2 (成功の 2 項比率の検定). X を成功確率 p のベルヌイ確率変数とする. 危険率 α で以下を検定したい.

$$H_0 : p = p_0, \quad H_1 : p < p_0 \tag{5.5.6}$$

ここで,p_0 は特定の値である. "成功" とはある病気で死ぬことであり,p_0 はある標準的な治療を受けて死ぬ確率である. 新しい治療が何人かの (無作為に選ばれた) 患者

に使われる．このとき，この新しい治療のもとで死ぬ確率は p_0 より低いことが望まれる．$X_1,\ldots,X_n$ を X の分布からの無作為標本とし，$S=\sum_{i=1}^n X_i$ を標本での成功の総数とする．直感的な決定規則 (棄却域) は：

$$S\leq k \text{ なら，} H_0 \text{ を棄却し } H_1 \text{ を採択する} \tag{5.5.7}$$

である．ここで，k は $\alpha=P_{H_0}[S\leq k]$ となるような値である．S は H_0 のもとで分布 $b(n,p_0)$ に従うので，k は $\alpha=P_{p_0}[S\leq k]$ によって決定される．しかしながら，2項分布は不連続であるから，この等式を解く整数 k はなさそうである．例えば，$n=20$, $p_0=0.7$, $\alpha=0.15$ とする．すると，H_0 のもとで，S は 2 項分布 $b(20,0.7)$ に従う．したがって，計算機によって，$P_{H_0}[S\leq 11]=0.1133$, $P_{H_0}[S\leq 12]=0.2277$ である．保守的な方向で失敗を犯すならば，k を 11 とし，$\alpha=0.1133$ とするだろう．n が増えるに従って，これはさほど問題ではなくなる．後の p 値についての議論も参照せよ．一般に，仮説 (5.5.6) に対するこの検定の検定力は，

$$\gamma(p)=P_p[S\leq k] \quad p<p_0 \tag{5.5.8}$$

である．図 5.5.1 の曲線テスト 1 は，$n=20$, $p=0.7$, $\alpha=0.1133$ の場合に対する検定力関数である (この曲線を生み出した R の関数は付録で与えられている)．関数は減少していることに注意しよう．検定力は $p=0.6$ よりも，$p=0.2$ のほうが高い．8.2 節において，これらの仮説の 2 項検定に対する検定力関数の単調性を，一般的に証明する．それは，単に $H_0:p=p_0$ とするより，より一般的な帰無仮説，$H_0:p\geq p_0$ と検定を拡張することを可能にする．仮説 (5.5.6) に対して用いたものと同じ決定規則を用い，検定の危険率 (5.5.4) の定義と，検定力曲線の単調性から，

$$\max_{p\geq p_0} P_p[S\leq k]=P_{p_0}[S\leq k]=\alpha$$

を得る．すなわち，もとの帰無仮説に対してと同じ危険率である．テスト 1 で表現し

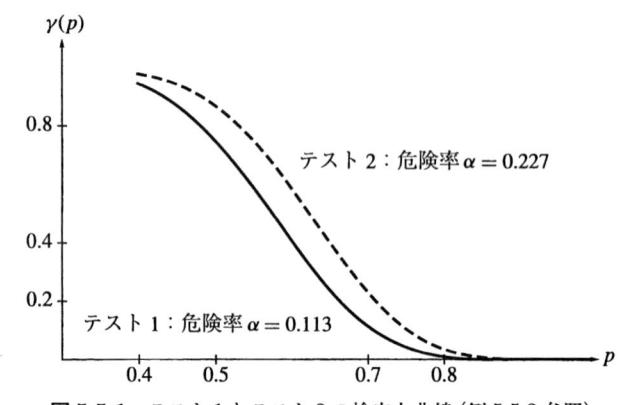

図 5.5.1 テスト 1 とテスト 2 の検定力曲線 (例 5.5.2 参照)

5.5. 仮説検定概論　　　　　　　　　　　　　　　　　　　　　　　281

たように，検定を，$n=20$, $p_0=0.70$, 危険率 $\alpha=0.1133$, という状況とする．さらに高い危険率の，第2の検定(テスト2)を仮定する．どのようにテスト2の検定力関数をテスト1と比べるのだろう．例として，テスト2に対して，$\alpha=0.2277$ としたとしよう．したがって，テスト2に対し，$S \leq 12$ なら H_0 を棄却する．図5.5.1は，結果として生じる検定力関数を示している．テスト2は第1種の誤りを起こす確率が高いが，また，各々の対立仮説に対して高い検定力をもっていることに注意しよう．練習問題5.5.7は，このことが，これらの2項検定に対して真であることを示している．概してこれは真である．つまり，検定の危険率が高くなると，検定力もまた高くなるのである．■

注意 5.5.1 (命名). 例5.5.2において，始めの帰無仮説 $H_0: p=p_0$ は，基礎をなす分布を完全に特定するため，単純仮説 (simple hypothesis) といわれる．$H_1: p<p_0$ のような大部分の仮説は複合仮説 (composite hypothesis) という．なぜなら，それはたくさんの単純仮説から構成されており，したがって，分布を完全に特定することができないからである．

　統計学をさらに学んでいくと，棄却域の危険率，α に対して別の名前が使われていることにしばしば気が付くだろう．α はよく，棄却域と連動する検定の有意水準 (significance level) といわれる．さらに，α は，"第1種の誤りを犯す確率の最大値" や "H_0 が真のときの検定の検定力の最大値" などといわれることもある．同じものにたくさんの名前があることがわかると，学ぶものは当惑する．しかし，そのすべては統計の文脈の中で使われるし，この事実に目を向けなくてはいけないだろう．■

　直前の例における検定は，検定統計量の正確な分布に基づいていた．すなわち，2項分布である．しばしば，クローズドフォームで検定統計量の分布を得ることができない．しかし，近似的な検定を得るために，しばしば中心極限定理を推すことができる．それは，次の例のような場合である．

例 5.5.3 (平均の大標本検定). X を，平均 μ, 有限の分散 σ^2 の確率変数とする．以下の仮説を検定したい．

$$H_0: \mu=\mu_0, \quad H_1: \mu>\mu_0 \tag{5.5.9}$$

μ_0 は特定の値である．μ_0 は，標準化されたテストにおける，標準的な教え方のコースで学んだ生徒の平均水準であるとする．コンピュータを取り込んだ新しい教え方が，平均水準 $\mu>\mu_0$ をもつことが望まれている．ここでは，$\mu=E(X)$ であり，X は新しい方法で学んだ生徒の得点である．この推測は，n 人の生徒(無作為に選ばれた)に新しい方法で学ばせることによって検定される．

　$X_1,\ldots,X_n$ を X の分布からの無作為標本とし，標本平均と標本分散を，それぞれ $\overline{X}$, S^2 とする．確率収束 $\overline{X} \to \mu$ するので，直感的な決定規則は以下によって与えられる．

$\overline{X}$ が μ_0 を大きく上回っているなら,H_0 を棄却し H_1 を採択する　　(5.5.10)

一般的に,標本平均の分布はクローズドフォームで得られない.この節の終わりにおいて,X の分布に対する正規性の強い仮定のもとで,厳密な検定を求めるだろう.さしあたり,棄却域を見つけるために,中心極限定理を利用することにしよう.4.4 節から,

$$\frac{\overline{X}-\mu}{S/\sqrt{n}} \xrightarrow{D} Z$$

であることがわかる.ここで,Z は標準正規分布に従う.これを用い,もし,

$$\frac{\overline{X}-\mu_0}{S/\sqrt{n}} \geq z_\alpha \text{ なら},H_0 \text{ を棄却し } H_1 \text{ を採択する} \quad (5.5.11)$$

なら,近似的な危険率 α の検定を得る.この検定は直感的に理解できる.H_0 を棄却するには,$\overline{X}$ が μ_0 よりも少なくとも $z_\alpha S/\sqrt{n}$ 分だけ大きくなくてはならない.検定の検定力関数を近似するために,中心極限定理を用いる.S のかわりに σ を用いることで,近似的な検定力関数は,

$$\begin{aligned}
\gamma(\mu) &= P_\mu(\overline{X} \geq \mu_0 + z_\alpha \sigma/\sqrt{n}) \\
&= P_\mu\left(\frac{\overline{X}-\mu}{\sigma/\sqrt{n}} \geq \frac{\mu_0-\mu}{\sigma/\sqrt{n}} + z_\alpha\right) \\
&\doteqdot 1 - \Phi\left(z_\alpha + \frac{\sqrt{n}(\mu_0-\mu)}{\sigma}\right) \\
&= \Phi\left(-z_\alpha - \frac{\sqrt{n}(\mu_0-\mu)}{\sigma}\right)
\end{aligned} \quad (5.5.12)$$

であることが直ちに導かれる.σ の値がいくつかということがわかれば,近似的な検定力関数を算出することができる.練習問題 5.5.1 で示すように,この近似的な検定力関数は μ に関して単調増加している.よって,直前の例のように帰無仮説を,

$$H_0: \mu \leq \mu_0, \quad H_1: \mu > \mu_0 \quad (5.5.13)$$

と変えることができる.漸近的な検定は,これらの仮説に対して,近似的に危険率 α に従う.∎

例 5.5.4(正規性のもとでの μ の検定). X を,分布 $N(\mu, \sigma^2)$ に従うものとする.例 5.5.3 のように,以下の仮説を考える.

$$H_0: \mu = \mu_0, \quad H_1: \mu > \mu_0 \quad (5.5.14)$$

μ_0 は特定の値である.検定に望まれる危険率が $0 < \alpha < 1$ であるような α であると仮定する.$X_1, \ldots, X_n$ は,分布 $N(\mu, \sigma^2)$ からの無作為標本とする.$\overline{X}$ と S^2 はそれぞれ,標本平均と標本分散を表すとする.直感的な棄却規則は,もし $\overline{X}$ が μ_0 を大きく上回っているなら,H_1 を支持して H_0 を棄却するというものである.例 5.5.3 とは

5.5. 仮説検定概論

違って,今は統計量 $\overline{X}$ の分布を知っている.特に,定理 3.6.1 の (d) より,H_0 のもとで,統計量 $T=(\overline{X}-\mu_0)/(S/\sqrt{n})$ は自由度 $n-1$ の t 分布に従う.T の分布を用いると,以下の棄却規則が正確な水準 α をもつことを容易に示すことができる.

$$T = \frac{\overline{X}-\mu_0}{S/\sqrt{n}} \geq t_{\alpha,n-1} \text{ なら,} H_0 \text{ を棄却し } H_1 \text{ を採択する} \tag{5.5.15}$$

ここで $t_{\alpha,n-1}$ は,自由度 $n-1$ の t 分布の,上側 α 限界点である.すなわち,$\alpha = P(T > t_{\alpha,n-1})$ である.これは,しばしば $H_0: \mu=\mu_0$ の t 検定といわれる.

この棄却規則と,(5.5.11) の大標本の規則の違いに注意しよう.大標本の規則が近似的な水準 α をもっていた一方,この棄却規則は正確な水準 α をもっている.もちろん,X が正規分布に従うことを仮定しなくてはならない.実際は,進んで母集団が正規であると仮定しないだろう.一般に,t の棄却限界値は z の棄却限界値より大きい.したがって,t 検定は大標本の検定と比較して保守的である.したがって,実際の場面では,多くの統計学者がしばしば t 検定を使う.∎

例 5.5.5 (例 5.5.1 の続き). ダーウィンのトウモロコシの実験のデータが表 5.5.2 である.15 個の差,$w_i = x_i - y_i$ の箱ひげ図と正規 q–q プロットが図 5.5.2 である.これらの図から,2 つの外れ値,鉢 2 と 15 がありそうだとみることができる.その 2 つの鉢では,自家受精のトウモロコシのほうが同じ鉢の他家受精のものより身長が高い.これら 2 つの外れ値を除けば,差 $x_i - y_i$ は正であり,他家受精のほうが身長が高いものになることを示唆している.例 5.5.1 で論じたように,仮説 (5.5.2) の検定を行う.(5.5.15) で与えられた決定規則を,$\alpha = 0.05$ で用いる.練習問題 5.5.2 で示すように,差 w_i の標本平均と標準偏差の値は,$\overline{w}=2.62$ と $s_w=4.72$ である.よって,t 検定の検定統計量は 2.15 であり,t 検定の棄却限界値 $t_{0.05,14}=1.76$ を上回っている.したがって,H_0 を棄却し,平均的に他家受精のトウモロコシは自家受精のトウモロコシより身長が高いと結論づける.外れ値によって,誤差分布の正規性は若干おぼつかない.そして,例 5.5.4 の終わりで論じたように,保守的な方法で検定を用いる.

表 5.5.2 トウモロコシの成長

鉢	1	2	3	4	5	6	7	8
他家受精	23.500	12.000	21.000	22.000	19.125	21.500	22.125	20.375
自家受精	17.375	20.375	20.000	20.000	18.375	18.625	18.625	15.250

鉢	9	10	11	12	13	14	15
他家受精	18.250	21.625	23.250	21.000	22.125	23.000	12.000
自家受精	16.500	18.000	16.250	18.000	12.750	15.500	18.000

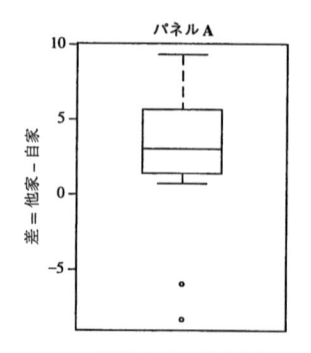

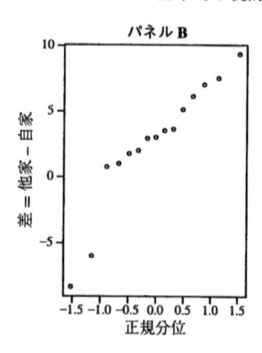

図 5.5.2　例 5.5.5 のデータの箱ひげ図と正規 q–q プロット

練習問題

5.5.1. 例 5.5.3 の (5.5.12) 式で与えられた近似的な検定力関数は，μ の単調増加関数であることを示せ．そのとき，この例で論じた検定は，

$$H_0 : \mu \leq \mu_0, \quad H_1 : \mu > \mu_0$$

を検定する際，近似的な危険率 α をもつことを示せ．

5.5.2. 例 5.5.5 のダーウィンのデータで，スチューデントの t 検定の検定統計量は 2.15 であることを検証せよ．

5.5.3. X は，$f(x;\theta) = \theta x^{\theta-1}, 0 < x < 1$，それ以外では 0，という pdf に従うとする．ここで，$\theta \in \{\theta : \theta = 1, 2\}$ である．単純仮説 $H_0 : \theta = 1$，単純対立仮説 $H_1 : \theta = 2$ の検定を行うために，サイズ $n = 2$ の無作為標本 X_1, X_2 を用いる．また，棄却域を $C = \{(x_1, x_2) : \frac{3}{4} \leq x_1 x_2\}$ とする．この検定の検定力関数を求めよ．

5.5.4. X は，試行数 $n = 10$，p が 1/4 もしくは 1/2，の 2 項分布に従うものとする．このとき，サイズ 1 の無作為標本 X_1 の実現値が 3 以下なら，単純仮説 $H_0 : p = \frac{1}{2}$ は棄却され，単純対立仮説 $H_1 : p = \frac{1}{4}$ が採択される．この検定の有意水準と検定力を求めよ．

5.5.5. X_1, X_2 は，$f(x;\theta) = (1/\theta)e^{-x/\theta}, 0 < x < \infty$，それ以外では 0，という pdf に従う分布からの，サイズ $n = 2$ の無作為標本であるとする．X_1, X_2 の実現値 x_1, x_2 が，

$$\frac{f(x_1;2)f(x_2;2)}{f(x_1;1)f(x_2;1)} \leq \frac{1}{2}$$

を満たすなら，$H_0 : \theta = 2$ を棄却し，$H_1 : \theta = 1$ を採択する．ここで，$\Omega = \{\theta : \theta = 1, 2\}$ である．この検定の有意水準と，H_0 が真でないときの検定力を求めよ．

5.5.6. 例 5.5.2 で論じた状況に対して，テスト 1 とテスト 2 という検定を考える．

5.5. 仮説検定概論

$S \leq 10$ なら，H_0 を棄却する検定を考える．この検定の有意水準を求め，図 5.5.1 のような検定力曲線を描け．

5.5.7. 例 5.5.2 で示した状況を考える．次のように定義するテスト A とテスト B があるとする．テスト A は $S \leq k_A$ なら H_0 を棄却するのに対して，テスト B は $S \leq k_B$ なら H_0 を棄却する．もし，テスト A がテスト B より高い有意水準をもつなら，各々の対立仮説において，テスト A はテスト B より高い検定力をもつことを示せ．

5.5.8. タイヤの寿命 (単位はマイル) X は，平均 θ，標準偏差 5000 の正規分布に従うものとする．過去の経験は $\theta = 30,000$ であることを示している．製造業者は，新しい製造工程で作ったタイヤは $\theta > 30,000$ であることを主張している．また，$\theta = 35,000$ くらいは可能であるという．$H_0 : \theta = 30,000$，$H_1 : \theta > 30,000$ を検定することでその主張を確かめよう．X についての n 個の統計的独立な値 $x_1, \ldots, x_n$ を観測し，$\bar{x} \geq c$ の場合，そして，その場合のみ H_0 を棄却する (したがって H_1 を採択する)．この検定の検定力関数 $\gamma(\theta)$ が，$\gamma(30,000) = 0.01$，$\gamma(35,000) = 0.98$ という値をもつように n と c を決定せよ．

5.5.9. X は，平均値 θ のポアソン分布に従うとする．単純帰無仮説 $H_0 : \theta = \frac{1}{2}$ と複合対立仮説 $H_1 : \theta < \frac{1}{2}$ を考える．したがって $\Omega = \{\theta : 0 < \theta \leq \frac{1}{2}\}$ である．$X_1, \ldots, X_{12}$ は，この分布からのサイズ 12 の無作為標本を表現するとする．もし実現値が $Y = X_1 + \cdots + X_{12} \leq 2$ の場合，そして，その場合のみ H_0 を棄却する．$\gamma(\theta)$ がこの検定の検定力関数であるなら，$\gamma(\frac{1}{2}), \gamma(\frac{1}{3}), \gamma(\frac{1}{4}), \gamma(\frac{1}{6}), \gamma(\frac{1}{12})$ の値を求めよ．また，$\gamma(\theta)$ のグラフを描け．さらに，この検定の有意水準はいくらか．

5.5.10. Y は，変数 n と p をもつ 2 項分布に従うものとする．$Y \geq c$ なら，$H_0 : p = \frac{1}{2}$ を棄却し，$H_1 : p > \frac{1}{2}$ を採択する．近似的に，$\gamma(\frac{1}{2}) = 0.10$，$\gamma(\frac{2}{3}) = 0.95$ となるような検定力関数 $\gamma(p)$ をもたらす n と c を求めよ．

5.5.11. $Y_1 < Y_2 < Y_3 < Y_4$ は，pdf $f(x;\theta) = 1/\theta, 0 < x < \theta$，それ以外では 0，に従う分布からのサイズ $n = 4$ の無作為標本の順序統計量であるとする．ここで，$0 < \theta$ である．$Y_4 \geq c$ なら，$H_0 : \theta = 1$ を棄却し，$H_1 : \theta > 1$ を採択する．
(a) 有意水準が $\alpha = 0.05$ となるような定数 c を求めよ．
(b) この検定の検定力関数を決定せよ．

5.5.12. $X_1, X_2, \ldots, X_8$ は，平均 μ のポアソン分布からのサイズ $n = 8$ の無作為標本であるとする．もし，$\sum_{i=1}^{8} x_i \geq 8$ なら，単純帰無仮説 $H_0 : \mu = 0.5$ を棄却し，$H_1 : \mu > 0.5$ を採択する．
(a) この検定の有意水準を計算せよ．
(b) ポアソン確率の合計として，この検定の検定力関数を求めよ．
(c) 付録 C を用いて，$\gamma(0.75), \gamma(1), \gamma(1.25)$ を決定せよ．

5.5.13. p は，あるテニスプレイヤーがよいファーストサーブを打つ確率を表現するとする．$p=0.40$ なので，このプレイヤーは p を上げるためにレッスンを受けることを決めた．レッスンが完了したとき，$n=25$ の試行に基づき，$H_0: p=0.40$，$H_1: p>0.40$ が検定される．y はよいファーストサーブの回数とし，棄却域は $C=\{y: y\geq 13\}$ より定義される．

(a) $\alpha = P(Y \geq 13; p=0.40)$ を決定せよ．

(b) $p=0.60$ のとき，$\beta = P(Y<13)$ を求めよ．すなわち，$1-\beta$ が $p=0.60$ における検定力であるような $\beta = P(Y \leq 12; p=0.60)$ である．

5.6 統計的検定に関する追加事項

5.5 節で考えた対立仮説のすべては，片側仮説 (one-sided hypothesis) であった．例えば，練習問題 5.5.8 において，$H_0: \mu = 30{,}000$ を片側対立仮説 $H_1: \mu > 30{,}000$ に対して検定した．ここで，μ は標準偏差 $\sigma = 5000$ の正規分布の平均である．しかし，おそらくこの場合，製造業者の工程は変わったが，その方向は確かではないと考えられる．つまり，対立仮説 $H_1: \mu \neq 30{,}000$ に興味があるのである．この節では，仮説検定をさらに探究する．まず，確率変数の平均に関する両側対立仮説の検定の説明から始める．

例 5.6.1（大規模標本の平均に関する両側検定）． 両側対立仮説検定の構築の方法を得るために，例 5.5.3 を再度考える．そこでは，大規模標本における確率変数の平均に関する片側検定を構築した．例 5.5.3 のように，X を平均 μ と有限な分散 σ^2 に従う確率変数とする．しかし，ここでは以下を検定したい．

$$H_0: \mu = \mu_0, \quad H_1: \mu \neq \mu_0 \tag{5.6.1}$$

ここで μ_0 は特定の値である．$X_1, \ldots, X_n$ を X の分布からの無作為標本とし，標本平均と標本分散をそれぞれ $\overline{X}$ と S^2 と表記する．片側検定においては，$\overline{X}$ が十分に大きい場合に H_0 を棄却した．したがって，(5.6.1) 式の仮説に対して，以下の決定規則を用いる．

$$\overline{X} \leq h,\ \text{または，}\ \overline{X} \geq k\ \text{のとき，}\ H_0\ \text{を棄却し}\ H_1\ \text{を採択する} \tag{5.6.2}$$

ここで，h と k は $\alpha = P_{H_0}[\overline{X} \leq h\ \text{または}\ \overline{X} \geq k]$ であるようなものである．したがって，明らかに $h < k$ であり，

$$\alpha = P_{H_0}[\overline{X} \leq h\ \text{または}\ \overline{X} \geq k] = P_{H_0}[\overline{X} \leq h] + P_{H_0}[\overline{X} \geq k]$$

である．少なくとも近似的には，H_0 のもとで $\overline{X}$ の分布は μ_0 について対称に分布しているため，直感的にわかりやすい規則は上式の右辺における 2 つの項の間で α を等分することである．すなわち，h と k は以下によって選択される．

$$P_{H_0}[\overline{X} \leq h] = \alpha/2, \quad P_{H_0}[\overline{X} \geq k] = \alpha/2 \tag{5.6.3}$$

5.6. 統計的検定に関する追加事項

中心極限定理 (定理 4.4.1) や S^2 の σ^2 への一致性より H_0 のもとで $(\overline{X}-\mu_0)/(S/\sqrt{n})$ $\xrightarrow{D} N(0,1)$ を得る．このことや (5.6.3) 式は，以下の近似的な決定規則を導く．

$$\left|\frac{\overline{X}-\mu_0}{S/\sqrt{n}}\right| \geq z_{\alpha/2} \text{ のとき，} H_0 \text{ を棄却し } H_1 \text{ を採択する} \tag{5.6.4}$$

検定の検定力関数を近似するために，中心極限定理を利用する．S のかわりに σ を用いることにより，即座に近似検定力関数が以下のように導かれる．

$$\begin{aligned}\gamma(\mu) &= P_\mu(\overline{X} \leq \mu_0 - z_{\alpha/2}\sigma/\sqrt{n}) + P_\mu(\overline{X} \geq \mu_0 + z_{\alpha/2}\sigma/\sqrt{n}) \\ &= \Phi\left(\frac{\sqrt{n}(\mu_0-\mu)}{\sigma} - z_{\alpha/2}\right) + 1 - \Phi\left(\frac{\sqrt{n}(\mu_0-\mu)}{\sigma} + z_{\alpha/2}\right)\end{aligned} \tag{5.6.5}$$

ここで $\Phi(z)$ は標準正規確率変数の cdf である．(3.4.10) 式を参照せよ．したがって，σ の値に関する妥当な考えがあれば，近似検定力関数を計算することができる．検定力関数の微分は以下であることに注意しよう．

$$\gamma'(\mu) = \frac{\sqrt{n}}{\sigma}\left[\phi\left(\frac{\sqrt{n}(\mu_0-\mu)}{\sigma} + z_{\alpha/2}\right) - \phi\left(\frac{\sqrt{n}(\mu_0-\mu)}{\sigma} - z_{\alpha/2}\right)\right] \tag{5.6.6}$$

ここで，$\phi(z)$ は標準正規確率変数の pdf である．$\gamma(\mu)$ は μ_0 において棄却限界値の値をとることに注意しよう．練習問題 5.6.2 のように，これは $\gamma(\mu)$ の最小値を与える．さらに，$\gamma(\mu)$ は $\mu < \mu_0$ に対し厳密に単調減少し，$\mu > \mu_0$ に対して厳密に単調増加する．∎

再度，この節の最初の状況について考える．以下を検定したい．

$$H_0: \mu = 30{,}000, \quad H_1: \mu \neq 30{,}000 \tag{5.6.7}$$

$n = 20$，かつ，$\alpha = 0.01$ とする．このとき，(5.6.4) 式の棄却規則は以下となる．

$$\left|\frac{\overline{X}-30{,}000}{S/\sqrt{20}}\right| \geq 2.575 \text{ のとき，} H_0 \text{ を棄却し } H_1 \text{ を採択する} \tag{5.6.8}$$

図 5.6.1 は，練習問題 5.5.8 のように S のかわりに $\sigma = 5{,}000$ を用いたときの検定力曲線である．比較のために，水準 $\alpha = 0.05$ の検定における検定力曲線も併せて示されている．練習問題 5.6.1 を参照せよ．

平均に関する両側検定は近似的である．X は正規分布に従うと仮定すると，練習問題 5.6.3 が示すように，$H_0: \mu = \mu_0$ の $H_1: \mu \neq \mu_0$ に対する検定において，以下の検定は正確な有意水準 α に従う．

$$\left|\frac{\overline{X}-\mu_0}{S/\sqrt{n}}\right| \geq t_{\alpha/2,n-1} \text{ のとき，} H_0 \text{ を棄却し } H_1 \text{ を採択する} \tag{5.6.9}$$

これもまた，図 5.6.1 に似たボウル型の検定力曲線に従う．しかし，これを示すことは容易ではないため，Lehmann (1986) を参照されたい．

両側検定と信頼区間の間には関連がある．(5.6.9) 式の両側 t 検定を考える．ここで

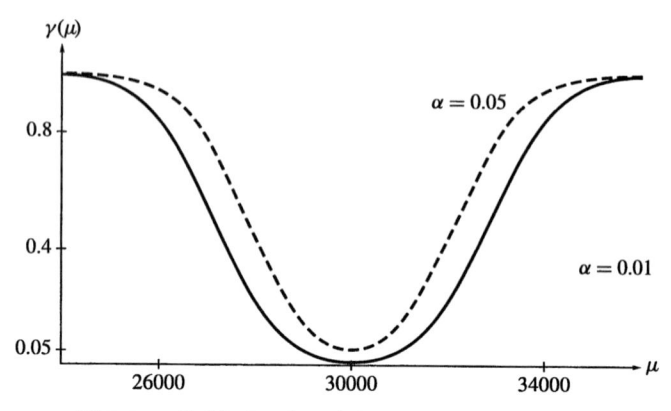

図 5.6.1 検定仮説が (5.6.7) 式であるときの検定力曲線

は絶対的な (十分条件のかわりに必要十分条件を用いた) 棄却規則を用いる．したがって，採択の観点から以下を得る．

$\mu_0 - t_{\alpha/2, n-1} S/\sqrt{n} < \overline{X} < \mu_0 + t_{\alpha/2, n-1} S/\sqrt{n}$ の場合，
かつ，その場合にかぎり，H_0 を採択する

しかし，これは以下であることが簡単に示される．

$\mu_0 \in (\overline{X} - t_{\alpha/2, n-1} S/\sqrt{n}, \overline{X} + t_{\alpha/2, n-1} S/\sqrt{n})$ の場合，
かつ，その場合にかぎり，H_0 を採択する (5.6.10)

すなわち，μ_0 が μ に関して，$(1-\alpha)100\%$ 信頼区間に入る場合，かつ，その場合にかぎり，有意水準 α において H_0 を採択するのである．同様に，μ_0 が μ に関して，$(1-\alpha)100\%$ 信頼区間に入らない場合，かつ，その場合にかぎり，有意水準 α において H_0 を棄却するのである．これは，本書で議論されるすべての両側検定と両側仮説に関して真である．片側検定と片側信頼区間の間にも，類似した関係が存在する．

この信頼区間と仮説検定の間の関係を認識することによって，信頼区間を構築するために用いたすべての統計量を，両側対立仮説だけでなく片側対立仮説に対しても，仮説検定を行う際に用いることができる．これらすべてを表にまとめることはしないが，原理を理解するために十分なものを紹介する．

例 5.6.2. 互いに独立な無作為標本が，それぞれ $N(\mu_1, \sigma^2)$ と $N(\mu_2, \sigma^2)$ から抽出されたとする．仮に，これらは個別の標本の特性値，$n_1, \overline{X}, S_1^2$ と $n_2, \overline{Y}, S_2^2$ に従うとする．$n = n_1 + n_2$ は合計した標本サイズを表すものとし，(5.4.19) 式の $S_p^2 = [(n_1 - 1)S_1^2 + (n_2 - 1)S_2^2]/(n-2)$ を共通の分散の併合推定量とする．$\alpha = 0.05$ において，

5.6. 統計的検定に関する追加事項

$$T = \frac{\overline{X}-\overline{Y}-0}{S_p\sqrt{\frac{1}{n_1}+\frac{1}{n_2}}} \geq t_{.05, n-2}$$

のとき，$H_0 : \mu_1 = \mu_2$ を棄却し，片側対立仮説 $H_1 : \mu_1 > \mu_2$ を採択する．この検定の厳密な発展は例 8.3.1 によって与えられる．■

例 5.6.3. 仮に，X は $b(1,p)$ であるとする．$H_0 : p = p_0$ を $H_1 : p < p_0$ に対して検定することを考える．$X_1, \ldots, X_n$ を X の分布からの無作為標本とし，$\widehat{p} = \overline{X}$ とする．H_0 を H_1 に対して検定するために，以下のどちらかを利用する．

$$Z_1 = \frac{\widehat{p}-p_0}{\sqrt{p_0(1-p_0)/n}} \leq c \quad \text{または} \quad Z_2 = \frac{\widehat{p}-p_0}{\sqrt{\widehat{p}(1-\widehat{p})/n}} \leq c$$

n が大きいとき，$H_0 : p = p_0$ が真であると仮定すると，Z_1 と Z_2 は両方とも近似標準正規分布に従う．したがって，c を -1.645 に固定すると，近似有意水準は $\alpha = 0.05$ となる．Z_1 を利用する統計学者もいれば，Z_2 を利用する者もいる．私たちはどちらか一方に強い選好をもつことはしない．なぜなら，2つの方法は同じ数値的な結果をもたらすからである．ある人は，真値 p が p_0 に接近している場合には，Z_1 を利用することによって検定力の算出においてよい確率をもたらし，一方，H_0 が明らかに偽である場合には，Z_2 の方がよいのではないかと疑うかもしれない．しかし，両側対立仮説において，Z_2 の方が p の信頼区間とよりよい関連を提供するのである．すなわち，$|Z_2| < z_{\alpha/2}$ は p_0 が以下の区間にあるということと同等である．

$$\left[\widehat{p} - z_{\alpha/2}\sqrt{\frac{\widehat{p}(1-\widehat{p})}{n}},\ \widehat{p} + z_{\alpha/2}\sqrt{\frac{\widehat{p}(1-\widehat{p})}{n}}\right]$$

これは，5.5 節において考えた p に関する $(1-\alpha)100\%$ 近似信頼区間をもたらす区間である．■

この節の締めくくりに際して，次の例とその後の注意を通して，確率化検定と p 値の概念を導入する．

例 5.6.4. $X_1, X_2, \ldots, X_{10}$ を，平均 θ のポアソン分布からのサイズ $n = 10$ の無作為標本とする．$H_0 : \theta = 0.1$ の $H_1 : \theta > 0.1$ に対する検定における棄却域は $Y = \sum_1^{10} X_i \geq 3$ によって与えられる．統計量 Y は平均 10θ のポアソン分布に従う．したがって，Y の平均が 1 となる $\theta = 0.1$ において，検定の有意水準は

$$P(Y \geq 3) = 1 - P(Y \leq 2) = 1 - 0.920 = 0.080$$

となる．もし，$\sum_1^{10} x_i \geq 4$ によって定義された棄却域が用いられるならば，有意水準は

$$\alpha = P(Y \geq 4) = 1 - P(Y \leq 3) = 1 - 0.981 = 0.019$$

となる．例えば，仮におおよそ $\alpha = 0.05$ の有意水準が望まれるならば，ほとんどの統計学者はこの2つの検定のうちのどちらかを用いるだろう．すなわち，有意水準をこ

れらの検定のうちのどちらかの有意水準に合わせるである．しかし，$\alpha=0.05$ の有意水準は以下の方法で達成することができる．W は成功確率が以下であるようなベルヌイ分布に従うとする．

$$P(W=1)=\frac{0.050-0.019}{0.080-0.019}=\frac{31}{61}$$

W は標本から独立に選ばれていると仮定する．以下の棄却規則を考える．

$$\sum_1^{10} x_i \geq 4,\ \text{または},\ \sum_1^{10} x_i = 3\ \text{かつ}\ W=1\ \text{のとき，}H_0\ \text{を棄却する}$$

この規則の有意水準は以下である．

$$P_{H_0}(Y\geq 4)+P_{H_0}(\{Y=3\}\cap\{W=1\})$$
$$=P_{H_0}(Y\geq 4)+P_{H_0}(Y=3)P(W=1)=0.019+0.061\frac{31}{61}=0.05$$

したがって，決定規則はちょうど水準 0.05 に従うことになる．$Y=3$ のとき棄却するか否かを決定するための補助的な実験を行う過程は，しばしば確率化検定 (randomized test) とよばれる．■

注意 5.6.1 (有意確率)． 実のところ，多くの統計学者は確率化検定を好まない．なぜなら，それを用いることは，同じ仮説を立て，同じデータを集め，同じ検定を適用した 2 人の統計学者が，異なった判断をしうることを意味しているからである．したがって，通常は有意水準を確率化せずに用いる．実際，多くの統計学者は一般的に有意確率 (observed significance level)，または，p 値 (p–value, probability value) とよばれているものを報告する．例えば，もし例 5.6.4 において Y の観測値が $y=4$ であるならば，p 値は 0.019 である．また，もし $y=3$ であるならば，p 値は 0.080 である．すなわち，p 値は H_0 が真であるときに，特定の観測値と少なくとも同じくらい極端であるような統計量が観測される「裾の」確率である．したがって，より一般的に，$Y=u(X_1,X_2,\ldots,X_n)$ が H_0 の検定に用いられる統計量であるならば，かつ，棄却域が

$$u(x_1,x_2,\ldots,x_n)\leq c$$

という形のものであるならば，観測値 $u(x_1,x_2,\ldots,x_n)=d$ は以下を意味している．

$$p\ \text{値}=P(Y\leq d;\ H_0)$$

すなわち，H_0 が真であり，$G(y)$ が $Y=u(X_1,X_2,\ldots,X_n)$ の分布関数であるならば，この場合では p 値は $G(d)$ に等しくなる．しかし，離散型確率変数の場合，$G(Y)$ は単位区間において一様に分布する．そのため，観測値 $G(d)\leq 0.05$ は

$$P[u(X_1,X_2,\ldots,X_n)\leq c;\ H_0]=0.05$$

かつ，$d\leq c$ を満たすような特定の c に等しくなるだろう．ほとんどのコンピュータプログラムは自動的に検定の p 値を出力する．■

5.6. 統計的検定に関する追加事項 291

例 5.6.5. $X_1, X_2, \ldots, X_{25}$ を $N(\mu, \sigma^2 = 4)$ からの無作為標本とする. $H_0 : \mu = 77$ を片側対立仮説 $H_1 : \mu < 77$ に対して検定するために, 仮に 25 個の値を観測し, $\bar{x} = 76.1$ を定めるとする. $\overline{X}$ の分散は $\sigma^2/n = 4/25 = 0.16$ である. したがって, $\mu = 77$ と仮定すると, $Z = (\overline{X} - 77)/0.4$ は $N(0,1)$ に従うことがわかる. この検定統計量の観測値は $z = (76.1 - 77)/0.4 = -2.25$ であるため, 検定の p 値は $\Phi(-2.25) = 1 - 0.988 = 0.012$ となる. したがって, 有意水準 $\alpha = 0.05$ を用いるならば, $0.012 < 0.05$ であるため H_0 を棄却し, $H_1 : \mu < 77$ を採択する. ■

練習問題

5.6.1. $\mu_0 = 30{,}000$ かつ, $n = 20$ としたときに, (5.6.1) 式において与えられる仮説の水準 0.05 での検定を考える. ($\sigma = 5{,}000$ を用いて) 検定力関数を求めよ. 以下の値 $\mu = 25{,}000;\, 27{,}500;\, 30{,}000;\, 32{,}500;\, 35{,}000$ に関して検定力関数の値を求めよ. さらに, この検定力関数を描き, 図 5.6.1 と一致するかどうか確認せよ.

5.6.2. (5.6.5) 式と (5.6.6) 式より与えられる検定力関数 $\gamma(\mu)$ とその導関数 $\gamma'(\mu)$ を考える. $\mu < \mu_0$ に対して, $\gamma'(\mu)$ は厳密に負であり, $\mu > \mu_0$ に対して厳密に正であることを示せ.

5.6.3. (5.6.9) 式によって定義された検定が, $H_0 : \mu = \mu_0$ と $H_1 : \mu \neq \mu_0$ の検定において正確な有意水準 α に従うことを示せ.

5.6.4. 例 5.5.4 において構築された $H_0 : \mu = \mu_0$ の $H_1 : \mu > \mu_0$ に対する片側 t 検定と, (5.6.9) 式で与えられた $H_0 : \mu = \mu_0$ の $H_1 : \mu \neq \mu_0$ に対する両側 t 検定を考える. 両方の検定は危険率が α であると仮定する. $\mu > \mu_0$ に対して, 片側検定の検定力関数が両側検定の検定力関数よりも大きいことを示せ.

5.6.5. 1 箱 10 オンス入りのコーンフレークの重さが $N(\mu, \sigma^2)$ に従っているとする. $H_0 : \mu = 10.1$ を $H_1 : \mu > 10.1$ に対して検定するために, サイズ $n = 16$ の無作為標本を抽出し, $\bar{x} = 10.4$ と $s = 0.4$ を観測した.
(a) 5%有意水準において, H_0 は棄却と採択のどちらであろうか.
(b) この検定の近似 p 値はいくらか.

5.6.6. 51 人のゴルファーそれぞれが, ブランド X のゴルフボールを 3 つ, ブランド Y のゴルフボールを 3 つランダムな順番で打った. X_i と Y_i は, i 番目のゴルファー ($i = 1, 2, \ldots, 51$) によって打たれたブランド X と Y のゴルフボールそれぞれの平均飛距離に等しいとする. $W_i = X_i - Y_i$, $i = 1, 2, \ldots, 51$ とする. $H_0 : \mu_W = 0$ を $H_1 : \mu_W > 0$ に対して検定することを考える. ここで, μ_W は差の平均である. $w = 2.07$, かつ, $s_W^2 = 84.63$ のとき, 有意水準 $\alpha = 0.05$ において H_0 は棄却と採択のどちらであろうか. また, この検定の p 値はいくらか.

5.6.7. WHO の大気環境監視計画において収集されているデータの中に, $\mu g/m^3$ 単位の大気中の浮遊粒子の指標がある. X と Y を, メルボルンとヒューストンそれぞれの中心都市 (商業地域) における, $\mu g/m^3$ 単位の浮遊粒子の濃度に等しいとする. $n=13$ の X の標本と $m=16$ の Y の標本を用いて, $H_0: \mu_X = \mu_Y$ の $H_1: \mu_X < \mu_Y$ に対する検定を行う.

(a) 未知の分散は等しいと仮定し, 検定統計量と棄却域を定義せよ. $\alpha = 0.05$ とする.

(b) $\bar{x} = 72.9$, $s_x = 25.6$, $\bar{y} = 81.7$, $s_y = 28.3$ のとき, 検定統計量の値を計算し, 検定の結論を述べよ.

5.6.8. p は, シートベルト着用を義務付ける法律のない州においてシートベルトを利用するドライバーの割合に等しいとする. $p = 0.14$ であった. この割合を増加させるため, 広告キャンペーンが実施された. 2ヶ月後, $n = 590$ 人のドライバーの無作為標本のうち $y = 104$ 人がシートベルトを利用していた. キャンペーンは成功したのだろうか.

(a) 帰無仮説と対立仮説を定義せよ.

(b) 有意水準 $\alpha = 0.01$ として棄却域を定義せよ.

(c) 近似 p 値を定め, 検定の結論を述べよ.

5.6.9. 練習問題 5.4.14 において, μ が未知である分布, $N(\mu, \sigma^2)$ から抽出したサイズ n の無作為標本の分散 S^2 を用いて, 分散 σ^2 の信頼区間を求めた. $(n-1)S^2/\sigma^2 \geq c$ によって定義された棄却域を用いて, $H_0: \sigma^2 = \sigma_0^2$ を $H_1: \sigma^2 > \sigma_0^2$ に対して検定する. すなわち, $S^2 \geq c\sigma_0^2/(n-1)$ であれば H_0 を棄却し, H_1 を採択する. $n = 13$, かつ, 有意水準 $\alpha = 0.025$ のとき, c を定めよ.

5.6.10. 練習問題 5.4.25 において, 2つの正規分布の分散の比率に対する信頼区間を求める際, これら2つの分散が等しいとき F 分布に従うような統計量 S_1^2/S_2^2 を利用した. その統計量を F と表記するならば, 棄却域 $F \geq c$ を用いて, $H_0: \sigma_1^2 = \sigma_2^2$ を $H_1: \sigma_1^2 > \sigma_2^2$ に対して検定することができる. $n = 13$, $m = 11$, かつ, $\alpha = 0.05$ のとき, c を求めよ.

5.7 カイ2乗検定

本節では, カイ2乗検定 (chi-square test) とよばれる統計的仮説検定を紹介する. 元々この種の検定はカール・ピアソン (Karl Pearson) が 1900 年に提案し, 初期の統計的推測の方法のひとつとなった.

確率変数 X_i が $i = 1, 2, \ldots, n$ に対して $N(\mu_i, \sigma_i^2)$ に従い, $X_1, X_2, \ldots, X_n$ は互いに統計的に独立とする. したがって, これらの同時 pdf は, 次のようになる.

$$\frac{1}{\sigma_1 \sigma_2 \cdots \sigma_n (2\pi)^{n/2}} \exp\left[-\frac{1}{2} \sum_1^n \left(\frac{x_i - \mu_i}{\sigma_i}\right)^2\right], \quad -\infty < x_i < \infty$$

5.7. カイ2乗検定

係数 $-\frac{1}{2}$ 以外の指数部分で定義される確率変数は $\sum_1^n (X_i - \mu_i)^2/\sigma_i^2$ であり,この確率変数は $\chi^2(n)$ 分布に従う.3.5 節において,確率に関するこの同時正規分布は n 個の互いに従属な確率変数に一般化された.そして,その分布は多変量正規分布とよばれる.9.8 節では,同時 pdf に含まれる係数 $-\frac{1}{2}$ 以外の指数部分は $\chi^2(n)$ に従う確率変数を定義することが証明される.この事実がカイ2乗検定の数学的基礎を成している.

いま,近似的にカイ2乗分布に従ういくつかの確率変数について議論しよう.X_1 が $b(n, p_1)$ に従うとする.次のような確率変数を想定する.

$$Y = \frac{X_1 - np_1}{\sqrt{np_1(1-p_1)}}$$

この確率変数は $n \to \infty$ のときに $N(0,1)$ という極限分布に従うために,$Z = Y^2$ の極限分布は $\chi^2(1)$ に従うのではないかと強く疑われる.これは定理 4.3.4 によって保証されたが,以下のように簡潔に証明してみよう.$G_n(y)$ が Y の分布関数を表すとき,次のようになる.

$$\lim_{n \to \infty} G_n(y) = \Phi(y), \quad -\infty < y < \infty$$

ここで,$\Phi(y)$ は $N(0,1)$ という分布の分布関数である.すべての正の整数 n に対して,$H_n(z)$ が $Z = Y^2$ の分布関数を表すとする.したがって,$z \geq 0$ のときに次のようになる.

$$H_n(z) = P(Z \leq z) = P(-\sqrt{z} \leq Y \leq \sqrt{z}) = G_n(\sqrt{z}) - G_n[-\sqrt{z}]$$

したがって,$\Phi(y)$ はすべての y において連続であるから次が成立する.

$$\lim_{n \to \infty} H_n(z) = \Phi(\sqrt{z}) - \Phi(-\sqrt{z}) = 2 \int_0^{\sqrt{z}} \frac{1}{\sqrt{2\pi}} e^{-w^2/2} \, dw$$

最後の項の積分において,積分を行う変数を $w^2 = v$ と変換すると,$z \geq 0$ に対して次のようになる.

$$\lim_{n \to \infty} H_n(z) = \int_0^z \frac{1}{\Gamma(\frac{1}{2}) 2^{1/2}} v^{1/2-1} e^{-v/2} \, dv$$

$z < 0$ ならば,$\lim_{n \to \infty} H_n(z) = 0$ である.したがって,$\lim_{n \to \infty} H_n(z)$ は $\chi^2(1)$ に従う確率変数の分布関数に等しい.これで証明がなされた.

$b(n, p_1)$ に従う確率変数 X_1 に話を戻そう.$X_2 = n - X_1$ そして $p_2 = 1 - p_1$ とする.Y^2 を Z ではなく Q_1 と記述すると,Q_1 は次のようになる.

$$Q_1 = \frac{(X_1 - np_1)^2}{np_1(1-p_1)} = \frac{(X_1 - np_1)^2}{np_1} + \frac{(X_1 - np_1)^2}{n(1-p_1)} = \frac{(X_1 - np_1)^2}{np_1} + \frac{(X_2 - np_2)^2}{np_2}$$

これは $(X_1 - np_1)^2 = (n - X_2 - n + np_2)^2 = (X_2 - np_2)^2$ だからである.Q_1 は自由度1のカイ2乗極限分布に従うので,n を正の整数とするとき,Q_1 は近似的に自由度

1のカイ2乗分布に従う．この結果は次のように一般化される．

$X_1, X_2, \ldots, X_{k-1}$ は3.1節のように，n と $p_1, \ldots, p_{k-1}$ を母数とする多項分布に従うとする．$X_k = n - (X_1 + \cdots + X_{k-1})$ そして $p_k = 1 - (p_1 + \cdots + p_{k-1})$ とする．Q_{k-1} を次のように定義する．

$$Q_{k-1} = \sum_{i=1}^{k} \frac{(X_i - np_i)^2}{np_i}$$

より発展的な課程では，$n \to \infty$ のときに Q_{k-1} が $\chi^2(k-1)$ という極限分布に従うことが証明される．この事実を受け入れれば，n を正の整数とするとき，Q_{k-1} は自由度 $k-1$ のカイ2乗分布に近似的に従うといえる．この近似は各 $np_i, i = 1, 2, \ldots, k$ が5以上となるくらいに n が大きな場合でないと不確かであると注意する教科書がいくつかある．とにかく，Q_{k-1} はカイ2乗分布に従うのではなく，近似的にのみカイ2乗分布に従うと認識することが重要である．

確率変数 Q_{k-1} はこれから議論するある種の統計的仮説の検定の基礎として役立っている．確率実験の標本空間 $\mathcal{A}$ は有限数 k 個の互いに排反な集合 $A_1, A_2, \ldots, A_k$ の和集合であるとする．さらに，$P(A_i) = p_i, i = 1, 2, \ldots, k$ とする．ここで $p_k = 1 - p_1 - \cdots - p_{k-1}$ であり，p_i は確率実験の結果が集合 A_i の要素である確率を表す．確率実験は独立に n 回行われ，X_i は結果が集合 A_i の要素である回数を表すとする．つまり，$X_1, X_2, \ldots, X_k = n - X_1 - \cdots - X_{k-1}$ は，結果がそれぞれ $A_1, A_2, \ldots, A_k$ である頻度である．すると，$X_1, X_2, \ldots, X_{k-1}$ の同時pmfは母数を $n, p_1, \ldots, p_{k-1}$ とする多項pmfとなる．この多項pmfに関する単純仮説 $H_0 : p_1 = p_{10}, p_2 = p_{20}, \ldots, p_{k-1} = p_{k-1,0}$ ($p_k = p_{k0} = 1 - p_{10} - \cdots - p_{k-1,0}$) を考える．ここで，$p_{10}, \ldots, p_{k-1,0}$ は定められた数である．H_0 をすべての対立仮説に対して検定したいとする．

仮説 H_0 が真のとき，次の確率変数は自由度 $k-1$ のカイ2乗分布に近似的に従う．

$$Q_{k-1} = \sum_{1}^{k} \frac{(X_i - np_{i0})^2}{np_{i0}}$$

H_0 が真のとき，np_{i0} は X_i の期待値であるから，H_0 が真ならば観測値 Q_{k-1} は大きすぎてはいけないと直感的に感じるだろう．これを念頭において，付録Cの表IIを使って，自由度が $k-1$ の場合をみれば，$P(Q_{k-1} \geq c) = \alpha$ となる c をみつけることができるだろう．ここで α は検定において望まれる有意水準である．もし，そして観測値 Q_{k-1} が c 以上であり H_0 が棄却された場合には，H_0 の検定は近似的に α と等しい有意水準をもつ．これはしばしば適合度検定 (goodness of fit test) とよばれる．

以下はいくつかの例である．

例 5.7.1. 最初の6つの正の整数が無作為実験によって抽出される (例えばサイコロによって)．$A_i = \{x : x = i\}, i = 1, 2, \ldots, 6$ とする．仮説 $H_0 : P(A_i) = p_{i0} = \frac{1}{6}, i = 1, 2, \ldots, 6$ をすべての対立仮説に対して約5%水準で検定する．テストを行うために，同じ条件のもとで60回の独立な試行が繰り返される確率実験を行う．この例では $k =$

5.7. カイ2乗検定

6 そして $np_{i0} = 60(\frac{1}{6}) = 10$, $i = 1, 2, \ldots, 6$ である．X_i は確率実験が終了したときに A_i, $i = 1, 2, \ldots, 6$ となった頻度を表し，$Q_5 = \sum_1^6 (X_i - 10)^2/10$ とする．H_0 が真ならば，表IIの自由度 $k - 1 = 6 - 1 = 5$ をみれば，$P(Q_5 \geq 11.1) = 0.05$ となる Q_5 を得るだろう．いま，実験の結果から $A_1, A_2, \ldots, A_6$ がそれぞれ 13, 19, 11, 8, 5, 4 となったとする．Q_5 の観測値は，

$$\frac{(13-10)^2}{10} + \frac{(19-10)^2}{10} + \frac{(11-10)^2}{10} + \frac{(8-10)^2}{10} + \frac{(5-10)^2}{10} + \frac{(4-10)^2}{10} = 15.6$$

となり，15.6 > 11.1 であるから，仮説 $P(A_i) = \frac{1}{6}$, $i = 1, 2, \ldots, 6$ は (約) 5%水準で棄却される．■

例 5.7.2. 単位間隔 $\{x : 0 < x < 1\}$ からある点が無作為に選ばれる．$A_1 = \{x : 0 < x \leq \frac{1}{4}\}$, $A_2 = \{x : \frac{1}{4} < x \leq \frac{1}{2}\}$, $A_3 = \{x : \frac{1}{2} < x \leq \frac{3}{4}\}$, $A_4 = \{x : \frac{3}{4} < x < 1\}$ とする．仮説のもとで，これらの集合に付与された確率 p_i, $i = 1, 2, 3, 4$ が $2x$, $0 < x < 1$ その他では 0 という pdf に従うとする．すると，各確率はそれぞれ次のようになる．

$$p_{10} = \int_0^{1/4} 2x \, dx = \frac{1}{16}, \quad p_{20} = \frac{3}{16}, \quad p_{30} = \frac{5}{16}, \quad p_{40} = \frac{7}{16}$$

したがって，検定される仮説は，$p_1, p_2, p_3, p_4 = 1 - p_1 - p_2 - p_3$ が $k = 4$ のときの多項分布において先に示した値をもつということである．この仮説を，有意水準が約 2.5% のもとで，確率実験を同じ条件で $n = 80$ 回独立に繰り返して検定する．ここでは，$i = 1, 2, 3, 4$ に対して，np_{i0} はそれぞれ 5, 15, 25, 35 である．A_1, A_2, A_3, A_4 の観測頻度はそれぞれ 6, 18, 20, 36 とする．すると，$Q_3 = \sum_1^4 (X_i - np_{i0})^2/(np_{i0})$ の観測値はおおよそ次のようになる．

$$\frac{(6-5)^2}{5} + \frac{(18-15)^2}{15} + \frac{(20-25)^2}{25} + \frac{(36-35)^2}{35} = \frac{64}{35} = 1.83$$

表IIの自由度 $4 - 1 = 3$ をみると，有意水準が 0.025 の場合に対応する値は $c = 9.35$ となっている．Q_3 の観測値は 9.35 よりも小さいので，有意水準が (約) 0.025 場合には仮説は採択される．■

ここまでは，仮説 H_0 が単純仮説の場合についてカイ2乗検定を使用してきた．しかし，多項確率 $p_1, p_2, \ldots, p_k$ が仮説 H_0 によって完全には決定されていないような仮説に遭遇する場合も多い．H_0 のもとで，これらの確率が未知の母数の関数となっている場合である．例えば，ある確率変数 Y が任意の実数をとる場合を考える．事象 $A_1, A_2, \ldots, A_k$ が互いに重複なしにすべてを満たすように，空間 $\{y : -\infty < y < \infty\}$ を互いに排反な k 個の集合 $A_1, A_2, \ldots, A_k$ に分解するとしよう．未知の μ と σ^2 のもとで，Y が $N(\mu, \sigma^2)$ に従うということを仮説 H_0 とする．すると，それぞれの

$$p_i = \int_{A_i} \frac{1}{\sqrt{2\pi}\sigma} \exp[-(y-\mu)^2/2\sigma^2] \, dy, \quad i = 1, 2, \ldots, k$$

は, 未知の母数 μ と σ^2 の関数である. この分布からサイズ n の無作為標本 $Y_1,\ldots,Y_n$ を抽出することを考える. X_i を A_i, $i=1,2,\ldots,k$ の頻度とする. したがって, $X_1+X_2+\cdots+X_k=n$ となるが, 確率変数

$$Q_{k-1} = \sum_{i=1}^{k} \frac{(X_i - np_i)^2}{np_i}$$

は $X_1,\ldots,X_k$ が観測されたとしても, 計算することはできない. なぜなら, 各 p_i したがって Q_{k-1} は μ と σ^2 の関数だからである. そこで, Q_{k-1} を最小にするような μ と σ^2 の値を見つけたい. これらの値は観測された $X_1=x_1,\ldots,X_k=x_k$ に依存し, μ と σ^2 の最小カイ 2 乗推定値 (minimum chi-square estimate) とよばれる. これらの μ と σ^2 の点推定値を利用すれば, 各 p_i の推定値は数値的に計算可能となる. したがって, これらの値を利用すれば, $Y_1,Y_2,\ldots,Y_n$ つまりは $X_1,X_2,\ldots,X_k$ が観測されれば, Q_{k-1} は計算可能となる. しかし, 証明なしに受け入れることになるが, 非常に重要な事実は, いま Q_{k-1} が近似的に $\chi^2(k-3)$ に従っているということである. つまり, Q_{k-1} の極限カイ 2 乗分布の自由度は観測データによって推定された各母数ごとに 1 だけ少なくなるのである. これは, いま扱っている問題だけではなく, より一般的な状況に対しても当てはまる. 2 つの例を示そう. 1 つめの例では, 2 つの多項分布が等しいという仮説の検定を扱う.

注意 5.7.1. 正規分布の平均 μ や分散 σ^2 を含むときには最小カイ 2 乗推定値を計算することは困難な場合が多い. したがって, 最尤推定値 $\hat{\mu}=\overline{Y}$ と $\hat{\sigma^2}=V=(n-1)S^2/n$ のような他の推定値が p_i と Q_{k-1} の評価のために利用される. 一般に, Q_{k-1} は最尤推定値では最小化されず, したがって, 仮に最小カイ 2 乗推定値を代入したとすると, その場合よりも計算された値はいくらか大きくなる. したがって, (最尤推定値で計算された Q_{k-1} を) χ^2 値の表の自由度 $k-3$ における限界値と比べた場合には, 仮に本当の Q_{k-1} の最小値を用いた場合よりも棄却される可能性が大きくなる. よって, そのような検定におけるおおよその有意水準は, 表にみられる値よりもいくらか大きいだろう. この修正を念頭において, 可能なかぎり, 観測された確率標本 $Y_1,Y_2,\ldots,Y_n$ を直接用いるのではなく, 頻度 $X_1,\ldots,X_k$ を使って各 p_i を推定するべきである. ∎

例 5.7.3. この例では, 母数がそれぞれ $n_j, p_{1j}, p_{2j}, \ldots, p_{kj}$, ただし $j=1,2$ である 2 つの多項分布について考える. X_{ij}, $i=1,2,\ldots,k$, $j=1,2$ はそれぞれの頻度を表すとする. n_1 と n_2 が十分に大きく, 一方の分布から得られた観測値は, 他方の分布から得られた観測値と統計的に独立とすると, 次に示す確率変数

$$\sum_{j=1}^{2} \sum_{i=1}^{k} \frac{(X_{ij} - n_j p_{ij})^2}{n_j p_{ij}}$$

は, それぞれが $\chi^2(k-1)$ に従っていると見なされる 2 つの統計的に独立な確率変数の和である. つまり, この確率変数は近似的に $\chi^2(2k-2)$ に従っている. 次の仮説を

5.7. カイ2乗検定

考える.

$$H_0: p_{11}=p_{12}, p_{21}=p_{22},\ldots,p_{k1}=p_{k2}$$

ここで, 各 $p_{i1}=p_{i2}$, $i=1,2,\ldots,k$ は未知である. したがって, これらの母数の点推定値が必要である. 頻度 X_{ij} を利用した $p_{i1}=p_{i2}$ の最尤推定量は, $(X_{i1}+X_{i2})/(n_1+n_2)$, $i=1,2,\ldots,k$ となる. はじめの $k-1$ 個の確率の点推定値が得られれば, $p_{k1}=p_{k2}$ の点推定値も求まるので, $k-1$ 個の点推定値だけが必要となる. すでに述べた事実とあわせると, 次の確率変数

$$\sum_{j=1}^{2}\sum_{i=1}^{k}\frac{\{X_{ij}-n_j[(X_{i1}+X_{i2})/(n_1+n_2)]\}^2}{n_j[(X_{i1}+X_{i2})/(n_1+n_2)]}$$

は, 近似的に自由度 $2k-2-(k-1)=k-1$ のカイ2乗分布に従っている. よって, 2つの多項分布が同じであるという仮説を検定することが可能である. この仮説は, 計算されたこの確率変数の値が, 表II の自由度 $k-1$ の箇所で与えられる値以上ならば棄却される. この検定はしばしば同一性 (homogeneity) のカイ2乗検定とよばれる (帰無仮説は同一の分布であるということである). ■

2つめの例では分割表 (contingency table) に関する問題を扱う.

例 5.7.4. 確率実験の結果は2つの属性 (髪の色と目の色など) で区分される. つまり, 結果が区分される1つの属性は, あるたった1つの互いに排反かつすべてを満たす事象であり, 例えば $A_1,A_2,\ldots,A_a$ となる. そして, 結果が区分されるもう一方の属性もまた, あるたった1つの互いに排反かつすべてを満たす事象であり, 例えば $B_1,B_2,\ldots,B_b$ となる. $p_{ij}=P(A_i\cap B_j)$ であり, $i=1,2,\ldots,a; j=1,2,\ldots,b$ である. 確率実験が独立に n 回繰り返され, X_{ij} は事象 $A_i\cap B_j$ の頻度とする. $A_i\cap B_j$ となる事象は $k=ab$ 個あるから, 確率変数

$$Q_{ab-1}=\sum_{j=1}^{b}\sum_{i=1}^{a}\frac{(X_{ij}-np_{ij})^2}{np_{ij}}$$

は, n が大きいと仮定した場合に, 近似的に自由度 $ab-1$ のカイ2乗分布に従っている. 属性 A と B の統計的独立性を検定したいとする. このとき, 仮説は $H_0: P(A_i\cap B_j)=P(A_i)P(B_j)$ となる. ただし, $i=1,2,\ldots,a; j=1,2,\ldots,b$ である. $P(A_i)$ を $p_{i.}$ そして, $P(B_j)$ を $p_{.j}$ と記述すると, 次のようになる.

$$p_{i.}=\sum_{j=1}^{b}p_{ij},\ p_{.j}=\sum_{i=1}^{a}p_{ij},\ \ 1=\sum_{j=1}^{b}\sum_{i=1}^{a}p_{ij}=\sum_{j=1}^{b}p_{.j}=\sum_{i=1}^{a}p_{i.}$$

すると, この仮説は $H_0: p_{ij}=p_{i.}p_{.j}$, $i=1,2,\ldots,a; j=1,2,\ldots,b$ となる. H_0 を検定するためには, p_{ij} を $p_{i.}p_{.j}$ に置き換えた Q_{ab-1} を利用すればよい. しかし, 実用の際にはよくあるように, $p_{i.}$, $i=1,2,\ldots,a$ と $p_{.j}$, $j=1,2,\ldots,b$ が未知ならば, 頻

度が観測されたとしても Q_{ab-1} を計算することはできない．このような場合には，これらの未知の母数を次のように推定する．

$$\hat{p}_{i\cdot} = \frac{X_{i\cdot}}{n}, \quad ここで \quad X_{i\cdot} = \sum_{j=1}^{b} X_{ij}, \quad ただし \quad i=1,2,\ldots,a$$

$$\hat{p}_{\cdot j} = \frac{X_{\cdot j}}{n}, \quad ここで \quad X_{\cdot j} = \sum_{i=1}^{a} X_{ij}, \quad ただし \quad j=1,2,\ldots,b$$

$\sum_i p_{i\cdot} = \sum_j p_{\cdot j} = 1$ であるから，$a-1+b-1=a+b-2$ 個の母数を推定すればよい．これらの推定値を $p_{ij} = p_{i\cdot}p_{\cdot j}$ として Q_{ab-1} に適用すれば，本節で述べた規則に従うと，確率変数

$$\sum_{j=1}^{b}\sum_{i=1}^{a} \frac{[X_{ij}-n(X_{i\cdot}/n)(X_{\cdot j}/n)]^2}{n(X_{i\cdot}/n)(X_{\cdot j}/n)}$$

は，H_0 が真のときに，自由度 $ab-1-(a+b-2)=(a-1)(b-1)$ のカイ2乗分布におおよそ従う．仮説 H_0 は，計算されたこの統計量が定数 c を超えるならば棄却される．ここで，c は望まれる有意水準が α となるように表IIから選ばれる．これが独立性のためのカイ2乗検定 (chi–square test for independence) である．■

本節の4つの例それぞれでは，n が十分に大きく，H_0 が真だと仮定した場合に，仮説 H_0 を検定するために用いられる統計量はカイ2乗分布に近似的に従っていると述べた．H_0 によって記述されない母数の値に対するこれらの検定の検定力を計算するためには，H_0 が真ではないと仮定した場合の統計量の分布が必要である．この場合には，分布は非心カイ2乗分布 (noncentral chi–square distribution) とよばれる分布に近似的に従っている．非心カイ2乗分布については，9.3節で議論される．

練習問題

5.7.1. 区間 $\{x:0<x<2\}$ からある数を無作為に選択する．$A_i = \{x:(i-1)/2 < x \leq i/2\}$, $i=1,2,3$ そして $A_4 = \{x: \frac{3}{2} < x < 2\}$ とする．$i=1,2,3,4$ に対して，ある仮説によって，$p_{i0} = \int_{A_i} (\frac{1}{2})(2-x)\,dx$, $i=1,2,3,4$ に従って各集合に確率 p_{i0} が付与される．この ($k=4$ の多項 pmf に関する) 仮説に対して有意水準5%でカイ2乗検定を行う．集合 A_i, $i=1,2,3,4$ の観測頻度がそれぞれ 30, 30, 10, 10 のとき，H_0 はおおよそ有意水準5%で採択されるだろうか．

5.7.2. $A_1 = \{x:-\infty<x\leq 0\}$, $A_i = \{x:i-2<x\leq i-1\}$, $i=2,\ldots,7$ そして $A_8 = \{x:6<x<\infty\}$ として集合を定義する．次に示す

$$p_{i0} = \int_{A_i} \frac{1}{2\sqrt{2\pi}} \exp\left[-\frac{(x-3)^2}{2(4)}\right] dx, \quad i=1,2,\ldots,7,8$$

にしたがって，ある仮説によってこれらの集合 A_i に対して確率 p_{i0} が付与される．こ

5.7. カイ2乗検定

の ($k=8$ の多項 pmf に関する) 仮説に対して有意水準 5% でカイ 2 乗検定を行う．集合 A_i, $i=1,2,\ldots,8$ の観測頻度がそれぞれ 60, 96, 140, 210, 172, 160, 88, 74 のとき，H_0 はおおよそ有意水準 5% で採択されるだろうか．

5.7.3. サイコロが独立に $n=120$ 回振られ，次のような結果となった．

出目	1	2	3	4	5	6
頻度	b	20	20	20	20	40-b

カイ 2 乗検定を用いるとき，サイコロには偏りがないという仮説が有意水準 0.025 で棄却されるためには b がどんな値であればよいか．

5.7.4. 2 種類のエンドウマメの交配に関する遺伝的問題を考える．メンデルの法則によれば，(a) 丸くて黄色，(b) しわがあって黄色，(c) 丸くて緑色 (d) しわがあって緑色に分類される確率はそれぞれ $\frac{9}{16}, \frac{3}{16}, \frac{3}{16}, \frac{1}{16}$ である．160 個の独立な対象を観測したときに，それぞれに分類される頻度が 86, 35, 26, 13 であるとするとき，このデータはメンデルの法則と合致するだろうか．つまり，$\alpha = 0.01$ で各確率が $\frac{9}{16}, \frac{3}{16}, \frac{3}{16}, \frac{1}{16}$ であるという仮説を検定すればよい．

5.7.5. 2 つの異なる学生の集団に対して，2 つの異なる教授法で授業が行われた．各集団には 100 人の学生が含まれ，同じくらいの学力レベルである．学期の終わりに，各学生に対して評価チームが成績をつけた．その結果は次の表のようになった．

集団	A	B	C	D	F	合計
I	15	25	32	17	11	100
II	9	18	29	28	16	100

このデータは $k=5$ の 2 つの多項分布から独立に観測されたと考えるとき，2 つの分布が同一である (したがって，2 つの教授法の効果は同じである) という仮説を有意水準 5% で検定せよ．

5.7.6. 確率実験の結果が A_1, A_2, A_3 として互いに排反かつすべてを満たすように分類され，同じように B_1, B_2, B_3, B_4 としても互いに排反かつすべてを満たすように分類されるとする．200 回の独立な試行を行い，以下のような実験結果のデータが得られた．

	B_1	B_2	B_3	B_4
A_1	10	21	15	6
A_2	11	27	21	13
A_3	6	19	27	24

属性 A と B が独立であるという仮説，つまり $H_0 : P(A_i \cap B_j) = P(A_i)P(B_j)$, $i=1,2,3$, $j=1,2,3,4$ を従属であるという対立仮説に対して有意水準 0.05 で検定せよ．

5.7.7. ある遺伝モデルによれば，ある3項分布の確率がそれぞれ $p_1 = p^2$, $p_2 = 2p(1-p)$, $p_3 = (1-p)^2$ ただし $0 < p < 1$ となることが示唆されている．n 回の独立な試行における各頻度を X_1, X_2, X_3 とするとき，その遺伝モデルの適切さを検討するための方法を説明せよ．

5.7.8. 確率実験の結果が A_1, A_2, A_3 として互いに排反かつすべてを満たすように分類され，同じように B_1, B_2, B_3, B_4 としても互いに排反かつすべてを満たすように分類されるとする．180回の独立な試行を行い，以下のような実験結果のデータが得られた．

	B_1	B_2	B_3	B_4
A_1	$15-3k$	$15-k$	$15+k$	$15+3k$
A_2	15	15	15	15
A_3	$15+3k$	$15+k$	$15-k$	$15-3k$

ここで k は整数 $0, 1, 2, 3, 4, 5$ のうちのいずれかである．属性 A と B の独立性が有意水準 $\alpha = 0.05$ で棄却されるための最小の k の値を求めよ．

5.7.9. 次のデータはポアソン分布に適合することが示唆されている．

x	0	1	2	3	$3 < x$
頻度	20	40	16	18	6

(a) 適合度として，対応するカイ2乗統計量を計算せよ．
  ヒント：平均を計算する際には，$3 < x$ を $x = 4$ と扱いなさい．
(b) このカイ2乗統計量の自由度はいくつだろうか．
(c) このデータから，有意水準 $\alpha = 0.05$ でポアソンモデルが棄却されるだろうか．

5.8 モンテカルロ法

本節では，観測値を特定の分布や標本から生成するという考え方についての解説を行う．この方法はモンテカルロ発生 (Monte Carlo generation) とよばれることが多い．モンテカルロ発生は，複雑な過程をシミュレートして統計手法がもつ標本特性を調べるための技法として，古くから用いられてきた歴史がある．しかしモンテカルロ発生が近代統計学において重要な概念となったのは，ブートストラップ（リサンプリング）法と現代的なベイズ統計に基づく推測の分野における利用が広がった，ここ20年の間のことである．本書の後の部分においても，繰り返しこの手法は利用されることになる．

後に詳しく述べるが，モンテカルロ法において本質的に必要となるのは，一様分布から無作為に抽出された観測値を生成するような発生器である．このような装置を作成することは簡単ではない．しかし乱数発生器の開発や精度の検証に関しては，すでに相当数の研究の蓄積がなされている．

このため大部分の統計パッケージは，十分に信頼できる一様乱数の発生器を備えてい

5.8. モンテカルロ法

る．そこで本書では，これらを利用することを前提として話を進めることにする．例や練習問題では，R 言語 (Ihakla and Gentleman, 1996) によって実装された，一読すればすぐに理解できるほどの極めて単純なアルゴリズムを主に用いることになる．本書において利用されているすべてのコードは，www.stat.wmich.edu/mckean/HMC/ から無料でダウンロード可能である．また，R 以外にも S–PLUS や Maple など，乱数発生器を簡単に利用できる素晴らしい統計パッケージが存在している．

そこで，区間 $(0,1)$ であるような一様分布から一連の iid な観測値を発生させることのできる発生器が，すでに手元にあるものと考えてみよう．例えば R では，コマンド runif(10) によって，条件を満たすような 10 個の観測値を発生させることができる．このコマンドのうち，r は無作為 (random) を，unif は一様分布 (uniform) を，そして 10 は必要な観測値の数を表している．また，これ以上の引数を与えないことにより，区間 $(0,1)$ である標準一様分布からの生成が行われることになる．

離散的な分布からの観測値の生成を行う場合，一様乱数の発生器があれば十分であることが多い．例えば簡単な例として，標準的な 6 面サイコロの出目が $\{1,2\}$ という「小さい値」であれば確率変数 X の値が 1 に，それ以外の場合には $X=0$ となるような確率実験を考えてみよう．このとき X の平均値は，明らかに $\mu=1/3$ である．したがって区間 $(0,1)$ である一様分布に従う確率変数 U を利用すると，X は以下のように表すことができる．

$$X = \begin{cases} 1 & 0 < U \leq 1/3 \\ 0 & 1/3 < U < 1 \end{cases}$$

上に述べたコマンドを利用して，この確率実験からの 10 個の観測値を発生させた．結果は，以下の表に示したとおりとなった．

u_i	0.4743	0.7891	0.5550	0.9693	0.0299
x_i	0	0	0	0	1
u_i	0.8425	0.6012	0.1009	0.0545	0.4677
x_i	0	0	1	1	0

これらの観測値が，X の分布から得られた無作為標本 $X_1,\ldots,X_{10}$ の実現値を形成していることに注意してほしい．また 4.2 節より，$\overline{X}$ は μ の一致推定量であることがすでにわかっているが，ここでは $\overline{X}=0.3$ という結果になっている．

例 5.8.1 (π の推定). 一組の数 (U_1,U_2) が，図 5.8.1 に示すような単位正方形の中から無作為に選ばれるという確率実験を考える．このとき U_1,U_2 は，それぞれが区間 $(0,1)$ である一様分布から抽出された，iid な無作為標本となる．ここですべての点が等しく同様に選ばれることから，(U_1,U_2) が単位円の中に含まれる確率は $\pi/4$ であると見なすことができる．したがって以下のような確率変数 X を考えれば，その平均値は $\mu = \pi/4$ となる．

$$X = \begin{cases} 1 & U_1^2 + U_2^2 < 1 \\ 0 & \text{それ以外の場合} \end{cases}$$

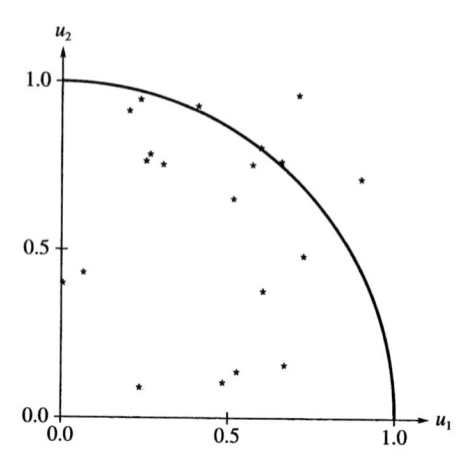

図 5.8.1 例 5.8.1 における，単位正方形と単位円の第 1 象限部分

ここで仮に，π の値が未知であるとしよう．このとき π を推定するための方法のひとつとして，上記の確率実験を独立に n 回繰り返して，X からの無作為標本 $X_1, \ldots, X_n$ を得るという方法が考えられる．なぜなら，統計量 $4\overline{X}$ は π の一致推定量となるからである．付録 B に，この実験を n 回繰り返して π の推定値を求める R のルーチン `piest` を示した．また図 5.8.1 は，実験の 20 個の実現値を表したものである．20 個の点のうち，15 個が単位円の内部にあることに注意してほしい．したがってこの場合の π の推定値は，$4(15/20) = 3.00$ となる．n を変えてプログラムを実行した結果は，以下のとおりである．

n	100	500	1000	10,000	100,000
$4\overline{x}$	3.24	3.072	3.132	3.138	3.13828
$1.96 \cdot 4\sqrt{\overline{x}(1-\overline{x})/n}$	0.308	0.148	0.102	0.032	0.010

5.4 節において導入した大標本下における信頼区間の考え方を用いれば，推定の誤差を求めることもできる．π の 95% 信頼区間は，以下のようになる．

$$\left(4\overline{X} - 1.96 \cdot 4\sqrt{\overline{X}(1-\overline{X})/n}, 4\overline{X} + 1.96 \cdot 4\sqrt{\overline{X}(1-\overline{X})/n} \right) \tag{5.8.1}$$

先に示した表のいちばん下の行が，この 95% 信頼区間の幅を示す値である．すべての場合において π の真値が信頼区間に含まれていることは，注目に値する．■

それでは，連続的な確率変数の場合にはどうだろうか．このときには，以下の定理

5.8. モンテカルロ法

を利用することができる.

定理 5.8.1.
区間 $(0,1)$ の一様分布に従う確率変数 U を考える. このとき連続的な分布関数 F によって定義される確率変数 $X = F^{-1}(U)$ は, 関数 F が表す分布に従う.

証明 一様分布の定義より, U は $u \in (0,1)$ において分布関数 $F_U(u) = u$ に従っていることがわかる. ここから $F(x)$ が狭義の単調関数であることを仮定して, 分布関数法を利用することで, X の分布関数は以下のように導かれる.

$$P[X \leq x] = P[F^{-1}(U) \leq x] = P[U \leq F(x)] = F(x)$$

よって, 定理は証明された. ■

上の証明においては, $F(x)$ が狭義の単調関数であることを仮定した. しかし練習問題 5.8.12 において示すように, この仮定は弱めることもできる.

この定理を利用することで, 様々な異なる確率変数の実現値 (観測値) を発生させることが可能になる. 例えば, (3.3.2) 式において $\theta = 1$ とした指数分布に従う確率変数 X の場合を考えてみよう. すでに一様乱数の発生器は手元にあり, これを利用して X の実現値を発生させたいとする. このとき X の分布関数は

$$F(x) = 1 - e^{-x}, \ x > 0$$

である. したがってその逆関数は

$$F^{-1}(u) = -\log(1-u), \ 0 < u < 1 \tag{5.8.2}$$

となる. よって U が区間 $(0,1)$ の一様分布に従うならば, $X = -\log(1-U)$ が指数分布に従うことになる. 例えば, 一様乱数発生器が

0.473, 0.858, 0.501, 0.676, 0.240

という一様分布に従う実現値の連なりを発生させたならば, 対応する指数分布に従う実現値は, それぞれ

0.641, 1.95, 0.696, 1.13, 0.274

となる. 練習問題において, 読者はこれ以外の分布に従うような乱数を発生させる方法を導くことを求められるだろう.

例 5.8.2 (モンテカルロ積分 (Monte Carlo integration)). 連続関数 g の, 有界な閉区間 $[a,b]$ における積分 $\int_a^b g(x)\,dx$ を求めることを考える. ここで, もし g の不定積分が存在しないならば, 数値積分を利用することが必要になる. このための簡単な数値的技法として, モンテカルロ法を利用することができる. 区間 (a,b) の一様分布に従う確率変数 X を利用することで, 積分は以下のように表すことができる.

$$\int_a^b g(x)\,dx = (b-a)\int_a^b g(x)\frac{1}{b-a}\,dx = (b-a)E[g(X)]$$

ここでモンテカルロ法を利用することで，区間 (a,b) の一様分布からサイズ n の無作為標本 $X_1,\ldots,X_n$ を発生させ，$Y_i = (b-a)g(X_i)$ を求める．これらから得られる $\overline{Y}$ は，$\int_a^b g(x)\,dx$ の一致推定量となる．∎

例 5.8.3 (モンテカルロ積分による π の推定). 数値例として，再度 π の推定について考えてみよう．例 5.8.1 において述べた実験のかわりに，ここではモンテカルロ積分の技法を利用する．$0 < x < 1$ において $g(x) = 4\sqrt{1-x^2}$ である関数 $g(x)$ を利用することで，π は以下のように表すことができる．

$$\pi = \int_0^1 g(x)\,dx = E[g(X)]$$

ただし，X は区間 $(0,1)$ の一様分布に従う確率変数である．したがって区間 $(0,1)$ の一様分布から無作為標本 $X_1,\ldots,X_n$ を発生させ，$Y_i = 4\sqrt{1-X_i^2}$ を求めればよいことがわかる．このとき $\overline{Y}$ が，π の一致推定量となる．また $\overline{Y}$ は平均値の推定であることから，例 5.8.1 の (5.8.1) 式において利用した大標本下における信頼区間の構成による誤差の推定が，ここでも利用可能であることに注意が必要である．s によって標本標準偏差を表すとするならば，

$$(\overline{y} - 1.96s/\sqrt{n},\ \overline{y} + 1.96s/\sqrt{n})$$

によって 95% 信頼区間を求められることを思い出してほしい．以下の表は，様々に標本数を変えた場合の π の推定値と信頼区間を表したものである．

n	100	1000	10,000	100,000
$\overline{y}$	3.217849	3.103322	3.135465	3.142066
$\overline{y} - 1.96(s/\sqrt{n})$	3.054664	3.046330	3.118080	3.136535
$\overline{y} + 1.96(s/\sqrt{n})$	3.381034	3.160314	3.152850	3.147597

すべての場合において，信頼区間が π の真値を含んでいることに注意してほしい．計算に用いたコードは，付録 B の `piest2` に示してある．∎

　数値積分の技法は，ここ 20 年の間に飛躍的な進歩を遂げた．しかしその単純さから，モンテカルロ積分は未だに有力な方法のひとつである．

　定理 5.8.1 から明らかなように，もし $F_X^{-1}(u)$ をクローズドフォームによって求めることができるならば，F_X という cdf からの観測値を容易に発生させることが可能である．また，この方法が利用不可能な場合に観測値の生成を行う技法も，いくつか開発されている．例えば正規分布からの乱数の発生は，定理 5.8.1 が利用できない場合の一例である．次の例では，この方法について解説を行う．また 5.8.1 項では，より多くの場合に利用可能なアルゴリズムについて議論する．

例 5.8.4 (正規分布に従う観測値の発生). 正規分布に従う乱数を発生させるために，

5.8. モンテカルロ法

Box and Muller(1958) は以下に示す方法を提案した．区間 $0 < y < 1$ の一様分布から得られた無作為標本 Y_1, Y_2 を用いて，X_1, X_2 を次のように定義する．

$$X_1 = (-2\log Y_1)^{1/2} \cos(2\pi Y_2)$$
$$X_2 = (-2\log Y_1)^{1/2} \sin(2\pi Y_2)$$

この変換は1対1対応であり，$\{(y_1, y_2) : 0 < y_1 < 1, 0 < y_2 < 1\}$ を $\{(x_1, x_2) : -\infty < x_1 < \infty, -\infty < x_2 < \infty\}$ の上に写像するものである．ただし確率が0である $x_1 = 0$，$x_2 = 0$ を含む集合は，対象とならない．このとき逆変換は

$$y_1 = \exp\left(-\frac{x_1^2 + x_2^2}{2}\right)$$
$$y_2 = \frac{1}{2\pi} \arctan \frac{x_2}{x_1}$$

となる．また，変換のヤコビアンは

$$J = \begin{vmatrix} (-x_1)\exp\left(-\dfrac{x_1^2+x_2^2}{2}\right) & (-x_2)\exp\left(-\dfrac{x_1^2+x_2^2}{2}\right) \\ \dfrac{-x_2/x_1^2}{(2\pi)(1+x_2^2/x_1^2)} & \dfrac{1/x_1}{(2\pi)(1+x_2^2/x_1^2)} \end{vmatrix}$$

$$= \frac{-(1+x_2^2/x_1^2)\exp\left(-\dfrac{x_1^2+x_2^2}{2}\right)}{(2\pi)(1+x_2^2/x_1^2)} = \frac{-\exp\left(-\dfrac{x_1^2+x_2^2}{2}\right)}{2\pi}$$

である．ここで Y_1, Y_2 の同時 pdf が $0 < y_1 < 1, 0 < y_2 < 1$ において1，それ以外では0，であることから，X_1, X_2 の同時 pdf は

$$\frac{\exp\{-(x_1^2 + x_2^2)/2\}}{2\pi}, \quad -\infty < x_1 < \infty, \quad -\infty < x_2 < \infty$$

と導かれる．これはすなわち，X_1 と X_2 が統計的に独立な標準正規分布に従う確率変数であることを意味している．最も広く用いられている正規乱数発生器のひとつは，以上のアルゴリズムの変形である Marsaglia and Bray(1964) アルゴリズムとよばれるものを利用している．詳しくは練習問題 5.8.20 を参照せよ．■

3.4.1項において論じた混入正規分布からの観測値も，正規乱数および一様乱数の発生器を利用すれば，非常に簡単に生成することが可能になる．そこで本節の最後の話題として，母集団の分布がこの混入正規分布であった場合の t 検定の有意水準を，モンテカルロ法によって推定するという問題を取り上げる．

例 5.8.5. 平均が μ であるような確率変数 X があるとき，以下のような仮説を考える．

$$H_0 : \mu = 0, \quad H_1 : \mu > 0 \tag{5.8.3}$$

もし X の分布から得られたサイズ $n = 20$ の標本によって検定を行おうとするならば，次のような棄却規則によって t 検定を行えばよい．

もし $t > t_{0.05,19} = 1.729$ であるならば,

$H_0 : \mu = 0$ を棄却し,$H_1 : \mu > 0$ を採択する (5.8.4)

ただし $t = \overline{x}/(s/\sqrt{20})$ であり,$\overline{x}$ と s は,それぞれ標本平均と標本標準偏差を表している.X が正規分布に従っているならば,この検定の有意水準は 0.05 である.しかし,X が正規分布に従っていない場合はどうだろうか.例えば,X が (3.4.14) 式において $\epsilon = 0.25$,$\sigma_c = 25$ とおいた,混入正規分布に従っている場合について考えてみよう.これはすなわち,観測値のうち 75% は標準正規分布から,25% は平均 0,標準偏差 25 の正規分布から生成されることを意味している.したがって X の平均は 0 であるから,H_0 は真である.しかし検定の正確な有意水準を求めるためには,かなり複雑な手続きが必要となる.なぜなら,X が混入正規分布である場合の t の分布を求めなければならないからである.そこで代替案として,シミュレーションによって有意水準 (および,その推定誤差) を求めることにする.シミュレーションの回数を N によって表す.以下のアルゴリズムが,シミュレーションの手続きを表したものである.

1. $k=1, I=0$ とおく.
2. X の分布からサイズ 20 の無作為標本を抽出する過程をシミュレートする.
3. 得られた標本から t 統計量を計算する.
4. $t > 1.729$ であるならば,I を 1 増やす.
5. $k=N$ であるならば,手順 6 へ進む.そうでなければ k を 1 増やし,手順 2 に戻る.
6. $\widehat{\alpha} = I/N$ を計算する.また,近似的な誤差を $1.96\sqrt{\widehat{\alpha}(1-\widehat{\alpha})/N}$ によって求める.

この $\widehat{\alpha}$ が,シミュレーションによって求められた α の推定値であり,α の信頼区間の半分の幅が,推定の誤差を表す指標となる.

付録 B に示したルーチン empalphacn が,R あるいは S–PLUS のコードによってこのアルゴリズムを実装したものである.$N = 10{,}000$ としてプログラムを実行したときの結果を以下に示す.

シミュレーション回数	実験によって得られた $\widehat{\alpha}$	誤差	α の 95%信頼区間
10,000	0.0412	0.0039	(0.0373, 0.0451)

この結果から,標本が今回のような混入正規分布から得られている場合,t 検定は若干だが保守的に判断を行うことがわかる.■

5.8.1 受容–棄却生成アルゴリズム

ここでは,cdf の逆関数をクローズドフォームによって求めることができないような確率変数をシミュレートするために頻繁に用いられる,受容–棄却 (accept–reject) 手続きについての解説を行う.まず,pdf $f(x)$ に従う連続的な確率変数 X を考える.以下では,この pdf を目標 (target) pdf とよぶ.次に,比較的簡単に観測値を生成す

5.8. モンテカルロ法

ることが可能な確率変数 Y の存在を仮定し,その pdf である $g(x)$ がある定数 M のもとで

$$f(x) \leq Mg(x), \quad -\infty < x < \infty \tag{5.8.5}$$

を満たすものとする.この $g(x)$ を,道具 (instrumental) pdf とよぶ.わかりやすさのために,以下に受容–棄却の過程をアルゴリズムとして表記する.

アルゴリズム 5.8.1 (受容–棄却アルゴリズム). $f(x)$ によって,ある pdf を表すものとする.また,$g(y)$ という pdf に従う確率変数を Y とする.ここで区間 $(0,1)$ の一様分布に従う確率変数 U を考え,Y と U が独立であり,しかも (5.8.5) 式を満たしていることを仮定する.このとき以下のアルゴリズムによって,pdf $f(x)$ に従う確率変数 X を発生させることができる.

1. Y と U を発生させる.
2. もし $U \leq f(Y)/Mg(Y)$ であるならば,$X = Y$ と採択する.そうでないならば,手順 1 に戻る.
3. X の pdf が $f(x)$ となる.

このアルゴリズムが正しいことを示す証明は,以下のとおりである.まず,$-\infty < x < \infty$ と仮定する.すると,

$$P[X \leq x] = P\left[Y \leq x \mid U \leq \frac{f(Y)}{Mg(Y)}\right] = \frac{P[Y \leq x, U \leq f(Y)/Mg(Y)]}{P[U \leq f(Y)/Mg(Y)]}$$

$$= \frac{\int_{-\infty}^{x} \left[\int_0^{f(y)/Mg(y)} du\right] g(y) dy}{\int_{-\infty}^{\infty} \left[\int_0^{f(y)/Mg(y)} du\right] g(y) dy}$$

$$= \frac{\int_{-\infty}^{x} \frac{f(y)}{Mg(y)} g(y) dy}{\int_{-\infty}^{\infty} \frac{f(y)}{Mg(y)} g(y) dy} \tag{5.8.6}$$

$$= \int_{-\infty}^{x} f(y) \, dy \tag{5.8.7}$$

となる.この式の両辺を微分すれば,X の pdf が $f(x)$ であることがわかる. ∎

練習問題 5.8.13 において示されるように,証明中の (5.8.6) 式から,pdf $f(x)$ および $g(x)$ に含まれる規格化定数 (normalizing constant) を無視することが可能になる.例えば $f(x) = kh(x)$, $g(x) = ct(x)$ である,すなわち規格化定数がそれぞれ c, k である場合には,

$$h(x) \leq M_2 t(x), \quad -\infty < x < \infty \tag{5.8.8}$$

という条件を用い,さらにアルゴリズム中の手順 2 における比率を $U \leq h(Y)/M_2 t(Y)$ と変更すればよい.これにより多くの場合に,受容–棄却アルゴリズムを用いることが簡単になる.

受容-棄却アルゴリズムの例として，$\Gamma(\alpha,\beta)$ からの発生をシミュレートする場合を考えてみよう．例えば Kennedy and Gentle(1980) などに示されているように，ガンマ分布に従う変数を発生させる方法は，いくつか提案されている．ここで紹介するのは，Robert and Casella(1999) において議論されているアプローチである．まず，確率変数 X が $\Gamma(\alpha,1)$ に従っているならば，確率変数 βX が $\Gamma(\alpha,\beta)$ に従うことを思い出してほしい．よって一般性を損なうことなく，$\beta=1$ を仮定することができる．加えて α が整数であるならば，定理 3.3.2 より iid に $\Gamma(1,1)$ に従う確率変数 Y_i を用いて，$X=\sum_{i=1}^{\alpha}Y_i$ と表すことができる．この場合には，(5.8.2) 式のようにして Y_i の cdf の逆関数をクローズドフォームで表すことができるため，簡単に X を発生させることができる．よって問題となるのは，α が整数ではない場合のみである．

そこで，X は α が整数ではないようなガンマ分布 $\Gamma(\alpha,1)$ に従うものとする．ここで $\Gamma([\alpha],1/b)$ に従う確率変数 Y を考える．ただし後に，$b<1$ という条件が課されることになる．また通常，$[\alpha]$ は α 以下の最大の整数を表す記号として用いられる．(5.8.8) 式のような規則を決定するために，それぞれ x,y の pdf に比例するような値 $h(x),t(x)$ の比率を考えると，

$$\frac{h(x)}{t(x)}=b^{-[\alpha]}x^{\alpha-[\alpha]}e^{-(1-b)x} \tag{5.8.9}$$

となり，規格化定数の一部を無視することができる．次に，定数 b を決定する．

練習問題 5.8.14 において示されるように，(5.8.9) 式の導関数は

$$\frac{d}{dx}b^{-[\alpha]}x^{\alpha-[\alpha]}e^{-(1-b)x}=b^{-[\alpha]}e^{-(1-b)x}[(\alpha-[\alpha])-x(1-b)]x^{\alpha-[\alpha]-1} \tag{5.8.10}$$

であり，これは $x=(\alpha-[\alpha])/(1-b)$ において極大値をとる．したがって $h(x)/t(x)$ の最大値は，

$$\frac{h(x)}{t(x)}\leq b^{-[\alpha]}\left[\frac{\alpha-[\alpha]}{(1-b)e}\right]^{\alpha-[\alpha]} \tag{5.8.11}$$

であることが導かれる．それでは，b の決定を行おう．練習問題 5.8.15 に示されるとおり，

$$\frac{d}{db}b^{-[\alpha]}(1-b)^{[\alpha]-\alpha}=-b^{-[\alpha]}(1-b)^{[\alpha]-\alpha}\left[\frac{[\alpha]-\alpha b}{b(1-b)}\right] \tag{5.8.12}$$

であり，この導関数は $b=[\alpha]/\alpha<1$ において極値をとる．練習問題 5.8.15 より，b がこの値である場合に，(5.8.11) 式の右辺の値は最小になることがわかる．したがって $b=[\alpha]/\alpha<1$ とおいても (5.8.11) 式は成立し，なおかつ不等式は最も厳しい条件となる．よって最終的な M の値は，$b=[\alpha]/\alpha<1$ とした場合の (5.8.11) 式右辺の値である．

次の例は，正規乱数を発生させる場合の道具 pdf としてコーシー確率変数の pdf を用いることで，より簡単な導出が可能になることを示している．

5.8. モンテカルロ法

例 5.8.6. $\phi(x) = (2\pi)^{-1/2} \exp\{-x^2/2\}$ という pdf に従う正規確率変数 X, および $g(x) = \pi^{-1}(1+x^2)^{-1}$ という pdf に従うコーシー確率変数 Y を考える. 練習問題 5.8.8 において示されるように, コーシー分布は cdf の逆関数が既知であるために, 乱数の発生が行いやすい. 規格化定数を無視することで, 採択と棄却の境界となる比率は以下のように導かれる.

$$\frac{f(x)}{g(x)} \propto (1+x^2) \exp\{-x^2/2\}, \quad -\infty < x < \infty \tag{5.8.13}$$

練習問題 5.8.16 より, この比率の導関数は $-x \exp\{-x^2/2\}(x^2-1)$ であり, ± 1 において極値をとることがわかる. これらの点において (5.8.13) 式は値が最大となるので,

$$(1+x^2) \exp\{-x^2/2\} \leq 2 \exp\{-1/2\} = 1.213$$

より, $M = 1.213$ である. ∎

アルゴリズム 5.8.1 の証明から導かれる結果のひとつに, 採択確率は M^{-1} となるということがあげられる. これは証明のうち, (5.8.6) 式の分母から直ちに明らかである. しかしこの性質が成り立つのは, pdf の尺度が適切に調整されている場合に限られることに注意が必要である. 先ほどの例の場合ならば, 適切な尺度に設定された pdf の比率の最大値は

$$\frac{\pi}{\sqrt{2\pi}} 2 \exp\left\{-\frac{1}{2}\right\} = 1.52$$

である. よって $1/M = 1.52^{-1} = 0.66$ であるから, アルゴリズムにおいて値が採択される確率は 0.66 となる.

練習問題

5.8.1. $\log 2$ の値を, 区間 $(0,1)$ の一様分布に従う乱数発生器を利用して推測せよ. また推定誤差を, 大標本下における 95%信頼区間の観点から求めよ. もし R を利用可能であるならば推定と誤差の計算を行う R のコードを書き, 10,000 回のシミュレーションを行って, 結果を真値と比較せよ.
ヒント: $\log 2 = \int_0^1 \frac{1}{x+1} dx$ であることに注意せよ.

5.8.2. 練習問題 5.8.1 と同様のことを, $\int_0^{1.96} \frac{1}{\sqrt{2\pi}} \exp\left\{-\frac{1}{2}t^2\right\} dt$ に対して行え.

5.8.3. X は $b > 0$ において pdf $f_X(x) = b^{-1} f((x-a)/b)$ に従う確率変数であるとする. ここで $f(z)$ からの観測値の発生が可能である場合に, $f_X(x)$ から観測値を発生させる方法を説明せよ.

5.8.4. (5.2.8) 式に示されたロジスティック pdf から無作為に観測値を発生させる方法を求めよ. また R が利用可能である場合には, ロジスティック分布からの観測値の抽出を行う関数を実装せよ.

5.8.5. 以下の pdf からの観測値の発生を行う方法を求めよ．

$$f(x) = \begin{cases} 4x^3 & 0 < x < 1 \\ 0 & \text{それ以外の場合} \end{cases}$$

また R が利用できる場合には，この発生を行うプログラムを作成せよ．

5.8.6. (5.2.9) 式のラプラス pdf からの観測値を発生させる方法を求めよ．また R が利用可能である場合には，ラプラス分布からの観測値の抽出を行う関数を実装せよ．

5.8.7. 以下の式によって表される極値 pdf からの観測値の発生を行う方法を求めよ．

$$f(x) = \exp\{x - e^x\}, \quad -\infty < x < \infty \tag{5.8.14}$$

また R が利用可能である場合には，極値分布からの観測値の抽出を行う関数を実装せよ．

5.8.8. 以下の式によって表されるコーシー分布の pdf から観測値の発生を行う方法を求めよ．

$$f(x) = \frac{1}{\pi(1+x^2)}, \quad -\infty < x < \infty \tag{5.8.15}$$

また R が利用可能である場合には，コーシー分布からの観測値の抽出を行う関数を実装せよ．

5.8.9. 以下に示す pdf に従うワイブル分布は，製品の寿命をモデル化する際によく用いられる．

$$f(x) = \begin{cases} \dfrac{1}{\theta^3} 3x^2 e^{-x^3/\theta^3} & 0 < x < \infty \\ 0 & \text{それ以外の場合} \end{cases}$$

この分布からの観測値の発生を行う方法を求めよ．また R が利用可能である場合には，ワイブル分布からの観測値の抽出を行う関数を実装せよ．

5.8.10. 例 5.8.5 で行った，(5.8.3) 式の仮説検定について考える．例において考えたのと同様の混入正規分布のもとで，$\mu = 0.5$ という帰無仮説に対して (5.8.4) 式のような検定力を求めるためのアルゴリズムを求めよ．また R が利用可能であるならば，関数 `empalphacn(N)` を書き換えて，検定力とその推定誤差をシミュレートできるようにせよ．

5.8.11. 練習問題 5.8.10 において，分布が (5.2.8) 式に示されたロジスティック分布であると考えた場合の，仮説 $\mu = 0.5$ に対する (5.8.4) 式のような検定の有意水準と検定力をシミュレートするためのアルゴリズムを求めよ．

5.8.12. 定理 5.8.1 の証明において，cdf がその台において狭義の単調増加関数であることを仮定した．しかしここでは，cdf $F(x)$ が狭義の単調増加関数ではないような

5.8. モンテカルロ法

確率変数 X を考える．また $F(x)$ の逆関数を，区間 $(0,1)$ の一様分布に従う確率変数 U を利用して，以下のように定義する．

$$F^{-1}(u) = \inf\{x : F(x) \geq u\}, \quad 0 < u < 1$$

このとき，確率変数 $F^{-1}(U)$ が cdf $F(x)$ に従うことを証明せよ．

5.8.13. アルゴリズム 5.8.1 における証明の最後の部分から導き出された，受容–棄却アルゴリズムにおいて規格化定数が不要になるという議論が正しいことを示せ．

5.8.14. (5.8.10) 式に示された導関数が正しいことを確認せよ．また，(5.8.9) 式の関数が極値 $x = (\alpha - [\alpha])/(1-b)$ において最大値をとることを示せ．

5.8.15. (5.8.12) 式を導け．また，(5.8.11) 式右辺の関数が，極値 $b = [\alpha]/\alpha < 1$ において最小値をとることを示せ．

5.8.16. (5.8.13) 式に示された比率の導関数が $-x\exp\{-x^2/2\}(x^2 - 1)$ であり，その極値が ± 1 であることを確認せよ．また，この極値において (5.8.13) 式が最大値をとることを確認せよ．

5.8.17. 以下のような pdf を考える．ただし，$\beta > 1$ とする．

$$f(x) = \begin{cases} \beta x^{\beta-1} & 0 < x < 1 \\ 0 & それ以外の場合 \end{cases}$$

(a) 定理 5.8.1 を用いて，この pdf からの観測値を生成せよ．
(b) 受容–棄却アルゴリズムを用いて，この pdf からの観測値を生成せよ．

5.8.18. 例 5.8.6 と同様に受容–棄却アルゴリズムを用いて，コーシー分布を利用した自由度 $r > 1$ の t 分布からの観測値の発生を行う方法を求めよ．

5.8.19. $\alpha > 0, \beta > 0$ である場合に，以下のような受容–棄却アルゴリズムを考える．
(1) 区間 $(0,1)$ の一様分布に従う，iid な確率変数 U_1, U_2 を発生させる．また，$V_1 = U_1^{1/\alpha}$, $V_2 = U_2^{1/\beta}$ とおく．
(2) $W = V_1 + V_2$ とし，$W \leq 1$ ならば $X = V_1/W$ とおく．そうでない場合は手順 (1) に戻る．
(3) X を結果として得る．
このとき X は (3.3.5) 式において示されたような，母数 α, β をもつベータ分布であることを示せ．また，Kennedy and Gentle(1980) も参照せよ．

5.8.20. 以下のようなアルゴリズムを考える．
(1) それぞれ独立に区間 $(-1,1)$ の一様分布に従うような確率変数 U, V を発生させる．
(2) $W = U^2 + V^2$ とする．

(3) $W>1$ であるならば，手順 (1) に戻る．
(4) $Z=\sqrt{(-2\log W)/W}$ と置き，$X_1=UZ$ および $X_2=VZ$ とする．
このとき確率変数 X_1, X_2 は，標準正規分布 $N(0,1)$ に従う iid な確率変数となることを示せ．このアルゴリズムは Marsaglia and Bray(1964) によって提案されたものである．

5.9 ブートストラップ法

　前節のモンテカルロ法の導入では，その応用例がいくつか示されたのみであった．しかし，近年，この手法は統計的推測においてますます利用されるようになっている．本節では，モンテカルロ法のひとつであるブートストラップ (bootstrap) 法を論じる．ただし，ここでは，1 標本ならびに 2 標本問題に対する信頼区間と検定に焦点を当てて議論する．

5.9.1 パーセンタイルブートストラップ信頼区間

　X を連続型の確率変数とし，その pdf を $\theta\in\Omega$ において $f(x;\theta)$ とする．$\mathbf{X}=(X_1, X_2, \ldots, X_n)$ を X の無作為標本とすると，$\widehat{\theta}=\widehat{\theta}(\mathbf{X})$ は θ の点推定量である．$\mathbf{X}$ というベクトル表記は，本節において有用である．5.4 節では，ある特定の状況での θ の信頼区間を求める問題が議論された．一方，本節ではパーセンタイルブートストラップ (percentile-bootstrap) 法とよばれる一般的な手法を論じる．これは，リサンプリング法の一種である．この種の手法の優れた解説は，Efron and Tibshirani (1993) や Davison and Hinkley (1997) などにみられる．

　手法の具体的な説明のために，ここでは $\widehat{\theta}$ が分布 $N(\theta, \sigma_{\widehat{\theta}}^2)$ に従っているとしよう．このとき，5.4 節でみたように，θ に対する $(1-\alpha)100\%$ 信頼区間は，$(\widehat{\theta}_L, \widehat{\theta}_U)$ である．ここで，

$$\widehat{\theta}_L = \widehat{\theta} - z^{(1-\alpha/2)}\sigma_{\widehat{\theta}}, \quad \widehat{\theta}_U = \widehat{\theta} - z^{(\alpha/2)}\sigma_{\widehat{\theta}} \qquad (5.9.1)$$

であり，$z^{(\gamma)}$ は標準正規確率変数の第 $\gamma 100$ パーセンタイルを表している．つまり，Φ を $N(0,1)$ に従う確率変数の cdf とすると $z^{(\gamma)}=\Phi^{-1}(\gamma)$ である (練習問題 5.9.4 も参照せよ)．ここでは，限界値に対する通常の添字表記との混同を避けるため，上付き添字を用いた．

　いま，$\widehat{\theta}$ と $\sigma_{\widehat{\theta}}$ を標本から導かれた実現値とし，$\widehat{\theta}_L$ と $\widehat{\theta}_U$ が算出されたとしよう．仮に $\widehat{\theta}^*$ を分布 $N(\widehat{\theta}, \sigma_{\widehat{\theta}}^2)$ に従う確率変数とすれば，(5.9.1) 式から

$$P(\widehat{\theta}^* \leq \widehat{\theta}_L) = P\left(\frac{\widehat{\theta}^* - \widehat{\theta}}{\sigma_{\widehat{\theta}}} \leq -z^{(1-\alpha/2)}\right) = \alpha/2 \qquad (5.9.2)$$

である．同様に，$P(\widehat{\theta}^* \leq \widehat{\theta}_U) = 1-(\alpha/2)$ となる．したがって，$\widehat{\theta}_L$ と $\widehat{\theta}_U$ は，$\widehat{\theta}^*$ の分布における $\frac{\alpha}{2}100$ パーセンタイルと $(1-\frac{\alpha}{2})100$ パーセンタイルである．つまり，分布

5.9. ブートストラップ法

$N(\widehat{\theta}, \sigma_{\widehat{\theta}}^2)$ のパーセンタイル点は θ に対する $(1-\alpha)100\%$ 信頼区間を構成する.

ここで, 議論を先に進める前に, 正規性の仮定は本質的なものではないことを示そう. H を $\widehat{\theta}$ の cdf とし, H が θ に依存しているとする. このとき, 定理 5.8.1 を用いて $\widehat{\phi} = m(\widehat{\theta})$ の分布が $N(\phi, \sigma_c^2)$ であるような増加変換 $\phi = m(\theta)$ を見つけることができる. ここで, $\phi = m(\theta)$ であり, σ_c^2 は分散である. 例えば, $F_c(x)$ を分布 $N(\phi, \sigma_c^2)$ の cdf として, 変換を $m(\theta) = F_c^{-1}(H(\theta))$ と定義すると, 上述の議論と同様に, $(\widehat{\phi} - z^{(1-\alpha/2)}\sigma_c, \widehat{\phi} - z^{(\alpha/2)}\sigma_c)$ は ϕ に対する $(1-\alpha)100\%$ 信頼区間である. 一方,

$$1-\alpha = P\left[\widehat{\phi} - z^{(1-\alpha/2)}\sigma_c < \phi < \widehat{\phi} - z^{(\alpha/2)}\sigma_c\right]$$
$$= P\left[m^{-1}(\widehat{\phi} - z^{(1-\alpha/2)}\sigma_c) < \theta < m^{-1}(\widehat{\phi} - z^{(\alpha/2)}\sigma_c)\right] \quad (5.9.3)$$

であるから, $(m^{-1}(\widehat{\phi} - z^{(1-\alpha/2)}\sigma_c), m^{-1}(\widehat{\phi} - z^{(\alpha/2)}\sigma_c))$ は θ に対する $(1-\alpha)100\%$ 信頼区間である. いま, $\widehat{H}$ を θ に実現値 $\widehat{\theta}$ を代入した H とする. つまり, 先述の $N(\widehat{\theta}, \sigma_{\widehat{\theta}}^2)$ に類似したものである. $\widehat{\theta}^*$ を $\widehat{H}$ に従う確率変数とし, $\widehat{\phi} = m(\widehat{\theta})$, かつ $\widehat{\phi}^* = m(\widehat{\theta}^*)$ とする. このとき, (5.9.2) 式と同様に

$$P\left[\widehat{\theta}^* \leq m^{-1}(\widehat{\phi} - z^{(1-\alpha/2)}\sigma_c)\right] = P\left[\widehat{\phi}^* \leq \widehat{\phi} - z^{(1-\alpha/2)}\sigma_c\right]$$
$$= P\left[\frac{\widehat{\phi}^* - \widehat{\phi}}{\sigma_c} \leq -z^{(1-\alpha/2)}\right] = \alpha/2$$

となる. したがって, $m^{-1}(\widehat{\phi} - z^{(1-\alpha/2)}\sigma_c)$ は, $\widehat{H}$ の $\frac{\alpha}{2}100$ パーセンタイルである. 同様に, $m^{-1}(\widehat{\phi} - z^{(\alpha/2)}\sigma_c)$ は, $\widehat{H}$ の $(1-\frac{\alpha}{2})100$ パーセンタイルである. 以上から, 一般的な場合でも, 分布 $\widehat{H}$ のパーセンタイル点は θ に対する信頼区間を構成する.

実際の場面では, 当然のことながら $\widehat{H}$ は未知である. したがって, (5.9.3) 式によって定義された上述の信頼区間を構成することはできない. しかし, 仮に無限の標本 $\mathbf{X}_1, \mathbf{X}_2, \ldots$ が得られ, それぞれの標本 $\mathbf{X}^*$ に対して $\widehat{\theta}^* = \widehat{\theta}(\mathbf{X}^*)$ が計算できるとするならば, これらの推定値 $\widehat{\theta}^*$ のヒストグラムを得ることができる. このヒストグラムのパーセンタイル点は, (5.9.3) 式の信頼区間を構成する. 実際の標本は1つしかないので, これは不可能であるが, この考え方こそ, ブートストラップ法の背景を成すものである.

ブートストラップ法は, 1つの標本によって定義される経験分布から, 標本を単に再抽出する手法である. 抽出は無作為に復元を認めて行われ, リサンプリングされたすべての標本のサイズは元の標本と同じ n である. つまり, $\mathbf{x}^{*\prime} = (x_1, x_2, \ldots, x_n)$ を標本の実現値が表されたものと考えるのである. $\widehat{F}_n$ を標本の経験分布関数とする. $\widehat{F}_n$ は各点 x_i に確率度数 n^{-1} を与える離散的な cdf であり, $F(x)$ の推定量でもあることを考慮すれば, ブートストラップ標本は, $\widehat{F}_n$ から抽出された無作為標本, 例えば $\mathbf{x}^{*\prime} = (x_1^*, x_2^*, \ldots, x_n^*)$, である. 練習問題 5.9.1 が示すように, $E(x_i^*) = \overline{x}$ であり, $V(x_i^*) = n^{-1}\sum_{i=1}^{n}(x_i - \overline{x})^2$ である. 一見すると, 標本から標本を再抽出するというこの方法

が成功するとは思われない．しかし，標本抽出における散らばりの程度に関する情報は，標本それ自体の中にしか存在しないのであり，標本をリサンプリングすることによって，この散らばりの度合いがシミュレーションされるのである．

ブートストラップ信頼区間を構成するアルゴリズムは以下のとおりである．議論を明瞭にするため，Rなどのプログラム言語に容易に実装できる形式的なアルゴリズムを示す．$\mathbf{x}' = (x_1, x_2, \ldots, x_n)$ を $\theta \in \Omega$ として $F(x; \theta)$ と表される cdf からの無作為標本の実現値とし，$\hat{\theta}$ を θ の点推定量とする．整数 B によってブートストラップの反復回数，つまりリサンプリングの回数，を表す．実践場面では，B はしばしば 3000，あるいはそれ以上とされる．

1. $j = 1$ とする．
2. $j \leq B$ である間は，手順 (2)~(5) を反復する．
3. $\mathbf{x}_j^*$ を $\mathbf{x}$ から抽出されたサイズ n の無作為標本とする．つまり，観測値 $\mathbf{x}_j^*$ は $x_1, x_2, \ldots, x_n$ から無作為に復元抽出される．
4. $\hat{\theta}_j^* = \hat{\theta}(\mathbf{x}_j^*)$ とする．
5. j を $j + 1$ と更新する．
6. $\hat{\theta}_{(1)}^* \leq \hat{\theta}_{(2)}^* \leq \cdots \leq \hat{\theta}_{(B)}^*$ によって $\hat{\theta}_1^*, \hat{\theta}_2^*, \ldots, \hat{\theta}_B^*$ の順序統計量を表す．$[\cdot]$ を最大の整数を返す関数とし，$m = [(\alpha/2)B]$ とする．以下の区間を構成する．

$$(\hat{\theta}_{(m)}^*, \hat{\theta}_{(B+1-m)}^*) \tag{5.9.4}$$

つまり，$\hat{\theta}_1^*, \hat{\theta}_2^*, \ldots, \hat{\theta}_B^*$ のサンプリング分布の $\frac{\alpha}{2}100\%$ と $(1 - \frac{\alpha}{2})100\%$ パーセンタイル点を得る．

(5.9.4) 式の区間は θ に対するパーセンタイルブートストラップ信頼区間 (percentile bootstrap confidence interval) とよばれる．

手順の 6 で，添字にカッコを付ける表記は順序統計量の記法として一般的であり，本節でも便利な表し方である．

例 5.9.1. この例では，既知の分布から標本抽出を行うが，実際には，分布は未知であることが普通である．$X_1, X_2, \ldots, X_n$ を分布 $\Gamma(1, \beta)$ からの無作為標本とする．この分布の平均は β であるから，標本平均 $\overline{X}$ は β の不偏推定量である．本例では，$\overline{X}$ を β の点推定量として用いる．次の 20 個のデータ点

```
131.7  182.7   73.3   10.7  150.4   42.3   22.2   17.9  264.0  154.4
  4.3  265.6   61.9   10.8   48.8   22.5    8.8  150.6  103.0   85.9
```

は $\Gamma(1, 100)$ からのサイズ $n = 20$ の無作為標本の (丸めた) 実現値である．この標本に対する $\overline{X}$ は $\overline{x} = 90.59$ であり，β の点推定値である．説明のために，これらのデータのブートストラップ標本を生成した．これを順序づけた結果が

```
  4.3    4.3    4.3   10.8   10.8   10.8   10.8   17.9   22.5   42.3
 48.8   48.8   85.9  131.7  131.7  150.4  154.4  154.4  264.0  265.6
```

5.9. ブートストラップ法

である．練習問題 5.9.1 が示すように，一般的にブートストラップ標本の標本平均は，元の標本平均 $\bar{x}$ の不偏推定量である．このブートストラップ標本の標本平均は $\bar{x}^* = 78.725$ であった．ブートストラップ標本と上述のパーセンタイル信頼区間を生成する自作の R 関数については，付録 B の percentciboot.s を参照されたい．図 5.9.1 は，上記の標本に関する 3000 の $\bar{x}^*$ のヒストグラムである．これら 3000 個の値の標本平均は 90.13 であり，$\bar{x} = 90.59$ に近い値である．プログラムでは 90%（ブートストラップパーセンタイル）信頼区間も得られ，(61.655, 120.48) となった．読者は図 5.9.1 にそれらを描くことも可能である．区間は $\mu = 100$ を含んでいる．

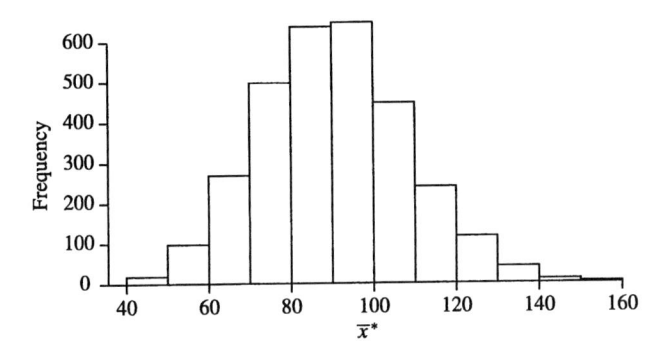

図 5.9.1 3000 回のブートストラップによる $\bar{x}^*$ のヒストグラム
ブートストラップ信頼区間は (61.655, 120.48)

練習問題 5.9.2 において示されるように，$\Gamma(1, \beta)$ から標本抽出するのであれば，区間 $(2n\bar{X}/[\chi^2]^{(1-(\alpha/2))}, 2n\bar{X}/[\chi^2]^{(\alpha/2)})$ は β の厳密な $(1-\alpha)100\%$ 信頼区間である．限界値に対する上付き添字の記法に倣って，$[\chi^2]^{(\gamma)}$ は自由度 $2n$ の χ^2 分布の $\gamma 100\%$ パーセンタイルを表すものとする．ここでの標本に対する 90% 信頼区間は (64.99, 136.69) である．■

ブートストラップ信頼区間の妥当性はどのように保証されるのだろうか．Davison and Hinkley (1997) はその第 2 章でブートストラップの理論的背景について議論している．ここでは，彼らの記法の多くを用いてその概要を簡略に述べよう．$Q_n(\mathbf{X}; F)$ と定式化された確率変数が関心の対象であるような一般的な状況を想定する．ここで，$\mathbf{X} = (X_1, X_2, \ldots, X_n)$ は $\mathrm{cdf} F(x)$ に従う分布からの無作為標本である．例えば，$Q_n(\mathbf{X}; F)$ は上記と同様に点推定量 $\widehat{\theta} = \widehat{\theta}(\mathbf{X})$ でありうるし，また，$\sqrt{n}(\bar{X} - \theta_0)$ と定義される検定統計量にもなりうる．ここでの目的は，

$$G_{F,n}(x) = P_F[Q_n(\mathbf{X}; F) \le x], \quad -\infty < x < \infty \tag{5.9.5}$$

と表される Q_n の cdf を推定することである．ここで，添字 F は，その確率が X_i の真の cdf である $F(x)$ において考慮されていることを意味している．(5.9.5) 式のブー

トストラップによる推定は

$$G_{\hat{F}_n,n}(x) = P_{\hat{F}_n}[Q_n(\mathbf{X}^*; \hat{F}_n) \leq x], \quad -\infty < x < \infty \tag{5.9.6}$$

によって与えられる．もし定式化できるのであれば，ブートストラップ法の一致性は，すべての $\epsilon > 0$ と $-\infty < x < \infty$ に対して

$$\lim_{n \to \infty} P[|G_{\hat{F}_n,n}(x) - G_{F,\infty}(x)| > \epsilon] = 0 \tag{5.9.7}$$

と導かれる．ここで，$G_{F,\infty}(x)$ は $G_{F,n}(x)$ の極限分布を表す．ここでは列挙しないが，Davison と Hinkley はこの収束を保証する3つの正則条件を提示している．この理論の正当性は 例 5.9.1 で示される．$\bar{x}^*$ は釣り鐘型をしたヒストグラムであり，中心極限定理から $\sqrt{n}(\bar{X} - \theta)$ の極限分布は正規分布である．

ブートストラップ法を改良するひとつの方法は，他の母数に依存しない分布に従うピボットとなる確率変数を用いることである．例えば，先の例で，$\bar{X}$ のかわりに $\bar{X}/\hat{\sigma}_{\bar{X}}$ を用いる．ここで，$\hat{\sigma}_{\bar{X}} = S/\sqrt{n}$ であり，$S = [\sum(X_i - \bar{X})^2/(n-1)]^{1/2}$ である．すなわち，$\bar{X}$ をその標準誤差によって調整するのである．この方法については 練習問題 5.9.5 で議論される．その他の改善方法は冒頭で引用した2冊の本で論じられている．

5.9.2 ブートストラップ仮説検定

ブートストラップ法は仮説検定においても効果的に利用することが可能である．まず，2標本問題に対する適用を論じる．これによって，検定におけるブートストラップ利用のニュアンスの多くが伝わることだろう．

2標本の位置に関する問題を考える．すなわち，$\mathbf{X}' = (X_1, X_2, \ldots, X_{n_1})$ は cdf $F(x)$ に従う確率変数であり，$\mathbf{Y}' = (Y_1, Y_2, \ldots, Y_{n_2})$ は cdf $F(x - \Delta)$ に従う確率変数である．ここで，$\Delta \in R$ である．母数 Δ は2標本間の位置のズレを表している．したがって，Δ は位置母数の差として表現することができる．特に，平均 μ_Y と μ_X の存在を仮定すると，$\Delta = \mu_Y - \mu_X$ である．ここで，

$$H_0 : \Delta = 0, \quad H_1 : \Delta > 0 \tag{5.9.8}$$

と表される片側仮説を考える．検定統計量として標本平均の差を用いる．すなわち，

$$V = \bar{Y} - \bar{X} \tag{5.9.9}$$

である．もし $V \geq c$ ならば H_0 を棄却するものとする．実際場面でしばしば行われるように，ここでも検定の p 値に基づいて判断を行う．もし標本がその実現値として $x_1, x_2, \ldots, x_{n_1}$，および $y_1, y_2, \ldots, y_{n_2}$ となり，それぞれの標本平均が $\bar{x}$，$\bar{y}$ と観測されるならば，検定の p 値は次のように表されることを想起せよ．

$$\hat{p} = P_{H_0}[V \geq \bar{y} - \bar{x}] \tag{5.9.10}$$

ここでの目的は，p 値のブートストラップ推定である．しかし，前節と異なりブートストラップは H_0 が真であるもとで実行されなければならない．これを実現する簡単

5.9. ブートストラップ法

な方法は，2つの標本を1つの大きな標本にまとめ，併合した標本からサイズ n_1(新たな x) とサイズ n_2(新たな y) の2つの標本を無作為に復元を許してリサンプリングすることである．こうすることで，リサンプリングは1つの分布のもとで行われる．つまり，H_0 が真である状況である．B を正の整数とすると，このブートストラップのアルゴリズムは，

1. 標本を1つに結合する．つまり，$\mathbf{z}' = (\mathbf{x}', \mathbf{y}')$ である．
2. $j = 1$ とする．
3. $j \leq B$ である間，手順 (3)-(6) を繰り返す．
4. $\mathbf{Z}$ からサイズ n_1 の無作為標本を復元抽出する．この標本を $\mathbf{x}^{*\prime} = (x_1^*, x_2^*, \ldots, x_{n_1}^*)$ と表す．$\overline{x}_j^*$ を計算する．
5. $\mathbf{Z}$ からサイズ n_2 の無作為標本を復元抽出する．この標本を $\mathbf{y}^{*\prime} = (y_1^*, y_2^*, \ldots, y_{n_2}^*)$ と表す．$\overline{y}_j^*$ を計算する．
6. $v_j^* = \overline{y}_j^* - \overline{x}_j^*$ を計算する．
7. 推定されたブートストラップ p 値は以下で与えられる．

$$\widehat{p}^* = \frac{\#_{j=1}^{B}\{v_j^* \geq v\}}{B} \tag{5.9.11}$$

ブートストラップ信頼区間に対する理論は，この検定の状況においても当てはまることに注意せよ．また，特に，いま考えている状況 (有限な平均をもつ2標本の位置モデル) は正則条件を満たす．したがって，このブートストラップ p 値は妥当な (一致性のある) ものである．

例 5.9.2. 説明のため，混入正規分布から生成したデータを用いる．W を (3.4.14) 式の混入正規分布に従う確率変数とする．混入の比率は $\epsilon = 0.20$ とし，$\sigma_c = 4$ とする．この分布から 30 の独立なオブザベーション $W_1, W_2, \ldots, W_{30}$ が生成された．このとき，$1 \leq i \leq 15$ に対して $X_i = 10W_i + 100$ とし，$1 \leq i \leq 15$ に対して $Y_i = 10W_{i+15} + 120$ とする．したがって，真のズレを表す母数は $\Delta = 20$ である．実際の (丸められた) データは

			X の標本				
94.2	111.3	90.0	99.7	116.8	92.2	166.0	95.7
109.3	106.0	111.7	111.9	111.6	146.4	103.9	
			Y の標本				
125.5	107.1	67.9	98.2	128.6	123.5	116.5	143.2
120.3	118.6	105.0	111.8	129.3	130.8	139.8	

である．下に示した箱ひげ図の比較に基づくと，2つのデータの尺度は同じであることがみてとれる．一方，標本 y (Sample 2) は標本 x (Sample 1) の右側にズレていることがわかる．また，データには3つの外れ値がある．

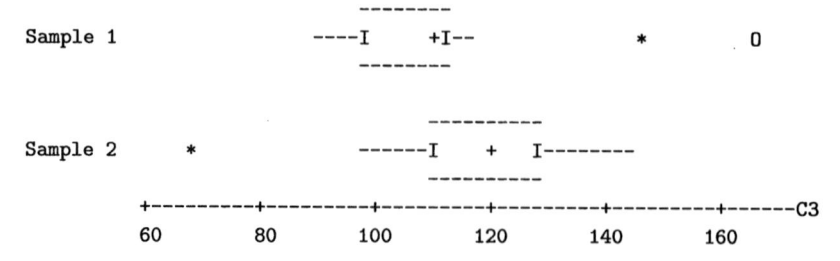

```
Sample 1                    ----I    +I--          *       O
                            ----------
                            
                            ----------
Sample 2        *           ------I   +   I--------
                            ----------
             +---------+---------+---------+---------+---------+------C3
             60        80        100       120       140       160
```

これらのデータの検定統計量は $v = \bar{y} - \bar{x} = 117.74 - 111.11 = 6.63$ である．付録Bの **boottesttwo.s** に示したRのプログラムにより計算を行い，ブートストラップの反復回数を $B = 3000$ とした上述のブートストラップのアルゴリズムを実行した．ブートストラップによる p 値 は $\hat{p}^* = 0.169$ であった．このことはブートストラップ検定統計量の $(0.169)(3000) = 507$ が検定統計量の値より大きいことを意味している．付け加えるならば，これらのブートストラップによる値は H_0 のもとで生成されたものである．応用場面では，一般的にこれほど高い p 値に対して H_0 が棄却されることはないだろう．図5.9.2に，得られたブートストラップ検定統計量の3000個の値のヒストグラムを示した．検定統計量の値6.63の右側の相対領域は，ほぼ $\hat{p}^*$ に等しい．

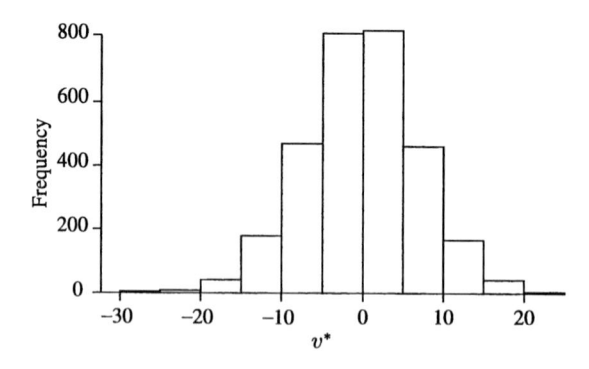

図 **5.9.2**　3000個のブートストラップ標本による v^* のヒストグラム．検定統計量の値 $v = \bar{y} - \bar{x} = 6.63$ を水平軸上に示すと，その（全体の領域に比例した）右側の領域はブートストラップ検定の p 値である．

例5.6.2で議論した，これらの仮説を検定する2つの標本の「プーリングされた」t 検定を比較のために用いた．練習問題5.9.7で得られるように，これらのデータに対して $t = 0.93$ であり，p 値は0.18である．これは，ブートストラップ p 値に極めて近い．■

上述の検定では，標本平均の差を検定統計量として用いている．むろん他の検定統

5.9. ブートストラップ法

計量を用いることも可能である.練習問題 5.9.6 では,標本中央値の差に基づくブートストラップ検定を行う.しばしば,信頼区間でそうであるように,尺度推定量によって検定統計量を標準化すると,ブートストラップ検定が改善されることがある.

2 標本問題について論じられた上記のブートストラップ検定は,並べかえ検定と類似している.並べかえ検定での検定統計量は,併合したデータから非復元抽出された x と y のすべての可能な標本から算出される.それは,しばしばモンテカルロ法によって近似的に実行される.その場合,この方法とブートストラップ検定は,ブートストラップ検定において標本が復元抽出されることを除き,非常に似通ったものとなる.練習問題 5.9.9 を参照せよ.通常,並べかえ検定とブートストラップ検定は同様の解となる.詳細は Efron and Tibshirani (1993) を参照されたい.

次に取り上げる検定の状況として,1 標本の位置に関する問題を考えよう.いま,$X_1, X_2, \ldots, X_n$ は,連続型の cdf である $F(x)$ からの,有限の平均 μ をもつ無作為標本である.μ_0 を特定の値として,次の仮説

$$H_0 : \mu = \mu_0, \quad H_1 : \mu > \mu_0$$

を検定したいとする.検定統計量として $\overline{X}$ を用い,決定規則を

$\overline{X}$ が極端に大きい場合に H_1 を採択し,H_0 を棄却する.

とする.$x_1, x_2, \ldots, x_n$ を無作為標本の実現値とする.決定は検定における p 値,すなわち,

$$\widehat{p} = P_{H_0}[\overline{X} \geq \overline{x}]$$

に基づいて行われる.ここで,$\overline{x}$ は標本が抽出されたときの標本平均の実現値である.ここでのブートストラップ検定は,この p 値のブートストラップ推定値を得ることである.一見すると,統計量 $\overline{X}$ に対してブートストラップ法を適用すればよいように思えるかもしれない.しかし,留意すべきは,p 値は H_0 のもとで推定されなければならない,ということである.H_0 が真であるということを保証するひとつの方法は,ブートストラップ法の対象を $x_1, x_2, \ldots, x_n$ ではなく,次の値

$$z_i = x_i - \overline{x} + \mu_0, \quad i = 1, 2, \ldots, n \tag{5.9.12}$$

とすることである.ここでのブートストラップ法は,$z_1, z_2, \ldots, z_n$ から無作為に標本を復元抽出する.z^* をそのようにして得た観測値とすると,$E(z^*) = \mu_0$ であることを確認することは容易である.練習問題 5.9.10 を参照せよ.以上から,z_i を用いることで,ブートストラップのリサンプリングは H_0 のもとで実行されることになる.

ここで,正確さを期して,このブートストラップ検定を実行するアルゴリズムを示そう.B をある正の整数とする.

1. 位置を調整した観測値のベクトル $\mathbf{z}' = (z_1, z_2, \ldots, z_n)$ を準備する.ここで,$z_i = x_i - \overline{x} + \mu_0$ である.
2. $j = 1$ とする.

3. $j \leq B$ である間は，手順 (3)-(5) を実行する．
4. サイズ n の無作為標本を $\mathbf{z}$ から復元抽出することで得る．これを $\mathbf{z}_j^*$ とする．この標本平均 $\bar{z}_j^*$ を計算する．
5. j を $j+1$ とする．
6. 次の式によって，ブートストラップ法による p 値は推定される．

$$\widehat{p}^* = \frac{\#_{j=1}^{B}\{\bar{z}_j^* \geq \bar{x}\}}{B} \tag{5.9.13}$$

ブートストラップ信頼区間について論じた理論の妥当性は，この検定の状況においても保持される．

例 5.9.3. いま論じたブートストラップ検定の説明のために，$n=20$ の生成された観測値 $X_i = 10W_i + 100$ を考える．ここで，W_i は混入比率が 20% で $\sigma_c = 4$ である混入正規分布に従っている．次の仮説

$$H_0: \mu = 90, \quad H_1: \mu > 90$$

を検定することに関心があるとする．X_i の真の平均は 100 であるから，帰無仮説は偽である．生成されたデータは以下のとおりであった．

| 119.7 | 104.1 | 92.8 | 85.4 | 108.6 | 93.4 | 67.1 | 88.4 | 101.0 | 97.2 |
| 95.4 | 77.2 | 100.0 | 114.2 | 150.3 | 102.3 | 105.8 | 107.5 | 0.9 | 94.1 |

これらの値の標本平均は $\bar{x} = 95.27$ であり，90 を超えているが，それは有意に 90 以上ということであろうか．上述したアルゴリズムを実行する R 関数により，$z_i = x_i - 95.27 + 90$ に対してブートストラップを行った．付録 B のプログラム **boottestonemean** を参照されたい．3000 個の $\bar{z}_j^*$ が得られ，図 5.9.3 にはそのヒストグラムを示した．これら 3000 個の値の平均は 89.96 であり，90 に極めて近い．これら 3000 個の値のうち 563 個は $\bar{x} = 95.27$ より大きかった．したがって，ブートストラップ検定の p 値は 0.188 である．図 5.9.3 において，95.27 より右側の領域が全体に占める割合は，おおよそ 0.188 に等しい．通常，このような高い p 値は有意な結果を導かないので，帰無仮説は棄却されないだろう．

練習問題 5.9.11 では，比較のために，1 標本での t 検定の値が p 値で 0.20 となる $t = 0.84$ であることを示すよう求められる．中央値に基づく検定については 練習問題 5.9.12 で議論する．■

練習問題

5.9.1. $x_1, x_2, \ldots, x_n$ を無作為標本の実現値とする．ブートストラップ標本 $\mathbf{x}^{*\prime} = (x_1^*, x_2^*, \ldots, x_n^*)$ は $x_1, x_2, \ldots, x_n$ から無作為復元抽出された標本である．
(a) $x_1^*, x_2^*, \ldots, x_n^*$ は $x_1, x_2, \ldots, x_n$ の経験 cdf である $\widehat{F}_n$ という共通の cdf に従う iid であることを示せ．

5.9. ブートストラップ法

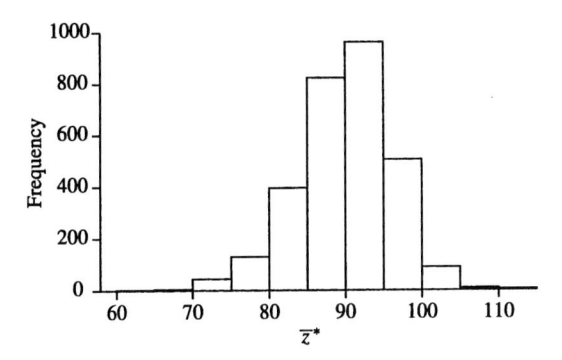

図 5.9.3 例 5.9.2 で取り上げたブートストラップ法による 3000 個の $\overline{z}^*$ のヒストグラム．ブートストラップ p 値はヒストグラムの 95.27 より右側の (全体に対する相対的な) 領域である．

(b) $E(x_i^*) = \overline{x}$ を示せ．
(c) n が奇数であるとき，median $\{x_i^*\} = x_{((n+1)/2)}$ であることを証明せよ．
(d) $V(x_i^*) = n^{-1} \sum_{i=1}^{n} (x_i - \overline{x})^2$ を示せ．

5.9.2. $X_1, X_2, \ldots, X_n$ を分布 $\Gamma(1, \beta)$ からの無作為標本とする．
(a) 信頼区間 $(2n\overline{X}/(\chi^2)^{(1-(\alpha/2))}, 2n\overline{X}/(\chi^2)^{(\alpha/2)})$ が，β に関する厳密な $(1-\alpha)100\%$ 信頼区間であることを証明せよ．
(b) 例示したデータの 90% 信頼区間が $(64.99, 136.69)$ であることを示せ．

5.9.3. 例 5.9.1 で議論した状況を想定し，標本中央値を用いて X_i の中央値を推定することとする．
(a) 分布 $\Gamma(1, \beta)$ の中央値を決定せよ．
(b) ブートストラップパーセンタイル信頼区間に対するアルゴリズムは一般的なものであるので，中央値にも利用可能である．付録 B のプログラム `percentciboot.s` に示した R のコードを書き換え，推定量を中央値とせよ．例で与えられた標本を用いて，中央値の 90% ブートストラップパーセンタイル信頼区間を求めよ．このとき，信頼区間は真の中央値を含むか．

5.9.4. $X_1, X_2, \ldots, X_n$ は分布 $N(\mu, \sigma^2)$ からの無作為標本とする．この場合，信頼区間のピボットとなる確率変数は，

$$t = \frac{\overline{X} - \mu}{S/\sqrt{n}} \tag{5.9.14}$$

である．ここで，$\overline{X}$ と S はそれぞれ標本平均と標準偏差である．定理 3.6.1 から t は自由度 $n-1$ の t 分布に従う．よって，その分布はこの正規分布の状況に対するすべての母数に依存しない．本節での記法に従えば，$t_{n-1}^{(\gamma)}$ は自由度 $n-1$ の t 分布の $\gamma 100\%$

パーセンタイルを表す。この記法を用いて μ に対する $(1-\alpha)100\%$ 信頼区間が以下であることを示せ。

$$\left(\overline{x} - t^{(1-\alpha/2)} \frac{s}{\sqrt{n}}, \overline{x} - t^{(\alpha/2)} \frac{s}{\sqrt{n}}\right) \tag{5.9.15}$$

5.9.5. ブートストラップパーセンタイル信頼区間は，推定量 $\widehat{\theta}$ が尺度の推定値によって標準化されている場合に改善されることがしばしばある。このことを説明するために，平均に対する信頼区間のブートストラップ法を考えよう。$x_1^*, x_2^*, \ldots, x_n^*$ を標本 $x_1, x_2, \ldots, x_n$ からのブートストラップ標本とする。((5.9.14) 式のように) 次のブートストラップにおけるピボット

$$t^* = \frac{\overline{x}^* - \overline{x}}{s^*/\sqrt{n}} \tag{5.9.16}$$

を考える。ここで，$\overline{x}^* = n^{-1} \sum_{i=1}^{n} x_i^*$ であり，

$$s^{*2} = (n-1)^{-1} \sum_{i=1}^{n} (x_i^* - \overline{x}^*)^2$$

である。

(a) 平均を用い，$j = 1, 2, \ldots B$ について t_j^* と修正して，ブートストラップパーセンタイル信頼区間のアルゴリズムを書き換えよ。そして，区間

$$\left(\overline{x} - t^{*(1-\alpha/2)} \frac{s}{\sqrt{n}}, \overline{x} - t^{*(\alpha/2)} \frac{s}{\sqrt{n}}\right) \tag{5.9.17}$$

を求めよ。ここで，$t^{*(\gamma)} = t^*_{([\gamma*B])}$ である。つまり，t_j^* を並べ替え，所定の分位数の値を採用したものである。

(b) 付録 B の R のプログラム `percentciboot.s` を書き換え，例 5.9.2 のデータについて，3000 個のブートストラップ反復回数により μ に対する 90% 信頼区間を求めよ。

(c) 得られた信頼区間と付録 B の `percentciboot.s` に基づいた標準化を行わないブートストラップ信頼区間を比較せよ。

5.9.6. 5.9.2 項で論じた 2 標本ブートストラップ検定のアルゴリズムを取り上げる。

(a) アルゴリズムを中央値の差に基づくブートストラップ検定に書き換えよ。

(b) 例 5.9.2 のデータを考える。付録 B の R プログラム `boottesttwo.s` の平均の差を中央値の差に置き換えて，(a) のアルゴリズムによるブートストラップ検定を行え。

(c) $B = 3000$ とした場合の読者による検定の推定 p 値と，筆者らが得た 0.063 という推定 p 値とを比較せよ。

5.9.7. 例 5.9.2 のデータを用いる。例 5.6.2 の 2 標本 t 検定によって，これらの仮説を検定することが可能である。この検定は，ここでは厳密ではなく (なぜだろうか)，

5.9. ブートストラップ法

近似的である．検定統計量の値が近似的な p 値 0.18 となる $t=0.93$ であることを示せ．

5.9.8. 例 5.9.3 の状況において，次の両側仮説を検定したいものとする．

$$H_0: \mu = 90, \quad H_1: \mu \neq 90$$

(a) この状況におけるブートストラップ p 値を決定せよ．
(b) この p 値を得るために，付録 B の R プログラム `boottestonemean` を書き換えよ．
(c) ブートストラップ反復回数を 3000 として p 値を計算せよ．

5.9.9. 仮説を (5.9.8) 式として，2 標本に対する次の並べかえ検定を考える．$\mathbf{x}' = (x_1, x_2, \ldots, x_{n_1})$ と $\mathbf{y}' = (y_1, y_2, \ldots, y_{n_2})$ を 2 つの無作為標本の実現値とする．検定統計量は標本平均の差 $\overline{y} - \overline{x}$ である．検定の推定 p 値は次のように計算される．

1. データを 1 つの標本 $\mathbf{z}' = (\mathbf{x}', \mathbf{y}')$ にまとめる．
2. $\mathbf{z}$ から非復元抽出によってサイズ n_1 のすべての可能な標本を得る．このように抽出された標本のそれぞれは，自動的にサイズ n_2 のもうひとつの標本を規定する．つまり，$\mathbf{z}$ のうち，サイズ n_1 の標本には含まれないすべての要素である．このような標本は $M = \binom{n_1+n_2}{n_1}$ 通りある．
3. このような標本 j のそれぞれに対して
   (a) サイズ n_1 の標本を $\mathbf{x}^*$ とし，サイズ n_2 の標本を $\mathbf{y}^*$ とする．
   (b) $v_j^* = \overline{y}^* - \overline{x}^*$ を計算する．
4. 推定 p 値は $\hat{p}^* = \#\{v_j^* \geq \overline{y} - \overline{x}\}/M$ となる．

(a) 各サイズが 3 であり，実現値が $\mathbf{x}' = (10, 15, 21)$ と $\mathbf{y}' = (20, 25, 30)$ である 2 標本を考える．検定統計量と上述の並べかえ検定の p 値を決定せよ．
(b) 個別の標本を無視すれば，無作為復元抽出によるリサンプリングを伴うブートストラップアルゴリズムを用いることで，並べかえ検定を近似することができる．これを実行するために，付録 B のブートストラップのプログラム `boottesttwo.s` を修正し，例 5.9.2 のデータに対して，3000 回のリサンプリングに基づいた近似的な並べかえ検定を行え．
(c) 一般に，(b) で述べた近似的な並べかえ検定において異なる標本を観測する確率はいくらか．元のデータは個別の値をとるものとする．

5.9.10. 各点 $z_i = x_i - \overline{x} + \mu_0$ において確率度数 n^{-1} をもつ離散的な分布から無作為に抽出された値を z^* とする．ここで，$(x_1, x_2, \ldots, x_n)$ は無作為標本の実現値である．$E(z^*)$ と $V(z^*)$ を決定せよ．

5.9.11. 例 5.9.3 で述べた状況に対して，1 標本の t 検定の値が $t=0.84$ であること，また，それに対応する p 値が 0.20 であることを示せ．

5.9.12. 例 5.9.3 で述べた状況に対して，中央値に基づくブートストラップ検定を行

え．このとき，以下の同じ仮説を用いよ．

$$H_0 : \mu = 90, \quad H_1 : \mu > 90$$

5.9.13. 例 5.5.1 と 5.5.5 で扱ったダーウィンのトウモロコシに関する実験を考える．

(a) この実験データに対するブートストラップ検定を行え．データは対になって記録されていることに注意せよ．したがって，リサンプリングはこの依存性を巧みに保持し，なおかつ H_0 のもとで行われるようにしなければならない．

(b) 計算機環境があるものとする．R のプログラムを書き，ブートストラップ検定を実行せよ．また，その p 値を 例 5.5.5 の値と比較せよ．

第6章　最尤法

6.1 最尤推定

　本章では，尤度法に基づく統計的推論 (推定や検定) に関して詳述する．これらの手法は，ある条件下 (正則条件) で漸近的に最適なものであることを示す．$X_1,\ldots,X_n$ は共通の pdf $f(x;\theta), \theta\in\Omega$ に従う iid な確率変数であるとする．一般的に，pmf $p(x;\theta)$ よりも pdf を用いるが，この結果は離散的な場合にもまた拡張可能である．本節では θ をスカラーと仮定するが，この結果を 6.4 節と 6.5 節でベクトルへと拡張する．母数 θ は未知である．ここで示す推定法の基礎となるのは以下によって与えられる尤度関数である．ここで，$\mathbf{x}=(x_1,\ldots,x_n)'$ である．

$$L(\theta;\mathbf{x})=\prod_{i=1}^{n}f(x_i;\theta),\ \theta\in\Omega \qquad (6.1.1)$$

本章では L を θ の関数として扱うため，尤度関数に関する議論では，x_i と θ を入れ替える．実場面では，尤度関数を時として $L(\theta)$ と表記する．実際には，この関数の対数が利用するうえで数学的な面から実用上は便利である．$\log L(\theta)$ は以下のように表現される．

$$l(\theta)=\log L(\theta)=\sum_{i=1}^{n}\log f(x_i;\theta),\ \theta\in\Omega \qquad (6.1.2)$$

対数変換が 1 対 1 対応する関数であるため，$l(\theta)$ を用いるということは全く情報損失を産まないという点に注意してほしい．本章におけるほとんどの議論は X が確率ベクトルである場合においても同様である．通常 X は確率変数と考えるが，いくつかの例においては確率ベクトルである．

　尤度関数を用いる動機づけとして，まず簡単な例から始め，理論的な正当性を与える．

例 6.1.1.　$X_1, X_2,\ldots, X_n$ が以下の pmf に従う分布からの無作為標本を示すとする．

$$p(x)=\begin{cases}\theta^x(1-\theta)^{1-x} & x=0,1\\ 0 & \text{それ以外の場合}\end{cases}$$

ここで，$0\leq\theta\leq 1$ である．$X_1=x_1, X_2=x_2,\ldots,X_n=x_n$ である確率は以下の同時 pmf に従う．

$$\theta^{x_1}(1-\theta)^{1-x_1}\theta^{x_2}(1-\theta)^{1-x_2}\cdots\theta^{x_n}(1-\theta)^{1-x_n}=\theta^{\sum x_i}(1-\theta)^{n-\sum x_i}$$

ここで x_i は $i=1,2,\ldots,n$ に関して 0 か 1 である.$X_1,X_2,\ldots,X_n$ の同時 pmf である,θ の関数としてのこの確率は,上で定義された尤度関数 $L(\theta)$ である.すなわち以下のとおりとなる.

$$L(\theta)=\theta^{\sum x_i}(1-\theta)^{n-\sum x_i},\ 0\leq\theta\leq 1$$

ここで,得られたこの特定の観測された標本 $x_1,x_2,\ldots,x_n$ における確率 $L(\theta)$ をどんな θ の値が最大化するのかということを問うてよいのではないだろうか.この特定の標本の最大の確率を与えるのだから,確かに,この最大化する θ の値は θ のよい推定値であるようにみえる.尤度関数 $L(\theta)$ とその対数 $l(\theta)=\log L(\theta)$ は同じ θ の値で最大化されるため,$L(\theta)$ と $l(\theta)$ のどちらでも用いることができる.ここで,

$$l(\theta)=\log L(\theta)=\left(\sum_1^n x_i\right)\log\theta+\left(n-\sum_1^n x_i\right)\log(1-\theta)$$

から θ は 0 でも 1 でもないと与えられているとき以下を得る.

$$\frac{dl(\theta)}{d\theta}=\frac{\sum x_i}{\theta}-\frac{n-\sum x_i}{1-\theta}=0$$

これは以下の式と等しく,

$$(1-\theta)\sum_1^n x_i=\theta\left(n-\sum_1^n x_i\right)$$

その θ についての解は $\sum_1^n x_i/n$ である.この $\sum_1^n x_i/n$ が $L(\theta)$ と $\log L(\theta)$ を実際に最大化することは簡単に確認することができ,すべての $x_1,x_2,\ldots,x_n$ が 0 で等しい,あるいは 1 で等しい場合においても同様である.すなわち,$\sum_1^n x_i/n$ は $L(\theta)$ を最大化する θ の値である.対応する統計量

$$\hat{\theta}=\frac{1}{n}\sum_{i=1}^n X_i=\overline{X}$$

は θ の最尤推定量 (maximum likelihood estimator) とよばれる.厳密には後に定義するが,$\sum_1^n x_i/n$ を θ の最尤推定値 (maximum likelihood estimate) とよぶ.簡単な例として,$n=3$ で $x_1=1, x_2=0, x_3=1$ とするとき,$L(\theta)=\theta^2(1-\theta)$ となり,得られた $\hat{\theta}=\frac{2}{3}$ は θ の最尤推定値である.■

θ_0 が θ の真値 (true value) を意味するとする.定理 6.1.1 は尤度関数の最大化について論理的な根拠を与える.そこでは $L(\theta)$ の最大化は $\theta\neq\theta_0$ のモデルから θ_0 の真のモデルを漸近的に切り離すと述べている.この定理を証明するために,一般的に正則条件 (regularity condition) とよばれるある仮定を行う.

6.1. 最尤推定

仮定 6.1.1 (正則条件).
(R0): pdf は識別可能である．すなわち $\theta \neq \theta' \Rightarrow f(x_i;\theta) \neq f(x_i;\theta')$ である．
(R1): pdf はすべての θ について共通の台をもつ．
(R2): 点 θ_0 は Ω の内側にある点である．

第一の仮定は母数が pdf を識別することを示している．第二の仮定は X_i の台は θ によらないことを意味している．これは限定的であり，いくつかの例と練習問題で (R1) が真でない場合のモデルについて補う．

定理 6.1.1.
θ_0 を真の母数の値とする．仮定 (R0) と (R1) のもとで以下が成り立つ．
$$\lim_{n \to \infty} P_{\theta_0}[L(\theta_0, \mathbf{X}) > L(\theta, \mathbf{X})] = 1, \quad \text{すべての } \theta \neq \theta_0 \text{ に関して} \tag{6.1.3}$$

証明 対数をとることで，不等式 $L(\theta_0, \mathbf{X}) > L(\theta, \mathbf{X})$ は以下と等しくなる．
$$\frac{1}{n} \sum_{i=1}^{n} \log \left[\frac{f(X_i;\theta)}{f(X_i;\theta_0)} \right] < 0$$
加算される確率変数は有限の期待値をもち iid であり，また，関数 $\phi(x) = -\log(x)$ は厳密に凸関数であるため，大数の法則 (定理 4.2.1) とジェンセンの不等式 (定理 1.10.5) から θ_0 が真の母数の値であるとき以下に従う．
$$\frac{1}{n} \sum_{i=1}^{n} \log \left[\frac{f(X_i;\theta)}{f(X_i;\theta_0)} \right] \xrightarrow{P} E_{\theta_0} \left[\log \frac{f(X_1;\theta)}{f(X_1;\theta_0)} \right] < \log E_{\theta_0} \left[\frac{f(X_1;\theta)}{f(X_1;\theta_0)} \right]$$
ここで，以下のとおりである．
$$E_{\theta_0} \left[\frac{f(X_1;\theta)}{f(X_1;\theta_0)} \right] = \int \frac{f(x;\theta)}{f(x;\theta_0)} f(x;\theta_0) \, dx = 1$$
$\log 1 = 0$ であるので，定理上の関係に従う．最後の等式を得るためには共通の台が前提となることに注意してほしい．∎

定理 6.1.1 は真の値 θ_0 によって漸近的に尤度関数は最大化されるということを示している．したがって，θ_0 を推定することを考えるとき，尤度を最大化する θ の値を考えるのは自然である．

定義 6.1.1 (最尤推定量).
以下の関係が成立するとき，$\widehat{\theta} = \widehat{\theta}(\mathbf{X})$ を θ の最尤推定量 (maximum likelihood estimator, mle) とよぶ．
$$\widehat{\theta} = \text{Argmax} \, L(\theta; \mathbf{X}) \tag{6.1.4}$$

> Argmax という表記は $\widehat{\theta}$ において $L(\theta; \mathbf{X})$ が最大の値に達することを意味している．

上の例のように，最尤推定量を算出するためにしばしば尤度の対数をとり，極値を得る．すなわち，$l(\theta) = \log L(\theta)$ とすることで，最尤推定とは下式を解くこととなる．

$$\frac{\partial l(\theta)}{\partial \theta} = 0 \tag{6.1.5}$$

これは，推定方程式 (estimating equation) のひとつの例であり，時として EE と表記される．これは，本書に出てくるいくつかの EE のうちの最初のものである．

最尤推定量が存在すること，あるいは存在したとしてそれが単一であることの保証はない．このことは，次の 3 つの例でみられるように，実際の適用場面においてはじめて明らかになる．他の例は練習問題で与えられる．

例 6.1.2 (指数分布). 共通の pdf を exponential(θ) とする．その密度は (3.3.2) 式により与えられる．尤度関数の対数は以下により与えられる．

$$l(\theta) = -n \log \theta - \theta^{-1} \sum_{i=1}^{n} x_i$$

この例では，微分の計算法から最尤推定量は直接的に導かれる．対数尤度関数の θ に関する 1 次微分は以下のとおりである．

$$\frac{\partial l}{\partial \theta} = -n\theta^{-1} + \theta^{-2} \sum_{i=1}^{n} x_i$$

この偏微分の値を 0 とおき，θ について解くと $\overline{x}$ の解を得る．このとき極値は 1 つしかなく，さらに求められた $\overline{x}$ における対数尤度関数の 2 次微分は厳密に負である．したがって極値によって最大値をとると確認できる．よって，この例において統計量 $\widehat{\theta} = \overline{X}$ は θ の最尤推定量である．■

例 6.1.3 (ラプラス分布). $X_1, \ldots, X_n$ は iid で以下の密度に従うとする．

$$f(x; \theta) = \frac{1}{2} e^{-|x-\theta|}, \quad -\infty < x < \infty, -\infty < \theta < \infty \tag{6.1.6}$$

この pdf はラプラス分布 (Laplace distribution) あるいは 2 重指数分布 (double exponential distribution) とよばれる．尤度の対数は以下のように簡略化される．

$$l(\theta) = -n \log 2 - \sum_{i=1}^{n} |x_i - \theta|$$

対数尤度関数の 1 次微分は以下のとおりである．

$$l'(\theta) = \sum_{i=1}^{n} \text{sgn}(x_i - \theta) \tag{6.1.7}$$

ここで $t > 0, t = 0, t < 0$ のときそれぞれ $\text{sgn}(t) = 1, 0, -1$ となる．$\frac{d}{dt}|t| = \text{sgn}(t)$ を用

6.1. 最尤推定

いるが，これは $t=0$ でないときのみ正しいという点に注意してほしい．(6.1.7) 式を 0 とおくと，θ の解は $\mathrm{med}\{x_1, x_2, \ldots, x_n\}$ となる．なぜなら，中央値は (6.1.7) 式における和の半分の項を非正に，もう半分の項を非負にするからである．標本の中央値は Q_2 (標本の第 2 四分位) を意味することを思い出してほしい．したがって，$\hat{\theta}=Q_2$ はラプラス pdf(6.1.6) 式における θ の最尤推定量である．■

例 6.1.4 (ロジスティック分布). $X_1, \ldots, X_n$ は iid であり，以下の密度関数に従うとする．

$$f(x;\theta) = \frac{\exp\{-(x-\theta)\}}{(1+\exp\{-(x-\theta)\})^2}, \quad -\infty < x < \infty, \ -\infty < \theta < \infty \tag{6.1.8}$$

このとき対数尤度は次のように簡略化できる．

$$l(\theta) = \sum_{i=1}^{n} \log f(x_i;\theta) = n\theta - n\bar{x} - 2\sum_{i=1}^{n} \log(1+\exp\{-(x_i-\theta)\})$$

これを用いると，1 次偏導関数は以下のようになる．

$$l'(\theta) = n - 2\sum_{i=1}^{n} \frac{\exp\{-(x_i-\theta)\}}{1+\exp\{-(x_i-\theta)\}} \tag{6.1.9}$$

この式を 0 とおき，この結果における各項を整理すると次のようになる．

$$\sum_{i=1}^{n} \frac{\exp\{-(x_i-\theta)\}}{1+\exp\{-(x_i-\theta)\}} = \frac{n}{2} \tag{6.1.10}$$

これは簡略化ではないが，(6.1.10) 式が唯一の解をもつことを示すことができる．(6.1.10) 式左辺の偏微分は以下のように簡略化できる．

$$(\partial/\partial\theta) \sum_{i=1}^{n} \frac{\exp\{-(x_i-\theta)\}}{1+\exp\{-(x_i-\theta)\}} = \sum_{i=1}^{n} \frac{\exp\{-(x_i-\theta)\}}{(1+\exp\{-(x_i-\theta)\})^2} > 0$$

したがって，(6.1.10) 式の左辺は θ の単調増加関数である．最後に，(6.1.10) 式左辺は $\theta \to -\infty$ のとき 0 に近づき，$\theta \to \infty$ のとき n に近づく．したがって，(6.1.10) 式は単一の解をもつ．$l(\theta)$ の 2 次微分もまた，すべての θ について厳密に負であり，したがってこの解は最大である．

最尤推定量が存在しかつそれが単一の値であると示されたなら，解を得るために数値最適化法を用いることができる．この場合には，ニュートン法が有用である．このことに関する一般論について次節で議論し，そこでこの例に関して再度考察する．■

前の例では最尤推定量をクローズドフォームを得ていないにもかかわらず，これら 3 つの例では基本的な微分による計算法で解が導かれた．次の例は，確率変数の台が θ を含み，したがって正則条件を満たしていない場合である．このような場合には，微分による計算法はあまり有用ではないだろう．

例 6.1.5 (一様分布). $X_1, \ldots, X_n$ は $(0,\theta)$ の範囲の一様密度に従うとする．すな

わち $0 < x \leq \theta$ のとき $f(x) = 1/\theta$ で，その他なら 0 とする．θ が台の中に含まれるため，ここでは微分は有用ではない．尤度関数は以下のように書ける．

$$L(\theta) = \theta^{-n} I(\max\{x_i\}, \theta), \quad \text{すべての } \theta > 0 \text{ に関して}$$

ここで，$I(a,b)$ は $a \leq b$ なら 1，$a > b$ なら 0 である．この関数はすべての $\theta \geq \max\{x_i\}$ について，θ に関する減少関数であり，それ以外の範囲では 0 である (実際に描いてみてほしい)．したがって，最大は θ の最小の値をとる場合となる．すなわち最尤推定量は $\widehat{\theta} = \max\{X_i\}$ である．■

例 6.1.6. 例 6.1.1 において，以下の pmf に従うベルヌイ分布からの無作為標本 $X_1, X_2, \ldots, X_n$ に関する成功の確率 θ の最尤推定量に関して議論した．

$$p(x) = \begin{cases} \theta^x (1-\theta)^{1-x} & x = 0, 1 \\ 0 & \text{それ以外の場合} \end{cases}$$

ここで，$0 \leq \theta \leq 1$ である．最尤推定量は $\overline{X}$ であり，標本の成功の割合であったことを思い出してほしい．ここで，より進んで $0 \leq \theta \leq 1$ のかわりに θ が $0 \leq \theta \leq 1/3$ という不等式で制約されていることが既知であるとする．もし観測された値が $\overline{x} > 1/3$ となるようならば，$\overline{x}$ は満足な推定値ではない．$\theta < \overline{x}$ のときには，$\frac{\partial l(\theta)}{\partial \theta} > 0$ であるため，$0 \leq \theta \leq 1/3$ という制約のもとでは $\widehat{\theta} = \min\left\{\overline{x}, \frac{1}{3}\right\}$ で $l(\theta)$ を最大化することができる．■

次に示すのは最尤推定値の魅力的な特徴である．

定理 6.1.2.

$X_1, \ldots, X_n$ は iid で $f(x; \theta), \theta \in \Omega$ という pdf に従うとする．特定された関数 g について，$\eta = g(\theta)$ を興味ある母数とする．$\widehat{\theta}$ を θ の最尤推定量とする．このとき，$g(\widehat{\theta})$ は $\eta = g(\theta)$ の最尤推定量である．

証明 g を 1 対 1 対応の関数とする．興味ある尤度は $L(g(\theta))$ だが，g は 1 対 1 対応なので以下のとおりとなる．

$$\max L(g(\theta)) = \max_{\eta = g(\theta)} L(\eta) = \max_{\eta} L(g^{-1}(\eta))$$

ここで最大は $g^{-1}(\eta) = \widehat{\theta}$ をとる場合となる．すなわち $\widehat{\eta} = g(\widehat{\theta})$ である．

g は 1 対 1 対応ではないとする．それぞれの η は g の範囲の中にあり，以下のような集合 (原像 (preimage)) を定義する．

$$g^{-1}(\eta) = \{\theta : g(\theta) = \eta\}$$

最大は $\widehat{\theta}$ をとる場合となり，g の範囲は Ω であり，これは $\widehat{\theta}$ も含む．したがって，$\widehat{\theta}$ はこれらの原像のひとつであり，実際原像のひとつにすぎない．よって，$L(\eta)$

6.1. 最尤推定

を最大化するには $g^{-1}(\widehat{\eta})$ が $\widehat{\theta}$ を含む単一の原像となるよう $\widehat{\eta}$ を選ばなくてはならない．したがって，$\widehat{\eta} = g(\widehat{\theta})$ である．■

例 6.1.5 において，$\text{Var}(X) = \theta^2/12$ を推定することに興味をもつこともあるだろう．このとき，定理 6.1.2 より，最尤推定量は $\max\{X_i\}^2/12$ である．次に，例 6.1.1 を考慮する．ここで，$X_1, \ldots, X_n$ は iid で成功の確率 p に従うベルヌイ確率変数である．この例で示したように，$\widehat{p} = \overline{X}$ は p の最尤推定量である．大標本における p の信頼区間を求めるには (5.4.8) 式より $\sqrt{p(1-p)}$ の推定値が必要であることを思い出してほしい．定理 6.1.2 より，この最尤推定量は $\sqrt{\widehat{p}(1-\widehat{p})}$ である．

この節の最後として，正則条件のもとでの最尤推定量は一致推定量であることを示す．$\mathbf{X}' = (X_1, \ldots, X_n)$ を思い出してほしい．

定理 6.1.3.

$X_1, \ldots, X_n$ は正則条件 (R0) (R1) (R2) を満たし，θ_0 は母数の真の値であり，さらに $f(x;\theta)$ は Ω に含まれる θ について微分可能であると仮定する．このとき尤度方程式

$$\frac{\partial}{\partial \theta} L(\theta) = 0$$

あるいは同じ意味をもつ

$$\frac{\partial}{\partial \theta} l(\theta) = 0$$

は $\widehat{\theta}_n \xrightarrow{P} \theta_0$ であるような $\widehat{\theta}_n$ という解をもつ．

証明 θ_0 は Ω の中にある点なので，ある $a > 0$ に関して $(\theta_0 - a, \theta_0 + a) \subset \Omega$ である．S_n を以下のような事象とする．

$$S_n = \{\mathbf{X} : l(\theta_0; \mathbf{X}) > l(\theta_0 - a; \mathbf{X})\} \cap \{\mathbf{X} : l(\theta_0; \mathbf{X}) > l(\theta_0 + a; \mathbf{X})\}$$

定理 6.1.1 より $P(S_n) \to 1$ である．よって，事象 S_n のみ注意すればよい．ここで，S_n について，$l(\theta)$ は局所最大値をもつ．例えば $\theta_0 - a < \widehat{\theta}_n < \theta_0 + a$ かつ $l'(\widehat{\theta}_n) = 0$ であるような $\widehat{\theta}_n$ である．すなわち，以下のとおりである．

$$S_n \subset \left\{ \mathbf{X} : |\widehat{\theta}_n(\mathbf{X}) - \theta_0| < a \right\} \cap \left\{ \mathbf{X} : l'(\widehat{\theta}_n(\mathbf{X})) = 0 \right\}$$

したがって，以下のとおりである．

$$1 = \lim_{n \to \infty} P(S_n) \leq \overline{\lim_{n \to \infty}} P\left[\left\{ \mathbf{X} : |\widehat{\theta}_n(\mathbf{X}) - \theta_0| < a \right\} \cap \left\{ \mathbf{X} : l'(\widehat{\theta}_n(\mathbf{X})) = 0 \right\} \right] \leq 1$$

$\overline{\lim}$ についての議論は注意 4.3.3 を参照のこと．これは，解 $\widehat{\theta}_n$ の列について，$P[|\widehat{\theta}_n - \theta_0| < a] \to 1$ に従う．

証明において議論となる唯一の点は，解の列が a に依存するのではないかという点である．しかし，以下の方法により私たちは常に θ_0 に最も近い解を選ぶこ

とができる．各々の n について，ある範囲におけるすべての解の集合は有界である．したがって，解の中で最も θ_0 に近いものは存在する．∎

この定理は方程式の解法を議論するという点で曖昧なことに注意する必要がある．しかし，もし最尤推定量が方程式 $l'(\theta)=0$ の単一の解であるならば，一致性をもつ．このことを系として示す．

> **系 6.1.1.**
> $X_1,\ldots,X_n$ は正則条件 (R0) (R1) (R2) を満たし，θ_0 は母数の真の値であり，さらに $f(x;\theta)$ は Ω に含まれる θ について微分可能であると仮定する．尤度方程式は単一の解 $\hat{\theta}_n$ をもつとする．このとき $\hat{\theta}_n$ は θ_0 の一致推定量である．

練習問題

6.1.1. $X_1, X_2, \ldots, X_n$ は $N(\theta, \sigma^2)$ からの無作為標本とし，$-\infty < \theta < \infty$ であり σ^2 が既知とする．θ の最尤推定量を求めよ．

6.1.2. $X_1, X_2, \ldots, X_n$ は $\Gamma(\alpha=3, \beta=\theta)$ からの無作為標本とし，$0 < \theta < \infty$ とする．θ の最尤推定量を求めよ．

6.1.3. $X_1, X_2, \ldots, X_n$ は以下に示す pdf あるいは pmf に従う分布からの無作為標本とする．
(a) $f(x;\theta) = \theta^x e^{-\theta}/x!$, $x=0,1,2,\ldots$, $0 \le \theta < \infty$, それ以外は 0．ここで，$f(0;0)=1$．
(b) $f(x;\theta) = \theta x^{\theta-1}$, $0<x<1$, $0<\theta<\infty$, それ以外は 0．
(c) $f(x;\theta) = (1/\theta)e^{-x/\theta}$, $0<x<\infty$, $0<\theta<\infty$, それ以外は 0．
(d) $f(x;\theta) = e^{-(x-\theta)}$, $\theta \le x < \infty$, $-\infty < \theta < \infty$, それ以外は 0．
それぞれの場合について，θ の最尤推定量 $\hat{\theta}$ を求めよ．

6.1.4. $Y_1 < Y_2 < \cdots < Y_n$ を pdf $f(x;\theta)=1$, $\theta-\frac{1}{2} \le x \le \theta+\frac{1}{2}$, $-\infty<\theta<\infty$, それ以外は 0, に従う分布からの無作為標本の順序統計量とする．
$$Y_n - \frac{1}{2} \le u(X_1, X_2, \ldots, X_n) \le Y_1 + \frac{1}{2}$$
であるようなすべての統計量 $u(X_1, X_2, \ldots, X_n)$ は θ の最尤推定量であることを示せ．実際，$(4Y_1+2Y_n+1)/6$, $(Y_1+Y_n)/2$ と $(2Y_1+4Y_n-1)/6$ は 3 つのそういった統計量である．したがって，解が単一であることは最尤推定量の一般的な性質ではない．

6.1.5. $X_1, \ldots, X_n$ は iid であり，pdf $f(x;\theta)=2x/\theta^2$, $0<x\le\theta$ それ以外は 0, に従うとする．以下を求めよ．
(a) θ に関する最尤推定量 $\hat{\theta}$．

6.1. 最尤推定

(b) $E(c\hat{\theta}) = \theta$ となるための定数 c.
(c) 分布の中央値の最尤推定量.

6.1.6. $X_1, X_2, \ldots, X_n$ は iid であり, pdf $f(x; \theta) = (1/\theta)e^{-x/\theta}$, $0 < x < \infty$ それ以外は 0, に従うとする. $P(X \leq 2)$ の最尤推定量を求めよ.

6.1.7. 下の表は $n=5$ の 2 項分布からのサンプルサイズ 50 の標本の集計結果である.

x	0	1	2	3	4	5
頻度	6	10	14	13	6	1

$P(X \geq 3)$ の最尤推定値を求めよ.

6.1.8. X_1, X_2, X_3, X_4, X_5 を中央値 θ のコーシー分布からの無作為標本とする. すなわち以下の pdf に従う.

$$f(x; \theta) = \frac{1}{\pi} \frac{1}{1 + (x-\theta)^2}, \quad -\infty < x < \infty$$

ここで, $-\infty < \theta < \infty$ である. $x_1 = -1.94$, $x_2 = 0.59$, $x_3 = -5.98$, $x_4 = -0.08$, $x_5 = -0.77$ のとき, 数値最適化法を用いて θ の最尤推定値を求めよ.

6.1.9. 下の表はポアソン分布からのサンプルサイズ 50 の無作為標本の集計結果を示すとする. $P(X = 2)$ の最尤推定値を求めよ.

x	0	1	2	3	4	5
頻度	7	14	12	13	6	3

6.1.10. $X_1, X_2, \ldots, X_n$ を母数 p のベルヌイ分布からの無作為標本とする. $\frac{1}{2} \leq p \leq 1$ となるよう p が制約されているときこの母数の最尤推定量を求めよ.

6.1.11. $X_1, X_2, \ldots, X_n$ を $N(\theta, \sigma^2)$ からの無作為標本とする. ここで, σ^2 は固定されていて, $-\infty < \theta < \infty$ であるとする.
(a) θ の最尤推定量は $\overline{X}$ であることを示せ.
(b) θ が $0 \leq \theta < \infty$ で制約されているとき, θ の最尤推定量は $\hat{\theta} = \max\{0, \overline{X}\}$ であることを示せ.

6.1.12. $X_1, X_2, \ldots, X_n$ は $0 < \theta \leq 2$ のポアソン分布からの無作為標本とする. θ の最尤推定量は $\hat{\theta} = \min\{\overline{X}, 2\}$ であることを示せ.

6.1.13. $X_1, X_2, \ldots, X_n$ は次の 2 つの pdf のうちの一方に従う分布からの無作為標本とする. $\theta = 1$ ならば, $f(x; \theta=1) = \frac{1}{\sqrt{2\pi}} e^{-x^2/2}$, $-\infty < x < \infty$ であり, $\theta = 2$, ならば $f(x; \theta=2) = 1/[\pi(1+x^2)]$, $-\infty < x < \infty$ である. θ の最尤推定量を求めよ.

6.2 ラオ・クラメールの下限および効率

この節では,すべての不偏推定量の分散の下限を与える,ラオ・クラメールの下限とよばれる著名な不等式を確立する.次に,正則条件のもとで最尤推定量の分散は漸近的にこの下限に達することを証明する.

前節同様に,X を $f(x;\theta), \theta \in \Omega$ という pdf に従う確率変数とする.ここで,母数空間 Ω は開区間である.6.1 節の仮定 (6.1.1) の正則条件に加えて,後の導出のために,以下で与えられるさらに 2 つの正則条件を必要とする.

仮定 6.2.1 (付加的な正則条件).
(R3): pdf $f(x;\theta)$ は θ の関数として,2 回微分可能である.
(R4): 積分 $\int f(x;\theta)\, dx$ は θ の関数として,積分記号のもと 2 回微分されうる.

ここで (R1)~(R4) は $f(x;\theta) > 0$ という区間の端点において母数 θ は表れないこと,そして θ に関して積分と微分を交換できることを意味することに注意する.ここでは連続型の場合のみを導出するが,離散的な場合に関しても,同様の手続きで導出することができる.最初に以下の恒等式から議論を始めることにする.

$$1 = \int_{-\infty}^{\infty} f(x;\theta)\, dx$$

θ に関して微分すると以下となる.

$$0 = \int_{-\infty}^{\infty} \frac{\partial f(x;\theta)}{\partial \theta}\, dx$$

後者の表現は,

$$0 = \int_{-\infty}^{\infty} \frac{\partial f(x;\theta)/\partial \theta}{f(x;\theta)} f(x;\theta)\, dx$$

あるいは,同等に

$$0 = \int_{-\infty}^{\infty} \frac{\partial \log f(x;\theta)}{\partial \theta} f(x;\theta)\, dx \tag{6.2.1}$$

と再表現されうる.最後の式を期待値として表現することにより下式を得る.

$$E\left[\frac{\partial \log f(X;\theta)}{\partial \theta}\right] = 0 \tag{6.2.2}$$

すなわち,確率変数 $\partial \log f(X;\theta)/\partial \theta$ の平均は 0 である.ここで,(6.2.1) 式を再び微分するならば,以下のようになる.

$$0 = \int_{-\infty}^{\infty} \frac{\partial^2 \log f(x;\theta)}{\partial \theta^2} f(x;\theta)\, dx + \int_{-\infty}^{\infty} \frac{\partial \log f(x;\theta)}{\partial \theta} \frac{\partial \log f(x;\theta)}{\partial \theta} f(x;\theta)\, dx \tag{6.2.3}$$

6.2. ラオ・クラメールの下限および効率

この式の右辺第 2 項は期待値として表現できる．今後，この期待値をフィッシャー情報量 (fisher information) とよび，$I(\theta)$ すなわち下式として表現することにする．

$$I(\theta) = \int_{-\infty}^{\infty} \frac{\partial \log f(x;\theta)}{\partial \theta} \frac{\partial \log f(x;\theta)}{\partial \theta} f(x;\theta)\, dx = E\left[\left(\frac{\partial \log f(X;\theta)}{\partial \theta}\right)^2\right] \tag{6.2.4}$$

(6.2.3) 式から，$I(\theta)$ は下式より算出されることが確認できる．

$$I(\theta) = -\int_{-\infty}^{\infty} \frac{\partial^2 \log f(x;\theta)}{\partial \theta^2} f(x;\theta)\, dx \tag{6.2.5}$$

(6.2.2) 式を用いることから，フィッシャー情報量は確率変数 $\partial \log f(X;\theta)/\partial \theta$ の分散である．すなわち

$$I(\theta) = \mathrm{Var}\left(\frac{\partial \log f(X;\theta)}{\partial \theta}\right) \tag{6.2.6}$$

である．通常 (6.2.5) 式は，(6.2.4) 式よりも計算するのが容易である．

注意 6.2.1. 情報量は以下のどちらかの重み付き平均であることに注意する．

$$\left[\frac{\partial \log f(x;\theta)}{\partial \theta}\right]^2 \quad \text{あるいは} \quad -\frac{\partial^2 \log f(x;\theta)}{\partial \theta^2}$$

ここで，重みは pdf $f(x;\theta)$ によって与えられる．すなわち，平均してこれらの微分が大きくなればなるほど，θ に関して得られる情報量は多くなる．明らかに，それらが 0 に等しいならば [θ は $\log f(x;\theta)$ に存在しないようならば]，θ に関する情報量は 0 となる．重要な関数

$$\frac{\partial \log f(x;\theta)}{\partial \theta}$$

は，スコア関数 (score function) とよばれている．ここでスコア関数が mle の推定方程式を決定する，すなわち mle $\hat{\theta}$ は θ に関して，以下のように解けることを思い出そう．

$$\sum_{i=1}^{n} \frac{\partial \log f(x_i;\theta)}{\partial \theta} = 0 \quad \blacksquare$$

例 6.2.1 (ベルヌイ確率変数の情報量). X をベルヌイ分布 $b(1,\theta)$ に従う確率変数とする．それゆえに以下となる．

$$\log f(x;\theta) = x\log\theta + (1-x)\log(1-\theta)$$
$$\frac{\partial \log f(x;\theta)}{\partial \theta} = \frac{x}{\theta} - \frac{1-x}{1-\theta}$$

$$\frac{\partial^2 \log f(x;\theta)}{\partial \theta^2} = -\frac{x}{\theta^2} - \frac{1-x}{(1-\theta)^2}$$

また明らかに,

$$I(\theta) = -E\left[\frac{-X}{\theta^2} - \frac{1-X}{(1-\theta)^2}\right] = \frac{\theta}{\theta^2} + \frac{1-\theta}{(1-\theta)^2} = \frac{1}{\theta} + \frac{1}{(1-\theta)} = \frac{1}{\theta(1-\theta)}$$

であり, θ の値が 0 あるいは 1 に近いとき, $I(\theta)$ は大きくなる. ∎

例 6.2.2 (位置の族の情報量). 下式のような, 無作為標本 $X_1, \ldots, X_n$ を考慮する.

$$X_i = \theta + e_i, \quad i = 1, \ldots, n \tag{6.2.7}$$

ここで, $e_1, e_2, \ldots, e_n$ は台 $(-\infty, \infty)$ において共通の pdf $f(x)$ に従う, iid な確率変数である. ここで, X_i の共通の pdf は $f_X(x;\theta) = f(x-\theta)$ である. (6.2.7) 式のモデルを位置モデル (location model) とよぶことにする. $f(x)$ は正則条件を満たすことを仮定する. このとき情報量は

$$I(\theta) = \int_{-\infty}^{\infty} \left(\frac{f'(x-\theta)}{f(x-\theta)}\right)^2 f(x-\theta)\,dx = \int_{-\infty}^{\infty} \left(\frac{f'(z)}{f(z)}\right)^2 f(z)\,dz \tag{6.2.8}$$

となる. ここで最後の等式は変換 $z = x - \theta$ によって導かれたものである. したがって位置モデルにおいて, 情報量は θ に依存しない.

例示したように, $i = 1, \ldots, n$ について X_i が (6.1.6) 式のラプラス pdf に従うと仮定する. このとき, X_i を以下のように表現できることを確認することは容易である.

$$X_i = \theta + e_i \tag{6.2.9}$$

ここで, $e_1, \ldots, e_n$ は $-\infty < z < \infty$ に関して, 共通の pdf $f(z) = 2^{-1}\exp\{-|z|\}$ に従う iid な確率変数である. また例 6.1.3 で行ったように, $\frac{d}{dz}|z| = \mathrm{sgn}(z)$ を用いる. したがってこの場合, $f'(z) = -2^{-1}\mathrm{sgn}(z)\exp\{-|z|\}$ であり, よって

$$I(\theta) = \int_{-\infty}^{\infty} \left(\frac{f'(z)}{f(z)}\right)^2 f(z) = \int_{-\infty}^{\infty} f(z)\,dz = 1 \tag{6.2.10}$$

が成り立つ. ラプラス pdf は正則条件を満たさないが, この議論を厳密に行うことができることに注意する. Huber(1981), そして 10 章もまた参照せよ. ∎

(6.2.6) 式から, サイズ 1 の標本, 例えば X_1 に関して, フィッシャー情報量は, 確率変数 $\partial \log f(X_1;\theta)/\partial\theta$ の分散である. それではサイズ n の標本に関してはどうであろうか. $X_1, X_2, \ldots, X_n$ を pdf $f(x;\theta)$ をもつ分布からの無作為標本とする. 前節の (6.1.1) 式のように, $L(\theta)$ は尤度関数を示すものとする. 関数 $L(\theta)$ は標本の pdf であり, 自身の分散が標本における情報量である無作為標本は以下によって与えられる.

$$\frac{\partial \log L(\theta, \mathbf{X})}{\partial \theta} = \sum_{i=1}^{n} \frac{\partial \log f(X_i;\theta)}{\partial \theta}$$

ここでシグマによって加算される変数は共通の分散 $I(\theta)$ をもつ iid な確率変数である.

6.2. ラオ・クラメールの下限および効率

したがって，標本の情報量は

$$\text{Var}\left(\frac{\partial \log L(\theta, \mathbf{X})}{\partial \theta}\right) = nI(\theta) \tag{6.2.11}$$

となる．それゆえにサイズ n の標本における情報量は，1つの標本における情報量の n 倍である．したがって，例 6.2.1 において，ベルヌイ $b(1, \theta)$ 分布からのサイズ n の確率標本のフィッシャー情報量は，$n/[\theta(1-\theta)]$ となる．

以上の議論によって，以下の定理で述べられるラオ・クラメールの下限を得るための準備ができた．

定理 6.2.1 (ラオ・クラメールの下限 (Rao–Cramér lower bound)).
$X_1, \ldots, X_n$ を $\theta \in \Omega$ に関して，共通の pdf $f(x; \theta)$ に従う iid な確率変数とする．(R0)～(R4) の正則条件が保持されることを仮定し，$Y = u(X_1, X_2, \ldots, X_n)$ を平均 $E(Y) = E[u(X_1, X_2, \ldots, X_n)] = k(\theta)$ をもつ統計量とする．このとき次が成り立つ．

$$\text{Var}(Y) \geq \frac{[k'(\theta)]^2}{nI(\theta)} \tag{6.2.12}$$

証明 以下に連続型の場合の証明を与えるが，離散型の場合に関してもこれと全く同様に行われる．Y の平均を次のように表す．

$$k(\theta) = \int_{-\infty}^{\infty} \cdots \int_{-\infty}^{\infty} u(x_1, \ldots, x_n) f(x_1; \theta) \cdots f(x_n; \theta) \, dx_1 \cdots dx_n$$

θ に関して上式を微分することによって次を得る．

$$k'(\theta) = \int_{-\infty}^{\infty} \cdots \int_{-\infty}^{\infty} u(x_1, x_2, \ldots, x_n) \left[\sum_{i=1}^{n} \frac{1}{f(x_i; \theta)} \frac{\partial f(x_i; \theta)}{\partial \theta}\right]$$
$$\times f(x_1; \theta) \cdots f(x_n; \theta) \, dx_1 \cdots dx_n$$
$$= \int_{-\infty}^{\infty} \cdots \int_{-\infty}^{\infty} u(x_1, x_2, \ldots, x_n) \left[\sum_{i=1}^{n} \frac{\partial \log f(x_i; \theta)}{\partial \theta}\right]$$
$$\times f(x_1; \theta) \cdots f(x_n; \theta) \, dx_1 \cdots dx_n \tag{6.2.13}$$

確率変数 Z を $Z = \sum_{1}^{n} [\partial \log f(X_i; \theta)/\partial \theta]$ と定義する．(6.2.2) 式，(6.2.11) 式から $E(Z) = 0$ と $\text{Var}(Z) = nI(\theta)$ であることがわかる．また (6.2.13) 式は $k'(\theta) = E(YZ)$ として，期待値によって表現されうる．したがって下式を得る．

$$k'(\theta) = E(YZ) = E(Y)E(Z) + \rho \sigma_Y \sqrt{nI(\theta)}$$

ここで，ρ は Y と Z 間の相関係数である．$E(Z) = 0$ を用いることによって，ρ を以下のように単純にすることができる．

$$\rho = \frac{k'(\theta)}{\sigma_Y \sqrt{nI(\theta)}}$$

$\rho^2 \leq 1$ であるから

$$\frac{[k'(\theta)]^2}{\sigma_Y^2 nI(\theta)} \leq 1$$

を得る．これを整理したものが望まれた結果である．■

系 6.2.1.

定理 6.2.1 の仮定のもと，$Y = u(X_1, \ldots, X_n)$ が θ の不偏推定量であるならば，$k(\theta) = \theta$ であり，したがってラオ・クラメールの不等式は次のようになる．

$$\mathrm{Var}(Y) \geq \frac{1}{nI(\theta)}$$

例 6.2.1 において扱われた，成功の確率 θ に関するベルヌイモデルを考える．例では $1/(nI(\theta)) = \theta(1-\theta)/n$ であることを証明した．6.1 節の例 6.1.1 から，θ の mle は $\overline{X}$ である．ベルヌイ (θ) 分布の平均と分散はそれぞれ，θ と $\theta(1-\theta)$ である．したがって，$\overline{X}$ の平均と分散は θ と $\theta(1-\theta)/n$ である．すなわち，この場合の mle の平均と分散はラオ・クラメールの下限に達する．

ここで以下の定義を行う．

定義 6.2.1.

点推定における，母数 θ の不偏推定量を Y とする．統計量 Y は Y の分散がラオ・クラメールの下限に達するならば，そのときのみ θ の有効推定量 (efficient estimator) とよばれる．

定義 6.2.2.

積分あるいは和の記号のもとで，一つの母数に関して微分できる場合には，任意の母数の不偏推定の実際の分散と，ラオ・クラメールの下限との比率は推定量の効率 (efficiency) とよばれる．

例 6.2.3 (ポアソン (θ) 分布). $X_1, X_2, \ldots, X_n$ を平均 $\theta > 0$ をもつポアソン分布からの無作為標本とする．$\overline{X}$ は θ の mle であることが知られている．そしてこれがまた θ の有効推定量であることを証明する．次のように表現することができる．

$$\frac{\partial \log f(x;\theta)}{\partial \theta} = \frac{\partial}{\partial \theta}(x\log\theta - \theta - \log x!)$$
$$= \frac{x}{\theta} - 1 = \frac{x-\theta}{\theta}$$

したがって下式を得る．

6.2. ラオ・クラメールの下限および効率

$$E\left[\left(\frac{\partial \log f(X;\theta)}{\partial \theta}\right)^2\right] = \frac{E(X-\theta)^2}{\theta^2} = \frac{\sigma^2}{\theta^2} = \frac{\theta}{\theta^2} = \frac{1}{\theta}$$

この場合のラオ・クラメールの下限は $1/[n(1/\theta)] = \theta/n$ である．しかし θ/n は $\overline{X}$ の分散である．したがって $\overline{X}$ は θ の有効推定量である．∎

例 6.2.4 (ベータ $(\theta, 1)$ 分布). $X_1, X_2, \ldots, X_n$ は次の pdf をもつ分布からのサイズ $n > 2$ の無作為標本とする．

$$f(x;\theta) = \begin{cases} \theta x^{\theta-1} & 0 < x < 1 \\ 0 & \text{それ以外の場合} \end{cases} \tag{6.2.14}$$

ここで，母数空間は $\Omega = (0, \infty)$ である．これはベータ $(\theta, 1)$ 分布である．f の log の微分は以下となる．

$$\frac{\partial \log f}{\partial \theta} = \log x + \frac{1}{\theta} \tag{6.2.15}$$

上式から，$\partial^2 \log f / \partial \theta^2 = -\theta^{-2}$ を得る．したがって，情報量は $I(\theta) = \theta^{-2}$ となる．

次に，θ の mle を求め，その効率について検討する．対数尤度関数は以下のようになる．

$$l(\theta) = \theta \sum_{i=1}^{n} \log x_i - \sum_{i=1}^{n} \log x_i + n \log \theta$$

l の 1 次偏微分は次のようになる．

$$\frac{\partial \log l}{\partial \theta} = \sum_{i=1}^{n} \log x_i + \frac{n}{\theta} \tag{6.2.16}$$

上式を 0 とおいて，これを θ について解くと，この mle は $\widehat{\theta} = -n/\sum_{i=1}^{n} \log X_i$ となる．$\widehat{\theta}$ の分布を得るために，$Y_i = -\log X_i$ とする．線形変換の議論はこの分布が $\Gamma(1, 1/\theta)$ であることを証明する．X_i は互いに統計的に独立であるから，定理 3.3.2 は $W = \sum_{i=1}^{n} Y_i$ は $\Gamma(n, 1/\theta)$ であることを証明する．定理 3.3.1 は $k > -n$ に関して，以下となることを示す．

$$E[W^k] = \frac{(n+k-1)!}{\theta^k (n-1)!} \tag{6.2.17}$$

したがって，特に $k = -1$ に関しては以下を得る．

$$E[\widehat{\theta}] = nE[W^{-1}] = \theta \frac{n}{n-1}$$

よって，$\widehat{\theta}$ は偏っているが，$n \to \infty$ のときその偏りは消失する．また $k = -2$ に関しては

$$E[\widehat{\theta}^2] = n^2 E[W^{-2}] = \theta^2 \frac{n^2}{(n-1)(n-2)}$$

であり、したがって $E(\widehat{\theta}^2) - [E(\widehat{\theta})]^2$ を単純化した後以下を得る.

$$\text{Var}(\widehat{\theta}) = \theta^2 \frac{n^2}{(n-1)^2(n-2)}$$

この分散はラオ・クラメールの下限よりも大きく、したがって θ は有効ではないということになる。しかし、その効率 (定義 6.2.2 同様に) は $n \to \infty$ のとき、1 に収束するということに注意する。この節の後半に $\widehat{\theta}$ は漸近的に有効であることを示す。■

上述したいくつかの例では、分布そして積率に従って、各 mle をクローズドフォームで得ることができた。しかしこのようなケースはまれである。しかしながら mle は、次の定理が示すように、漸近的に正規分布に従う。実際に mle は漸近的に有効である。この証明について、付加的な正則条件を必要とする。

仮定 6.2.2 (付加的な正則条件).
(R5): pdf $f(x;\theta)$ は θ の関数として、3 回微分可能である。さらにすべての $\theta \in \Omega$ に関して、定数 c と下記のような関数 $M(x)$ が存在する。

$$\left|\frac{\partial^3}{\partial \theta^3} \log f(x;\theta)\right| \leq M(x)$$

この関数はすべての $\theta_0 - c < \theta < \theta_0 + c$ に関して、$E_{\theta_0}[M(X)] < \infty$ である。そしてすべての x は X の台に存在する。

定理 6.2.2.
$X_1, \ldots, X_n$ を $\theta_0 \in \Omega$ に関して正則条件 (R0)～(R5) が満たされるような、pdf $f(x;\theta_0)$ に従う iid な確率変数と仮定する。さらに、フィッシャー情報量は $0 < I(\theta_0) < \infty$ を満たすと仮定する。このとき、以下の mle 方程式のいかなる一致性をもつ列の解は下式を満たす。

$$\sqrt{n}\,(\widehat{\theta} - \theta_0) \xrightarrow{D} N\left(0, \frac{1}{I(\theta_0)}\right) \tag{6.2.18}$$

証明 関数 $l'(\theta)$ を θ_0 に関して、次数 2 のテイラー級数に展開し、$\widehat{\theta}_n$ において評価すると下式を得る。

$$l'(\widehat{\theta}_n) = l'(\theta_0) + (\widehat{\theta}_n - \theta_0)l''(\theta_0) + \frac{1}{2}(\widehat{\theta}_n - \theta_0)^2 l'''(\theta_n^*) \tag{6.2.19}$$

ここで θ_n^* は θ_0 と $\widehat{\theta}_n$ との間に存在する。しかし $l'(\widehat{\theta}_n) = 0$ である。したがって、項を整理することにより下式を得る。

$$\sqrt{n}\,(\widehat{\theta}_n - \theta_0) = \frac{n^{-1/2} l'(\theta_0)}{-n^{-1} l''(\theta_0) - (2n)^{-1}(\widehat{\theta}_n - \theta_0) l'''(\theta_n^*)} \tag{6.2.20}$$

中心極限定理より、

6.2. ラオ・クラメールの下限および効率

$$\frac{1}{\sqrt{n}}l'(\theta_0) = \frac{1}{\sqrt{n}}\sum_{i=1}^{n}\frac{\partial \log f(X_i;\theta_0)}{\partial \theta} \xrightarrow{D} N(0, I(\theta_0)) \tag{6.2.21}$$

を得るが，これはシグマによって加算される変数が $\mathrm{Var}(\partial \log f(X_i;\theta_0)/\partial \theta) = I(\theta_0) < \infty$ である iid な確率変数だからである．また大数の法則から下式を得る．

$$-\frac{1}{n}l''(\theta_0) = -\frac{1}{n}\sum_{i=1}^{n}\frac{\partial^2 \log f(X_i;\theta_0)}{\partial \theta^2} \xrightarrow{P} I(\theta_0) \tag{6.2.22}$$

証明を完成させるために，次に (6.2.20) 式の分母の第 2 項が 0 に確率収束することのみを証明すればよい．$\widehat{\theta}_n - \theta_0 \to 0$ に確率収束するため，定理 4.3.7 から，$n^{-1}l'''(\theta_n^*)$ が確率的に有界であることを証明できるなら，これは先例に従う．c_0 を正則条件 (R5) によって定義された定数とする．$|\widehat{\theta}_n - \theta_0| < c_0$ は $|\theta_n^* - \theta_0| < c_0$ を意味し，そして反対に (R5) は以下の不等式のあつまりを意味している．

$$\left|-\frac{1}{n}l'''(\theta_n^*)\right| \leq \frac{1}{n}\sum_{i=1}^{n}\left|\frac{\partial^3 \log f(X_i;\theta)}{\partial \theta^3}\right| \leq \frac{1}{n}\sum_{i=1}^{n}M(X_i) \tag{6.2.23}$$

正則条件 (R5) から $E_{\theta_0}[M(X)] < \infty$ であり，大数の法則から，$\frac{1}{n}\sum_{i=1}^{n}M(X_i) \to E_{\theta_0}[M(X)]$ に確率収束する．境界に関しては，$1+E_{\theta_0}[M(X)]$ を選択する．$\epsilon > 0$ が与えられているとする．そして N_1 と N_2 を以下が成り立つように選択する．

$$n \geq N_1 \Rightarrow P[|\widehat{\theta}_n - \theta_0| < c_0] \geq 1 - \frac{\epsilon}{2} \tag{6.2.24}$$

$$n \geq N_2 \Rightarrow P\left[\left|\frac{1}{n}\sum_{i=1}^{n}M(X_i) - E_{\theta_0}[M(X)]\right| < 1\right] \geq 1 - \frac{\epsilon}{2} \tag{6.2.25}$$

(6.2.23), (6.2.24), (6.2.25) 式から以下が成り立つ．

$$n \geq \max\{N_1, N_2\} \Rightarrow P\left[\left|-\frac{1}{n}l'''(\theta_n^*)\right| \leq 1 + E_{\theta_0}[M(X)]\right] \geq 1 - \frac{\epsilon}{2}$$

したがって，$n^{-1}l'''(\theta_n^*)$ は確率的に有界である．∎

次に定義 6.2.1 と 6.2.2 を漸近的な場合に対する効率に関して一般化する．

定義 6.2.3.

$X_1, \ldots, X_n$ を，確率密度関数 $f(x;\theta)$ に従う iid な確率変数とする．ここで，$\widehat{\theta}_{1n} = \widehat{\theta}_{1n}(X_1, \ldots, X_n)$ は $\sqrt{n}(\widehat{\theta}_{1n} - \theta_0) \xrightarrow{D} N\left(0, \sigma^2_{\widehat{\theta}_{1n}}\right)$ のような θ_0 の推定量である．このとき以下が成り立つ．

(a) $\widehat{\theta}_{1n}$ の漸近効率 (asymptotic efficiency) は下式として定義される．

$$e(\widehat{\theta}_1 n) = \frac{1/I(\theta_0)}{\sigma^2_{\widehat{\theta}_{1n}}} \tag{6.2.26}$$

(b) (a) における比率が1であるならば，推定量 $\hat{\theta}_{1n}$ は漸近的に有効 (asymptotically efficient) であるという．

(c) $\hat{\theta}_{2n}$ が $\sqrt{n}\,(\hat{\theta}_{2n} - \theta_0) \xrightarrow{D} N\left(0, \sigma^2_{\hat{\theta}_{2n}}\right)$ のような，別の推定量ならば，$\hat{\theta}_{2n}$ に対する $\hat{\theta}_{1n}$ の漸近相対効率 (asymptotic relative efficiency, ARE) は各々の漸近的な分散の比率の逆数である．すなわち以下である．

$$e(\hat{\theta}_{1n}, \hat{\theta}_{2n}) = \frac{\sigma^2_{\hat{\theta}_{2n}}}{\sigma^2_{\hat{\theta}_{1n}}} \tag{6.2.27}$$

したがって定理 6.2.2 から，正則条件のもとで最尤推定量は漸近的な有効推定量である．これは最適な結果である．また2つの推定量が漸近的に正規であり，同一の漸近平均をもつならば，より小さい漸近分散をもつ推定量は直感的に一方よりもよい推定量として選ばれる．この場合，選択された推定量の選択されなかった推定量に対する ARE は 1 よりも大きい．

例 6.2.5 (標本平均に対する標本中央値の ARE). ラプラス分布と正規分布のもとでこの ARE を求めることにする．最初に (6.2.9) 式によって与えられたラプラス位置モデルを考える．すなわち

$$X_i = \theta + e_i, \ i = 1, \ldots n \tag{6.2.28}$$

である．ここで e_i は (6.1.6) 式のラプラス pdf に従う iid な確率変数である．例 6.1.3 から，θ の mle は標本中央値 Q_2 であることが知られている．(6.2.10) 式によって情報量は $I(\theta_0) = 1$ である．したがって Q_2 は漸近的に正規であり，その分布は平均 θ，分散 $1/n$ をもつ．一方で，中心極限定理により標本平均 $\overline{X}$ は漸近的に正規であり，その分布は平均 θ，分散 σ^2/n をもつ．ここで，$\sigma^2 = \mathrm{Var}(X_i) = \mathrm{Var}(e_i + \theta) = \mathrm{Var}(e_i) = E(e_i^2)$ である．一方，以下が成り立つ．

$$E(e_i^2) = \int_{-\infty}^{\infty} z^2 2^{-1} \exp\{-|z|\}\,dz = \int_0^{\infty} z^{3-1} \exp\{-z\}\,dz = \Gamma(3) = 2$$

したがって $ARE(Q_2, \overline{X}) = \frac{2}{1} = 2$ となる．それゆえに，ラプラス分布から標本が抽出されたならば，標本中央値は漸近的に標本平均よりも 2 倍有効である．

次に，(6.2.28) 式の位置モデルが e_i の pdf は $N(0,1)$ であることをのぞいて支持されると仮定する．第 10 章で証明されるように，このモデルのもとで Q_2 は漸近的に正規であり，その分布は平均 θ と分散 $(\pi/2)/n$ をもつ．この場合，$\overline{X}$ の分散は $1/n$ であるから，$ARE(Q_2, \overline{X}) = \frac{1}{\pi/2} = 2/\pi = 0.636$ となる．$\pi/2 = 1.57$ であるから，標本が正規分布から抽出されたものであるならば，$\overline{X}$ は漸近的に Q_2 の 1.57 倍有効である．■

定理 6.2.2 は推測を行う方法を与える，実践的な結果でもある．mle $\widehat{\theta}$ の漸近標準偏差は $[nI(\theta_0)]^{-1/2}$ である．$I(\theta)$ は θ の連続的な関数であるので，定理 4.2.4 と 6.1.2

6.2. ラオ・クラメールの下限および効率

から以下が導かれる.

$$I(\widehat{\theta}_n) \xrightarrow{P} I(\theta_0)$$

それゆえに, mle の漸近的な標準偏差の一致推定値を得る. この結果と, 5.4 節の信頼区間の議論に基づき, 特定された $0<\alpha<1$ に関して, 以下の区間は θ に関する近似的な $(1-\alpha)100\%$ 信頼区間である.

$$\left(\widehat{\theta}_n - z_{\alpha/2}\frac{1}{\sqrt{nI(\widehat{\theta}_n)}}, \widehat{\theta}_n + z_{\alpha/2}\frac{1}{\sqrt{nI(\widehat{\theta}_n)}}\right) \tag{6.2.29}$$

注意 6.2.2. 仮に, θ に関する信頼区間を構成するために漸近分布を用いるならば, 前提となる分布がラプラス分布であるとき, $ARE(Q_2, \overline{X})=2$ であるという事実は, n は, Q_2 を用いると仮定する場合よりも, 同じ信頼区間を得るために $\overline{X}$ に関して 2 倍大きい必要がある. ∎

定理 6.2.2 の単純な系は mle の関数 $g(\widehat{\theta}_n)$ の漸近的な分布を与える.

系 6.2.2.
定理 6.2.2 の仮定のもとで, $g(x)$ が $g'(\theta_0) \neq 0$ のように θ_0 において微分可能である x の連続関数であると仮定する. このとき以下が成り立つ.
$$\sqrt{n}(g(\widehat{\theta}_n) - g(\theta_0)) \xrightarrow{D} N\left(0, \frac{g'(\theta_0)^2}{I(\theta_0)}\right) \tag{6.2.30}$$

この系の証明は定理 4.3.9, 定理 6.2.2 のデルタ法によって直ちに導かれる.
定理 6.2.2 の証明は, 後に有用であることが明らかになる $\widehat{\theta}$ の漸近的な表現を含んでいる. したがって次の系でこれを述べる.

系 6.2.3.
定理 6.2.2 の仮定のもとで,
$$\sqrt{n}(\widehat{\theta}_n - \theta_0) = \frac{1}{I(\theta_0)}\frac{1}{\sqrt{n}}\sum_{i=1}^{n}\frac{\partial \log f(X_i;\theta_0)}{\partial \theta} + R_n \tag{6.2.31}$$
が成り立つ. ここで $R_n \xrightarrow{P} 0$ である.

証明は (6.2.20) 式を整理するだけで与えられる. そしてその結果は定理 6.2.2 の証明となる.

例 6.2.6 (例 6.2.4 の続き). $X_1,\ldots,X_n$ を同一の pdf (6.2.14) 式に従う, 無作為標本とする. $I(\theta) = \theta^{-2}$ とその mle は $\widehat{\theta} = -n/\sum_{i=1}^{n}\log X_i$ であることを思い出そう. したがって $\widehat{\theta}$ は平均 θ, 分散 θ^2/n で近似的に正規分布する. このことに基づく

と，θ に関する近似的な $(1-\alpha)100\%$ 信頼区間は以下となる．

$$\widehat{\theta} \pm z_{\alpha/2} \frac{\widehat{\theta}}{\sqrt{n}}$$

この場合，$\widehat{\theta}$ の正確な分布を得ることができたことを思い出そう．練習問題 6.2.12 が証明するように，この $\widehat{\theta}$ の分布に基づき，θ に関する正確な信頼区間を構成することが可能である．■

θ の mle を求めるに際は，例 6.1.4 の状況であることが多い．すなわち，mle の存在を証明することはできるのだが，式 $l'(\theta)=0$ の解はクローズドフォームでは得られない．このような状況では数値最適化法が用いられる．反復計算法のひとつで，急速な (2 次の) 収束を示すのがニュートン法である．図 6.2.1 の略図はこの方法を思い出すのに役に立つ．$\widehat{\theta}^{(0)}$ は解における初期値と仮定する．次の更新値 (第 1 段階推定値) は点 $(\widehat{\theta}^{(0)}, l'(\widehat{\theta}^{(0)}))$ における曲線 $l'(\theta)$ に正接する直線の水平軸の切片である．簡単な代数演算によって以下を求めることができる．

$$\widehat{\theta}^{(1)} = \widehat{\theta}^{(0)} - \frac{l'(\widehat{\theta}^{(0)})}{l''(\widehat{\theta}^{(0)})} \tag{6.2.32}$$

次に $\widehat{\theta}^{(0)}$ を $\widehat{\theta}^{(1)}$ と置き換え，この過程を反復する．図では第 2 段の更新値 $\widehat{\theta}^{(2)}$ までを追跡している．この過程は収束するまで続けられる．

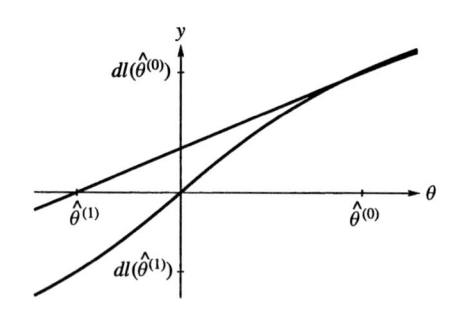

図 6.2.1 初期値 $\widehat{\theta}^{(0)}$ から開始している．第 1 段階推定値は $\widehat{\theta}^{(1)}$ であり，これは $\widehat{\theta}^{(0)}$ における曲線 $l'(\theta)$ に正接する直線と，水平軸との交点である．この図では $dl(\theta) = l'(\theta)$ である．

例 6.2.7 (例 6.1.4 の続き). 例 6.1.4 では，確率変数 $X_1, \ldots, X_n$ が以下の共通のロジスティック密度に従っていたことを思い出そう．

$$f(x;\theta) = \frac{\exp\{-(x-\theta)\}}{(1+\exp\{-(x-\theta)\})^2}, \quad -\infty < x < \infty, \; -\infty < \theta < \infty \tag{6.2.33}$$

尤度方程式は唯一の解をもつが，クローズドフォームで得ることは不可能であること

6.2. ラオ・クラメールの下限および効率

を証明した．公式 (6.2.32) を用いるためには，$l(\theta)$ の 1 次，2 次偏微分と初期値を必要とする．例 6.1.4 の (6.1.9) 式は 1 次偏微分を与える．またこれから 2 次偏微分は

$$l''(\theta) = -2\sum_{i=1}^{n} \frac{\exp\{-(x_i-\theta)\}}{(1+\exp\{-(x_i-\theta)\})^2}$$

によって与えられる．ロジスティック分布は正規分布に類似している．したがって $\overline{X}$ を θ の初期値として用いることができる．付録Bの mlelogistic というサブルーチンはRのルーチンであり，k 段階の更新値を得る．■

この節を次の注目すべき事実の紹介によって終えることにする．(6.2.32) 式の推定値 $\widehat{\theta}^{(1)}$ は第 1 段階推定量 (one-step estimator) とよばれる．練習問題 6.2.13 が証明するように，初期値 $\widehat{\theta}^{(0)}$ が θ の一致推定量であるという仮定のもと，この統計量は mle と同様の漸近分布に従う．すなわち，(6.2.18) 式である．第 1 段階推定値は θ の漸近的有効推定値である．これはその他の反復段階においてもまた真である．

練習問題

6.2.1. $N(\theta, \sigma^2)$，$-\infty < \theta < \infty$ という分布からのサイズ n の無作為標本の平均 $\overline{X}$ は，すべての既知の $\sigma^2 > 0$ に関して，θ の有効推定量であることを証明せよ．

6.2.2. $\theta > 0$ であり，$f(x;\theta) = 1/\theta$，$0 < x < \theta$，それ以外では 0，そして公式によって計算された，下式の逆数が与えられているものとする．

$$nE\left\{\left[\frac{\partial \ln f(X:\theta)}{\partial \theta}\right]^2\right\}$$

このとき $(n+1)Y_n/n$ の分散と比較せよ．ここで Y_n はこの分布からのサイズ n の無作為標本のうち，最も大きなオブザベーションである．そしてそれについて論評せよ．

6.2.3. 以下の pdf が与えられているものとする．

$$f(x;\theta) = \frac{1}{\pi[1+(x-\theta)^2]}, \quad -\infty < x < \infty, \quad -\infty < \theta < \infty$$

このとき，ラオ–クラメールの下限が $2/n$ であることを証明せよ．ここで n はこのコーシー分布からの無作為標本のサイズである．仮に $\widehat{\theta}$ が θ の mle であるならば，$\sqrt{n}(\widehat{\theta} - \theta)$ の漸近分布は何か．

6.2.4. 例 6.2.2 を考慮する．そこでは位置モデルについて議論した．
(a) e_i が (5.2.8) 式で与えられるロジスティック pdf に従うとき，位置モデルを表せ．
(b) (6.2.8) 式を用いて，(a) のモデルに関して情報量が $I(\theta) = 1/3$ であることを証明せよ．
ヒント：(6.2.8) 式の積分において，置換 $u = (1+e^{-z})^{-1}$ を用いよ．次に $du = f(z)dz$ とする．ここで $f(z)$ は (5.2.8) 式の pdf である．

6.2.5. 練習問題 6.2.4 の (a) と同様の位置モデルを用いて，このモデルの mle に対する標本中央値の ARE を求めよ．

ヒント：このモデルの θ の mle は例 6.2.7 において議論されている．さらに，10章の定理 10.2.3 において証明されるように，Q_2 は漸近的に正規であり，漸近的平均 θ と漸近分散 $1/(4f^2(0)n)$ をもつ．

6.2.6. 位置モデル（例 6.2.2）の誤差の pdf が混入比率 ϵ で，混入された部位の分散が σ_c^2 である，(3.4.14) 式の混入正規分布であるとする．このとき標本中央値の標本平均に対する ARE が以下によって与えられることを証明せよ．

$$e(Q_2, \overline{X}) = \frac{2[1+\epsilon(\sigma_c^2-1)][1-\epsilon+(\epsilon/\sigma_c)]^2}{\pi} \qquad (6.2.34)$$

この中央値に関して，練習問題 6.2.5 のヒントを用いよ．

(a) $\sigma_c^2 = 9$ であるとき，以下の表の空白を埋めるために (6.2.34) 式を用いよ．

ϵ	0	0.05	0.10	0.15
$e(Q_2, \overline{X})$				

(b) 表から，ϵ が 0.10 から 0.15 へ増加する際に，標本中央値が「よい」推定量になることに注意してほしい．次に，これが生じる ϵ の値を決定せよ（これは ϵ における 3 次の多項式を含んでいる．よって解を得るひとつの方法は，(6.2.32) 式で周辺で議論されたニュートンアルゴリズムを用いることである）．

6.2.7. X が $\alpha=4$ そして $\beta=\theta>0$ であるガンマ分布に従うものとする．
(a) フィッシャー情報量 $I(\theta)$ を求めよ．
(b) $X_1, X_2, \ldots, X_n$ がこの分布からの無作為標本であるならば，θ の mle は θ の有効推定量であることを証明せよ．
(c) $\sqrt{n}(\widehat{\theta}-\theta)$ の漸近分布は何か．

6.2.8. X は $N(0,\theta)$, $0<\theta<\infty$ であるとする．
(a) フィッシャー情報量 $I(\theta)$ を求めよ．
(b) $X_1, X_2, \ldots, X_n$ がこの分布からの無作為標本であるならば，θ の mle が θ の有効推定量であることを証明せよ．
(c) $\sqrt{n}(\widehat{\theta}-\theta)$ の漸近分布は何か．

6.2.9. $X_1, X_2, \ldots, X_n$ を下記の pdf をもつ分布からの無作為標本とする．

$$f(x;\theta) = \begin{cases} 3\theta^3/(x+\theta)^4 & 0<x<\infty, 0<\theta<\infty \\ 0 & \text{それ以外の場合} \end{cases}$$

このとき $Y = 2\overline{X}$ は θ の不偏推定量であることを証明せよ．またこの効率を定めよ．

6.2.10. $X_1, X_2, \ldots, X_n$ を分布 $N(0,\theta)$ からの無作為標本とする．ここで標準偏差

$\sqrt{\theta}$ を推定したい. $Y = c \sum_{i=1}^{n} |X_i|$ が $\sqrt{\theta}$ の不偏推定量となるように定数 c を求めよ. またその効率を定めよ.

6.2.11. $\overline{X}$ は分布 $N(\theta, \sigma^2)$, $-\infty < \theta < \infty, \sigma^2 > 0$ からのサイズ n 無作為標本の平均とする. σ^2 が既知であると仮定する. このとき, $\overline{X}^2 - \frac{\sigma^2}{n}$ は θ^2 の不偏推定量であることを証明せよ. またその効率を求めよ.

6.2.12. $\widehat{\theta} = -n / \sum_{i=1}^{n} \log X_i$ はベータ $(\theta, 1)$ 分布に関する, θ の mle であることを思い出そう. また $W = -\sum_{i=1}^{n} \log X_i$ はガンマ分布 $\Gamma(n, 1/\theta)$ に従う.
(a) $2\theta W$ は分布 $\chi^2(2n)$ に従うことを証明せよ.
(b) (a)を用いて, $0 < \alpha < 1$ に対して, 下式が成立するように c_1 と c_2 を定めよ.
$$P\left(c_1 < \frac{2\theta n}{\widehat{\theta}} < c_2\right) = 1 - \alpha$$
次に, θ に関する $(1-\alpha)100\%$ 信頼区間を求めよ.
(c) $n = 10$ として, 例 6.2.6 において求められた信頼区間の長さと, この信頼区間の長さを比較せよ.

6.2.13. (6.2.21) 式と (6.2.22) 式を用いて, この節の最後で議論された第 1 段階推定値に関する解を得よ.

6.2.14. S^2 を $N(\mu, \theta), 0 < \theta < \infty$ からのサイズ $n > 1$ の無作為標本の標本分散とする. ここで μ は既知である. また $E(S^2) = \theta$ であることが知られている.
(a) S^2 の効率は何か.
(b) これらの条件のもとで, θ の mle $\widehat{\theta}$ は何か.
(c) $\sqrt{n}(\widehat{\theta} - \theta)$ の漸近分布は何か.

6.3 最尤検定

前節では, 尤度理論に基づいた点推定値と信頼区間の推測について紹介した. 本節では, それに対応した仮説検定に関する推測を導入する.

前節のように, $X_1, \ldots, X_n$ は iid であり, $\theta \in \Omega$ において $f(x; \theta)$ という pdf に従うとする. 本節において θ はスカラーであるが, 6.4 節や 6.5 節ではベクトルへの拡張が議論されるだろう. 以下の両側仮説を考える.

$$H_0 : \theta = \theta_0, \quad H_1 : \theta \neq \theta_0 \tag{6.3.1}$$

ここで, θ_0 は特定の値である.

尤度関数とその対数が以下から得られることを思い出そう.

$$L(\theta) = \prod_{i=1}^{n} f(X_i; \theta)$$

$$l(\theta) = \sum_{i=1}^{n} \log f(X_i; \theta)$$

また，$\widehat{\theta}$ は θ の最尤推定値を表すとする．

検定を動機づけるために，定理 6.1.1 を考える．そこでは，θ_0 が θ の真値であるならば，$L(\theta_0)$ は漸近的に $L(\theta)$ の最大値になるということが述べられていた．以下の 2 つの尤度関数の比を考える．

$$\Lambda = \frac{L(\theta_0)}{L(\widehat{\theta})} \tag{6.3.2}$$

$\Lambda \leq 1$ であることに注意が必要である．また，H_0 が真であるならば Λ は大きい (1 に近い) 値となり，一方 H_1 が真であるならば Λ はより小さくなるだろう．特定の有意水準 α に関して，このことは以下の直感的な決定規則を導く．

$$\Lambda \leq c \text{ のとき, } H_0 \text{ を棄却し } H_1 \text{ を採択する．} \tag{6.3.3}$$

ここで，c は $\alpha = P_{\theta_0}[\Lambda \leq c]$ となるようなものである．この検定は尤度比検定 (likelihood ratio test) とよばれる．定理 6.3.1 では H_0 のもとでの Λ の漸近分布を導出するが，まずは以下の 2 つの例を検討していく．

例 6.3.1 (指数分布に関する尤度比検定). $X_1, \ldots, X_n$ は iid であり，$x, \theta > 0$ において $f(x; \theta) = \theta^{-1} \exp\{-x/\theta\}$ という pdf に従うとする．仮説は (6.3.1) 式によって与えられるとする．尤度関数は以下のように簡単に記すことができる．

$$L(\theta) = \theta^{-n} \exp\{-(n/\theta)\overline{X}\}$$

例 6.1.2 より，θ の mle は $\overline{X}$ である．さらに整理すると，尤度比検定統計量は以下となる．

$$\Lambda = e^n \left(\frac{\overline{X}}{\theta_0}\right)^n \exp\{-n\overline{X}/\theta_0\} \tag{6.3.4}$$

決定規則は，$\Lambda \leq c$ のときに H_0 を棄却するというものである．しかし，さらなる検定の単純化が可能である．定数 e^n を除くと，検定統計量は

$$g(t) = t^n \exp\{-nt\}, \quad t > 0$$

と定式化される．ここで，$t = \overline{x}/\theta_0$ である．微分を用いると，$g(t)$ は 1 において唯一の極値をもつこと，すなわち，$g'(1) = 0$ であること，さらに，$g''(1) < 0$ であるから $t = 1$ は最大値を与えることが簡単に示される．図 6.3.1 に表されるように，$t \leq c_1$ または $t \geq c_2$ の場合，またその場合にかぎり，$g(t) \leq c$ となる．このことは以下を導く．

$\overline{X}/\theta_0 \leq c_1$ または $\overline{X}/\theta_0 \geq c_2$ の場合，またその場合にかぎり，$\Lambda \leq c$ となる．

帰無仮説 H_0 のもとで統計量 $(2/\theta_0) \sum_{i=1}^{n} X_i$ は自由度 $2n$ のカイ 2 乗分布に従うことに注目する．したがって，以下の決定規則は有意水準 α の検定であることがわかる．

6.3. 最尤検定

$(2/\theta_0)\sum_{i=1}^{n} X_i \leq \chi^2_{1-\alpha/2}(2n)$, または, $(2/\theta_0)\sum_{i=1}^{n} X_i \geq \chi^2_{\alpha/2}(2n)$ のとき, H_0 を棄却する. (6.3.5)

ここで, $\chi^2_{1-\alpha/2}(2n)$ は自由度 $2n$ のカイ 2 乗分布における下側 $\alpha/2$ 分位であり, $\chi^2_{\alpha/2}(2n)$ は自由度 $2n$ のカイ 2 乗分布における上側 $\alpha/2$ 分位である. c_1, c_2 について別の選択方法も可能であるが, これらが実際に用いられる通常の方法である. 練習問題 6.3.1 において, この検定の検定力曲線が吟味される. ■

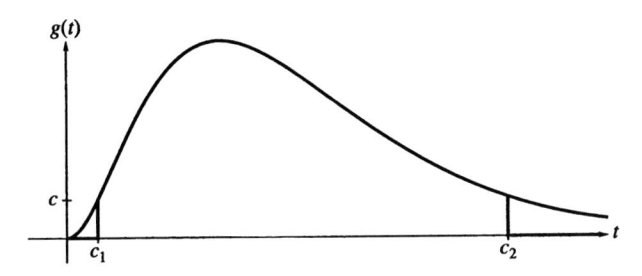

図 6.3.1 例 6.3.1 を図示したものである. $t \leq c_1$ または $t \geq c_2$ の場合, またその場合にかぎり, 関数 $g(t) \leq c$ であることを示している.

例 6.3.2 (正規 pdf の平均に対する尤度比検定). $X_1, X_2, \ldots, X_n$ を $-\infty < \theta < \infty$ と $\sigma^2 > 0$ が既知であるような分布 $N(\theta, \sigma^2)$ からの無作為標本とする. 以下の仮説を考える.

$$H_0: \theta = \theta_0, \quad H_1: \theta \neq \theta_0$$

ここで, θ_0 は特定の値である. 尤度関数は以下である.

$$L(\theta) = \left(\frac{1}{2\pi\sigma^2}\right)^{n/2} \exp\left\{-(2\sigma^2)^{-1}\sum_{i=1}^{n}(x_i-\theta)^2\right\}$$

$$= \left(\frac{1}{2\pi\sigma^2}\right)^{n/2} \exp\left\{-(2\sigma^2)^{-1}\sum_{i=1}^{n}(x_i-\overline{x})^2\right\} \exp\left\{-(2\sigma^2)^{-1}n(\overline{x}-\theta)^2\right\}$$

もちろん, $\Omega = \{\theta : -\infty < \theta < \infty\}$ において, mle は $\widehat{\theta} = \overline{X}$ であり, したがって

$$\Lambda = \frac{L(\theta_0)}{L(\widehat{\theta})} = \exp\{-(2\sigma^2)^{-1}n(\overline{X}-\theta_0)^2\}$$

である. このとき, $\Lambda \leq c$ は $-2\log \Lambda \geq -2\log c$ と同等である. また,

$$-2\log \Lambda = \left(\frac{\overline{X}-\theta_0}{\sigma/\sqrt{n}}\right)^2$$

であり, これは H_0 のもとで $\chi^2(1)$ 分布に従う. したがって, 有意水準 α の尤度比検

定では

$$-2\log \Lambda = \left(\frac{\overline{X}-\theta_0}{\sigma/\sqrt{n}}\right)^2 \geq \chi^2_\alpha(1) \tag{6.3.6}$$

であるときに，H_0 を棄却し H_1 を採択することとなる．練習問題 6.3.3 では，この決定規則の検定力関数が得られる．■

練習問題において，他の例が紹介される．先の 2 つの例では，尤度比検定は整理され，検定をクローズドフォームで得ることができた．しかし，時にこれは不可能となる．そのような場合は，例 6.2.7 と同様に反復計算によって mle と，したがって，検定統計量 Λ を得ることができる．例 6.3.2 では，$-2\log \Lambda$ は正確な $\chi^2(1)$ 帰無分布に従うとされた．一般的にはこれは真ではないが，以下の定理が示すように，正則条件のもとでは $-2\log \Lambda$ の漸近的帰無分布が自由度 1 のカイ 2 乗分布に従う．したがって，どんな場合においても漸近的な検定が構築可能である．

定理 6.3.1.
定理 6.2.2 と同じ正則条件を仮定する．帰無仮説 $H_0 : \theta = \theta_0$ のもとで，

$$-2\log \Lambda \xrightarrow{D} \chi^2(1) \tag{6.3.7}$$

である．

証明 関数 $l(\theta)$ を次数 1 の θ_0 についてのテイラー級数へと展開し，mle の $\widehat{\theta}$ で評価する．これは以下に帰着する．

$$l(\widehat{\theta}) = l(\theta_0) + (\widehat{\theta}-\theta_0)l'(\theta_0) + \frac{1}{2}(\widehat{\theta}-\theta_0)^2 l''(\theta_n^*) \tag{6.3.8}$$

ここで，θ_n^* は $\widehat{\theta}$ と θ_0 の間に存在する．$\widehat{\theta}\to \theta_0$ に確率収束することから，$\theta_n^* \to \theta_0$ に確率収束することが示される．これに関数 $l''(\theta)$ は連続的であるという事実と，定理 6.2.2 の (6.2.22) 式を併せると，以下が示唆される．

$$-\frac{1}{n}l''(\theta_n^*) \xrightarrow{P} I(\theta_0) \tag{6.3.9}$$

系 6.2.3 より，以下である．

$$\frac{1}{\sqrt{n}}l'(\theta_0) = \sqrt{n}\,(\widehat{\theta}-\theta_0)I(\theta_0) + R_n \tag{6.3.10}$$

ここで，$R_n \to 0$ に確率収束する．(6.3.9) 式と (6.3.10) 式を (6.3.8) 式に代入し，整理すると以下を得る．

$$-2\log \Lambda = 2(l(\widehat{\theta})-l(\theta_0)) = \left\{\sqrt{nI(\theta_0)}(\widehat{\theta}-\theta_0)\right\}^2 + R_n^* \tag{6.3.11}$$

ここで，$R_n^* \to 0$ に確率収束する．定理 4.3.4 と 6.2.2 により，上式右辺の第 1 項は自由度 1 のカイ 2 乗分布に分布収束する．■

検定統計量 $\chi_L^2 = -2\log \Lambda$ を定義する．(6.3.1) 式の仮説に対して，この定理は以下

6.3. 最尤検定

の決定規則を導くだろう.

$$\chi_L^2 \geq \chi_\alpha^2(1) \text{ のとき}, H_0 \text{ を棄却し } H_1 \text{ を採択する}. \tag{6.3.12}$$

先の定理より，この検定は漸近的な有意水準 α に従う．検定統計量やその分布がクローズドフォームで得られないならば，この漸近的な検定を利用することが可能である．

尤度比検定に加えて，実際には別の2つの尤度に関する検定が用いられる．自然検定統計量は $\widehat{\theta}$ の漸近分布に基づくものである．以下の統計量を考える．

$$\chi_W^2 = \left\{\sqrt{nI(\widehat{\theta})}(\widehat{\theta} - \theta_0)\right\}^2 \tag{6.3.13}$$

$I(\theta)$ は連続関数であるため，(6.3.1) 式の帰無仮説のもとで $I(\widehat{\theta}) \to I(\theta_0)$ に確率収束する．ここから，H_0 のもとで，χ_W^2 は自由度1の漸近的カイ2乗分布に従うことが示される．このことは以下の決定規則を導くだろう．

$$\chi_W^2 \geq \chi_\alpha^2(1) \text{ のとき}, H_0 \text{ を棄却し } H_1 \text{ を採択する}. \tag{6.3.14}$$

χ_L^2 に基づく検定のように，この検定も漸近的な有意水準 α に従う．実際にこの2つの検定は強く関連している．なぜなら，(6.3.11) 式が示すように，H_0 のもとで

$$\chi_W^2 - \chi_L^2 \xrightarrow{P} 0 \tag{6.3.15}$$

となるためである．(6.3.14) 式の検定はしばしば，20世紀の著名な統計学者アブラハム・ワルドにちなんで，ワルド (Wald) 型検定とよばれる．

3つめの検定はスコア (score) 型検定とよばれる．もう一人の著名な統計学者 C. R. ラオにちなんで，しばしば，ラオのスコア検定といわれる．スコアはベクトル

$$\mathbf{S}(\theta) = \left(\frac{\partial \log f(X_1; \theta)}{\partial \theta}, \ldots, \frac{\partial \log f(X_n; \theta)}{\partial \theta}\right)' \tag{6.3.16}$$

の構成要素である．この本で利用している表記を用いると以下となる．

$$\frac{1}{\sqrt{n}} l'(\theta_0) = \frac{1}{\sqrt{n}} \sum_{i=1}^n \frac{\partial \log f(X_i; \theta_0)}{\partial \theta} \tag{6.3.17}$$

以下の統計量を定義する．

$$\chi_R^2 = \left(\frac{l'(\theta_0)}{\sqrt{nI(\theta_0)}}\right)^2 \tag{6.3.18}$$

H_0 のもとで，(6.3.10) 式より以下である．

$$\chi_R^2 = \chi_W^2 + R_n \tag{6.3.19}$$

ここで，R_n は0に確率収束する．したがって，以下の決定規則が，H_0 のもとでの漸近的な有意水準 α の検定を定義する．

$$\chi_R^2 \geq \chi_\alpha^2(1) \text{ のとき}, H_0 \text{ を棄却し } H_1 \text{ を採択する}. \tag{6.3.20}$$

例 6.3.3 (例 6.2.6 の続き). 例 6.2.6 のように，$X_1, \ldots, X_n$ を (6.2.14) 式で表された Beta$(\theta, 1)$ という pdf に共通して従う無作為標本とする．この pdf を用いて仮説

$$H_0: \theta = 1, \quad H_1: \theta \neq 1 \tag{6.3.21}$$

に対して，上述の 3 つの検定統計量を例示する．H_0 のもとで，$f(x;\theta)$ は uniform$(0,1)$ という pdf に従う．$\widehat{\theta} = -n/\sum_{i=1}^n \log X_i$ が θ の mle であることを思い出そう．整理をすると，その mle における尤度関数の値は以下となる．

$$L(\widehat{\theta}) = \left(-\sum_{i=1}^n \log X_i\right)^{-n} \exp\left\{-\sum_{i=1}^n \log X_i\right\} \exp\{n(\log n - 1)\}$$

また，$L(1) = 1$ である．したがって，尤度比検定統計量は $\Lambda = 1/L(\widehat{\theta})$ となり，その結果

$$\chi_L^2 = -2\log \Lambda = 2\left\{-\sum_{i=1}^n \log X_i - n\log\left(-\sum_{i=1}^n \log X_i\right) - n + n\log n\right\}$$

となる．この pdf の情報量は $I(\theta) = \theta^{-2}$ であった．ワルド型検定において，これは常に $\widehat{\theta}^{-2}$ によって推定される．ワルド型検定は以下のように簡略化される．

$$\chi_W^2 = \left(\sqrt{\frac{n}{\widehat{\theta}^2}}(\widehat{\theta} - 1)\right)^2 = n\left\{1 - \frac{1}{\widehat{\theta}}\right\}^2 \tag{6.3.22}$$

最後に，スコア型検定において，(6.2.15) 式より $l'(1)$ は

$$l'(1) = \sum_{i=1}^n \log X_i + n$$

であった．したがって，スコア型の検定統計量は以下となる．

$$\chi_R^2 = \left\{\frac{\sum_{i=1}^n \log X_i + n}{\sqrt{n}}\right\}^2 \tag{6.3.23}$$

(6.3.22) 式と (6.3.23) 式は同じであることが簡単に示される．例 6.2.4 より，最尤推定値の分布が正確に得られる．練習問題 6.3.7 において，正確な検定を得るためにこの分布が利用される．■

例 6.3.4 (ラプラスの位置モデルに関する尤度検定). 以下の位置モデルを考える．

$$X_i = \theta + e_i, \quad i = 1, \ldots, n$$

ここで $-\infty < \theta < \infty$，かつ，誤差 e_i は iid であり，それぞれが (6.1.6) 式のラプラス pdf に従う．理論的には，ラプラス分布は (R0) から (R5) の正則条件のすべてを満たしていないが，以下の結果は厳密に導かれる．例えば，Hettmansperger and McKean (1998) を参照されたい．以下の仮説を検定することを考える．

$$H_0: \theta = \theta_0, \quad H_1: \theta \neq \theta_0$$

ここで，θ_0 は特定の値である．いま，$\Omega = (-\infty, \infty)$ また $\omega = \{\theta_0\}$ である．例 6.1.3

6.3. 最尤検定

より，Ω のもとで θ の mle は，標本中央値 $Q_2 = \mathrm{med}\{X_1,\ldots,X_n\}$ であることがわかる．これより，

$$L(\widehat{\Omega}) = 2^{-n} \exp\left\{-\sum_{i=1}^{n} |x_i - Q_2|\right\}$$

と，一方

$$L(\widehat{\omega}) = 2^{-n} \exp\left\{-\sum_{i=1}^{n} |x_i - \theta_0|\right\}$$

である．したがって，尤度比検定統計量の対数の -2 倍は以下となる．

$$-2\log \Lambda = 2\left[\sum_{i=1}^{n} |x_i - \theta_0| - \sum_{i=1}^{n} |x_i - Q_2|\right] \tag{6.3.24}$$

このように，H_0 の H_1 に対する有意水準 α の漸近的尤度比検定では，

$$2\left[\sum_{i=1}^{n} |x_i - \theta_0| - \sum_{i=1}^{n} |x_i - Q_2|\right] \geq \chi_\alpha^2(1)$$

のとき，H_0 を棄却し H_1 を採択する．(6.2.10) 式より，このモデルのフィッシャー情報量は $I(\theta) = 1$ となる．したがって，ワルド型の検定統計量は

$$\chi_W^2 = [\sqrt{n}(Q_2 - \theta_0)]^2$$

と簡略化される．スコア型検定に関して，

$$\frac{\partial \log f(x_i - \theta)}{\partial \theta} = \frac{\partial}{\partial \theta}\left[\log \frac{1}{2} - |x_i - \theta|\right] = \mathrm{sgn}(x_i - \theta)$$

である．よって，このモデルのスコアベクトルは $\mathbf{S}(\theta) = (\mathrm{sgn}(X_1 - \theta),\ldots,\mathrm{sgn}(X_n - \theta))'$ である．以上の議論より，((6.3.17) 式を参照すると) スコア型の検定統計量は以下のように書くことができる．

$$\chi_R^2 = (S^*)^2/n$$

ここで，

$$S^* = \sum_{i=1}^{n} \mathrm{sgn}(X_i - \theta_0)$$

である．練習問題 6.3.4 が示すように，H_0 のもとで S^* は分布 $b(n, 1/2)$ に従う確率変数の線形関数である．■

これら 3 つの検定のうちどれを利用すればよいだろうか．この議論に関して，3 つの検定はすべて帰無仮説のもとで漸近的に同等である．漸近相対効率 (ARE) の概念と同様に，検定の効率という同等の概念を導出することができる．これに関しては第 10 章や，Hettmansperger and McKean (1998) のような発展的な本を参照されたい．しかし，3 つの検定はすべて同じ漸近的効率をもつ．したがって，漸近理論はこれら

練習問題

6.3.1. 例 6.3.1 で導出された (6.3.5) 式の決定規則を考える．一般的な対立仮説のもとでの検定統計量の分布を得よ．また，それを検定の検定力関数を得るために利用せよ．コンピュータが利用可能ならば，$\theta_0 = 1$, $n = 10$, $\alpha = 0.05$ のときの検定力曲線を描画せよ．

6.3.2. (6.3.6) 式の決定規則を伴う検定は，σ^2 が既知であることを除いて例 5.6.1 のものと類似していることを示せ．

6.3.3. 例 6.3.2 で導出された (6.3.6) 式の決定規則を考える．H_0 のもとで標準正規分布に従う場合と同様の検定統計量を得よ．次に，一般的な対立仮説のもとでの検定統計量の分布を得よ．また，それを検定の検定力関数を得るために利用せよ．コンピュータが利用可能ならば，$\theta_0 = 0$, $n = 10$, $\sigma^2 = 1$, $\alpha = 0.05$ のときの検定力曲線を描画せよ．

6.3.4. 例 6.3.4 を考える．
(a) $S^* = 2T - n$ (ここで $T = \#\{X_i > \theta_0\}$ である) と書けることを示せ．
(b) このモデルに対するスコア型検定は，$T < c_1$ または $T > c_2$ のときに H_0 を棄却することと同等であることを示せ．
(c) H_0 のもとで T は 2 項分布 $b(n, 1/2)$ に従っていることを示せ．そのとき，検定の有意水準が α となるように c_1 と c_2 を定めよ．
(d) T に基づいた検定の検定力関数を θ の関数として定めよ．

6.3.5. $X_1, X_2, \ldots, X_n$ を分布 $N(\mu_0, \sigma^2 = \theta)$ からの無作為標本とする．ここで，$0 < \theta < \infty$ であり，μ_0 は既知である．$H_0: \theta = \theta_0$ の $H_1: \theta \neq \theta_0$ に対する尤度比検定は，統計量 $W = \sum_{i=1}^{n}(X_i - \mu_0)^2/\theta_0$ に基づくことを示せ．W の帰無分布を定め，有意水準 α の検定の棄却規則を明確に与えよ．

6.3.6. 練習問題 6.3.5 で記述された検定に対して，一般的な対立仮説のもとでの検定統計量の分布を得よ．コンピュータが利用可能ならば，$\theta_0 = 1$, $n = 10$, $\mu = 0$, $\alpha = 0.05$ のときの検定力曲線を描画せよ．

6.3.7. 例 6.2.4 の結果を用いて，(6.3.21) 式の仮説に対する有意水準 α の正確な検定を求めよ．

6.3.8. $X_1, X_2, \ldots, X_n$ を平均 $\theta > 0$ のポアソン分布からの無作為標本とする．
(a) $H_0: \theta = \theta_0$ の $H_1: \theta \neq \theta_0$ に対する尤度比検定は，統計量 $Y = \sum_{i=1}^{n} X_i$ に基づ

6.3. 最尤検定

くことを示せ．Y の帰無分布を得よ．

(b) $\theta_0 = 2$ と $n = 5$ において，$Y \leq 4$ または $Y \geq 17$ のとき H_0 を棄却する検定の有意水準を求めよ．

6.3.9. $X_1, X_2, \ldots, X_n$ をベルヌイ分布 $b(1, \theta)$ からの無作為標本とする．ここで $0 < \theta < 1$ である．

(a) $H_0 : \theta = \theta_0$ の $H_1 : \theta \neq \theta_0$ に対する尤度比検定は，統計量 $Y = \sum_{i=1}^n X_i$ に基づくことを示せ．Y の帰無分布を得よ．

(b) $n = 100$ と $\theta_0 = 1/2$ において，$Y \leq c_1$ または $Y \geq c_2 = 100 - c_1$ のとき H_0 を棄却する検定が，近似的な有意水準 $\alpha = 0.05$ に従うように c_1 を求めよ．

ヒント：中心極限定理を利用せよ．

6.3.10. $X_1, X_2, \ldots, X_n$ を分布 $\Gamma(\alpha = 3, \beta = \theta)$ からの無作為標本とする．ここで $0 < \theta < \infty$ である．

(a) $H_0 : \theta = \theta_0$ の $H_1 : \theta \neq \theta_0$ に対する尤度比検定は，統計量 $W = \sum_{i=1}^n X_i$ に基づくことを示せ．$2W/\theta_0$ の帰無分布を得よ．

(b) $\theta_0 = 3$ と $n = 5$ において，$W \leq c_1$ または $W \geq c_2$ のとき H_0 を棄却する検定が，有意水準 0.05 に従うように c_1 と c_2 を求めよ．

6.3.11. $X_1, X_2, \ldots, X_n$ を $f(x; \theta) = \theta \exp\{-|x|^\theta\}/2\Gamma(1/\theta),\ -\infty < x < \infty$ という pdf に従う分布からの無作為標本とする．ここで $\theta > 0$ である．仮に，$\Omega = \{\theta : \theta = 1, 2\}$ とする．$H_0 : \theta = 2$ (正規分布) と，それに対する $H_1 : \theta = 1$ (2重指数分布) という仮説を考える．この尤度比検定が統計量 $W = \sum_{i=1}^n (X_i^2 - |X_i|)$ に基づくことを示せ．

6.3.12. $X_1, X_2, \ldots, X_n$ を $\alpha = \beta = \theta$，かつ，$\Omega = \{\theta : \theta = 1, 2\}$ であるベータ分布からの無作為標本とする．$H_0 : \theta = 1$ を $H_1 : \theta = 2$ に対して検定するための尤度比検定統計量 Λ は，統計量 $W = \sum_{i=1}^n \log X_i + \sum_{i=1}^n \log(1 - X_i)$ の関数であることを示せ．

6.3.13. 以下の位置モデルを考える．

$$X_i = \theta + e_i,\ i = 1, \ldots, n \tag{6.3.25}$$

ここで，$e_1, e_2, \ldots, e_n$ は iid であり，$f(z)$ という pdf に従う．θ の推定に関して，優れた幾何学的解釈がある．$\mathbf{X} = (X_1, \ldots, X_n)'$ と $\mathbf{e} = (e_1, \ldots, e_n)'$ をそれぞれ，観測値と確率的誤差のベクトルとし，また，$\boldsymbol{\mu} = \theta \mathbf{1}$ とする．ここで，$\mathbf{1}$ はすべての要素が1であるベクトルである．V を $\boldsymbol{\mu}$ の形状をしたベクトルの部分空間とする．すなわち，$V = \{\mathbf{v} : \mathbf{v} = a\mathbf{1},\ a \in R\}$ である．すると，ベクトル表記を用いてモデルを以下のように書くことができる．

$$\mathbf{X} = \boldsymbol{\mu} + \mathbf{e},\ \boldsymbol{\mu} \in V \tag{6.3.26}$$

ここから，このモデルを「確率的誤差ベクトル e を除くと，$\mathbf{X}$ は V に属する」というように要約することができる．したがって，$\mathbf{X}$ に「最も近い」V の中のベクトルによって $\boldsymbol{\mu}$ を推定することは直感的に理にかなっている．すなわち，R^n におけるノルム $\|\cdot\|$ が与えられたとき，以下を満たすように $\widehat{\boldsymbol{\mu}}$ を選択する．

$$\widehat{\boldsymbol{\mu}} = \text{Argmin}\|\mathbf{X} - \mathbf{v}\|, \quad \mathbf{v} \in V \tag{6.3.27}$$

(a) 誤差の pdf が (6.1.6) 式のラプラス分布に従うならば，ノルムが以下の l_1 ノルムによって与えられるとき，(6.3.27) 式の最小化が尤度の最大化と同等になることを示せ．

$$\|\mathbf{v}\|_1 = \sum_{i=1}^{n} |v_i| \tag{6.3.28}$$

(b) 誤差の pdf が $N(0,1)$ に従うならば，ノルムが以下の l_2 ノルムの 2 乗によって与えられるとき，(6.3.27) 式の最小化が尤度の最大化と同等になることを示せ．

$$\|\mathbf{v}\|_2^2 = \sum_{i=1}^{n} v_i^2 \tag{6.3.29}$$

6.3.14. 前の練習問題について引き続き考える．推定に加えて，検定に関しても優れた幾何学的解釈がある．(6.3.26) 式のモデルに関して以下の仮説を考える．

$$H_0: \theta = \theta_0, \quad H_1: \theta \neq \theta_0 \tag{6.3.30}$$

ここで θ_0 は特定の値である．与えられた R^n 上のノルム $\|\cdot\|$ を $\mathbf{X}$ と部分空間 V の距離 $d(\mathbf{X}, V)$ によって表記する．すなわち，$d(\mathbf{X}, V) = \|\mathbf{X} - \widehat{\boldsymbol{\mu}}\|$ である．ここで $\widehat{\boldsymbol{\mu}}$ は (6.3.27) 式で定義されたものである．H_0 が真であれば，$\widehat{\boldsymbol{\mu}}$ は $\boldsymbol{\mu} = \theta_0 \mathbf{1}$ に近づき，したがって，$\|\mathbf{X} - \theta_0 \mathbf{1}\|$ は $d(\mathbf{X}, V)$ に近づくはずである．その差を以下のように表記する．

$$RD = \|\mathbf{X} - \theta_0 \mathbf{1}\| - \|\mathbf{X} - \widehat{\boldsymbol{\mu}}\| \tag{6.3.31}$$

小さい RD の値は帰無仮説が真であることを示唆し，大きい値は H_1 を示唆する．そのため，RD を利用したときの棄却法則は以下となる．

$$RD > c \text{ のとき，} H_0 \text{ を棄却し } H_1 \text{ を採択する．} \tag{6.3.32}$$

(a) 誤差の pdf が (6.1.6) 式のラプラス分布であるならば，ノルムが (6.3.28) 式によって与えられたとき，(6.3.31) 式が尤度比検定と同等になることを示せ．

(b) 誤差の pdf が $N(0,1)$ であるならば，ノルムが (6.3.29) 式の l_2 ノルムの 2 乗によって与えられたとき，(6.3.31) 式が尤度比検定と同等になることを示せ．

6.3.15. $X_1, X_2, \ldots, X_n$ を $p(x; \theta) = \theta^x (1-\theta)^{1-x}$, $x = 0, 1$ という pmf に従う分布からの無作為標本とする．ここで $0 < \theta < 1$ である．$H_0: \theta = 1/3$ を $H_1: \theta \neq 1/3$ に対して検定したい．

(a) Λ と $-2 \log \Lambda$ を求めよ．

(b) ワルド型検定を定めよ．
(c) ラオのスコア統計量を求めよ．

6.3.16. $X_1, X_2, \ldots, X_n$ を平均 $\theta > 0$ のポアソン分布からの無作為標本とする．以下のそれぞれを用いて，$H_0 : \theta = 2$ を $H_1 : \theta \neq 2$ に対して検定せよ．
(a) $-2\log \Lambda$
(b) ワルド型の統計量
(c) ラオのスコア統計量

6.3.17. $X_1, X_2, \ldots, X_n$ を分布 $\Gamma(\alpha, \beta)$ からの無作為標本とする．ここで α は既知であり，$\beta > 0$ である．$H_0 : \beta = \beta_0$ の $H_1 : \beta \neq \beta_0$ に対する尤度比検定を定めよ．

6.3.18. $Y_1 < Y_2 < \cdots < Y_n$ は範囲 $(0, \theta)$ 上の一様分布からの無作為標本の順序統計量とする．ここで $\theta > 0$ である．
(a) $H_0 : \theta = \theta_0$ を $H_1 : \theta \neq \theta_0$ に対して検定する際の Λ は，$Y_n \leq \theta_0$ において $\Lambda = (Y_n/\theta_0)^n$ であること，また，$Y_n > \theta_0$ ならば $\Lambda = 0$ であることを示せ．
(b) H_0 が真のとき，$-2\log \Lambda$ は $\chi^2(1)$ ではなく，正確な $\chi^2(2)$ に従うことを示せ．ここで，正則条件は満たされていないことに注目する．

6.4 母数が複数の場合の推定

この節では $\boldsymbol{\theta}$ が p 個の母数のベクトルである場合について論じる．$\boldsymbol{\theta}$ がスカラーであった前節の定理に同様なものがある．それらの定理を示すが，ほとんどの場合証明を省く．興味をもった読者は，より発展的な教科書でさらなる情報を得ることができる．例えば，Lehmann and Casella (1998)，Rao (1973) を参照せよ．

$X_1, \ldots, X_n$ は iid で $f(x; \boldsymbol{\theta})$ という共通の pdf に従うとする．ここで，$\boldsymbol{\theta} \in \Omega \subset R^p$ である．すでに述べたように，$\boldsymbol{\theta} \in \Omega$ に対して，尤度関数とその対数は以下より得られる．

$$L(\boldsymbol{\theta}) = \prod_{i=1}^{n} f(x_i; \boldsymbol{\theta})$$

$$l(\boldsymbol{\theta}) = \log L(\boldsymbol{\theta}) = \sum_{i=1}^{n} \log f(x_i; \boldsymbol{\theta}) \tag{6.4.1}$$

この理論は付録 A, (A.1.1) に記載された，さらなる正則条件を要する．前述の節のかたちと合わせるため，(R6)〜(R9) とした．この 6.4 節では，正則条件のもとといった場合，その議論に関する，仮定 (6.1.1)，仮定 (6.2.1)，仮定 (6.2.2)，そして (A.1.1) のすべての条件を意味する．離散型の場合は，連続型と同じ方法に従うので，全般に連続型の場合の観点から要素を論じる．

定理 6.1.1 の証明は母数がスカラーかベクトルかに依存しないことに注意しよう．

したがって，$L(\boldsymbol{\theta})$ は $\boldsymbol{\theta}$ の真の値において最大化される．そしてその確率は1に近づく．よって $\boldsymbol{\theta}$ の推定の際，$L(\boldsymbol{\theta})$ を最大化する値，もしくは同等に，ベクトル方程式 $(\partial/\partial\boldsymbol{\theta})l(\boldsymbol{\theta})=\mathbf{0}$ の解となる値を考えるだろう．この値が存在するなら，それは最尤推定量 (maximum likelihood estimator, mle) といわれ，$\widehat{\boldsymbol{\theta}}$ で表現する．しばしば $\boldsymbol{\theta}$ の関数に関心がある．例えば，母数 $\eta=g(\boldsymbol{\theta})$ である．定理 6.1.2 の証明の2つめの部分はベクトルとしての $\boldsymbol{\theta}$ に対しても真であるので，$\widehat{\eta}=g(\widehat{\boldsymbol{\theta}})$ は η の mle である．

例 6.4.1 (正規 pdf の最尤推定値). $X_1,\ldots,X_n$ を $N(\mu,\sigma^2)$ に iid に従うものとする．この場合，$\boldsymbol{\theta}=(\mu,\sigma^2)'$ であり，Ω は積空間 $(-\infty,\infty)\times(0,\infty)$ である．尤度の対数は以下のように単純化される．

$$l(\mu,\sigma^2)=-\frac{n}{2}\log 2\pi-n\log\sigma-\frac{1}{2\sigma^2}\sum_{i=1}^n(x_i-\mu)^2 \tag{6.4.2}$$

μ と σ について (6.4.2) の偏導関数をとり，それらが0となるようにすると，以下の同時方程式が得られる．

$$\frac{\partial l}{\partial \mu}=\frac{1}{\sigma^2}\sum_{i=1}^n(x_i-\mu)=0$$

$$\frac{\partial l}{\partial \sigma}=-\frac{n}{\sigma}+\frac{1}{\sigma^3}\sum_{i=1}^n(x_i-\mu)^2=0$$

方程式を解くと，解として，$\widehat{\mu}=\overline{X}$，$\widehat{\sigma}=\sqrt{(1/n)\sum_{i=1}^n(X_i-\overline{X})^2}$ を得る．2次の偏導関数を確認すると，これらが $l(\mu,\sigma^2)$ を最大化することが示される．したがって，これらは mle である．また，定理 6.1.2 より，$(1/n)\sum_{i=1}^n(X_i-\overline{X})^2$ は σ^2 の mle である．5.4 節の議論より，これらは μ と σ^2 の一致推定値であることがわかっている．それぞれ，$\widehat{\mu}$ は μ の不偏推定値であり，$\widehat{\sigma^2}$ は σ^2 の偏りのある推定量であり，その偏りは $n\to\infty$ にともない消える．■

例 6.4.2 (一般ラプラス pdf). $X_1,X_2,\ldots,X_n$ を，ラプラス pdf $f_X(x)=(2b)^{-1}\times\exp\{-|x-a|/b\}$, $-\infty<x<\infty$ からの無作為標本とする．ここで，母数 (a,b) は空間 $\Omega=\{(a,b):-\infty<a<\infty,b>0\}$ 内である．前節において，$b=1$ という特別な場合についてみたことを思い出そう．いま示すように，a の mle は，b の値にかかわらず標本の中央値である．尤度関数の対数は

$$l(a,b)=-n\log 2-n\log b-\sum_{i=1}^n\left|\frac{x_i-a}{b}\right|$$

である．a についての $l(a,b)$ の偏導関数は

$$\frac{\partial l(a,b)}{\partial a}=\frac{1}{b}\sum_{i=1}^n\mathrm{sgn}\left\{\frac{x_i-a}{b}\right\}=\frac{1}{b}\sum_{i=1}^n\mathrm{sgn}\{x_i-a\}$$

である．ここで，2つめの等式は $b>0$ ゆえ成り立つ．この偏導関数を0とすると，ま

6.4. 母数が複数の場合の推定

さに例 6.1.3 でのように，a の mle を $Q_2 = \mathrm{med}\{X_1, X_2, \ldots, X_n\}$ と得る．したがって，a の mle は母数 b に対し不変である．b について $l(a,b)$ の偏導関数をとると，以下が得られる．

$$\frac{\partial l(a,b)}{\partial b} = -\frac{n}{b} + \frac{1}{b^2} \sum_{i=1}^{n} |x_i - a|$$

これを 0 として，2 つの偏導関数を同時に解くと，b の mle として，統計量

$$\widehat{b} = \frac{1}{n} \sum_{i=1}^{n} |X_i - Q_2|$$

を得る．■

スカラーの場合のフィッシャー情報量は確率変数 $(\partial/\partial\theta)\log f(X;\theta)$ の分散であったことを思い出そう．母数が複数の場合，同様のものは $\log f(X;\boldsymbol{\theta})$ の傾きの分散共分散行列である．すなわち

$$\nabla \log f(X;\boldsymbol{\theta}) = \left(\frac{\partial \log f(X;\boldsymbol{\theta})}{\partial \theta_1}, \ldots, \frac{\partial \log f(X;\boldsymbol{\theta})}{\partial \theta_p}\right)' \tag{6.4.3}$$

より与えられる確率ベクトルの分散共分散行列である．フィッシャー情報量は，したがって以下の $p \times p$ の行列より定義される．

$$\mathbf{I}(\boldsymbol{\theta}) = \mathrm{Cov}\left(\nabla \log f(X;\boldsymbol{\theta})\right) \tag{6.4.4}$$

$\mathbf{I}(\boldsymbol{\theta})$ の (j,k) 番目の要素は

$$I_{j,k} = \mathrm{cov}\left(\frac{\partial}{\partial \theta_j} \log f(X;\boldsymbol{\theta}), \frac{\partial}{\partial \theta_k} \log f(X;\boldsymbol{\theta})\right); \quad j,k = 1,\ldots,p \tag{6.4.5}$$

によって与えられる．

スカラーの場合のように，恒等式 $1 = \int f(x;\boldsymbol{\theta})\,dx$ を用いることによって式を簡単にすることができる．この節の第 2 段落で論じたような，正則条件のもとで，θ_j についてこの恒等式の偏導関数は

$$0 = \int \frac{\partial}{\partial \theta_j} f(x;\boldsymbol{\theta})\,dx = \int \left[\frac{\partial}{\partial \theta_j} \log f(x;\boldsymbol{\theta})\right] f(x;\boldsymbol{\theta})\,dx$$
$$= E\left[\frac{\partial}{\partial \theta_j} \log f(X;\boldsymbol{\theta})\right] \tag{6.4.6}$$

となる．次に，上のはじめの等式の両辺において，θ_k について偏導関数をとる．単純化の後，以下のようになる．

$$0 = \int \left(\frac{\partial^2}{\partial \theta_j \partial \theta_k} \log f(x;\boldsymbol{\theta})\right) f(x;\boldsymbol{\theta})\,dx$$
$$+ \int \left(\frac{\partial}{\partial \theta_j} \log f(x;\boldsymbol{\theta}) \frac{\partial}{\partial \theta_k} \log f(x;\boldsymbol{\theta})\right) f(x;\boldsymbol{\theta})\,dx$$

すなわち

$$E\left[\frac{\partial}{\partial \theta_j}\log f(X;\boldsymbol{\theta})\frac{\partial}{\partial \theta_k}\log f(X;\boldsymbol{\theta})\right]=-E\left[\frac{\partial^2}{\partial \theta_j \partial \theta_k}\log f(X;\boldsymbol{\theta})\right] \quad (6.4.7)$$

である. (6.4.6) 式と (6.4.7) 式を同時に用いると，以下が得られる.

$$I_{jk}=-E\left[\frac{\partial^2}{\partial \theta_j \partial \theta_k}\log f(X;\boldsymbol{\theta})\right] \quad (6.4.8)$$

標本に対する情報量は，スカラーの場合と同じ方法に従う．標本の pdf は尤度関数 $L(\boldsymbol{\theta};\mathbf{X})$ である．(6.4.3) 式で与えられたベクトルにおいて，$f(X;\boldsymbol{\theta})$ を $L(\boldsymbol{\theta};\mathbf{X})$ と置き換える．$\log L$ は和なので，これは確率ベクトル

$$\nabla \log L(\boldsymbol{\theta};\mathbf{X})=\sum_{i=1}^{n}\nabla \log f(X_i;\boldsymbol{\theta}) \quad (6.4.9)$$

となる．シグマによって加算される変数は，共通の共分散行列 $\mathbf{I}(\boldsymbol{\theta})$ に iid に従うから

$$\mathrm{Cov}(\nabla \log L(\boldsymbol{\theta};\mathbf{X}))=n\mathbf{I}(\boldsymbol{\theta}) \quad (6.4.10)$$

が得られる．スカラーの場合のように，サイズ n の無作為標本の情報量は，サイズ 1 の標本の n 倍の情報量である．

$\mathbf{I}(\boldsymbol{\theta})$ の対角要素は

$$I_{ii}(\boldsymbol{\theta})=\mathrm{Var}\left[\frac{\partial \log f(X;\boldsymbol{\theta})}{\partial \theta_i}\right]=-E\left[\frac{\partial^2}{\partial \theta_i^2}\log f(X_i;\boldsymbol{\theta})\right]$$

である．$I_{ii}(\boldsymbol{\theta})$ がベクトル $\boldsymbol{\theta}$ の関数であることを除けば，これは θ がスカラーの場合と同様である．スカラーの場合を思い出そう．$(nI(\theta))^{-1}$ は θ の不偏推定値に対するラオ・クラメールの下限であった．これと同様なものが母数が複数の場合にもある．具体的にいうと，$Y=u(X_1,\ldots,X_n)$ が θ_j の不偏推定値なら以下が示される．

$$\mathrm{Var}(Y)\geq \frac{1}{n}\left[\mathbf{I}^{-1}(\boldsymbol{\theta})\right]_{jj} \quad (6.4.11)$$

例えば，Lehmann (1983) を参照せよ．スカラーの場合のように，もしこの分散がこの下限に達するなら不偏推定値を有効 (efficient) であるという．

例 6.4.3 (正規 pdf の情報行列). $N(\mu,\sigma^2)$ の pdf の対数は以下で与えられる．

$$\log f(x;\mu,\sigma^2)=-\frac{1}{2}\log 2\pi-\log \sigma-\frac{1}{2\sigma^2}(x-\mu)^2 \quad (6.4.12)$$

1 次，2 次の偏導関数は

$$\frac{\partial \log f}{\partial \mu}=\frac{1}{\sigma^2}(x-\mu)$$

$$\frac{\partial^2 \log f}{\partial \mu^2}=-\frac{1}{\sigma^2}$$

6.4. 母数が複数の場合の推定

$$\frac{\partial \log f}{\partial \sigma} = -\frac{1}{\sigma} + \frac{1}{\sigma^3}(x-\mu)^2$$

$$\frac{\partial^2 \log f}{\partial \sigma^2} = \frac{1}{\sigma^2} - \frac{3}{\sigma^4}(x-\mu)^2$$

$$\frac{\partial^2 \log f}{\partial \mu \partial \sigma} = -\frac{2}{\sigma^3}(x-\mu)$$

である．2次の偏導関数の期待値のマイナスをとると，正規密度の情報行列は

$$\mathbf{I}(\mu,\sigma) = \begin{bmatrix} \frac{1}{\sigma^2} & 0 \\ 0 & \frac{2}{\sigma^2} \end{bmatrix} \tag{6.4.13}$$

である．(μ,σ^2) の情報行列を求めたい場合もあるだろう．これは σ のかわりに σ^2 について偏導関数をとることによって求められる．しかし，例 6.4.6 では，変換を通してこれを得る．例 6.4.1 より，μ と σ^2 の最尤推定値はそれぞれ，$\hat{\mu} = \overline{X}$, $\hat{\sigma}^2 = (1/n)\sum_{i=1}^{n}(X_i - \overline{X})^2$ である．情報行列に基づいて，$\overline{X}$ は有限標本に対する μ の有効推定値となることに注意しよう．例 6.4.6 では，標本分散について考える．■

例 6.4.4 (位置と尺度の族の情報行列). $X_1, X_2, \ldots, X_n$ を共通の pdf $f_X(x) = b^{-1}f\left(\frac{x-a}{b}\right)$, $-\infty < x < \infty$ の無作為標本とする．ここで，(a,b) は空間 $\Omega = \{(a,b) : -\infty < a < \infty, b > 0\}$ 内である．また，$f(z)$ は $-\infty < z < \infty$ に対して $f(z) > 0$ となる pdf である．練習問題 6.4.8 で示すように，X_i を以下のように表現することができる．

$$X_i = a + be_i \tag{6.4.14}$$

ここで，e_i は iid で $f(z)$ という pdf に従う．これは位置・尺度モデル (location and scale model, LASP) といわれる．例 6.4.2 は $f(z)$ がラプラス pdf に従うときのこのモデルを説明している．練習問題 6.4.9 では，読者は偏導関数が

$$\frac{\partial}{\partial a}\left\{\log\left[\frac{1}{b}f\left(\frac{x-a}{b}\right)\right]\right\} = -\frac{1}{b}\frac{f'\left(\frac{x-a}{b}\right)}{f\left(\frac{x-a}{b}\right)}$$

$$\frac{\partial}{\partial b}\left\{\log\left[\frac{1}{b}f\left(\frac{x-a}{b}\right)\right]\right\} = -\frac{1}{b}\left[1 + \frac{\frac{x-a}{b}f'\left(\frac{x-a}{b}\right)}{f\left(\frac{x-a}{b}\right)}\right]$$

であることを示すことが求められる．(6.4.5) 式と (6.4.6) 式を用いて以下が得られる．

$$I_{11} = \int_{-\infty}^{\infty} \frac{1}{b^2}\left[\frac{f'\left(\frac{x-a}{b}\right)}{f\left(\frac{x-a}{b}\right)}\right]^2 \frac{1}{b}f\left(\frac{x-a}{b}\right) dx$$

$z = (x-a)/b$, $dz = (1/b)dx$ と代入する．すると，以下が得られる．

$$I_{11} = \frac{1}{b^2} \int_{-\infty}^{\infty} \left[\frac{f'(z)}{f(z)}\right]^2 f(z)\,dz \tag{6.4.15}$$

したがって，位置母数 a の情報量は a に依存しない．練習問題 6.4.9 で示すように，この代入の結果，情報行列の他の要素は

$$I_{22} = \frac{1}{b^2} \int_{-\infty}^{\infty} \left[1 + \frac{zf'(z)}{f(z)}\right]^2 f(z)\,dz \tag{6.4.16}$$

$$I_{12} = \frac{1}{b^2} \int_{-\infty}^{\infty} z\left[\frac{f'(z)}{f(z)}\right]^2 f(z)\,dz \tag{6.4.17}$$

である．したがって，情報行列は，母数 a と b によらない要素の行列に $(1/b)^2$ をかけたものとして表される．練習問題 6.4.10 で示すように，もし pdf $f(z)$ が 0 に関して対称なら，情報行列の非対角要素は 0 である．■

例 6.4.5 (多項分布). k 個の結果，もしくは k 種類のうちの 1 つにしかならない確率試行を考える．$j = 1, \ldots, k$ に対して，X_j を，j 番目の結果が起こるか起こらないかによって 1 もしくは 0 となるものとする．結果 j が起きる確率を p_j とする．したがって，$\sum_{j=1}^{k} p_j = 1$ である．$\mathbf{X} = (X_1, \ldots, X_{k-1})'$，$\mathbf{p} = (p_1, \ldots, p_{k-1})'$ とする．$\mathbf{X}$ の分布は多項分布である．3.1 節を参照せよ．pmf は以下によって与えられることを思い出そう．

$$f(\mathbf{x}, \mathbf{p}) = \left(\prod_{j=1}^{k-1} p_j^{x_j}\right) \left(1 - \sum_{j=1}^{k-1} p_j\right)^{1 - \sum_{j=1}^{k-1} x_j} \tag{6.4.18}$$

ここで，母数空間は $\Omega = \{\mathbf{p} : 0 < p_j < 1, j = 1, \ldots, k-1; \sum_{j=1}^{k-1} p_j < 1\}$ である．

はじめに，情報行列を求める．f の対数の p_i についての 1 次偏導関数は，

$$\frac{\partial \log f}{\partial p_i} = \frac{x_i}{p_i} - \frac{1 - \sum_{j=1}^{k-1} x_j}{1 - \sum_{j=1}^{k-1} p_j}$$

と単純化される．2 次の偏導関数は以下によって与えられる．

$$\frac{\partial^2 \log f}{\partial p_i^2} = -\frac{x_i}{p_i^2} - \frac{1 - \sum_{j=1}^{k-1} x_j}{(1 - \sum_{j=1}^{k-1} p_j)^2}$$

$$\frac{\partial^2 \log f}{\partial p_i \partial p_h} = -\frac{1 - \sum_{j=1}^{k-1} x_j}{(1 - \sum_{j=1}^{k-1} p_j)^2}, \quad i \neq h < k$$

この分布に対して，それぞれの確率変数 X_j は周辺的に平均 p_j のベルヌイ分布に従うことを思い出そう．$p_k = 1 - (p_1 + \cdots + p_{k-1})$ であることを思い出せば，2 次の偏導関数の負の期待値は単純であり，以下の情報行列となる．

6.4. 母数が複数の場合の推定

$$\mathbf{I}(\mathbf{p}) = \begin{bmatrix} \frac{1}{p_1}+\frac{1}{p_k} & \frac{1}{p_k} & \cdots & \frac{1}{p_k} \\ \frac{1}{p_k} & \frac{1}{p_2}+\frac{1}{p_k} & \cdots & \frac{1}{p_k} \\ \vdots & \vdots & & \vdots \\ \frac{1}{p_k} & \frac{1}{p_k} & \cdots & \frac{1}{p_{k-1}}+\frac{1}{p_k} \end{bmatrix} \tag{6.4.19}$$

これはパターン行列で，その逆行列が (Graybill, 1969 の 170 ページ参照)，

$$\mathbf{I}^{-1}(\mathbf{p}) = \begin{bmatrix} p_1(1-p_1) & -p_1p_2 & \cdots & -p_1p_{k-1} \\ -p_1p_2 & p_2(1-p_2) & \cdots & -p_2p_{k-1} \\ \vdots & \vdots & & \vdots \\ -p_1p_{k-1} & -p_2p_{k-1} & \cdots & p_{k-1}(1-p_{k-1}) \end{bmatrix} \tag{6.4.20}$$

である．

次に，無作為標本 $\mathbf{X}_1, \mathbf{X}_2, \ldots, \mathbf{X}_n$ の mle を求める．尤度関数は以下によって与えられる．

$$L(\mathbf{p}) = \prod_{i=1}^{n} \prod_{j=1}^{k-1} p_j^{x_{ji}} \left(1-\sum_{j=1}^{k-1} p_j\right)^{1-\sum_{j=1}^{k-1} x_{ji}} \tag{6.4.21}$$

$j=1,\ldots k-1$ に対して，$t_j = \sum_{i=1}^{n} x_{ji}$ とする．単純化すると，L の対数は以下のようになる．

$$l(\mathbf{p}) = \sum_{j=1}^{k-1} t_j \log p_j + \left(n - \sum_{j=1}^{k-1} t_j\right) \log\left(1 - \sum_{j=1}^{k-1} p_j\right)$$

p_h について，$l(\mathbf{p})$ の 1 次の偏導関数は以下の連立方程式となる．

$$\frac{\partial l(\mathbf{p})}{\partial p_h} = \frac{t_h}{p_h} - \frac{n - \sum_{j=1}^{k-1} t_j}{1 - \sum_{j=1}^{k-1} p_j} = 0, \quad h=1,\ldots,k-1$$

$p_h = t_h/n$ がこれらの方程式を満たすことは容易に確認できる．したがって，最尤推定値は，

$$\widehat{p_h} = \frac{\sum_{i=1}^{n} X_{ih}}{n}, \quad h=1,\ldots,k-1 \tag{6.4.22}$$

である．それぞれの確率変数 $\sum_{i=1}^{n} X_{ih}$ は，分散 $np_h(1-p_h)$ の 2 項分布 (n, p_h) に従う．したがって，最尤推定値は有効推定値である．■

情報量に関する最後の注意として，情報行列が対角行列であると仮定しよう．すると，j 番目の推定量の分散の下限 (6.4.11) 式は $1/(n\mathbf{I}_{jj}(\boldsymbol{\theta}))$ である．$\mathbf{I}_{jj}(\boldsymbol{\theta})$ は偏導関数から定義されるので ((6.4.5) 式参照)，これは θ_j を除いたすべての θ_i を既知として扱う情報量である．例えば例 6.4.3 において，正規 pdf に対して，情報行列は対角行列である．したがって，μ の情報量は，σ^2 を既知として扱うことによっても得られた

だろう．例 6.4.4 は一般的な位置と尺度の族の情報量を論じた．正規分布が属するこの一般の族に対して，基礎をなす pdf が対称なら，情報行列は対角行列である．

次の定理では，ベクトル $\boldsymbol{\theta}$ の最尤推定量の漸近的な性質をまとめる．mle が漸近的に有効推定値であることが示される．

定理 6.4.1.
$X_1, \ldots, X_n$ は iid で $\boldsymbol{\theta} \in \Omega$ に対して $f(x; \boldsymbol{\theta})$ という pdf に従うとする．正則条件が適応されると仮定する．すると，
1. 尤度方程式
$$\frac{\partial}{\partial \boldsymbol{\theta}} l(\boldsymbol{\theta}) = \mathbf{0}$$
は $\widehat{\boldsymbol{\theta}}_n \xrightarrow{P} \boldsymbol{\theta}$ であるような解 $\widehat{\boldsymbol{\theta}}_n$ をもつ．
2. (1) を満たす任意の列に対して，
$$\sqrt{n}(\widehat{\boldsymbol{\theta}}_n - \boldsymbol{\theta}) \xrightarrow{D} N_p(\mathbf{0}, \mathbf{I}^{-1}(\boldsymbol{\theta}))$$
である．

証明 この定理の証明は，より発展的な教科書でみることができる．例えば，Lehmann and Casella (1998) を参照せよ．スカラーの場合のように，この定理は最尤推定値が一意的であることを保証しない．しかし，解の列が一意的なら，これらは共に一致推定量であり，漸近的に正規分布に従う．応用で，しばしば一意性を検証する．

即座に以下の系を得る．

系 6.4.1.
$X_1, \ldots, X_n$ は iid で $\boldsymbol{\theta} \in \Omega$ に対して $f(x; \boldsymbol{\theta})$ という pdf に従うとする．正則条件が適応されると仮定する．$\widehat{\boldsymbol{\theta}}_n$ を尤度方程式の一致解の列とする．すると，$\widehat{\boldsymbol{\theta}}_n$ は漸近的に有効推定値である．つまり，$j = 1, \ldots, p$ に対して以下である．
$$\sqrt{n}(\widehat{\theta}_{n,j} - \theta_j) \xrightarrow{D} N(0, \mathbf{I}_{jj}^{-1}(\boldsymbol{\theta}))$$

$\mathbf{g}$ を，$1 \leq k \leq p$ であるような，また，偏導関数
$$\mathbf{B} = \left[\frac{\partial g_i}{\partial \theta_j}\right], \quad i = 1, \ldots k; j = 1, \ldots, p$$
の $k \times p$ 行列が連続的な要素をもち，$\boldsymbol{\theta}$ の近傍で 0 にならないような，変換 $\mathbf{g}(\boldsymbol{\theta}) = (g_1(\boldsymbol{\theta}), \ldots, g_k(\boldsymbol{\theta}))'$ とする．$\widehat{\boldsymbol{\eta}} = \mathbf{g}(\widehat{\boldsymbol{\theta}})$ とする．すると，$\widehat{\boldsymbol{\eta}}$ は $\boldsymbol{\eta} = \mathbf{g}(\boldsymbol{\theta})$ の mle である．定理 4.5.6 より，

$$\sqrt{n}(\widehat{\boldsymbol{\eta}} - \boldsymbol{\eta}) \xrightarrow{D} N_k(\mathbf{0}, \mathbf{B}\mathbf{I}^{-1}(\boldsymbol{\theta})\mathbf{B}') \tag{6.4.23}$$

6.4. 母数が複数の場合の推定

である．したがって，η の情報行列は，逆行列が存在するなら，以下である．

$$\mathbf{I}(\eta) = \left(\mathbf{B}\mathbf{I}^{-1}(\theta)\mathbf{B}'\right)^{-1} \tag{6.4.24}$$

この結果の簡単な例として，例 6.4.3 を見直そう．

例 6.4.6 (正規分布の分散の情報量). $X_1, \ldots, X_n$ を iid $N(\mu, \sigma^2)$ と仮定する．例 6.4.3 より，情報行列は $\mathbf{I}(\mu, \sigma) = \mathrm{diag}\{\sigma^{-2}, 2\sigma^{-2}\}$ であったことを思い出そう．変換 $g(\mu, \sigma) = \sigma^2$ を考える．したがって，部分行列 $\mathbf{B}$ は行ベクトル $[0\ 2\sigma]$ である．よって，σ^2 の情報量は

$$I(\sigma^2) = \left\{ \begin{bmatrix} 0 & 2\sigma \end{bmatrix} \begin{bmatrix} \frac{1}{\sigma^2} & 0 \\ 0 & \frac{2}{\sigma^2} \end{bmatrix}^{-1} \begin{bmatrix} 0 \\ 2\sigma \end{bmatrix} \right\}^{-1} = \frac{1}{2\sigma^4}$$

である．σ^2 の推定量の分散に対するラオ・クラメールの下限は $(2\sigma^4)/n$ である．標本分散は σ^2 に対して不偏であるが，その分散は $(2\sigma^4)/(n-1)$ であることを思い出そう．したがって，それは有限標本に対して有効推定値ではないが，漸近的に有効推定値である．■

練習問題

6.4.1. X_1, X_2, X_3 は多項分布に従うとする．そこでは，$n=25$, $k=4$ である．また，未知の確率はそれぞれ，$\theta_1, \theta_2, \theta_3$ である．ここで，便宜上，$X_4 = 25 - X_1 - X_2 - X_3$, $\theta_4 = 1 - \theta_1 - \theta_2 - \theta_3$ とする．確率変数の観測値が $x_1=4$, $x_2=11$, $x_3=7$ のとき，$\theta_1, \theta_2, \theta_3$ の最尤推定値を求めよ．

6.4.2. $X_1, X_2, \ldots, X_n$ と $Y_1, Y_2, \ldots, Y_m$ を，それぞれ，分布 $N(\theta_1, \theta_3)$, $N(\theta_2, \theta_4)$ からの統計的独立な無作為標本とする．
(a) $\Omega \subset R^3$ が，

$$\Omega = \{(\theta_1, \theta_2, \theta_3) : -\infty < \theta_i < \infty, i=1,2; 0 < \theta_3 = \theta_4 < \infty\}$$

によって定義されるとき，$\theta_1, \theta_2, \theta_3$ の mle を求めよ．
(b) $\Omega \subset R^2$ が，

$$\Omega = \{(\theta_1, \theta_3) : -\infty < \theta_1 = \theta_2 < \infty; 0 < \theta_3 = \theta_4 < \infty\}$$

によって定義されるとき，θ_1 と θ_3 の mle を求めよ．

6.4.3. $X_1, X_2, \ldots, X_n$ を，それぞれ，$f(x; \theta_1, \theta_2) = (1/\theta_2)e^{-(x-\theta_1)/\theta_2}$, $\theta_1 \le x < \infty$, $-\infty < \theta_2 < \infty$, それ以外では 0，という pdf に従う分布の iid とする．θ_1 と θ_2 の最尤推定量を求めよ．

6.4.4. パレート分布 (Pareto distribution) はしばしば収益分析のモデルで用いられ，分布関数

$$F(x;\theta_1,\theta_2) = \begin{cases} 1-(\theta_1/x)^{\theta_2} & \theta_1 \leq x \\ 0 & \text{それ以外の場合,} \end{cases}$$

に従う．ここで，$\theta_1 > 0$，$\theta_2 > 0$ である．$X_1, X_2, \ldots, X_n$ がこの分布からの無作為標本のとき，θ_1 と θ_2 の最尤推定量を求めよ．

6.4.5. $Y_1 < Y_2 < \cdots < Y_n$ を，閉区間 $[\theta - \rho, \theta + \rho]$ における，連続型の一様分布からのサイズ n の無作為標本の順序統計量とする．θ と ρ の最尤推定量を求めよ．また，それら2つは不偏推定量か．

6.4.6. $X_1, X_2, \ldots, X_n$ を，$N(\mu, \sigma^2)$ からの無作為標本とする．
(a) 定数 b が方程式 $Pr(X \leq b) = 0.90$ によって定義されるとき，b の mle を求めよ．
(b) c がある定数のとき，$Pr(X \leq c)$ の mle を求めよ．

6.4.7. 未知母数 p_1，p_2 をもつ2つのベルヌイ分布を考える．Y と Z が，それぞれの分布からのサイズ n の2つの統計的独立な無作為標本における成功数に等しいとき，$0 \leq p_1 \leq p_2 \leq 1$ ということが既知なら，p_1 と p_2 の mle を決定せよ．

6.4.8. X_i がモデル (6.4.14) 式に従うなら，その pdf は $b^{-1}f((x-a)/b)$ であることを示せ．

6.4.9. 例 6.4.4 で与えられた偏導関数と，位置と尺度の族に対する情報行列の要素を検証せよ．

6.4.10. X の pdf が例 6.4.4 で定義された位置と尺度の族のものであると仮定する．$f(z) = f(-z)$ なら，情報行列の要素 I_{12} は 0 であることを示せ．そのとき，この場合の a と b の mle は漸近的に統計的独立であることを示せ．

6.4.11. $X_1, X_2, \ldots, X_n$ を $N(\mu, \sigma^2)$ に iid に従うものと仮定する．X_i が例 6.4.4 で与えられた位置と尺度の族に従うことを示せ．この例で与えられた情報行列の要素を求め，それらが 6.4.3 で決定された情報行列と一致することを示せ．

6.5 母数が複数の場合の検定

母数が複数の場合には，興味の対象となる仮説によって θ は空間の一部分に限定されることが多い．例えば，X が $N(\mu, \sigma^2)$ に従うと仮定しよう．全空間は $\Omega = \{(\mu, \sigma^2) : \sigma^2 > 0, -\infty < \mu < \infty\}$ である．これは2次元空間である．しかし，そのうちの $\mu = \mu_0$ の検定に興味があるとしよう．ここで，μ_0 はある特定の値である．ここでは，母数 σ^2 には関心がないとする．H_0 のもとで，母数空間は1次元の $\omega = \{(\mu_0, \sigma^2) : \sigma^2 > 0\}$ である．空間 Ω に1つの制約を課したという観点から H_0 は定義されているといえる．

6.5. 母数が複数の場合の検定

一般的な話として, $X_1, \ldots, X_n$ は iid で $\boldsymbol{\theta} \in \Omega \subset R^p$ に対して, $f(x; \boldsymbol{\theta})$ という pdf に従うとする. 先の節のように, (6.1.1), (6.2.1), (6.2.2), (A.1.1) に記載されている正則条件は満たされていると仮定する. 本節では, 正則条件のもとでという言い回しによって, これらを使用する. 興味があるのは以下の仮説である.

$$H_0: \boldsymbol{\theta} \in \omega, \quad H_1: \boldsymbol{\theta} \in \Omega \cap \omega^c \tag{6.5.1}$$

ここで, $\omega \subset \Omega$ は q によって定義される. ただし $0 < q \leq p$ であり, q は, $g_1(\boldsymbol{\theta}) = a_1, \ldots, g_q(\boldsymbol{\theta}) = a_q$ のような独立な制約の形の数である. 関数 $g_1, \ldots, g_q$ は連続的に微分可能でなければならない. ここから ω は $p-q$ 次元空間となる. 定理 6.1.1 に基づくと, 真値は尤度関数を最大化するから, 直感的には検定統計量は次に示す尤度比で与えられる.

$$\Lambda = \frac{\max_{\boldsymbol{\theta} \in \omega} L(\boldsymbol{\theta})}{\max_{\boldsymbol{\theta} \in \Omega} L(\boldsymbol{\theta})} \tag{6.5.2}$$

Λ が大きな値の場合 (1 に近い) には H_0 が真でありそうだが, 一方小さな値の場合には H_1 が真でありそうである. 特定レベルの α, $0 < \alpha < 1$ に対して, ここから次のような決定規則が示唆される.

$$\Lambda \leq c \text{ ならば, } H_0 \text{ を棄却して } H_1 \text{ を採択する} \tag{6.5.3}$$

ここで, c は $\alpha = \max_{\boldsymbol{\theta} \in \omega} P_{\boldsymbol{\theta}}[\Lambda \leq c]$ となるような値である. スカラーの場合と同じように, この検定はしばしば最良の特徴をもつ. 6.3 節を参照せよ. c を決定するために, H_0 が真というもとでの Λ の分布や関数を求める必要がある.

母数空間が全空間 Ω である場合の最尤推定量を $\widehat{\boldsymbol{\theta}}$ とし, 母数空間が退化した空間 ω である場合の最尤推定量を $\widehat{\boldsymbol{\theta}}_0$ とする. 便宜的に $L(\widehat{\Omega}) = L\left(\widehat{\boldsymbol{\theta}}\right)$ そして $L(\widehat{\omega}) = L\left(\widehat{\boldsymbol{\theta}}_0\right)$ と定義する. すると, 検定統計量は次のように記述される.

$$\Lambda = \frac{L(\widehat{\omega})}{L(\widehat{\Omega})} \tag{6.5.4}$$

例 6.5.1 (正規 pdf の平均に対する尤度比検定 (LRT)). $X_1, \ldots, X_n$ を平均 μ, 分散 σ^2 の正規分布からの無作為標本とする. 次の検定に興味があるとする.

$$H_0: \mu = \mu_0, \quad H_1: \mu \neq \mu_0 \tag{6.5.5}$$

ここで μ_0 は特定の値である. $\Omega = \{(\mu, \sigma^2): -\infty < \mu < \infty, \sigma^2 > 0\}$ を完全モデルの母数空間とする. 退化したモデルの母数空間は 1 次元の部分空間 $\omega = \{(\mu_0, \sigma^2): \sigma^2 > 0\}$ である. 例 6.4.1 から, Ω のもとでの μ と σ^2 の mle はそれぞれ $\widehat{\mu} = \overline{X}$ と $\widehat{\sigma}^2 = (1/n) \sum_{i=1}^n (X_i - \overline{X})^2$ である. Ω のもとで, 尤度関数の最大値は次のようになる.

$$L(\widehat{\Omega}) = \frac{1}{(2\pi)^{n/2}} \frac{1}{(\widehat{\sigma}^2)^{n/2}} \exp\{-(n/2)\} \tag{6.5.6}$$

例 6.4.1 に従えば, 退化した母数空間 ω において, $\widehat{\sigma}_0^2 = (1/n) \sum_{i=1}^n (X_i - \mu_0)^2$ であ

ることは容易に証明できる．したがって，ω のもとでの尤度関数の最大値は次のようになる．

$$L(\widehat{\omega}) = \frac{1}{(2\pi)^{n/2}} \frac{1}{(\widehat{\sigma}_0^2)^{n/2}} \exp\{-(n/2)\} \tag{6.5.7}$$

尤度比検定統計量は $L(\widehat{\Omega})$ に対する $L(\widehat{\omega})$ の比，つまり

$$\Lambda = \left(\frac{\sum_{i=1}^n (X_i - \overline{X})^2}{\sum_{i=1}^n (X_i - \mu_0)^2} \right)^{n/2} \tag{6.5.8}$$

である．$\Lambda \leq c$ の場合には尤度比検定では H_0 を棄却する．これは，$\Lambda^{-2/n} \geq c'$ の場合に H_0 を棄却することと同等である．次に，以下のような恒等式を考える．

$$\sum_{i=1}^n (X_i - \mu_0)^2 = \sum_{i=1}^n (X_i - \overline{X})^2 + n(\overline{X} - \mu_0)^2 \tag{6.5.9}$$

(6.5.9) 式を $\sum_{i=1}^n (X_i - \mu_0)^2$ に置き換えて整理すると，もし

$$1 + \frac{n(\overline{X} - \mu_0)^2}{\sum_{i=1}^n (X_i - \overline{X})^2} \geq c'$$

ならば検定では H_0 を棄却する．これは，もし

$$\left\{ \frac{\sqrt{n}(\overline{X} - \mu_0)}{\sqrt{\sum_{i=1}^n (X_i - \overline{X})^2/(n-1)}} \right\}^2 \geq c'' = (c'-1)(n-1)$$

ならば H_0 を棄却することと同等である．T はこの不等式の左の括弧内を表すとする．すると，決定規則は次と同等である．

$$|T| \geq c^* \text{ ならば，} H_0 \text{ を棄却して } H_1 \text{ を採択する} \tag{6.5.10}$$

ここで，$\alpha = P_{H_0}[|T| \geq c^*]$ である．もちろんこれは，例 5.5.4 で示した両側を使った t 検定である．自由度 $n-1$ の t 分布の上側 $\alpha/2$ の限界点 $t_{\alpha/2,n-1}$ となるように c をとれば，ちょうど α の水準の検定となる．■

正規分布に対する尤度比検定の別の例は練習問題にある．

例 6.5.1 のように単純な形で尤度比検定を行うことができるような幸運な場合ばかりとは限らない．その有限標本分布を得ることが難しかったり，不可能である場合も多々ある．しかし，次の定理で示すように，それに基づく漸近検定を行うことは常に可能である．

定理 6.5.1.
$X_1, \ldots, X_n$ は iid で $\boldsymbol{\theta} \in \Omega \subset R^p$ に対して，$f(x; \boldsymbol{\theta})$ という pdf に従うとする．正則条件は満たされると仮定する．母数空間が全空間 Ω であるときの尤度方程式の一致推定量の列を $\widehat{\boldsymbol{\theta}}_n$ とする．母数空間が $p-q$ 次元の退化した空間 ω であるときの尤度方程式の一致推定量の列を $\widehat{\boldsymbol{\theta}}_{0,n}$ とする．Λ は，(6.5.4) 式で与えられた尤度比

6.5. 母数が複数の場合の検定

検定統計量とする．(6.5.1) 式で示される H_0 のもとで，次のようになる．

$$-2\log \Lambda \xrightarrow{D} \chi^2(q) \tag{6.5.11}$$

この定理の証明は Rao (1973) にある．

ワルド型やスコア型の検定でも似た検定が構成できる．ワルド型の検定統計量は H_0 を定義する制約の観点から定式化され，Ω のもとで mle で評価される．ここではそれを式としては表さないが，次の例で示すようにこれは直接的な式であることが多い．これらの検定に興味のある読者は Lehmann (1999) で議論されているので参照されたい．

本章の流れを注意深く読むと，X が確率ベクトルの場合でもほとんどが同じであることがわかる．次の例ではこれが示される．

例 6.5.2（多項分布の応用）． 例として，k 人の候補者による大統領選挙に関する世論調査を考えてみよう．選挙権をもつ人々に，もし明日投票が行われるとしたら誰に投票するのかと尋ねる．選挙権をもつ人々は互いに独立に選ばれ，各人は 1 人の候補者だけに投票すると仮定すると，多項モデルが適当と思われる．この問題では，トップを争う 2 人を比較することに興味があるとする．つまり，興味のある帰無仮説は，2 人は同じように好まれているということである．この問題は，次のような 3 つのカテゴリをもつ多項モデルで構成できる．それは，(1) と (2) はそれぞれ 2 人のトップを争う候補者が好まれているということであり，(3) が他の候補者が好まれているということである．観測されるのは (X_1, X_2) であり，X_i はカテゴリ i が選ばれるか否かで 1 または 0 となる．2 人とも 0 ならば，カテゴリ (3) が選択される．p_i をカテゴリ i が選択される確率とする．したがって，(X_1, X_2) の pdf は次のような 3 項分布の密度となる．

$$f(x_1, x_2; p_1, p_2) = p_1^{x_1} p_2^{x_2} (1-p_1-p_2)^{1-x_1-x_2} \tag{6.5.12}$$

ただし，$x_i = 0, 1, i = 1, 2; x_1 + x_2 \leq 1$ であり，母数空間は $\Omega = \{(p_1, p_2) : 0 < p_i < 1, p_1 + p_2 < 1\}$ である．$(X_{11}, X_{21}), \ldots, (X_{1n}, X_{2n})$ をこの分布からの無作為標本とする．次のような仮説を考えよう．

$$H_0 : p_1 = p_2, \quad H_1 : p_1 \neq p_2 \tag{6.5.13}$$

はじめに，尤度比検定を導出する．$j = 1, 2$ に対して，$T_j = \sum_{i=1}^n X_{ji}$ とする．例 6.4.5 から，$j = 1, 2$ に対して，最尤推定値は $\widehat{p}_j = T_j/n$ であることは既知である．Ω のもとで，mle で評価された (6.4.21) 式の尤度関数の値は次のようになる．

$$L(\widehat{\Omega}) = \widehat{p}_1^{n\widehat{p}_1} \widehat{p}_2^{n\widehat{p}_2} (1 - \widehat{p}_1 - \widehat{p}_2)^{n(1-\widehat{p}_1-\widehat{p}_2)}$$

帰無仮説のもとでは，p は p_1 と p_2 に共通の値である．(X_1, X_2) の pdf は次のようになる．

$$f(x_1, x_2; p) = p^{x_1+x_2}(1-2p)^{1-x_1-x_2}; \quad x_1, x_2 = 0, 1; x_1 + x_2 \leq 1 \quad (6.5.14)$$

ここで母数空間は $\omega = \{p : 0 < p < 1\}$ である．ω のもとでの尤度は，次のようになる．

$$L(p) = p^{t_1+t_2}(1-2p)^{n-t_1-t_2} \quad (6.5.15)$$

$\log L(p)$ を p に関して微分して 0 とおくと，ω のもとで次のような最尤推定値を得る．

$$\widehat{p}_0 = \frac{t_1 + t_2}{2n} = \frac{\widehat{p}_1 + \widehat{p}_2}{2} \quad (6.5.16)$$

ここで，$\widehat{p}_1$ と $\widehat{p}_2$ は Ω のもとでの mle である．ω のもとで，mle で評価された尤度関数は次のように整理される．

$$L(\widehat{\omega}) = \left(\frac{\widehat{p}_1 + \widehat{p}_2}{2}\right)^{n(\widehat{p}_1+\widehat{p}_2)}(1-\widehat{p}_1-\widehat{p}_2)^{n(1-\widehat{p}_1-\widehat{p}_2)} \quad (6.5.17)$$

尤度比検定統計量の逆数は次のように整理される．

$$\Lambda^{-1} = \left(\frac{2\widehat{p}_1}{\widehat{p}_1 + \widehat{p}_2}\right)^{n\widehat{p}_1}\left(\frac{2\widehat{p}_2}{\widehat{p}_1 + \widehat{p}_2}\right)^{n\widehat{p}_2} \quad (6.5.18)$$

定理 6.5.11 に基づくと，有意水準 α の漸近的な検定では，$2\log \Lambda^{-1} > \chi_\alpha^2(1)$ の場合に H_0 は棄却される．

これは，ワルド検定が容易に定式化された例である．H_0 のもとでの制約は $p_1 - p_2 = 0$ である．したがって，ワルド型の統計量は $W = \widehat{p}_1 - \widehat{p}_2$ であり，$W = [1, -1][\widehat{p}_1; \widehat{p}_2]'$ と表現される．例 6.4.5 では情報行列とその逆行列が k カテゴリの場合で構成されたことを思い出してもらいたい．定理 6.4.1 から，したがって次のようになる．

$$\begin{bmatrix} \widehat{p}_1 \\ \widehat{p}_2 \end{bmatrix} \text{は近似的に } N_2\left(\begin{pmatrix} p_1 \\ p_2 \end{pmatrix}, \frac{1}{n}\begin{bmatrix} p_1(1-p_1) & -p_1p_2 \\ -p_1p_2 & p_2(1-p_2) \end{bmatrix}\right) \quad (6.5.19)$$

例 6.4.5 で示したように，有限の標本積率は漸近積率と同じである．したがって，W の分散は，次のようになる．

$$\text{Var}(W) = [1, -1]\frac{1}{n}\begin{bmatrix} p_1(1-p_1) & -p_1p_2 \\ -p_1p_2 & p_2(1-p_2) \end{bmatrix}\begin{bmatrix} 1 \\ -1 \end{bmatrix}$$

$$= \frac{p_1 + p_2 - (p_1 - p_2)^2}{n}$$

W は漸近的に正規分布に従うから，(6.5.13)式の帰無仮説に対する有意水準 α の漸近検定では $\chi_W^2 \geq \chi_\alpha(1)$ の場合に H_0 は棄却される．ただし，

$$\chi_W^2 = \frac{(\widehat{p}_1 - \widehat{p}_2)^2}{(\widehat{p}_1 + \widehat{p}_2 - (\widehat{p}_1 - \widehat{p}_2)^2)/n}$$

である．また，したがって，差 $p_1 - p_2$ に対する漸近的な $(1-\alpha)100\%$ 信頼区間は，次のようになる．

$$\widehat{p}_1 - \widehat{p}_2 \pm z_{\alpha/2}\left(\frac{\widehat{p}_1 + \widehat{p}_2 - (\widehat{p}_1 - \widehat{p}_2)^2}{n}\right)^{1/2}$$

6.5. 母数が複数の場合の検定

この例のはじめで議論した世論調査に立ち戻ると，この信頼区間の中に0が含まれるならば，この争いに判定を下すことはかなり難しいといえるだろう．■

例 6.5.3 (2 標本の 2 項分布の比). 例 6.5.2 では，多項分布から抽出された1つの標本に基づいて $p_1 = p_2$ の検定が構成された．ここでは，$X_1, X_2, \ldots, X_{n_1}$ が $b(1, p_1)$ 分布からの無作為標本であり，$Y_1, Y_2, \ldots, Y_{n_2}$ が $b(1, p_2)$ 分布からの無作為標本であるとする．また，X_i と Y_j は互いに統計的に独立とする．興味の対象である仮説は次である．

$$H_0 : p_1 = p_2, \quad H_1 : p_1 \neq p_2 \tag{6.5.20}$$

この状況は，例えば1カ月目と2カ月目の社長の評価を比較する場合など実際に起こりうる．完全モデルと退化したモデルの母数空間はそれぞれ，$\Omega = \{(p_1, p_2) : 0 < p_i < 1, i = 1, 2\}$ と $\omega = \{(p, p) : 0 < p < 1\}$ と表される．完全モデルの尤度関数は次のように整理される．

$$L(p_1, p_2) = p_1^{n_1 \overline{x}} (1-p_1)^{n_1 - n_1 \overline{x}} p_2^{n_2 \overline{y}} (1-p_2)^{n_2 - n_2 \overline{y}} \tag{6.5.21}$$

するとただちに，p_1 と p_2 の mle はそれぞれ $\overline{x}$ と $\overline{y}$ となる．退化したモデルについては，$b(n, p)$ 分布からの1つの大標本に標本を合併することが可能である．ここで，$n = n_1 + n_2$ は合併させた場合の標本サイズである．したがって，退化したモデルについては p の mle は次のようになる．

$$\widehat{p} = \frac{\sum_{i=1}^{n_1} x_i + \sum_{i=1}^{n_2} y_i}{n_1 + n_2} = \frac{n_1 \overline{x} + n_2 \overline{y}}{n} \tag{6.5.22}$$

つまり，各標本の比率で重み付け平均をとっている．練習問題 6.5.9 では，これを利用して仮説 (6.5.20) 式に対する尤度比検定を導出することが読者には求められる．つぎにワルド型の検定を導出する．$\widehat{p}_1 = \overline{x}$ そして $\widehat{p}_2 = \overline{y}$ とする．中心極限定理から，次のようになる．

$$\frac{\sqrt{n_i}(\widehat{p}_i - p_i)}{\sqrt{p_i(1-p_i)}} \xrightarrow{D} Z_i, \quad i = 1, 2$$

ここで，Z_1 と Z_2 は $N(0, 1)$ に従う iid な確率変数である．$i = 1, 2$ に対して，$n \to \infty$ のとき，$n_i/n \to \lambda_i$ と仮定する．ただし，$0 < \lambda_i < 1$ そして $\lambda_1 + \lambda_2 = 1$ である．練習問題 6.5.10 から次のようになる．

$$\sqrt{n}\,[(\widehat{p}_1 - \widehat{p}_2) - (p_1 - p_2)] \xrightarrow{D} N\left(0, \frac{1}{\lambda_1} p_1(1-p_1) + \frac{1}{\lambda_2} p_2(1-p_2)\right) \tag{6.5.23}$$

すると，確率変数

$$Z = \frac{(\widehat{p}_1 - \widehat{p}_2) - (p_1 - p_2)}{\sqrt{\frac{p_1(1-p_1)}{n_1} + \frac{p_2(1-p_2)}{n_2}}} \tag{6.5.24}$$

は，近似的に $N(0, 1)$ 分布に従う．H_0 のもとでは，$p_1 - p_2 = 0$ である．分母に含ま

れる母数 $p_1(1-p_1)$ と $p_2(1-p_2)$ を一致推定値に置き換えた場合には，Z は検定統計量として利用可能である．$i=1,2$ に対して，$\widehat{p}_i \to p_i$ に確率収束することを思い出してもらいたい．H_0 のもとでは，次の統計量

$$Z^* = \frac{\widehat{p}_1 - \widehat{p}_2}{\sqrt{\frac{\widehat{p}_1(1-\widehat{p}_1)}{n_1} + \frac{\widehat{p}_2(1-\widehat{p}_2)}{n_2}}} \tag{6.5.25}$$

は近似的に $N(0,1)$ 分布に従っている．したがって，$|z^*| \geq z_{\alpha/2}$ ならば，近似的に有意水準 α の検定では H_0 が棄却される．分母に関する別の一致推定量は練習問題 6.5.11 で議論される．■

練習問題

6.5.1. 例 6.5.1 では $n=10$ として，実験の結果得られた確率変数の実現値から，$\overline{x}=0.6$, $\sum_1^{10}(x_i-\overline{x})^2 = 3.6$ となったとする．例 6.5.1 で導出された検定を利用するとき，有意水準 5% で $H_0: \theta_1 = 0$ は採択あるいは棄却できるだろうか．

6.5.2. $X_1, X_2, \ldots, X_n$ は分布 $N(\theta_1, \theta_2)$ からの無作為標本とする．θ_1 は特定の値ではなく，θ_2' が特定の値のとき，対立仮説 $H_1: \theta_2 \neq \theta_2'$ に対して $H_0: \theta_2 = \theta_2'$ を検定するための尤度比原理から，$\sum_1^n(x_i-\overline{x})^2 \leq c_1$ または $\sum_1^n(x_i-\overline{x})^2 \geq c_2$ のときに棄却する検定が導かれることを証明せよ．ただし，$c_1 < c_2$ は適切に選択されるとする．

6.5.3. $X_1,\ldots,X_n$ と $Y_1,\ldots,Y_m$ はそれぞれ分布 $N(\theta_1,\theta_3)$ と $N(\theta_2,\theta_4)$ からの独立な無作為標本とする．
(a) すべての対立仮説に対して，$H_0: \theta_1=\theta_2, \theta_3=\theta_4$ を検定するための尤度比は次のように与えられることを証明せよ．ただし，$u=(n\overline{x}+m\overline{y})/(n+m)$ である．

$$\frac{[\sum_1^n(x_i-\overline{x})^2/n]^{n/2}[\sum_1^m(y_i-\overline{y})^2/m]^{m/2}}{\{[\sum_1^n(x_i-u)^2+\sum_1^m(y_i-u)^2]/(m+n)\}^{(n+m)/2}}$$

(b) θ_1 と θ_2 は特定の値ではないとき，対立仮説 $H_1: \theta_3 \neq \theta_4$ に対して，$H_0: \theta_3=\theta_4$ を検定するための尤度比は次の確率変数に基づいていることを証明せよ．

$$F = \frac{\sum_1^n(X_i-\overline{X})^2/(n-1)}{\sum_1^m(Y_i-\overline{Y})^2/(m-1)}$$

6.5.4. $X_1, X_2, \ldots, X_n$ と $Y_1, Y_2, \ldots, Y_m$ は2つの正規分布 $N(0,\theta_1)$ と $N(0,\theta_2)$ からの独立な無作為標本とする．
(a) 複合対立仮説 $H_1: \theta_1 \neq \theta_2$ に対して，複合仮説 $H_0: \theta_1 = \theta_2$ を検定するための尤度比 Λ を求めよ．
(b) この Λ はこの検定で実際に用いられるどんな F 統計量の関数だろうか．

6.5.5. $i=1,2$ に対して，X と Y はそれぞれ次のような pdf に従う2つの独立な確率変数とする．

6.5. 母数が複数の場合の検定

$$f(x;\theta_i) = \begin{cases} (1/\theta_i)e^{-x/\theta_i} & 0<x<\infty, 0<\theta_i<\infty \\ 0 & それ以外の場合 \end{cases}$$

$H_1:\theta_1\neq\theta_2$ に対して $H_0:\theta_1=\theta_2$ を検定するために，2つのそれぞれサイズ n_1 と n_2 の独立な標本がこれらの分布から抽出されたとする．尤度比 Λ を求め，Λ が H_0 のもとで F 分布に従う統計量の関数として記述されることを証明せよ．

6.5.6. それぞれの pdf が $i=1,2$ に対して次のように示される2つの一様分布を考える．

$$f(x;\theta_i) = \begin{cases} 1/2\theta_i & -\theta_i<x<\theta_i, -\infty<\theta_i<\infty \\ 0 & それ以外の場合 \end{cases}$$

帰無仮説は $H_0:\theta_1=\theta_2$ であり，一方，対立仮説は $H_1:\theta_1\neq\theta_2$ である．$X_1<X_2<\cdots<X_{n_1}$ と $Y_1<Y_2<\cdots<Y_{n_2}$ はそれぞれ分布からの2つの独立な無作為標本の順序統計量とする．尤度比 Λ を使って，H_1 に対して H_0 を検定するための統計量を求めよ．H_0 が真のとき，$-2\log\Lambda$ の分布を求めよ．正則条件が満たされない場合には，自由度は Ω と ω の次元の違いの2倍であることに注意せよ．

6.5.7. $(X_1,Y_1),(X_2,Y_2),\ldots,(X_n,Y_n)$ は，$\mu_1,\mu_2,\sigma_1^2=\sigma_2^2=\sigma^2,\rho=\frac{1}{2}$ であるような2変量正規分布からの無作為標本とする．ただし，μ_1,μ_2 と $\sigma^2>0$ は未知の実数である．σ^2 が未知のとき，すべての対立仮説に対して $H_0:\mu_1=\mu_2=0$ を検定するための尤度比 Λ を求めよ．尤度比 Λ は，よく知られている分布に従うどんな統計量の関数だろうか．

6.5.8. n 回の独立な試行を行い，実験の結果，互いに排反かつすべてを満たす事象 $C_1,C_2,\ldots,C_k$ に含まれた数をそれぞれ $x_1,x_2,\ldots,x_k$ とする．n 回の試行を通して $p_i=P(C_i)$ が一定とするとき，ある試行の列が得られる確率は $L=p_1^{x_1}p_2^{x_2}\cdots p_k^{x_k}$ である．

(a) $p_1+p_2+\cdots+p_k=1$ であることを思い出して，すべての対立仮説に対する $H_0:p_i=p_{i0}>0, i=1,2,\ldots,k$ の検定の尤度比は以下で表されることを証明せよ．

$$\Lambda=\prod_{i=1}^{k}\left(\frac{(p_{i0})^{x_i}}{(x_i/n)^{x_i}}\right)$$

(b) p_i' が p_{0i} と x_i/n の間のとき，以下を証明せよ．

$$-2\log\Lambda=\sum_{i=1}^{k}\frac{x_i(x_i-np_{0i})^2}{(np_i')^2}$$

ヒント：剰余の項が $(p_{i0}-x_i/n)^2$ を含むように $\log p_{i0}$ をテイラー展開せよ．

(c) 大きな n に対して，$x_i/(np_i')^2$ が $1/(np_{i0})$ で近似され，したがって以下となることを議論せよ．

$$-2\log \Lambda \approx \sum_{i=1}^{k} \frac{(x_i - np_{0i})^2}{np_{0i}}, \quad H_0 \text{ が真のとき}$$

定理 6.5.1 から，最後の方程式の右辺は，近似的に自由度 $k-1$ のカイ 2 乗分布に従う統計量を定義する．次に注意せよ．

$$\Omega \text{ の次元数} - \omega \text{ の次元数} = (k-1) - 0 = k-1$$

6.5.9. 例 6.5.3 での尤度比検定の導出をできるかぎり簡潔に完了せよ．

6.5.10. 例 6.5.3 の (6.5.23) 式の表現は真であることを証明せよ．

6.5.11. 例 6.5.3 で議論したように，$p_1(1-p_1)$ と $p_2(1-p_2)$ の一致推定量がわかっており，H_0 が真ならば，(6.5.25) 式の Z を検定統計量として使用可能である．例 6.5.3 では，H_0 と H_1 のもとで一致性をもつ推定量について議論した．しかし，H_0 のもとでは，$p_1(1-p_1) = p_2(1-p_2) = p(1-p)$ である．ただし $p = p_1 = p_2$ である．(6.5.22) 式の統計量は H_0 のもとで，p の一致推定量であることを証明せよ．つまり，H_0 に対する別の検定を構成せよ．

6.5.12. トグル・レバーを作るある工場には昼と夜のシフトがある．標準ナットが糸で留められない場合には，そのトグル・レバーは不良品である．p_1 と p_2 をそれぞれ，昼と夜のシフトで製造された不良品の割合とする．それぞれのシフトから 1000 個の製造品を無作為抽出して，$H_0: p_1 = p_2$ という仮説を両側検定したい．例 6.5.3 で与えられた検定統計量 Z^* を使用せよ．

(a) 標準正規 pdf における $\alpha = 0.05$ の限界領域を描きなさい．
(b) 昼と夜のシフトでそれぞれ $y_1 = 37$ 個と $y_2 = 53$ 個の不良品が観測されたとき，検定統計量の値と近似的な p 値を求めよ (両側検定であることに注意せよ)．(a) で描いた図に，計算した値を書き込み，結果について述べよ．

6.5.13. 練習問題 6.5.12 の (b) の状況で，練習問題 6.5.9 と 6.5.11 で定義された検定を計算せよ．3 つの検定すべてについて，近似的な p 値を求め，結果について議論せよ．

6.6 EM アルゴリズム

実際のデータ解析においては，データの一部が欠損しているという状況にしばしば遭遇する．例えば，ある機械部品の寿命を観察するという試験を行ったときに，ある程度のデータをとって統計的な分析にかけようとした時点で，まだいくつかの部品は寿命が尽きずに正しく機能しているということは珍しくない．本節では，このような場合に最尤推定値を求めるための方法として頻繁に利用される EM アルゴリズム (EM algorithm) を紹介する．ただし，本書における記述は極めて短く簡単なものとなる．

6.6. EM アルゴリズム

興味ある読者がより詳しい情報を求める場合には, Mclachlan and Krishnan (1997) によるモノグラフなど, 当該分野の文献に当たることをお勧めしたい. また簡単のために, ここでは確率変数が連続型である場合についてのみ解説を行う. ただし本節における議論は, そのまま離散型の確率変数に対しても同様に成立するものである.

全部で n 個の項目のうち n_1 個が観測され, 残りの $n_2 = n - n_1$ 個が観測されていないという状況を考えよう. この観測された項目を $\mathbf{X}' = (X_1, X_2, \ldots, X_{n_1})$, 観測されていない項目を $\mathbf{Z}' = (Z_1, Z_2, \ldots, Z_{n_2})$ によって表すことにする. ただし, X_i は $\theta \in \Omega$ において, pdf $f(x|\theta)$ に iid に従っているものとする. また, Z_j と X_i は互いに独立であると仮定する. EM アルゴリズムを扱う場合には, 条件付きの記法を用いるのが便利である. 例えば $\mathbf{X}$ の同時 pdf は, $g(\mathbf{x}|\theta)$ と表すことができる. また $h(\mathbf{x}, \mathbf{z}|\theta)$ によって, 観測された項目と観測されていない項目の双方を含む同時 pdf を表すことにする. 同様に $k(\mathbf{z}|\theta, \mathbf{x})$ によって, 観測されたデータが所与のもとでの, 未観測のデータの条件付き pdf を表すものとする. このとき条件付き pdf の定義から, 以下の恒等式が得られる.

$$k(\mathbf{z}|\theta, \mathbf{x}) = \frac{h(\mathbf{x}, \mathbf{z}|\theta)}{g(\mathbf{x}|\theta)} \tag{6.6.1}$$

ここで $L(\theta|\mathbf{x}) = g(\mathbf{x}|\theta)$ が, 観測尤度 (observed likelihood) 関数とよばれるものである. これに対して完全尤度 (complete likelihood) 関数は, 以下のように定義される.

$$L^c(\theta|\mathbf{x}, \mathbf{z}) = h(\mathbf{x}, \mathbf{z}|\theta) \tag{6.6.2}$$

このとき EM アルゴリズムの目的は, 完全尤度 $L^c(\theta|\mathbf{x}, \mathbf{z})$ を利用して尤度関数 $L(\theta|\mathbf{x})$ を最大化することにある, ということができる.

(6.6.1) 式を用いることで, 任意の固定された値をとる $\theta_0 \in \Omega$ について, 以下の恒等式を導くことができる.

$$\begin{aligned}
\log L(\theta|\mathbf{x}) &= \int \log L(\theta|\mathbf{x}) k(\mathbf{z}|\theta_0, \mathbf{x}) \, d\mathbf{z} = \int \log g(\mathbf{x}|\theta) k(\mathbf{z}|\theta_0, \mathbf{x}) \, d\mathbf{z} \\
&= \int [\log h(\mathbf{x}, \mathbf{z}|\theta) - \log k(\mathbf{z}|\theta, \mathbf{x})] k(\mathbf{z}|\theta_0, \mathbf{x}) \, d\mathbf{z} \\
&= \int [\log h(\mathbf{x}, \mathbf{z}|\theta)] k(\mathbf{z}|\theta_0, \mathbf{x}) \, d\mathbf{z} - \int [\log k(\mathbf{z}|\theta, \mathbf{x})] k(\mathbf{z}|\theta_0, \mathbf{x}) \, d\mathbf{z} \\
&= E_{\theta_0}[\log L^c(\theta|\mathbf{x}, \mathbf{Z})|\theta_0, \mathbf{x}] - E_{\theta_0}[\log k(\mathbf{Z}|\theta, \mathbf{x})|\theta_0, \mathbf{x}]
\end{aligned} \tag{6.6.3}$$

ただし式中の期待値は, 条件付き pdf $k(\mathbf{z}|\theta_0, \mathbf{x})$ についてとられたものである. ここで (6.6.3) 式右辺の第 1 項を, 以下のような関数として定義することにする.

$$Q(\theta|\theta_0, \mathbf{x}) = E_{\theta_0}[\log L^c(\theta|\mathbf{x}, \mathbf{Z})|\theta_0, \mathbf{x}] \tag{6.6.4}$$

この関数 Q を定義する期待値が, EM アルゴリズムにおいて E ステップ (E step) とよばれるものに相当する.

ここで, 私たちの目的が $\log L(\theta|\mathbf{x})$ を最大化することにあったことを思い出してほしい. しかし以下において示されるように, 実は $\log L(\theta|\mathbf{x})$ を最大化するためには

$Q(\theta|\theta_0, \mathbf{x})$ を最大化するだけで十分なのである．この最大化の手続きが，EM アルゴリズムにおいて M ステップ (M step) とよばれるものである．

まず，θ の初期推定値を $\widehat{\theta}^{(0)}$ によって表すものとする．$\widehat{\theta}^{(0)}$ を得る方法としては，例えば観測尤度を利用した最尤推定などが考えられる．次に，$Q(\theta|\widehat{\theta}^{(0)}, \mathbf{x})$ を最大化するような引数 $\widehat{\theta}^{(1)}$ を求めることが，θ の推定の第一歩となる．後はこの手続きを繰り返せば，$\widehat{\theta}^{(m)}$ の列を得ることができる．以下に，このアルゴリズムを正式に定義する．

アルゴリズム 6.6.1 (EM アルゴリズム). $\widehat{\theta}^{(m)}$ によって，m 回目の繰り返しにおける推定値を表すものとする．このとき $m+1$ 回目の推定値を，以下の手続きに従って求める．

1. E ステップ (expectation step): 条件付き pdf $k(\mathbf{z}|\widehat{\theta}^{(m)}, \mathbf{x})$ についての期待値をとることで，以下の式を計算する．
$$Q(\theta|\widehat{\theta}^{(m)}, \mathbf{x}) = E_{\widehat{\theta}^{(m)}}[\log L^c(\theta|\mathbf{x}, \mathbf{Z})|\widehat{\theta}_m, \mathbf{x}] \quad (6.6.5)$$

2. M ステップ (maximization step): 以下を満たすような $\widehat{\theta}^{(m+1)}$ を求める．
$$\widehat{\theta}^{(m+1)} = \mathrm{Argmax}\, Q(\theta|\widehat{\theta}^{(m)}, \mathbf{x}) \quad (6.6.6)$$

いくつかの強い仮定のもとで，$m \to \infty$ のときに $\widehat{\theta}^{(m)}$ が最尤推定値に確率収束することが示されている．本書ではこの証明に関しては扱わないが，かわりに $\widehat{\theta}^{(m+1)}$ のもとでの尤度が，常に $\widehat{\theta}^{(m)}$ の場合よりも大きな値になることを示す．

定理 6.6.1.
系 6.6.1 によって定義される推定値 $\widehat{\theta}^{(m)}$ の列は，以下を満たす．
$$L(\widehat{\theta}^{(m+1)}|\mathbf{x}) \geq L(\widehat{\theta}^{(m)}|\mathbf{x}) \quad (6.6.7)$$

証明 $\widehat{\theta}^{(m+1)}$ は $Q(\theta|\widehat{\theta}^{(m)}, \mathbf{x})$ を最大化することから，
$$Q(\widehat{\theta}^{(m+1)}|\widehat{\theta}^{(m)}, \mathbf{x}) \geq Q(\widehat{\theta}^{(m)}|\widehat{\theta}^{(m)}, \mathbf{x})$$
が成り立つ．これはすなわち，
$$E_{\widehat{\theta}^{(m)}}[\log L^c(\widehat{\theta}^{(m+1)}|\mathbf{x}, \mathbf{Z})] \geq E_{\widehat{\theta}^{(m)}}[\log L^c(\widehat{\theta}^{(m)}|\mathbf{x}, \mathbf{Z})] \quad (6.6.8)$$
が成り立つことに等しい．ただし上式中の期待値は，pdf $k(\mathbf{z}|\widehat{\theta}^{(m)}, \mathbf{x})$ に関してとられたものである．ここで (6.6.3) 式から，
$$E_{\widehat{\theta}^{(m)}}[\log k(\mathbf{Z}|\widehat{\theta}^{(m+1)}, \mathbf{x})] \leq E_{\widehat{\theta}^{(m)}}[\log k(\mathbf{Z}|\widehat{\theta}^{(m)}, \mathbf{x})] \quad (6.6.9)$$
であることを示せば，証明がなされることがわかる．これらの式中の期待値もまた，$\widehat{\theta}^{(m)}$ および $\mathbf{x}$ が所与のときの $\mathbf{Z}$ の pdf についてとられたものであることに注意してほしい．これを念頭に置いたうえで，(1.10.5) 式に示されたジェンセン

6.6. EMアルゴリズム

の不等式を利用することにより,

$$E_{\widehat{\theta}^{(m)}}\left\{\log\left[\frac{k(\mathbf{Z}|\widehat{\theta}^{(m+1)},\mathbf{x})}{k(\mathbf{Z}|\widehat{\theta}^{(m)},\mathbf{x})}\right]\right\} \leq \log E_{\widehat{\theta}^{(m)}}\left[\frac{k(\mathbf{Z}|\widehat{\theta}^{(m+1)},\mathbf{x})}{k(\mathbf{Z}|\widehat{\theta}^{(m)},\mathbf{x})}\right]$$

$$= \log\int \frac{k(\mathbf{z}|\widehat{\theta}^{(m+1)},\mathbf{x})}{k(\mathbf{z}|\widehat{\theta}^{(m)},\mathbf{x})}k(\mathbf{z}|\widehat{\theta}^{(m)},\mathbf{x})\,d\mathbf{z}$$

$$= \log(1) = 0 \quad (6.6.10)$$

という結果が得られる. これを用いれば (6.6.9) 式を導くことが可能となるので, 結果として証明が完了する. ∎

例として, $X_1, X_2, \ldots, X_{n_1}$ が $-\infty < x < \infty$ および $-\infty < \theta < \infty$ において pdf $f(x-\theta)$ に iid に従っている場合を考えてみよう. ここで X_i の cdf を $F(x-\theta)$ によって表すことにする. また $Z_1, Z_2, \ldots, Z_{n_2}$ は打ち切り変数であり, これらについては, その値が $Z_j > a$ であることしかわからないものとする. ただし a の値は既知であり, Z_j は X_i とは独立である. このとき観測尤度と完全尤度は, それぞれ以下のように導かれる.

$$L(\theta|\mathbf{x}) = [1-F(a-\theta)]^{n_2}\prod_{i=1}^{n_1}f(x_i-\theta), \quad (6.6.11)$$

$$L^c(\theta|\mathbf{x},\mathbf{z}) = \prod_{i=1}^{n_1}f(x_i-\theta)\prod_{i=1}^{n_2}f(z_i-\theta) \quad (6.6.12)$$

(6.6.1) 式において示されたように, $\mathbf{X}$ が所与のときの $\mathbf{Z}$ の条件付き分布は, (6.6.11) 式の (6.6.12) 式に対する比によって表すことができる. すなわち,

$$k(\mathbf{z}|\theta,\mathbf{x}) = \frac{\prod_{i=1}^{n_1}f(x_i-\theta)\prod_{i=1}^{n_2}f(z_i-\theta)}{[1-F(a-\theta)]^{n_2}\prod_{i=1}^{n_1}f(x_i-\theta)}$$

$$= [1-F(a-\theta)]^{-n_2}\prod_{i=1}^{n_2}f(z_i-\theta),\ a<z_i, i=1,\ldots,n_2 \quad (6.6.13)$$

である. したがって $\mathbf{Z}$ と $\mathbf{X}$ は独立であり, $Z_1, \ldots, Z_{n_2}$ は $z > a$ において共通の pdf $f(z-\theta)/[1-F(a-\theta)]$ に対して iid に従っていることがわかる. これらの観測変数と (6.6.13) 式から, 以下のような式を導くことができる.

$$Q(\theta|\theta_0,\mathbf{x}) = E_{\theta_0}[\log L^c(\theta|\mathbf{x},\mathbf{Z})] = E_{\theta_0}\left[\sum_{i=1}^{n_1}\log f(x_i-\theta) + \sum_{i=1}^{n_2}\log f(Z_i-\theta)\right]$$

$$= \sum_{i=1}^{n_1}\log f(x_i-\theta) + n_2 E_{\theta_0}[\log f(Z-\theta)]$$

$$= \sum_{i=1}^{n_1}\log f(x_i-\theta) + n_2\int_a^\infty \log f(z-\theta)\frac{f(z-\theta_0)}{1-F(a-\theta_0)}\,dz \quad (6.6.14)$$

上式の最終行の結果が，EM アルゴリズムの E ステップに相当することになる．これに対して M ステップを行うためには，$Q(\theta|\theta_0, \mathbf{x})$ の θ による偏導関数が必要になる．これは，以下のように簡単に導かれる．

$$\frac{\partial Q}{\partial \theta} = -\left\{\sum_{i=1}^{n_1} \frac{f'(x_i-\theta)}{f(x_i-\theta)} + n_2 \int_a^\infty \frac{f'(z-\theta)}{f(z-\theta)} \frac{f(z-\theta_0)}{1-F(a-\theta_0)} dz\right\} \quad (6.6.15)$$

この式において $\theta_0 = \widehat{\theta_0}$ と置き換えて $\frac{\partial Q}{\partial \theta} = 0$ を解けば，EM アルゴリズムによる第 1 段階目の θ の推定値 $\widehat{\theta}^{(1)}$ を得ることができる．次の例では，正規分布を仮定したモデルにおいて実際の解を求めることを行う．

例 6.6.1. 上において定義した打ち切り変数のモデルにおいて，X が $N(\theta,1)$ に従っている場合について考える．このとき $f(x) = \phi(x) = (2\pi)^{-1/2}\exp\{-x^2/2\}$ であり，$f'(x)/f(x) = -x$ であることは容易に導かれる．ここで，頻繁に行われるように $\Phi(z)$ によって標準正規分布の cdf を表すことにすると，(6.6.15) 式に示された $Q(\theta|\theta_0, \mathbf{x})$ の θ による偏導関数は，以下のように単純化される．

$$\begin{aligned}\frac{\partial Q}{\partial \theta} &= \sum_{i=1}^{n_1}(x_i-\theta) + n_2\int_a^\infty (z-\theta)\frac{1}{\sqrt{2\pi}}\frac{\exp\{-(z-\theta_0)^2/2\}}{1-\Phi(a-\theta_0)} dz \\ &= n_1(\bar{x}-\theta) + n_2\int_a^\infty (z-\theta_0)\frac{1}{\sqrt{2\pi}}\frac{\exp\{-(z-\theta_0)^2/2\}}{1-\Phi(a-\theta_0)} dz - n_2(\theta-\theta_0) \\ &= n_1(\bar{x}-\theta) + \frac{n_2}{1-\Phi(a-\theta_0)}\phi(a-\theta_0) - n_2(\theta-\theta_0)\end{aligned}$$

この $\partial Q/\partial \theta = 0$ を θ について解くことで，EM アルゴリズムにおける各反復段階の推定値を得ることが可能になる．特にこの場合には，m 回目の反復における推定値を $\widehat{\theta}^{(m)}$ によって表すならば，$m+1$ 回目の反復における推定値は

$$\widehat{\theta}^{(m+1)} = \frac{n_1}{n}\bar{x} + \frac{n_2}{n}\widehat{\theta}^{(m)} + \frac{n_2}{n}\frac{\phi(a-\widehat{\theta}^{(m)})}{1-\Phi(a-\widehat{\theta}^{(m)})} \quad (6.6.16)$$

となる．ただし $n = n_1 + n_2$ である．■

次に 2 番目の例として，正規分布の混合の問題を考えてみよう．まず，$N(\mu_1, \sigma_1^2)$ に従う Y_1 と $N(\mu_2, \sigma_2^2)$ に従う Y_2 という，2 種類の確率変数を仮定する．さらにこれらとは独立な，成功率 $\pi = P(W=1)$ のベルヌイ確率変数 W を考える．以上を用いて，実際に観測される確率変数が，$X = (1-W)Y_1 + WY_2$ によって決定されているものとする．このとき，母数を並べたベクトルは $\boldsymbol{\theta}' = (\mu_1, \mu_2, \sigma_1, \sigma_2, \pi)$ となる．すでに 3.4 節において示されたように，この混合確率変数 X の pdf は以下のようになる．

$$f(x) = (1-\pi)f_1(x) + \pi f_2(x), \quad -\infty < x < \infty \quad (6.6.17)$$

ただし $f_j(x) = \sigma_j^{-1}\phi((x-\mu_j)/\sigma_j))$, $j = 1, 2$ であり，$\phi(z)$ は標準正規分布の pdf を表している．この pdf $f(x)$ から標本 $\mathbf{X}' = (X_1, X_2, \ldots, X_n)$ が観測された場合の対数尤度関数は，以下のように導かれる．

6.6. EM アルゴリズム

$$l(\boldsymbol{\theta}|\mathbf{x}) = \sum_{i=1}^{n} \log[(1-\pi)f_1(x_i) + \pi f_2(x_i)] \tag{6.6.18}$$

この混合確率変数の問題において観測されないデータは，確率変数がどちらの分布から抽出されるのかを決定している確率変数である．この確率変数は $i = 1, 2, \ldots, n$ において，

$$W_i = \begin{cases} 0 & X_i \text{ が pdf } f_1(x) \text{ に従うとき} \\ 1 & X_i \text{ が pdf } f_2(x) \text{ に従うとき} \end{cases}$$

と定義することができる．もちろんこの確率変数は，ベルヌイ分布から得られた無作為標本を構成している．したがって，$W_1, W_2, \ldots, W_n$ が各々成功率 π のベルヌイ分布に iid に従っていると仮定するならば，完全尤度は以下のような形になる．

$$L^c(\boldsymbol{\theta}|\mathbf{x}, \mathbf{w}) = \prod_{W_i=0} f_1(x_i) \prod_{W_i=1} f_2(x_i)$$

また完全尤度関数の対数をとったものは

$$\begin{aligned} l^c(\boldsymbol{\theta}|\mathbf{x}, \mathbf{w}) &= \sum_{W_i=0} \log f_1(x_i) + \sum_{W_i=1} \log f_2(x_i) \\ &= \sum_{i=1}^{n} [(1-w_i) \log f_1(x_i) + w_i \log f_2(x_i)] \end{aligned} \tag{6.6.19}$$

となる．ここで E ステップを実行するためには，$\mathbf{x}$ が所与の場合の W_i の $\boldsymbol{\theta}_0$ に関する期待値が必要となる．これはすなわち，

$$E_{\boldsymbol{\theta}_0}[W_i|\boldsymbol{\theta}_0, \mathbf{x}] = P[W_i = 1|\boldsymbol{\theta}_0, \mathbf{x}]$$

である．この期待値の推定値は，2種類の正規分布を利用して

$$\gamma_i = \frac{\widehat{\pi} f_{2,0}(x_i)}{(1-\widehat{\pi}) f_{1,0}(x_i) + \widehat{\pi} f_{2,0}(x_i)} \tag{6.6.20}$$

という形で表すことができる．ただし添え字の 0 は，$\boldsymbol{\theta}_0$ の時点での母数を利用することを意味している．この (6.6.20) 式は直観的に明らかであるように見えるが，詳しい議論について知りたい場合には Maclachlan and Krishnan (1997) を参照してほしい．この γ_i を用いて (6.6.19) 式中の w_i を置き換えることで，M ステップにおいて最大化すべき関数は

$$Q(\boldsymbol{\theta}|\boldsymbol{\theta}_0, \mathbf{x}) = \sum_{i=1}^{n} [(1-\gamma_i) \log f_1(x_i) + \gamma_i \log f_2(x_i)] \tag{6.6.21}$$

と導かれる．また実際の関数の最大化は，$Q(\boldsymbol{\theta}|\boldsymbol{\theta}_0, \mathbf{x})$ の各母数による偏導関数を利用することによって簡単に行うことができる．例えば

$$\frac{\partial Q}{\partial \mu_1} = \sum_{i=1}^{n} (1-\gamma_i)(-1/2\sigma_1^2)(-2)(x_i - \mu_1)$$

を 0 とおいて μ_1 について解くことで，μ_1 の推定値を得ることができる．その他の平均や分散についても手続きは同様である．各推定値は以下のようになる．

$$\hat{\mu}_1 = \frac{\sum_{i=1}^n (1-\gamma_i)x_i}{\sum_{i=1}^n (1-\gamma_i)} \qquad \hat{\sigma}_1^2 = \frac{\sum_{i=1}^n (1-\gamma_i)(x_i-\hat{\mu}_1)^2}{\sum_{i=1}^n (1-\gamma_i)}$$
$$\hat{\mu}_2 = \frac{\sum_{i=1}^n \gamma_i x_i}{\sum_{i=1}^n \gamma_i} \qquad \hat{\sigma}_2^2 = \frac{\sum_{i=1}^n \gamma_i(x_i-\hat{\mu}_2)^2}{\sum_{i=1}^n \gamma_i} \qquad (6.6.22)$$

また，γ_i が $P[W_i=1|\boldsymbol{\theta}_0,\mathbf{x}]$ の推定値であることから，その平均である $n^{-1}\sum_{i=1}^n \gamma_i$ は $\pi = P[W_i=1]$ の推定値と見なすことができる．よって π の推定値には，この平均を利用する．

練習問題

6.6.1. Rao (1973) の 368 ページでは，遺伝学における連鎖群の問題について言及している．McLachlan and Krishnan (1997) でも同様の問題について議論を行っており，本書でも彼らのモデルを取り扱うことにする．連鎖群の問題は，4 つのカテゴリ C_1, C_2, C_3, C_4 をもつ多項分布によって表現することができる．サイズ n の標本があったときに，$\mathbf{X}=(X_1, X_2, X_3, X_4)'$ によって各カテゴリの観測頻度を表すとしよう．つまり，$n=\sum_{i=1}^4 X_i$ である．このとき連鎖群の問題を表す確率モデルは，以下のようになる．

C_1	C_2	C_3	C_4
$\frac{1}{2}+\frac{1}{4}\theta$	$\frac{1}{4}-\frac{1}{4}\theta$	$\frac{1}{4}-\frac{1}{4}\theta$	$\frac{1}{4}\theta$

ただし，母数 θ は $0 \leq \theta \leq 1$ を満たすものとする．この問題では，θ の mle を求めることを目的とする．

(a) 尤度関数が以下の形になることを示せ．

$$L(\theta|\mathbf{x}) = \frac{n!}{x_1! x_2! x_3! x_4!}\left[\frac{1}{2}+\frac{1}{4}\theta\right]^{x_1}\left[\frac{1}{4}-\frac{1}{4}\theta\right]^{x_2+x_3}\left[\frac{1}{4}\theta\right]^{x_4} \qquad (6.6.23)$$

(b) 対数尤度関数が，母数を含まない定数項と以下に示す項によって構成されていることを示せ．

$$x_1 \log[2+\theta] + [x_2+x_3]\log[1-\theta] + x_4 \log \theta$$

(c) 上に示した式の偏導関数を求め，結果を 0 とおいて方程式を解くことで最尤解を得よ（なお，この結果は正と負の根をそれぞれ 1 つずつもつ 2 次方程式となる）．

6.6.2. この問題では，練習問題 6.6.1 において提示された状況における，EM アルゴリズムによる mle の求め方を得ることを目的とする．まずカテゴリ C_1 を，それぞれ確率 $1/2$ と $\theta/4$ をもつ 2 つの下位カテゴリ C_{11}, C_{12} に分割する．次にこれらのカテゴリごとの「頻度」を，各々 Z_{11} と Z_{12} によって表すことにする．すなわち，$X_1 = Z_{11}+Z_{12}$ である．もちろん，Z_{11}, Z_{12} を直接観測することはできない．これらをま

6.6. EM アルゴリズム

とめて，$\mathbf{Z} = (Z_{11}, Z_{12})'$ とする．

(a) 完全尤度 $L^c(\theta|\mathbf{x}, \mathbf{z})$ を求めよ．

(b) 先の結果と (6.6.23) 式を用いて，条件付き pmf $k(\mathbf{z}|\theta, \mathbf{x})$ が母数 x_1 をもつ 2 項分布であり，その成功率が $\theta/(2+\theta)$ であることを示せ．

(c) θ の初期推定値 $\widehat{\theta}^{(0)}$ が与えられたときの，EM アルゴリズムの E ステップを求めよ．これは

$$Q(\theta|\widehat{\theta}^{(0)}, \mathbf{x}) = E_{\widehat{\theta}^{(0)}}[\log L^c(\theta|\mathbf{x}, \mathbf{Z})|\widehat{\theta}^{(0)}, \mathbf{x}]$$

を導くことに等しい．ただしこの期待値をとる際には，条件付き pmf $k(\mathbf{z}|\widehat{\theta}^{(0)}, \mathbf{x})$ を利用していることに注意が必要である．また，次のステップにおいて必要なものは何かを考えることも重要である．すなわち，必要なのは θ を含む項のみである．

(d) EM アルゴリズムの M ステップにおいては，方程式 $\partial Q(\theta|\widehat{\theta}^{(0)}, \mathbf{x})/\partial \theta = 0$ を解くことが必要になる．この解が以下のような形になることを示せ．

$$\widehat{\theta}^{(1)} = \frac{x_1 \widehat{\theta}^{(0)} + 2x_4 + x_4 \widehat{\theta}^{(0)}}{n\widehat{\theta}^{(0)} + 2(x_2 + x_3 + x_4)} \tag{6.6.24}$$

6.6.3. 練習問題 6.6.2 で考えた状況において，以下に示す θ の推定量は不偏であることを示せ．

$$\widetilde{\theta} = n^{-1}(X_1 - X_2 - X_3 + X_4) \tag{6.6.25}$$

6.6.4. Rao (1973) の 368 ページでは，練習問題 6.6.1 で示した問題について，実際のデータを示している．これによると観測された頻度は，$\mathbf{x} = (125, 18, 20, 34)'$ であった．

(a) 計算ソフト (R や S–PLUS など) を利用して，(6.6.25) 式を初期推定値とした EM アルゴリズムによって $\widehat{\theta}^{(k)}$ の反復推定を行うプログラムを実装せよ．

(b) Rao のデータと実装したプログラムを用いて，EM アルゴリズムによる θ の推定を行え．また反復ごとの推定値 $\{\widehat{\theta}^k\}$ を表示し，推定値の列が収束しているかどうかを確認せよ．

(c) 練習問題 6.6.1 で求めた最尤法によるアプローチによって得られる解が，方程式 $197\theta^2 - 15\theta - 68 = 0$ の正の根であることを示せ．また，この結果を自分の書いたプログラムによって得られた推定値と比較せよ．両者は丸め誤差を除いて一致しなければならない．

6.6.5. $X_1, X_2, \ldots, X_{n_1}$ が，$N(\theta, 1)$ から得られた無作為標本であるとする．また，$Z_1, Z_2, \ldots, Z_{n_2}$ によって欠測した観測値を表すものとする．このとき，EM アルゴリズムによる推定の第 1 段階の手続きは

$$\widehat{\theta}^{(1)} = \frac{n_1 \overline{x} + n_2 \widehat{\theta}^{(0)}}{n}$$

となることを示せ．ただし $\widehat{\theta}^{(0)}$ は θ の初期推定値であり，$n=n_1+n_2$ である．また，仮に $\widehat{\theta}^{(0)} = \overline{x}$ であるならば，すべての k について $\widehat{\theta}^{(k)} = \overline{x}$ となることに注意せよ．

6.6.6. 例 6.6.1 において取り上げた状況を考える．ただしここでは，値が一定値以下に打ち切られているものと仮定する．すなわち，打ち切り変数 $Z_1, Z_2, \ldots, Z_{n_2}$ については，それらの値が $Z_j < a$ であったことしかわからないものとする．このとき，θ を求めるための EM アルゴリズムを定めよ．

6.6.7. 以下のデータが，例 6.6.1 に示した確率モデルから得られたとする．

$$\begin{array}{cccccccc}
2.01 & 0.74 & 0.68 & 1.50^+ & 1.47 & 1.50^+ & 1.50^+ & 1.52 \\
0.07 & -0.04 & -0.21 & 0.05 & -0.09 & 0.67 & 0.14
\end{array}$$

ただし添え字 $^+$ は，観測値が 1.50 を境に打ち切られていることを表している．このとき EM アルゴリズムによって θ の推定を行うプログラムを実装せよ．

6.6.8. 以下に示すようなデータが，確率変数 $X = (1-W)Y_1 + WY_2$ の観測値として得られたとする．ただし，W は成功率 0.70 のベルヌイ分布，Y_1 は $N(100, 20^2)$，Y_2 は $N(120, 25^2)$ に各々従っており，W と Y_1 および W と Y_2 は，それぞれ独立である．

$$\begin{array}{cccccccc}
119.0 & 96.0 & 146.2 & 138.6 & 143.4 & 98.2 & 124.5 \\
114.1 & 136.2 & 136.4 & 184.8 & 79.8 & 151.9 & 114.2 \\
145.7 & 95.9 & 97.3 & 136.4 & 109.2 & 103.2
\end{array}$$

本節の最後で議論したような混合分布問題に関するアプローチを利用して，EM アルゴリズムによってこの問題の推定を行うプログラムを実装せよ．また，データを描画したグラフを用いて初期推定値を決定して推定を行い，結果がどの程度真値に近い値になるかを確認せよ．

第7章 十分性

7.1 推定量の質の指標

　第6章では，尤度理論に基づいた点推定，区間推定ならびに統計的仮説検定の手順について示した．本章と次章では，いくつかの最適な点推定値と特定の状況における検定を論ずる．まず，点推定から考察しよう．

　本章では，第6章と同様に，簡便さのために pdf だけでなく pmf も f を用いて表す．確率変数のうち離散型，連続型のどちらの分布について議論しているかは，文脈から明らかになるであろう．

　いま，$\theta \in \Omega$ に対して $f(x;\theta)$ を連続型 (または離散型) の確率変数 X の pdf (pmf) とする．標本 $X_1,\ldots,X_n$ に基づく点推定量 $Y_n = u(X_1,\ldots,X_n)$ を考える．第4章では，点推定量のいくつかの性質について論じた．Y_n が一致推定量 (定義 4.2.2) であるとは，Y_n が θ に確率収束すること，つまり，Y_n が大標本において θ に近づくことを指した．これは明らかに点推定量の好ましい性質のひとつである．あるいくつかの条件のもとで，最尤推定量が一致性を有することは 定理 6.1.3 において示されている．もうひとつの性質は不偏性 (定義 4.1.1) であった．$E(Y_n) = \theta$ であるとき，Y_n は θ の不偏推定量とよばれる．最尤推定量は，不偏ではない可能性があったことを思い出そう．ただし，漸近的には不偏であることが一般的である (定理 6.2.2 を参照せよ)．

　θ に関する2つの不偏な推定量がある場合，より小さな分散の推定量を選択するだろう．もし両推定量が漸近的に正規分布に従うならば，この選択はなおさら妥当なものとなる．なぜなら，(5.4.3) 式より，より小さな分散は θ に対するより短い漸近的な信頼区間を構成するからである．この事実から次の定義が導かれる．

定義 7.1.1.
　ある特定の正の整数 n において，$Y = u(X_1, X_2, \ldots, X_n)$ が母数 θ に対して不偏，つまり $E(Y) = \theta$ であり，Y の分散が θ に関するその他すべての不偏推定量の分散以下であるとき，Y は θ の最小分散不偏推定量 (minimum variance unbiased estimator, MVUE) とよばれる．

例 7.1.1. 説明のために，分布 $N(\theta, \sigma^2)$ からの無作為標本 $X_1, X_2, \ldots, X_9$ を考える．ここで，$-\infty < \theta < \infty$ である．統計量 $\overline{X} = (X_1 + X_2 + \cdots + X_9)/9$ は $N(\theta, \frac{\sigma^2}{9})$ に従うから，$\overline{X}$ は θ の不偏推定量である．統計量 X_1 は $N(\theta, \sigma^2)$ に従うので，X_1 も

また θ の不偏推定量である．$\overline{X}$ の分散 $\frac{\sigma^2}{9}$ は X_1 の分散 σ^2 よりも小さいが，$n=9$ では $\overline{X}$ が θ の最小分散不偏推定量 (MVUE) であるとはいえない．定義では θ に関するすべての不偏推定量と比較することが要求されているからである．明らかに，この状況での母数 θ に対する他のすべての不偏推定量を列挙することは，ほとんど不可能であるから，分散を比較する別の方法を考えなければならない．この問題に対する解決の糸口は本章で示される．■

ここで，やや異なる観点から母数の点推定に関する問題を議論する．pdf が $\theta \in \Omega$ に対して $f(x;\theta)$ である分布からのサイズ n の無作為標本を $X_1, X_2, \ldots, X_n$ とする．分布は連続型，離散型のどちらでもよい．母数 θ の点推定の際に基づく統計量を $Y = u(X_1, X_2, \ldots, X_n)$ とする．また，統計量 Y の観測値，これが θ の点推定値である，の関数を $\delta(y)$ によって表す．このように，関数 δ は θ の点推定の値を決定する (decide) ものであり，δ は決定関数 (decision function)，あるいは決定規則 (decision rule) とよばれる．決定関数のあるひとつの値，例えば $\delta(y)$ は決定 (decision) とよばれる．したがって，母数 θ の数値的に特定された点推定値は決定である．さて，決定は正誤どちらにもなりうるので，θ の真値と点推定値 $\delta(y)$ との違いが存在する場合に，その深刻さを測ることができれば有益である．そこで，$\theta \in \Omega$ に対して，この深刻さを反映させた非負の数 $\mathcal{L}[\theta, \delta(y)]$ を各対 $[\theta, \delta(y)]$ に対応させる．関数 $\mathcal{L}$ は損失関数 (loss function) とよばれる．また，損失関数の期待値 (平均) を危険関数 (risk function) とよぶ．$\theta \in \Omega$ に対して $f_Y(y;\theta)$ を Y の pdf とすると，$R(\theta, \delta)$ は Y が連続型の確率変数である場合に

$$R(\theta, \delta) = E\{\mathcal{L}[\theta, \delta(y)]\} = \int_{-\infty}^{\infty} \mathcal{L}[\theta, \delta(y)] f_Y(y;\theta)\, dy$$

によって与えられる．$\theta \in \Omega$ に対して θ のすべての値に対する危険度 $R(\theta, \delta)$ を最小にする決定関数を選ぶことが望ましいだろう．しかし，通常，これは不可能である．θ のあるひとつの値に対して $R(\theta, \delta)$ を最小にする決定関数 δ が θ の他の値に対する $R(\theta, \delta)$ を最小にするとは限らないからである．そこで，決定関数をある特定の族に制限するか，または危険関数を順序づける方法を考える必要が生じる．次の例は，きわめて単純ではあるが，これらの困難さをはっきりと表すものである．

例 7.1.2. $X_1, X_2, \ldots, X_{25}$ を分布 $N(\theta, 1)$ からの無作為標本とする．ここで，$-\infty < \theta < \infty$ である．無作為標本の平均を $Y = \overline{X}$ とし，$\mathcal{L}[\theta, \delta(y)] = [\theta - \delta(y)]^2$ とする．$-\infty < y < \infty$ に対して，$\delta_1(y) = y$ と $\delta_2(y) = 0$ によって与えられる 2 つの決定関数を比較しよう．対応する危険関数は

$$R(\theta, \delta_1) = E[(\theta - Y)^2] = \frac{1}{25}, \quad R(\theta, \delta_2) = E[(\theta - 0)^2] = \theta^2$$

である．明らかに，実際の状況が $\theta = 0$ であれば，$\delta_2(y) = 0$ とすることが優れた判断であり，このとき $R(0, \delta_2) = 0$ である．ところが，θ が 0 から大きく異なる場合，$\delta_2 =$

7.1. 推定量の質の指標

0 が質の悪い判断であることも同様に明らかである．例えば，実際には $\theta = 2$ であるとき，$R(2, \delta_2) = 4 > R(2, \delta_1) = \frac{1}{25}$ である．一般に，$-\frac{1}{5} < \theta < \frac{1}{5}$ であれば $R(\theta, \delta_2) < R(\theta, \delta_1)$ となり，それ以外では $R(\theta, \delta_2) \geq R(\theta, \delta_1)$ となる．つまり，これらの決定関数のうちのひとつは，θ のいくつかの値に対しては他のものより優れており，その他の決定関数は，θ の別の値に対しては優れている．しかし，もし，$\theta \in \Omega$ のすべての θ の値に対して $E[\delta(Y)] = \theta$ であるような決定関数 δ に考察を限るならば，決定関数 $\delta_2(y) = 0$ は許容されない．この制限のもとで，$\mathcal{L}[\theta, \delta(y)]$ が与えられているとすると，危険関数は不偏推定量 $\delta(Y)$ の分散であり，MVUE を見つけることの困難に直面する．本章の後の部分で，解が $\delta(y) = y = \overline{x}$ であることを示す．

しかしながら，決定関数 δ を $\theta \in \Omega$ である θ のすべての値に対して $E[\delta(Y)] = \theta$ であるような決定関数に制限したくない状況が想定される．決定関数を制限するかわりに，危険関数の最大値を最小にする決定関数を最良の決定関数と考える．本例では，$R(\theta, \delta_2) = \theta^2$ が有界ではないので，ここでの基準に照らすと $\delta_2(y) = 0$ は優れた決定関数ではない．一方，$-\infty < \theta < \infty$ に対して

$$\max_\theta R(\theta, \delta_1) = \max_\theta \left(\frac{1}{25}\right) = \frac{1}{25}$$

である．したがって，$\frac{1}{25}$ は小さいので，ここでの基準において $\delta_1(y) = y = \overline{x}$ は大変優れた決定関数であるように思われる．事実，ミニマックス基準 (minimax criterion) を指標とした場合，損失関数が $\mathcal{L}[\theta, \delta(y)] = [\theta - \delta(y)]^2$ であるときに，δ_1 は最良の決定関数であることを示すことができる．■

この例で説明したことをまとめると，以下のとおりである．
1. 決定関数について何らかの制限をおかないと，他の決定に対する危険関数よりも常に小さい危険関数をもつ決定関数を導くことは困難である．
2. 最良の決定関数を選択するひとつの原則はミニマックス原理 (minimax principle) とよばれる．この原理は，次のように記述される．$\delta_0(y)$ として与えられる決定関数が，すべての $\theta \in \Omega$ において，他のすべての決定関数 $\delta(y)$ に対して

$$\max_\theta R[\theta, \delta_0(y)] \leq \max_\theta R[\theta, \delta(y)]$$

であるならば，$\delta_0(y)$ はミニマックス決定関数 (minimax decision function) とよばれる．

$E[\delta(Y)] = \theta$ と制約し，損失関数を $\mathcal{L}[\theta, \delta(y)] = [\theta - \delta(y)]^2$ と制約すると，危険関数を最小にする決定関数は最小の分散をもつ不偏推定量となる．しかし，$E[\delta(Y)] = \theta$ という制約が他の条件と置き換わると，θ に対して一様に $E\{[\theta - \delta(Y)]^2\}$ を最小とする決定関数 $\delta(Y)$ は，もし存在する場合には，しばしば最小平均2乗誤差推定量 (minimum mean–squared–error estimator) とよばれる．この種の推定量の例は，練習問題 7.1.6，7.1.7，7.1.8 に示される．

ここまでの議論において，決定規則と損失関数について2つの付加的な指摘を行う

必要がある．第1に，Y は統計量であるから，決定規則 $\delta(Y)$ もまた統計量であり，無作為標本の観測値に基づいた決定規則，例えば $\delta_1(X_1, X_2, \ldots, X_n)$ という決定規則から直接に議論を始めることも可能であった．このとき，無作為標本が連続型の分布に従うものならば，危険関数は

$$R(\theta, \delta_1) = E\{\mathcal{L}[\theta, \delta_1(X_1, \ldots, X_n)]\}$$
$$= \int_{-\infty}^{\infty} \cdots \int_{-\infty}^{\infty} \mathcal{L}[\theta, \delta_1(x_1, \ldots, x_n)] f(x_1; \theta) \cdots f(x_n; \theta) \, dx_1 \cdots dx_n$$

によって与えられる．ここではこのような議論の展開は行わなかった．本章で今後述べられるように，ある特定のモデルに関連づけられた統計的推測のすべてが基づく優れた統計量，仮に Y とする，を見つけることは比較的容易だからである．したがって，ここでは，読者に馴染みのある例 7.1.2 における最尤推定量 $Y = \overline{X}$ のような統計量から議論を始めることが妥当であろうと考えた．この例での2番目の決定規則は，どのような値の $X_1, X_2, \ldots, X_n$ が観測されようとも定数である $\delta_2(X_1, X_2, \ldots, X_n) = 0$ と書き表すこともできた．

第2に，ここではたったひとつの損失関数，つまり，2乗誤差損失関数 (squared–error loss function) $\mathcal{L}(\theta, \delta) = (\theta - \delta)^2$ のみを用いた．もうひとつのよく使用される損失関数は絶対誤差損失関数 (absolute–error loss function) $\mathcal{L}(\theta, \delta) = |\theta - \delta|$ である．a と b を正の定数として，次の式によって定義される損失関数

$$\mathcal{L}(\theta, \delta) = \begin{cases} 0 & |\theta - \delta| \leq a \\ b & |\theta - \delta| > a \end{cases}$$

はしばしばゴールポスト損失関数 (goal post loss function) とよばれる．アメリカンフットボールのファンが，この式とフィールドゴールキックの類似性に着目したことが，このような名前になった理由である．すなわち，もし中心から a 単位内であれば損失はなく（フットボールでは3点獲得），この範囲より外側であれば b 単位分の損失（得点は0）となるということである．損失関数について付け加えるならば，先の3つのように対称な関数だけでなく，損失関数は非対称にもなりうる．つまり，例えば，θ の値を過大推定するよりも過小推定する方がより損失が大きい場合などである（飛行機に乗るために空港に行くまでの時間を予測する場合，多くの人々はこの種の損失関数を考えている）．これらの損失関数のいくつかは，第11章においてベイズ推定を学ぶときに考察される．

本節を締めくくるにあたり，興味深い解説例を示そう．この例によって惹起される問題から，推定量が満たすべき性質として多くの統計学者が信じている尤度原理へと議論は展開する．2人の統計学者 A と B が，結果が成功か失敗かである無作為実験の独立な試行を10回観測するとしよう．各試行の成功確率を θ とする．$0 < \theta < 1$ である．それぞれの統計学者が，これら10回の試行中に1回の成功を観測すると仮定する．しかし，A はこのような観測を事前に $n = 10$ 回行うことを決めており，成功を1

7.1. 推定量の質の指標

回だけ観測したものとする．一方，B は最初の成功を観測するのに必要なだけの試行を行うことにしており，10回目の試行で成功を観測したとする．A のモデルは Y が分布 $b(n=10, \theta)$ に従い $y=1$ が観測されるというものである．それに対して，B は確率変数 Z が幾何 pdf $g(z) = (1-\theta)^{z-1}\theta$, $z=1,2,3,\ldots$ に従い，$z=10$ が観測される状況を考えている．どちらの場合も，成功の相対頻度は

$$\frac{y}{n} = \frac{1}{z} = \frac{1}{10}$$

であり，θ の推定値として利用可能である．

ところが，対応する推定量 Y/n と $1/Z$ のうち，一方に偏りがあることが確かめられる．

$$E\left(\frac{Y}{10}\right) = \frac{1}{10}E(Y) = \frac{1}{10}(10\theta) = \theta$$

に対して，

$$E\left(\frac{1}{Z}\right) = \sum_{z=1}^{\infty} \frac{1}{z}(1-\theta)^{z-1}\theta$$
$$= \theta + \frac{1}{2}(1-\theta)\theta + \frac{1}{3}(1-\theta)^2\theta + \cdots > \theta$$

であるので，$Y/10$ が不偏推定量である一方で，$1/Z$ は偏りのある推定量である．したがって，A は不偏推定量を用いているが，対する B はそうではない．B の推定量もまた不偏であるように調整を行うべきであろうか．

興味深いことに，2つの尤度関数のそれぞれ，すなわち，

$$L_1(\theta) = \binom{10}{y}\theta^y(1-\theta)^{10-y}, \quad L_2(\theta) = (1-\theta)^{z-1}\theta$$

を $n=10$, $y=1$, $z=10$ として最大化すると，全く同じ解である $\hat{\theta} = \frac{1}{10}$ が得られる．各状況で $(1-\theta)^9\theta$ を最大化しているのだから，これは真でなければならない．これこそが，多くの統計学者がそうあるべきであると信じ，その結果，採用もしている尤度原理 (likelihood principle) である．尤度原理とは「2つの異なる無作為実験から得られた2つの異なるデータの組のそれぞれの尤度比 $L_1(\theta)$ と $L_2(\theta)$ が互いに比例している．これら2つのデータは母数 θ に関して同じ情報を提供し，統計学者はどちらのデータからであっても，同じ θ の推定値を得る」ということである．

ここで紹介した説明例では，$L_1(\theta) \propto L_2(\theta)$ と表し，尤度原理は統計学者 A と B は同じ推測を行うべきであることを述べている．したがって，尤度原理の信奉者たちは，2番目の推定量を不偏であるようには調整しないであろう．

練習問題

7.1.1. pdf が $f(x;\theta) = (1/\theta)e^{-(x/\theta)}$, $0 < x < \infty$, $0 < \theta < \infty$, それ以外では 0, である分布からのサイズ n の無作為標本の平均 $\overline{X}$ は θ の不偏推定量であり，その分散

は θ^2/n であることを証明せよ．

7.1.2. 平均 0, 分散 θ, $0 < \theta < \infty$ である正規分布からの無作為標本を $X_1, X_2, \ldots, X_n$ によって表す．$\sum_1^n X_i^2/n$ は θ の不偏推定量であり，その分散は $2\theta^2/n$ であることを証明せよ．

7.1.3. $f(x;\theta) = 1/\theta$, $0 < x < \infty$, $0 < \theta < \infty$, それ以外では 0, という pdf の一様分布からのサイズ 3 の無作為標本の順序統計量を $Y_1 < Y_2 < Y_3$ とする．$4Y_1, 2Y_2, \frac{4}{3}Y_3$ はすべて θ の不偏推定量であることを証明せよ．これら不偏推定量のそれぞれの分散を求めよ．

7.1.4. Y_1 と Y_2 を θ に関する 2 つの独立な不偏推定量とする．Y_1 の分散は Y_2 の分散の 2 倍であると仮定する．このとき，$k_1 Y_1 + k_2 Y_2$ が，このような線形結合のうち可能な最小の分散をもつように定数 k_1 と k_2 を決定せよ．

7.1.5. 本節の例 7.1.2 において $\mathcal{L}[\theta, \delta(y)] = |\theta - \delta(y)|$ とせよ．このとき $R(\theta, \delta_1) = \frac{1}{5}\sqrt{2/\pi}$ と $R(\theta, \delta_2) = |\theta|$ を示せ．これら 2 つの決定関数 δ_1 と δ_2 のうち，どちらがより小さい最大危険度となるか．

7.1.6. 母数が θ, $0 < \theta < \infty$ であるポアソン分布からの無作為標本を $X_1, X_2, \ldots, X_n$ とする．$Y = \sum_1^n X_i$ とし，$\mathcal{L}[\theta, \delta(y)] = [\theta - \delta(y)]^2$ とする．

$\delta(y) = b + y/n$ という形の決定関数に考察を限るとき，$R(\theta, \delta) = b^2 + \theta/n$ を示せ．ここで，b は y に依存しない値である．この形式で他の決定関数の危険度より一様に小さな危険度となる決定関数はどのようなものか．この解答を仮に δ とし，$0 < \theta < \infty$ とする．このとき，もし存在するならば $\max_\theta R(\theta, \delta)$ を求めよ．

7.1.7. μ が未知である分布 $N(\mu, \theta)$, $0 < \theta < \infty$ からの無作為標本を $X_1, X_2, \ldots, X_n$ とする．$Y = \sum_1^n (X_i - \overline{X})^2/n = V$ とし，$\mathcal{L}[\theta, \delta(y)] = [\theta - \delta(y)]^2$ とする．y に依存しない b を考え $\delta(y) = by$ という形式の決定関数を考えた場合，$R(\theta, \delta) = (\theta^2/n^2)[(n^2 - 1)b^2 - 2n(n-1)b + n^2]$ であることを示せ．$b = n/(n+1)$ はこの形式の決定関数のうち最小危険度となることを証明せよ．$nY/(n+1)$ は θ の不偏推定量ではないことに留意せよ．$\delta(y) = ny/(n+1)$ とし，$0 < \theta < \infty$ としたとき，もし存在するならば，$\max_\theta R(\theta, \delta)$ を求めよ．

7.1.8. $X_1, X_2, \ldots, X_n$ を分布 $b(1, \theta)$, $0 \leq \theta \leq 1$ からの無作為標本とする．$Y = \sum_1^n X_i$ とし，$\mathcal{L}[\theta, \delta(y)] = [\theta - \delta(y)]^2$ とする．$\delta(y) = by$ という決定関数を考える．ここで，b は y に依存しない．$R(\theta, \delta) = b^2 n\theta(1-\theta) + (bn-1)^2 \theta^2$ を証明せよ．また，b の値が $b^2 n \geq (bn-1)^2$ であるようなとき，

$$\max_\theta R(\theta, \delta) = \frac{b^4 n^2}{4[b^2 n - (bn-1)^2]}$$

7.2. 母数の十分統計量

を証明せよ. さらに, $b=1/n$ は $\max_\theta R(\theta,\delta)$ を最大にしないことを示せ.

7.1.9. $X_1, X_2, \ldots, X_n$ を 平均が $\theta > 0$ であるポアソン分布からの無作為標本とする.

(a) 統計学者 A は和が $y = \sum x_i$ となる標本の値 $x_1, x_2, \ldots, x_n$ を観測する. θ の最尤推定量を決定せよ.

(b) 統計学者 B は標本の値 $x_1, x_2, \ldots, x_n$ を手元に残していないが, その和 y_1 と標本がポアソン分布から抽出された事実は記憶している. そこで, B は $z_1, z_2, \ldots, z_n$ と名付けた擬似的な観測値を次のように生成する (B が予期しているように, それらは元の x の値と同じではなくなるかもしれない). B は, $\sum z_i = y_1$ が所与のとき, 独立なポアソン確率変数 $Z_1, Z_2, \ldots, Z_n$ が始めから $z_1, z_2, \ldots, z_n$ と等しくなる条件付き確率を

$$\frac{\frac{\theta^{z_1} e^{-\theta}}{z_1!} \frac{\theta^{z_2} e^{-\theta}}{z_2!} \cdots \frac{\theta^{z_n} e^{-\theta}}{z_n!}}{\frac{(n\theta)^{y_1} e^{n\theta}}{y_1!}} = \frac{y_1!}{z_1! z_2! \cdots z_n!} \left(\frac{1}{n}\right)^{z_1} \left(\frac{1}{n}\right)^{z_2} \cdots \left(\frac{1}{n}\right)^{z_n}$$

と表現する. $Y_1 = \sum Z_i$ は平均 $n\theta$ のポアソン分布に従うからである. 後者の分布は y_1 回の独立な試行に対して, 結果が n 個の互いに独立ですべてを尽くす場合のいずれかとなり, 各場合が同じ確率 $1/n$ である多項分布である. したがって, B は多項分布に従う実験を y_1 回独立に行い, $z_1, z_2, \ldots, z_n$ を得る. これら z の値を用いて尤度関数を求めよ. これは統計学者 A の尤度関数に比例するか.

ヒント: ここで, 尤度関数はこの条件付き pdf の積であり, それは $Y_1 = \sum Z_i$ の pdf である.

7.2 母数の十分統計量

$X_1, X_2, \ldots, X_n$ を pdf $f(x; \theta)$, $\theta \in \Omega$ に従う分布からの無作為標本とする. 第4章と第6章において, 点, 区間推定や統計的仮説検定として表現された統計的推論のための統計量を定めた. 例えば $Y = u(X_1, X_2, \ldots, X_n)$ のような統計量は, データ整理の方法であるということを指摘した. 説明という目的では, 個々のオブザベーション $X_1, X_2, \ldots, X_n$ をすべて列挙するよりも, 標本平均 $\overline{X}$ や標本分散 S^2 のみを用いることの方が好まれるだろう. したがって, 統計学者はデータをより簡単に理解できるようにするために, オブザベーション全体に関連づけられる意味合いを失うことなくデータを整理する方法を探索している.

統計量 $Y = u(X_1, X_2, \ldots, X_n)$ が $X_1, X_2, \ldots, X_n$ の標本空間を実際に分割するという点に注意することは興味深いことである. 説明のために, 例えば標本が観測されていて, $\overline{x} = 8.32$ であるとする. 標本空間の中には, 8.32 という同じ平均をもつ点は多数あり, それらは同じ集合 $\{(x_1, x_2, \ldots, x_n) : \overline{x} = 8.32\}$ に属していると見なすことができる. 事実上, 超平面

$$x_1 + x_2 + \cdots + x_n = (8.32)n$$

上のすべての点は平均 $\overline{x} = 8.32$ を満たすように定められる．よってこの超平面は上記の集合である．ここで，$\overline{X}$ のとりうる値は無数に存在し，したがってこのような集合は多数定義できる．よってこの意味では，標本平均 $\overline{X}$ あるいは他のある統計量 $Y = u(X_1, X_2, \ldots, X_n)$ は標本空間をある集合の集まりに分割している．

　統計学の研究における多くの場面では，モデルの母数 θ は未知である．したがって私たちは母数について何らかの統計的推論を行う必要がある．本節では，$Y_1 = u_1(X_1, X_2, \ldots, X_n)$ で示される，十分統計量 (sufficient statistic) とよばれ，このような推論には向いている統計量について考える．この十分統計量は標本空間を，

$$(X_1, X_2, \ldots, X_n) \in \{(x_1, x_2, \ldots, x_n) : u_1(x_1, x_2, \ldots, x_n) = y_1\}$$

が与えられたとき，$X_1, X_2, \ldots, X_n$ の条件付き確率は θ に依存しないように分割する．直感的に，このことは一度集合が $Y_1 = y_1$ を固定することによって定められたならば，他の統計量，例えば $Y_2 = u_2(X_1, X_2, \ldots, X_n)$ の分布は，$X_1, X_2, \ldots, X_n$ の条件付き分布が母数 θ に依存しないことから，やはり母数 θ に依存しないということを意味する．したがって，$Y_1 = y_1$ が所与のもとでの Y_2 を θ の統計的推論のために用いることは不可能である．したがってある意味では，Y_1 は θ に関して標本に含まれているすべての情報を使い果たしている (exhaust)．このことが，$Y_1 = u_1(X_1, X_2, \ldots, X_n)$ を十分統計量とよぶ理由である．

　母数 θ の十分統計量の定義を明確に理解するための例示から始めることとする．

例 7.2.1. $X_1, X_2, \ldots, X_n$ を以下の pmf に従う分布からの無作為標本とする．

$$f(x; \theta) = \begin{cases} \theta^x (1-\theta)^{1-x} & x = 0, 1;\ 0 < \theta < 1 \\ 0 & \text{それ以外の場合} \end{cases}$$

統計量 $Y_1 = X_1 + X_2 + \cdots + X_n$ は以下の pmf に従う．

$$f_{Y_1}(y_1; \theta) = \begin{cases} \binom{n}{y_1} \theta^{y_1} (1-\theta)^{n-y_1} & y_1 = 0, 1, \ldots, n \\ 0 & \text{それ以外の場合} \end{cases}$$

例えば $y_1 = 0, 1, 2, \ldots, n$ であるとき，以下の条件付き確率はどうなるだろうか．

$$P(X_1 = x_1, X_2 = x_2, \ldots, X_n = x_n | Y_1 = y_1) = P(A|B)$$

整数 $x_1, x_2, \ldots, x_n$（それぞれの x は 0 あるいは 1）の和が y_1 でないならば，条件付き確率は $A \cap B = \phi$ であるので明らかに 0 である．一方 $y_1 = \sum x_i$ である場合，$A \subset B$ なので $A \cap B = A$ であり，また $P(A|B) = P(A)/P(B)$ である．したがって，条件付き確率は以下のとおりとなる．

$$\frac{\theta^{x_1}(1-\theta)^{1-x_1} \theta^{x_2}(1-\theta)^{1-x_2} \cdots \theta^{x_n}(1-\theta)^{1-x_n}}{\binom{n}{y_1} \theta^{y_1}(1-\theta)^{n-y_1}} = \frac{\theta^{\sum x_i}(1-\theta)^{n-\sum x_i}}{\binom{n}{\sum x_i} \theta^{\sum x_i}(1-\theta)^{n-\sum x_i}}$$

7.2. 母数の十分統計量

$$= \frac{1}{\binom{n}{\sum x_i}}$$

$y_1 = x_1 + x_2 + \cdots + x_n$ は n 回の独立な試行における 1 の数と等しいので，これは y_1 個の 1 と $(n-y_1)$ 個の 0 について，ある特定の配列を選択する条件付き確率となる．条件付き確率は，母数 θ の値に依存 <u>しない</u> ことに注意してほしい．■

一般的に，pmf $f(x;\theta)$, $\theta \in \Omega$ に従う離散型の分布からの無作為標本 $X_1, X_2, \ldots, X_n$ について $f_{Y_1}(y_1;\theta)$ を統計量 $Y_1 = u_1(X_1, X_2, \ldots, X_n)$ の pmf としたとき，$Y_1 = y_1$ が所与のもとでの $X_1 = x_1, X_2 = x_2, \ldots, X_n = x_n$ の条件付き確率は以下のとおりとなる．

$$\frac{f(x_1;\theta)f(x_2;\theta)\cdots f(x_n;\theta)}{f_{Y_1}[u_1(x_1, x_2, \ldots, x_n);\theta]}$$

ここで，$x_1, x_2, \ldots, x_n$ は，固定された y_1 について $y_1 = u_1(x_1, x_2, \ldots, x_n)$ となるように与えられ，それ以外の場合割合は 0 となる．この割合が θ に依存しないならば，また依存しないときにかぎり $Y_1 = u_1(X_1, X_2, \ldots, X_n)$ を θ の十分統計量とよぶ．ここで，連続型の分布に関しては，同じ議論を用いることができない．この場合には，この比が θ に依存しないならば，$Y_1 = y_1$ が所与のもとでの $X_1, X_2, \ldots, X_n$ の条件付き分布も θ に依存しないという事実を受け容れる．ここから，両方の場合に θ の十分統計量に関して同じ定義を用いる．

定義 7.2.1.
$X_1, X_2, \ldots, X_n$ を pdf あるいは pmf $f(x;\theta)$, $\theta \in \Omega$ に従う分布からのサイズ n の無作為標本とする．$Y_1 = u_1(X_1, X_2, \ldots, X_n)$ を pdf あるいは pmf $f_{Y_1}(y_1;\theta)$ に従う統計量とする．ここで，以下のとおりであるならば，またある場合にかぎり Y_1 は θ の十分統計量 (sufficient statistic) である．

$$\frac{f(x_1;\theta)f(x_2;\theta)\cdots f(x_n;\theta)}{f_{Y_1}[u_1(x_1, x_2, \ldots, x_n);\theta]} = H(x_1, x_2, \ldots, x_n),$$

ここで，$H(x_1, x_2, \ldots, x_n)$ は $\theta \in \Omega$ に依存しない．

注意 7.2.1. 本書のほとんどの場合には，$X_1, X_2, \ldots, X_n$ は無作為標本のオブザベーションを表す．すなわち，それらは iid である．しかし，より一般的な場合においては，これらの無作為標本が独立であることは必要とされない．それどころか，同じように分布している必要すらない．したがって，より一般的に，統計量 $Y_1 = u_1(X_1, X_2, \ldots, X_n)$ の十分性の定義は次のように拡張されるだろう．

$$\frac{f(x_1, x_2, \ldots, x_n;\theta)}{f_{Y_1}[u_1(x_1, x_2, \ldots, x_n);\theta]} = H(x_1, x_2, \ldots, x_n)$$

は，$\theta \in \Omega$ に依存しない．ここで，$f(x_1, x_2, \ldots, x_n;\theta)$ は $X_1, X_2, \ldots, X_n$ の同時 pdf

あるいは pmf である．本書においてこのような拡張が必要となる場面はごくわずかである．■

ここで，この定義の説明として2つの例を示す．

例 7.2.2. $X_1, X_2, \ldots, X_n$ を $\alpha=2$, $\beta=\theta>0$ のガンマ分布からの無作為標本とする．この分布に関連づけられる mgf は $M(t)=(1-\theta t)^{-2}$, $t<1/\theta$ と与えられるため，$Y_1 = \sum_{i=1}^{n} X_i$ の mgf は以下のとおりである．

$$E[e^{t(X_1+X_2+\cdots+X_n)}] = E(e^{tX_1})E(e^{tX_2})\cdots E(e^{tX_n})$$
$$= [(1-\theta t)^{-2}]^n = (1-\theta t)^{-2n}$$

したがって，Y_1 は $\alpha=2n$, $\beta=\theta$ のガンマ分布に従い，ゆえにその pdf は以下のとおりとなる．

$$f_{Y_1}(y_1;\theta) = \begin{cases} \dfrac{1}{\Gamma(2n)\theta^{2n}} y_1^{2n-1} e^{-y_1/\theta} & 0 < y_1 < \infty \\ 0 & \text{それ以外の場合} \end{cases}$$

したがって，以下を得る．ここで，$0 < x_i < \infty$, $i = 1, 2, \ldots, n$ である．

$$\frac{\left[\dfrac{x_1^{2-1} e^{-x_1/\theta}}{\Gamma(2)\theta^2}\right]\left[\dfrac{x_2^{2-1} e^{-x_2/\theta}}{\Gamma(2)\theta^2}\right] \cdots \left[\dfrac{x_n^{2-1} e^{-x_n/\theta}}{\Gamma(2)\theta^2}\right]}{\dfrac{(x_1+x_2+\cdots+x_n)^{2n-1} e^{-(x_1+x_2+\cdots+x_n)/\theta}}{\Gamma(2n)\theta^{2n}}}$$
$$= \frac{\Gamma(2n)}{[\Gamma(2)]^n} \frac{x_1 x_2 \cdots x_n}{(x_1+x_2+\cdots+x_n)^{2n-1}}$$

この比は θ に依存しないため，和 Y_1 は θ の十分統計量である．■

例 7.2.3. $Y_1 < Y_2 < \cdots < Y_n$ を以下の pdf に従うサイズ n の無作為標本の順序統計量とする．

$$f(x;\theta) = e^{-(x-\theta)} I_{(\theta,\infty)}(x)$$

ここで，以下のように定義される集合 A の定義関数を用いる．

$$I_A(x) = \begin{cases} 1 & x \in A \\ 0 & x \notin A \end{cases}$$

このことは，もちろん $f(x;\theta) = e^{-(x-\theta)}$, $\theta < x < \infty$, それ以外は 0, を意味する．$Y_1 = \min(X_i)$ の pdf は以下のとおりである．

$$f_{Y_1}(y_1;\theta) = n e^{-n(y_1-\theta)} I_{(\theta,\infty)}(y_1)$$

すべての $i = 1, \ldots, n$ について $\theta < x_i$ であるならば，またそうであるときにかぎり $\theta < \min\{x_i\}$ である点に注意が必要である．表記法上は，これは $I_{(\theta,\infty)}(\min x_i) =$

7.2. 母数の十分統計量

$\prod_{i=1}^{n} I_{(\theta,\infty)}(x_i)$ と表現することができる．したがって，以下を得る．

$$\frac{\prod_{i=1}^{n} e^{-(x_i-\theta)} I_{(\theta,\infty)}(x_i)}{ne^{-n(\min x_i - \theta)} I_{(\theta,\infty)}(\min x_i)} = \frac{e^{-x_1-x_2-\cdots-x_n}}{ne^{-n \min x_i}}$$

この比は θ に依存しないので，第1の順序統計量 Y_1 は θ の十分統計量である．■

もし定義を用いてある統計量 Y_1 が母数 θ の十分統計量であること，あるいはないことを示す必要があるなら，何よりもまず Y_1 の pdf，例えば $f_{Y_1}(y_1;\theta)$ を知る必要がある．多くの場合，この pdf を定めるのは非常に難しい．幸運にも，この問題は以下に示すネイマンの因子分解定理 (factorization theorem) によって避けることができる．

> **定理 7.2.1 (ネイマンの因子分解定理).**
> $X_1, X_2, \ldots, X_n$ を pdf あるいは pmf $f(x;\theta)$, $\theta \in \Omega$ に従う分布からの無作為標本とする．以下の式のような2つの非負の関数 k_1 と k_2 が存在するならば，また，存在するときにかぎり統計量 $Y_1 = u_1(X_1, \ldots, X_n)$ は θ の十分統計量である．
>
> $$f(x_1;\theta)f(x_2;\theta)\cdots f(x_n;\theta) = k_1[u_1(x_1, x_2, \ldots, x_n); \theta] k_2(x_1, x_2, \ldots, x_n) \tag{7.2.1}$$
>
> ここで，$k_2(x_1, x_2, \ldots, x_n)$ は θ に依存しない．

証明 ここではこの定理を確率変数が連続型の場合について証明する．因子分解を定理の中で述べたものとする．この証明において，1対1変換 $y_1 = u_1(x_1, x_2, \ldots, x_n)$, $y_2 = u_2(x_1, x_2, \ldots, x_n), \ldots, y_n = u_n(x_1, x_2, \ldots, x_n)$ が逆関数 $x_1 = w_1(y_1, y_2, \ldots, y_n)$, $x_2 = w_2(y_1, y_2, \ldots, y_n), \ldots, x_n = w_n(y_1, y_2, \ldots, y_n)$ とヤコビアン J をもつものとする．統計量 $Y_1, Y_2, \ldots, Y_n$ の pdf は以下により与えられる．

$$g(y_1, y_2, \ldots, y_n) = k_1(y_1;\theta) k_2(w_1, w_2, \ldots, w_n)|J|$$

ここで，$w_i = w_i(y_1, y_2, \ldots, y_n)$, $i = 1, 2, \ldots, n$ である．Y_1 の pdf，例えば $f_{Y_1}(y_1;\theta)$ は以下のように与えられる．

$$\begin{aligned} f_{Y_1}(y_1;\theta) &= \int_{-\infty}^{\infty} \cdots \int_{-\infty}^{\infty} g(y_1, y_2, \ldots, y_n;\theta) \, dy_2 \cdots dy_n \\ &= k_1(y_1;\theta) \int_{-\infty}^{\infty} \cdots \int_{-\infty}^{\infty} |J| k_2(w_1, w_2, \ldots, w_n) \, dy_2 \cdots dy_n \end{aligned}$$

ここで，関数 k_2 は θ に依存せず，そしてまた，θ はヤコビアン J にも積分の極限にも含まれない．したがって，前式右辺の $(n-1)$ 重積分は例えば $m(y_1)$ のように y_1 のみの関数である．したがって，以下のとおりとなる．

$$f_{Y_1}(y_1;\theta) = k_1(y_1;\theta) m(y_1)$$

$m(y_1) = 0$ ならば $f_{Y_1}(y_1;\theta) = 0$ であり，$m(y_1) > 0$ ならば以下のようになる．

$$k_1[u_1(x_1, x_2, \ldots, x_n); \theta] = \frac{f_{Y_1}[u_1(x_1, \ldots, x_n); \theta]}{m[u_1(x_1, \ldots, x_n)]}$$

そして，想定される因子分解は以下のとおりとなる．

$$f(x_1; \theta) \cdots f(x_n; \theta) = f_{Y_1}[u_1(x_1, \ldots, x_n); \theta] \frac{k_2(x_1, \ldots, x_n)}{m[u_1(x_1, \ldots, x_n)]}$$

関数 k_2 も関数 m も θ に依存しないため，定義より Y_1 は母数 θ の十分統計量である．

逆に，Y_1 が θ の十分統計量ならば，因子分解は関数 k_1 を Y_1 の pdf とする，すなわち，関数 f_{Y_1} とすると理解することができる．以上により定理は証明された．■

この定理は十分性の特性を示していて，また，以下の例に示すように，通常十分性の定義より容易に用いることができる．

例 7.2.4. $X_1, X_2, \ldots, X_n$ を分布 $N(\theta, \sigma^2)$, $-\infty < \theta < \infty$ からの無作為標本とする．ここで分散 $\sigma^2 > 0$ は既知である．$\overline{x} = \sum_1^n x_i/n$ であるならば，

$$\sum_{i=1}^n (x_i - \theta)^2 = \sum_{i=1}^n [(x_i - \overline{x}) + (\overline{x} - \theta)]^2 = \sum_{i=1}^n (x_i - \overline{x})^2 + n(\overline{x} - \theta)^2$$

以下の式より上のとおりとなる．

$$2\sum_{i=1}^n (x_i - \overline{x})(\overline{x} - \theta) = 2(\overline{x} - \theta)\sum_{i=1}^n (x_i - \overline{x}) = 0$$

したがって，$X_1, X_2, \ldots, X_n$ の同時 pdf は以下のように書くことができる．

$$\left(\frac{1}{\sigma\sqrt{2\pi}}\right)^n \exp\left[-\sum_{i=1}^n \frac{(x_i - \theta)^2}{2\sigma^2}\right]$$

$$= \left\{\exp\left[-n\frac{(\overline{x} - \theta)^2}{2\sigma^2}\right]\right\} \left\{\frac{\exp\left[-\sum_{i=1}^n \frac{(x_i - \overline{x})^2}{2\sigma^2}\right]}{(\sigma\sqrt{2\pi})^n}\right\}$$

この式の右辺最初の要素はただ $\overline{x}$ のみを通して $x_1, x_2, \ldots, x_n$ に依存していて，また，2番目の要素は θ に依存しないため，因子分解定理は標本の平均 $\overline{X}$ はどんな σ^2 の値に関しても，正規分布の平均として θ の十分統計量であるということを含意している．■

$\overline{X}$ は $N(\theta, \sigma^2/n)$ に従うことがわかっているため，以前の例に関しても定義を用いることができた．ここでは，定義を用いることが不適当な場合についての例を考える．

例 7.2.5. $X_1, X_2, \ldots, X_n$ を以下の pdf に従う分布からの無作為標本とする．

7.2. 母数の十分統計量

$$f(x;\theta) = \begin{cases} \theta x^{\theta-1} & 0 < x < 1 \\ 0 & それ以外の場合 \end{cases}$$

ここで，$0 < \theta$ である．因子分解定理を用いることで，積 $u_1(X_1, X_2, \ldots, X_n) = \prod_{i=1}^n X_i$ は，θ の十分統計量であることを示そう．$X_1, X_2, \ldots, X_n$ の同時 pdf は以下のとおりである．

$$\theta^n \left(\prod_{i=1}^n x_i\right)^{\theta-1} = \left[\theta^n (\prod_{i=1}^n x_i)^\theta\right] \left(\frac{1}{\prod_{i=1}^n x_i}\right)$$

ここで，$0 < x_i < 1$, $i = 1, 2, \ldots, n$ である．因子分解定理では，以下のとおりとなる．

$$k_1[u_1(x_1, x_2, \ldots, x_n); \theta] = \theta^n \left(\prod_{i=1}^n x_i\right)^\theta, \quad k_2(x_1, x_2, \ldots, x_n) = \frac{1}{\prod_{i=1}^n x_i}$$

$k_2(x_1, x_2, \ldots, x_n)$ は θ に依存しないため，積 $\prod_{i=1}^n X_i$ は θ の十分統計量である．■

一部の読者に正の確率密度の領域が母数 θ に依存するという場合に因子分解定理を誤って適用するという傾向がある．これは，関数 $k_2(x_1, x_2, \ldots, x_n)$ の領域について，きちんと考慮しないことが原因で起こる．このことについては次の例で示す．

例 7.2.6. pdf $f(x;\theta) = e^{-(x-\theta)} I_{(\theta,\infty)}(x)$ を前提とする例 7.2.3 について，第 1 の順序統計量 Y_1 は θ の十分統計量であった．関数の領域を考慮するという今回の目的を示すために，$n = 3$ とし，以下あるいはそれと似た表現に注目する．

$$e^{-(x_1-\theta)} e^{-(x_2-\theta)} e^{-(x_3-\theta)} = [e^{-3\max x_i + 3\theta}][e^{-x_1-x_2-x_3+3\max x_i}]$$

確かに後者の式において，2番目の要素に θ はないので，$Y_3 = \max X_i$ は θ の十分統計量であると考えることができるかもしれない．しかし，$I_{(\theta,\infty)}(\min x_i) = I_{(\theta,\infty)}(x_1) \times I_{(\theta,\infty)}(x_2) I_{(\theta,\infty)}(x_3)$ であるから，X_1, X_2, X_3 の同時 pdf を以下のように表現しなければならないので，もちろんこれは正しくない．

$$\prod_{i=1}^3 [e^{-(x_i-\theta)} I_{(\theta,\infty)}(x_i)] = [e^{3\theta} I_{(\theta,\infty)}(\min x_i)] \left[\exp\left[-\sum_{i=1}^3 x_i\right]\right]$$

同じようなことは，$\max x_i$ に関してはいえない．したがって，$Y_1 = \min X_i$ は θ の十分統計量だが，$Y_3 = \max X_i$ は十分統計量ではない．■

練習問題

7.2.1. $X_1, X_2, \ldots, X_n$ は $N(0, \theta)$, $0 < \theta < \infty$ に iid に従うとする．$\sum_1^n X_i^2$ は θ の十分統計量であることを示せ．

7.2.2. 母数 θ, $0 < \theta < \infty$ のポアソン分布からのサイズ n の無作為標本の測定値の和は θ の十分統計量であることを示せ．

7.2.3. pdf $f(x;\theta) = 1/\theta$, $0 < x < \theta$, $0 < \theta < \infty$, それ以外は0, の一様分布からのサイズ n の無作為標本の n 番目の順序統計量は θ の十分統計量であることを示せ．この結果を pdf $f(x;\theta) = Q(\theta)M(x)$, $0 < x < \theta$, $0 < \theta < \infty$, それ以外は0, を考慮することで一般化せよ．ここで，もちろん以下のとおりである．

$$\int_0^\theta M(x)\,dx = \frac{1}{Q(\theta)}$$

7.2.4. $X_1, X_2, \ldots, X_n$ を pmf $f(x;\theta) = (1-\theta)^x \theta$, $x = 0, 1, 2, \ldots$, $0 < \theta < 1$, それ以外は 0, の幾何分布からのサイズ n の無作為標本とする．$\sum_1^n X_i$ は θ の十分統計量であることを示せ．

7.2.5. pdf $f(x;\theta) = (1/\theta)e^{-x/\theta}$, $0 < x < \infty$, $0 < \theta < \infty$, それ以外では 0, のガンマ分布からのサイズ n の標本の測定値の和は θ の十分統計量であることを示せ．

7.2.6. $X_1, X_2, \ldots, X_n$ を母数 $\alpha = \theta$, $\beta = 2$ のベータ分布からのサイズ n の無作為標本とする．$X_1 X_2 \cdots X_n$ の積は θ の十分統計量であることを示せ．

7.2.7. 母数 $\alpha = \theta$, $\beta = 6$ のガンマ分布からの無作為標本の測定値の積は $\theta > 0$ の十分統計量であることを示せ．

7.2.8. $\alpha = \beta = \theta > 0$ のベータ分布からの標本があるとき，θ の十分統計量を導け．

7.2.9. pdf $f(x;\theta) = (1/\theta)\exp(-x/\theta)$, $0 < x < \infty$, $0 < \theta$, それ以外では 0, からの無作為標本 $X_1, X_2, \ldots, X_n$ を考える．寿命試験の場合であるとすると，最初の r 個の順序統計量 $Y_1 < Y_2 < \cdots < Y_r$ しか観測できない．
(a) これらの順序統計量の同時 pdf を記録し，$L(\theta)$ によって表現せよ．
(b) この条件のもとで，$L(\theta)$ を最大化することで mle $\hat{\theta}$ を求めよ．
(c) $\hat{\theta}$ の mgf と pdf を求めよ．
(d) 十分性の定義のわずかな拡張より，$\hat{\theta}$ は十分統計量となるか示せ．

7.3 十分統計量の特性

$X_1, X_2, \ldots, X_n$ を $f(x;\theta)$ という pdf あるいは pmf に従う確率変数における無作為標本であると仮定する．ここで $\theta \in \Omega$ である．この節では，十分性がどのように MVUE を決定するのに用いられるのかを議論する．最初に十分推定値はいかなる場合でも唯一のものでないということに注意する．$Y_1 = u_1(X_1, X_2, \ldots, X_n)$ は十分統計量であり，$g(x)$ を 1 対 1 対応する関数とする $Y_2 = g(Y_1)$ が統計量であるならば，このとき下式が成り立つ．

$$\begin{aligned}f(x_1;\theta)f(x_2;\theta)\cdots f(x_n;\theta) &= k_1[u_1(y_1);\theta]k_2(x_1, x_2, \ldots, x_n) \\ &= k_1[u_1(g^{-1}(y_2));\theta]k_2(x_1, x_2, \ldots, x_n)\end{aligned}$$

7.3. 十分統計量の特性

したがって，因子分解定理により Y_2 もまた十分統計量である．しかしながら，以下の定理が証明するように十分性は最良点推定値を導くことができる．

ここで最初に 2.3 節の定理 2.3.1 を再度参照してみる．X_1 と X_2 には，X_2 が分散が存在するような確率変数であるとするならば，以下の関係が成り立つ．

$$E[X_2] = E[E(X_2|X_1)], \quad \text{var}(X_2) \geq \text{var}[E(X_2|X_1)]$$

十分統計量の文脈への適合のために，十分統計量 Y_1 を X_1，θ の不偏推定量 Y_2 を X_2 とする．それゆえに，$E(Y_2|y_1) = \varphi(y_1)$ とともに，以下の関係を得る．

$$\theta = E(Y_2) = E[\varphi(Y_1)], \quad \text{var}(Y_2) \geq \text{var}[\varphi(Y_1)]$$

すなわち，この条件から，十分統計量 Y_1 の関数 $\varphi(Y_1)$ は，不偏推定量 Y_2 の分散よりも小さい分散をもつ θ の不偏推定量である．この議論を以下の定理にて，より形式的に要約する．そしてそれはラオ・ブラックウェルの定理に帰結する．

定理 7.3.1 (ラオ・ブラックウェルの定理 (Rao–Blackwell theorem)).
$X_1, X_2, \ldots, X_n$ は $f(x;\theta)$，$\theta \in \Omega$ という pdf あるいは pmf をもつ分布 (連続型あるいは離散型) からの無作為標本とする．また n は正の整数で定数である．$Y_1 = u_1(X_1, X_2, \ldots, X_n)$ を θ の十分統計量とする．Y_1 の関数とはかぎらない $Y_2 = u_2(X_1, X_2, \ldots, X_n)$ も θ の不偏推定量とする．このとき $E(Y_2|y_1) = \varphi(y_1)$ は統計量 $\varphi(Y_1)$ を定義する．この統計量 $\varphi(Y_1)$ は θ の十分統計量の関数であり，θ の不偏推定量である．そしてその分散は Y_2 の分散よりも小さい．

この定理は母数の MVUE に対する私たちの探索を示している．仮に母数の十分統計量が存在するならば，その十分統計量に関数の探索を限定することができるだろう．不偏推定量 Y_2 のみからこの探索を始めるならば，このとき，$\varphi(Y_1)$ は Y_2 の分散よりも小さい分散をもつ不偏推定量であるように，$E(Y_2|y_1) = \varphi(y_1)$ を計算することによって y_2 を常に改善することができる．

定理 7.3.1 を考慮して，多くの学生は $\varphi(Y_1)$ の探索において，最初にいくつかの不偏推定量 Y_2 を見つけることが必要であり，また θ の不偏推定量は十分統計量 Y_1 に基づいていると考えるものである．しかしこの場合に限ることなく，定理 7.3.1 は最良推定量の探索を Y_1 の関数に限定することができることを簡潔に納得させるのである．さらに以下の定理が証明するように，十分統計量と最尤推定量の間には関連性が存在する．

定理 7.3.2.
$X_1, X_2, \ldots, X_n$ は $f(x;\theta)$，$\theta \in \Omega$ という pdf あるいは pmf をもつ分布からの無作為標本を示すとする．θ の十分統計量 $Y_1 = u_1(X_1, X_2, \ldots, X_n)$ が存在し，θ の最尤推定量 $\hat{\theta}$ も一意に存在するならば，このとき $\hat{\theta}$ は $Y_1 = u_1(X_1, X_2, \ldots, X_n)$ の関数である．

証明 $f_{Y_1}(y_1;\theta)$ を Y_1 の pdf あるいは pmf とする．このとき十分性の定義から，尤度関数は

$$L(\theta;x_1,x_2,\ldots,x_n) = f(x_1;\theta)f(x_2;\theta)\cdots f(x_n;\theta)$$
$$= f_{Y_1}[u_1(x_1,x_2,\ldots,x_n);\theta]H(x_1,x_2,\ldots,x_n)$$

である．ここで $H(x_1,x_2,\ldots,x_n)$ は θ に依存しない．このため L と f_{Y_1} は θ の関数として同時に最大化される．L を最大化する唯一の θ の値が存在し，したがって $f_{Y_1}[u_1(x_1,x_2,\ldots,x_n);\theta]$ であるので，θ の値は必ず $u_1(x_1,x_2,\ldots,x_n)$ の関数である．それゆえに mle $\hat\theta$ は十分統計量 $Y_1 = u_1(X_1,X_2,\ldots,X_n)$ の関数である．■

第5章の議論から，一般的に mle は漸近的に θ の不偏推定量であることが既知である．したがって，この議論を推し進めるひとつの方法は，十分統計量を求め，次に mle を求めることである．多くの場合，この手続きに基づいて十分統計量の関数である不偏推定量を得ることができる．この過程は以下の例に示されている．

例 7.3.1. $X_1,\ldots,X_n$ を iid で以下の pdf に従うものとする．

$$f(x;\theta) = \begin{cases} \theta e^{-\theta x} & 0 < x < \infty,\ \theta > 0 \\ 0 & \text{それ以外の場合} \end{cases}$$

ここで θ の MVUE を求めたいとする．同時 pdf (尤度関数) は，

$$L(\theta;x_1,\ldots,x_n) = \theta^n e^{-\theta \sum_{i=1}^n x_i}, \quad x_i > 0,\ i=1,\ldots,n$$

である．したがって，因子分解定理より統計量 $Y_1 = \sum_{i=1}^n X_i$ は十分統計量である．対数尤度関数は，

$$l(\theta) = n\log\theta - \theta\sum_{i=1}^n x_i$$

である．$l(\theta)$ の θ に関して偏微分を計算し，その解を 0 とおくことで θ の mle は

$$Y_2 = \frac{1}{\overline{X}}$$

となる．統計量 Y_2 は漸近的に不偏である．したがって最初の段階として，その期待値を決定する必要がある．この問題では，X_i は iid であり，$\Gamma(1,1/\theta)$ に従う確率変数である．このため $Y_1 = \sum_{i=1}^n X_i$ は $\Gamma(n,1/\theta)$ である．したがって，

$$E\left[\frac{1}{\overline{X}}\right] = nE\left[\frac{1}{\sum_{i=1}^n X_i}\right] = n\int_0^\infty \frac{\theta^n}{\Gamma(n)}x^{-1}x^{n-1}e^{-\theta x}\,dx$$

となり，$z = \theta x$ と変数変換した後，簡潔にすると下式を得る．

$$E\left[\frac{1}{\overline{X}}\right] = \theta\frac{n}{(n-1)!}\Gamma(n-1) = \theta\frac{n}{n-1}$$

7.3. 十分統計量の特性

それゆえに，統計量 $\frac{n-1}{\sum_{i=1}^{n} X_i}$ は θ の MVUE である．■

次の2つの節では，登場するほとんどの例において，不偏であるひとつの関数 $\varphi(Y_1)$ が存在するならば，$\varphi(Y_1)$ は十分統計量 Y_1 に基づく唯一の不偏推定量である．

注意 7.3.1. $\varphi(Y_1) = E(Y_2|y_1)$ である不偏推定量 $\varphi(Y_1)$ は，θ の不偏推定量 Y_2 の分散よりも小さいため，読者は以下のように考えるかもしれない．$\Upsilon(y_3) = E[\varphi(Y_1)|Y_3 = y_3]$ とする．ここで Y_3 は別の統計量であり，これは θ の十分統計量ではない．ラオ・ブラックウェルの定理より，$\Upsilon(Y_3)$ は $E[\Upsilon(Y_3)] = \theta$ であり $\varphi(Y_1)$ よりも小さい分散をもつことがわかる．したがって $\Upsilon(Y_3)$ は θ の不偏推定量として $\varphi(Y_1)$ よりも必ずよい．しかし，これは Y_3 が十分統計量ではないということから真ではない．よって θ は $Y_3 = y_3$ そして条件付き平均 $\Upsilon(y_3)$ が与えられたもとでの，Y_1 の条件付き分布として表現される．そのため実際には $E[\Upsilon(Y_3)] = \theta$ であったとしても，$\Upsilon(Y_3)$ は未知の母数 θ を含んでいるので統計量でさえなく，したがって推定値として用いることはできない．■

例 7.3.2. X_1, X_2, X_3 を平均 $\theta > 0$ をもつ指数分布からの無作為標本とする．そしてその同時 pdf は

$$\left(\frac{1}{\theta}\right)^3 e^{-(x_1+x_2+x_3)/\theta}, \ 0 < x_i < \infty$$

である．ここで，$i = 1, 2, 3$，それ以外では 0，である．因子分解定理より $Y_1 = X_1 + X_2 + X_3$ は θ の十分統計量であることを確認することができる．もちろん，

$$E(Y_1) = E(X_1 + X_2 + X_3) = 3\theta$$

であり，それゆえに $Y_1/3 = \overline{X}$ は θ の不偏推定量である十分統計量の関数である．

さらに付け加えて，$Y_2 = X_2 + X_3$，そして $Y_3 = X_3$ とする．

$$x_1 = y_1 - y_2, \ x_2 = y_2 - y_3, \ x_3 = y_3$$

で定義されるこの 1 対 1 変換は，1 に等しいヤコビアンをもち，また Y_1, Y_2, Y_3 の同時 pdf は

$$g(y_1, y_2, y_3; \theta) = \left(\frac{1}{\theta}\right)^3 e^{-y_1/\theta}, \ 0 < y_3 < y_2 < y_1 < \infty$$

それ以外では 0，である．Y_1 と Y_3 の周辺 pdf は y_2 を積分消去して，

$$g_{13}(y_1, y_3; \theta) = \left(\frac{1}{\theta}\right)^3 (y_1 - y_3) e^{-y_1/\theta}, \ 0 < y_3 < y_1 < \infty$$

それ以外では 0，である．Y_3 のみの pdf は

$$g_3(y_3; \theta) = \frac{1}{\theta} e^{-y_3/\theta}, \ 0 < y_3 < \infty$$

それ以外では 0，であるがこれはこの指数分布からの無作為標本の観測値が $Y_3 = X_3$ だからである．

したがって $Y_3 = y_3$ が与えられたもとでの，Y_1 の条件付き pdf は

$$g_{1|3}(y_1|y_3) = \frac{g_{13}(y_1, y_3; \theta)}{g_3(y_3; \theta)}$$
$$= \left(\frac{1}{\theta}\right)^2 (y_1 - y_3) e^{-(y_1 - y_3)/\theta}, \quad 0 < y_3 < y_1 < \infty$$

それ以外では 0，となる．それゆえに

$$E\left(\frac{Y_1}{3} \mid y_3\right) = E\left(\frac{Y_1 - Y_3}{3} \mid y_3\right) + E\left(\frac{Y_3}{3} \mid y_3\right)$$
$$= \left(\frac{1}{3}\right) \int_{y_3}^{\infty} \left(\frac{1}{\theta}\right)^2 (y_1 - y_3)^2 e^{-(y_1 - y_3)/\theta} \, dy_1 + \frac{y_3}{3}$$
$$= \left(\frac{1}{3}\right) \frac{\Gamma(3)\theta^3}{\theta^2} + \frac{y_3}{3} = \frac{2\theta}{3} + \frac{y_3}{3} = \Upsilon(y_3)$$

が成り立つ．もちろん $E[\Upsilon(Y_3)] = \theta$，そして $\mathrm{var}[\Upsilon(Y_3)] \leq \mathrm{var}(Y_1/3)$ であるが，$\Upsilon(Y_3)$ は θ を含んでいるため統計量ではなく，θ の統計量として用いることはできない．これは先述した注意において示されている．■

練習問題

7.3.1. 練習問題 7.2.1, 7.2.2, 7.2.3, 7.2.4 のそれぞれで θ の mle が θ の十分統計量の関数であることを示せ．

7.3.2. $Y_1 < Y_2 < Y_3 < Y_4 < Y_5$ を $f(x; \theta) = 1/\theta$, $0 < x < \theta$, $0 < \theta < \infty$，それ以外では 0，という pdf をもつ一様分布からのサイズ 5 の無作為標本の順序統計量とする．このとき，$2Y_3$ は θ の不偏推定量であることを示せ．次に Y_5 の同時 pdf と θ の十分統計量 Y_5 を定めよ．そして条件付き期待値 $E(2Y_3|y_5) = \varphi(y_5)$ を求めよ．最後に $2Y_3$ と $\varphi(Y_5)$ の分散を比較せよ．

7.3.3. X_1, X_2 が $f(x; \theta) = (1/\theta)e^{-x/\theta}$, $0 < x < \infty$, $0 < \theta < \infty$，それ以外では 0，という pdf をもつ分布からのサイズ 2 の無作為標本であるとするとき，θ の十分統計量 $Y_1 = X_1 + X_2$ と $Y_2 = X_2$ の pdf を求めよ．次に Y_2 は θ の不偏推定量であり，その分散が θ^2 であることを示せ．最後に $E(Y_2|y_1) = \varphi(y_1)$ と $\varphi(Y_1)$ の分散を求めよ．

7.3.4. $f(x, y) = (2/\theta^2)e^{-(x+y)/\theta}$, $0 < x < y < \infty$, $0 < \theta < \infty$，それ以外では 0，を確率変数 X と Y の同時 pdf とする．
(a) Y の平均と分散はそれぞれ $3\theta/2$ と $5\theta^2/4$ であることを示せ．
(b) $E(Y|x) = x + \theta$ を証明せよ．理論に従うのならば，$X + \theta$ の期待値は Y の期待値であり，すなわち $3\theta/2$ であり，そして $X + \theta$ の分散は Y の分散よりも小さい．

このとき $X+\theta$ の分散は実際には $\theta^2/4$ であることを証明せよ.

7.3.5. 練習問題 7.2.1, 7.2.2, 7.2.3 のそれぞれにおいて，与えられた十分統計量の期待値を算出せよ．またそれぞれの場合において唯一の十分統計量の関数である θ の不偏推定量を定めよ．

7.3.6. $X_1, X_2, \ldots, X_n$ を平均 θ をもつポアソン分布からの無作為標本とする．このとき条件付き期待値 $E(X_1 + 2X_2 + 3X_3 | \sum_1^n X_i)$ を求めよ．

7.4 完備性と一意性

$X_1, X_2, \ldots, X_n$ を以下の pmf に従うポアソン分布からの無作為標本とする．

$$f(x;\theta) = \begin{cases} \dfrac{\theta^x e^{-\theta}}{x!} & x = 0, 1, 2, \ldots; \ 0 < \theta \\ 0 & \text{それ以外の場合} \end{cases}$$

練習問題 7.2.2 より，$Y_1 = \sum_{i=1}^n X_i$ は θ の十分統計量であり，その pmf は

$$g_1(y_1;\theta) = \begin{cases} \dfrac{(n\theta)^{y_1} e^{-n\theta}}{y_1!} & y_1 = 0, 1, 2, \ldots \\ 0 & \text{それ以外の場合} \end{cases}$$

であることが既知である．度数関数の族 $\{g_1(y_1;\theta) : 0 < \theta\}$ について考える．Y_1 の関数 $u(Y_1)$ は，すべての $\theta > 0$ に関して $E[u(Y_1)] = 0$ であると仮定する．このことは $y_1 = 0, 1, 2, \ldots$ のすべての点において $u(y_1)$ が 0 であることを必要とすることを示そう．すなわち，$0 < \theta$ に関して $E[u(Y_1)] = 0$ であることは

$$0 = u(0) = u(1) = u(2) = u(3) = \cdots$$

を必要とするということである．すべての $\theta > 0$ に関して

$$0 = E[u(Y_1)] = \sum_{y_1=0}^{\infty} u(y_1) \frac{(n\theta)^{y_1} e^{-n\theta}}{y_1!}$$

$$= e^{-n\theta} \left[u(0) + u(1)\frac{n\theta}{1!} + u(2)\frac{(n\theta)^2}{2!} + \cdots \right]$$

である．$e^{-n\theta}$ は 0 ではないため

$$0 = u(0) + [nu(1)]\theta + \left[\frac{n^2 u(2)}{2}\right]\theta^2 + \cdots$$

である．もし，このような無限 (べき) 級数がすべての $\theta > 0$ に関して 0 に収束するならば，それぞれの係数は 0 でなければならない．すなわち，

$$u(0) = 0, \ nu(1) = 0, \ \frac{n^2 u(2)}{2} = 0, \ldots$$

である．したがって，求めていた $0 = u(0) = u(1) = u(2) = \cdots$ が示される．もちろ

ん，y_1 が非負の整数でないとき，すべての $\theta > 0$ に関して $E[u(Y_1)] = 0$ であるという条件は $u(y_1)$ に対して何の制約も課さない．したがってこの例示より，すべての $\theta > 0$ に関して $E[u(Y_1)] = 0$ であることは，$g_1(y_1;\theta), 0 < \theta$ という pmf それぞれにおいて確率が 0 となるような点の集合の場合を除いて，$u(y_1)$ が 0 であることを必要とすることがわかる．以下の定義より，族 $\{g_1(y_1;\theta) : 0 < \theta\}$ は完備であることが示される．

定義 7.4.1.
連続型もしくは離散型の確率変数 Z は，族 $\{h(z;\theta) : \theta \in \Omega\}$ の一員である pdf もしくは pmf に従うとする．もし，すべての $\theta \in \Omega$ に関して $E[u(Z)] = 0$ であるという条件が，$h(z;\theta), \theta \in \Omega$ それぞれにおいて確率が 0 となるような点の集合の場合を除いて，$u(z)$ が 0 であることを必要とするならば，族 $\{h(z;\theta) : \theta \in \Omega\}$ は確率密度関数もしくは度数関数の完備な族 (complete family) とよばれる．

注意 7.4.1. 1.8 節において，$E[u(X)]$ の存在は積分（もしくは和）が絶対収束することを示唆するということが述べられた．この絶対収束は完備性の定義の中で暗黙のうちに仮定されており，確率密度関数のある族が完備であることを証明するために必要とされる．■

連続型の確率密度関数のある族が完備であることを示すために，積率母関数が分布を一意に定めることを主張したときに用いたものと同じタイプの解析の定理を利用しなければならない．これを以下の例において説明する．

例 7.4.1. pdf の族 $\{h(z;\theta) : 0 < \theta < \infty\}$ を考える．Z は以下によって与えられるこの族の pdf に従うとする．

$$h(z;\theta) = \begin{cases} \dfrac{1}{\theta} e^{-z/\theta} & 0 < z < \infty \\ 0 & \text{それ以外の場合} \end{cases}$$

すべての $\theta > 0$ に関して $E[u(Z)] = 0$ であるとしよう．すなわち，

$$\frac{1}{\theta} \int_0^\infty u(z) e^{-z/\theta} \, dz = 0, \quad \theta > 0$$

である．変換の定理をよく知っている読者は，左辺の積分が本質的に $u(z)$ のラプラス変換であることに気付くだろう．その定理より，完全に 0 となる θ の関数に変換するただ 1 つの関数 $u(z)$ は，$h(z;\theta), 0 < \theta$ それぞれにおいて確率が 0 であるような点の集合の場合を除いて，$u(z) = 0$ である．すなわち，族 $\{h(z;\theta) : 0 < \theta < \infty\}$ は完備である．■

$f(x;\theta), \theta \in \Omega$ という pdf または pmf の母数 θ が，十分統計量 $Y_1 = u_1(X_1, X_2, \ldots, X_n)$ をもつとする．ここで $X_1, X_2, \ldots, X_n$ はこの分布からの無作為標本である．Y_1 の pdf もしくは pmf を $f_{Y_1}(y_1;\theta), \theta \in \Omega$ とする．θ の (Y_1 のみの関数でない) 不偏推

7.4. 完備性と一意性

定量 Y_2 があるならば，θ の不偏推定量であるような Y_1 の関数が少なくとも 1 つはあり，θ の最良推定量の探索の範囲は Y_1 の関数に制限されることがわかっている．θ の関数ではないある関数 $\varphi(Y_1)$ は，$\theta, \theta \in \Omega$ のすべての値に関して $E[\varphi(Y_1)] = \theta$ であることが証明されているとする．$\psi(Y_1)$ を十分統計量 Y_1 のみに依存する別の関数とする．すると，$\theta, \theta \in \Omega$ のすべての値に関して $E[\psi(Y_1)] = \theta$ であることもまた得られる．したがって，

$$E[\varphi(Y_1) - \psi(Y_1)] = 0, \quad \theta \in \Omega$$

となる．

族 $\{f_{Y_1}(y_1; \theta) : \theta \in \Omega\}$ が完備であるならば，確率が 0 となる点の集合の場合を除いて，関数 $\varphi(y_1) - \psi(y_1) = 0$ となる．すなわち，他のすべての θ の不偏推定量 $\psi(Y_1)$ に関して，ある特別な点を除いて

$$\varphi(y_1) = \psi(y_1)$$

である．したがって，この意味 (すなわち，確率が 0 である点の集合の場合を除いて $\varphi(y_1) = \psi(y_1)$ であること) において，$\varphi(Y_1)$ は θ の不偏推定量である一意な Y_1 の関数である．ラオ・ブラックウェルの定理より，$\varphi(Y_1)$ は他のすべての θ の不偏推定量よりも小さい分散をもつ．すなわち，統計量 $\varphi(Y_1)$ は θ の MVUE である．この事実を以下のレーマン・シェフェの定理において記述する．

> **定理 7.4.1 (レーマン・シェフェの定理).**
> $X_1, X_2, \ldots, X_n$ は $f(x; \theta)$，$\theta \in \Omega$ という pdf もしくは pmf に従う分布からの無作為標本を表すとする．ここで，n は固定された正の整数である．$Y_1 = u_1(X_1, X_2, \ldots, X_n)$ を θ の十分統計量とし，族 $\{f_{Y_1}(y_1; \theta) : \theta \in \Omega\}$ は完備であるとする．θ の不偏推定量である Y_1 の関数があるならば，この Y_1 の関数は θ の一意な MVUE である．ここでの「一意」とは前の段落で述べた意味においてである．

Y_1 は母数 θ，$\theta \in \Omega$ の十分統計量であり，確率密度関数の族 $\{f_{Y_1}(y_1; \theta) : \theta \in \Omega\}$ は完備である，という記述は非常に長く，若干扱いにくい．私たちは，Y_1 は θ の完備十分統計量 (complete sufficient statistic) である，というより使いやすく記述的でない用語を採用することにする．次の節では，確率密度関数の極めて大きなクラスについて学習する．そこでは θ の完備十分統計量 Y_1 が検討によって定められる．

練習問題

7.4.1. z の 2 つ以上の値に関して $az^2 + bz + c = 0$ であるならば，$a = b = c = 0$ である．この結果を用いて，族 $\{b(2, \theta) : 0 < \theta < 1\}$ が完備であることを示せ．

7.4.2. すべての $\theta > 0$ に関して $E[u(X)] = 0$ であるような非ゼロの関数 $u(x)$ を少なくとも 1 つ見つけることによって，以下の族のそれぞれが完備でないことを示せ．

(a)

$$f(x;\theta) = \begin{cases} \dfrac{1}{2\theta} & -\theta < x < \theta,\ 0 < \theta < \infty \\ 0 & \text{それ以外の場合} \end{cases}$$

(b) $N(0,\theta)$. ここで $0<\theta<\infty$ である.

7.4.3. $X_1, X_2, \ldots, X_n$ を以下の pmf に従う離散型の分布からの無作為標本とする.

$$f(x;\theta) = \begin{cases} \theta^x (1-\theta)^{1-x} & x=0,1,\ 0<\theta<1 \\ 0 & \text{それ以外の場合} \end{cases}$$

$Y_1 = \sum_1^n X_i$ が θ の完備十分統計量であることを示せ. θ の MVUE である一意な Y_1 の関数を求めよ.

ヒント: $E[u(Y_1)] = 0$ を示し, 定数項 $u(0)$ が 0 に等しいことを証明し, $\theta \neq 0$ によって式の両要素を割り, これを繰り返せ.

7.4.4. 確率密度関数の族 $\{h(z;\theta): \theta \in \Omega\}$ を考える. ここで $h(z;\theta) = 1/\theta,\ 0 < z < \theta$, それ以外は 0 である.

(a) $\Omega = \{\theta : 0 < \theta < \infty\}$ であるならば, この族は完備であることを示せ.

ヒント: 便宜上, $u(z)$ は連続型であると仮定し, $E[u(Z)]$ の θ に関する微分もまた 0 となることに注目する.

(b) $\Omega = \{\theta : 1 < \theta < \infty\}$ であるならば, この族は完備でないことを示せ.

ヒント: 区間 $0<z<1$ に注目し, その区間においてすべての $\theta>1$ に関して $E[u(Z)] = 0$ であるような非ゼロの関数 $u(z)$ を求めよ.

7.4.5. $f(x;\theta) = e^{-(x-\theta)}, \theta < x < \infty, -\infty < \theta < \infty$, それ以外は 0, という pdf に従う分布からのサイズ n の無作為標本の 1 次の統計量 Y_1 が, θ の完備十分統計量であることを示せ. θ の MVUE であるこの統計量の一意な関数を求めよ.

7.4.6. サイズ n の無作為標本が $f(x;\theta) = 1/\theta,\ x = 1, 2, \ldots, \theta$, それ以外は 0, という pmf に従う離散型の分布から抽出されたとする. ここで θ は未知の正の整数である.

(a) 標本の最大の観測値 Y が θ の完備十分統計量であることを示せ.

(b) 以下が θ の一意な MVUE であることを証明せよ.

$$[Y^{n+1} - (Y-1)^{n+1}] / [Y^n - (Y-1)^n]$$

7.4.7. X は $-\theta < x < \theta$ に関して $f_X(x;\theta) = 1/(2\theta)$, それ以外は 0, という pdf に従うとする. ここで $\theta > 0$ である.

(a) 統計量 $Y = |X|$ は θ の十分統計量だろうか. またそれはなぜか.

(b) $f_Y(y;\theta)$ は Y の pdf であるとする. 族 $\{f_Y(y;\theta) : \theta > 0\}$ は完備であるか. またそれはなぜか.

7.4.8. X は $x = \pm 1, \pm 2, \ldots, \pm n$ において $p(x;\theta) = \dfrac{1}{2}\binom{n}{x}\theta^{|x|}(1-\theta)^{n-|x|}$, また

7.5. 分布の指数クラス

$p(0, \theta) = (1-\theta)^n$, それ以外は 0, という pmf に従うとする. ここで $0 < \theta < 1$ である.
(a) この族 $\{p(x;\theta): 0 < \theta < 1\}$ は完備でないことを示せ.
(b) $Y = |X|$ とする. Y は θ の完備十分統計量であることを示せ.

7.4.9. $X_1, \ldots, X_n$ は iid であり, $f(x;\theta) = 1/(3\theta)$, $-\theta < x < 2\theta$, それ以外は 0, という pdf に従うとする. ここで $\theta > 0$ である.
(a) θ の mle $\widehat{\theta}$ を求めよ.
(b) $\widehat{\theta}$ は θ の十分統計量だろうか. またそれはなぜか.
(c) $(n+1)\widehat{\theta}/n$ は θ の一意な MVUE だろうか. またそれはなぜか.

7.4.10. $Y_1 < Y_2 < \cdots < Y_n$ は $f(x;\theta) = 1/\theta$, $0 < x < \theta$, それ以外は 0, という pdf に従う分布からのサイズ n の無作為標本の順序統計量とする. 統計量 Y_n は θ の完備十分統計量であり,

$$g(y_n; \theta) = \frac{n y_n^{n-1}}{\theta^n}, \quad 0 < y_n < \theta$$

それ以外は 0, という pdf に従う.
(a) $Z = n(\theta - Y_n)$ の分布関数 $H_n(z; \theta)$ を求めよ.
(b) $\lim_{n \to \infty} H_n(z; \theta)$ と, そこから Z の極限分布を求めよ.

7.5 分布の指数クラス

この節では重要な分布のクラスについて論じる. 指数クラス (exponential class) とよばれるものである. これから示すように, このクラスは分布からただちに確定される完備で十分な統計量をもつ.

確率密度関数もしくは度数関数の族 $\{f(x;\theta): \theta \in \Omega\}$ を考えよう. ここで, Ω は区間集合 $\Omega = \{\theta: \gamma < \theta < \delta\}$ を表し, γ と δ は既知の定数 (おそらく $\pm\infty$) であり,

$$f(x;\theta) = \begin{cases} \exp[p(\theta)K(x) + S(x) + q(\theta)] & x \in \mathcal{S} \\ 0 & \text{それ以外の場合} \end{cases} \quad (7.5.1)$$

である. $\mathcal{S}$ は X の台である. この節では, 正則な指数クラスとよばれる族の特定のクラスについて考えよう.

定義 7.5.1 (正則な指数クラス).
以下が成立するなら (7.5.1) の pdf は, 確率密度関数もしくは度数関数の正則な指数クラス (regular exponential class) の要素であるという.
1. $\mathcal{S}$, すなわち X の台が θ に依存しない,
2. $p(\theta)$ が意味のある $\theta \in \Omega$ の連続関数,
3. 最後に,
   (a) X が連続確率変数なら, それぞれの $K'(x) \not\equiv 0$ と $S(x)$ は $x \in \mathcal{S}$ の連続

関数.
(b) X が離散確率変数なら，$K(x)$ は $x \in \mathcal{S}$ の 0 でない関数.

例えば，$f(x;\theta)$ が $N(0,\theta)$ に従う族 $\{f(x;\theta): 0<\theta<\infty\}$ の要素は連続型の指数クラスの正則な場合である．それは以下から導かれる．

$$f(x;\theta) = \frac{1}{\sqrt{2\pi\theta}} e^{-x^2/2\theta}$$
$$= \exp\left(-\frac{1}{2\theta}x^2 - \log\sqrt{2\pi\theta}\right), \quad -\infty < x < \infty$$

他方，以下より与えられる一様密度関数を考えよ．

$$f(x;\theta) = \begin{cases} \exp\{-\log\theta\} & x \in (0,\theta) \\ 0 & \text{それ以外の場合} \end{cases}$$

これは (7.5.1) 式で記述することができるが，台は θ に依存する区間 $(0,\theta)$ である．したがって，一様分布族は正則な指数分布族ではない．

$X_1, X_2, \ldots, X_n$ を，指数クラスの正則な場合の分布からの無作為標本とする．$X_1, X_2, \ldots, X_n$ の同時 pdf もしくは pmf は，$x_i \in \mathcal{S}$, $i = 1, 2, \ldots, n$ において

$$\exp\left[p(\theta)\sum_{1}^{n} K(x_i) + \sum_{1}^{n} S(x_i) + nq(\theta)\right]$$

であり，それ以外で 0 である．X の $\mathcal{S}$ における点で，この同時 pdf もしくは pmf は 2 つの非負の関数の積で記述される．

$$\exp\left[p(\theta)\sum_{1}^{n} K(x_i) + nq(\theta)\right] \exp\left[\sum_{1}^{n} S(x_i)\right]$$

因子分解定理 (定理 7.2.1) によると，$Y_1 = \sum_{1}^{n} K(X_i)$ は母数 θ に関する十分統計量である．

Y_1 が十分統計量である事実に加え，Y_1 の分布と，その平均と分散の一般的な形を求めることができる．これらの結果を定理にまとめる．証明の詳細は練習問題 7.5.5, 7.5.8 において与えられる．練習問題 7.5.6 では $p(\theta) = \theta$ の場合の Y_1 の mgf を求める．

定理 7.5.1.
$X_1, X_2, \ldots, X_n$ を，pdf もしくは pmf が (7.5.1) 式で与えられる，指数クラスが正則な場合の分布からの無作為標本とする．統計量 $Y_1 = \sum_{i=1}^{n} K(X_i)$ を考える．すると，以下が成立する．

1. Y_1 の pdf もしくは pmf が，$y_1 \in \mathcal{S}_{Y_1}$ と，ある関数 $R(y_1)$ に対して，以下の形式をとる．

7.5. 分布の指数クラス

$$f_{Y_1}(y_1;\theta) = R(y_1)\exp[p(\theta)y_1 + nq(\theta)] \tag{7.5.2}$$

$\mathcal{S}_{Y_1}$ も $R(y_1)$ も θ に依存しない.

2. $E(Y_1) = -n\dfrac{q'(\theta)}{p'(\theta)}$

3. $\mathrm{Var}(Y_1) = n\dfrac{1}{p'(\theta)^3}\{p''(\theta)q'(\theta) - q''(\theta)p'(\theta)\}$

例 7.5.1. X が,母数 $\theta \in (0,\infty)$ のポアソン分布に従うものとする.そのとき,X の台は θ に依存しない集合 $\mathcal{S} = \{0,1,2,\ldots\}$ である.さらに,X の台における pmf は

$$f(x,\theta) = e^{-\theta}\frac{\theta^x}{x!} = \exp\{(\log\theta)x + \log(1/x!) + (-\theta)\}$$

である.したがって,ポアソン分布は,$p(\theta) = \log(\theta)$, $q(\theta) = -\theta$, $K(x) = x$ で,正則な指数クラスに属する.よって,$X_1, X_2, \ldots, X_n$ が X における無作為標本を表すなら,統計量 $Y_1 = \sum_{i=1}^n X_i$ は十分である.しかし,$p'(\theta) = 1/\theta$,$q'(\theta) = -1$ なので,定理 7.5.1 は Y_1 の平均が $n\theta$ であることを証明している.Y_1 の分散が $n\theta$ であることを検証することも容易である.最後に,定理 7.5.1 の関数 $R(y_1)$ が $R(y_1) = n^{y_1}(1/y_1!)$ によって与えられることを示すことができる.■

指数クラスの正則な場合に対して,統計量 $Y_1 = \sum_1^n K(X_i)$ は θ に関して十分であることを示してきた.いま,Y_1 の完備性を定めるため,定理 7.5.1 で与えられた Y_1 の pdf の形を用いることとする.

定理 7.5.2.
$\gamma < \theta < \delta$ に対して,$f(x;\theta)$ を,分布が指数クラスの正則な場合の確率変数 X の pdf もしくは pmf とする.すると,$X_1, X_2, \ldots, X_n$ (n は固定された正の整数) が X の分布からの無作為標本なら,統計量 $Y_1 = \sum_1^n K(X_i)$ は θ に関する十分統計量であり,Y_1 の確率密度関数の族 $\{f_{Y_1}(y_1;\theta) : \gamma < \theta < \delta\}$ は完備である.すなわち,Y_1 は θ に関する完備十分統計量である.

証明 Y_1 が十分であることは上に示してきた.完備性にあたっては $E[u(Y_1)] = 0$ を仮定する.定理 7.5.1 の (7.5.2) 式は Y_1 の pdf を与えている.したがって,すべての θ に関して,方程式

$$\int_{\mathcal{S}_{Y_1}} u(y_1)R(y_1)\exp\{p(\theta)y_1 + nq(\theta)\}\,dy_1 = 0$$

もしくは同等に,$\exp\{nq(\theta)\} \neq 0$ から,

$$\int_{\mathcal{S}_{Y_1}} u(y_1)R(y_1)\exp\{p(\theta)y_1\}\,dy_1 = 0$$

を得る.しかし,$p(\theta)$ は θ の意味のある連続関数であり,したがってこの積分は本質的に $u(y_1)R(y_1)$ のラプラス変換の形式である.y_1 を 0 に対して変換するよ

うな唯一の関数はゼロ関数である (この文脈では確率 0 の点の集合は除かれる).
すなわち,

$$u(y_1)R(y_1) \equiv 0$$

である. しかし, すべての $y_1 \in \mathcal{S}_{Y_1}$ に対して $R(y_1) \neq 0$ である. なぜならそれは Y_1 の pdf における要素だからである. よって, $u(y_1) \equiv 0$ である (確率 0 の点の集合は除かれる). したがって, Y_1 は θ に関する完備十分統計量である. ∎

この定理は有用な意味をもっている. (7.5.1) 式の正則な場合において, 検討より, 十分統計量は $Y_1 = \sum_1^n K(X_i)$ であることが確認できる. Y_1 の関数, すなわち $\varphi(Y_1)$ の求め方がわかっていて, $E[\varphi(Y_1)] = \theta$ となれば, 統計量 $\varphi(Y_1)$ は θ に関して, 一意で MVUE である.

例 7.5.2. $X_1, X_2, \ldots, X_n$ は pdf

$$f(x; \theta) = \frac{1}{\sigma\sqrt{2\pi}} \exp\left[-\frac{(x-\theta)^2}{2\sigma^2}\right], \quad -\infty < x < \infty, \quad -\infty < \theta < \infty$$

または

$$f(x; \theta) = \exp\left(\frac{\theta}{\sigma^2}x - \frac{x^2}{2\sigma^2} - \log\sqrt{2\pi\sigma^2} - \frac{\theta^2}{2\sigma^2}\right)$$

に従う正規分布からの無作為標本とする. ここで σ^2 は固定された正の数である. これは

$$p(\theta) = \frac{\theta}{\sigma^2}, \; K(x) = x$$

$$S(x) = -\frac{x^2}{2\sigma^2} - \log\sqrt{2\pi\sigma^2}, \; q(\theta) = -\frac{\theta^2}{2\sigma^2}$$

の指数クラスの正則な場合である. したがって, $Y_1 = X_1 + X_2 + \cdots + X_n = n\overline{X}$ は分散 σ^2 のあらゆる固定された値に対する, 正規分布の平均 θ に関する完備十分統計量である. $E(Y_1) = n\theta$ であるから, $\varphi(Y_1) = Y_1/n = \overline{X}$ は θ に関する不偏推定量である Y_1 の唯一の関数である. また, 十分統計量 Y_1 の関数であり, 最小分散をもつ. すなわち, $\overline{X}$ は θ に関する一意な MVUE である. さらに, Y_1 は $\overline{X}$ の 1 対 1 の関数であり, $\overline{X}$ そのものは θ に関する完備十分統計量でもある. ∎

例 7.5.3 (例 7.5.1 の続き). 例 7.5.1 の, 母数が θ のポアソン分布に関する議論を思い出そう. この議論に基づくと, 統計量 $Y_1 = \sum_{i=1}^n X_i$ は十分であった. 定理 7.5.2 より, その分布の族は完備である. $E(Y_1) = n\theta$ なので, $\overline{X} = n^{-1}Y_1$ は θ に関する一意な MVUE となる. ∎

練習問題

7.5.1. 指数型の pdf を

7.5. 分布の指数クラス

$$f(x;\theta) = \frac{1}{6\theta^4} x^3 e^{-x/\theta}, \ 0 < x < \infty, \ 0 < \theta < \infty$$

それ以外では 0,とする.$X_1, X_2, \ldots, X_n$ がこの分布からの無作為標本のとき,θ に関する完備十分統計量 Y_1 と,θ に関する MVUE となるようなこの統計量の一意な関数 $\varphi(Y_1)$ を求めよ.また,$\varphi(Y_1)$ そのものは完備十分統計量か.

7.5.2. $X_1, X_2, \ldots, X_n$ を,$f(x;\theta) = \theta e^{-\theta x}, 0 < x < \infty$,それ以外では 0,また $\theta > 0$ という pdf に従う分布からのサイズ $n > 1$ の無作為標本とする.そのとき,$\sum_1^n X_i$ は θ に関する十分統計量である.$(n-1)/Y$ が θ の MVUE であることを証明せよ.

7.5.3. $X_1, X_2, \ldots, X_n$ を $f(x;\theta) = \theta x^{\theta-1}, 0 < x < 1$,それ以外では 0,また $\theta > 0$ という pdf に従う分布からのサイズ n の無作為標本とする.
(a) 標本の幾何平均 (geometric mean) $(X_1 X_2 \cdots X_n)^{1/n}$ は θ に関する完備十分統計量であることを示せ.
(b) θ の最尤推定量を求めよ,またそれはこの幾何平均の関数であることを確認せよ.

7.5.4. $\overline{X}$ を,母数が $\alpha > 0, \beta = \theta > 0$ のガンマ型の分布からの無作為標本 $X_1, X_2, \ldots, X_n$ の平均とする.$E[X_1|\overline{x}]$ を計算せよ.
ヒント:$E[\psi(\overline{X})] = \theta$ であるような $\overline{X}$ の関数 $\psi(\overline{X})$ を直接求めることができるか.また,$E(X_1|\overline{x}) = \psi(\overline{x})$ であるか.それはなぜか.

7.5.5. X を,指数クラスの正則な場合の pdf の確率変数とする.これらの導関数が存在すれば,式

$$\int_a^b \exp[p(\theta)K(x) + S(x) + q(\theta)] \, dx = 1$$

の両辺を θ に関して微分することにより,$E[K(X)] = -q'(\theta)/p'(\theta)$ となることを示せ.また,2 次の微分によって $K(X)$ の分散を求めよ.

7.5.6. $f(x;\theta) = \exp[\theta K(x) + S(x) + q(\theta)]$, $a < x < b, \gamma < \theta < \delta$ が指数クラスの正則の場合であるとする.$Y = K(X)$ の積率母関数 $M(t)$ が $M(t) = \exp[q(\theta) - q(\theta + t)], \gamma < \theta + t < \delta$ となることを示せ.

7.5.7. 前の練習問題で,$E(Y) = E[K(X)] = \theta$ とする.Y が $N(\theta, 1)$ に従うことを証明せよ.
ヒント:$M'(0) = \theta$ を考え,結果として生じる微分方程式を解け.

7.5.8. $X_1, X_2, \ldots, X_n$ が,指数クラスの正規の場合の pdf に従う分布からの無作為標本であるなら,$Y_1 = \sum_1^n K(X_i)$ の pdf が $f_{Y_1}(y_1; \theta) = R(y_1) \exp[p(\theta) y_1 + n q(\theta)]$ という形になることを示せ.
ヒント:$Y_2 = X_2, \ldots, Y_n = X_n$ を $n-1$ 個の補助の確率変数とする.$Y_1, Y_2, \ldots, Y_n$ の同時 pdf を求め,次に Y_1 の周辺 pdf を求めよ.

7.5.9. 分布 $N(\mu,\sigma^2)$ からのサイズ $n=2k+1$ の無作為標本をとり, Y を中央値, $\overline{X}$ を平均とする. $E(Y|\overline{X}=\overline{x})$ を計算せよ.
ヒント: 練習問題 7.5.4 を参照せよ.

7.5.10. $X_1, X_2, \ldots, X_n$ を, $f(x;\theta)=\theta^2 x e^{-\theta x}$, $0<x<\infty$, ここで $\theta>0$ という pdf に従う分布からの無作為標本とする.
(a) $Y=\sum_1^n X_i$ が θ に関する完備十分統計量であることを論じよ.
(b) $E(1/Y)$ を計算し, θ の一意な MVUE である Y の関数を求めよ.

7.5.11. $n>2$ の $X_1, X_2, \ldots, X_n$ を, 2項分布 $b(1,\theta)$ からの無作為標本とする.
(a) $Y_1=X_1+X_2+\cdots+X_n$ が θ に関する完備十分統計量であることを示せ.
(b) θ の MVUE である関数 $\varphi(Y_1)$ を求めよ.
(c) $Y_2=(X_1+X_2)/2$ とし, $E(Y_2)$ を計算せよ.
(d) $E(Y_2|Y_1=y_1)$ を決定せよ.

7.5.12. $X_1, X_2, \ldots, X_n$ を $f(x;\theta)=\theta e^{-\theta x}$, $0<x<\infty$, それ以外では 0, ここで $0<\theta$ という pdf に従う分布からの無作為標本とする.
(a) 何 (例えば Y) が θ に関する完備十分統計量か.
(b) Y のどんな関数が θ の不偏推定量か.

7.5.13. $X_1, X_2, \ldots, X_n$ を, $f(x;\theta)=\theta^x(1-\theta)$, $x=0,1,2,\ldots$, それ以外では 0, ここで $0\leq\theta\leq 1$ という pdf に従う分布からの無作為標本とする.
(a) θ の mle である $\hat{\theta}$ を求めよ.
(b) $\sum_1^n X_i$ が θ に関する完備十分統計量であることを示せ.
(c) θ の MVUE を決定せよ.

7.6 母数の関数

この節までに, 母数 θ の MVUE を求めてきた. しかし, いつも θ そのものに関心があるわけではなく, むしろ θ の関数の方に興味がある場合もある. MVUE を求めるためによく使われる方法にはいくつかの種類がある. 第 1 の方法は, 十分統計量の期待値をよく吟味することである. 前節の例 7.5.2 と例 7.5.3 では, この方法を使って MVUE を求めた. 本節および本節の練習問題では, その方法に関するもうひとつの例を紹介する. 第 2 の方法は, 十分統計量が所与のときの不偏推定値の条件付き期待値に基づいたものである. 2 番目の例ではこの方法を説明している.

第 5 章を思い出そう. その章では, 正則条件のもとでの最尤推定量 (mle) における漸近分布理論を学んだ. この理論によって, これらの推定量に対する, ある種の漸近的な推測 (信頼区間と検定) などが可能となる. このような単純な理論では MVUE を求めるのには役に立たない. しかし, 定理 7.3.2 で示したように, mle と MVUE の関係を決定できることもある. このような場合では, mle の漸近分布に基づいた MVUE

7.6. 母数の関数

に対する漸近分布を求められることもよくあるのである。以下の例において、このことを説明する。

例 7.6.1. $X_1, X_2, \ldots, X_n$ を分布 $b(1, \theta)$, $0 < \theta < 1$ からのサイズ $n > 1$ の無作為標本の観測値とする。$Y = \sum_1^n X_i$ であるなら、Y/n が θ の一意な最小分散不偏推定量であることは既知である。いま、Y/n の分散 $\theta(1-\theta)/n$ を推定したいと仮定する。$\delta = \theta(1-\theta)$ とする。Y が θ の十分統計量であるから、Y の関数だけを調べればよいことが知られている。$\tilde{\delta} = (Y/n)(1 - Y/n)$ により与えられた δ の最尤推定値は十分統計量の関数であり、かなりよい始点となるようである。この統計量の期待値は以下のようになる。

$$E[\tilde{\delta}] = E\left[\frac{Y}{n}\left(1 - \frac{Y}{n}\right)\right] = \frac{1}{n}E(Y) - \frac{1}{n^2}E(Y^2)$$

いま、$E(Y) = n\theta$ であり $E(Y^2) = n\theta(1-\theta) + n^2\theta^2$ である。したがって

$$E\left[\frac{Y}{n}\left(1 - \frac{Y}{n}\right)\right] = (n-1)\frac{\theta(1-\theta)}{n}$$

である。もしこの等式の両辺に $n/(n-1)$ をかけたなら、統計量 $\hat{\delta} = (n/(n-1))(Y/n)(1-Y/n) = (n/(n-1))\tilde{\delta}$ は δ の一意な MVUE であることがわかる。したがって、δ/n の MVUE すなわち Y/n の分散は $\hat{\delta}/n$ である。

mle $\tilde{\delta}$ を $\hat{\delta}$ と比較したい。第5章に mle $\tilde{\delta}$ は δ の一致推定値であり、$\sqrt{n}(\tilde{\delta} - \delta)$ は正規分布に漸近するということが示されていたことを思い出そう。

$$\hat{\delta} - \tilde{\delta} = \tilde{\delta}\frac{1}{n-1} \xrightarrow{P} \delta \cdot 0 = 0$$

であるので、$\hat{\delta}$ もまた δ の一致推定値となる。さらに

$$\sqrt{n}(\hat{\delta} - \delta) - \sqrt{n}(\tilde{\delta} - \delta) = \frac{\sqrt{n}}{n-1}\tilde{\delta} \xrightarrow{P} 0 \tag{7.6.1}$$

である。したがって、$\sqrt{n}(\hat{\delta} - \delta)$ は $\sqrt{n}(\tilde{\delta} - \delta)$ と同じ漸近分布に従う。定理 4.3.9 のデルタ法を用いて、$\sqrt{n}(\tilde{\delta} - \delta)$ の漸近分布を求めることができる。$g(\theta) = \theta(1-\theta)$ とすると、$g'(\theta) = 1 - 2\theta$ となる。したがって、定理 4.3.9 と $\sqrt{n}(\tilde{\delta} - \delta)$ の漸近分布および (7.6.1) 式により、以下の漸近分布を得る。

$$\sqrt{n}(\hat{\delta} - \delta) \xrightarrow{D} N(0, \theta(1-\theta)(1-2\theta)^2)$$

ただし、$\theta \neq 1/2$ である。$\theta = 1/2$ の場合に関しては練習問題 7.6.10 を参照のこと。■

やや違ったものではあるのだが、点推定において非常に重要な問題が次の例で示されている。その例では、確率変数 X の分布は $\theta \in \Omega$ に依存した pdf $f(x; \theta)$ によって表現されている。問題はこの分布において、定点 c に等しいかあるいはそれよりも小さいところにある確率の値を推定することである。したがって、$F(c; \theta)$ の MVUE を求める。ここで $F(x; \theta)$ は X の cdf である。

例 7.6.2. $X_1, X_2, \ldots, X_n$ を分布 $N(\theta, 1)$ からのサイズ $n>1$ の無作為標本とする. 以下によって定義された θ の関数の MVUE を求めたいと仮定する.

$$P(X \leq c) = \int_{-\infty}^{c} \frac{1}{\sqrt{2\pi}} e^{-(x-\theta)^2/2} dx = \Phi(c-\theta)$$

ここで c は定点である. $\Phi(c-\theta)$ の不偏推定量は数多く存在する. まずはじめに, これらの中のひとつである X_1 のみの関数 $u(X_1)$ を示す. 標本の平均である十分統計量 $\overline{X}$ が所与のときの不偏統計量の条件付き期待値 $E[u(X_1)|\overline{X}=\overline{x}] = \varphi(\overline{x})$ を計算する. ラオ・ブラックウェルの定理とレーマン・シェフェの定理によると, $\varphi(\overline{X})$ は $\Phi(c-\theta)$ の一意な MVUE となる.

関数 $u(x_1)$ を考える. ここで

$$u(x_1) = \begin{cases} 1 & x_1 \leq c \\ 0 & x_1 > c \end{cases}$$

とする. 確率変数 $u(X_1)$ の期待値は, 以下により与えられる.

$$E[u(X_1)] = 1 \cdot P[X_1 - \theta \leq c - \theta] = \Phi(c-\theta)$$

つまり, $u(X_1)$ は $\Phi(c-\theta)$ の不偏推定量である.

次に, X_1 と $\overline{X}$ の同時分布および $\overline{X}=\overline{x}$ が所与のときの X_1 の条件付き分布について議論する. この条件付き分布により, 条件付き期待値 $E[u(X_1)|\overline{X}=\overline{x}] = \varphi(\overline{x})$ が計算可能となる. 練習問題 7.6.6 によると, X_1 と $\overline{X}$ の同時分布は平均ベクトル (θ, θ), 分散 $\sigma_1^2 = 1$ および $\sigma_2^2 = 1/n$, 相関係数 $\rho = 1/\sqrt{n}$ の 2 変量正規分布である. したがって, $\overline{X}=\overline{x}$ が所与のときの条件付き pdf は以下の線形な条件付き平均

$$\theta + \frac{\rho \sigma_1}{\sigma_2}(\overline{x}-\theta) = \overline{x}$$

と分散

$$\sigma_1^2(1-\rho^2) = \frac{n-1}{n}$$

であるような正規分布である. $\overline{X}=\overline{x}$ が所与のときの $u(X_1)$ の条件付き期待値は

$$\varphi(\overline{x}) = \int_{-\infty}^{\infty} u(x_1) \sqrt{\frac{n}{n-1}} \frac{1}{\sqrt{2\pi}} \exp\left[-\frac{n(x_1-\overline{x})^2}{2(n-1)}\right] dx_1$$
$$= \int_{-\infty}^{c} \sqrt{\frac{n}{n-1}} \frac{1}{\sqrt{2\pi}} \exp\left[-\frac{n(x_1-\overline{x})^2}{2(n-1)}\right] dx_1$$

である. 変数 $z = \sqrt{n}(x_1-\overline{x})/\sqrt{n-1}$ に変えると, この条件付き期待値は以下のように書き換えられる.

$$\varphi(\overline{x}) = \int_{-\infty}^{c'} \frac{1}{\sqrt{2\pi}} e^{-z^2/2} dz = \Phi(c') = \Phi\left[\frac{\sqrt{n}(c-\overline{x})}{\sqrt{n-1}}\right]$$

ここで, $c' = \sqrt{n}(c-\overline{x})/\sqrt{n-1}$ である. したがって, すべての定点 c において, $\Phi(c-$

7.6. 母数の関数

θ) の一意な MVUE は $\varphi(\overline{X}) = \Phi[\sqrt{n}(c-\overline{X})/\sqrt{n-1}]$ により与えられる.

この例では,$\Phi(c-\theta)$ の mle は $\Phi(c-\overline{X})$ である. これら 2 つの推定量は似ている. なぜなら $n \to \infty$ のとき $\sqrt{n/(n-1)} \to 1$ となるからである. ∎

注意 7.6.1. 読者の注意を向けておくべき重要な事実がある. それは, 不偏性と最小分散の原理のような, ある原理 (principle) の導入に関係している. この原理は定理ではない. またすべての場合において, この原理がよい結果を生み出すというわけではない. しかし, いままでのところ, この原理はかなりのよい結果を収めてきた. いつも成り立つわけではないということをみるために, X を母数 θ, $0 < \theta < \infty$ であるようなポアソン分布を考える. X をこの分布からのサイズ 1 の無作為標本と見なすとよい. したがって, X は θ に対する完備十分統計量である. いま, 不偏であり, 最小分散をもつ $e^{-2\theta}$ の推定量を求めている. そこで, $Y=(-1)^X$ を考える. 期待値は以下である.

$$E(Y) = E[(-1)^X] = \sum_{x=0}^{\infty} \frac{(-\theta)^x e^{-\theta}}{x!} = e^{-2\theta}$$

ゆえに, $(-1)^X$ は $e^{-2\theta}$ の MVUE である. しかし, この推定量には残念な点が多い. いま, $e^{-2\theta}$ という数についての情報を導き出そうとしている. ここで $0 < e^{-2\theta} < 1$ である. しかし, 点推定値は -1 か $+1$ のどちらかであり, 0 から 1 までの数ではかなり質の悪い推定値といわざるをえない. 読者を, MVUE は <u>優れていない</u> のだという印象を与えたままにしておきたくはない. これはよい結果にはならない場合の一例である. ある例を十分によく吟味した場合, <u>優れた結果にはならない</u> 統計量が見つかる場合もあるということを単に指摘したかっただけである. ところで, サンプルサイズが 1 に等しい場合において, $e^{-2\theta}$ の最尤推定量は e^{-2X} であり, おそらく不偏推定量 $(-1)^X$ よりも, 実際問題において, はるかに優れた推定量である. ∎

練習問題

7.6.1. 分布 $N(\theta, 1)$, $-\infty < \theta < \infty$ からの無作為標本を $X_1, X_2, \ldots, X_n$ とする. θ^2 の MVUE を求めよ.
ヒント:まず $E(\overline{X}^2)$ を決定せよ.

7.6.2. 分布 $N(0, \theta)$ からの無作為標本を $X_1, X_2, \ldots, X_n$ とする. このとき $Y = \sum X_i^2$ は, θ における完備十分統計量である. θ^2 の MVUE を求めよ.

7.6.3. 本節の例 7.6.2 の表記において, $P(-c \leq X \leq c)$ は MVUE をもつか. ここでは, $c > 0$ である.

7.6.4. $X_1, X_2, \ldots, X_n$ は母数 $\theta > 0$ であるようなポアソン分布からの無作為標本とする.

(a) $P(X \leq 1) = (1+\theta)e^{-\theta}$ の MVUE を求めよ.
ヒント: $u(x_1) = 1$, $x_1 \leq 1$, それ以外では 0 とし, $E[u(X_1)|Y=y]$ を求めよ. ここで, $Y = \sum_1^n X_i$ とする.
(b) MVUE を mle の関数で表現せよ.
(c) mle の漸近分布を決定せよ.

7.6.5. $X_1, X_2, \ldots, X_n$ は母数 $\theta > 0$ であるようなポアソン分布からの無作為標本とする. 本節の注意より, $E[(-1)^{X_1}] = e^{-2\theta}$ ということは既知である.
(a) $E[(-1)^{X_1}|Y_1 = y_1] = (1-2/n)^{y_1}$ ということを証明せよ. ここで, $Y_1 = X_1 + X_2 + \cdots + X_n$ とする.
ヒント: はじめに, $Y_1 = y_1$ が所与のときの $X_1, X_2, \ldots, X_{n-1}$ の条件付き pdf は多項分布であり, したがって $Y_1 = y_1$ が所与のときの X_1 の条件付き pdf は $b(y_1, 1/n)$ であるということを証明せよ.
(b) $e^{-2\theta}$ の mle は $e^{-2\overline{X}}$ であるということを証明せよ.
(c) $y_1 = n\overline{x}$ のとき, n が大きくなると $(1-2/n)^{y_1}$ は $e^{-2\overline{x}}$ に近似されるということを証明せよ.

7.6.6. 例 7.6.2 と同様に, $X_1, X_2, \ldots, X_n$ を分布 $N(\theta, 1)$ からのサイズ $n > 1$ の無作為標本とする. X_1 と $\overline{X}$ の同時分布は, 平均ベクトルが (θ, θ), 分散が $\sigma_1^2 = 1$, $\sigma_2^2 = 1/n$, そして相関係数が $\rho = 1/\sqrt{n}$ であるような 2 変量正規分布であるということを証明せよ.

7.6.7. サイズ n の無作為標本が, pdf $f(x;\theta) = (1/\theta)\exp(-x/\theta)I_{(0,\infty)}(x)$ という分布から得られるものとする. $P(X \leq 2)$ の mle と MVUE を求めよ.

7.6.8. $X_1, X_2, \ldots, X_n$ は $x > 0$ に対して, $f(x) = \theta^{-1}e^{-x/\theta}$, それ以外では 0 という共通 pdf からの無作為標本とする. すなわち $f(x)$ は $\Gamma(1, \theta)$ pdf である.
(a) 統計量 $\overline{X} = n^{-1}\sum_{i=1}^n X_i$ は θ に対して完備であり, かつ十分であるということを証明せよ.
(b) θ の MVUE を決定せよ.
(c) θ の mle を決定せよ.
(d) この pdf は $x > 0$ に対して, $f(x) = \tau e^{-\tau x}$, それ以外では 0 のように表記されることもよくある. このとき, $\tau = 1/\theta$ である. 定理 6.1.2 を用いて, τ の mle を決定せよ.
(e) 統計量 $\overline{X} = n^{-1}\sum_{i=1}^n X_i$ は τ に対して完備であり, かつ十分であるということを証明せよ. また, $(n-1)/(n\overline{X})$ は $\tau = 1/\theta$ の MVUE であるということを証明せよ. したがって, 通常のように θ の mle の逆数は $1/\theta$ の mle なのであるが, この場合は, θ の MVUE の逆数は $1/\theta$ の MVUE ではない.
(f) 問 (b) と問 (e) における不偏推定量の分散を計算せよ.

7.7. 母数が複数の場合

7.6.9. 練習問題 7.6.8 の場合において，以下の 2 つの統計的に独立な無作為標本があると仮定する．(1). $X_1, X_2, \ldots, X_n$ は $x>0$ に対して，$f_X(x) = \theta^{-1} e^{-x/\theta}$，それ以外では 0 という共通 pdf からの無作為標本で，(2). $Y_1, Y_2, \ldots, Y_n$ は $y>0$ に対して，$f_Y(y) = \tau e^{-\tau y}$，それ以外では 0 という共通 pdf からの無作為標本とする．また，$\tau = 1/\theta$ と仮定する．
前の練習問題で，ある定数 c において，$Z = c\overline{X}/\overline{Y}$ は θ^2 の不偏推定量である可能性が示唆された．この定数 c と Z の分散を求めよ．
ヒント：$\overline{X}/(\theta^2 \overline{Y})$ は F 分布に従うということを証明せよ．

7.6.10. $\theta = 1/2$ のとき，例 7.6.1 における MVUE の漸近分布を求めよ．

7.7 母数が複数の場合

興味のある多くの問題では，pdf や pmf が単一の母数 θ ではなく，2 つ (またはそれ以上の) 母数に依存する．一般に，母数空間 Ω は R^p の部分集合であるが，ここでは多くの例において p が 2 つの場合を扱う．

定義 7.7.1.

$X_1, X_2, \ldots, X_n$ は，pdf または pmf が $f(x; \boldsymbol{\theta})$ である分布からの無作為標本とする．ここで，$\boldsymbol{\theta} \in \Omega \subset R^p$ である．$\mathcal{S}$ は X の台とする．$\mathbf{Y}$ は統計量 $\mathbf{Y} = (Y_1, \ldots, Y_m)'$ の m 次の確率変数ベクトルとする．ここで $i = 1, \ldots, m$ に対して，$Y_i = u_i(X_1, X_2, \ldots, X_n)$ である．$\mathbf{Y}$ の pdf または pmf を $f_{\mathbf{Y}}(\mathbf{y}; \boldsymbol{\theta})$ と記述する．ただし，$\mathbf{y} \in R^m$ である．統計量 $\mathbf{Y}$ の確率変数ベクトルは，以下の場合に，またその場合にかぎり $\boldsymbol{\theta}$ に対して同時に十分 (jointly sufficient) である．

$$\frac{\prod_{i=1}^n f(x_i; \boldsymbol{\theta})}{f_{\mathbf{Y}}(\mathbf{y}; \boldsymbol{\theta})} = H(x_1, x_2, \ldots, x_n), \quad \text{ただしすべての } x_i \in \mathcal{S} \text{ について}$$

ここで，$H(x_1, x_2, \ldots, x_n)$ は $\boldsymbol{\theta}$ に依存しない．

一般に $m \neq p$ であり，十分統計量の数は母数の数と同じではない．しかし，これから示す多くの例では同じ数となる．読者の予想どおり，ここでは因子分解定理を拡張する．次に示すような記法を用いることにする．統計量のベクトル $\mathbf{Y}$ は，次に示すような 2 つの非負関数 k_1 と k_2 が存在するならば，そして存在するときのみ母数 $\boldsymbol{\theta} \in \Omega$ に対して十分統計量である．

$$\prod_{i=1}^n f(x_i; \boldsymbol{\theta}) = k_1(\mathbf{y}; \boldsymbol{\theta}) k_2(x_1, \ldots, x_n), \quad \text{ただしすべての } x_i \in \mathcal{S} \text{ について}$$

(7.7.1)

ここで関数 $k_2(x_1, x_2, \ldots, x_n)$ は $\boldsymbol{\theta}$ に依存しない．

例 7.7.1. $X_1, X_2, \ldots, X_n$ は次のような pdf に従う分布からの無作為標本とする.

$$f(x; \theta_1, \theta_2) = \begin{cases} 1/2\theta_2 & \theta_1 - \theta_2 < x < \theta_1 + \theta_2 \\ 0 & \text{それ以外の場合} \end{cases}$$

ここで $-\infty < \theta_1 < \infty, 0 < \theta_2 < \infty$ である. $Y_1 < Y_2 < \cdots < Y_n$ は順序統計量とする. Y_1 と Y_n の同時 pdf は次のように与えられる.

$$f_{Y_1, Y_2}(y_1, y_n; \theta_1, \theta_2) = \frac{n(n-1)}{(2\theta_2)^n}(y_n - y_1)^{n-2}, \quad \theta_1 - \theta_2 < y_1 < y_n < \theta_1 + \theta_2$$

そして, その他の場合には 0 である. したがって, $X_1, X_2, \ldots, X_n$ の同時 pdf はその台におけるすべての点 ($\theta_1 - \theta_2 < x_i < \theta_1 + \theta_2$ となるようなすべての x_i) に対して次のように記述される.

$$\left(\frac{1}{2\theta_2}\right)^n = \frac{n(n-1)[\max(x_i) - \min(x_i)]^{n-2}}{(2\theta_2)^n} \left(\frac{1}{n(n-1)[\max(x_i) - \min(x_i)]^{n-2}}\right)$$

$j = 1, 2, \ldots, n$ に対して $\min(x_i) \leq x_j \leq \max(x_i)$ であるから, 最後の因子は母数に依存しない. 定義または因子分解定理は, θ_1 と θ_2 に対して, Y_1 と Y_n が同時十分統計量であることを保障する. ∎

確率密度関数の完備な族の概念は次のように一般化される. ここで,

$$\{f(v_1, v_2, \ldots, v_k; \boldsymbol{\theta}) : \boldsymbol{\theta} \in \Omega\}$$

は, p 次元の母数ベクトル $\boldsymbol{\theta} \in \Omega$ に依存する k 個の確率変数 $V_1, V_2, \ldots, V_k$ の pdf の族とする. $u(v_1, v_2, \ldots, v_k)$ は $v_1, v_2, \ldots, v_k$ の関数とする (ただし, いくつかのあるいはすべての母数の関数ではない). もし, すべての $\boldsymbol{\theta} \in \Omega$ に対して

$$E[u(V_1, V_2, \ldots, V_k)] = 0$$

ならば, すべての確率密度関数の族の要素に対して確率が 0 となるような点の集合を除いたすべての点 $(v_1, v_2, \ldots, v_k)$ において, $u(v_1, v_2, \ldots, v_k) = 0$ であり, 確率密度関数の族は完備といえるだろう.

$\boldsymbol{\theta}$ がベクトルの場合には, 一般に $\boldsymbol{\theta}$ の関数の最良推定量を考える. つまり, 特定の関数 g に対して, $\delta = g(\boldsymbol{\theta})$ のような母数 δ を考える. 例えば, 分布 $N(\theta_1, \theta_2)$ からの標本抽出を行うとする. ここで θ_2 は分散である. $\boldsymbol{\theta} = (\theta_1, \theta_2)'$ として, 2 つの母数 $\delta_1 = g_1(\boldsymbol{\theta}) = \theta_1$ と $\delta_2 = g_2(\boldsymbol{\theta}) = \sqrt{\theta_2}$ を考える. したがって, δ_1 と δ_2 の最良推定量に興味がある.

7.3 節と 7.4 節で概略を説明したラオ・ブラックウェルの定理とレーマン・シェフェの定理を使えば, これはベクトルの場合に自然に拡張される. 簡潔にいうと, $\delta = g(\boldsymbol{\theta})$ は興味のある母数であり, $\mathbf{Y}$ は $\boldsymbol{\theta}$ に対する十分かつ完備な統計量のベクトルとする. T は $T = T(\mathbf{Y})$ となるような関数 $\mathbf{Y}$ の統計量とする. $E(T) = \delta$ とすると, T は δ の一意な MVUE である.

7.7. 母数が複数の場合

母数が複数の場合に関して後は，指数クラスの正則な場合とよばれる確率密度関数についてのみ考えればよい．ここで $m=p$ である．

定義 7.7.2.

X は $f(x;\boldsymbol{\theta})$ という pdf または pmf に従う確率変数とする．ここで，母数のベクトルは $\boldsymbol{\theta} \in \Omega \subset R^m$ である．$\mathcal{S}$ を X の台とする．X が連続ならば，$\mathcal{S}=(a,b)$ を仮定する．ここで，a または b はそれぞれ $-\infty$ または ∞ でもよい．X が離散ならば，$\mathcal{S}=\{a_1,a_2,\ldots\}$ を仮定する．$f(x;\boldsymbol{\theta})$ は次のような形とする．

$$f(x;\boldsymbol{\theta}) = \begin{cases} \exp\left[\sum_{j=1}^{m} p_j(\boldsymbol{\theta})K_j(x) + S(x) + q(\theta_1,\theta_2,\ldots,\theta_m)\right] & x \in \mathcal{S} \\ 0 & \text{それ以外の場合} \end{cases}$$

(7.7.2)

このとき，この pdf または pmf は指数クラス (exponential class) の要素であるという．また，加えて，以下の場合には，正則な場合 (regular case) の指数分布族という．

1. 台は母数ベクトル $\boldsymbol{\theta}$ に依存しない．
2. 空間 Ω は空集合ではない m 次の開長方形を含む．
3. $p_j(\boldsymbol{\theta})$, $j=1,\ldots,m$ は $\boldsymbol{\theta}$ の意味のある関数であり，関数的に独立であり，$\boldsymbol{\theta}$ の連続関数である．
4. そして，
   (a) X が連続な確率変数ならば，$j=1,2,\ldots,m$ に対して，m 個の微分型 $K_j'(x)$ は $a<x<b$ に対して連続であり，1 つとして他と線形同次な関数ではなく，$S(x)$ は x, $a<x<b$ の連続関数である．
   (b) X が離散ならば，$j=1,2,\ldots,m$ に対して，$K_j(x)$ は台 $\mathcal{S}$ 上の x の意味のある関数であり，1 つとして他と線形同次な関数ではない．

$X_1,\ldots,X_n$ は，X に関する無作為標本とする．定義 7.7.2 と同じ記法を用いて，ここで X の pdf または pmf は正則な場合の指数クラスとする．(7.7.2) 式から，すべての $x_i \in \mathcal{S}$ に対して，標本の同時 pdf または pmf は次のように与えられる．

$$\prod_{i=1}^{n} f(x_i;\boldsymbol{\theta}) = \exp\left[\sum_{j=1}^{m} p_j(\boldsymbol{\theta}) \sum_{i=1}^{n} K_j(x_i) + nq(\boldsymbol{\theta})\right] \exp\left[\sum_{i=1}^{n} S(x_i)\right] \quad (7.7.3)$$

因子分解定理に従うと，次の統計量

$$Y_1 = \sum_{i=1}^{n} K_1(x_i), \ Y_2 = \sum_{i=1}^{n} K_2(x_i), \ldots, Y_m = \sum_{i=1}^{n} K_m(x_i)$$

は，m 次の母数ベクトル $\boldsymbol{\theta}$ の同時十分統計量である．$\mathbf{Y}=(Y_1,\ldots,Y_m)'$ の同時 pdf

が，確率密度が正になるすべての点において，次の形になることの証明は練習問題として残しておく．

$$R(\mathbf{y})\exp\left[\sum_{j=1}^{m}p_j(\boldsymbol{\theta})y_j+nq(\boldsymbol{\theta})\right] \tag{7.7.4}$$

確率密度が正になるこれらの点や関数 $R(\mathbf{y})$ は，母数ベクトル $\boldsymbol{\theta}$ に依存しない．さらに，解析学の定理に従って，正則な場合の指数クラスにおいて，これらの同時十分統計量 $Y_1, Y_2, \ldots, Y_m$ の確率密度関数の族が完備であるのは $n > m$ のときである．これまでに適用した慣例に従って，$Y_1, Y_2, \ldots, Y_m$ を母数ベクトル $\boldsymbol{\theta}$ の同時完備十分統計量 (joint complete sufficient statistics for the vector of parameters $\boldsymbol{\theta}$) とよぶ．

例 7.7.2. $X_1, X_2, \ldots, X_n$ を，分布 $N(\theta_1, \theta_2)$, $-\infty < \theta_1 < \infty$, $0 < \theta_2 < \infty$ からの無作為標本とする．したがって，分布 $f(x; \theta_1, \theta_2)$ という pdf は次のように記述される．

$$f(x;\theta_1,\theta_2)=\exp\left(\frac{-1}{2\theta_2}x^2+\frac{\theta_1}{\theta_2}x-\frac{\theta_1^2}{2\theta_2}-\ln\sqrt{2\pi\theta_2}\right)$$

したがって，$K_1(x) = x^2$ そして $K_2(x) = x$ とすることが可能である．よって，次の統計量

$$Y_1=\sum_1^n X_i^2, \quad Y_2=\sum_1^n X_i$$

は θ_1 と θ_2 に対する同時完備十分統計量である．次の関係

$$Z_1=\frac{Y_2}{n}=\overline{X}, \quad Z_2=\frac{Y_1-Y_2^2/n}{n-1}=\frac{\sum(X_i-\overline{X})^2}{n-1}$$

は 1 対 1 対応の変換を定義するため，Z_1 と Z_2 もまた θ_1 と θ_2 の同時完備十分統計量である．さらに，次のようになる．

$$E(Z_1)=\theta_1, \quad E(Z_2)=\theta_2$$

完備性から，Z_1 と Z_2 はそれぞれ θ_1 と θ_2 の不偏推定量であるような，Y_1 と Y_2 の唯一の関数である．したがって，Z_1 と Z_2 はそれぞれ θ_1 と θ_2 の一意な最小分散推定量ということになる．標準偏差 $\sqrt{\theta_2}$ の MVUE は練習問題 7.7.5 で導出される．■

本節では，十分性と完備性の概念を $\boldsymbol{\theta}$ が p 次ベクトルの場合に拡張した．さらに，ここからは，この 2 つの概念を $\mathbf{X}$ が k 次の確率変数ベクトルの場合に拡張する．2 つの例に従って，正則な指数分布族の場合だけを想定する．

$\mathbf{X}$ は k 次の確率変数ベクトルであり，$f(\mathbf{x}; \boldsymbol{\theta})$ という pdf または pmf に従っているとする．ここで，$\boldsymbol{\theta} \in \Omega \subset R^p$ である．$\mathcal{S} \subset R^k$ を $\mathbf{X}$ の台とする．$f(\mathbf{x}; \boldsymbol{\theta})$ が次のような形とする．

7.7. 母数が複数の場合

$$f(\mathbf{x};\boldsymbol{\theta}) = \begin{cases} \exp\left[\sum_{j=1}^{m} p_j(\boldsymbol{\theta})K_j(\mathbf{x}) + S(\mathbf{x}) + q(\boldsymbol{\theta})\right] & \mathbf{x} \in \mathcal{S} \\ 0 & \text{それ以外の場合} \end{cases} \quad (7.7.5)$$

すると、この pdf または pmf は指数クラス (exponential class) の要素であるといえる。加えて、$p=m$ ならば、台は母数ベクトル $\boldsymbol{\theta}$ に依存せず、定義 7.7.2 と似た条件が成立するため、この pdf は指数分布族の正則な場合 (regular case) であるといえる。

$\mathbf{X}_1, \ldots, \mathbf{X}_n$ が $\mathbf{X}$ 上の無作為標本であるとする。すると、次の統計量

$$Y_j = \sum_{i=1}^{n} K_j(\mathbf{X}_i), \quad j=1,\ldots,m \quad (7.7.6)$$

は $\boldsymbol{\theta}$ の十分かつ完備統計量である。$\mathbf{Y} = (Y_1, \ldots, Y_m)'$ とする。$\delta = g(\boldsymbol{\theta})$ を興味のある母数とする。ある関数 h に対して $T = h(\mathbf{Y})$ であり、$E(T) = \delta$ ならば T は δ の一意な最小分散不偏推定量である。

例 7.7.3 (多項分布). 例 6.4.5 では、多項分布の mle について考察した。本例では、母数が複数の場合の MVUE を求める。例 6.4.5 のように、k 個のうちの1つの結果あるいはカテゴリが得られる確率実験を考える。X_j は $j=1,\ldots,k$ に対して、j 番目の結果が得られた場合に 1、そうでない場合に 0 が割り当てられるとする。j 番目の結果が得られる確率を p_j とする。したがって、$\sum_{j=1}^{k} p_j = 1$ である。$\mathbf{X} = (X_1, \ldots, X_{k-1})'$ そして $\mathbf{p} = (p_1, \ldots, p_{k-1})'$ とする。$\mathbf{X}$ は多項分布に従っており、(6.4.18) 式で表される。再掲すると、次のようになる。

$$f(\mathbf{x}, \mathbf{p}) = \exp\left\{\sum_{j=1}^{k-1}\left(\log\left[\frac{p_j}{1-\sum_{i\neq k} p_i}\right]\right)x_j + \log(1-\sum_{i\neq k}p_i)\right\}$$

これは正則な場合の指数分布族なので、$\mathbf{X}$ の分布から抽出される無作為標本 $\mathbf{X}_1, \ldots, \mathbf{X}_n$ から得られる統計量

$$Y_j = \sum_{i=1}^{n} X_{ij}, \quad j=1,\ldots,k-1$$

は母数 $\mathbf{p} = (p_1,\ldots,p_{k-1})'$ に関する同時完備十分統計量である。それぞれの確率変数 X_{ij} は母数 p_j をもつベルヌイ分布に従っており、変数 X_{ij} は $i=1,\ldots,n$ に関して独立である。したがって、変数 Y_j は $j=1,\ldots,k$ に関して2項分布 (n,p_j) に従っている。すると、p_j の MVUE は統計量 $n^{-1}Y_j$ となる。

次に、$j \neq l$ に対して $p_j p_l$ の MVUE を求める。練習問題 7.7.8 では $p_j p_l$ の mle は $n^{-2}Y_j Y_l$ であることを証明する。3.1 節で説明したように、Y_l が与えられたときの Y_j の条件付き分布は $b((n-Y_l), p_j/(1-p_l))$ であることを思い出してもらいたい。MVUE について最初に考察したときのように、練習問題 7.7.8 で示される $n^{-2}Y_j Y_l$ という mle について考える。したがって、以下となる。

$$E[n^{-2}Y_jY_l] = \frac{1}{n^2}E[E(Y_jY_l|Y_l)] = \frac{1}{n^2}E[Y_lE(Y_j|Y_l)]$$
$$= \frac{1}{n^2}E\left[Y_l(n-Y_l)\frac{p_j}{1-p_l}\right] = \frac{1}{n^2}\frac{p_j}{1-p_l}\{E[nY_l] - E[Y_l^2]\}$$
$$= \frac{1}{n^2}\frac{p_j}{1-p_l}\{n^2p_l - np_l(1-p_l) - n^2p_l^2\}$$
$$= \frac{1}{n^2}\frac{p_j}{1-p_l}np_l(n-1)(1-p_l) = \frac{(n-1)}{n}p_jp_l$$

よって、p_jp_l の MVUE は $\frac{1}{n(n-1)}Y_jY_l$ である。■

例 7.7.4 (多変量正規分布). $\mathbf{X}$ は多変量正規分布 $N_k(\boldsymbol{\mu}, \boldsymbol{\Sigma})$ に従っているとする。ここで、$\boldsymbol{\Sigma}$ はサイズ $k \times k$ の正定値行列である。$\mathbf{X}$ の pdf は (3.5.12) 式で示される。この場合は、$\boldsymbol{\theta}$ は $\left(k + \frac{k(k+1)}{2}\right)$ 次のベクトルであり、はじめの k 個の要素は平均ベクトル $\boldsymbol{\mu}$、終わりの $\frac{k(k+1)}{2}$ 個の要素は変数ごとの分散 σ_i^2 と変数間の共分散 σ_{ij}、ただし $j \geq i$ で構成されている。$\mathbf{X}$ の密度は $\mathbf{x} \in R^k$ に対して、次のように記述される。

$$f_{\mathbf{X}}(\mathbf{x}) = \exp\left\{-\frac{1}{2}\mathbf{x}'\boldsymbol{\Sigma}^{-1}\mathbf{x} + \boldsymbol{\mu}'\boldsymbol{\Sigma}^{-1}\mathbf{x} - \frac{1}{2}\boldsymbol{\mu}'\boldsymbol{\Sigma}^{-1}\boldsymbol{\mu} - \frac{1}{2}\log|\boldsymbol{\Sigma}| - \frac{k}{2}\log 2\pi\right\} \quad (7.7.7)$$

したがって、(7.7.5) 式より、多変量正規 pdf は正則な指数クラスの分布である。ここでは関数 $K(\mathbf{x})$ を確定するだけでよい。(7.7.7) 式右辺の指数部分の 2 項目は $(\boldsymbol{\mu}'\boldsymbol{\Sigma}^{-1})\mathbf{x}$ であり、したがって $K_1(\mathbf{x}) = \mathbf{x}$ となる。はじめの項を行列 $\mathbf{xx}'$ の要素の積 x_ix_j, $i,j = 1,2,\ldots k$ の線形結合と見なすことは容易である。したがって $K_2(\mathbf{x}) = \mathbf{xx}'$ となる。いま、$\mathbf{X}_1, \ldots, \mathbf{X}_n$ を $\mathbf{X}$ からの無作為標本とする。(7.7.7) 式に基づくと、十分かつ完備な統計量の集合は次のように与えられる。

$$\mathbf{Y}_1 = \sum_{i=1}^n \mathbf{X}_i, \quad \mathbf{Y}_2 = \sum_{i=1}^n \mathbf{X}_i\mathbf{X}_i' \quad (7.7.8)$$

ここで、$\mathbf{Y}_1$ は k 個の統計量のベクトルであり、$\mathbf{Y}_2$ はサイズ $k \times k$ の対称行列である。対称行列であるから、下三角部分 ($i > j$ となる (i,j) 要素) を削除することが可能であり、すると、$\left(k + \frac{k(k+1)}{2}\right)$ 個の完備十分統計量が得られる。これは母数と同じ数分の完備十分統計量である。

周辺分布に基づくと、$\overline{X}_j = n^{-1}\sum_{i=1}^n X_{ij}$ は μ_j の MVUE であり、$(n-1)^{-1}\sum_{i=1}^n (X_{ij} - \overline{X}_j)^2$ は σ_j^2 の MVUE であることを証明するのは容易である。共分散要素の MVUE は練習問題 7.7.9 で得られる。■

最後の例では、母数の集合が cdf である場合を考える。

例 7.7.5. $X_1, X_2, \ldots, X_n$ は $F(x)$ という共通の cdf からの無作為標本とする。

7.7. 母数が複数の場合

$Y_1 < Y_2 < \cdots < Y_n$ は対応する順序統計量とする．$Y_1 = y_1, Y_2 = y_2, \ldots, Y_n = y_n$ が与えられたときの $X_1, X_2, \ldots, X_n$ の条件付き分布は離散的であり，ベクトル $(y_1, y_2, \ldots, y_n)$ の $n!$ 個の各順列が確率 $\frac{1}{n!}$ をもつ（$F(x)$ は連続であるから，各 $y_1, y_2, \ldots, y_n$ の値は異なると仮定できる）．つまり，条件付き分布は $F(x)$ に依存しない．したがって，十分性の定義から，$F(x)$ に対して順序統計量は十分性をもっている．さらに，この証明は本書の範疇を超えるが，Lehmann and Casella (1998) の 72 ページを参照すると，順序統計量もまた完備であることが証明可能である．

$T = T(x_1, x_2, \ldots, x_n)$ はその要素について対称な (symmetric in its arguments) 任意の統計量とする．つまり，$(x_1, x_2, \ldots, x_n)$ のいかなる並び替え $(x_{i_1}, x_{i_2}, \ldots, x_{i_n})$ に対しても，$T(x_1, x_2, \ldots, x_n) = T(x_{i_1}, x_{i_2}, \ldots, x_{i_n})$ である．すると，T は順序統計量の関数となる．これは，この場合の MVUE を求めるときに役立つ．練習問題 7.7.12 と 7.7.13 をみよ．■

練習問題

7.7.1. $Y_1 < Y_2 < Y_3$ を以下の pdf に従う分布からのサイズ 3 の無作為標本の順序統計量とする．

$$(x; \theta_1, \theta_2) = \begin{cases} \dfrac{1}{\theta_2} \exp\left(-\dfrac{x - \theta_1}{\theta_2}\right) & \theta_1 < x < \infty,\ -\infty < \theta_1 < \infty,\ 0 < \theta_2 < \infty \\ 0 & \text{それ以外の場合} \end{cases}$$

$Z_1 = Y_1, Z_2 = Y_2$ と $Z_3 = Y_1 + Y_2 + Y_3$ の同時 pdf を求めよ．対応する変換により，空間 $\{(y_1, y_2, y_3) : \theta_1 < y_1 < y_2 < y_3 < \infty\}$ は，空間

$$\{(z_1, z_2, z_3) : \theta_1 < z_1 < z_2 < (z_3 - z_1)/2 < \infty\}$$

に写像される．Z_1 と Z_3 は θ_1 と θ_2 の同時十分統計量であることを証明せよ．

7.7.2. $X_1, X_2, \ldots, X_n$ は，本節 (7.7.2) 式の形をした pdf に従う分布からの無作為標本とする．$Y_1 = \sum_{i=1}^{n} K_1(X_i), \ldots, Y_m = \sum_{i=1}^{m} K_m(X_i)$ は，本節 (7.7.4) 式の形をした pdf に従うことを証明せよ．

7.7.3. $(X_1, Y_1), (X_2, Y_2), \ldots, (X_n, Y_n)$ を，平均 μ_1 と μ_2，正の分散 σ_1^2 と σ_2^2 そして相関係数 ρ である 2 変量正規分布からのサイズ n の無作為標本とする．$\sum_{1}^{n} X_i$，$\sum_{1}^{n} Y_i, \sum_{1}^{n} X_i^2, \sum_{1}^{n} Y_i^2$ と $\sum_{1}^{n} X_i Y_i$ は 5 つの母数の同時完備十分統計量であることを証明せよ．$\overline{X} = \sum_{1}^{n} X_i/n$，$\overline{Y} = \sum_{1}^{n} Y_i/n$，$S_1^2 = \sum_{1}^{n}(X_i - \overline{X})^2/(n-1)$，$S_2^2 = \sum_{1}^{n}(Y_i - \overline{Y})^2/(n-1)$ と $\sum_{1}^{n}(X_i - \overline{X})(Y_i - \overline{Y})/(n-1)S_1 S_2$ もまた，これらの母数の同時完備十分統計量だろうか．

7.7.4. $f(x; \theta_1, \theta_2)$ という pdf は次の形をしているとする．

$$\exp[p_1(\theta_1, \theta_2) K_1(x) + p_2(\theta_1, \theta_2) K_2(x) + S(x) + q_1(\theta_1, \theta_2)],\ a < x < b$$

ただし，その他の場合は 0 である．$K_1'(x) = c K_2'(x)$ とする．$f(x; \theta_1, \theta_2)$ は次の形で

記述可能なことを証明せよ．

$$\exp[p_1(\theta_1,\theta_2)K(x)+S(x)+q_1(\theta_1,\theta_2)], \ a<x<b$$

ただし，その他の場合は 0 である．これが理由で，いかなる $K_j'(x)$ も，他の $K_j'(x)$ の線形同次な関数であってはならないのである．つまり，これにより十分統計量と母数の数が等しくなる．

7.7.5. 例 7.7.2 の状況で，標準偏差 $\sqrt{\theta_2}$ の MVUE を求めよ．

7.7.6. $X_1, X_2, \ldots, X_n$ は，$f(x;\theta_1,\theta_2)=1/(2\theta_2)$, $\theta_1-\theta_2 < x < \theta_1+\theta_2$, ただし $-\infty < \theta_1 < \infty$ そして $\theta_2 > 0$, その他では 0 という一様分布に従う pdf からの無作為標本とする．
(a) θ_1 と θ_2 の同時十分統計量である $Y_1 = \min(X_i)$ と $Y_n = \max(X_i)$ は完備であることを証明せよ．
(b) θ_1 と θ_2 の MVUE を求めよ．

7.7.7. $X_1, X_2, \ldots, X_n$ は，$N(\theta_1,\theta_2)$ からの無作為標本とする．
(a) 定数 b が方程式 $P(X \leq b) = 0.90$ によって定義されているとき，b の mle と MVUE を求めよ．
(b) 任意の定数 c に対して，$P(X \leq c)$ の mle と MVUE を求めよ．

7.7.8. 例 7.7.3 の状況において，$p_j p_l$ の mle は $n^{-2}Y_j Y_l$ となることを証明せよ．

7.7.9. 多変量正規分布モデルにおける十分性に関して，例 7.7.4 を参照せよ．
(a) 母共分散 σ_{ij} の MVUE を求めよ．
(b) $h = \sum_{i=1}^{k} a_i \mu_i$, ただし $a_1, \ldots, a_k$ を特定の定数とするとき，h の MVUE を求めよ．

7.7.10. LeRoy Folks は会話の中で，逆ガウス pdf

$$f(x;\theta_1,\theta_2) = \left(\frac{\theta_2}{2\pi x^3}\right)^{1/2} \exp\left[\frac{-\theta_2(x-\theta_1)^2}{2\theta_1^2 x}\right], \ 0 < x < \infty \tag{7.7.9}$$

が生存時間のモデルにおいて頻繁に使用されるといった．ただし，$\theta_1 > 0$ そして $\theta_2 > 0$ である．$X_1, X_2, \ldots, X_n$ をこの pdf に従う分布からの無作為標本とするとき，(θ_1, θ_2) の完備十分統計量を求めよ．

7.7.11. $X_1, X_2, \ldots, X_n$ を分布 $N(\theta_1, \theta_2)$ からの無作為標本とする．
(a) $E[(X_1-\theta_1)^4] = 3\theta_2^2$ を証明せよ．
(b) $3\theta_2^2$ の MVUE を求めよ．

7.7.12. $X_1, \ldots, X_n$ を，$F(x)$ という cdf に従う連続分布からの無作為標本とする．平均 $\mu = E(X_1)$ が存在すると仮定する．例 7.7.5 を用い，標本平均 $\overline{X} = n^{-1}\sum_{i=1}^{n} X_i$ は μ の MVUE であることを証明せよ．

7.7.13. $X_1,\ldots,X_n$ を，$F(x)$ という cdf に従う連続分布からの無作為標本とする．$\theta = P(X_1 \leq a) = F(a)$ とする．ただし，a は既知である．比 $n^{-1}\#\{X_i \leq a\}$ は θ の MVUE であることを証明せよ．

7.8 最小十分性および補助統計量

　統計学における私たちの目的が，多数の標本の背後にある分布の重要な特徴を表すような情報を，可能なかぎり失わないようにしながら，データの圧縮を行うことにあるのはいうまでもない．すなわち，標本そのものに含まれている数多くの数字は，少数のよい性質をもった要約統計量ほどには意味をもたないのだ．なかでも十分統計量は，もしそれが存在するならば，非常に価値あるものである．なぜなら十分統計量を知るということは，標本全体について知るのと同等の情報をもたらすからである．しかし時として複数の同時十分統計量が存在し，それらの中から最も単純なものを見いだしたい場合がある．例えば $N(\theta_1,\theta_2)$ から得られたサイズ $n>2$ の観測値 $X_1,X_2,\ldots,X_n$ は，それ自体が θ_1,θ_2 の同時十分統計量であると考えることができる．しかしすでに明らかなように，これらの母数の同時十分統計量としては $\overline{X}$ と S^2 が利用可能である．そして特に n が大きい場合には，これら 2 つの統計量を用いる方が $X_1,X_2,\ldots,X_n$ を利用するよりも，ずっと簡素である．

　これまで本章で取り上げてきた状況のほとんどは，1 つの母数に対して単一の十分統計量を，あるいは 2 つの母数に対して 2 つの同時十分統計量を見いだすことができるかという点に焦点が当てられていた．これらのうち複雑だった例としては，例 7.7.3 において $k+k(k+1)/2$ 個の母数に対して $k+k(k+1)/2$ 個の同時十分統計量を求めたものや，例 7.7.4 における多変量正規分布の場合，あるいは連続型の未知の分布に対処するために無作為標本の順序統計量を用いた例 7.7.5 などがあげられるだろう．

　しかし本節において私たちが行うのは，ある 1 組の同時十分統計量があったときに，その十分性を損なうことなく統計量の数を減らすような変形を模索することである．この変形の果てに到達する統計量を，最小十分統計量 (minimal sufficient statistic) とよぶ．最小十分統計量は母数に対して十分であると同時に，同じ母数に対するその他のすべての十分統計量の関数でもある．k 個の母数があるならば，k 個の最小十分統計量が存在していることが多い．本章におけるこれまでの例のほとんどは，この性質を満たしていた．ただしこれから示す例においては，これは必ずしも当てはまるとはかぎらない．

例 7.8.1. $X_1, X_2, \ldots, X_n$ が，区間 $(\theta-1,\theta+1)$ の一様分布から得られた無作為標本であるとする．このとき当該の一様分布の pdf は，以下に示す形となる．

$$f(x;\theta) = \left(\frac{1}{2}\right) I_{(\theta-1,\theta+1)}(x), \quad -\infty < \theta < \infty$$

したがって $X_1, X_2, \ldots, X_n$ の同時 pdf は，$\theta - 1 < \min(x_i) \leq x_j \leq \max(x_i) < \theta + 1$，

$j=1,2,\ldots,n$ であることから，$(\frac{1}{2})^n$ と定義関数の積の形によって

$$\left(\frac{1}{2}\right)^n \prod_{i=1}^n I_{(\theta-1,\theta+1)}(x_i) = \left(\frac{1}{2}\right)^n \{I_{(\theta-1,\theta+1)}[\min(x_i)]\}\{I_{(\theta-1,\theta+1)}[\max(x_i)]\}$$

と表すことができる．よって順序統計量 $Y_1 = \min(X_i)$ と $Y_n = \max(X_i)$ は，θ の十分統計量である．またこれら2つの統計量は，母数 θ に対する最小十分統計量でもある．なぜならその十分性を保ったままで，これ以上統計量の数を減らすことは不可能だからである．■

実は，ある性質によって，これまでにみてきた十分統計量のほとんどすべてが最小十分統計量であることを示すことが可能である．すでに明らかなように，θ の mle $\widehat{\theta}$ は，もし存在するならば θ の1つ以上の十分統計量の関数となっている．このとき $\widehat{\theta}$ もまた十分であるならば，$\widehat{\theta}$ がその他の十分統計量の関数であることと定理 7.3.2 とから，最小十分統計量でなければならないことになる．これに当てはまる例として，以下のようなものが考えられる．

1. $N(\theta,\sigma^2)$ のうち σ^2 が既知であるときの θ の mle $\widehat{\theta} = \overline{X}$ は，θ の最小十分統計量である．
2. ポアソン分布の平均値 θ の mle $\widehat{\theta} = \overline{X}$ は，θ の最小十分統計量である．
3. 区間 $(0,\theta)$ である一様分布の母数 θ の mle $\widehat{\theta} = Y_n = \max(X_i)$ は，θ の最小十分統計量である．
4. $N(\theta_1,\theta_2)$ の最尤推定量 $\widehat{\theta_1} = \overline{X}$ および $\widehat{\theta_2} = S^2$ は，θ_1, θ_2 の同時最小十分統計量である．

これらの例から，最小十分統計量とは必ずしも一意な形をもつわけではなく，最小十分統計量の1対1変換もまた最小十分統計量であることがわかる．しかしこの mle と最小十分統計量との関連は，成り立たない場合もまた多い．以下の2つの例は，それを示すものである．

例 7.8.2. 例 7.8.1 において取り上げたモデルについて考える．すでに $Y_1 = \min(X_i)$ と $Y_n = \max(X_i)$ が同時十分統計量であることを示した．これに対して，尤度関数の値が $(\frac{1}{2})^n$ に等しくなるように最大化するような θ の値は，

$$\theta - 1 < Y_1 < Y_n < \theta + 1$$

あるいは

$$Y_n - 1 < \theta < Y_1 + 1$$

から，$Y_n - 1$ から $Y_1 + 1$ の間であれば何でもよいことがわかる．例えば多くの統計学者は，この場合の mle として端点の平均値である

$$\widehat{\theta} = \frac{Y_n - 1 + Y_1 + 1}{2} = \frac{Y_1 + Y_n}{2}$$

を利用している．しかしこれが mle の唯一の値というわけではない．よって $\widehat{\theta}$ は θ の

7.8. 最小十分性および補助統計量

mle であり,かつ θ の十分統計量である Y_1, Y_2 の関数となっているから,$\widehat{\theta}$ が最小十分統計量であると主張するのは間違いである.この場合,$\widehat{\theta}$ は十分ですらない.mle が最小十分統計量であるかどうかを考える際には,まずそれ自身が十分性をもっているかどうかを検討しなければならない.■

先の例において取り上げた状況は,iid に区間 $(-1,1)$ の一様 pdf に従う確率変数 $W_1, W_2, \ldots, W_n$ を利用して,

$$X_i = \theta + W_i \tag{7.8.1}$$

と表すことが可能である.したがってこれは,位置モデルの例であると見なすことができる.以下ではこのようなモデルについて一般的に論じる.

例 7.8.3. 以下のような位置モデルについて考える.

$$X_i = \theta + W_i \tag{7.8.2}$$

ただし $W_1, W_2, \ldots, W_n$ は共通の pdf $f(w)$ および連続的な cdf $F(w)$ に iid に従っているものとする.このとき順序統計量 $Y_1 < Y_2 < \cdots Y_n$ の集合が完備かつ十分な統計量となることは,すでに例 7.7.5 においてみたとおりである.それでは,これよりも少ない統計量によって構成される最小十分統計量を見いだすことは可能だろうか.以下に 4 つの場合について考えてみる.

(a) $f(w)$ が $N(0,1)$ の正規 pdf であると仮定する.このとき $\overline{X}$ は MVUE であると同時に,θ の mle でもある.また $\overline{X} = n^{-1} \sum_{i=1}^{n} Y_i$ であるから,順序統計量の関数にもなっている.したがって $\overline{X}$ は最小十分統計量である.

(b) $f(w)$ は $w > 0$ において $f(w) = \exp\{-w\}$,それ以外では 0 であるとする.このとき統計量 Y_1 は十分統計量であり,mle でもある.したがって Y_1 は最小十分統計量である.

(c) $f(w)$ がロジスティック pdf であるとする.このとき例 6.1.4 において議論したように,θ の mle は存在しており,かつ簡単に値を求めることができる.しかし Lehmann and Casella (1998) の 38 ページに示されているように,この状況では順序統計量こそが最小十分統計量である.したがって,これ以上統計量の数を減らすことはできない.

(d) $f(w)$ がラプラス pdf であるとする.このとき例 6.1.3 において示したように,中央値 Q_2 が θ の mle となる.しかしこれは,十分統計量ではない.またロジスティック pdf の場合と同様に,順序統計量が最小十分統計量であることも簡単にわかる.■

上記の例における (c) や (d) のように,mle が比較的簡単に求められるのに対して,最小十分統計量は順序統計量の集合よりも少ない数のものが存在しないような場合の方が,位置モデルにおいては一般的である.

最小十分統計量と完備性の間にも,Lehmann and Scheffé (1950) に詳述されてい

るように密接な関係がある．ここでは本書における様々な場合について詳しく触れることはしないが，簡単にいうならば，完備十分統計量は最小十分統計量でもある．ただしこの逆は必ずしも成り立たない．例えば例 7.8.1 においては

$$E\left[\frac{Y_n - Y_1}{2} - \frac{n-1}{n+1}\right] = 0, \quad \text{すべての } \theta \text{ について}$$

が成り立っている．これは，最小十分統計量 Y_1, Y_n を母数とする，その期待値がすべての θ において 0 となるような非ゼロの関数があるということに他ならない．

これまでは最小十分統計量について論じてきたが，十分性とは正反対ともいえるような性質をもった統計量も存在している．母数に関するすべての情報を含んでいる十分統計量とは逆に，母数とは無関係な分布をもち，母数に関する情報を全く含んでいないようにみえる統計量を補助統計量 (ancillary statistic) とよぶ．例えば $N(\theta, 1)$ から得られた無作為標本の分散 S^2 の分布は，母数 θ には依存していない．よってこのときの S^2 は補助統計量である．また別の例として，既知の母数 $\alpha > 0$ と未知の母数 $\beta = \theta$ をもつガンマ分布から得られた確率変数 X_1, X_2 の比である $Z = X_1/(X_1 + X_2)$ もまた，補助統計量である．なぜなら Z は θ には依存しないようなベータ分布に従っているからである．補助統計量はこれら以外にも多くのものが考えられるが，以下の 3 つの例では，ある種のモデルにおいて補助統計量を見いだす助けとなる規則についての議論を行う．

例 7.8.4 (位置不変な統計量). 例 7.8.3 において論じた位置モデルについて，再び取り上げる．位置モデルでは，無作為標本 $X_1, X_2, \ldots, X_n$ が

$$X_i = \theta + W_i, \quad i = 1, \ldots, n \tag{7.8.3}$$

に従っていたことを思い出してほしい．ただし θ は $-\infty < \theta < \infty$ であるような母数であり，$W_1, W_2, \ldots, W_n$ は θ に依存しないような pdf $f(w)$ に iid に従っている確率変数である．このとき，X_i は共通の pdf $f(x - \theta)$ に従う．

ここで以下に示すような統計量 $Z = u(X_1, X_2, \ldots, X_n)$ を考える．

$$u(x_1 + d, x_2 + d, \ldots, x_n + d) = u(x_1, x_2, \ldots, x_n)$$

ただし，d は任意の実数である．このとき，

$$Z = u(W_1 + \theta, W_2 + \theta, \ldots, W_n + \theta) = u(W_1, W_2, \ldots, W_n)$$

は $W_1, W_2, \ldots, W_n$ のみの (θ を母数としてもたない) 関数になっている．よって，Z は θ に依存しない分布に従っていることがわかる．このとき $Z = u(X_1, X_2, \ldots, X_n)$ を，位置不変な統計量 (location-invariant statistic) とよぶ．

位置モデルを仮定した場合，以下に示すような統計量が位置不変であることが知られている：標本分散 S^2，標本区間 $\max\{X_i\} - \min\{X_i\}$，標本中央値からの平均偏差 $(1/n)\sum |X_i - \mathrm{median}(X_i)|$，$X_1 + X_2 - X_3 - X_4$，$X_1 + X_3 - 2X_2$，$(1/n)\sum [X_i - \min(X_i)]$ など．■

7.8. 最小十分性および補助統計量

例 7.8.5 (尺度不変な統計量). 続いて，無作為標本が尺度モデル (scale model) に従っている場合について論じる．尺度モデルとは，$X_1, X_2, \ldots, X_n$ が $\theta > 0$ において

$$X_i = \theta W_i, \quad i = 1, \ldots, n \tag{7.8.4}$$

という形になっているモデルのことである．ただし $W_1, W_2, \ldots, W_n$ は θ に依存しない pdf $f(w)$ に iid に従っているものとする．このとき X_i は共通に pdf $\theta^{-1} f(x/\theta)$ に従うことが知られており，θ を尺度母数とよぶ．ここで，すべての $c > 0$ において

$$u(cx_1, cx_2, \ldots, cx_n) = u(x_1, x_2, \ldots, x_n)$$

であるような統計量 $Z = u(X_1, X_2, \ldots, X_n)$ を考える．このとき，

$$Z = u(X_1, X_2, \ldots, X_n) = u(\theta W_1, \theta W_2, \ldots, \theta W_n) = u(W_1, W_2, \ldots, W_n)$$

である．したがって $W_1, W_2, \ldots, W_n$ の同時 pdf と Z とが θ を含んでいないことから，Z の分布は θ に依存しないことがわかる．このような Z を，尺度不変な統計量 (scale-invariant statistic) とよぶ．

以下に，尺度不変である統計量の例を示す：$X_1/(X_1 + X_2)$, $X_1^2/\sum_1^n X_i^2$, $\min(X_i)/\max(X_i)$, など．■

例 7.8.6 (位置尺度不変な統計量). 最後に，無作為標本 $X_1, X_2, \ldots, X_n$ が位置モデルと例 7.8.5 の尺度モデルの双方に従っている場合を考える．これはすなわち，

$$X_i = \theta_1 + \theta_2 W_i, \quad i = 1, \ldots, n \tag{7.8.5}$$

であり，W_i は θ_1 および θ_2 に依存しない共通の pdf $f(t)$ に iid に従っていることを意味している．このとき X_i の pdf は $\theta_2^{-1} f((x - \theta_1)/\theta_2)$ となる．ここで，以下のような統計量 $Z = u(X_1, X_2, \ldots, X_n)$ を考える．

$$u(cx_1 + d, \ldots, cx_n + d) = u(x_1, \ldots, x_n)$$

すると

$$Z = u(X_1, \ldots, X_n) = u(\theta_1 + \theta_2 W_1, \ldots, \theta_1 + \theta_2 W_n) = u(W_1, \ldots, W_n)$$

であり，$W_1, W_2, \ldots, W_n$ の同時 pdf と Z とが θ_1, θ_2 を含んでいないことから，Z の分布は θ_1 および θ_2 に依存しないことがわかる．このような統計量 $Z = u(X_1, X_2, \ldots, X_n)$ を，位置尺度不変な統計量 (location and scale invariant statistic) とよぶ．以下に，位置尺度不変な統計量の 4 つの例を示す．

(a) $T_1 = [\max(X_i) - \min(X_i)]/S$
(b) $T_2 = \sum_{i=1}^{n-1} (X_{i+1} - X_i)^2 / S^2$
(c) $T_3 = (X_i - \overline{X})/S$
(d) $T_4 = |X_i - X_j|/S, \; i \neq j$ ■

以上で述べた位置不変，尺度不変，位置尺度不変な統計量は，いずれも適当な pdf のもとにおける補助統計量の例となっている．補助統計量と完備 (最小) 十分統計量と

は正反対の性質をもっていることから，ある意味においてこれらの間には何の関係もないのではないかと想像できる．実はこれは全く正しいことであり，次節において両者は独立な統計量であることが示される．

練習問題

7.8.1. $X_1, X_2, \ldots, X_n$ は，以下に示すような θ を母数としてもつ分布からの無作為標本であるとする．各分布の場合について θ の mle を求め，それらが同時に θ の十分統計量でもあり，したがって最小十分統計量であることを示せ．
(a) $b(1, \theta), \ 0 \leq \theta \leq 1$
(b) 平均 $\theta > 0$ のポアソン分布
(c) $\alpha = 3, \ \beta = \theta > 0$ のガンマ分布
(d) $N(\theta, 1), \ -\infty < \theta < \infty$
(e) $N(0, \theta), \ 0 < \theta < \infty$

7.8.2. $Y_1 < Y_2 < \cdots < Y_n$ は区間 $[-\theta, \theta]$ である一様分布から得られたサイズ n の無作為標本の順序統計量であり，pdf $f(x; \theta) = (1/2\theta)I_{[-\theta, \theta]}(x)$ に従っているものとする．このとき，以下の問いに答えよ．
(a) Y_1 と Y_n が θ の同時十分統計量であることを示せ．
(b) θ の mle が $\hat{\theta} = \max(-Y_1, Y_n)$ であることを証明せよ．
(c) mle $\hat{\theta}$ が θ の十分統計量であり，したがって θ の最小十分統計量であることを示せ．

7.8.3. $Y_1 < Y_2 < \cdots < Y_n$ は，以下に示す pdf から得られたサイズ n の無作為標本の順序統計量であるとする．

$$f(x; \theta_1, \theta_2) = \left(\frac{1}{\theta_2}\right) e^{-(x-\theta_1)/\theta_2} I_{(\theta_1, \infty)}(x)$$

ただし $-\infty < \theta_1 < \infty, \ 0 < \theta_2 < \infty$ である．このとき，θ_1 と θ_2 の同時最小十分統計量を求めよ．

7.8.4. 練習問題 7.8.1(d)，7.8.2，7.8.3 の分布について，本文中で例示したのとは異なる補助統計量を少なくとも 2 つ示せ．ここでいう例とは，位置不変，尺度不変，位置尺度不変の各統計量のことである．

7.9 十分性，完備性，および独立性

母数 $\theta, \ \theta \in \Omega$ に対して，十分統計量 Y_1 が存在するならば，別の統計量 Z の $Y_1 = y_1$ が所与のときの条件付き pdf $h(z|y_1)$ は θ に依存しないことはすでに述べたとおりである．さらに，Y_1 と Z が統計的に独立ならば，Z の pdf は $g_2(z) = h(z|y_1)$ と表すことができ，したがって，$g_2(z)$ もまた θ に依存しないはずである．以上から，統計

7.9. 十分性，完備性，および独立性

量 Z と母数 θ に対する十分統計量 Y_1 との独立性は，Z の分布が $\theta \in \Omega$ に依存しないことを意味している．すなわち，Z は補助統計量である．

この性質を逆に考察することは興味深い．つまり，補助統計量 Z の分布が θ に依存しないと仮定すると，Z と θ に対する十分統計量 Y_1 は統計的独立になるか，ということである．この問題の答えを探る足がかりとして，Y_1 と Z の同時 pdf は $g_1(y_1;\theta)h(z|y_1)$ であることに着目する．ここで，$g_1(y_1;\theta)$ と $h(z|y_1)$ はそれぞれ Y_1 の周辺 pdf と $Y_1 = y_1$ が与えられたときの Z の条件付き pdf である．この事実から，Z の周辺 pdf は

$$\int_{-\infty}^{\infty} g_1(y_1;\theta)h(z|y_1)\,dy_1 = g_2(z)$$

となる．仮定より，この分布は θ に依存しない．さらに，

$$\int_{-\infty}^{\infty} g_2(z)g_1(y_1;\theta)\,dy_1 = g_2(z)$$

であるから，上記 2 つの積分の差をとると，すべての $\theta \in \Omega$ に対して

$$\int_{-\infty}^{\infty} [g_2(z) - h(z|y_1)]g_1(y_1;\theta)\,dy_1 = 0 \tag{7.9.1}$$

が成り立つ．Y_1 は θ に対する十分統計量であるから，$h(z|y_1)$ は θ に依存しない．仮定から，$g_2(z)$ は θ によらず，したがって，$g_2(z) - h(z|y_1)$ も θ に依存しない．いま，分布族 $\{g_1(y_1;\theta) : \theta \in \Omega\}$ が完備ならば，(7.9.1) 式より

$$g_2(z) - h(z|y_1) = 0, \quad g_2(z) = h(z|y_1)$$

が成り立つ必要がある．したがって，Y_1 と Z の同時 pdf は

$$g_1(y_1;\theta)h(z|y_1) = g_1(y_1;\theta)g_2(z)$$

となるはずである．以上から，Y_1 と Z は互いに独立であることが示され，次の定理を証明したことになる．この定理は，Neyman and Hogg によって特別な場合のひとつとして考察されたものであり，一般的な証明は Basu によって与えられている．

定理 7.9.1.

pdf が $f(x;\theta)$，$\theta \in \Omega$ である分布からの無作為標本を $X_1, X_2, \ldots, X_n$ とする．ここで，Ω は区間集合である．また，Y_1 の確率密度関数 $\{g_1(y_1;\theta) : \theta \in \Omega\}$ が完備であるとし，$Z = u(X_1, X_2, \ldots, X_n)$ を任意のその他の (Y_1 のみの関数ではない) 統計量とする．Z の分布が θ に依存しないならば，Z は十分統計量 Y_1 と統計的に独立である．

上述の議論において注目される興味深い事実は，Y_1 が θ に対する十分統計量であるならば，$\{g_1(y_1;\theta) : \theta \in \Omega\}$ の完備性にかかわらず，Y_1 と Z の独立性によって Z の分布が θ によらないことが示されるということである．逆に，この独立性を $g_2(z)$ が θ に依存しないことから証明するためには，完備性がどうしても必要である．したがって，$\{g_1(y_1;\theta) : \theta \in \Omega\}$ が (指数クラスにおける正則な状況のように) 完備であること

が既知の状況では，Z の分布が θ に依存しない (つまり, Z が補助統計量である) とき，またその場合にかぎり，統計量 Z は十分統計量 Y_1 と独立である．

上記の (指数クラスにおける正則な状況に対する特別な定式化を含む) 定理は, m 個の母数を含み，それらに対する m 個の同時十分統計量が存在する確率密度関数に対して直ちに拡張できることに注意されたい．例として，θ_1 と θ_2 に対する同時完備十分統計量が存在するように，$f(x;\theta_1,\theta_2)$ という pdf が指数クラスの正則な状況を表すものとし，この分布からの無作為標本を $X_1, X_2, \ldots, X_n$ としよう．このとき，任意のその他の統計量 $Z = u(X_1, X_2, \ldots, X_n)$ は，Z の分布が θ_1 または θ_2 に依存しない場合にかぎり，同時完備十分統計量と統計的に独立である．

定理の例として，分布 $N(\mu, \sigma^2)$ からの無作為標本の平均 $\overline{X}$ と分散 S^2 の独立性について，既述したものとは異なる証明を与えよう．この証明では $(n-1)S^2/\sigma^2$ が $\chi^2(n-1)$ に従うことを利用しない．なぜなら，この事実と独立性は定理 3.6.1 において示されたものだからである．

例 7.9.1. $X_1, X_2, \ldots, X_n$ を分布 $N(\mu, \sigma^2)$ からのサイズ n の無作為標本とする．すべての既知の σ^2 において，標本平均 $\overline{X}$ が母数 μ, $-\infty < \mu < \infty$ に対して完備十分統計量であることがわかっている．以下の統計量

$$S^2 = \frac{1}{n-1} \sum_{i=1}^{n} (X_i - \overline{X})^2$$

を考える．これは位置不変である．したがって，S^2 は μ に依存しない分布に従っているはずであり，定理から S^2 と μ の完備十分統計量 $\overline{X}$ とは互いに独立である．■

例 7.9.2. $X_1, X_2, \ldots, X_n$ を pdf が

$$f(x;\theta) = \begin{cases} e^{-(x-\theta)} & \theta < x < \infty, \ -\infty < \theta < \infty \\ 0 & \text{それ以外の場合} \end{cases}$$

である分布からのサイズ n の無作為標本とする．この pdf は $f(w) = e^{-w}$, $0 < w < \infty$，その他では 0，として $f(x-\theta)$ という形式をしている．さらに, (練習問題 7.4.5 から) 1 番目の順序統計量 $Y_1 = \min(X_i)$ が θ に対する完備十分統計量であることがわかっている．したがって，すべての実数 d に対して

$$u(x_1+d, x_2+d, \ldots, x_n+d) = u(x_1, x_2, \ldots, x_n)$$

という性質をもつ位置不変統計量 $u(X_1, X_2, \ldots, X_n)$ のそれぞれと Y_1 は統計的に独立である．そのような統計量には，S^2 や標本範囲，また

$$\frac{1}{n} \sum_{i=1}^{n} [X_i - \min(X_i)]$$

がある．■

7.9. 十分性，完備性，および独立性

例 7.9.3. X_1, X_2 を pdf が

$$f(x;\theta) = \begin{cases} \dfrac{1}{\theta}e^{-x/\theta} & 0 < x < \infty,\ 0 < \theta < \infty \\ 0 & それ以外の場合 \end{cases}$$

である分布からのサイズ $n=2$ の無作為標本とする．$f(w) = e^{-w},\ 0 < w < \infty$，その他では 0，とすると，pdf は $(1/\theta)f(x/\theta)$ という形式である．$Y_1 = X_1 + X_2$ が θ に対する完備十分統計量であることがわかっているので，Y_1 は $u(cx_1, cx_2) = u(x_1, x_2)$ という性質をもつ尺度不変な統計量 $u(X_1, X_2)$ のすべてと互いに独立である．そのような統計量の例として，X_1/X_2 や $X_1/(X_1+X_2)$，および F 分布やベータ分布に従う統計量があげられる．■

例 7.9.4. $X_1, X_2, \ldots, X_n$ を分布 $N(\theta_1, \theta_2),\ -\infty < \theta_1 < \infty,\ 0 < \theta_2 < \infty$ からの無作為標本とする．例 7.7.2 において，標本の平均 $\overline{X}$ と分散 S^2 は θ_1 と θ_2 の同時完備十分統計量であることが示された．次の統計量

$$Z = \frac{\sum_1^{n-1}(X_{i+1} - X_i)^2}{\sum_1^n (X_i - \overline{X})^2} = u(X_1, X_2, \ldots, X_n)$$

を考えると，これは $u(cx_1 + d, \ldots, cx_n + d) = u(x_1, \ldots, x_n)$ という性質を満たす．つまり，補助統計量 Z は $\overline{X}$ と S^2 の両方と統計的に独立である．■

本節では，完備十分統計量と補助統計量が互いに統計独立である例をいくつか示してきた．これらの状況では，補助統計量は母数に関して何の情報も提供しない．しかしながら，十分統計量が完備でないときには，次の例が示すように，補助統計量から何らかの情報を引き出せる場合がある．

例 7.9.5. 例 7.8.1 と 7.8.2 の状況を考える．この例では，最初と n 番目の順序統計量である Y_1 と Y_n は θ に対する最小十分統計量であった．ここで，標本が抽出される分布の pdf は $(\frac{1}{2})I_{(\theta-1,\theta+1)}(x)$ である．これらの十分統計量の関数であり，また不偏であることから，しばしば θ の推定量として $T_1 = (Y_1 + Y_n)/2$ が利用される．T_1 と補助統計量 $T_2 = Y_n - Y_1$ との関係を導いてみよう．

Y_1 と Y_n の同時 pdf は

$$g(y_1, y_n; \theta) = n(n-1)(y_n - y_1)^{n-2}/2^n,\ \theta - 1 < y_1 < y_n < \theta + 1$$

その他では 0，である．したがって，T_1 と T_2 の同時 pdf は，ヤコビアンの絶対値が 1 なので

$$h(t_1, t_2; \theta) = n(n-1)t_2^{n-2}/2^n,\ \theta - 1 + \frac{t_2}{2} < t_1 < \theta + 1 - \frac{t_2}{2},\ 0 < t_2 < 2$$

その他では 0，である．以上から T_2 の pdf は

$$h_2(t_2; \theta) = n(n-1)t_2^{n-2}(2 - t_2)/2^n,\ 0 < t_2 < 2$$

その他では 0，であり，T_2 は補助統計量なので，この pdf はもちろん θ によらない．したがって，$T_2 = t_2$ が所与のときの T_1 の条件付き pdf は

$$h_{1|2}(t_1|t_2;\theta) = \frac{1}{2-t_2}, \quad \theta - 1 + \frac{t_2}{2} < t_1 < \theta + 1 - \frac{t_2}{2}, \quad 0 < t_2 < 2$$

その他では 0，によって与えられる．これは区間 $(\theta - 1 + t_2/2, \theta + 1 - t_2/2)$ において一様であり，したがって，T_1 の条件付き平均と分散はそれぞれ

$$E(T_1|t_2) = \theta, \quad \mathrm{var}(T_1|t_2) = \frac{(2-t_2)^2}{12}$$

である．$T_2 = t_2$ が所与のとき，T_1 の条件付き分散について，ある情報が得られる．具体的には，T_2 の観測値が大きい（2 に近い）ならば分散は小さくなり，推定量 T_1 をより信頼することができる．一方，t_2 が小さい値であることは，θ の推定量として T_1 をあまり信頼できなくなることを意味している．非常に興味深いことに，この条件付き分散は標本サイズ n には依存せず，$T_2 = t_2$ という与えられた値のみに依存する．標本サイズが増加するにつれて，T_2 はより大きくなる傾向があり，このような状況では，T_1 の条件付き分散はより小さくなる．■

例 7.9.5 は，補助統計量が点推定において有益な情報を提供しうることを数学的に実証する特別な一例であるが，このことは，実践場面でも実際に起こることである．例を示そう．標本サイズが十分に大きい場合には，

$$T = \frac{\overline{X} - \mu}{S/\sqrt{n}}$$

が近似的に標準正規分布に従うことが知られている．もちろん，標本は正規分布から抽出され，$\overline{X}$ と S は独立であり，T は自由度 $n-1$ の t 分布に従うものとする．標本が対称分布からのものであったとしても，$\overline{X}$ と S は無相関であり，T は近似的な t 分布に従い，30 から 40 くらいの標本サイズにおいては当然，近似的に標準正規分布に従う．一方，標本が（例えば右に）大きく歪んだ分布から抽出される場合，$\overline{X}$ と S は高い相関をもち，確率 $P(-1.96 < T < 1.96)$ は標本サイズが非常に大きく（確実に 30 よりはずっと大きく）ならないかぎり，必ずしも 0.95 には近づかない．背後の分布が右に大きく歪んでいる場合，このような相関が存在する理由を直感的には理解することができる．S が μ に依存しない分布に従う（したがって補助統計量である）一方で，標本が依拠する分布が図 7.9.1 に示されるような分布なので，S が大きな値であることは $\overline{X}$ の大きな値を示唆する．もちろん，$\overline{X}$ が小さな値（例えば最頻値以下）であれば，S が相対的に小さな値であることが示唆される．このことは，非常に歪んだ分布からのデータに対して，

$$\overline{x} - \frac{1.96s}{\sqrt{n}}, \quad \overline{x} + \frac{1.96s}{\sqrt{n}}$$

が近似的に 95%信頼区間を構成すると主張することは，n が極めて大きくならないかぎり危険であることを意味している．実際，筆者らは，30 から 40 の標本サイズで，こ

7.9. 十分性，完備性，および独立性

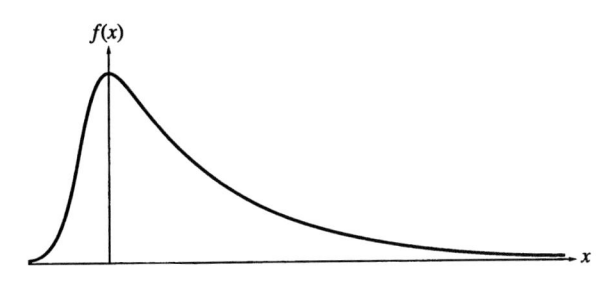

図 7.9.1 右に歪んだ分布のグラフ．練習問題 7.9.14 も参照せよ．

の信頼区間が 95% ではなく，80% 近くであるという状況を経験したことがある．

練習問題

7.9.1. $0<\theta<\infty$ として，$f(x;\theta)=1/\theta, 0<x<\theta$，それ以外では 0，という pdf で表される分布を考える．この分布から抽出されたサイズ $n=4$ の無作為標本の順序統計量を $Y_1<Y_2<Y_3<Y_4$ とする．θ に対する完備十分統計量 Y_4 は，Y_1/Y_4 と $(Y_1+Y_2)/(Y_3+Y_4)$ という統計量のそれぞれと統計的に独立であることを証明せよ．
ヒント：pdf が $f(w)=1, 0<w<1$，それ以外では 0，として $(1/\theta)f(x/\theta)$ という形式で表されることを示せ．

7.9.2. $N(\theta,\sigma^2), -\infty<\theta<\infty$ から抽出された無作為標本の順序統計量を $Y_1<Y_2<\cdots<Y_n$ とする．$Z=Y_n-\overline{X}$ の分布が θ に依存しないことを示せ．このことから，θ の完備十分統計量である $\overline{Y}=\sum_1^n Y_i/n$ は Z と統計的に独立である．

7.9.3. $X_1,X_2,\ldots,X_n$ を分布 $N(\theta,\sigma^2), -\infty<\theta<\infty$ に従う iid な確率変数とする．統計量 $Z=\sum_1^n a_i X_i$ と θ に対する完備十分統計量 $Y=\sum_1^n X_i$ とが互いに独立である必要十分条件は $\sum_1^n a_i=0$ が満たされることであることを証明せよ．

7.9.4. X と Y を $k=1,2,3,\ldots$ に対して $E(X^k)$ および $E(Y^k)\neq 0$ が存在するような確率変数とする．比 X/Y とその分母 Y が互いに統計的独立であるとき，$E[(X/Y)^k]=E(X^k)/E(Y^k), k=1,2,3,\ldots$ を証明せよ．
ヒント：$E(X^k)=E[Y^k(X/Y)^k]$ とせよ．

7.9.5. $Y_1<Y_2<\cdots<Y_n$ を $f(x;\theta)=(1/\theta)e^{-x/\theta}, 0<x<\infty, 0<\theta<\infty$，その他では 0，という pdf で表される分布からのサイズ n の無作為標本に基づく順序統計量とする．比 $R=nY_1/\sum_1^n Y_i$ とその分母（θ に対する完備十分統計量）が互いに独立であることを示せ．その結果を利用して，$E(R^k), k=1,2,3,\ldots$ を求めよ．

7.9.6. $X_1,X_2,\ldots,X_5$ は iid で，その pdf は $f(x)=e^{-x}, 0<x<\infty$，それ以外では 0，とする．$(X_1+X_2)/(X_1+X_2+\cdots+X_5)$ とその分母が互いに独立であること

を示せ.

ヒント: $f(x)$ で表される pdf は, $f(x;\theta) = (1/\theta)e^{-x/\theta}$, $0 < x < \infty$, それ以外では 0, として, $\{f(x;\theta) : 0 < \theta < \infty\}$ という分布族の 1 つである.

7.9.7. 正規分布 $N(\theta_1, \theta_2)$, $-\infty < \theta_1 < \infty$, $0 < \theta_2 < \infty$ からの無作為標本に基づく順序統計量を $Y_1 < Y_2 < \cdots < Y_n$ とする. θ_1 と θ_2 に対する同時完備十分統計量 $\overline{X} = \overline{Y}$ と S^2 が $(Y_n - \overline{Y})/S$ と $(Y_n - Y_1)/S$ のそれぞれと統計的に独立であることを証明せよ.

7.9.8. $-\infty < \theta_1 < \infty$, $0 < \theta_2 < \infty$ とし,
$$f(x;\theta_1,\theta_2) = \frac{1}{\theta_2}\exp\left(-\frac{x-\theta_1}{\theta_2}\right)$$
$\theta_1 < x < \infty$, それ以外では 0, という pdf の分布を考える. ここからの無作為標本の順序統計量を $Y_1 < Y_2 < \cdots < Y_n$ とする. 母数 θ_1 と θ_2 に対する同時完備十分統計量 Y_1 と $\overline{X} = \overline{Y}$ は $(Y_2 - Y_1)/\sum_1^n(Y_i - Y_1)$ と独立であることを証明せよ.

7.9.9. $X_1, X_2, \ldots, X_5$ を正規分布 $N(0,\theta)$ からのサイズ $n=5$ の無作為標本とする.
(a) 比 $R = (X_1^2 + X_2^2)/(X_1^2 + \cdots + X_5^2)$ とその分母 $(X_1^2 + \cdots + X_5^2)$ が互いに統計的独立であることを証明せよ.
(b) $5R/2$ は自由度 2 と 5 の F 分布に従うだろうか. 答えの理由とともに述べよ.
(c) 練習問題 7.9.4 を利用して $E(R)$ を計算せよ.

7.9.10. 本節の例 7.9.5 を参照し,
$$P(-c < T_1 - \theta < c | T_2 = t_2) = 0.95$$
となるように c を決定せよ. また, この結果を用いて, $T_2 = t_2$ が所与のときの θ に対する 95% 信頼区間を構成せよ. その際, t_2 の範囲がより大きいときに, 信頼区間の幅がどのくらい狭まるかについて言及せよ.

7.9.11. X が $-\theta < x < \theta$ において $f_X(x;\theta) = 1/(2\theta)$, それ以外では 0, という pdf の分布に従うとき, $Y = |X|$ が $\theta > 0$ に対する完備十分統計量であることを示せ. また, $Y = |X|$ と $Z = \text{sgn}(X)$ は互いに統計的独立であることを示せ.

7.9.12. σ^2 を固定された任意の値として, 分布 $N(\theta, \sigma^2)$ から抽出された無作為標本の順序統計量を $Y_1 < Y_2 < \cdots < Y_n$ とする. このとき, $\overline{Y} = \overline{X}$ は θ に対する完備十分統計量である. $i = 1, 2, \ldots, [n/2]$ に対して $T = (Y_i + Y_{n+1-i})/2$ と表されるような T を θ の別な推定量として考える. あるいは, T をこれら後者の統計量を任意に重み付けた平均としてもよい.
(a) $T - \overline{X}$ と $\overline{X}$ は互いに独立な確率変数であることを示せ.
(b) $\text{Var}(T) = \text{Var}(\overline{X}) + \text{Var}(T - \overline{X})$ を示せ.
(c) $\text{Var}(\overline{X}) = \sigma^2/n$ がわかっているため, $\text{Var}(T)$ によって直接的に $\text{Var}(T)$ を推定

7.9. 十分性，完備性，および独立性

するよりも，モンテカルロ法によって $\text{Var}(T-\overline{X})$ を推定することで $\text{Var}(T)$ を推定する方が効率的であるかもしれない．なぜなら，$\text{Var}(T) \geq \text{Var}(T-\overline{X})$ だからである．これはしばしば モンテカルロ・スウィンドル (Monte Carlo swindle) とよばれる．

7.9.13. $X_1, X_2, \ldots, X_n$ を $0 < \theta < \infty$ として $f(x;\theta) = \theta^3 x^2 e^{-\theta x}$, $0 < x < \infty$, その他では 0，という pdf で表される分布からの無作為標本とする．
(a) θ の mle $\hat{\theta}$ を求めよ．$\hat{\theta}$ は不偏であるか．
    ヒント：$Y = \sum_1^n X_i$ の pdf を求め，$E(\hat{\theta})$ を計算せよ．
(b) Y は θ の完備十分統計量であることを示せ．
(c) θ の MVUE を求めよ．
(d) X_1/Y と Y は互いに統計的独立であることを示せ．
(e) X_1/Y の分布を求めよ．

7.9.14. 図 7.9.1 で示した分布の pdf は

$$f_{m_2}(x) = e^x(1 + m_2^{-1} e^x)^{-(m_2+1)}, \quad -\infty < x < \infty \tag{7.9.2}$$

で与えられる．ここで，$m_2 > 0$ である (グラフの pdf は $m_2 = 0.1$ の場合)．これは大きな分布族，つまり $\log F$ 分布族のひとつであり，生存時間 (寿命) 分析において有効である．例えば，Hettmansperger and McKean (1998) の第 3 章を参照せよ．
(a) W を (7.9.2) 式の pdf に従う確率変数とする．自由度 2 と $2m_2$ の F 分布に従う確率変数を Y とするとき，$W = \log Y$ を示せ．
(b) $m_2 = 1$ のとき，この pdf は (6.1.8) 式のロジスティック分布となることを示せ．
(c) $W_1, \ldots, W_n$ を (7.9.2) 式の pdf に従う iid な確率変数として，

$$X_i = \theta + W_i, \quad i = 1, \ldots, n$$

という位置モデルを考える．ロジスティック位置モデルと類似して，順序統計量がこのモデルにおける最小十分統計量である．例 6.1.4 と同様に θ の mle が存在することを証明せよ．

第8章　仮説の最適な検定

8.1 最強力検定

5.5 節において，仮説検定の考え方について紹介し，それに続いて第 6 章では尤度比検定を導入した．本章ではいくつかの最良の検定について議論する．

pdf あるいは pmf $f(x;\theta)$, $\theta \in \Omega$ に従う確率変数 X に興味があるものとする．$\theta \in \omega_0$ あるいは $\theta \in \omega_1$ を仮定する．ここで ω_0 と ω_1 は Ω の部分集合であり，$\omega_0 \cup \omega_1 = \Omega$ である．この仮説は以下のように表記する．

$$H_0 : \theta \in \omega_0, \quad H_1 : \theta \in \omega_1 \tag{8.1.1}$$

この仮説 H_0 は帰無仮説 (null hypothesis) とよばれ，また，仮説 H_1 は対立仮説 (alternative hypothesis) とよばれる．H_0 と H_1 との検定は，X の分布からの標本 $X_1, \ldots, X_n$ に基づいて行われる．本章では，しばしばベクトル $\mathbf{X}' = (X_1, \ldots, X_n)$ を無作為標本を示すものとして用い，$\mathbf{x}' = (x_1, \ldots, x_n)$ を標本の実現値を示すものとして用いている．$\mathcal{S}$ を無作為標本 $\mathbf{X}' = (X_1, \ldots, X_n)$ の台とする．

H_0 と H_1 との検定 (test) は，$\mathcal{S}$ の部分集合 C に基づいて行われる．この集合 C は，棄却域 (critical region) とよばれ，これに対応する決定規則は以下のとおりである．

$\mathbf{X} \in C$ のとき H_0 を棄却 (H_1 を採択) $\tag{8.1.2}$

$\mathbf{X} \in C^c$ のとき H_0 を保留 (H_1 を棄却)

ここで．検定はその棄却域によって決定されることに注意してほしい．逆にいえば，棄却域によって検定は定義されるのである．

真の状態と仮説検定の結果を要約している 2×2 の意志決定に関する表 (表 5.5.1) を思い出してほしい．正しい意志決定がある一方で，2 種類の誤りが起こりうる．第 1 種の誤り (type I error) は H_0 が正しいときにそれを棄却してしまう場合に起こり，一方第 2 種の誤り (type II error) は H_1 が正しいときに H_0 を採択してしまった場合に起こる．検定の危険率 (size) あるいは有意水準 (significance level) は第 1 種の誤りの確率である．すなわち以下のとおりとなる．

$$\alpha = \max_{\theta \in \omega_0} P_\theta(\mathbf{X} \in C) \tag{8.1.3}$$

$P_\theta(\mathbf{X} \in C)$ は，θ が母数の真の値であるときの，$\mathbf{X} \in C$ となる確率として読むべきである点に注意してほしい．検定はその α の大きさによって左右されるため，$\theta \in \omega_1$ であるとき，第 2 種の誤りの確率が最も低くなるか，同じ意味として H_0 を棄却する確

8.1. 最強力検定

率が最も高くなるように検定を選ぶ. 検定力関数 (power function) は以下の式によって与えられることを思い出してほしい.

$$\gamma_C(\theta) = P_\theta(\mathbf{X} \in C), \quad \theta \in \omega_1 \tag{8.1.4}$$

第5章において, 仮説検定の例を与え, さらに6.3節と6.4節において最尤理論に基づいた検定について議論した. 本章では, 特定の場面における最良の検定を構築することを目的とする.

ここではまず単純仮説 H_0 とそれに対する単純対立仮説 H_1 の検定から始めることとする. $f(x;\theta)$ を確率変数 X の pdf あるいは pmf を示すものとする. ここで, $\theta \in \Omega = \{\theta', \theta''\}$ である. $\omega_0 = \{\theta'\}$, $\omega_1 = \{\theta''\}$ とする. また, $\mathbf{X}' = (X_1, \ldots, X_n)$ を X の分布からの無作為標本とする. ここでは, 単純仮説 H_0 と単純対立仮説 H_1 の検定のための最良の棄却域 (すなわち最良の検定) を定める.

定義 8.1.1.
 C を標本空間の部分集合とする. 単純仮説 $H_0: \theta = \theta'$ と単純対立仮説 $H_1: \theta = \theta''$ との検定において以下の条件を満たすならば C を危険率 α の最良の棄却域 (best critical region) とよぶ.
(a) $P_{\theta'}[\mathbf{X} \in C] = \alpha$
(b) 標本空間のすべての部分集合 A が以下を満たす.

$$P_{\theta'}[\mathbf{X} \in A] = \alpha \Rightarrow P_{\theta''}[\mathbf{X} \in C] \geq P_{\theta''}[\mathbf{X} \in A]$$

この定義は実質的に以下のことを示している. 一般的に, 標本空間における $P_{\theta'}[\mathbf{X} \in A] = \alpha$ であるような部分集合 A は非常に多数となる. ここで, こういった部分集合のうちのひとつである, H_1 が真である場合に得られる C を考える. C に関連づけられる検定力が, 他の A それぞれに関連づけられる検定力と少なくとも同じ程度高くなったとする. このとき, H_0 と H_1 との検定において, C は危険率 α の最良の棄却域と定義される.

定理 8.1.1 に示すように, こういった単純仮説どうしの検定の場合には最良の検定が存在する. ここではまず, いくつかの詳細な点からこの定義を検討する簡単な例を示す.

例 8.1.1. $n = 5$ と $p = \theta$ の2項分布に従うあるひとつの確率変数 X を考える. $f(x;\theta)$ を X の pmf とし, $H_0: \theta = \frac{1}{2}$ と $H_1: \theta = \frac{3}{4}$ という仮説を立てる. 以下の表から, 正の確率密度をもつ点における $f(x;\frac{1}{2})$, $f(x;\frac{3}{4})$ の値とその比 $f(x;\frac{1}{2})/f(x;\frac{3}{4})$ が与えられる.

x	0	1	2
$f(x;1/2)$	1/32	5/32	10/32
$f(x;3/4)$	1/1024	15/1024	90/1024
$f(x;1/2)/f(x;3/4)$	32/1	32/3	32/9

x	3	4	5
$f(x;1/2)$	10/32	5/32	1/32
$f(x;3/4)$	270/1024	405/1024	243/1024
$f(x;1/2)/f(x;3/4)$	32/27	32/81	32/243

単一の確率変数 X を単純仮説 $H_0:\theta=\frac{1}{2}$ と単純対立仮説 $H_1:\theta=\frac{3}{4}$ との検定に用いる.また,まず検定の有意水準を $\alpha=\frac{1}{32}$ とする.危険率 $\alpha=\frac{1}{32}$ における最良の棄却域を探索する. $A_1=\{x:x=0\}$ あるいは $A_2=\{x:x=5\}$ であるならば, $P_{\{\theta=1/2\}}(X\in A_1)=P_{\{\theta=1/2\}}(X\in A_2)=\frac{1}{32}$ であり,そして $P_{\{\theta=1/2\}}(X\in A_3)=\frac{1}{32}$ であるような空間 $\{x:x=0,1,2,3,4,5\}$ の他の部分集合 A_3 は存在しない.したがって, A_1 か A_2 のどちらかが H_0 と H_1 との検定における危険率 $\alpha=\frac{1}{32}$ の最良の棄却域 C である. $P_{\{\theta=1/2\}}(X\in A_1)=\frac{1}{32}$ かつ $P_{\{\theta=3/4\}}(X\in A_1)=\frac{1}{1024}$ であることに注目する.すなわち集合 A_1 が危険率 $\alpha=\frac{1}{32}$ の棄却域として用いられたならば, H_1 が真である(つまり H_0 は偽である)ときに H_0 を棄却する確率は H_0 が真のときに H_0 を棄却する確率よりもずっと低いという耐え難い事態となる.

一方で,集合 A_2 を棄却域として用いたならば, $P_{\{\theta=1/2\}}(X\in A_2)=\frac{1}{32}$ かつ $P_{\{\theta=3/4\}}(X\in A_2)=\frac{243}{1024}$ である.すなわち H_1 が真であるときに H_0 を棄却する確率は H_0 が真のときに H_0 を棄却する確率よりもずっと大きくなる.もちろん状況の記述としてこちらの方がより望ましいため,実際 A_2 は危険率 $\alpha=\frac{1}{32}$ における最良の棄却域である.後半の記述は H_0 が真である場合標本空間には A_1 と A_2 という2つの部分集合があり,それぞれの確率測度は $\frac{1}{32}$ であり,以下の関係が成立するという事実に従うことによる.

$$\frac{243}{1024}=P_{\{\theta=3/4\}}(X\in A_2)>P_{\{\theta=3/4\}}(X\in A_1)=\frac{1}{1024}$$

この問題においては,危険率 $\alpha=\frac{1}{32}$ の最良の棄却域 $C=A_2$ は, C が $f(x;\frac{1}{2})$ は $f(x;\frac{3}{4})$ と比較して小さい (small) 点を含む形から見つかったということに注意すべきである.これは,比 $f(x;\frac{1}{2})/f(x;\frac{3}{4})$ が $x=5$ において最小であるということが一度観測されれば事実であるように思える.したがって,前の表の最後の行から与えられる比 $f(x;\frac{1}{2})/f(x;\frac{3}{4})$ はある与えられた値 α のもとでの最良の棄却域 C を見つけるための最適の道具を提供してくれる.このことを表現するために, $\alpha=\frac{6}{32}$ とする. H_0 が真であるとき,それぞれの部分集合 $\{x:x=0,1\}$, $\{x:x=0,4\}$, $\{x:x=1,5\}$, $\{x:x=4,5\}$ は確率測度 $\frac{6}{32}$ に従う.直接的な計算により,この危険率における最良の棄却域は $\{x:x=4,5\}$ であることがわかる.このことは,比 $f(x;\frac{1}{2})/f(x;\frac{3}{4})$ が $x=$

4 と $x=5$ についてその 2 つの最小の値をもつという事実を反映している.$\alpha=\frac{6}{32}$ であるときのこの検定の検定力は以下のとおりである.

$$P_{\{\theta=3/4\}}(X=4,5)=\frac{405}{1024}+\frac{243}{1024}=\frac{648}{1024} \blacksquare$$

この先立つ例は,ネイマンとピアソンによる以下の定理の理解を容易にするだろう.最良の棄却域を決定する体系的な方法を与えてくれるという点で,以下の定理は重要なものである.

定理 8.1.1 ネイマン・ピアソンの定理 (Neyman–Pearson theorem).
n をある固定された正の整数としたとき,$X_1, X_2, \ldots, X_n$ を pdf あるいは pmf $f(x;\theta)$ からの無作為標本を示すものとする.このとき,$X_1, X_2, \ldots, X_n$ の尤度は以下のとおりである.

$$L(\theta;\mathbf{x})=\prod_{i=1}^{n} f(x_i;\theta), \quad \mathbf{x}'=(x_1,\ldots,x_n)$$

θ' と θ'' を識別可能な,$\Omega=\{\theta:\theta=\theta',\theta''\}$ となるような θ の固定された値とする.また,k を正の数とする.C を次のような標本空間の部分集合とする.
(a) $\mathbf{x}\in C$ である各々の点において $L(\theta';\mathbf{x})/L(\theta'';\mathbf{x})\leq k$ である.
(b) $\mathbf{x}\in C^c$ である各々の点において $L(\theta';\mathbf{x})/L(\theta'';\mathbf{x})\geq k$ である.
(c) $\alpha=P_{H_0}[\mathbf{X}\in C]$ である.
このとき,C は単純仮説 $H_0:\theta=\theta'$ と単純対立仮説 $H_1:\theta=\theta''$ の検定における危険率 α の最良の棄却域となる.

証明 証明は確率変数が連続型の場合について与える.C が危険率 α の単一の棄却域であるならば,この定理は与えられる.危険率 α について他の棄却域が存在するとき,A と表現する.簡単のために $\int\cdots\int_R L(\theta;x_1,\ldots,x_n)\,dx_1\cdots dx_n$ を $\int_R L(\theta)$ と表現する.この表記法で以下を示したい.

$$\int_C L(\theta'')-\int_A L(\theta'')\geq 0$$

C は互いに交わらない $C\cap A$ と $C\cap A^c$ を結合させたものであり,A もまた互いに交わらない集合 $A\cap C$ と $A\cap C^c$ を結合させたものであるため以下を得る.

$$\begin{aligned}\int_C L(\theta'')-\int_A L(\theta'')&=\int_{C\cap A}L(\theta'')+\int_{C\cap A^c}L(\theta'')\\&\quad -\int_{A\cap C}L(\theta'')-\int_{A\cap C^c}L(\theta'')\\&=\int_{C\cap A^c}L(\theta'')-\int_{A\cap C^c}L(\theta'')\end{aligned} \quad (8.1.5)$$

ここで定理の仮説から,C,つまり $C\cap A^c$ のそれぞれの点において $L(\theta'')\geq$

$(1/k)L(\theta')$ であり，したがって以下のとおりとなる．

$$\int_{C\cap A^c} L(\theta'') \geq \frac{1}{k}\int_{C\cap A^c} L(\theta')$$

一方 C^c すなわち $A\cap C^c$ のそれぞれの点において $L(\theta'') \leq (1/k)L(\theta')$ であり，したがって以下のとおりとなる．

$$\int_{A\cap C^c} L(\theta'') \leq \frac{1}{k}\int_{A\cap C^c} L(\theta')$$

これらの不等式は以下を含意している．

$$\int_{C\cap A^c} L(\theta'') - \int_{A\cap C^c} L(\theta'') \geq \frac{1}{k}\int_{C\cap A^c} L(\theta') - \frac{1}{k}\int_{A\cap C^c} L(\theta')$$

また，(8.1.5) 式より以下を得る．

$$\int_C L(\theta'') - \int_A L(\theta'') \geq \frac{1}{k}\left[\int_{C\cap A^c} L(\theta') - \int_{A\cap C^c} L(\theta')\right] \qquad (8.1.6)$$

一方で以下のとおりである．

$$\int_{C\cap A^c} L(\theta') - \int_{A\cap C^c} L(\theta') = \int_{C\cap A^c} L(\theta') + \int_{C\cap A} L(\theta')$$
$$- \int_{A\cap C} L(\theta') - \int_{A\cap C^c} L(\theta')$$
$$= \int_C L(\theta') - \int_A L(\theta') = \alpha - \alpha = 0$$

この結果を不等式 (8.1.6) に代入すると，以下の望まれた結果を得る．

$$\int_C L(\theta'') - \int_A L(\theta'') \geq 0$$

確率変数が離散型の場合には，証明は積分が加算に置き換わる点を除き同様となる．■

注意 8.1.1. この定理で述べたように，条件 (a), (b), (c) は領域 C が危険率 α の最良の棄却域となる十分条件である．また，これらは必要条件でもある．この点について簡単に述べる．$\theta = \theta''$ について (a), (b), (c) を満たす C と同じ検定力をもち，(a) と (b) を満たさない危険率 α の領域 A を考える．A を用いたときの θ'' における検定力は C を用いたときと等しいため，(8.1.5) 式は 0 となるだろう．必要条件であることは，(8.1.5) 式を 0 としたとき，A は C と同じ形をしていなければならないという点から与えられる．実際，連続型の場合には A と C は本質的に同じ領域となる．すなわち集合が確率 0 をもつことによってのみ異なりうる．一方離散型の場合には，$P_{H_0}[L(\theta') = kL(\theta'')]$ が正ならば，A と C は異なる集合でありうる．しかし，それぞれは危険率 α における最良の棄却域となるために条件 (a), (b), (c) を満たす必要がある．■

検定は，検定力が有意水準を下回ってはならないという特徴をもつ必要がある点が

8.1. 最強力検定

みてとれるだろう．さもなくば，H_0 を誤って棄却する確率 (危険率) は H_0 を正しく棄却する確率 (検定力) よりも高くなってしまう．次の系で示すとおり，最強力検定はこの特徴を満たしている．8.3 節において，最良の検定は不偏であることを述べるだろう．

系 8.1.1.
定理 8.1.1 のように，C を $H_0 : \theta = \theta'$ と $H_1 : \theta = \theta''$ の最良の検定における棄却域とする．また，この検定の有意水準を α とする．$\gamma_C(\theta'') = P_{\theta''}[\mathbf{X} \in C]$ がこの検定の検定力であるとする．このとき $\alpha \leq \gamma_C(\theta'')$ となる．

証明 データとは無関係に成功率 α に従うベルヌイ試行を考え，試行が成功したならば，H_0 を棄却するという，データが無視されるような"不適切"な検定を考える．この検定の有意水準は α である．検定の検定力は H_1 が真であるときに H_0 を棄却する確率であるため，この不適切な検定の検定力もまた α となる．ここで，C は危険率 α における最良の棄却域であり，したがって不適切な検定以上の検定力をもっている．すなわち $\gamma_C(\theta'') \geq \alpha$ が望まれる結果である．■

定理 8.1.1 の異なる側面から強調される点は，C を以下を満たすすべての点 $\mathbf{x}$ の集合としたとき，定理に基づき，C は最良の棄却域となることである．

$$\frac{L(\theta'; \mathbf{x})}{L(\theta''; \mathbf{x})} \leq k, \quad k > 0$$

この不等式は，しばしば以下の形の一方により表現されることがある (ここで，c_1 と c_2 は定数である)．

$$u_1(\mathbf{x}; \theta', \theta'') \leq c_1, \quad u_2(\mathbf{x}; \theta', \theta'') \geq c_2$$

前者の形 $u_1 \leq c_1$ を用いると仮定する．θ' と θ'' は定数が与えられているため，$u_1(\mathbf{X}; \theta', \theta'')$ は統計量である．そして，この統計量の pdf あるいは pmf を H_0 が真のとき見つけることができるならば，この H_0 と H_1 の検定の有意水準はこの分布から決定することができる．すなわち以下のとおりである．

$$\alpha = P_{H_0}[u_1(\mathbf{X}; \theta', \theta'') \leq c_1]$$

そのうえ，この検定は前述の統計量に基づいている．つまり観測された $\mathbf{X}$ の値のベクトルを $\mathbf{x}$ としたとき，$u_1(\mathbf{x}) \leq c_1$ ならば H_0 を棄却 (H_1 を採択) する．

正の値 k が，危険率 $\alpha = P_{H_0}[\mathbf{X} \in C]$ の最良の棄却域 C をその特定の k について決定すると仮定する．この α の値は扱いやすさという点では不適切であるといえるだろう．すなわち大きすぎる，あるいは小さすぎるということである．一方で，前段落のような統計量 $u_1(\mathbf{X})$ があり，その pdf あるいは pmf は H_0 が真のとき定められるのならば，求めたい有意水準を得るために k の様々な値を用いて確かめる必要はない．統計量の分布が既知である，あるいは見つけることができるため，$P_{H_0}[u_1(\mathbf{X}) \leq c_1]$ のように定められるであろう c_1 が望まれる有意水準である．

説明のための例は以下のとおりである．

例8.1.2. $\mathbf{X}' = (X_1, \ldots, X_n)$ を以下の pdf をもつ分布に従う無作為標本とする．

$$f(x;\theta) = \frac{1}{\sqrt{2\pi}} \exp\left(-\frac{(x-\theta)^2}{2}\right), \quad -\infty < x < \infty$$

単純仮説 $H_0: \theta = \theta' = 0$ と単純対立仮説 $H_1: \theta = \theta'' = 1$ の検定をすることが求められている．ここで，以下のとおりである．

$$\frac{L(\theta'; \mathbf{x})}{L(\theta''; \mathbf{x})} = \frac{(1/\sqrt{2\pi})^n \exp\left[-\sum_1^n x_i^2/2\right]}{(1/\sqrt{2\pi})^n \exp\left[-\sum_1^n (x_i-1)^2/2\right]}$$
$$= \exp\left(-\sum_1^n x_i + \frac{n}{2}\right)$$

$k > 0$ であるならば，以下であるようなすべての点の集合 $(x_1, x_2, \ldots, x_n)$ は最良の棄却域である．

$$\exp\left(-\sum_1^n x_i + \frac{n}{2}\right) \leq k$$

この不等式は，以下を満たすならば，また満たす場合にのみ成立する．

$$-\sum_1^n x_i + \frac{n}{2} \leq \log k$$

あるいは同じ意味として以下を満たすならば，また満たす場合にのみ成立する．

$$\sum_1^n x_i \geq \frac{n}{2} - \log k = c$$

この場合，最良の棄却域は集合 $C = \{(x_1, x_2, \ldots, x_n) : \sum_1^n x_i \geq c\}$ であり，ここで c はある棄却域の危険率が望まれる値 α となるように定めることのできる定数である．例えば事象 $\sum_1^n X_i \geq c$ は $\overline{X} \geq c/n = c_1$ と等しいので，検定は統計量 $\overline{X}$ に基づいている．H_0 が真であるならば，すなわち $\theta = \theta' = 0$ ならば，$\overline{X}$ は分布 $N(0, 1/n)$ に従う．標本数として与えられたある正の整数 n と，有意水準として与えられた α を考えるとき，c_1 の値は付録Cの表IIIより $P_{H_0}(\overline{X} \geq c_1) = \alpha$ となるよう求めることができる．よって，$X_1, X_2, \ldots, X_n$ の実現値がそれぞれ $x_1, x_2, \ldots, x_n$ であるならば，$\overline{x} = \sum_1^n x_i/n$ を計算することができる．$\overline{x} \geq c_1$ であるならば，単純仮説 $H_0: \theta = \theta' = 0$ は有意水準 α で棄却されるであろうし，$\overline{x} < c_1$ であるならば，仮説 H_0 は採択されるであろう．H_0 が真であるときに H_0 を棄却する確率は α であり，H_0 が偽のときに H_0 を棄却する確率は $\theta = \theta'' = 1$ における検定の検定力の値である．すなわち以下のとおりである．

$$P_{H_1}(\overline{X} \geq c_1) = \int_{c_1}^{\infty} \frac{1}{\sqrt{2\pi}\sqrt{1/n}} \exp\left[-\frac{(\overline{x}-1)^2}{2(1/n)}\right] d\overline{x}$$

8.1. 最強力検定

例えば，$n = 25$ で α は 0.05 と定められたとする．付録 C の表 III より $c_1 = 1.645/\sqrt{25} = 0.329$ を得る．したがって，H_0 と H_1 のこの最良の検定の検定力は H_0 が真のとき 0.05 となり，H_1 が真であるときには以下のとおりとなる．

$$\int_{0.329}^{\infty} \frac{1}{\sqrt{2\pi}\sqrt{\frac{1}{25}}} \exp\left[-\frac{(\overline{x}-1)^2}{2(\frac{1}{25})}\right] d\overline{x} = \int_{-3.355}^{\infty} \frac{1}{\sqrt{2\pi}} e^{-w^2/2} dw = 0.999+ \quad \blacksquare$$

この定理には他にも特筆すべき点がある．pdf に現れる母数の数についてである．ここではただ 1 つの母数に関しての表現を勧めてきた．しかし，証明をていねいに確認すると，どこにも母数が 1 つであることは求められても仮定されてもいないことが明らかになるだろう．pdf あるいは pmf はある有限個の母数に依存している．不可欠なことは，仮説 H_0 と対立仮説 H_1 とが単純である．すなわち分布により完全に特定されることである．この点を心に留めると，単純仮説 H_0 と H_1 は仮説が分布の母数に関してのものである必要も，それどころか確率変数 $X_1, X_2, \ldots, X_n$ が独立である必要もないことがわかる．すなわち，H_0 が同時 pdf あるいは pmf $g(x_1, x_2, \ldots, x_n)$ の単純仮説であり，H_1 が同時 pdf あるいは pmf $h(x_1, x_2, \ldots, x_n)$ の単純対立仮説ならば，$k>0$ について以下が成立するとき C は H_0 と H_1 の検定における危険率 α の最良の棄却域である．

1. $\dfrac{g(x_1, x_2, \ldots, x_n)}{h(x_1, x_2, \ldots, x_n)} \leq k, \quad (x_1, x_2, \ldots, x_n) \in C$
2. $\dfrac{g(x_1, x_2, \ldots, x_n)}{h(x_1, x_2, \ldots, x_n)} \geq k, \quad (x_1, x_2, \ldots, x_n) \in C^c$
3. $\alpha = P_{H_0}[(X_1, X_2, \ldots, X_n) \in C]$

説明のための例は以下のとおりである．

例 8.1.3. $X_1, \ldots, X_n$ は pmf $f(x)$ に従う分布からの無作為標本であり，非負の整数について，またついてのみ正の確率となるものとする．以下の単純仮説の検定が望まれる．

$$H_0 : f(x) = \begin{cases} e^{-1}/x! & x = 0, 1, 2, \ldots \\ 0 & \text{それ以外の場合} \end{cases}$$

一方単純対立仮説は以下のとおりである．

$$H_1 : f(x) = \begin{cases} (1/2)^{x+1} & x = 0, 1, 2, \ldots \\ 0 & \text{それ以外の場合} \end{cases}$$

ここで，以下のとおりである．

$$\frac{g(x_1, \ldots, x_n)}{h(x_1, \ldots, x_n)} = \frac{e^{-n}/(x_1! x_2! \cdots x_n!)}{(\frac{1}{2})^n (\frac{1}{2})^{x_1+x_2+\cdots+x_n}}$$

$$= \frac{(2e^{-1})^n 2^{\sum x_i}}{\prod_1^n (x_i!)}$$

$k > 0$ であるならば，以下のような点の集合 $(x_1, x_2, \ldots, x_n)$

$$\left(\sum_1^n x_i\right) \log 2 - \log\left[\prod_1^n (x_i!)\right] \leq \log k - n\log(2e^{-1}) = c$$

は最良の棄却域 C である．$k=1$ かつ $n=1$ の場合を考える．前述の不等式は $2^{x_1}/x_1!$ $\leq e/2$ のように書けるだろう．この不等式は集合 $C = \{x_1 : x_1 = 0, 3, 4, 5, \ldots\}$ の中のすべての点を満たす．したがって，H_0 が真のときのこの検定の検定力は付録 C の表 I より，およそ以下のとおりであり，

$$P_{H_0}(X_1 \in C) = 1 - P_{H_0}(X_1 = 1, 2) = 0.448$$

すなわち，この検定の有意水準は 0.448 である．H_1 が真のときのこの検定の検定力は以下のように与えられる．

$$P_{H_1}(X_1 \in C) = 1 - P_{H_1}(X_1 = 1, 2) = 1 - \left(\frac{1}{4} + \frac{1}{8}\right) = 0.625. \quad \blacksquare$$

この結果は系 8.1.1 と一貫性があることに注意してほしい．

注意 8.1.2. 本節の表記法では，例えば C は以下のような棄却域であった．

$$\alpha = \int_C L(\theta'), \quad \beta = \int_{C^c} L(\theta'')$$

ここで α と β はそれぞれ C に関連づけられた第 1 種の誤り，第 2 種の誤りの確率と等しい．d_1 と d_2 を 2 つの所与の正の定数とする．ある α と β の線形関数を考える．すなわち以下のとおりである．

$$d_1 \int_C L(\theta') + d_2 \int_{C^c} L(\theta'') = d_1 \int_C L(\theta') + d_2\left[1 - \int_C L(\theta'')\right]$$
$$= d_2 + \int_C [d_1 L(\theta') - d_2 L(\theta'')]$$

この式を最小化したいのであれば，C をすべての $(x_1, x_2, \ldots, x_n)$ の集合について，以下のとおりとなるように，

$$d_1 L(\theta') - d_2 L(\theta'') < 0$$

あるいは同様の意味として以下のとおりとなるよう選択するだろう．

$$\frac{L(\theta')}{L(\theta'')} < \frac{d_2}{d_1}, \quad \text{すべての } (x_1, x_2, \ldots, x_n) \in C \text{ について}$$

これはネイマン・ピアソンの定理が $k = d_2/d_1$ における最良の棄却域を与えるということに基づいている．すなわち，この棄却域 C は $d_1\alpha + d_2\beta$ を最小化するものである．$L(\theta')/L(\theta'') = d_2/d_1$ の点を含むような他のものも考えられる．これもまた，依然としてネイマン・ピアソンの定理に従う最良の棄却域である．$\blacksquare$

8.1. 最強力検定

練習問題

8.1.1. 本節の例 8.1.2 において，単純仮説を $H_0: \theta = \theta' = 0$ と $H_1: \theta = \theta'' = -1$ とする．H_0 と H_1 の最良の検定は統計量 $\overline{X}$ を用いることによってなされ，$n = 25$，$\alpha = 0.05$ のときの検定の検定力は H_1 が真のとき，0.999 以上となることを示せ．

8.1.2. 確率変数 X は pdf $f(x;\theta) = (1/\theta)e^{-x/\theta}$，$0 < x < \infty$，それ以外では 0，に従うものとする．単純仮説 $H_0: \theta = \theta' = 2$ と対立仮説 $H_1: \theta = \theta'' = 4$ を考える．X_1, X_2 をこの分布からのサイズ 2 の無作為標本とする．H_0 と H_1 の最良の検定は統計量 $X_1 + X_2$ を用いることによってなされることを示せ．

8.1.3. $H_1: \theta = \theta'' = 6$ のときについて，練習問題 8.1.2 を解け．また，このことをすべての $\theta'' > 2$ に一般化せよ．

8.1.4. $X_1, X_2, \ldots, X_{10}$ を正規分布 $N(0, \sigma^2)$ からのサイズ 10 の無作為標本とする．$H_0: \sigma^2 = 1$ と $H_1: \sigma^2 = 2$ の危険率 $\alpha = 0.05$ の検定について，最良の棄却域を求めよ．その結果は $H_0: \sigma^2 = 1$ と $H_1: \sigma^2 = 4$ の危険率 0.05 の検定における最良の棄却域となるか．対立仮説が $H_1: \sigma^2 = \sigma_1^2 > 1$ である場合にはどうか．

8.1.5. $X_1, X_2, \ldots, X_n$ を $f(x;\theta) = \theta x^{\theta-1}$，$0 < x < 1$，それ以外なら 0 という pdf に従う分布からの無作為標本とする．$H_0: \theta = 1$ と $H_1: \theta = 2$ の検定における最良の棄却域は $C = \{(x_1, x_2, \ldots, x_n): c \leq \prod_{i=1}^n x_i\}$ であることを示せ．

8.1.6. $X_1, X_2, \ldots, X_{10}$ を分布 $N(\theta_1, \theta_2)$ からの無作為標本とする．単純仮説 $H_0: \theta_1 = \theta_1' = 0$，$\theta_2 = \theta_2' = 1$ と単純対立仮説 $H_1: \theta_1 = \theta_1'' = 1$，$\theta_2 = \theta_2'' = 4$ の最良の検定を示せ．

8.1.7. $X_1, X_2, \ldots, X_n$ を正規分布 $N(\theta, 100)$ からの無作為標本とする．このとき，$C = \{(x_1, x_2, \ldots, x_n): c \leq \overline{x} = \sum_1^n x_i/n\}$ が $H_0: \theta = 75$ と $H_1: \theta = 78$ の検定における最良の棄却域であることを示せ．おおよそ以下のとおりとなるような n と c を求めよ．

$$P_{H_0}[(X_1, X_2, \ldots, X_n) \in C] = P_{H_0}(\overline{X} \geq c) = 0.05$$
$$P_{H_1}[(X_1, X_2, \ldots, X_n) \in C] = P_{H_1}(\overline{X} \geq c) = 0.90$$

8.1.8. $X_1, X_2, \ldots, X_n$ を母数 $\alpha = \beta = \theta > 0$ のベータ分布からの無作為標本とするとき，$H_0: \theta = 1$ と $H_1: \theta = 2$ の検定における最良の棄却域を求めよ．

8.1.9. $X_1, X_2, \ldots, X_n$ が pmf $f(x;p) = p^x(1-p)^{1-x}$，$x = 0, 1$，それ以外なら 0，に iid に従うとする．$C = \{(x_1, \ldots, x_n): \sum_1^n x_i \leq c\}$ が $H_0: p = \frac{1}{2}$ と $H_1: p = \frac{1}{3}$ の検定における最良の棄却域となることを示せ．中心極限定理を用い，おおよそ $P_{H_0}(\sum_1^n X_i \leq c) = 0.10$ かつ $P_{H_1}(\sum_1^n X_i \leq c) = 0.80$ となるような n と c を求め

よ．

8.1.10. $X_1, X_2, \ldots, X_{10}$ を平均 θ のポアソン分布からのサイズ 10 の無作為標本とする．$\sum_1^{10} x_i \geq 3$ によって定義される棄却域 C が $H_0: \theta = 0.1$ と $H_1: \theta = 0.5$ の検定における最良の棄却域となることを示せ．この検定における有意水準 α と $\theta = 0.5$ のときの検定力を求めよ．

8.2 一様最強力検定

この節では複合対立仮説 H_1 に対する単純仮説 H_0 の検定問題を取り上げる．まず以下の例から議論を始める．

例 8.2.1. 練習問題 8.1.2, 8.1.3 における次の pdf

$$f(x;\theta) = \begin{cases} (1/\theta)e^{-x/\theta} & 0 < x < \infty \\ 0 & \text{それ以外の場合} \end{cases}$$

を考える．複合対立仮説 $H_1: \theta > 2$ に対する，単純仮説 $H_0: \theta = 2$ を検定したいとする．したがって $\Omega = \{\theta: \theta \geq 2\}$ である．標本数 $n = 2$ の無作為標本 X_1, X_2 が用いられるとする．また棄却域は $C = \{(x_1, x_2): 9.5 \leq x_1 + x_2 < \infty\}$ である．先に引用した例において検定の有意水準は近似的に 0.05 であり，また $\theta = 4$ であるとき，検定力は近似的に 0.31 であることが示された．すべての $\theta \geq 2$ に関する検定力関数 $\gamma(\theta)$ は次として得られる．

$$\gamma(\theta) = 1 - \int_0^{9.5} \int_0^{9.5-x_2} \frac{1}{\theta^2} \exp\left(-\frac{x_1+x_2}{\theta}\right) dx_1 dx_2$$
$$= \left(\frac{\theta+9.5}{\theta}\right) e^{-9.5/\theta}, \ 2 \leq \theta$$

例えば，$\gamma(2) = 0.05$, $\gamma(4) = 0.31$, $\gamma(9.5) = 2/e \doteq 0.74$ である．複合対立仮説 $H_1: \theta > 2$ における各単純仮説に対する，単純仮説 $H_0: \theta = 2$ の検定に関する，危険率 0.05 の最良棄却域が集合 $C = \{(x_1, x_2): 9.5 \leq x_1 + x_2 < \infty\}$ であるということが示されている (練習問題 8.1.3). ∎

先述した例は，複合対立仮説 H_1 におけるすべての単純仮説に対する H_0 の最良検定である，単純仮説 H_0 の検定を例示している．いま，複合対立仮説 H_1 に対する単純仮説 H_0 の検定のための最良棄却域を，それが存在する場合，定義することにする．この棄却域は H_1 における各々の単純仮説に対する，H_0 の検定のための最良棄却域であることが望まれる．すなわち，この棄却域に対応する検定力関数は，H_1 におけるすべての単純仮説に関する，同一の有意水準をもつ他のすべての検定の検定力関数と少なくとも同等に大きい必要がある．

8.2. 一様最強力検定

定義 8.2.1.
集合 C が H_1 における各単純仮説に対する, H_0 の検定のための危険率 α の最良棄却域であるならば, 棄却域 C は複合対立仮説 H_1 に対する, 単純仮説 H_0 の検定のための危険率 α の一様最強力棄却域 (uniformly most powerful(UMP) critical region) である. この棄却域 C で定義される検定は, 複合対立仮説 H_1 に対する, 単純仮説 H_0 の検定に関しての有意水準 α の一様最強力検定 (uniformly most powerful(UMP) test) とよばれる.

以下に示すように, 一様最強力検定は常に存在するとは限らない. しかしながら, それらが存在する場合には, ネイマン・ピアソンの定理は一様最強力検定をみつけるための方法を提供する. いくつかの例証がここで与えられる.

例 8.2.2. $X_1, X_2, \ldots, X_n$ は $N(0,\theta)$ という分布からの無作為標本を示すとする. ただし分散 θ は未知である正の数であるとする. 複合対立仮説 $H_1 : \theta > \theta'$ に対する単純仮説 $H_0 : \theta = \theta'$ の検定に関する有意水準 α の一様最強力検定が存在することが示される. ただし θ' は正の定数である. したがって, $\Omega = \{\theta : \theta \geq \theta'\}$ である. $X_1, X_2, \ldots, X_n$ の同時 pdf は以下で与えられる.

$$L(\theta; x_1, x_2, \ldots, x_n) = \left(\frac{1}{2\pi\theta}\right)^{n/2} \exp\left\{-\frac{1}{2\theta}\sum_{i=1}^n x_i^2\right\}$$

θ'' は θ' よりも大きい数を, また k は正の数をそれぞれ表すとする. C を点の集合とすると, その集合では

$$\frac{L(\theta' : x_1, x_2, \ldots, x_n)}{L(\theta'' : x_1, x_2, \ldots, x_n)} \leq k$$

が成立する. すなわち点の集合では

$$\left(\frac{\theta''}{\theta'}\right)^{n/2} \exp\left[-\left(\frac{\theta''-\theta'}{2\theta'\theta''}\right)\sum_1^n x_i^2\right] \leq k$$

であり, あるいは同等に

$$\sum_1^n x_i^2 \geq \frac{2\theta'\theta''}{\theta''-\theta'}\left[\frac{n}{2}\log\left(\frac{\theta''}{\theta'}\right) - \log k\right] = c$$

が成立する. したがって集合 $C = \{(x_1, x_2, \ldots, x_n) : \sum_1^n x_i^2 \geq c\}$ は, 単純仮説 $\theta = \theta''$ に対する, 単純仮説 $H_0 : \theta = \theta'$ の検定のための最良棄却域である. この棄却域が任意の危険率 α をもつように, c を決定する必要がある. もし H_0 が真であるならば, 確率変数 $\sum_1^n X_i^2/\theta'$ は自由度 n のカイ 2 乗分布に従う. $\alpha = P_{\theta'}(\sum_1^n X_i^2/\theta' \geq c/\theta')$ であるため, c/θ' は付録 C の表 II から読み取ることができ, c が決定される. したがって $C = \{(x_1, x_2, \ldots, x_n) : \sum_1^n x_i^2 \geq c\}$ は仮説 $\theta = \theta''$ に対する $H_0 : \theta = \theta'$ の検定に関する, 危険率 α の最良棄却域である. さらに θ' よりも大きい各々の θ'' に対して, 上述

した議論が適用される. すなわち $C = \{(x_1, \ldots, x_n) : \sum_1^n x_i^2 \geq c\}$ が $H_1 : \theta > \theta'$ に対する, $H_0 : \theta = \theta'$ の検定に関する危険率 α の一様最強力棄却域である. $x_1, x_2, \ldots, x_n$ が $X_1, X_2, \ldots, X_n$ の実現値を示すとすると, $H_0 : \theta = \theta'$ は有意水準 α で棄却される. また $\sum_1^n x_i^2 \geq c$ ならば $H_1 : \theta > \theta'$ は採択され, そうでないなら $H_0 : \theta = \theta'$ が採択される.

上述した議論のように, $n = 15$, $\alpha = 0.05$, $\theta' = 3$ とするならば, このとき, 2つの仮説は $H_0 : \theta = 3$ と $H_1 : \theta > 3$ になる. 付録Cの表IIより, $c/3 = 25$ であり, したがって $c = 75$ である. ∎

例 8.2.3. $X_1, X_2, \ldots, X_n$ は分布 $N(\theta, 1)$ からの無作為標本を示すとする. ただし θ は未知とする. 複合対立仮説 $H_1 : \theta \neq \theta'$ に対する単純仮説 $H_0 : \theta = \theta'$ の一様最強力検定が存在しないことを以下に示す. ただし θ' を定数とする. したがって $\Omega = \{\theta : -\infty < \theta < \infty\}$ である. このとき, θ'' を θ' に等しくない数とする. k を正の数とし, 次を考える.

$$\frac{(1/2\pi)^{n/2} \exp\left[-\sum_1^n (x_i - \theta')^2/2\right]}{(1/2\pi)^{n/2} \exp\left[-\sum_1^n (x_i - \theta'')^2/2\right]} \leq k$$

この不等式は,

$$\exp\left\{-(\theta'' - \theta') \sum_1^n x_i + \frac{n}{2}[(\theta'')^2 - (\theta')^2]\right\} \leq k$$

あるいは

$$(\theta'' - \theta') \sum_1^n x_i \geq \frac{n}{2}[(\theta'')^2 - (\theta')^2] - \log k$$

と表現することができる. 最後の不等式は $\theta'' > \theta'$ という仮定のもとで,

$$\sum_1^n x_i \geq \frac{n}{2}(\theta'' - \theta') - \frac{\log k}{\theta'' - \theta'}$$

に等しい. また $\theta'' < \theta'$ であるならば, これは

$$\sum_1^n x_i \leq \frac{n}{2}(\theta'' - \theta') - \frac{\log k}{\theta'' - \theta'}$$

に等しい. これら2つの表現で, 2番目の表現が $\theta'' < \theta'$ という仮定のもとでの仮説 $\theta = \theta''$ に対する $H_0 : \theta = \theta'$ の検定のための最良棄却域を定義しているのに対して, 1番目の表現は $\theta'' > \theta'$ という仮定のもとでの仮説 $\theta = \theta''$ に対する $H_0 : \theta = \theta'$ の検定のための最良棄却域を定義している. すなわち単純対立仮説, 例えば $\theta = \theta' + 1$, に対する単純仮説の検定のための最良棄却域は, 単純対立仮説 $\theta = \theta' - 1$ に対する $H_0 : \theta = \theta'$ の検定のための最良棄却域として機能しない. したがって定義より, このような状況において一様最強力検定は存在しない.

8.2. 一様最強力検定

複合対立仮説が $H_1: \theta > \theta'$ あるいは $H_1: \theta < \theta'$ のどちらか一方であるならば,それぞれの場合において一様最強力検定は存在することに注意が必要である. ■

例 8.2.4. 練習問題 8.1.10 において,平均が θ であるポアソン分布から標本数 $n = 10$ の無作為標本が抽出されるとき,$\sum_1^n x_i \geq 3$ で定義される棄却域は,$H_1: \theta = 0.5$ に対する $H_0: \theta = 0.1$ の検定の最良棄却域であることを証明するよう求められた.この棄却域はまた $H_1: \theta > 0.1$ に対する $H_0: \theta = 0.1$ の検定のための一様最強力棄却域である.なぜなら,$\theta'' > 0.1$ という仮定のもと,

$$\frac{(0.1)^{\sum x_i} e^{-10(0.1)}/(x_1! x_2! \cdots x_n!)}{(\theta'')^{\sum x_i} e^{-10(\theta'')}/(x_1! x_2! \cdots x_n!)} \leq k$$

は,

$$\left(\frac{0.1}{\theta''}\right)^{\sum x_i} e^{-10(0.1-\theta'')} \leq k$$

に等しいためである.この不等式は

$$\left(\sum_1^n x_i\right)(\log 0.1 - \log \theta'') \leq \log k + 10(1-\theta'')$$

あるいは,$\theta'' > 0.1$ であるから,等しく

$$\sum_1^n x_i \geq \frac{\log k + 1 - 10\theta''}{\log 0.1 - \log \theta''}$$

として表現することができる.もちろん $\sum_1^n x_i \geq 3$ はこれらの後者の形である. ■

指摘されれば当然のことであるが,重要である観察を行うことにしよう.$X_1, X_2, \ldots, X_n$ は $f(x; \theta), \theta \in \Omega$ という pdf をもつ分布からの無作為標本を示すとする.ここで $Y = u(X_1, X_2, \ldots, X_n)$ は θ の十分統計量であると仮定する.因子分解定理に従うと,$X_1, X_2, \ldots, X_n$ の同時 pdf は次のように表現することができる.

$$L(\theta; x_1, x_2, \ldots, x_n) = k_1[u(x_1, x_2, \ldots, x_n); \theta] k_2(x_1, x_2, \ldots, x_n)$$

ただし $k_2(x_1, x_2, \ldots, x_n)$ は θ に依存しない.したがって下記の比率

$$\frac{L(\theta'; x_1, x_2, \ldots, x_n)}{L(\theta''; x_1, x_2, \ldots, x_n)} = \frac{k_1[u(x_1, x_2, \ldots, x_n); \theta']}{k_1[u(x_1, x_2, \ldots, x_n); \theta'']}$$

は $u(x_1, x_2, \ldots, x_n)$ を通じてのみ $x_1, x_2, \ldots, x_n$ に依存する.したがって,θ の十分統計量 $Y = u(X_1, X_2, \ldots, X_n)$ が存在し,最良検定あるいは一様最強力検定が期待されるならば,十分統計量以外の統計量に基づく検定を考慮する必要はない.この結果は十分性の重要性を支持するものである.

上述した例では,一様最強力検定を示してきた.pdf のある族そして仮説に対して,このような検定の一般的な形式を得ることができる.これらの結果を一般的な片側仮説の形式

$$H_0: \theta \leq \theta', \quad H_1: \theta > \theta' \tag{8.2.1}$$

において表現することにする．帰無仮説 $H_0: \theta \geq \theta'$ をもつもう一方の片側仮説については完全なアナロジーで説明できる．また (8.2.1) の帰無仮説は複合仮説であることに注意が必要である．第4章から，(8.2.1) の仮説に対する検定の有意水準は $\max_{\theta \leq \theta'} \gamma(\theta)$ によって定義されることを思い出そう．ただし $\gamma(\theta)$ は検定力関数である．すなわち有意水準は第1種の誤りの最大の確率である．

$\mathbf{X}' = (X_1, \ldots, X_n)$ を $f(x; \theta), \theta \in \Omega$ という共通の pdf (あるいは pmf) に従う無作為標本であるとする．したがってこれは次の尤度関数を伴う．

$$L(\theta, \mathbf{x}) = \prod_{i=1}^{n} f(x_i; \theta), \quad \mathbf{x}' = (x_1, \ldots, x_n)$$

ここで次に定義されるような単調尤度比をもつ pdf の族を考える．

定義 8.2.2.
$\theta_1 < \theta_2$ に対して，比率
$$\frac{L(\theta_1, \mathbf{x})}{L(\theta_2, \mathbf{x})} \tag{8.2.2}$$
が $y = u(\mathbf{x})$ の単調関数であるとき，その尤度 $L(\theta, \mathbf{x})$ は統計量 $y = u(\mathbf{x})$ において，単調尤度比 (monotone likelihood ratio, mlr) をもつという．

尤度関数 $L(\theta, \mathbf{x})$ が，統計量 $y = u(\mathbf{x})$ において単調減少尤度比をもつと仮定する．このとき (8.2.2) 式の比率は $g(y)$ に等しくなる．ここで g は減少関数である．尤度関数が単調増加尤度比をもつ場合は，(g は増加関数)，下の不等式の向きを変えることによって同様のことがいえる．また α は有意水準を示すとする．このとき以下の検定は (8.2.1) 式の仮説に関する水準 α の UMP である．

$$Y \geq c_Y \text{ ならば } H_0 \text{ を棄却する} \tag{8.2.3}$$

ただし c_Y は $\alpha = P_{\theta'}[Y \geq c_Y]$ によって決定される．

この主張を証明するために，最初に単純帰無仮説 $H_0': \theta = \theta'$ を考える．$\theta'' > \theta'$ を任意の定数とする．次に C は θ' 対 θ'' に関する一様最強力棄却域を示すとする．ネイマン・ピアソンの定理より，C は次のように定義される．

$$\mathbf{X} \in C \text{ ならばこのときのみ } \frac{L(\theta', \mathbf{X})}{L(\theta'', \mathbf{X})} \leq k$$

ここで k は $\alpha = P_{\theta'}[\mathbf{X} \in C]$ によって決定される．しかし定義 8.2.2 より $\theta'' > \theta'$ であるため，

$$\frac{L(\theta', \mathbf{X})}{L(\theta'', \mathbf{X})} = g(Y) \leq k \Leftrightarrow Y \geq g^{-1}(k)$$

となる．ここで $g^{-1}(k)$ は $\alpha = P_{\theta'}[Y \geq g^{-1}(k)]$ を満たす．すなわち $c_Y = g^{-1}(k)$ で

8.2. 一様最強力検定

ある．したがって，ネイマン・ピアソン検定は (8.2.3) 式によって定義される検定に等しい．さらに，$\theta'' > \theta'$ にのみ依存し，$c_Y = g^{-1}(k)$ は θ' のもとで一意に決定されるので，この検定は θ' 対 $\theta'' > \theta'$ に関する UMP である．

$\gamma_Y(\theta)$ は (8.2.3) 式の検定力関数を示すとする．証明を完成させるために，$\max_{\theta \leq \theta'} \gamma_Y(\theta) = \alpha$ を証明する必要がある．しかし $\gamma_Y(\theta)$ が非減少関数であることを示すことができるならば，これは直ちに証明される．このことを検証するために $\theta_1 < \theta_2$ とする．$\theta_1 < \theta_2$ なので，(8.2.3) 式の検定は水準 $\gamma_Y(\theta_1)$ を伴う θ_1 対 θ_2 の検定に関する最強力検定である．系 8.1.1 より，θ_2 における検定力は下記の水準，すなわち $\gamma_Y(\theta_2) \geq \gamma_Y(\theta_1)$ である．したがって $\gamma_Y(\theta)$ は非減少関数である．

例 8.2.5. $X_1, X_2, \ldots, X_n$ を母数 $p = \theta$ であるベルヌイ分布からの無作為標本とする．ここで $0 < \theta < 1$ である．また $\theta' < \theta''$ とする．そして次の尤度比を考慮する．

$$\frac{L(\theta'; x_1, x_2, \ldots, x_n)}{L(\theta''; x_1, x_2, \ldots, x_n)} = \frac{(\theta')^{\sum x_i}(1-\theta')^{n-\sum x_i}}{(\theta'')^{\sum x_i}(1-\theta'')^{n-\sum x_i}} = \left[\frac{\theta'(1-\theta'')}{\theta''(1-\theta')}\right]^{\sum x_i} \left(\frac{1-\theta'}{1-\theta''}\right)^n$$

$\theta'/\theta'' < 1$ と $(1-\theta'')/(1-\theta') < 1$ なので，$\theta'(1-\theta'')/\theta''(1-\theta') < 1$ であり，この尤度比は $y = \sum x_i$ の減少関数である．それゆえに統計量 $Y = \sum X_i$ における単調尤度比を得ることができる．

次の仮説を考慮する．

$$H_0: \theta \leq \theta', \quad H_1: \theta > \theta' \tag{8.2.4}$$

上述した議論により，H_0 対 H_1 の検定に関する水準 α の UMP の決定規則は次で与えられる．

$$Y = \sum_{i=1}^n X_i \geq c \text{ ならば } H_0 \text{ を棄却する}$$

ただし c は $\alpha = P_{\theta'}[Y \geq c]$ であるような値である．■

ベルヌイ pmf に関する先の例では，その尤度が mlr をもっているということを示すことにより，UMP 検定を得た．ベルヌイ分布は指数分布族の正則な場合であり，私たちの議論は下記の仮定のもとで，正則指数分布族全体に一般化されうる．このことを証明するために，指数クラスの正則な場合として表現される pdf あるいは pmf すなわち，

$$f(x; \theta) = \begin{cases} \exp[p(\theta)K(x) + S(x) + q(\theta)] & x \in \mathcal{S} \\ 0 & \text{それ以外の場合} \end{cases}$$

から，無作為標本 $X_1, X_2, \ldots, X_n$ が抽出されるとする．ただし X の台である $\mathcal{S}$ は θ に関係がない．さらに $p(\theta)$ は θ の増加関数であると仮定する．このとき次が成り立つ．

$$\frac{L(\theta')}{L(\theta'')} = \frac{\exp\left[p(\theta')\sum_1^n K(x_i) + \sum_1^n S(x_i) + nq(\theta')\right]}{\exp\left[p(\theta'')\sum_1^n K(x_i) + \sum_1^n S(x_i) + nq(\theta'')\right]}$$

$$= \exp\left\{[p(\theta') - p(\theta'')]\sum_1^n K(x_i) + n[q(\theta') - q(\theta'')]\right\}$$

$\theta' < \theta''$ ならば，増加関数である $p(\theta)$ はこの比が $y = \sum_1^n K(x_i)$ の減少関数であることを必要とする．それゆえに統計量 $Y = \sum_1^n K(X_i)$ における単調尤度比を得る．したがって次の仮説を考える．

$$H_0 : \theta \leq \theta', \quad H_1 : \theta > \theta' \tag{8.2.5}$$

mlr に関する上記の議論により，H_0 対 H_1 の検定に関する水準 α の UMP の決定規則は次で与えられる．

$$Y = \sum_{i=1}^n K(X_i) \geq c \text{ ならば } H_0 \text{ を棄却する},$$

ただし c は $\alpha = P_{\theta'}[Y \geq c]$ のような値である．さらにこの検定の検定力関数は θ に関する増加関数である．

確認のために，もう一方の片側対立仮説を考える．

$$H_0 : \theta \geq \theta', \quad H_1 : \theta < \theta' \tag{8.2.6}$$

単調増加関数 $p(\theta)$ に関する，水準 α の UMP の決定規則は次で与えられる．

$$Y = \sum_{i=1}^n K(X_i) \leq c \text{ ならば } H_0 \text{ を棄却する}$$

ただし c は $\alpha = P_{\theta'}[Y \leq c]$ であるような値である．

単調尤度比を伴う上述した状況において，$H_1 : \theta > \theta'$ に対する $H_0 : \theta = \theta'$ を検定するが，このとき $\sum K(x_i) \geq c$ は一様最強力棄却域であることが多い．例 8.2.2, 8.2.3, 8.2.4, 8.2.5 において示された尤度比から，それぞれの棄却域

$$\sum_{i=1}^n x_i^2 \geq c, \quad \sum_{i=1}^n x_i \geq c, \quad \sum_{i=1}^n x_i \geq c, \quad \sum_{i=1}^n x_i \geq c$$

は $H_1 : \theta > \theta'$ に対する $H_0 : \theta = \theta'$ の検定に関する一様最強力棄却域であることを直ちに確認することができる．

最後に一様最強力検定に関して言及されるべき注意を述べる．定義 8.2.1 より一様 (uniformly) という単語は θ に関連している．すなわち C は複合対立仮説 H_1 によって与えられるすべての θ の値に対する，$H_0 : \theta = \theta_0$ の検定に関する危険率 α の最良棄却域である．しかしながら，次のような棄却域を想定する．

8.2. 一様最強力検定

$$u(x_1, x_2, \ldots, x_n) \leq c$$

この形式は適切な c の値の変換によって，すべての達成可能な α に関する一様最強力棄却域を与える．すなわちこれは α にも関連する，一様性の性質が存在していることである．そしてこのことは統計学の教科書において言及されることは少ない．

練習問題

8.2.1. X が $f(x;\theta) = \theta^x(1-\theta)^{1-x}$, $x = 0, 1$, それ以外では 0，という pmf に従うとする．いま，サイズ 10 の無作為標本を抽出することによって，複合対立仮説 $H_1 : \theta < \frac{1}{4}$ に対する単一仮説 $H_0 : \theta = \frac{1}{4}$ を検定する．そして標本オブザベーションの観測値 $x_1, x_2, \ldots, x_{10}$ が $\sum_1^{10} x_i \leq 1$ であるならば，そのときのみ $H_0 : \theta = \frac{1}{4}$ を棄却する．この検定の検定力関数 $\gamma(\theta)$, $0 < \theta \leq \frac{1}{4}$ を求めよ．

8.2.2. X が $f(x;\theta) = 1/\theta$, $0 < x < \theta$，それ以外では 0，という形状の pdf に従うとする．また $Y_1 < Y_2 < Y_3 < Y_4$ はこの分布からの標本数 4 の無作為標本の順序統計量を示すとする．Y_4 の観測値を y_4 とする．$y_4 \leq \frac{1}{2}$ あるいは $y_4 > 1$ のいずれかである場合に $H_0 : \theta = 1$ を棄却し，$H_1 : \theta \neq 1$ を採択する．このときこの検定の検定力関数 $\gamma(\theta)$, $0 < \theta$ を求めよ．

8.2.3. $N(\theta, 4)$ という形状の正規分布を考慮する．標本数 25 の無作為標本の観測された平均 $\overline{x}$ が $\frac{3}{5}$ よりも大きいか，等しいならば，そのときのみ単一仮説 $H_0 : \theta = 0$ が棄却され，複合対立仮説 $H_1 : \theta > 0$ が採択される．このとき，この検定の検定力関数 $\gamma(\theta)$, $0 \leq \theta$ を求めよ．

8.2.4. $N(\mu_1, 400)$ と $N(\mu_2, 225)$ という分布を考える．$\theta = \mu_1 - \mu_2$ とする．また $\overline{x}$ と $\overline{y}$ は互いに独立な 2 つの観測された無作為標本平均を示すとする．またそれぞれの標本数は n であり，2 つの分布から抽出されたものであるとする．$\overline{x} - \overline{y} \geq c$ であるならば，そのときのみ $H_0 : \theta = 0$ を棄却し，$H_1 : \theta > 0$ を採択する．$\gamma(\theta)$ がこの検定の検定力関数であるならば，近似的に $\gamma(0) = 0.05$ そして $\gamma(10) = 0.90$ となるような n と c の値を求めよ．

8.2.5. 本節の例 8.2.2 において $H_0 : \theta = \theta'$，ただし θ' は正の定数，そして $H_1 : \theta < \theta'$ であるとき，集合 $\{(x_1, x_2, \ldots, x_n) : \sum_1^n x_i^2 \leq c\}$ は H_1 に対する H_0 の検定に関する一様最強力棄却域であることを証明せよ．

8.2.6. 本節の例 8.2.2 において $H_0 : \theta = \theta'$，ただし θ' は正の定数，そして $H_1 : \theta \neq \theta'$ であるとき，H_1 に対する H_0 の検定に関する一様最強力検定は存在しないことを証明せよ．

8.2.7. $X_1, X_2, \ldots, X_{25}$ は正規分布 $N(\theta, 100)$ からの標本数 25 の無作為標本を示すとする．このとき $H_1 : \theta > 75$ に対する $H_0 : \theta = 75$ の検定に関する危険率 $\alpha = 0.10$ の

一様最強力棄却域を求めよ．

8.2.8. $X_1, X_2, \ldots, X_n$ は正規分布 $N(\theta, 16)$ からの無作為標本を示すとする．このとき近似的に $\gamma(25) = 0.10$ そして $\gamma(23) = 0.90$ となるように，標本サイズ n と，$\gamma(\theta)$ という検定力関数をもつ $H_1 : \theta < 25$ に対する $H_0 : \theta = 25$ の一様最強力検定を求めよ．

8.2.9. $f(x; \theta) = \theta^x (1-\theta)^{1-x}$, $x = 0, 1$, それ以外では 0，という形状の pmf をもつ分布を考える．$H_0 : \theta = \frac{1}{20}$ そして $H_1 : \theta > \frac{1}{20}$ とする．H_1 に対する H_0 の一様最強力検定が近似的に $\gamma(\frac{1}{20}) = 0.05$ そして $\gamma(\frac{1}{10}) = 0.90$ であるような検定力関数 $\gamma(\theta)$ をもつように，中心極限定理を用いて，標本サイズ n を決定せよ．

8.2.10. この節の例示的な例 8.2.1 は $\alpha = 1$, $\beta = \theta$ であるガンマ分布からのサイズ $n = 2$ の無作為標本を扱っていた．したがってこの分布の mgf は $(1 - \theta t)^{-1}$, $t < 1/\theta$, $\theta \geq 2$ である．$Z = X_1 + X_2$ とする．このとき Z は $\alpha = 2$, $\beta = \theta$ であるガンマ分布に従うことを証明せよ．例 8.2.1 の検定力関数 $\gamma(\theta)$ を単一の積分によって表現せよ．そしてサイズ n の無作為標本に関して，この表現を一般化せよ．

8.2.11. $X_1, X_2, \ldots, X_n$ は $f(x; \theta) = \theta x^{\theta-1}$, $0 < x < 1$, それ以外では 0，という pdf をもつ分布からの無作為標本とする．ただし $\theta > 0$ である．θ の十分統計量を求め，さらにこの統計量に基づいて $H_1 : \theta < 6$ に対する $H_0 : \theta = 6$ の一様最強力検定を示せ．

8.2.12. X を $f(x; \theta) = \theta^x (1-\theta)^{1-x}$, $x = 0, 1$, それ以外では 0，という pdf に従う確率変数とする．ここで標本数 $n = 5$ の無作為標本を抽出することにより $H_1 : \theta < \frac{1}{2}$ に対する $H_0 : \theta = \frac{1}{2}$ を検定する．そして $Y = \sum_1^n X_i$ が，定数 c よりも小さいか，等しいものとして観測されるならば，H_0 を棄却する．
(a) これが一様最強力検定であることを示せ．
(b) $c = 1$ であるときの有意水準を求めよ．
(c) $c = 0$ であるときの有意水準を求めよ．
(d) 例 5.6.4 で議論したように，確率化検定 (randomized test) を用いて，(b) と (c) で与えられた検定を修正し，有意水準 $\alpha = \frac{2}{32}$ をもつ検定を求めよ．

8.2.13. $X_1, \ldots, X_n$ は $\alpha = 2$ そして $\beta = \theta$ であるようなガンマ型の分布からの無作為標本を示すとする．また $H_0 : \theta = 1$ とし，$H_1 : \theta > 1$ とする．
(a) H_1 に対する H_0 に関して，一様最強力検定が存在することを証明せよ．そしてこの検定が基礎とするであろう統計量 Y を定めよ．そして最良棄却域の性質を示せ．
(b) (a) における統計量 Y の pdf を求めよ．有意水準 0.05 を求めているとき，棄却域を決定するのに用いられる式を記述せよ．$\gamma(\theta)$, $\theta \geq 1$ を検定の検定力関数とする．積分によってこの検定力関数を表現せよ．

8.3 尤度比検定

8.1 節では，単純仮説どうしの最強力検定を導入した．8.2 節では，この理論を本質的な片側対立仮説と単調尤度比をもつ分布族に対する一様最強力検定に拡張した．では一般的な場合についてはどうだろうか．すなわち，確率変数 X が $f(x;\boldsymbol{\theta})$ という pdf または pmf に従うと仮定する．ここで $\boldsymbol{\theta}$ は Ω 内の母数のベクトルである．$\omega \subset \Omega$ とし，以下の仮説を考える．

$$H_0 : \boldsymbol{\theta} \in \omega, \quad H_1 : \boldsymbol{\theta} \in \Omega \cap \omega^c \tag{8.3.1}$$

最適な理論をこの一般的な状況に拡張するのには複雑な問題がある．これについてはより進んだ教科書において扱われている．特に，Lehmann (1986) を参照せよ．これらの複雑な問題のうちのいくつかを例とともに説明しよう．X は分布 $N(\theta_1, \theta_2)$ に従い，$\theta_1 = \theta_1'$ を検定したいとする．ここで θ_1' は固定されている．(8.3.1) 式の表記では，$\boldsymbol{\theta} = (\theta_1, \theta_2)$, $\Omega = \{\boldsymbol{\theta} : -\infty < \theta_1 < \infty, \theta_2 > 0\}$, $\omega = \{\boldsymbol{\theta} : \theta_1 = \theta_1', \theta_2 > 0\}$ である．$H_0 : \boldsymbol{\theta} \in \omega$ が複合帰無仮説であることに注意する．$X_1, \ldots, X_n$ を X の無作為標本とする．

さしあたり θ_2 は既知であると仮定する．すると H_0 は単純仮説 $\theta_1 = \theta_1'$ となる．これは本質的に例 8.2.3 で議論された状況である．もし仮説が

$$H_0^* : \theta_1 \leq \theta_1', \quad H_1^* : \theta_1 > \theta_1' \tag{8.3.2}$$

であるならば，棄却域 $C_1 = \left\{ \overline{X} > \theta_1' + \sqrt{\frac{\theta_2}{n}} z_\alpha \right\}$ に基づいた検定は，危険率 α の UMP 検定である．ここで $z_\alpha = \Phi^{-1}(1-\alpha)$ であり，Φ は標準正規確率変数の cdf である．この検定は $\theta_1 > \theta_1'$ を感知するには最強の検定力をもつが，$\theta_1 < \theta_1'$ を感知するにはほとんど検定力をもっていない．実際に，この場合において検定力は水準 α 以下である．系 8.1.1 の前の議論において，これを検定にとって容認しえないこととして言及したことを思い出そう．

このような状況を避けるために，不偏性という概念が導入される．検定の検定力が有意水準を決して下回らないとき，その検定は不偏である (unbiased) といわれる．例えば，系 8.1.1 より単純仮説どうしの最強力検定は不偏である．mlr をもつ pdf に基づいた片側対立仮説の検定も不偏である．しかし，(8.3.2) 式の棄却域 C_1 に基づく検定は両側対立仮説に対して不偏ではない．最適な検定の理論においては不偏である検定のみ考慮されている．このクラスでは一様最強力検定を選択する．例示において，棄却域 $C_2 = \left\{ |\overline{X} - \theta_1'| > \sqrt{\frac{\theta_2}{n}} z_{\alpha/2} \right\}$ に基づく検定は不偏 UMP であることが示されるにちがいない．

しかし，実際は分散 θ_2 は未知である．この場合，最適な検定の理論を構築するには条件付き検定とよばれるもの必要とする．この教科書ではこれ以上取り扱わないが，興味のある読者は Lehmann (1986) を参照されたい．

第6章より (6.3.3) 式の尤度比検定が, (8.3.1) 式のような一般的な仮説の検定に利用できることを思い出そう. それらが最適であるという保証はない. しかし, ネイマン・ピアソンの定理に基づく検定のように, それらは尤度関数の比に基づいている. 多くの状況において, 尤度比検定統計量は最適である. 上述の分散が既知である正規分布の平均に関する検定の例に関して, その尤度比検定は不偏 UMP 検定と同じである. 分散が未知のとき, 尤度比検定は例 6.5.1 で示したように 1 標本 t 検定に帰着する. これは Lehmann (1986) で議論される条件付き検定と同じである.

第6章ではいくつかの状況での尤度比検定を紹介した. この節の残りでは, 正規分布から標本抽出したときの他の状況での尤度比検定を紹介する. 先ほど言及されたように, 分散が未知である正規分布の平均を検定するための1標本 t 検定は例 6.5.1 で導出されている. 次に2標本 t 検定を導出する.

例 8.3.1. 統計的に独立な確率変数 X と Y は $N(\theta_1, \theta_3)$ と $N(\theta_2, \theta_3)$ という分布に従うとする. ここで, 平均 θ_1 と θ_2, 共通の分散 θ_3 は未知である. すると, $\Omega = \{(\theta_1, \theta_2, \theta_3): -\infty < \theta_1 < \infty, -\infty < \theta_2 < \infty, 0 < \theta_3 < \infty\}$ である. $X_1, X_2, \ldots, X_n$ と $Y_1, Y_2, \ldots, Y_m$ をこれらの分布からの独立な無作為標本とする. 仮説 $H_0 : \theta_1 = \theta_2$ (未知), θ_3 (未知) をすべての対立仮説に対して検定しよう. すると, $\omega = \{(\theta_1, \theta_2, \theta_3): -\infty < \theta_1 = \theta_2 < \infty, 0 < \theta_3 < \infty\}$ となる. ここで $X_1, X_2, \ldots, X_n, Y_1, Y_2, \ldots, Y_m$ は $n + m > 2$ 個の相互に独立な確率変数であり, 以下の尤度関数に従う.

$$L(\omega) = \left(\frac{1}{2\pi\theta_3}\right)^{(n+m)/2} \exp\left\{-\frac{1}{2\theta_3}\left[\sum_1^n (x_i - \theta_1)^2 + \sum_1^m (y_i - \theta_1)^2\right]\right\}$$

$$L(\Omega) = \left(\frac{1}{2\pi\theta_3}\right)^{(n+m)/2} \exp\left\{-\frac{1}{2\theta_3}\left[\sum_1^n (x_i - \theta_1)^2 + \sum_1^m (y_i - \theta_2)^2\right]\right\}$$

$\partial \log L(\omega)/\partial \theta_1$ と $\partial \log L(\omega)/\partial \theta_3$ を 0 とおくと,

$$\sum_1^n (x_i - \theta_1) + \sum_1^m (y_i - \theta_1) = 0$$

$$\frac{1}{\theta_3}\left[\sum_1^n (x_i - \theta_1)^2 + \sum_1^m (y_i - \theta_1)^2\right] = n + m \qquad (8.3.3)$$

となる (練習問題 8.3.2 参照). θ_1 と θ_3 の解はそれぞれ

$$u = (n+m)^{-1}\left\{\sum_1^n x_i + \sum_1^m y_i\right\}$$

$$w = (n+m)^{-1}\left\{\sum_1^n (x_i - u)^2 + \sum_1^m (y_i - u)^2\right\}$$

となる. さらに, u と w は $L(\omega)$ を最大化する. その最大値は

8.3. 尤度比検定

$$L(\hat{\omega}) = \left(\frac{e^{-1}}{2\pi w}\right)^{(n+m)/2}$$

である．同様の方法で

$$\frac{\partial \log L(\Omega)}{\partial \theta_1}, \ \frac{\partial \log L(\Omega)}{\partial \theta_2} \ \frac{\partial \log L(\Omega)}{\partial \theta_3}$$

を0とおくと，

$$\sum_1^n (x_i - \theta_1) = 0$$
$$\sum_1^m (y_i - \theta_2) = 0 \qquad (8.3.4)$$
$$-(n+m) + \frac{1}{\theta_3}\left[\sum_1^n (x_i - \theta_1)^2 + \sum_1^m (y_i - \theta_2)^2\right] = 0$$

となる (練習問題 8.3.3 参照)．$\theta_1, \theta_2, \theta_3$ の解はそれぞれ

$$u_1 = n^{-1} \sum_1^n x_i$$
$$u_2 = m^{-1} \sum_1^m y_i$$
$$w' = (n+m)^{-1}\left[\sum_1^n (x_i - u_1)^2 + \sum_1^m (y_i - u_2)^2\right]$$

となり，さらに u_1, u_2, w' は $L(\Omega)$ を最大化する．その最大値は

$$L(\hat{\Omega}) = \left(\frac{e^{-1}}{2\pi w'}\right)^{(n+m)/2}$$

である．その結果，

$$\Lambda(x_1, \ldots, x_n, y_1, \ldots, y_m) = \Lambda = \frac{L(\hat{\omega})}{L(\hat{\Omega})} = \left(\frac{w'}{w}\right)^{(n+m)/2}$$

となる．$\Lambda^{2/(n+m)}$ で定義される確率変数は

$$\frac{\displaystyle\sum_1^n (X_i - \overline{X})^2 + \sum_1^m (Y_i - \overline{Y})^2}{\displaystyle\sum_1^n \left\{X_i - \left(\frac{n\overline{X} + m\overline{Y}}{n+m}\right)\right\}^2 + \sum_1^m \left\{Y_i - \left(\frac{n\overline{X} + m\overline{Y}}{n+m}\right)\right\}^2}$$

となる．さて，

$$\sum_1^n \left(X_i - \frac{n\overline{X} + m\overline{Y}}{n+m}\right)^2 = \sum_1^n \left[(X_i - \overline{X}) + \left(\overline{X} - \frac{n\overline{X} + m\overline{Y}}{n+m}\right)\right]^2$$

$$= \sum_1^n (X_i - \overline{X})^2 + n\left(\overline{X} - \frac{n\overline{X}+m\overline{Y}}{n+m}\right)^2$$

かつ,

$$\sum_1^m \left(Y_i - \frac{n\overline{X}+m\overline{Y}}{n+m}\right)^2 = \sum_1^m \left[(Y_i - \overline{Y}) + \left(\overline{Y} - \frac{n\overline{X}+m\overline{Y}}{n+m}\right)\right]^2$$
$$= \sum_1^m (Y_i - \overline{Y})^2 + m\left(\overline{Y} - \frac{n\overline{X}+m\overline{Y}}{n+m}\right)^2$$

である. また,

$$n\left(\overline{X} - \frac{n\overline{X}+m\overline{Y}}{n+m}\right)^2 = \frac{m^2 n}{(n+m)^2}(\overline{X}-\overline{Y})^2$$

かつ,

$$m\left(\overline{Y} - \frac{n\overline{X}+m\overline{Y}}{n+m}\right)^2 = \frac{n^2 m}{(n+m)^2}(\overline{X}-\overline{Y})^2$$

である. したがって, $\Lambda^{2/(n+m)}$ で定義される確率変数は

$$\frac{\sum_1^n (X_i-\overline{X})^2 + \sum_1^m (Y_i-\overline{Y})^2}{\sum_1^n (X_i-\overline{X})^2 + \sum_1^m (Y_i-\overline{Y})^2 + [nm/(n+m)](\overline{X}-\overline{Y})^2}$$
$$= \frac{1}{1 + \dfrac{[nm/(n+m)](\overline{X}-\overline{Y})^2}{\sum_1^n (X_i-\overline{X})^2 + \sum_1^m (Y_i-\overline{Y})^2}}$$

と書くことができるだろう. もし, 仮説 $H_0: \theta_1 = \theta_2$ が真であるならば, 3.6節より以下の確率変数は自由度 $n+m-2$ の t 分布に従う.

$$T = \sqrt{\frac{nm}{n+m}}(\overline{X}-\overline{Y}) / \left\{(n+m-2)^{-1}\left[\sum_1^n (X_i-\overline{X})^2 + \sum_1^m (Y_i-\overline{Y})^2\right]\right\}^{1/2}$$

(8.3.5)

そのため, $\Lambda^{2/(n+m)}$ で定義される確率変数は以下となる.

$$\frac{n+m-2}{(n+m-2)+T^2}$$

したがって, すべての対立仮説に対する H_0 の検定は自由度 $n+m-2$ の t 分布に基づく.

尤度比の原理では, $\Lambda \leq \lambda_0 < 1$ のとき, またそのときのみ H_0 が棄却される. したがって, 検定の有意水準は

$$\alpha = P_{H_0}[\Lambda(X_1,\ldots,X_n,Y_1,\ldots,Y_m) \leq \lambda_0]$$

8.3. 尤度比検定

となる．しかし，$\Lambda(X_1,\ldots,X_n,Y_1,\ldots,Y_m) \leq \lambda_0$ は $|T| \geq c$ と同等であるため，

$$\alpha = P(|T| \geq c; H_0)$$

となる．既知の値 n と m に対して，付録 C の表 IV(自由度 $n+m-2$) より望まれる α を得る c の値が定められる．したがって $|t| \geq c$ のとき，またそのときのみ，H_0 は有意水準 α で棄却される．ここで，t は T の実現値である．例えば，$n=10$, $m=6$, $\alpha=0.05$ とすると $c=2.145$ となる．■

例 6.5.1 で導出された 1 標本 t 検定だけでなく，以上の例に関しても，その尤度比検定は仮説 H_0 が真のとき t 分布に従うような統計量に基づくことがわかった．仮説 H_0 によって表される以外の母数の点におけるこれらの検定の検定力を計算するため，以下を定義する．

定義 8.3.1.
確率変数 W は $N(\delta,1)$ に，確率変数 V は $\chi^2(r)$ に従うとする．W と V は統計的に独立であるとする．以下の比は，自由度 r，非心度 δ の非心 t 分布に従うといわれる．

$$T = \frac{W}{\sqrt{V/r}}$$

$\delta = 0$ ならば，T は中心 t 分布に従うという．

この定義を考慮して，例 6.5.1 と例 8.3.1 の t 統計量を再検討しよう．例 6.5.1 において，私たちは以下を得た．

$$t(X_1,\ldots,X_n) = \frac{\sqrt{n}\,\overline{X}}{\sqrt{\sum_1^n (X_i - \overline{X})^2/(n-1)}} = \frac{\sqrt{n}\,\overline{X}/\sigma}{\sqrt{\sum_1^n (X_i - \overline{X})^2/[\sigma^2(n-1)]}}$$

また，$W_1 = \sqrt{n}\,\overline{X}/\sigma$ は $N(\sqrt{n}\,\theta_1/\sigma, 1)$ に従い (θ_1 は正規分布の平均である)，$V_1 = \sum_1^n (X_i - \overline{X})^2/\sigma^2$ は $\chi^2(n-1)$ に従い，また，W_1 と V_1 は統計的に独立である．したがって，$\theta_1 \neq 0$ ならば，定義より $t(X_1,\ldots,X_n)$ は自由度 $n-1$，非心度 $\delta_1 = \sqrt{n}\,\theta_1/\sigma$ の非心 t 分布に従うことがわかる．例 8.3.1 では，

$$T = \frac{W_2}{\sqrt{V_2/(n+m-2)}}$$

を得た．ここで，

$$W_2 = \sqrt{\frac{nm}{n+m}}(\overline{X} - \overline{Y})\Big/\sigma$$

かつ，

$$V_2 = \frac{\sum_1^n (X_i - \overline{X})^2 + \sum_1^m (Y_i - \overline{Y})^2}{\sigma^2}$$

である．W_2 は $N[\sqrt{nm/(n+m)}(\theta_1-\theta_2)/\sigma, 1]$ に従い，V_2 は $\chi^2(n+m-2)$ に従い，

また、W_2 と V_2 は統計的に独立である．したがって，$\theta_1 \neq \theta_2$ ならば，T は自由度 $n+m-2$，非心度 $\delta_2 = \sqrt{nm/(n+m)}(\theta_1-\theta_2)/\sigma$ の非心 t 分布に従う．興味深いことに，$\delta_1 = \sqrt{n}\theta_1/\sigma$ は $\overline{X}$ の標準偏差 $\sigma/\sqrt{n}$ を単位として，θ_1 の $\theta_1 = 0$ からの偏差を測定している．非心度 $\delta_2 = \sqrt{nm/(n+m)}(\theta_1-\theta_2)/\sigma$ は，$\overline{X}-\overline{Y}$ の標準偏差 $\sigma/\sqrt{(n+m)/mn}$ を単位とした，$\theta_1-\theta_2$ の $\theta_1-\theta_2 = 0$ からの偏差と等しい．

統計ソフト R や S–PLUS には非心 t 分布の量を算出する関数が含まれている．例えば，T が自由度 a，非心度 b の t 分布に従うとき，$P(T \leq t)$ の値を得るには，pt(t, a, ncp=b) というコマンドを利用する．t における対応した pdf の値を得るためには，dt(t, a, ncp=b) というコマンドを用いる．非心 t 分布の数表はいくつかあるが，この本に含めるには相当に煩わしい量である．

注意 8.3.1. 例 6.5.1 と例 8.3.1 で紹介された正規分布の平均に関する 1 標本，2 標本検定は，最も初歩的な統計の教科書において紹介される正規分布の平均に関する検定である．それらは正規性の仮定に基づいている．もし基礎をなす分布が正規分布でないとしたらどうだろうか．その場合，これらの状況に対する有限な分散を伴った t 検定は漸近的に正しい．例えば，1 標本 t 検定を考える．$X_1,\ldots,X_n$ は iid であり，平均 θ_1，分散 σ^2 である共通の非正規 pdf に従うとする．仮説は同様のまま，$H_0 : \theta_1 = \theta_1'$ 対 $H_1 : \theta_1 \neq \theta_1'$ である．t 検定統計量 T_n は

$$T_n = \frac{\sqrt{n}(\overline{X}-\theta_1')}{S_n} \tag{8.3.6}$$

によって与えられる．ここで，S_n は標本標準偏差である．棄却域は $C_1 = \{|T_n| \geq t_{\alpha/2,n-1}\}$ である．$S_n \to \sigma$ に確率収束することを思い出そう．中心極限定理より，H_0 のもとで

$$T_n = \frac{\sigma}{S_n}\frac{\sqrt{n}(\overline{X}-\theta_1')}{\sigma} \xrightarrow{D} Z \tag{8.3.7}$$

となる．ここで，Z は標準正規分布に従う．したがって，漸近的な検定は棄却域 $C_2 = \{|T_n| \geq z_{\alpha/2}\}$ を用いるだろう．(8.3.7) 式より，棄却域 C_2 は近似的な危険率 α に従う．実際場面では，C_1 が用いられる．t の棄却限界値は一般的に z の棄却限界値よりも大きいため，C_1 を用いるのが保守的だろう．すなわち，C_1 の危険率は C_2 よりもわずかに小さくなるのである．頑健性の観点において，t 検定は妥当性の頑健性 (robustness of validity) を有するという．しかし，t 検定は検定力の頑健性 (robustness of power) は有していない．非正規な状況に関して，t 検定よりもより検定力をもつ検定があるのである．その議論に関しては第 10 章をみよ．

練習問題 8.3.4 に示すように，基礎をなす分布が「同じ」分散に従うと仮定するならば，2 標本 t 検定もまた漸近的に正しい．■

例 8.3.1 において 2 つの正規分布の平均の同等性について検定した際，分布の未知の分散は等しいと仮定されていた．ここからは，これら 2 つの分散の同等性の検定の

8.3. 尤度比検定

問題について考えよう.

例 8.3.2. $N(\theta_1, \theta_3)$ と $N(\theta_2, \theta_4)$ に従う分布それぞれからの独立な確率変数 $X_1, \ldots, X_n$ と $Y_1, \ldots, Y_m$ が与えられている. このとき

$$\Omega = \{(\theta_1, \theta_2, \theta_3, \theta_4) : -\infty < \theta_1, \theta_2 < \infty, 0 < \theta_3, \theta_4 < \infty\}$$

である. 仮説 $H_0 : \theta_3 = \theta_4$ (未知), θ_1 と θ_2 もまた未知, をすべての対立仮説に対して検定する. すると

$$\omega = \{(\theta_1, \theta_2, \theta_3, \theta_4) : -\infty < \theta_1, \theta_2 < \infty, 0 < \theta_3 = \theta_4 < \infty\}$$

となる. $\Lambda = L(\hat{\omega})/L(\hat{\Omega})$ で定義される統計量が以下の統計量の関数であることは簡単に示される (練習問題 8.3.8 参照).

$$F = \frac{\sum_1^n (X_i - \overline{X})^2 / (n-1)}{\sum_1^m (Y_i - \overline{Y})^2 / (m-1)} \tag{8.3.8}$$

$\theta_3 = \theta_4$ のとき, この統計量 F は自由度 $n-1$ と $m-1$ の F 分布に従う. $F \le c_1$ もしくは $F \ge c_2$ と計算されれば, 仮説 $(\theta_1, \theta_2, \theta_3, \theta_4) \in \omega$ は棄却される. 定数 c_1 と c_2 は通常, $\theta_3 = \theta_4$ のとき以下となるように選択される.

$$P(F \le c_1) = P(F \ge c_2) = \frac{\alpha_1}{2}$$

ここで α_1 はこの検定の望まれる有意水準である. ∎

例 8.3.3. 互いに独立な確率変数 X と Y は, 分布 $N(\theta_1, \theta_3)$ と $N(\theta_2, \theta_4)$ に従うとする. 例 8.3.1 において, $\theta_3 = \theta_4$ のときの仮説 $\theta_1 = \theta_2$ に対する尤度比検定統計量 T を導出した. 一方, 例 8.3.2 では仮説 $\theta_3 = \theta_4$ に対する尤度比検定統計量 F を得た. $|T| \ge c$ と計算されれば, 仮説 $\theta_1 = \theta_2$ は棄却される. ここで定数 c は $\alpha_2 = P(|T| \ge c; \theta_1 = \theta_2, \theta_3 = \theta_4)$ が指定された検定の有意水準になるように選択されるものである. $\theta_3 = \theta_4$ のとき, 分散の同等性と平均の同等性に対する尤度比検定統計量, それぞれ F と T は互いに独立であることを示すことにする. とりわけ, このことは F と T それぞれに基づいた 2 つの検定が有意水準 α_1 と α_2 で順次行われるならば, これらの仮説が真であるときにその両方が採択される確率は $(1-\alpha_1)(1-\alpha_2)$ となることを意味している. したがって, この多重検定の有意水準は $\alpha = 1 - (1-\alpha_1)(1-\alpha_2)$ となる.

$\theta_3 = \theta_4$ のときの F と T の独立性は, 十分性と完備性を考慮することによって証明される. 3 つの統計量 $\overline{X}, \overline{Y}, \sum_1^n (X_i - \overline{X})^2 + \sum_1^n (Y_i - \overline{Y})^2$ は 3 つの母数 $\theta_1, \theta_2, \theta_3 = \theta_4$ の同時完備十分統計量である. 明らかに, F の分布は $\theta_1, \theta_2, \theta_3 = \theta_4$ に依存しない. したがって, F は 3 つの同時完備十分統計量と独立である. しかし, T はこれら 3 つの同時完備十分統計量のみの関数であるため, T と F は独立である. これら 2 つの統計量が, $\theta_1 = \theta_2$ の場合でも $\theta_1 \ne \theta_2$ 場合でも独立であることは重要な点である. これにより, 私たちは検定の有意水準以外の確率も計算することができる. 例えば, $\theta_3 = \theta_4$ かつ $\theta_1 \ne \theta_2$ のとき,

$$P(c_1 < F < c_2, |T| \geq c) = P(c_1 < F < c_2)P(|T| \geq c)$$

である．右辺の2番目の要素は非心 t 分布の確率を用いることにより求められる．もちろん，$\theta_3 = \theta_4$ であり，かつ $\theta_1 - \theta_2$ の差が大きいとき，事象 $\{c_1 < F < c_2, |T| \geq c\}$ は $\theta_3 = \theta_4$ を採択し，$\theta_1 = \theta_2$ を棄却するという正しい決定を導くため，この確率は 1 に近づくと考えられる．■

注意 8.3.2. 先の2つの分散の同等性の検定に関しては注意がある．注意 8.3.1 において，平均に関する 1 標本，2 標本 t 検定は漸近的に正しいことが議論された．しかし先の例の分散に関する 2 標本検定についてはあてはまらない．例えば，Hettmansperger and McKean (1998) の 126 ページを参照．基礎をなす分布が正規分布でないとき，F 棄却限界値は（注意 8.3.1 で議論された平均に関する検定における t 棄却限界値とは異なり），妥当な棄却限界値より大きく離れてしまうだろう．大規模なシミュレーション研究において Conover, Johnson and Johnson (1981) は，ある非正規の状況で，F 棄却限界値を用いた分散の F 検定が名目上の危険率 $\alpha = 0.05$ ではなく，0.80 ほどの高さの有意水準を取りうることを示した．このように，分散に関する 2 標本 F 検定は妥当性の頑健性を有さない．そのため，正規性の仮定が正当化される状況でのみ利用されるべきである．データセットの例として練習問題 8.3.14 を参照せよ．■

上記の例において，私たちは検定統計量の帰無分布を決定することができた．実際にはこれはしばしば不可能である．しかし第 6 章で議論されたように，尤度比検定統計量の対数の -2 倍は H_0 のもとで漸近的にカイ 2 乗分布に従う．したがって，ほとんどの状況で近似的な検定を得ることができるのである．

練習問題

8.3.1. 例 8.3.1 において，$n = m = 8$，$\bar{x} = 75.2$，$\bar{y} = 78.6$，$\sum_1^8 (x_i - \bar{x})^2 = 71.2$，$\sum_1^8 (y_i - \bar{y})^2 = 54.8$ を仮定する．その例で導出された検定を用いるならば，$H_0 : \theta_1 = \theta_2$ は 5%の有意水準で，採択または棄却のどちらだろうか．注意 5.6.1 を参考にして検定の p 値を得よ．

8.3.2. 本節の例 8.3.1 の (8.3.3) 式を確認せよ．

8.3.3. 本節の例 8.3.1 の (8.3.4) 式を確認せよ．

8.3.4. $X_1, \ldots, X_n$ と $Y_1, \ldots, Y_m$ は以下の位置モデルに従うとする．

$$X_i = \theta_1 + Z_i, \quad i = 1, \ldots, n$$
$$Y_i = \theta_2 + Z_{n+i}, \quad i = 1, \ldots, m \tag{8.3.9}$$

ここで，$Z_1, \ldots, Z_{n+m}$ は iid であり共通の pdf $f(z)$ に従う確率変数である．$E(Z_i) = 0$ と $\mathrm{Var}(Z_i) = \theta_3 < \infty$ を仮定する．

(a) $E(X_i) = \theta_1$，$E(Y_i) = \theta_2$，$\mathrm{Var}(X_i) = \mathrm{Var}(Y_i) = \theta_3$ を示せ．

8.3. 尤度比検定

(b) 以下の例 8.3.1 における仮説を考える.
$$H_0: \theta_1 = \theta_2, \quad H_1: \theta_1 \neq \theta_2$$
H_0 のもとで，(8.3.5) 式の検定統計量 T は $N(0,1)$ の極限分布に従うことを示せ.

(c) (b) の結果を用いて，H_0 対 H_1 の対応する大標本検定 (決定規則) を定めよ．(これによって例 8.3.1 の検定が漸近的に正しいことが示される．)

8.3.5. 単純仮説 H_0 を単純対立仮説 H_1 に対して検定するとき，尤度比の原理がネイマン・ピアソンの定理によって与えられるものと同じ検定を導くことを示せ．Ω に含まれる点は 2 点だけであることに注意せよ．

8.3.6. $X_1, X_2, \ldots, X_n$ は正規分布 $N(\theta, 1)$ からの無作為標本とする．$H_0: \theta = \theta'$ (θ' は既知) の $H_1: \theta \neq \theta'$ に対する検定のための尤度比の原理が，不等式 $|\overline{x} - \theta'| \geq c$ を導くことを示せ．

(a) これは H_0 の H_1 に対する一様最強力検定だろうか．

(b) これは H_0 の H_1 に対する一様最強力不偏検定だろうか．

8.3.7. $X_1, X_2, \ldots, X_n$ は iid であり，$N(\theta_1, \theta_2)$ に従うとする．$H_0: \theta_2 = \theta_2'$ (既知)，θ_1 (未知) の $H_1: \theta_2 \neq \theta_2'$, θ_1 (未知) に対する検定のための尤度比の原理が，$\sum_1^n (x_i - \overline{x})^2 \leq c_1$ もしくは $\sum_1^n (x_i - \overline{x})^2 \geq c_2$ のときに棄却する検定を導くことを示せ．ここで，$c_1 < c_2$ は適切に選択されるものとする．

8.3.8. $X_1, \ldots, X_n$ と $Y_1, \ldots, Y_m$ はそれぞれ，分布 $N(\theta_1, \theta_3)$ と $N(\theta_2, \theta_4)$ からの無作為標本とする．

(a) $H_0: \theta_1 = \theta_2, \theta_3 = \theta_4$ をすべての対立仮説に対して検定するための尤度比は
$$\frac{\left[\sum_1^n (x_i - \overline{x})^2 / n\right]^{n/2} \left[\sum_1^m (y_i - \overline{y})^2 / m\right]^{m/2}}{\left\{\left[\sum_1^n (x_i - u)^2 + \sum_1^m (y_i - u)^2\right] / (m+n)\right\}^{(n+m)/2}}$$
で与えられることを示せ．ここで $u = (n\overline{x} + m\overline{y})/(n+m)$ である．

(b) $H_0: \theta_3 = \theta_4$ (ここで θ_1 と θ_4 は未知) の尤度比検定は，(8.3.8) 式で与えられた F 検定統計量に基づくことを示せ．

8.3.9. $Y_1 < Y_2 < \cdots < Y_5$ は，すべての実数 θ において $f(x; \theta) = \frac{1}{2} e^{-|x - \theta|}$, $-\infty < x < \infty$ という pdf に従う分布からのサイズ $n = 5$ の無作為標本の順序統計量とする．$H_0: \theta = \theta_0$ の $H_1: \theta \neq \theta_0$ に対する検定のための尤度比検定 Λ を求めよ．

8.3.10. $X_1, X_2, \ldots, X_n$ は
$$H_0: f(x; \theta) = \frac{1}{\theta}, \ 0 < x < \theta, \ \text{それ以外は } 0$$
もしくは

$$H_1: f(x;\theta) = \frac{1}{\theta}e^{-x/\theta}, \ 0<x<\infty, \text{ それ以外は } 0$$

という分布から抽出したものとする. H_0 の H_1 に対する検定に関連する尤度比 (Λ) 検定を定めよ.

8.3.11. $f(x;\theta) = \theta(1-x)^{\theta-1}, 0<x<1$, それ以外は 0 という pdf に従う分布からの無作為標本 $X_1, X_2, \ldots, X_n$ を考える. ここで $\theta > 0$ である.
(a) $H_0: \theta = 1$ の $H_1: \theta > 1$ に対する一様最強力検定の形式を求めよ.
(b) $H_0: \theta = 1$ の $H_1: \theta \neq 1$ に対する検定の尤度比 Λ は何だろうか.

8.3.12. $X_1, X_2, \ldots, X_n$ と $Y_1, Y_2, \ldots, Y_n$ はそれぞれ, $N(\mu_1, \sigma^2)$ と $N(\mu_2, \sigma^2)$ という 2 つの正規分布からの互いに独立な無作為標本とする. ここで σ^2 は共通の分散であるが, 未知である.
(a) $H_0: \mu_1 = \mu_2 = 0$ のすべての対立仮説に対する検定の尤度比 Λ を求めよ.
(b) Λ を分布がよく知られている統計量 Z の関数として書き換えよ.
(c) 帰無仮説と対立仮説両方のもとでの Z の分布を与えよ.

8.3.13. $(X_1, Y_1), (X_2, Y_2), \ldots, (X_n, Y_n)$ は, $\mu_1, \mu_2, \sigma_1^2 = \sigma_2^2 = \sigma^2, \rho = \frac{1}{2}$ の 2 変量正規分布からの無作為標本とする. ここで μ_1, μ_2 と $\sigma^2 > 0$ は未知の実数である. $H_0: \mu_1 = \mu_2 = 0, \sigma^2$(未知)のすべての対立仮説に対する検定の尤度比 Λ を求めよ. 尤度比 Λ は分布のよく知られているどんな統計量の関数だろうか.

8.3.14. X は $-\infty < x < \infty$ と $b_X > 0$ において, $f_X(x) = (2b_X)^{-1}\exp\{-|x|/b_X\}$ という pdf に従う確率変数とする. まず, X の分散が $\sigma_X^2 = 2b_X^2$ であることを示せ.
いま, X と統計的に独立な Y が, $-\infty < x < \infty$ と $b_Y > 0$ において $f_Y(y) = (2b_Y)^{-1}\exp\{-|y|/b_Y\}$ という pdf に従うとする. 以下の仮説を考える.

$$H_0: \sigma_X^2 = \sigma_Y^2, \quad H_1: \sigma_X^2 > \sigma_Y^2$$

これらの仮説の検定に関して注意 8.3.2 を例示するために, 以下のデータセットを考える (Hettmansperger and McKean, 1998 の 122 ページより). 標本 1 は $b_X = 1$ のとき X に関して取り出された標本を表しており, 一方, 標本 2 は $b_Y = 1$ のとき Y に関して取り出された標本を表している. したがって, この場合 H_0 は真である.

標本 1	−0.38982	−2.17746	0.81368	−0.00072
	−0.11032	−0.70976	0.45664	0.13583
標本 1	0.76384	−0.57041	−2.56511	−1.73311
	0.40363	0.77812	−0.11548	
標本 2	−1.06716	−0.57712	0.36138	−0.68037
	−0.63445	−0.99624	−0.18128	0.23957
標本 2	−0.77576	−1.42159	−0.81898	0.32863
	0.21390	1.42551	−0.16589	

(a) これら2つの標本の比較箱ひげ図 (comparison boxplot) を得よ．比較箱ひげ図は両方の標本の箱ひげ図が同じ尺度で描かれたものである．これらの図，特に四分位範囲に基づくと，H_0 はどのように結論付けられるか．
(b) 注意 8.3.2 で議論された (片側仮説に対する)F 検定を水準 $\alpha = 0.10$ で求め，結論を述べよ．
(c) (b) の検定は正確ではない．なぜか．

8.4 逐次確率比検定

定理 8.1.1 では，単純対立仮説に対する単純仮説を検定するための最良棄却域を定める方法を得た．その説明を思い出そう．$X_1, X_2, \ldots, X_n$ は pdf もしくは pmf $f(x;\theta)$ に従う分布からの，固定されたサイズ n の無作為標本とする．ここで，$\theta = \{\theta : \theta = \theta', \theta''\}$ であり，θ' と θ'' は既知の値とする．この節では，$X_1, X_2, \ldots, X_n$ の尤度は以下によって表そう．

$$L(\theta; n) = f(x_1; \theta)f(x_2; \theta)\cdots f(x_n; \theta)$$

これは母数 θ と標本サイズ n の両方を明らかにする表記法である．$k > 0$ で，

$$\frac{L(\theta'; n)}{L(\theta''; n)} \leq k$$

の場合，そしてその場合のみ $H_0: \theta = \theta'$ を棄却し，$H_1: \theta = \theta''$ を採択したなら，定理 8.1.1 より，これは H_1 に対する H_0 の最良検定である．

さて，前もって標本サイズ n が 固定されていない 場合を考えよう．つまり，標本サイズを標本空間 $\{1, 2, 3, \ldots\}$ の確率変数 N とする．単純対立仮説 $H_1: \theta = \theta''$ に対する単純仮説 $H_0: \theta = \theta'$ の検定に関する関心のある手続きは以下である．k_0 と k_1 を $k_0 < k_1$ であるような正の定数とする．統計的独立な結果 $X_1, X_2, X_3, \ldots$ を，列，例えば $x_1, x_2, x_3, \ldots$ として観測し，

$$\frac{L(\theta'; 1)}{L(\theta''; 1)}, \frac{L(\theta'; 2)}{L(\theta''; 2)}, \frac{L(\theta'; 3)}{L(\theta''; 3)}, \ldots$$

を計算する．もし，$\mathbf{x}_n = (x_1, x_2, \ldots, x_n)$ が集合

$$C_n = \left\{\mathbf{x}_n : k_0 < \frac{L(\theta', j)}{L(\theta'', j)} < k_1, j = 1, \ldots, n-1, \frac{L(\theta', n)}{L(\theta'', n)} \leq k_0\right\} \quad (8.4.1)$$

に属するような正の整数 n が存在する場合，そしてその場合のみ仮説 $H_0: \theta = \theta'$ は棄却される (そして $H_1: \theta = \theta''$ は採択される)．一方，もし，$(x_1, x_2, \ldots, x_n)$ が集合

$$B_n = \left\{\mathbf{x}_n : k_0 < \frac{L(\theta', j)}{L(\theta'', j)} < k_1, j = 1, \ldots, n-1, \frac{L(\theta', n)}{L(\theta'', n)} \geq k_1\right\} \quad (8.4.2)$$

に属するような正の整数 n が存在する場合，そしてその場合のみ仮説 $H_0: \theta = \theta'$ は採択される (そして $H_1: \theta = \theta''$ は棄却される)．すなわち，

$$k_0 < \frac{L(\theta', n)}{L(\theta'', n)} < k_1 \tag{8.4.3}$$

なかぎり，標本をとりつづける．次の2つのどちらかの場合には観測をとりやめる．
1.
$$\frac{L(\theta', n)}{L(\theta'', n)} \leq k_0$$

であるときはただちに $H_0 : \theta = \theta'$ を棄却する．もしくは，
2.
$$\frac{L(\theta', n)}{L(\theta'', n)} \geq k_1$$

であるときはただちに $H_0 : \theta = \theta'$ を採択する．
このような種類の検定のことをワルドの逐次確率比検定 (sequential probability ratio test) とよぶ．さて，しばしば不等式 (8.4.3) は以下のような同等の形で便利に表される．

$$c_0(n) < u(x_1, x_2, \ldots, x_n) < c_1(n) \tag{8.4.4}$$

ここで，$u(X_1, X_2, \ldots, X_n)$ は統計量であり，$c_0(n)$ と $c_1(n)$ は定数 $k_0, k_1, \theta', \theta''$，および n に依存する．次に，以下のいずれかになったときはただちに観測をやめて，決定が成立する．

$$u(x_1, x_2, \ldots, x_n) \leq c_0(n), \quad u(x_1, x_2, \ldots, x_n) \geq c_1(n)$$

以下に説明的な例をあげよう．

例 8.4.1. X は pmf

$$f(x; \theta) = \begin{cases} \theta^x (1-\theta)^{1-x} & x = 0, 1 \\ 0 & \text{それ以外の場合} \end{cases}$$

に従うものとする．前述の逐次確率比検定の議論において $H_0 : \theta = \frac{1}{3}$，$H_1 : \theta = \frac{2}{3}$ とする．すると

$$\frac{L(\frac{1}{3}, n)}{L(\frac{2}{3}, n)} = \frac{(\frac{1}{3})^{\sum x_i}(\frac{2}{3})^{n-\sum x_i}}{(\frac{2}{3})^{\sum x_i}(\frac{1}{3})^{n-\sum x_i}} = 2^{n-2\sum x_i}$$

ここで，$\sum x_i = \sum_1^n x_i$ である．底を2とする対数をとると，不等式

$$k_0 < \frac{L(\frac{1}{3}, n)}{L(\frac{2}{3}, n)} < k_1$$

は，

8.4. 逐次確率比検定

$$\log_2 k_0 < n - 2\sum_1^n x_i < \log_2 k_1$$

となる．ここで，$0 < k_0 < k_1$ である．もしくは同等に，(8.4.4) 式の表記法において

$$c_0(n) = \frac{n}{2} - \frac{1}{2}\log_2 k_1 < \sum_1^n x_i < \frac{n}{2} - \frac{1}{2}\log_2 k_0 = c_1(n)$$

となる．$c_1(n) \leq \sum_1^n x_i$ の場合，そしてその場合のみ $L(\frac{1}{3},n)/L(\frac{2}{3},n) \leq k_0$ であり，$c_0(n) \geq \sum_1^n x_i$ の場合，そしてその場合のみ $L(\frac{1}{3},n)/L(\frac{2}{3},n) \geq k_1$ であることに注意しよう．したがって $c_0(n) < \sum_1^n x_i < c_1(n)$ であるかぎり結果の観測を続ける．$c_1(n) \leq \sum_1^n x_i$ もしくは $c_0(n) \geq \sum_1^n x_i$ となる n のはじめの値が N であり，そこで結果の観測は終わる．不等式 $c_1(n) \leq \sum_1^n x_i$ は $H_0 : \theta = \frac{1}{3}$ の棄却を導き (H_1 の採択)，不等式 $c_0(n) \geq \sum_1^n x_i$ は $H_0 : \theta = \frac{1}{3}$ の採択を導く (H_1 の棄却)．∎

注意 8.4.1. さてここで，逐次確率比検定に関して起こるであろう多くの疑問をもつことだろう．それらの疑問のいくつかは以下のようなものだろう．
1. 手続きを無制限に続ける確率はいくらか．
2. 各点 $\theta = \theta'$ および $\theta = \theta''$ におけるこの検定の検定力関数の値はいくらか．
3. 複合対立仮説，例えば $H_1 : \theta > \theta'$，によって特定される θ の様々な値のひとつを θ'' とすれば，各点 $\theta \geq \theta'$ における検定力関数はどうなるか．
4. 標本サイズ N は確率変数であるが，N の分布の性質はどうか．特に N の期待値 $E(N)$ はどうなるか．
5. この検定を，固定された標本サイズ n をもつ検定と比較するとどうか．∎

逐次解析の過程ではこれらの問題，また多くの他の問題をみるだろう．しかし，本書での目的は読者にこの種の検定手順を伝えることである．というわけで，疑問 1 に対する答えは 0 である．さらに，もし $\theta = \theta'$ もしくは $\theta = \theta''$ ならば，この逐次方式においては，これらの点において等しい検定力関数の値をもつ固定された標本サイズの検定よりも $E(N)$ は小さくなる．次に，疑問 2 を少し詳しく考える．

この節では，H_0 が真であるときの検定力を記号 α で表し，H_1 が真であるときの検定力を記号 $1 - \beta$ で表す．したがって，α は第 1 種の誤り (H_0 が真であるとき H_0 を棄却する) をおかす確率であり，また β は第 2 種の誤り (H_0 が偽であるとき H_0 を採択する) をおかす確率である．集合 C_n と B_n は前に定義したものとし，確率変数は連続型とすると，以下を得る．

$$\alpha = \sum_{n=1}^{\infty} \int_{C_n} L(\theta', n), \quad 1 - \beta = \sum_{n=1}^{\infty} \int_{C_n} L(\theta'', n)$$

手順が終結する確率は 1 だから，以下も得る．

$$1-\alpha = \sum_{n=1}^{\infty} \int_{B_n} L(\theta', n), \quad \beta = \sum_{n=1}^{\infty} \int_{B_n} L(\theta'', n)$$

もし $(x_1, x_2, \ldots, x_n) \in C_n$ ならば, $L(\theta', n) \leq k_0 L(\theta'', n)$ なので,

$$\alpha = \sum_{n=1}^{\infty} \int_{C_n} L(\theta', n) \leq \sum_{n=1}^{\infty} \int_{C_n} k_0 L(\theta'', n) = k_0(1-\beta)$$

であることは明らかである. また, 集合 B_n の各点においては, $L(\theta', n) \geq k_1 L(\theta'', n)$ であるから,

$$1-\alpha = \sum_{n=1}^{\infty} \int_{B_n} L(\theta', n) \geq \sum_{n=1}^{\infty} \int_{B_n} k_1 L(\theta'', n) = k_1 \beta$$

である. したがって, 以下のようになる.

$$\frac{\alpha}{1-\beta} \leq k_0, \quad k_1 \leq \frac{1-\alpha}{\beta} \tag{8.4.5}$$

ただし, β が 0 と 1 でなければである.

さて, α_a と β_a を前もって決められた真分数とする. 適応においてのいくつかの典型的な値は 0.01, 0.05, 0.10 などである. もし,

$$k_0 = \frac{\alpha_a}{1-\beta_a}, \quad k_1 = \frac{1-\alpha_a}{\beta_a}$$

とすれば, 不等式 (8.4.5) は以下のようになる.

$$\frac{\alpha}{1-\beta} \leq \frac{\alpha_a}{1-\beta_a}, \quad \frac{1-\alpha_a}{\beta_a} \leq \frac{1-\alpha}{\beta} \tag{8.4.6}$$

もしくは同等に,

$$\alpha(1-\beta_a) \leq (1-\beta)\alpha_a, \quad \beta(1-\alpha_a) \leq (1-\alpha)\beta_a$$

となる. この不等式の対応する要素を加えると以下となる.

$$\alpha + \beta - \alpha\beta_a - \beta\alpha_a \leq \alpha_a + \beta_a - \beta\alpha_a - \alpha\beta_a$$

したがって,

$$\alpha + \beta \leq \alpha_a + \beta_a$$

である. すなわち, 2 つの種類の誤りをおかす確率の和 $\alpha + \beta$ は, 前もって決められた値の和 $\alpha_a + \beta_a$ を上側の境界とする. さらに, α と β は正の真分数であるので, 不等式 (8.4.6) は以下を示す.

$$\alpha \leq \frac{\alpha_a}{1-\beta_a}, \quad \beta \leq \frac{\beta_a}{1-\alpha_a}$$

したがって, α と β は有界である. 逐次確率比検定の様々な検討から, 最も実際的な場面では α と β の値は α_a と β_a に極めて近いことが示唆されるようである. このこ

8.4. 逐次確率比検定

とは,点 $\theta=\theta'$ および $\theta=\theta''$ における検定力関数は,それぞれ α_a および $1-\beta_a$ によって近似されることを示唆している.

例 8.4.2. X は $N(\theta, 100)$ に従うものとする. α と β が近似的に 0.10 となるように, $H_1 : \theta = 78$ に対する $H_0 : \theta = 75$ を検定するための逐次確率比検定を求めるため,
$$k_0 = \frac{0.10}{1-0.10} = \frac{1}{9}, \quad k_1 = \frac{1-0.10}{0.10} = 9$$
をとる.したがって,
$$\frac{L(75,n)}{L(78,n)} = \frac{\exp\left[-\sum(x_i-75)^2/2(100)\right]}{\exp\left[-\sum(x_i-78)^2/2(100)\right]} = \exp\left(-\frac{6\sum x_i - 459n}{200}\right)$$
であるから,不等式
$$k_0 = \frac{1}{9} < \frac{L(75,n)}{L(78,n)} < 9 = k_1$$
は,対数をとることによって以下のように書き改められる.
$$-\log 9 < \frac{6\sum x_i - 459n}{200} < \log 9$$
この不等式は以下の不等式と同等である.
$$c_0(n) = \frac{153}{2}n - \frac{100}{3}\log 9 < \sum_1^n x_i < \frac{153}{2}n + \frac{100}{3}\log 9 = c_1(n)$$

さらに, $L(75,n)/L(78,n) \leq k_0$ と $L(75,n)/L(78,n) \geq k_1$ は,それぞれ $\sum_1^n x_i \geq c_1(n)$, $\sum_1^n x_i \leq c_0(n)$ と同等である.したがって, $\sum_1^n x_i \geq c_1(n)$ もしくは $\sum_1^n x_i \leq c_0(n)$ となる n のはじめの値が N であり,そこで結果の観測は終わる.不等式 $\sum_1^n x_i \geq c_1(n)$ は $H_0 : \theta = 75$ の棄却を導き,不等式 $\sum_1^n x_i \leq c_0(n)$ は $H_0 : \theta = 75$ の採択を導く.この検定の検定力は, H_0 が真のときは近似的に 0.10 であり, H_1 が真のときは近似的に 0.90 である. ■

注意 8.4.2. 逐次確率比検定をランダムウォーク法 (random–walk procedure) として考えることができることは興味深い.説明のために,例 8.4.1 と例 8.4.2 の最後の不等式をそれぞれ,
$$-\log_2 k_1 < \sum_1^n 2(x_i - 0.5) < -\log_2 k_0$$
$$-\frac{100}{3}\log 9 < \sum_1^n (x_i - 76.5) < \frac{100}{3}\log 9$$
と記述することができる.どちらの例においても,点 0 のスタートを考え,限界の 1 つに到達するまでランダムステップをとる.はじめの方の状況では,ランダムステップは $2(X_1 - 0.5), 2(X_2 - 0.5), 2(X_3 - 0.5), \ldots$ であり,同じ距離 1 に従っている.しかし,方向はランダムである.2 つめの例では, $X_1 - 76.5, X_2 - 76.5, X_3 - 76.5, \ldots$

と，ステップの距離，方向とも確率変数である．■

ここ数年，統計的方法を使った品質の改善に多くの注目が注がれている．ひとつのとても簡素な方法がウォルター・シュハートによって展開された．そこでは，生み出された製品のサイズ n の標本がとられ，それらは観測され，n 個の値となる．これらの n 個の測定結果の平均 $\bar{x}$ は近似的に平均 μ，分散 σ^2/n の正規分布に従う．実際には，μ と σ^2 は推定されなければならない．しかし，ここの議論では，それらは既知であると仮定する．理論より，$\bar{x}$ が

$$\text{LCL} = \mu - \frac{3\sigma}{\sqrt{n}}, \quad \text{UCL} = \mu + \frac{3\sigma}{\sqrt{n}}$$

の間にある確率は 0.997 であるということがわかっている．これら 2 つの値は，それぞれ下側管理限界 (LCL)，上側管理限界 (UCL) とよばれる．これらのような標本は一定個数ごとにとられ，平均の列 $\bar{x}_1, \bar{x}_2, \bar{x}_3, \ldots$ といったようになる．通常これらはプロットされる．そして，これらが LCL と UCL の間にあれば，工程は<u>管理されている</u>という．もし，1 つが限界の外に出たなら，それは μ が変わってしまっただろうこと，工程が確認されるべきであろうことを示唆している．

μ から $\mu + (\sigma/\sqrt{n})$ といったような，平均における変化の可能性があること，1 つの標本平均からその変化を特定することは困難であろうことが認識されてきた．例えばここで，1 つの $\bar{x}$ が UCL を上回る確率はたった約 0.023 である．これは，そのような変化を特定する前に，サイズ n のそれぞれが，平均的に約 $1/0.023 \approx 43$ 個必要であろうことを示している．これは時間がかかりすぎるように思われる．よって，統計学者たちは，変化をより早く特定するために，列 $\bar{x}_1, \bar{x}_2, \bar{x}_3, \ldots$ を観測するといったような経験を積み重ねるべきであると認識した．標準化された変数 $Z = (\bar{X} - \mu)/(\sigma/\sqrt{n})$ を計算することは慣例である．よって，これらの表現における問題を提示し，逐次確率比検定によって与えられる解決法を与えよう．

Z は $N(\theta, 1)$ に従う．iid である確率変数 $Z_1, Z_2, \ldots, Z_m, \ldots$ の列を用いて，$H_1 : \theta = 1$ に対する $H_0 : \theta = 0$ を検定したい．n よりむしろ m を使う．n は一定ごとにとられる標本のサイズだからである．

$$\frac{L(0, m)}{L(1, m)} = \frac{\exp\left[-\sum z_i^2/2\right]}{\exp\left[-\sum (z_i - 1)^2/2\right]} = \exp\left[-\sum_{i=1}^{m}(z_i - 0.5)\right]$$

を得る．したがって，

$$k_0 < \exp\left[-\sum_{i=1}^{m}(z_i - 0.5)\right] < k_1$$

は，

$$h = -\log k_0 > \sum_{i=1}^{m}(z_i - 0.5) > -\log k_1 = -h$$

8.4. 逐次確率比検定

のように記述できる．$\alpha_a = \beta_a$ のとき $-\log k_0 = \log k_1$ であることは真である．しばしば，$h = -\log k_0$ は約 4 もしくは 5 とされる．これは $\alpha_a = \beta_a$ が 0.01 のように小さいことを示唆している．$\sum (z_i - 0.5)$ は $z_i - 0.5$, $i = 1, 2, 3, \ldots$ の和を積み重ねるため，これらの方法はしばしば CUSUM とよばれる．もし CUSUM $= \sum (z_i - 0.5)$ が h を上回ったなら，平均は上へ変化したとみられるので，工程を確認するべきだろう．もしこの変化が $\theta = 1$ に向かっているならば，これらの方法に関連する理論から，この変化を特定するために，平均的にたった 8 もしくは 9 個の標本しか必要ではないことを示す．これは 43 よりもかなり少ない．これらの方法に関するこれ以上の情報を得るには，読者は多くある統計的方法における品質改善に関する本を参照していただきたい．ここで強調したいことは，(逐次確率比検定に限らず) 逐次的な方法を通して，推定において，集めることのできるすべての過去の経験を生かすことができるということである．

練習問題

8.4.1. X は $N(0, \theta)$ に従うとする．本節の表記法に従い，$\theta' = 4$, $\theta'' = 9$, $\alpha_a = 0.05$, $\beta_a = 0.10$ とする．逐次確率比検定は統計量 $\sum_1^n X_i^2$ に基づいて行うことができることを示せ．また，$c_0(n)$ と $c_1(n)$ を決定せよ．

8.4.2. X は平均 θ のポアソン分布に従うとする．$H_1 : \theta = 0.07$ に対する $H_0 : \theta = 0.02$ を検定するための逐次確率比検定を求めよ．また，この検定は統計量 $\sum_1^n X_i$ に基づいて行うことができることを示せ．また，$\alpha_a = 0.20$, $\beta_a = 0.10$ のとき，$c_0(n)$ と $c_1(n)$ を求めよ．

8.4.3. 統計的独立な確率変数 Y と Z は，それぞれ $N(\mu_1, 1)$ と $N(\mu_2, 1)$ に従うものとする．また，$\theta = \mu_1 - \mu_2$ とする．それぞれの分布から統計的独立な観測値，$Y_1, Y_2, \ldots$, $Z_1, Z_2, \ldots$ をとる．列 $X_i = Y_i - Z_i$, $i = 1, 2, \ldots$ を用いて，$H_1 : \theta = \frac{1}{2}$ に対する $H_0 : \theta = 0$ の仮説検定を順次行え．また，$\alpha_a = \beta_a = 0.05$ であるとき，この検定は $\overline{X} = \overline{Y} - \overline{Z}$ に基づいて行うことができることを示せ．また，$c_0(n)$ と $c_1(n)$ を求めよ．

8.4.4. 約 3% の欠陥品を作る製造工程を考える．これはこの特定の製品については十分であると考えられている．経営者たちはこれを約 1% まで減らしたいと考えていて，また，約 5% といったような大幅な増加を防ぎたいとはっきりと思っている．製造工程をみると，周期的に $n = 100$ 個の製品がとられ，欠陥品の数 X が数えられる．X は $b(n = 100, p = \theta)$ に従うと仮定する．列 $X_1, X_2, \ldots, X_m, \ldots$ に基づいて，$H_1 : \theta = 0.05$ に対する $H_0 : \theta = 0.01$ を検定する逐次確率比検定を決定せよ (現在の水準である $\theta = 0.03$ はこれらの 2 つの値の間にあることに注意せよ)．この検定を

$$h_0 > \sum_{i=1}^m (x_i - nd) > h_1$$

の形式で記述し, $\alpha_a = \beta_a = 0.02$ のときの d, h_0, h_1 を決定せよ.

8.4.5. $X_1, X_2, \ldots, X_n$ は, $f(x;\theta) = \theta x^{\theta-1}$, $0 < x < 1$, それ以外では 0, という pdf に従う分布からの無作為標本であるとする.
(a) θ に対する完備十分統計量を求めよ.
(b) $\alpha = \beta = \frac{1}{10}$ であるとき, $H_1 : \theta = 3$ に対する $H_0 : \theta = 2$ の逐次確率比検定を求めよ.

8.5 ミニマックス法と分類法

点推定の問題に使える手続きをいくつか考えた. これらの間に共通していることは, 決定関数 (特にミニマックス決定) を使った手続きであるということである. 本節では, 対立単純仮説 H_1 に対して単純仮説 H_0 を検定することの問題にミニマックス法を利用する. これらの手続きは, ネイマン・ピアソンの定理に従って, H_1 と H_0 の最良検定になるのであるが, それを観察することは重要である. そして本節の終わりでは, 分類問題におけるこれらの手続きの応用に関する議論を行う.

8.5.1 ミニマックス法

まず始めに, 単純対立仮説に対して単純仮説を検定することの問題への決定関数によるアプローチをみる. n 個の確率変数 $X_1, X_2, \ldots, X_n$ の同時 pdf が母数 θ に依存しているとする. ここでの n は固定された正の整数である. この pdf は $L(\theta; x_1, x_2, \ldots, x_n)$, あるいは略して $L(\theta)$ のように表記される. θ' と θ'' を θ における異なった定数とする. 単純仮説 $H_1 : \theta = \theta''$ に対する単純仮説 $H_0 : \theta = \theta'$ を検定したい. したがって母数空間は $\Omega = \{\theta : \theta = \theta', \theta''\}$ である. 決定関数の手続きに従って, θ の 2 つの値, θ' か θ'' のどちらを採択するかを決定する $X_1, \ldots, X_n$ の観測値 (あるいは統計量 Y の観測値) の関数 δ を求めたい. つまり, 関数 δ は $H_0 : \theta = \theta'$ か $H_1 : \theta = \theta''$ のどちらかを選択するということである. これらの決定関数をそれぞれ, $\delta = \theta'$ と $\delta = \theta''$ のように表記する. $\mathcal{L}(\theta, \delta)$ はこの決定問題と関連した損失関数を表すとする. $(\theta = \theta', \delta = \theta')$ のペアと $(\theta = \theta'', \delta = \theta'')$ のペアは正しい決定を表しているので, 当然いつも $\mathcal{L}(\theta', \theta') = \mathcal{L}(\theta'', \theta'') = 0$ となる. 一方, $\theta = \theta'$ のときに $\delta = \theta''$ であるか, あるいは $\theta = \theta''$ のときに $\delta = \theta'$ かのどちらかの場合, 損失関数は正の値になるだろう. つまり, $\mathcal{L}(\theta', \theta'') > 0$ と $\mathcal{L}(\theta'', \theta') > 0$ ということになる.

$H_1 : \theta = \theta''$ に対する $H_0 : \theta = \theta'$ の検定は, 標本空間における棄却域で表現できるということが以前に強調されていた. 決定関数に関しても同じように表現できる. つまり, 標本空間の C の部分集合を選び, $(x_1, x_2, \ldots, x_n) \in C$ であるなら, その決定を $\delta = \theta''$ とすることができる. 一方, C の補集合が $(x_1, x_2, \ldots, x_n) \in C^c$ であるなら, 決定を $\delta = \theta'$ とする. したがって, 与えられた棄却域 C は決定関数を決定する. この意味で, 危険関数を $R(\theta, \delta)$ のかわりに $R(\theta, C)$ で表記してもよい. つまり, 7.1

8.5. ミニマックス法と分類法

節で用いられた表記では,
$$R(\theta, C) = R(\theta, \delta) = \int_{C \cup C^c} \mathcal{L}(\theta, \delta) L(\theta)$$
となる. $(x_1, \ldots, x_n) \in C$ の場合は $\delta = \theta''$, $(x_1, \ldots, x_n) \in C^c$ の場合は $\delta = \theta'$ であるので,
$$R(\theta, C) = \int_C \mathcal{L}(\theta, \theta'') L(\theta) + \int_{C^c} \mathcal{L}(\theta, \theta') L(\theta) \tag{8.5.1}$$
となる. もし (8.5.1) 式で $\theta = \theta'$ としたなら, $\mathcal{L}(\theta', \theta') = 0$ となるので,
$$R(\theta', C) = \int_C \mathcal{L}(\theta', \theta'') L(\theta') = \mathcal{L}(\theta', \theta'') \int_C L(\theta')$$
となる. 一方, (8.5.1) 式で $\theta = \theta''$ とすると, $\mathcal{L}(\theta'', \theta'') = 0$ となるから, それに応じて
$$R(\theta'', C) = \int_{C^c} \mathcal{L}(\theta'', \theta') L(\theta'') = \mathcal{L}(\theta'', \theta') \int_{C^c} L(\theta'')$$
となる. もし $\gamma(\theta)$ が棄却域 C に付随した検定の検定力関数であるなら,
$$R(\theta', C) = \mathcal{L}(\theta', \theta'') \gamma(\theta') = \mathcal{L}(\theta', \theta'') \alpha$$
であるということに注意することは大変重要である. ここで, $\alpha = \gamma(\theta')$ は有意水準である. また,
$$R(\theta'', C) = \mathcal{L}(\theta'', \theta')[1 - \gamma(\theta'')] = \mathcal{L}(\theta'', \theta') \beta$$
である. ここで, $\beta = 1 - \gamma(\theta'')$ は第 2 種の誤りの確率である.

いま, 当該問題として, ミニマックス解を見つけることができるかどうかということを考えている. つまり, 以下のような式を最小化するための棄却域 C を見つけたいということである.
$$\max[R(\theta', C), R(\theta'', C)]$$
当然, その解は以下の式の範囲にあることを示さなければならず,
$$C = \left\{ (x_1, \ldots, x_n) : \frac{L(\theta'; x_1, \ldots, x_n)}{L(\theta''; x_1, \ldots, x_n)} \leq k \right\}$$
そのために $R(\theta', C) = R(\theta'', C)$ であるように選ばれた正の定数 k を導入した. つまり, もし k が以下の式を満たすように選ばれたなら,
$$\mathcal{L}(\theta', \theta'') \int_C L(\theta') = \mathcal{L}(\theta'', \theta') \int_{C^c} L(\theta'')$$
棄却域 C がミニマックス解を与えるということである. 連続型の確率変数の場合, k はつねに $R(\theta', C) = R(\theta'', C)$ となるように選ばれる. しかし, 離散型の確率変数では, $R(\theta', C) = R(\theta'', C)$ という正確な等式を得るために, $L(\theta')/L(\theta'') = k$ という補助的な確率実験を考慮する必要があるかもしれない.

C がミニマックス解であるということを確認するために，$R(\theta',C) \geq R(\theta',A)$ であるような他のすべての部分 A を考える．$R(\theta',C) < R(\theta',A)$ であるような部分 A は，$R(\theta',C) = R(\theta'',C) < \max[R(\theta',A), R(\theta'',A)]$ であるので，ミニマックス解の候補には入らない．$R(\theta',C) \geq R(\theta',A)$ は，

$$\mathcal{L}(\theta',\theta'')\int_C L(\theta') \geq \mathcal{L}(\theta',\theta'')\int_A L(\theta')$$

ということを意味するので，以下の式を得る．

$$\alpha = \int_C L(\theta') \geq \int_A L(\theta')$$

つまり，棄却域 A に付随した検定の有意水準は α と等しいかそれよりも小さいということである．しかし，ネイマン・ピアソンの定理に従い，C は危険率 α の最良棄却域となる．したがって，

$$\int_C L(\theta'') \geq \int_A L(\theta'')$$

であり，

$$\int_{C^c} L(\theta'') \leq \int_{A^c} L(\theta'')$$

である．それにより，

$$\mathcal{L}(\theta'',\theta')\int_{C^c} L(\theta'') \leq \mathcal{L}(\theta'',\theta')\int_{A^c} L(\theta'')$$

あるいは，それと同等の以下の式を得る．

$$R(\theta'',C) \leq R(\theta'',A)$$

したがって，

$$R(\theta',C) = R(\theta'',C) \leq R(\theta'',A)$$

である．この意味は，

$$\max[R(\theta',C), R(\theta'',C)] \leq R(\theta'',A)$$

ということである．もちろん，

$$\max[R(\theta',C), R(\theta'',C)] \leq \max[R(\theta',A), R(\theta'',A)]$$

であり，棄却域 C は示したかったミニマックス解を与える．

例 8.5.1. $X_1, X_2, \ldots, X_{100}$ を分布 $N(\theta, 100)$ からのサイズ 100 の無作為標本とする．もう一度，$H_0 : \theta = 75$ と $H_1 : \theta = 78$ とを検定することの問題を考えてみる．いま，$\mathcal{L}(75, 78) = 3$ と $\mathcal{L}(78, 75) = 1$ に従うミニマックス解を求めている．$L(75)/L(78) \leq k$ は $\overline{x} \geq c$ と恒等であるので，以下の式に従うような c，すなわち k を決定したい．

$$3P(\overline{X} \geq c; \theta = 75) = P(\overline{X} < c; \theta = 78) \tag{8.5.2}$$

8.5. ミニマックス法と分類法

$\overline{X}$ は $N(\theta,1)$ に従うので，前式は以下のように書き換えることができる．

$$3[1-\Phi(c-75)]=\Phi(c-78)$$

練習問題8.5.4で言及するように，読者はニュートンのアルゴリズムを用いて，その解が $c=76.8$ であるということを示すことができる．検定の有意水準はおよそ $1-\Phi(1.8)=0.036$ であり，H_1 が真であるときの検定力はおよそ $1-\Phi(-1.2)=0.885$ になる．

8.5.2 分類

上記をまとめると，分類 (classification) の問題に対する興味深い応用が可能となる．それは次のように記される．調査者は，ある項目に対して何回もの測定を行い，それをいくつかのカテゴリのうちのひとつに分類したいとする．議論の都合上，分類したい項目に対して，X と Y の2回だけ測定が行われたとする．さらに，X と Y は $f(x,y;\theta)$ という同時pdfに従うとする．ここで，θ は1つまたはそれ以上の母数を表す．簡単のために，X と Y の同時pdfは，次の2つうちのどちらかであるとする．それらは，それぞれ母数の値が θ' の場合と，θ'' の場合である．この場合，問題は $X=x$ と $Y=y$ を観測し，対立仮説 $\theta=\theta''$ に対して，帰無仮説 $\theta=\theta'$ の検定を行い，採択された仮説に従って X と Y を分類することに帰着される．ネイマン・ピアソンの定理から，この種の形に対する最良の決定規則は知られている．それは，もし，

$$\frac{f(x,y;\theta')}{f(x,y;\theta'')} \leq k$$

ならば，θ'' で示された分布を選択するということである．つまり，(x,y) は θ'' で示された分布から得られたものとして分類する．そうでなければ，θ' で示された分布を選択する．つまり，(x,y) は θ' で示された分布から得られたものとして分類する．次の注意では，k の選択に関して議論される．

注意 8.5.1 (k の選択に関して)． 次の確率を考える．

$\pi' = P[f(x,y;\theta')$ というpdfに従う分布から (X,Y) が抽出される$]$

$\pi'' = P[f(x,y;\theta'')$ というpdfに従う分布から (X,Y) が抽出される$]$

$\pi'+\pi''=1$ であることに注意してほしい．最良の分類規則は，$k=\pi''/\pi'$ について考えればよいことが証明されている．詳しくは，Seber (1984) をみよ．したがって，母数が θ' である分布から項目がどれほど得られやすいかという事前情報があれば，分類規則を決定することが可能である．実際にしばしば行われていることは，各分布は同様にもっともらしいとすることである．この場合，$\pi'=\pi''=1/2$ であり，したがって $k=1$ となる．■

例 8.5.2. (x,y) は確率変数のペア (X,Y) の実現値とする．ここで，(X,Y) は母数が $\mu_1, \mu_2, \sigma_1^2, \sigma_2^2$ そして ρ である2変量正規分布に従うとする．3.5節では，この同時

pdf は次のように与えられた.

$$f(x,y;\mu_1,\mu_2,\sigma_1^2,\sigma_2^2) = \frac{1}{2\pi\sigma_1\sigma_2\sqrt{1-\rho^2}} e^{-q(x,y;\mu_1,\mu_2)/2}$$

ここで, $-\infty < x < \infty$ そして $-\infty < y < \infty$ であり, $\sigma_1 > 0, \sigma_2 > 0, -1 < \rho < 1$ である. また,

$$q(x,y;\mu_1,\mu_2) = \frac{1}{1-\rho^2}\left[\left(\frac{x-\mu_1}{\sigma_1}\right)^2 - 2\rho\left(\frac{x-\mu_1}{\sigma_1}\right)\left(\frac{y-\mu_2}{\sigma_2}\right) + \left(\frac{y-\mu_2}{\sigma_2}\right)^2\right]$$

である. σ_1^2, σ_2^2 そして ρ は既知であるが, (X,Y) それぞれの平均が (μ_1', μ_2') と (μ_1'', μ_2'') のどちらであるかはわかっていないとする. 次の不等式

$$\frac{f(x,y;\mu_1',\mu_2',\sigma_1^2,\sigma_2^2,\rho)}{f(x,y;\mu_1'',\mu_2'',\sigma_1^2,\sigma_2^2,\rho)} \leq k$$

は, 下の不等式と同等である.

$$\frac{1}{2}[q(x,y;\mu_1'',\mu_2'') - q(x,y;\mu_1',\mu_2')] \leq \log k$$

さらに, この不等式の左辺の差には, x^2, xy そして y^2 が含まれていないことは明らかである. 特に, この不等式は,

$$\frac{1}{1-\rho^2}\left\{\left[\frac{\mu_1'-\mu_1''}{\sigma_1^2} - \frac{\rho(\mu_2'-\mu_2'')}{\sigma_1\sigma_2}\right]x + \left[\frac{\mu_2'-\mu_2''}{\sigma_2^2} - \frac{\rho(\mu_1'-\mu_1'')}{\sigma_1\sigma_2}\right]y\right\}$$
$$\leq \log k + \frac{1}{2}[q(0,0;\mu_1',\mu_2') - q(0,0;\mu_1'',\mu_2'')]$$

あるいは簡潔に,

$$ax + by \leq c \tag{8.5.3}$$

と同等である. つまり, もし, 不等式の左辺の要素に含まれる x と y の線形関数が, ある定数以下もしくはある定数と等しいならば, (x,y) は平均がそれぞれ μ_1'' と μ_2'' の2変量正規分布から抽出されたとして分類される. そうでなければ, (x,y) は平均がそれぞれ μ_1' と μ_2' の2変量正規分布から抽出されたとして分類される. もちろん, 事前確率を注意8.5.1で議論したように割り当てることが可能ならば, k と, したがって c を見つけることは容易である. 練習問題8.5.3を見よ. ■

分類規則が確立したならば, 統計学者はこの規則を用いた場合の2つの誤分類の確率に興味をもつだろう. それら2つのうちの1つめは, 実際には θ' で示される分布から抽出されたにもかかわらず, θ'' で示される分布から抽出されたとして (x,y) が分類される場合である. 2つめは, θ' と θ'' を入れ替えた同様の場合である. 前述の例では, これらの誤分類の確率は, 以下である.

$$P(aX + bY \leq c; \mu_1', \mu_2'), \quad P(aX + bY > c; \mu_1'', \mu_2'')$$

$Z = aX + bY$ の分布は定理3.5.1から以下のように容易に求まる.

8.5. ミニマックス法と分類法

$$N(a\mu_1+b\mu_2, a^2\sigma_1^2+2ab\rho\sigma_1\sigma_2+b^2\sigma_2^2)$$

ここから，誤分類の確率は容易に計算可能である．練習問題 8.5.3 を参照せよ．

例 8.5.2 で確立する重要な分類規則の利用に関する最後の注意点を述べる．ほとんどの場合，σ_1^2, σ_2^2 や ρ と同様に，μ_1', μ_2' や μ_1'', μ_2'' の母数の値は未知である．このような場合に統計学者は通常，2 つの分布からの無作為標本 (しばしば練習用標本 (training sample) とよばれる) を観測する．標本数はそれぞれ n' と n'' であり，以下のような標本の特徴をもつとする．

$$\overline{x}', \overline{y}', (s_x')^2, (s_y')^2, r' \quad \text{と} \quad \overline{x}'', \overline{y}'', (s_x'')^2, (s_y'')^2, r''$$

したがって，不等式 (8.5.3) において，母数 $\mu_1', \mu_2', \mu_1'', \mu_2'', \sigma_1^2, \sigma_2^2$ そして $\rho\sigma_1\sigma_2$ が次に示されるその不偏推定値に置き換わったならば，

$$\overline{x}', \overline{y}', \overline{x}'', \overline{y}'', \frac{(n'-1)(s_x')^2+(n''-1)(s_x'')^2}{n'+n''-2}, \frac{(n'-1)(s_y')^2+(n''-1)(s_y'')^2}{n'+n''-2}$$

$$\frac{(n'-1)r's_x's_y'+(n''-1)r''s_x''s_y''}{n'+n''-2}$$

(8.5.3) 式左辺の要素に含まれる結果の表現は，しばしばフィッシャーの線形判別関数 (linear discriminant function) とよばれる．これらは母数の推定値であるから，$aX+bY$ に関する分布理論によって近似が与えられる．

本節では，2 変量正規分布についてのみ考えたが，3.5 節の結果を用いれば多変量正規分布の場合に結果は容易に拡張される．Seber (1984) の 6 章もまた参照せよ．

練習問題

8.5.1. $X_1, X_2, \ldots, X_{20}$ は分布 $N(\theta, 5)$ からのサイズ 20 の無作為標本とする．$L(\theta)$ は $X_1, X_2, \ldots, X_{20}$ の同時 pdf を表すとする．問題は $H_1 : \theta = 0$ に対して，$H_0 : \theta = 1$ を検定することである．したがって，$\Omega = \{\theta : \theta = 0, 1\}$ である．
(a) $L(1)/L(0) \leq k$ は $\overline{x} \leq c$ に等しいことを証明せよ．
(b) 有意水準が $\alpha = 0.05$ となるように c を求めよ．H_1 が真の場合のこの検定の検定力を計算せよ．
(c) 損失関数が $\mathcal{L}(1,1) = \mathcal{L}(0,0) = 0$ であり，$\mathcal{L}(1,0) = \mathcal{L}(0,1) > 0$ の場合に，ミニマックス検定を求めよ．$\theta = 1$ と $\theta = 0$ の点におけるこの検定の検定力関数を評価せよ．

8.5.2. $X_1, X_2, \ldots, X_{10}$ は母数 θ のポアソン分布からのサイズ 10 の無作為標本とする．$L(\theta)$ は $X_1, X_2, \ldots, X_{10}$ の同時 pdf とする．問題は $H_1 : \theta = 1$ に対して，$H_0 : \theta = \frac{1}{2}$ を検定することである．
(a) $L(\frac{1}{2})/L(1) \leq k$ は $y = \sum_1^n x_i \geq c$ に等しいことを証明せよ．
(b) $\alpha = 0.05$ とするために，$y > 9$ ならば H_0 は棄却され，$y = 9$ ならば，確率 $\frac{1}{2}$ で H_0 は棄却されることを証明せよ (ある補助的な確率実験を用いて)．

(c) 損失関数が $\mathcal{L}(\frac{1}{2},\frac{1}{2})=\mathcal{L}(1,1)=0$ であり，$\mathcal{L}(\frac{1}{2},1)=1$ そして $\mathcal{L}(1,\frac{1}{2})=2$ ならば，$y>6$ のとき H_0 は棄却され，$y=6$ ならば，確率 0.08 で H_0 は棄却されることを証明せよ (ある補助的な確率実験を用いて).

8.5.3. 例 8.5.2 において，$\mu'_1=\mu'_2=0$, $\mu''_1=\mu''_2=1$, $\sigma_1^2=1$, $\sigma_2^2=1$ そして $\rho=\frac{1}{2}$ とする.

(a) 線形関数 $aX+bY$ の分布を求めよ.

(b) $k=1$ のとき，$P(aX+bY\leq c;\mu'_1=\mu'_2=0)$ と $P(aX+bY>c;\mu''_1=\mu''_2=1)$ を計算せよ.

8.5.4. (8.5.2) 式の解を求めるためにニュートンのアルゴリズムを決定せよ．ソフトウェアが利用可能ならば，自分のアルゴリズムを実行するためのプログラムを書き，解が $c=76.8$ であることを証明せよ．ソフトウェアが利用できないならば，試行錯誤によって (8.5.2) 式を解け.

8.5.5. X と Y は次の同時 pdf，

$$f(x,y;\theta_1,\theta_2)=\frac{1}{\theta_1\theta_2}\exp\left(-\frac{x}{\theta_1}-\frac{y}{\theta_2}\right),\ 0<x<\infty,\ 0<y<\infty$$

そして，それ以外では 0 である，に従うとする．ただし，$0<\theta_1$, $0<\theta_2$ である．観測値 (x,y) は，母数が $(\theta'_1=1,\theta'_2=5)$ または $(\theta''_1=3,\theta''_2=2)$ のいずれかの同時分布から得られたとする．分類規則の形を求めよ.

8.5.6. X と Y は同時 2 変量正規分布に従うとする．観測値 (x,y) は，次に示すような母数が互いに等しい同時分布のいずれかから得られたとする.

$$\mu'_1=\mu'_2=0,\ (\sigma_1^2)'=(\sigma_2^2)'=1,\ \rho'=\frac{1}{2}$$

または，

$$\mu''_1=\mu''_2=1,\ (\sigma_1^2)''=4,\ (\sigma_2^2)''=9,\ \rho''=\frac{1}{2}$$

分類規則には，x と y に関する 2 次の多項式が含まれることを証明せよ.

8.5.7. $\boldsymbol{W}'=(W_1,W_2)$ は I と II という 2 つの 2 変量正規分布のうちの 1 つから得られたとする．ここで，$\mu_1=\mu_2=0$ であり，各分散共分散行列は以下である.

$$\boldsymbol{V}_1=\begin{pmatrix}1&0\\0&4\end{pmatrix},\ \boldsymbol{V}_2=\begin{pmatrix}3&0\\0&12\end{pmatrix}$$

$\boldsymbol{W}$ を I と II にどのように分類すればよいだろうか.

第9章　正規モデルに関する推測

9.1　2次形式

　n 個の変数に関する斉2次の多項式を，これらの変数の2次形式 (quadratic form) とよぶ．また変数と係数の双方が実数である場合を，特に実2次形式 (real quadratic form) という．本書では，実2次形式のみを取り扱う．例えば，$X_1^2 + X_1 X_2 + X_2^2$ は2つの変数 X_1 と X_2 の2次形式である．また $X_1^2 + X_2^2 + X_3^2 - 2X_1 X_2$ は，3つの変数 X_1, X_2, X_3 の2次形式である．しかし $(X_1-1)^2 + (X_2-2)^2 = X_1^2 + X_2^2 - 2X_1 - 4X_2 + 5$ は，X_1 と X_2 の2次形式ではない．これは変数 X_1-1 と X_2-2 の2次形式である．

　ここで $\overline{X}$ と S^2 が，それぞれ任意の分布から得られた無作為標本 $X_1, X_2, \ldots, X_n$ の平均と分散を表すものとする．このとき

$$(n-1)S^2 = \sum_1^n (X_i - \overline{X})^2 = \sum_1^n \left(X_i - \frac{X_1 + X_2 + \cdots + X_n}{n} \right)^2$$
$$= \frac{n-1}{n}(X_1^2 + X_2^2 + \cdots + X_n^2)$$
$$- \frac{2}{n}(X_1 X_2 + \cdots + X_1 X_n + \cdots + X_{n-1} X_n)$$

は，n 個の変数 $X_1, X_2, \ldots, X_n$ の2次形式となっている．ところで，もし標本を抽出した分布が $N(\mu, \sigma^2)$ であったならば，確率変数 $(n-1)S^2/\sigma^2$ は μ の値に関係なく $\chi^2(n-1)$ に従うことが明らかである．この事実が，μ が未知であるときの σ^2 の信頼区間の探索に有用であることがわかっている．

　ある統計的仮説を検定したい場合には2次形式によって表される統計量が必要とされることを，すでに私たちはみてきている．例えば例 8.2.2 では統計量 $\sum_1^n X_i^2$ を用いたが，これは変数 $X_1, X_2, \ldots, X_n$ の2次形式である．本章の後の部分において，この他の統計的仮説の検定についても検討が行われ，検定を実行するためには2次形式であるような統計量の関数が必要となることが簡潔に示される．しかしまずは，正規分布に従う互いに独立な確率変数の2次形式の分布についてみていくことにしよう．

　以下の定理の証明は，9.9節において行われる．

定理 9.1.1.
　確率変数 $Q = Q_1 + Q_2 + \cdots + Q_{k-1} + Q_k$ を考える．ただし $Q, Q_1, \ldots, Q_k$ は，共通の平均 μ と分散 σ^2 をもつ正規分布に互いに独立に従う n 個の確率変数の，$k+$

1個の2次形式であるとする。ここで$Q/\sigma^2, Q_1/\sigma^2, \ldots, Q_{k-1}/\sigma^2$ は，それぞれ自由度が $r, r_1, \ldots, r_{k-1}$ のカイ2乗分布に従っているものと仮定する。また，Q_k は非負であるとする。このとき，以下が成立する。
(a) $Q_1, \ldots, Q_k$ は独立である。したがって，
(b) Q_k/σ^2 は自由度 $r-(r_1+\cdots+r_{k-1})=r_k$ のカイ2乗分布に従う。

以下では，この定理を用いた3つの例が示される。これらはそれぞれ，次の段落において言及する分布についての問題を取り扱ったものとなっている。

まず，$N(\mu, \sigma^2)$ に従う確率変数 X を考える。さらに a, b は1よりも大きな正の整数を表すものとし，この正規分布からサイズ $n=ab$ の無作為標本を抽出するとする。このとき標本として得られる観測値は，以下のような記号によって表すことが可能である。

$$\begin{array}{ccccc} X_{11}, & X_{12}, & \ldots, & X_{1j}, & \ldots, & X_{1b} \\ X_{21}, & X_{22}, & \ldots, & X_{2j}, & \ldots, & X_{2b} \\ & & \vdots & & & \\ X_{i1}, & X_{i2}, & \ldots, & X_{ij}, & \ldots, & X_{ib} \\ & & \vdots & & & \\ X_{a1}, & X_{a2}, & \ldots, & X_{aj}, & \ldots, & X_{ab} \end{array}$$

仮定よりこれら $n=ab$ 個の確率変数は，平均 μ，分散 σ^2 である共通の正規分布に，各々独立に従っている。したがって，この変数群の各行を元の分布からのサイズ b の無作為標本であると見なしたり，各列をサイズ a の無作為標本と見なすことが可能である。ここで，以下のような $a+b+1$ 個の統計量を定義する。

$$\overline{X}_{..} = \frac{X_{11}+\cdots+X_{1b}+\cdots+X_{a1}+\cdots+X_{ab}}{ab} = \frac{\sum_{i=1}^{a}\sum_{j=1}^{b} X_{ij}}{ab}$$

$$\overline{X}_{i.} = \frac{X_{i1}+X_{i2}+\cdots+X_{ib}}{b} = \frac{\sum_{j=1}^{b} X_{ij}}{b}, \quad i=1,2,\ldots,a$$

$$\overline{X}_{.j} = \frac{X_{1j}+X_{2j}+\cdots+X_{aj}}{a} = \frac{\sum_{i=1}^{a} X_{ij}}{a}, \quad j=1,2,\ldots,b$$

これらの統計量はそれぞれ，$\overline{X}_{..}$ がサイズ $n=ab$ の無作為標本の平均，$\overline{X}_{1.}, \overline{X}_{2.}, \ldots, \overline{X}_{a.}$ が行の平均，$\overline{X}_{.1}, \overline{X}_{.2}, \ldots, \overline{X}_{.b}$ が列の平均を表している。それでは先の定理を利用した例を示そう。

例 9.1.1. サイズ $n=ab$ の無作為標本の分散 S^2 を考える。これについて，以下のような恒等式が成立する。

$$(ab-1)S^2 = \sum_{i=1}^{a}\sum_{j=1}^{b}(X_{ij}-\overline{X}_{..})^2 = \sum_{i=1}^{a}\sum_{j=1}^{b}[(X_{ij}-\overline{X}_{i.})+(\overline{X}_{i.}-\overline{X}_{..})]^2$$

9.1. 2次形式

$$= \sum_{i=1}^{a}\sum_{j=1}^{b}(X_{ij}-\overline{X}_{i.})^2 + \sum_{i=1}^{a}\sum_{j=1}^{b}(\overline{X}_{i.}-\overline{X}_{..})^2$$
$$+ 2\sum_{i=1}^{a}\sum_{j=1}^{b}(X_{ij}-\overline{X}_{i.})(\overline{X}_{i.}-\overline{X}_{..})$$

この恒等式の右辺最後の項は，以下のように変形することができる．

$$2\sum_{i=1}^{a}\left[(\overline{X}_{i.}-\overline{X}_{..})\sum_{j=1}^{b}(X_{ij}-\overline{X}_{..})\right] = 2\sum_{i=1}^{a}[(\overline{X}_{i.}-\overline{X}_{..})(b\overline{X}_{i.}-b\overline{X}_{i.})] = 0$$

また，項

$$\sum_{i=1}^{a}\sum_{j=1}^{b}(\overline{X}_{i.}-\overline{X}_{..})^2$$

は，

$$b\sum_{i=1}^{a}(\overline{X}_{i.}-\overline{X}_{..})^2$$

と表すこともできる．したがって

$$(ab-1)S^2 = \sum_{i=1}^{a}\sum_{j=1}^{b}(X_{ij}-\overline{X}_{i.})^2 + b\sum_{i=1}^{a}(\overline{X}_{i.}-\overline{X}_{..})^2$$

となる．これを簡単のために，

$$Q = Q_1 + Q_2$$

と表すことにする．ここで定理 9.1.1 において $k=2$ である場合を利用して，Q_1 と Q_2 が独立であることを示そう．S^2 は与えられた正規分布からのサイズ $n=ab$ である無作為標本の分散であるから，$(ab-1)S^2/\sigma^2$ は自由度 $ab-1$ のカイ2乗分布に従う．これを踏まえたうえで，まずは

$$\frac{Q_1}{\sigma^2} = \sum_{i=1}^{a}\left[\sum_{j=1}^{b}(X_{ij}-\overline{X}_{i.})^2/\sigma^2\right]$$

について考える．ここで $\sum_{j=1}^{b}(X_{ij}-\overline{X}_{i.})^2$ は，すべての i の値において，与えられた正規分布からのサイズ b の無作為標本の分散と $(b-1)$ との積となる．したがって $\sum_{j=1}^{b}(X_{ij}-\overline{X}_{i.})^2/\sigma^2$ は，自由度 $b-1$ のカイ2乗分布に従うことになる．よって Q_1/σ^2 は，自由度 $a(b-1)$ のカイ2乗分布に従うことがわかる．次に Q_2 については，明らかに $Q_2 = b\sum_{i=1}^{a}(\overline{X}_{i.}-\overline{X}_{..})^2 \geq 0$ である．したがって定理から，Q_1 と Q_2 が独立であることと，Q_2/σ^2 が自由度 $ab-1-a(b-1)=a-1$ のカイ2乗分布に従うことが導かれる．■

例 9.1.2. 先の例では，$(ab-1)S^2$ の変形において $X_{ij}-\overline{X}_{..}$ を $(X_{ij}-\overline{X}_{.j})+(\overline{X}_{.j}-$

$\overline{X}_{..})$ によって置き換えることにより

$$(ab-1)S^2 = \sum_{j=1}^{b}\sum_{i=1}^{a}[(X_{ij}-\overline{X}_{.j})+(\overline{X}_{.j}-\overline{X}_{..})]^2$$

を得た．これは，さらに以下のように変形することも可能である．

$$(ab-1)S^2 = \sum_{j=1}^{b}\sum_{i=1}^{a}(X_{ij}-\overline{X}_{.j})^2 + a\sum_{j=1}^{b}(\overline{X}_{.j}-\overline{X}_{..})^2$$

これを簡単のために，

$$Q = Q_3 + Q_4$$

と表すことにする．このとき例 9.1.1 と同様にして，Q_3/σ^2 が自由度 $b(a-1)$ のカイ 2 乗分布に従っていることを導くことができる．加えて $Q_4 = a\sum_{j=1}^{b}(\overline{X}_{.j}-\overline{X}_{..})^2 \geq 0$ であるから，定理より，Q_3 と Q_4 が独立であり，かつ Q_4/σ^2 は自由度 $ab-1-b(a-1)=b-1$ のカイ 2 乗分布に従っていることがわかる．■

例 9.1.3. これまでの例における $(ab-1)S^2$ の変形で $X_{ij}-\overline{X}_{..}$ を $(X_{ij}-\overline{X}_{.j})+(\overline{X}_{.j}-\overline{X}_{..})$ によって置き換えた部分は，例 9.1.2 とは異なる以下のような形に帰着させることも可能である (詳しくは練習問題 9.1.2 において行う)．

$$(ab-1)S^2 = b\sum_{i=1}^{a}(\overline{X}_{i.}-\overline{X}_{..})^2 + a\sum_{j=1}^{b}(\overline{X}_{.j}-\overline{X}_{..})^2 + \sum_{j=1}^{b}\sum_{i=1}^{a}(X_{ij}-\overline{X}_{i.}-\overline{X}_{.j}+\overline{X}_{..})^2$$

これを簡単のために，

$$Q = Q_2 + Q_4 + Q_5$$

と表すことにする．ただし Q_2 と Q_4 は，すでに例 9.1.1 と例 9.1.2 において定義されたものである．これらの例から，Q/σ^2, Q_2/σ^2, Q_4/σ^2 は，それぞれ自由度 $ab-1$, $a-1$, $b-1$ のカイ 2 乗分布に従うことが明らかになっている．ここで $Q_5 \geq 0$ であることから，定理より Q_2, Q_4, Q_5 は独立であり，Q_5/σ^2 は自由度 $ab-1-(a-1)-(b-1)=(a-1)(b-1)$ のカイ 2 乗分布に従うことが導かれる．■

2 次形式をとる統計量どうしが独立であることが示されたならば，それらの複合によって F 統計量を定義することができる．例えば

$$\frac{Q_4/[\sigma^2(b-1)]}{Q_3/[\sigma^2 b(a-1)]} = \frac{Q_4/(b-1)}{Q_3/[b(a-1)]}$$

は，自由度 $b-1$ と $b(a-1)$ の F 分布に従う．また

$$\frac{Q_4/[\sigma^2(b-1)]}{Q_5/[\sigma^2(a-1)(b-1)]} = \frac{Q_4/(b-1)}{Q_5/(a-1)(b-1)}$$

は，自由度 $b-1$ と $(a-1)(b-1)$ の F 分布に従う．後の節では，ある統計的仮説を検

9.1. 2次形式

討するための尤度比検定が，こういった F 統計量を基礎としていることが示される．

練習問題

9.1.1. 例 9.1.2 において，$Q = Q_3 + Q_4$ の形に変形可能であることと，Q_3/σ^2 が自由度 $b(a-1)$ のカイ2乗分布に従っていることを示せ．

9.1.2. 例 9.1.3 において，$Q = Q_2 + Q_4 + Q_5$ の形に変形可能であることを示せ．

9.1.3. $X_1, X_2, \ldots, X_n$ が，正規分布 $N(\mu, \sigma^2)$ からの無作為標本であるとする．このとき以下が成り立つことを示せ．

$$\sum_{i=1}^{n}(X_i - \overline{X})^2 = \sum_{i=2}^{n}(X_i - \overline{X}')^2 + \frac{n-1}{n}(X_1 - \overline{X}')^2$$

ただし $\overline{X} = \sum_{i=1}^{n} X_i/n$, かつ $\overline{X}' = \sum_{i=2}^{n} X_i/(n-1)$ とする．
ヒント: $X_i - \overline{X}$ を $(X_i - \overline{X}') - (X_1 - \overline{X}')/n$ によって置き換え，$\sum_{i=2}^{n}(X_i - \overline{X}')^2/\sigma^2$ が自由度 $n-2$ のカイ2乗分布に従っていることを示せ．また，右辺の2つの項が独立であることを証明せよ．このとき，

$$\frac{[(n-1)/n](X_1 - \overline{X}')^2}{\sigma^2}$$

の分布はどのようになるか．

9.1.4. $X_{ijk}, i=1,\ldots,a; j=1,\ldots,b; k=1,\ldots,c$ は，正規分布 $N(\mu, \sigma^2)$ から得られたサイズ $n = abc$ の無作為標本を表すものとし，$\overline{X}_{...} = \sum_{k=1}^{c}\sum_{j=1}^{b}\sum_{i=1}^{a} X_{ijk}/n$, および $\overline{X}_{i..} = \sum_{k=1}^{c}\sum_{j=1}^{b} X_{ijk}/bc$ とする．このとき，

$$\sum_{i=1}^{a}\sum_{j=1}^{b}\sum_{k=1}^{c}(X_{ijk} - \overline{X}_{...})^2 = \sum_{i=1}^{a}\sum_{j=1}^{b}\sum_{k=1}^{c}(X_{ijk} - \overline{X}_{i..})^2 + bc\sum_{i=1}^{a}(\overline{X}_{i..} - \overline{X}_{...})^2$$

であることを証明せよ．また，$\sum_{i=1}^{a}\sum_{j=1}^{b}\sum_{k=1}^{c}(X_{ijk} - \overline{X}_{i..})^2/\sigma^2$ が自由度 $a(bc-1)$ のカイ2乗分布に従っていることを示せ．さらに，右辺の2つの項が独立であることを証明せよ．このとき，$bc\sum_{i=1}^{a}(\overline{X}_{i..} - \overline{X}_{...})^2/\sigma^2$ の分布はどのようになるか．また，$\overline{X}_{.j.} = \sum_{k=1}^{c}\sum_{i=1}^{a} X_{ijk}/ac$ と $\overline{X}_{ij.} = \sum_{k=1}^{c} X_{ijk}/c$ を利用することで，

$$\sum_{i=1}^{a}\sum_{j=1}^{b}\sum_{k=1}^{c}(X_{ijk} - \overline{X}_{...})^2 = \sum_{i=1}^{a}\sum_{j=1}^{b}\sum_{k=1}^{c}(X_{ijk} - \overline{X}_{ij.})^2$$
$$+ bc\sum_{i=1}^{a}(\overline{X}_{i..} - \overline{X}_{...})^2 + ac\sum_{j=1}^{b}(\overline{X}_{.j.} - \overline{X}_{...})^2$$
$$+ c\sum_{i=1}^{a}\sum_{j=1}^{b}(\overline{X}_{ij.} - \overline{X}_{i..} - \overline{X}_{.j.} + \overline{X}_{...})^2$$

が導かれることを示せ．そして，この式の右辺に含まれる 4 つの項を σ^2 で除したものは，それぞれ自由度が $ab(c-1), a-1, b-1, (a-1)(b-1)$ のカイ 2 乗分布に従っていることを証明せよ．

9.1.5. X_1, X_2, X_3, X_4 は，正規分布 $N(0,1)$ からのサイズ 4 の無作為標本であるとする．このとき $\sum_{i=1}^{4}(X_i - \overline{X})^2$ は，

$$\frac{(X_1 - X_2)^2}{2} + \frac{[X_3 - (X_1 + X_2)/2]^2}{3/2} + \frac{[X_4 - (X_1 + X_2 + X_3)/3]^2}{4/3}$$

に等しいことを示せ．さらに，これら 3 つの項は独立であり，すべて自由度 1 のカイ 2 乗分布に従っていることを論ぜよ．

9.2　1 要因分散分析

b 個の独立な確率変数を考える．それぞれ未知の平均 $\mu_1, \mu_2, \ldots, \mu_b$ と共通な未知の分散 σ^2 の正規分布に従っている．各 $j = 1, 2, \ldots, b$ に対して，平均 μ_j と分散 σ^2 の正規分布からのサイズ a の無作為標本を $X_{1j}, X_{2j}, \ldots, X_{aj}$ によって表す．この状況に対する適切なモデルは

$$X_{ij} = \mu_j + e_{ij}, \quad i = 1, \ldots, a, j = 1, \ldots, b \tag{9.2.1}$$

である．ここで，e_{ij} は iid で分布 $N(0, \sigma^2)$ に従っている．すべての可能な対立仮説 H_1 に対し，μ を不特定な値として複合仮説 $H_0: \mu_1 = \mu_2 = \cdots = \mu_b = \mu$ を検定したい状況では，尤度比検定が用いられるだろう．

このような問題は実際場面でよく直面する．例えば，ある種の病気に対して治療に使用される薬が b 種類あり，処方の結果の観点からどの薬が最も優れているかを判断したいような状況である．薬 j が処方されたときの結果を X_j とし，$\mu_j = E(X_j)$ とする．X_j の分布が $N(\mu_j, \sigma^2)$ であると仮定すると，上記の帰無仮説は，すべての薬の効果が等しいと主張していることになる．これは水準が b 個の 1 要因の問題としてしばしば要約される．この状況では，要因は病気の治療薬であり，各水準は治療薬のそれぞれに対応している．(9.2.1) 式のモデルは，1 要因 (one-way) モデルとよばれる．後述するように，尤度比検定は分散の推定という観点からとらえることが可能である．したがって，これは分散分析 (analysis of variance, ANOVA) の例である．要するに，この例は 1 要因の分散分析の問題である．

さて，母数空間の全体は

$$\Omega = \{(\mu_1, \mu_2, \ldots, \mu_b, \sigma^2) : -\infty < \mu_j < \infty, 0 < \sigma^2 < \infty\}$$

であり，一方，

$$\omega = \{(\mu_1, \mu_2, \ldots, \mu_b, \sigma^2) : -\infty < \mu_1 = \mu_2 = \cdots = \mu_b = \mu < \infty, 0 < \sigma^2 < \infty\}$$

である．$L(\omega)$ と $L(\Omega)$ によって表される尤度関数は，それぞれ

9.2. 1要因分散分析

$$L(\omega) = \left(\frac{1}{2\pi\sigma^2}\right)^{ab/2} \exp\left[-\frac{1}{2\sigma^2}\sum_{j=1}^{b}\sum_{i=1}^{a}(x_{ij}-\mu)^2\right]$$

$$L(\Omega) = \left(\frac{1}{2\pi\sigma^2}\right)^{ab/2} \exp\left[-\frac{1}{2\sigma^2}\sum_{j=1}^{b}\sum_{i=1}^{a}(x_{ij}-\mu_j)^2\right]$$

となる. さらに,

$$\frac{\partial \log L(\omega)}{\partial \mu} = \sigma^{-2}\sum_{j=1}^{b}\sum_{i=1}^{a}(x_{ij}-\mu)$$

$$\frac{\partial \log L(\omega)}{\partial (\sigma^2)} = -\frac{ab}{2\sigma^2} + \frac{1}{2\sigma^4}\sum_{j=1}^{b}\sum_{i=1}^{a}(x_{ij}-\mu_j)^2$$

である. これらの偏導関数を 0 と置けば, ω での μ と σ^2 に関する解は, それぞれ

$$(ab)^{-1}\sum_{j=1}^{b}\sum_{i=1}^{a}x_{ij} = \overline{x}_{..}$$

$$(ab)^{-1}\sum_{j=1}^{b}\sum_{i=1}^{a}(x_{ij}-\overline{x}_{..})^2 = v \tag{9.2.2}$$

となり, これらの値は $L(\omega)$ を最大にする. 一方,

$$\frac{\partial \log L(\Omega)}{\partial \mu_j} = \sigma^{-2}\sum_{i=1}^{a}(x_{ij}-\mu_j), \ j=1,2,\ldots,b$$

$$\frac{\partial \log L(\Omega)}{\partial (\sigma^2)} = -\frac{ab}{2\sigma^2} + \frac{1}{2\sigma^4}\sum_{j=1}^{b}\sum_{i=1}^{a}(x_{ij}-\mu_j)^2$$

である. これらの偏導関数を 0 とし, Ω において $\mu_1,\mu_2,\ldots,\mu_b$ と σ^2 に関して解くと, その解はそれぞれ

$$a^{-1}\sum_{i=1}^{a}x_{ij} = \overline{x}_{.j}, \ j=1,2,\ldots,b$$

$$(ab)^{-1}\sum_{j=1}^{b}\sum_{i=1}^{a}(x_{ij}-\overline{x}_{.j})^2 = w \tag{9.2.3}$$

となる. これらは $L(\Omega)$ を最大にする. 最大値は, それぞれ

$$L(\hat{\omega}) = \left[\frac{ab}{2\pi\sum_{j=1}^{b}\sum_{i=1}^{a}(x_{ij}-\overline{x}_{..})^2}\right]^{ab/2} \exp\left[-\frac{ab\sum_{j=1}^{b}\sum_{i=1}^{a}(x_{ij}-\overline{x}_{..})^2}{2\sum_{j=1}^{b}\sum_{i=1}^{a}(x_{ij}-\overline{x}_{..})^2}\right]$$

$$= \left[\frac{ab}{2\pi\sum_{j=1}^{b}\sum_{i=1}^{a}(x_{ij}-\overline{x}_{..})^2}\right]^{ab/2} e^{-ab/2}$$

$$L(\hat{\Omega}) = \left[\frac{ab}{2\pi \sum_{j=1}^{b}\sum_{i=1}^{a}(x_{ij}-\overline{x}_{\cdot j})^2}\right]^{ab/2} e^{-ab/2}$$

である．以上から，次の尤度比を得る．

$$\Lambda = \frac{L(\hat{\omega})}{L(\hat{\Omega})} = \left[\frac{\sum_{j=1}^{b}\sum_{i=1}^{a}(x_{ij}-\overline{x}_{\cdot j})^2}{\sum_{j=1}^{b}\sum_{i=1}^{a}(x_{ij}-\overline{x}_{\cdot\cdot})^2}\right]^{ab/2}$$

本節の (9.2.2) 式で与えられた $\overline{x}_{\cdot\cdot}$ と v の関数によって定義された統計量は，9.1 節の記法では

$$\overline{X}_{\cdot\cdot} = \frac{1}{ab}\sum_{j=1}^{b}\sum_{i=1}^{a} X_{ij}, \quad V = \frac{1}{ab}\sum_{j=1}^{b}\sum_{i=1}^{a}(X_{ij}-\overline{X}_{\cdot\cdot})^2 = \frac{Q}{ab} \tag{9.2.4}$$

と表される．一方，$\overline{x}_{\cdot 1}, \overline{x}_{\cdot 2}, \ldots, \overline{x}_{\cdot b}$ と w の関数によって定義された本節 (9.2.3) 式の統計量はそれぞれ公式 $\overline{X}_{\cdot j} = \sum_{i=1}^{a} X_{ij}/a, j=1,2,\ldots,b$ と $Q_3/ab = \sum_{j=1}^{b}\sum_{i=1}^{a}(X_{ij}-\overline{X}_{\cdot j})^2/ab$ に相当する．したがって，$\Lambda^{2/ab}$ によって定義される統計量は，9.1 節の記法に従うと Q_3/Q である．

$\Lambda \leq \lambda_0$ であれば，仮説 H_0 を棄却する．設定された有意水準 α となるように λ_0 を決定するためには，H_0 が真であると仮定しなければならない．もし，仮説 H_0 が真ならば，確率変数 X_{ij} は平均 μ，分散 σ^2 である正規分布からのサイズ $n=ab$ の無作為標本から構成されていることになる．したがって，例 9.1.2 から $Q=Q_3+Q_4$ となる．ここで，$Q_4 = a\sum_{j=1}^{b}(\overline{X}_{\cdot j}-\overline{X}_{\cdot\cdot})^2$ である．すなわち，Q_3 と Q_4 は互いに統計的独立であり，Q_3/σ^2 と Q_4/σ^2 は，それぞれ自由度 $b(a-1)$ と $b-1$ のカイ 2 乗分布に従う．したがって，$\Lambda^{2/ab}$ によって定義される統計量は

$$\frac{Q_3}{Q_3+Q_4} = \frac{1}{1+Q_4/Q_3}$$

と書き直すことが可能である．H_0 の検定の有意水準は

$$\alpha = P_{H_0}\left[\frac{1}{1+Q_4/Q_3} \leq \lambda_0^{2/ab}\right] = P_{H_0}\left[\frac{Q_4/(b-1)}{Q_3/([b(a-1)]} \geq c\right]$$

である．ここで，

$$c = \frac{b(a-1)}{b-1}(\lambda_0^{-2/ab}-1)$$

である．ただし，

$$F = \frac{Q_4/[\sigma^2(b-1)]}{Q_3/[\sigma^2 b(a-1)]} = \frac{Q_4/(b-1)}{Q_3/[b(a-1)]}$$

は自由度 $b-1$ と $b(a-1)$ の F 分布に従う．したがって，μ を特定しないとき，すべての可能な対立仮説に対する複合仮説 $H_0: \mu_1=\mu_2=\cdots=\mu_b=\mu$ の検定には，F 統計量を用いることができる．定数 c は望む α の値となるように選ぶ．

9.2. 1要因分散分析

注意 9.2.1. b 個の平均 $\mu_j, j=1,2,\ldots,b$ が等しいという検定では，b 個の正規分布の各々からサイズ a の無作為標本を抽出する必要があるわけではないことに注意すべきである．つまり，標本のサイズは，$a_1, a_2, \ldots, a_b$ というように異なっていてもよい．練習問題 9.2.1 を参照せよ．■

さて，H_0 が偽であるときに H_1 に対する H_0 の検定における検定力を算出したい場合を考えよう．つまり，$\mu_1 = \mu_2 = \cdots = \mu_b = \mu$ ではない状況である．9.3 節で論じられるように，H_1 が真であるとき，もはや Q_4/σ^2 は $\chi^2(b-1)$ に従う確率変数ではなくなってしまう．したがって，H_1 が真であるときの検定力を F 統計量によって計算することはできない．この問題は 9.3 節において議論する．

特定の母数についての尤度関数を最大化することと関連させて考察は行われるべきである．というのも，しばしば微積分を用いない方が問題が簡単になる場合があるからである．例えば，すべての固定された正の σ^2 に対し，$\mu_j, j = 1, 2, \ldots, b$ に関して

$$z = \sum_{j=1}^{b} \sum_{i=1}^{a} (x_{ij} - \mu_j)^2$$

を最小にすれば，本節の $L(\Omega)$ を最大化することが可能である．さて，z は

$$z = \sum_{j=1}^{b} \sum_{i=1}^{a} [(x_{ij} - \overline{x}_{.j}) + (\overline{x}_{.j} - \mu_j)]^2$$

$$= \sum_{j=1}^{b} \sum_{i=1}^{a} (x_{ij} - \overline{x}_{.j})^2 + a \sum_{j=1}^{b} (\overline{x}_{.j} - \mu_j)^2$$

と書き直すことができる．上式の右辺の各項は非負であるから，$\mu_j = \overline{x}_{.j}, j = 1, 2, \ldots, b$ とすれば，μ_j に関して z は明らかに最小となる．

練習問題

9.2.1. $j = 1, 2, \ldots, b$ について平均 μ_j，分散 σ^2 である正規分布からのサイズ a_j の独立な無作為標本を $X_{1j}, X_{2j}, \ldots, X_{a_j j}$ とする．このとき，

$$\sum_{j=1}^{b} \sum_{i=1}^{a_j} (X_{ij} - \overline{X}_{..})^2 = \sum_{j=1}^{b} \sum_{i=1}^{a_j} (X_{ij} - \overline{X}_{.j})^2 + \sum_{j=1}^{b} a_j (\overline{X}_{.j} - \overline{X}_{..})^2$$

を証明せよ．つまり $Q' = Q'_3 + Q'_4$ であることを示せ．ここで $\overline{X}_{..} = \sum_{j=1}^{b} \sum_{i=1}^{a_j} X_{ij} / \sum_{j=1}^{b} a_j$ であり，$\overline{X}_{.j} = \sum_{i=1}^{a_j} X_{ij} / a_j$ である．もし $\mu_1 = \mu_2 = \cdots = \mu_b$ ならば，Q'/σ^2 と Q'_3/σ^2 はカイ2乗分布に従うことを示せ．Q'_3 と Q'_4 は互いに統計的独立であり，したがって，Q'_4/σ^2 もまたカイ2乗分布に従うことを証明せよ．μ を不特定の値とし，σ^2 が未知の状況で，すべての可能な対立仮説に対して仮説 $H_0 : \mu_1 = \mu_2 = \cdots = \mu_b = \mu$ を検定するために尤度比 Λ を用いる場合，$\Lambda \leq \lambda_0$ は $F \geq c$ を計算することと同値で

あることを示せ．ここで，
$$F = \frac{\left(\sum_{j=1}^{b} a_j - b\right) Q_4'}{(b-1)Q_3'}$$
である．H_0 が真であるとき，F はどのような分布に従うか．

9.2.2. 例 8.3.1 において論じた T 統計量を考える．これは，分散が等しい 2 つの正規分布について，その平均の同等性を検定する尤度比を通して導かれたものである．T^2 が練習問題 9.2.1 において $a_1 = n, a_2 = m, b = 2$ とした場合の F 統計量にほかならないことを証明せよ．もちろん，$X_1, \ldots, X_n, \overline{X}$ は $X_{11}, \ldots, X_{n1}, \overline{X}_{.1}$ と置き換え，$Y_1, \ldots, Y_m, \overline{Y}$ は $X_{12}, \ldots, X_{m2}, \overline{X}_{.2}$ と置き換えるものとする．

9.2.3. 練習問題 9.2.1 において，線形関数 $X_{ij} - \overline{X}_{.j}$ と $\overline{X}_{.j} - \overline{X}_{..}$ は無相関であることを示せ．
ヒント：$\overline{X}_{.j}$ と $\overline{X}_{..}$ の定義を想起せよ．また，一般性を損なうことなく，すべての i, j について $E(X_{ij}) = 0$ と置けることを利用せよ．

9.2.4. 以下の表は，分散が等しく，それぞれの平均が μ_1, μ_2, μ_3 である 3 つの正規分布からの互いに独立な無作為標本の観測値を示したものである．$H_0 : \mu_1 = \mu_2 = \mu_3$ を検定するための F 統計量を計算せよ．

I	II	III
0.5	2.1	3.0
1.3	3.3	5.1
−1.0	0.0	1.9
1.8	2.3	2.4
	2.5	4.2
		4.1

9.2.5. 本節の記法を用いて，平均が $\mu = \mu_1 + (b-1)d = \mu_2 - d = \mu_3 - d = \cdots = \mu_b - d$ であると仮定する．すなわち，最後の $b-1$ 個の平均は等しいが，はじめの平均 μ_1 とは異なっている状況である．ただし，$d \neq 0$ とする．共通な未知の分散 σ^2 をもつ b 個の正規分布からサイズ a の無作為標本が独立に抽出されたとする．

(a) μ と d の最尤推定量が，それぞれ以下であることを示せ．
$$\hat{\mu} = \overline{X}_{..}$$
$$\hat{d} = \frac{\sum_{j=2}^{b} \overline{X}_{.j}/(b-1) - \overline{X}_{.1}}{b}$$

(b) $d = 0$ であるとき，Q_7/σ^2 が $\chi^2(1)$ に従い，
$$\sum_{i=1}^{a} \sum_{j=1}^{b} (X_{ij} - \overline{X}_{..})^2 = Q_3 + Q_6 + Q_7$$
であるように，Q_6 と $Q_7 = c\hat{d}^2$ を練習問題 9.1.3 を利用して求めよ．

9.3. 非心カイ2乗分布と非心 F 分布

(c) (b)の右辺の3つの項は σ^2 で割るとカイ2乗分布に従う互いに独立な確率変数となることを示せ．ただし，$d=0$ とする．

(d) $d=0$ としたとき，比 $Q_7/(Q_3+Q_6)$ が F 分布に従うようにするには，どのような値で定数倍したらよいか．この F 値は実際のところ，1番目の分布の平均と，残りの $b-1$ の標本が1つに併合された分布に共通な平均との同等性の検定に使われる2標本に対する T 値の2乗であることに注意せよ．

9.2.6. 共通の分散が未知の σ^2 である3つの正規分布のそれぞれの平均を μ_1,μ_2,μ_3 とする．すべての可能な対立仮説に対して，仮説 $H_0:\mu_1=\mu_2=\mu_3$ を有意水準 $\alpha=$ 5%で検定するために，これらの分布のそれぞれからサイズ4の無作為標本を独立に抽出する．3つの分布からの観測値がそれぞれ以下の表のとおりであった場合，H_0 は採択されるか棄却されるか，どちらであるか決定せよ．

X_1:	5	9	6	8
X_2:	11	13	10	12
X_3:	10	6	9	9

9.2.7. ディーゼル車のドライバーが，1ガロン当たり何マイル走るかという燃費によって，その地域で販売される3種類のディーゼル燃料の品質を検定しようとした．通常の仮定を置き，$\alpha=0.05$ として，3つの平均が等しいという帰無仮説を以下のデータを用いて検定せよ．

Brand A:	38.7	39.2	40.1	38.9	
Brand B:	41.9	42.3	41.3		
Brand C:	40.8	41.2	39.5	38.9	40.3

9.3　非心カイ2乗分布と非心 F 分布

$X_1,X_2,\ldots,X_n$ を $N(\mu_i,\sigma^2), i=1,2,\ldots,n$ に従う互いに独立な確率変数とし，2次形式 $Y=\sum_1^n X_i^2/\sigma^2$ を考える．それぞれの μ_i が0のとき，Y が $\chi^2(n)$ に従うことが知られている．ここでは，それぞれの μ_i が0ではないときの Y の分布について吟味する．Y のmgfは以下のように与えられる．

$$M(t)=E\left[\exp\left(t\sum_{i=1}^n \frac{X_i^2}{\sigma^2}\right)\right]=\prod_{i=1}^n E\left[\exp\left(t\frac{X_i^2}{\sigma^2}\right)\right]$$

ここで，以下を考えてみよう．

$$E\left[\exp\left(\frac{tX_i^2}{\sigma^2}\right)\right]=\int_{-\infty}^{\infty}\frac{1}{\sigma\sqrt{2\pi}}\exp\left[\frac{tx_i^2}{\sigma^2}-\frac{(x_i-\mu_i)^2}{2\sigma^2}\right]dx_i$$

$t<\frac{1}{2}$ であるとき積分は存在する．積分を計算するうえでは，以下に注意する必要がある．

$$\frac{tx_i^2}{\sigma^2} - \frac{(x_i-\mu_i)^2}{2\sigma^2} = -\frac{x_i^2(1-2t)}{2\sigma^2} + \frac{2\mu_i x_i}{2\sigma^2} - \frac{\mu_i^2}{2\sigma^2}$$
$$= \frac{t\mu_i^2}{\sigma^2(1-2t)} - \frac{1-2t}{2\sigma^2}\left(x_i - \frac{\mu_i}{1-2t}\right)^2$$

したがって，$t < \frac{1}{2}$ のとき以下を得る．

$$E\left[\exp\left(\frac{tX_i^2}{\sigma^2}\right)\right] = \exp\left[\frac{t\mu_i^2}{\sigma^2(1-2t)}\right] \int_{-\infty}^{\infty} \frac{1}{\sigma\sqrt{2\pi}} \exp\left[-\frac{1-2t}{2\sigma^2}\left(x_i - \frac{\mu_i}{1-2t}\right)^2\right] dx_i$$

積分に $\sqrt{1-2t}$, ここで $t < \frac{1}{2}$, をかけると，平均 $\mu_i/(1-2t)$, 分散 $\sigma^2/(1-2t)$ の正規 pdf の積分を得る．したがって以下となり，

$$E\left[\exp\left(\frac{tX_i^2}{\sigma^2}\right)\right] = \frac{1}{\sqrt{1-2t}} \exp\left[\frac{t\mu_i^2}{\sigma^2(1-2t)}\right]$$

$Y = \sum_1^n X_i^2/\sigma^2$ の mgf は以下より与えられる．

$$M(t) = \frac{1}{(1-2t)^{n/2}} \exp\left[\frac{t\sum_1^n \mu_i^2}{\sigma^2(1-2t)}\right], \quad t < \frac{1}{2} \tag{9.3.1}$$

$t < \frac{1}{2}$, $0 < \theta$, かつ r が正の整数であるとき，確率変数の mgf が以下の関数形になるならば，

$$M(t) = \frac{1}{(1-2t)^{r/2}} e^{t\theta/(1-2t)} \tag{9.3.2}$$

その確率変数は自由度 r, 非心度 θ の非心カイ 2 乗分布 (noncentral chi–square distribution) に従うという．もし非心度を $\theta = 0$ とするならば，$M(t) = (1-2t)^{-r/2}$ となり，これは $\chi^2(r)$ に従う確率変数の mgf となる．このような確率変数は，中心カイ 2 乗変数 (central chi–square variable) とよばれるのがより適切であろう．母数 r と θ に従う非心カイ 2 乗分布を示す記号として，$\chi^2(r, \theta)$ を用いる．また，確率変数がこの分布に従っていることを示すときにも $\chi^2(r, \theta)$ を用いる．$\chi^2(r, 0)$ は $\chi^2(r)$ に等しい．したがって本節における確率変数 $Y = \sum_1^n X_i^2/\sigma^2$ は $\chi^2(n, \sum_1^n \mu_i^2/\sigma^2)$ に従っている．それぞれの μ_i が 0 のとき，Y は $\chi^2(n, 0)$ に従う．あるいはより簡潔に，Y は $\chi^2(n)$ に従うという．

ここで興味の対象となる非心カイ 2 乗変数は，ある正規分布に従う変数の 2 次形式を分散 σ^2 で割ったものである．本節における例では，$\sum_1^n X_i^2/\sigma^2$ の非心度 $\sum_1^n \mu_i^2/\sigma^2$ は 2 次形式におけるそれぞれの X_i をその平均 μ_i, $i = 1, 2, \ldots, n$ で置き換えることで計算できることは注目に値する．これは偶然ではない．

ある正規確率変数の 2 次形式 $Q = Q(X_1, \ldots, X_n)$ において，Q/σ^2 は $\chi^2(r, \theta)$ に従い，$\theta = Q(\mu_1, \mu_2, \ldots, \mu_n)/\sigma^2$ となる．また，Q/σ^2 が $\mu_1, \mu_2, \ldots, \mu_n$ のうちのある実数に対して (非心あるいは中心) カイ 2 乗変数であればこれらすべての実数の平均値に対しても (非心あるいは中心) カイ 2 乗変数である．

定理 9.1.1 は，確率変数の従う分布が中心カイ 2 乗分布，非心カイ 2 乗分布のいず

9.4. 多重比較

れであっても成立する点に注意が必要である.

次に,非心 F 分布に関して議論する. U と V が独立であり,それぞれ $\chi^2(r_1)$ と $\chi^2(r_2)$ に従うとき,確率変数 F は $F = r_2 U / r_1 V$ と定められる.ここで,特に U が $\chi^2(r_1, \theta)$ に, V が $\chi^2(r_2)$ に従い, U と V が独立であると仮定する.このとき確率変数 $r_2 U / r_1 V$ の分布を自由度 r_1, r_2, 非心度 θ の非心 F 分布 (noncentral F–distribution) とよぶ.ここで F の非心度は U, すなわち $\chi^2(r_1, \theta)$ の非心度に正確に一致する点に注意が必要である.

R や S–PLUS には,非心カイ 2 乗,非心 F 確率変数の cdf を計算するコマンドがある.例えば Y が自由度 d, 非心度 b の非心カイ 2 乗分布に従うとき, $P(Y \leq y)$ を求めたいとする.この確率はコマンド pchisq(y,d,b) で求められる. y に関する pdf の対応する値はコマンド dchisq(y,d,b) で求められる.一方, W が自由度 n1, n2, 非心度 b の非心 F 分布に従うとき, $P(W \geq w)$ を求めたいとする.これはコマンド 1-pf(w,n1,n2,b) により求められる.また,コマンド df(w,n1,n2,b) では, w における W の密度が求められる.非心カイ 2 乗分布表,非心 F 分布表でもそれらの値は求められる.

練習問題

9.3.1. $Y_i, i = 1, 2, \ldots, n$ をそれぞれ $\chi^2(r_i, \theta_i), i = 1, 2, \ldots, n$ に従う独立な確率変数とする. $Z = \sum_1^n Y_i$ は $\chi^2\left(\sum_1^n r_i, \sum_1^n \theta_i\right)$ となることを証明せよ.

9.3.2. $\chi^2(r, \theta)$ に従う確率変数の平均と分散を計算せよ.

9.3.3. 自由度 $r_1, r_2 > 2$, 非心度 θ の非心 F 分布に従う確率変数の平均を計算せよ.

9.3.4. 非心 T 確率変数の 2 乗が非心 F 確率変数になることを示せ.

9.3.5. X_1 と X_2 をそれぞれ独立な確率変数とし, X_1 と $Y = X_1 + X_2$ はそれぞれ $\chi^2(r_1, \theta_1)$ と $\chi^2(r, \theta)$ に従うとする.ここで, $r_1 < r$, $\theta_1 \leq \theta$ とする. X_2 は $\chi^2(r - r_1, \theta - \theta_1)$ に従うことを示せ.

9.3.6. 練習問題 9.2.1 において, $\mu_1, \mu_2, \ldots, \mu_b$ が等しくない場合, $Q_3'/\sigma^2, Q_4'/\sigma^2, F$ の分布はどのようになるか.

9.4 多重比較

b 個の統計的に独立確率変数がそれぞれ未知の平均 $\mu_1, \mu_2, \ldots, \mu_b$ をもち,未知であるが共通の分散 σ^2 をもつ正規分布に従うと考える. $k_1, \ldots, k_b$ はすべてが 0 ではない既知の実定数を示すとする.ここで平均 $\mu_1, \mu_2, \ldots, \mu_b$ の線形関数である $\sum_1^b k_j \mu_j$ の信頼区間を求めたい.これを行うために,分布 $N(\mu_j, \sigma^2), j = 1, 2, \ldots, b$ からサイズ a の無作為標本 $X_{1j}, X_{2j}, \ldots, X_{aj}$ を抽出する. $\overline{X}_{\cdot j}$ によって $\sum_{i=1}^a X_{ij}/a$ を表現す

るならば，このとき $\overline{X}_{.j}$ は $N(\mu_j, \sigma^2/a)$ に従い，また $\sum_1^a (X_{ij} - \overline{X}_{.j})^2/\sigma^2$ は $\chi^2(a-1)$ に従う．そしてこれら2つの確率変数は統計的独立である．独立な無作為標本は b 個の分布から抽出されることから，その $2b$ 個の確率変数 $\overline{X}_{.j}, \sum_1^a (X_{ij} - \overline{X}_{.j})^2/\sigma^2$, $j = 1, 2, \ldots, b$ は独立である．さらに $\overline{X}_{.1}, \overline{X}_{.2}, \ldots, \overline{X}_{.b}$ と

$$\sum_{j=1}^b \sum_{i=1}^a \frac{(X_{ij} - \overline{X}_{.j})^2}{\sigma^2}$$

は独立であり，後者は $\chi^2[b(a-1)]$ に従う．$Z = \sum_1^b k_j \overline{X}_{.j}$ とする．すると Z は平均 $\sum_1^b k_j \mu_j$，分散 $\left(\sum_1^b k_j^2\right) \sigma^2/a$ をもつ正規分布に従い，また

$$V = \frac{1}{b(a-1)} \sum_{j=1}^b \sum_{i=1}^a (X_{ij} - \overline{X}_{.j})^2$$

と統計的独立となる．したがって確率変数

$$T = \frac{(\sum_1^b k_j \overline{X}_{.j} - \sum_1^b k_j \mu_j)/\sqrt{(\sigma^2/a) \sum_1^b k_i^2}}{\sqrt{V/\sigma^2}} = \frac{\sum_1^b k_j \overline{X}_{.j} - \sum_1^b k_j \mu_j}{\sqrt{(V/a) \sum_1^b k_j^2}}$$

は自由度 $b(a-1)$ の t 分布に従う．$P(-c \leq T \leq c) = 1 - \alpha$ が成り立つような，α, $0 < \alpha < 1$ の特定の値に対する正の数 c は付録 C の表 IV に記載されている．したがって

$$\sum_1^b k_j \overline{X}_{.j} - c \sqrt{\left(\sum_1^b k_j^2\right) \frac{V}{a}} \leq \sum_1^b k_j \mu_j \leq \sum_1^b k_j \overline{X}_{.j} + c \sqrt{\left(\sum_1^b k_j^2\right) \frac{V}{a}}$$

となる確率は $1 - \alpha$ である．よって $\overline{X}_{.j}, j = 1, 2, \ldots, b$ の実現値と，V は $\sum_1^b k_j \mu_j$ に対する $100(1-\alpha)\%$ 信頼区間を与える．

ここで $\sum_1^b k_j \mu_j$ に対する信頼区間は $k_1, k_2, \ldots, k_b$ に付与する値の選択に依存するということに注意する必要がある．$\mu_1, \mu_2, \ldots, \mu_b$ の1つの線形関数以外の，$\mu_2 - \mu_1$, $\mu_3 - (\mu_1 + \mu_2)/2$ あるいは $\mu_1 + \cdots + \mu_b$ のような，その他の多数の線形関数に興味がある場合も十分に考えられる．もちろんそれぞれの $\sum_1^b k_j \mu_j$ に対して，あらかじめ決定された確率で特定の $\sum_1^b k_j \mu_j$ を含む確率区間を求めることができる．しかしながらこれらの確率区間が $\mu_1, \mu_2, \ldots, \mu_b$ のそれぞれの線形関数を同時に含む確率をどのように計算すればよいのだろう．次に示すシェフェによる多重比較 (multiple comparison) 法はこの問題に関するひとつの解決策である．

確率変数

$$\frac{\sum_{j=1}^b (\overline{X}_{.j} - \mu_j)^2}{\sigma^2/a}$$

は $\chi^2(b)$ に従い，また $\overline{X}_{.1}, \ldots, \overline{X}_{.b}$ のみの関数であるから確率変数

9.4. 多重比較

$$V = \frac{1}{b(a-1)} \sum_{j=1}^{b} \sum_{i=1}^{a} (X_{ij} - \overline{X}_{.j})^2$$

と独立である.したがって確率変数

$$F = \frac{a \sum_{j=1}^{b} (\overline{X}_{.j} - \mu_j)^2 / b}{V}$$

は自由度 b および $b(a-1)$ の F 分布に従う.付録 C の表 V から,特定の α の値に対して $P(F \leq d) = 1 - \alpha$ あるいは,

$$P\left[\sum_{j=1}^{b} (\overline{X}_{.j} - \mu_j)^2 \leq bd \frac{V}{a}\right] = 1 - \alpha$$

となるような定数 d を求めることができる.$\sum_{j=1}^{b} (\overline{X}_{.j} - \mu_j)^2$ は,b 次元空間において,点 $(\mu_1, \mu_2, \ldots, \mu_b)$ から確率点 $(\overline{X}_{.1}, \overline{X}_{.2}, \ldots, \overline{X}_{.b})$ への距離の平方であることに注意が必要である.ここで b 次元空間において,$(t_1, t_2, \ldots, t_b)$ はこの空間におけるある 1 つの点の座標を表現していると考える.このとき点 $(\mu_1, \mu_2, \ldots, \mu_b)$ を通る超平面の方程式は次によって与えられる.

$$k_1(t_1 - \mu_1) + k_2(t_2 - \mu_2) + \cdots + k_b(t_b - \mu_b) = 0 \tag{9.4.1}$$

ただし実数 k_j, $j = 1, 2, \ldots, b$ はすべて 0 であるとはかぎらない.この超平面から点 $(t_1 = \overline{X}_{.1}, t_2 = \overline{X}_{.2}, \ldots, t_b = \overline{X}_{.b})$ までの距離の平方は次によって与えられる.

$$\frac{[k_1(\overline{X}_{.1} - \mu_1) + k_2(\overline{X}_{.2} - \mu_2) + \cdots + k_b(\overline{X}_{.b} - \mu_b)]^2}{k_1^2 + k_2^2 + \cdots + k_b^2} \tag{9.4.2}$$

この状況の幾何学的な考察からは,$\sum_1^b (\overline{X}_{.j} - \mu_j)^2$ は $k_1, k_2, \ldots, k_b$ に関しての (9.4.2) 式の最大値に等しいということになる.それゆえに不等式 $\sum_1^b (\overline{X}_{.j} - \mu_j)^2 \leq (bd)(V/a)$ は,すべて 0 とはかぎらない実数 $k_1, k_2, \ldots, k_b$ に対して,

$$\frac{\left[\sum_1^b k_j (\overline{X}_{.j} - \mu_j)\right]^2}{\sum_{j=1}^{b} k_j^2} \leq bd \frac{V}{a} \tag{9.4.3}$$

であるならば,このときのみ保持される.したがってこれら 2 つの等しい事象は同じ確率 $1 - \alpha$ をもつ.しかしながら不等式 (9.4.3) は次の形で表現することができる.

$$\left| \sum_1^b k_j \overline{X}_{.j} - \sum_1^b k_j \mu_j \right| \leq \sqrt{bd \left(\sum_1^b k_j^2\right) \frac{V}{a}}$$

したがって.0 とはかぎらないすべての実数 $k_1, k_2, \ldots, k_b$ に対して

$$\sum_1^b k_j \overline{X}_{.j} - \sqrt{bd \left(\sum_1^b k_j^2\right) \frac{V}{a}} \leq \sum_1^b k_j \mu_j \leq \sum_1^b k_j \overline{X}_{.j} + \sqrt{bd \left(\sum_1^b k_j^2\right) \frac{V}{a}}$$

$$\tag{9.4.4}$$

が同時に成り立つ確率は $1-\alpha$ である.

すべての実数 $k_1,\ldots,k_b$ に対して,不等式 (9.4.4) が真である事象を A とし,b 個の数の組の有限な値 $(k_1,\ldots,k_b)$ に対してその不等式が真である事象を B とする.A が生じたならば,それは B が生じたということである.したがって $P(A) \leq P(B)$ である.この応用においては,線形関数 $\sum_1^b k_j \mu_j$ の有限な値にのみ興味があることが多い.一度実現値が得られたのならば,(9.4.4) 式よりこれら各々の線形関数に対する信頼区間を得ることができる.$P(B) \geq P(A) = 1-\alpha$ であるため,線形関数がそれぞれの信頼区間に存在する少なくとも $100(1-\alpha)\%$ の信頼度を得る.

注意 9.4.1. 仮に標本サイズ,例えば $a_1, a_2, \ldots, a_b$ が等しくないならば,不等式 (9.4.4) は次のようになる.

$$\sum_1^b k_j \overline{X}_{.j} - \sqrt{bd\left(\sum_1^b \frac{k_j^2}{a_j}\right)V} \leq \sum_1^b k_j \mu_j \leq \sum_1^b k_j \overline{X}_{.j} + \sqrt{bd\left(\sum_1^b \frac{k_j^2}{a_j}\right)V} \tag{9.4.5}$$

ただし次を考慮する.

$$\overline{X}_{.j} = \frac{\sum_{i=1}^{a_j} X_{ij}}{a_j}, \quad V = \frac{\sum_{j=1}^b \sum_{i=1}^{a_j} (X_{ij} - \overline{X}_{.j})^2}{\sum_1^b (a_j - 1)}$$

また上式の d は付録 C の表 V の自由度 b および $\sum_1^b (a_j - 1)$ の部分から得られたものである.$a_1 = a_2 = \cdots = a_b$ であるとき,不等式 (9.4.5) 式は (9.4.4) 式と簡略化できる.

さらに $\sum_1^b k_j = 0$ とする $\sum_1^b k_j \mu_j$ の形の線形関数 (このような線形関数は対比 (contrast) とよばれる) に注目するならば,不等式 (9.4.5) の根は次によって置き換えられる.

$$\sqrt{d(b-1) \sum_1^b \frac{k_j^2}{a_j} V}$$

ここで d は付録 C の表 V の自由度 $b-1$ および $\sum_1^b (a_j - 1)$ の部分で求めることができる.■

シェフェの方法に基づいた多重比較において,信頼区間の長さが特定の線形関数 $\sum_1^b k_j \mu_j$ に対する $100(1-\alpha)\%$ 信頼区間よりも長いことがよくある.これは線形関数が 1 つの場合において確率 $1-\alpha$ が 1 つの事象において適用され,そのほかの場合には複数の事象の同時発生に適用されることから当然考えられることである.これらの信頼区間の長さを短くする合理的な方法は,大きな値の α を用いるということである.例えば,0.05 のかわりに 0.25 を用いるなどである.これらすべての事象が生じる確率が 0.75 ということを主張するということは,非常に強い宣言である.しかしなが

9.4. 多重比較

ら，実際によく用いられている他の多重比較法が存在する．これらのひとつには練習問題 9.4.2 において記述されているボンフェローニの方法がある．この方法は信頼区間の有限の値に対して用いられ，また練習問題 9.4.3 が示すように仮説の検定に対して容易に拡張することができる．$\binom{b}{2}$ 個の平均の一対比較の場合には，すなわち $\mu_i - \mu_j$ の形状の比較では，テューキー・クラメールの方法が最もよく用いられている．詳細な議論については Miller(1981) と Hsu(1981) を参照せよ．

練習問題

9.4.1. $A_1, A_2, \ldots, A_k$ を事象とするとき，帰納法により次に示すブールの不等式を証明せよ．

$$P(A_1 \cup A_2 \cup \cdots \cup A_k) \leq \sum_1^k P(A_i)$$

また次を証明せよ．

$$P(A_1^c \cap A_2^c \cap \cdots \cap A_k^c) \geq 1 - \sum_1^b P(A_i)$$

9.4.2 (ボンフェローニの多重比較法 (Bonferroni multiple comparison procedure)). この節の表記において，$(k_{i1}, k_{i2}, \ldots, k_{ib})$, $i = 1, 2, \ldots, m$ は b 個の数の組の有限の値を示すとする．シェフェの方法とは異なる方法によって $\sum_{j=1}^b k_{ij}\mu_j$, $i = 1, 2, \ldots, m$ に対する同時信頼区間を求めよ．また次によって確率変数 T_i を定義せよ．

$$\left(\sum_{j=1}^b k_{ij}\overline{X}_{.j} - \sum_{j=1}^b k_{ij}\mu_j\right) \Big/ \sqrt{\left(\sum_{j=1}^b k_{ij}^2\right) V/a}, \quad i = 1, 2, \ldots, m$$

(a) 事象 A_i^c が $-c_i \leq T_i \leq c_i$, $i = 1, 2, \ldots, m$ によって与えられるとする．このとき $U_i \leq \sum_1^b k_{ij}\mu_j \leq W_j$ が A_i^c に等しいような確率変数 U_i と W_i を求めよ．

(b) $P(A_i^c) = 1 - \alpha/m$, すなわち $P(A_i) = \alpha/m$ が成り立つように c_i を選択せよ．また確率区間 $(U_1, W_1), \ldots, (U_m, W_m)$ が $\sum_{j=1}^b k_{1j}\mu_j, \ldots, \sum_{j=1}^b k_{mj}\mu_j$ をそれぞれ同時に含む確率の下限を決定するために練習問題 9.4.1 を用いよ．

(c) $a = 3$, $b = 6$. そして $\alpha = 0.05$ とする．線形関数 $\mu_1 - \mu_2$, $\mu_2 - \mu_3$, $\mu_3 - \mu_4$, $\mu_4 - (\mu_5 + \mu_6)/2$, $(\mu_1 + \mu_2 + \cdots + \mu_6)/6$ を考える．またここで $m = 5$ である．このとき (b) の結果で与えられた信頼区間の長さは本文で説明されたシェフェの方法によって得られた信頼区間の長さよりも短いことを証明せよ．しかしながら m が十分に大きいならばこの性質は成り立たない．

9.4.3. 同時検定に対する最後の問題において説明されたボンフェローニの方法を拡張せよ．すなわち，m 個の興味のある仮説 H_{0i} 対 H_{1i}, $i = 1, \ldots, m$ があると仮定する．H_{0i} 対 H_{1i} の検定のために $C_{i,\alpha}$ を危険率 α の棄却域とする．そして標本 $\mathbf{X}_i$ に

対して $\mathbf{X}_i \in C_{i,\alpha}$ であるならば H_{0i} は棄却される．このとき第 I 種の誤りの比率が α よりも小さい，あるいは同等である，これら m 個の仮説を同時に検定することができるように規則を定めよ．

9.5 分散分析

9.2 節において考慮した 1 要因分散分析 (ANOVA) の問題を思い出そう．そこでは，b 個の水準をもつひとつの要因に注目した．本節では，それぞれ水準 a と b を伴った 2 つの要因 A と B がある場合について考える．X_{ij} ($i=1,2,\ldots,a$, $j=1,2,\ldots,b$) は要因 A に関して水準 i であり，要因 B に関して水準 j のときの反応を表すとする．全体の標本サイズを $n = ab$ によって表現する．X_{ij} は互いに統計的に独立であり，共通の分散 σ^2 の正規分布に従う確率変数と仮定する．X_{ij} の平均を μ_{ij} によって表す．平均 μ_{ij} はしばしば (i,j) 番目のセルの平均として言及される．1 番目のモデルとして，以下の加法モデル (additive model) を考える．

$$\mu_{ij} = \overline{\mu} + (\overline{\mu}_{i\cdot} - \overline{\mu}) + (\overline{\mu}_{\cdot j} - \overline{\mu}) \tag{9.5.1}$$

すなわち，(i,j) 番目のセルの平均は，平均値 $\overline{\mu}$ (定数) と，要因 A の水準 i と要因 B の水準 j の加算的な効果によるものである．$\alpha_i = \overline{\mu}_{i\cdot} - \overline{\mu}$ ($i=1,\ldots,a$)，$\beta_j = \overline{\mu}_{\cdot j} - \overline{\mu}$ ($j=1,\ldots,b$)，$\mu = \overline{\mu}$ とする．すると，モデルは

$$\mu_{ij} = \mu + \alpha_i + \beta_j \tag{9.5.2}$$

のようにさらに簡単に書くことができる．ここで，$\sum_{i=1}^{a} \alpha_i = 0$ かつ $\sum_{j=1}^{b} \beta_j = 0$ である．このモデルは 2 元配置 (two-way) ANOVA モデルとよばれる．

例えば，$a=2$, $b=3$, $\mu=5$, $\alpha_1=1$, $\alpha_2=-1$, $\beta_1=1$, $\beta_2=0$, $\beta_3=-1$ とする．このときセル平均は以下となる．

		要因 B		
		1	2	3
要因 A	1	$\mu_{11}=7$	$\mu_{12}=6$	$\mu_{13}=5$
	2	$\mu_{21}=5$	$\mu_{22}=4$	$\mu_{23}=3$

それぞれの i に関して，j に対する μ_{ij} のプロットは平行であることに注意する．加法モデルにおいて，これは一般的に真である (練習問題 9.5.8 を参照)．これらのプロットを平均プロファイルプロット (mean profile plot) とよぶことにする．

$\beta_1 = \beta_2 = \beta_3 = 0$ としたならば，セル平均は以下となる．

		要因 B		
		1	2	3
要因 A	1	$\mu_{11}=6$	$\mu_{12}=6$	$\mu_{13}=6$
	2	$\mu_{21}=4$	$\mu_{22}=4$	$\mu_{23}=4$

興味のある検定は以下である．

9.5. 分散分析

$$H_{0A}: \alpha_1 = \cdots = \alpha_a = 0, \quad H_{1A}: \alpha_i \neq 0, \quad \text{ある } i \text{ に関して} \tag{9.5.3}$$

$$H_{0B}: \beta_1 = \cdots = \beta_b = 0, \quad H_{1B}: \beta_j \neq 0, \quad \text{ある } j \text{ に関して} \tag{9.5.4}$$

もし H_{0A} が真ならば，(9.5.2) 式より (i,j) 番目のセルの平均は A の水準に依存しない．上述の2つめの例は H_{0B} に基づいている．セル平均は特定の行に関して列ごとに同じ値である．これらの仮説は主効果 (main effect) 仮説とよぶことができる．

注意 9.5.1. ここで表したモデルや，それに類似した他のモデルは統計的応用において広く用いられている．結果に影響を与える2つの要因の効果を調べたい場合について考える．例えば，穀物の品種や使われた肥料の種類は収穫量に影響するし，もしくは，教師やクラスの生徒数は共通テストの得点に影響を与えるだろう．X_{ij} を穀物の品種 i と肥料の種類 j を用いたときの収穫量とする．$\beta_1 = \beta_2 = \cdots = \beta_b = 0$ という仮説の検定は，使用された肥料の種類にかかわらず，穀物の品種それぞれの平均収穫量が同じであるという仮説の検定となる．■

複合仮説 H_{0B} の H_{1B} に対する検定を構築するために，対応した尤度比を得ることができた．しかし，そのような検定に関して洞察をより深めるために，9.2 節における b 個の分布の平均の同等性に対する尤度比検定を再考する．Q, Q_3, Q_4 という重要な2次形式があり，それらには $Q = Q_4 + Q_3$ という関係がある．すなわち，

$$(ab-1)S^2 = \sum_{j=1}^{b}\sum_{i=1}^{a}(\overline{X}_{.j} - \overline{X}_{..})^2 + \sum_{j=1}^{b}\sum_{i=1}^{a}(X_{ij} - \overline{X}_{.j})^2$$

であり，これより総平方和 $(ab-1)S^2$ は，列平均「間」の平方和 Q_4 と，列「内」の平方和 Q_3 に分解されることがわかる．母数は Ω 内にあり，それを $\hat{\sigma}_\Omega^2$ と表すとすると，後者の平方和を $n=ab$ で割ったものが σ^2 の mle である．もちろん，$(ab-1)S^2/ab$ は ω のもとでの σ^2 の mle であり，$\hat{\sigma}_\omega^2$ と表される．したがって，尤度比 $\Lambda = (\hat{\sigma}_\Omega^2/\hat{\sigma}_\omega^2)^{ab/2}$ は，平均の同等性に関する検定に用いられる以下の統計量の単調関数となる．

$$F = \frac{Q_4/(b-1)}{Q_3/[b(a-1)]}$$

(9.5.4) 式の H_{1B} に対する H_{0B} の検定を求めるために，例 9.1.3 における分解，すなわち $Q = Q_2 + Q_4 + Q_5$ を再度用いる．すると

$$(ab-1)S^2 = \sum_{i=1}^{a}\sum_{j=1}^{b}(\overline{X}_{i.} - \overline{X}_{..})^2 + \sum_{i=1}^{a}\sum_{j=1}^{b}(\overline{X}_{.j} - \overline{X}_{..})^2$$
$$+ \sum_{i=1}^{a}\sum_{j=1}^{b}(X_{ij} - \overline{X}_{i.} - \overline{X}_{.j} + \overline{X}_{..})^2$$

であり，したがって総平方和は，「行」間の平方和 (Q_2) と「列」間の平方和 (Q_4)，「残り」の平方和 (Q_5) に分解される．$\hat{\sigma}_\Omega^2 = Q_5/ab$ は Ω のもとでの σ^2 の mle であり，

$$\hat{\sigma}_\omega^2 = \frac{(Q_4+Q_5)}{ab} = \sum_{i=1}^{a}\sum_{j=1}^{b} \frac{(X_{ij}-\overline{X}_{i.})^2}{ab}$$

は ω のもとでのその推定量となることは興味深い．尤度比 $\Lambda = (\hat{\sigma}_\Omega^2/\hat{\sigma}_\omega^2)^{ab/2}$ の有用な単調関数は

$$F = \frac{Q_4/(b-1)}{Q_5/[(a-1)(b-1)]}$$

である．これは，H_0 のもとで自由度 $b-1$ と $(a-1)(b-1)$ の F 分布に従う．仮説 H_0 は $F \geq c$ のとき棄却される．ここで $\alpha = P_{H_0}(F \geq c)$ である．これが H_{1B} に対する H_{0B} の尤度比検定である．

もし検定の検定力関数を計算しようとするならば，H_{0B} が真でないときの F の分布が必要である．9.3 節より，H_{1B} が真であるとき，Q_4/σ^2 と Q_5/σ^2 は統計的に独立な (中心もしくは非心) カイ 2 乗変数であることがわかっている．H_1 が真のときの Q_4/σ^2 と Q_5/σ^2 の非心度を計算しよう．$E(X_{ij}) = \mu+\alpha_i+\beta_j$, $E(\overline{X}_{i.}) = \mu+\alpha_i$, $E(\overline{X}_{.j}) = \mu+\beta_j$, $E(\overline{X}_{..}) = \mu$ がわかっている．したがって，Q_4/σ^2 の非心度は

$$\frac{a}{\sigma^2}\sum_{j=1}^{b}(\mu+\beta_j-\mu)^2 = \frac{a}{\sigma^2}\sum_{j=1}^{b}\beta_j^2$$

であり，また，Q_5/σ^2 の非心度は

$$\sigma^{-2}\sum_{j=1}^{b}\sum_{i=1}^{a}(\mu+\alpha_i+\beta_j-\mu-\alpha_i-\mu-\beta_j+\mu)^2 = 0$$

である．このように，もし仮説 H_{0B} が真でないならば，F は自由度 $b-1$ と $(a-1)(b-1)$, 非心度 $a\sum_{j=1}^{b}\beta_j^2/\sigma^2$ の非心 F 分布に従う．したがって，求めたい確率は非心 F 分布の表より得られる．

同様の議論が行の平均の同等性に関する検定に必要な F を構成する際にも用いられる．すなわち，(9.5.3) 式の H_{0A} 対 H_{1A} である．F 検定統計量は本質的に行間の平方和と Q_5 の比率である．特に，この F は

$$F = \frac{Q_2/(a-1)}{Q_5/[(a-1)(b-1)]}$$

と定義され，$H_0: \alpha_1 = \alpha_2 = \cdots = \alpha_a = 0$ のもとで，自由度 $a-1$ と $(a-1)(b-1)$ の F 分布に従う．

いま論じている分散分析の問題は，通常，繰り返しのない 2 元配置 (two-way classification with one observation per cell) とよばれる．i と j それぞれの組み合わせが 1 つのセルを決定し，したがってこのモデルには合計 ab 個のセルがある．ここで，別の 2 元配置の問題を考察しよう．この場合，1 つのセルごとに $c > 1$ 個の独立な観測値があるとする．

$X_{ijk}(i=1,2,\ldots,a, j=1,2,\ldots,b, k=1,2,\ldots,c)$ は，統計的に独立な $n = abc$ 個

9.5. 分散分析

の確率変数であり，共通で未知の分散 σ^2 の正規分布に従っているとする．それぞれの $X_{ijk}, k=1,2,\ldots,c$ の平均を μ_{ij} と表す．(9.5.1) 式の加法モデルのもとで，それぞれのセルの平均はその行と列に依存している．しかし，しばしばその平均はセル特有のものであることがある．これを考慮するために，$i=1,\ldots,a, j=1,\ldots,b$ に対して以下の母数を考える．

$$\gamma_{ij} = \mu_{ij} - \{\mu + (\overline{\mu}_{i.} - \mu) + (\overline{\mu}_{.j} - \mu)\} = \mu_{ij} - \overline{\mu}_{i.} - \overline{\mu}_{.j} + \mu$$

したがって，γ_{ij} は前述の加法モデル以外のセル平均への特別な寄与を反映している．これらの母数は交互作用母数 (interaction parameter) とよばれる．(9.5.2) 式の 2 番目の形式を用いると，セル平均は以下のように書くことができる．

$$\mu_{ij} = \mu + \alpha_i + \beta_j + \gamma_{ij} \tag{9.5.5}$$

ここで，$\sum_{i=1}^{a} \alpha_i = 0, \sum_{j=1}^{b} \beta_j = 0, \sum_{i=1}^{a} \gamma_{ij} = \sum_{j=1}^{b} \gamma_{ij} = 0$ である．このモデルは繰り返しのある 2 元配置モデルとよばれる．

例えば，$a=2, b=3, \mu=5, \alpha_1=1, \alpha_2=-1, \beta_1=1, \beta_2=0, \beta_3=-1, \gamma_{11}=1, \gamma_{12}=1, \gamma_{13}=-2, \gamma_{21}=-1, \gamma_{22}=-1, \gamma_{23}=2$ とする．このときセル平均は

		要因 B		
		1	2	3
要因 A	1	$\mu_{11}=8$	$\mu_{12}=7$	$\mu_{13}=3$
	2	$\mu_{21}=4$	$\mu_{22}=3$	$\mu_{23}=5$

となる．もし，それぞれの $\gamma_{ij}=0$ ならば，セル平均は

		要因 B		
		1	2	3
要因 A	1	$\mu_{11}=7$	$\mu_{12}=6$	$\mu_{13}=5$
	2	$\mu_{21}=5$	$\mu_{22}=4$	$\mu_{23}=3$

となる．この 2 つめの例に対する平均プロファイルプロットは平行であるが，(交互作用が存在する) 1 つめに関しては平行ではないことに注意する．

交互作用モデルに関して興味のある主な検定は以下のようなものである．

$$H_{0AB}: \gamma_{ij}=0 \text{ (すべての } i,j \text{ に関して)}, \quad H_{1AB}: \gamma_{ij} \neq 0 \text{ (ある } i,j \text{ に関して)} \tag{9.5.6}$$

9.1 節の練習問題 9.1.4 より，以下がわかっている．

$$\sum_{i=1}^{a}\sum_{j=1}^{b}\sum_{k=1}^{c}(X_{ijk}-\overline{X}_{...})^2 = bc\sum_{i=1}^{a}(\overline{X}_{i..}-\overline{X}_{...})^2 + ac\sum_{j=1}^{b}(\overline{X}_{.j.}-\overline{X}_{...})^2$$
$$+ c\sum_{i=1}^{a}\sum_{j=1}^{b}(\overline{X}_{ij.}-\overline{X}_{i..}-\overline{X}_{.j.}+\overline{X}_{...})^2$$

$$+\sum_{i=1}^{a}\sum_{j=1}^{b}\sum_{k=1}^{c}(X_{ijk}-\overline{X}_{ij.})^2$$

すなわち，総平方和は「行」の違いによるもの，「列」の違いによるもの，「交互作用」によるもの，「セル内」のものとに分解される．H_{1AB} に対する H_{0AB} の検定は，以下の自由度 $(a-1)(b-1)$ と $ab(c-1)$ の F に基づく．

$$F=\frac{\left[c\sum_{i=1}^{a}\sum_{j=1}^{b}(\overline{X}_{ij.}-\overline{X}_{i..}-\overline{X}_{.j.}+\overline{X}_{...})^2\right]/[(a-1)(b-1)]}{\left[\sum\sum\sum(X_{ijk}-\overline{X}_{ij.})^2\right]/[ab(c-1)]}$$

読者はこの F の分布の非心度が $c\sum_{j=1}^{b}\sum_{i=1}^{a}\gamma_{ij}^2/\sigma^2$ に等しいことを確かめよう．したがって，$H_0:\gamma_{ij}=0, i=1,2,\ldots,a, j=1,2,\ldots,b$ が真のとき，F は中心分布に従う．

もし，$H_0:\gamma_{ij}=0$ が採択されたならば通常，続けて $\alpha_i=0, i=1,2,\ldots,a$ の検定が以下の統計量を用いて行われる．

$$F=\frac{bc\sum_{i=1}^{a}(\overline{X}_{i..}-\overline{X}_{...})^2/(a-1)}{\sum_{i=1}^{a}\sum_{j=1}^{b}\sum_{k=1}^{c}(X_{ijk}-\overline{X}_{ij.})^2/[ab(c-1)]}$$

この統計量は，自由度 $a-1$ と $ab(c-1)$ の帰無 F 分布に従う．同じように，$\beta_j=0, j=1,2,\ldots,b$ の検定が以下の統計量を用いて行われる．

$$F=\frac{ac\sum_{j=1}^{b}(\overline{X}_{.j.}-\overline{X}_{...})^2/(b-1)}{\sum_{i=1}^{a}\sum_{j=1}^{b}\sum_{k=1}^{c}(X_{ijk}-\overline{X}_{ij.})^2/[ab(c-1)]}$$

この統計量は，自由度 $b-1$ と $ab(c-1)$ の帰無 F 分布に従う．

練習問題

9.5.1. 以下を示せ．

$$\sum_{j=1}^{b}\sum_{i=1}^{a}(X_{ij}-\overline{X}_{i.})^2=\sum_{j=1}^{b}\sum_{i=1}^{a}(X_{ij}-\overline{X}_{i.}-\overline{X}_{.j}+\overline{X}_{..})^2+a\sum_{j=1}^{b}(\overline{X}_{.j}-\overline{X}_{..})^2$$

9.5.2. 少なくとも1つの $\gamma_{ij}\neq 0$ であるとき，それぞれの交互作用が0であるという検定に用いられる F が非心度 $c\sum_{j=1}^{b}\sum_{i=1}^{a}\gamma_{ij}^2/\sigma^2$ に従うことを示せ．

9.5.3. 繰り返しのない2元配置の原理を用いて，α_i, β_j, μ の最尤推定量がそれぞれ $\hat{\alpha}_i=\overline{X}_{i.}-\overline{X}_{..}, \hat{\beta}_j=\overline{X}_{.j}-\overline{X}_{..}, \hat{\mu}=\overline{X}_{..}$ であることを示せ．これらがそれぞれの母数の不偏推定量であることを示し，$\text{var}(\hat{\alpha}_i), \text{var}(\hat{\beta}_j), \text{var}(\hat{\mu})$ を計算せよ．

9.5.4. この節の仮定のもとで，線形関数 $X_{ij}-\overline{X}_{i.}-\overline{X}_{.j}+\overline{X}_{..}$ と $\overline{X}_{.j}-\overline{X}_{..}$ は無相関であることを証明せよ．

9.5.5. 以下の観測値が $a=3$ と $b=4$ である2元配置に関連して与えられている．列

9.5. 分散分析

平均の同等性 ($\beta_1 = \beta_2 = \beta_3 = \beta_4 = 0$) と行平均の同等性 ($\alpha_1 = \alpha_2 = \alpha_3 = 0$) に関する検定に用いられる F 統計量をそれぞれ計算せよ．

行/列	1	2	3	4
1	3.1	4.2	2.7	4.9
2	2.7	2.9	1.8	3.0
3	4.0	4.6	3.0	3.9

9.5.6. セルごとに $c>1$ 個の観測値がある 2 元配置の原理を用いて，母数の最尤推定量が以下であることを示せ．

$$\hat{\alpha}_i = \overline{X}_{i..} - \overline{X}_{...}$$
$$\hat{\beta}_j = \overline{X}_{.j.} - \overline{X}_{...}$$
$$\hat{\gamma}_{ij} = \overline{X}_{ij.} - \overline{X}_{i..} - \overline{X}_{.j.} + \overline{X}_{...}$$
$$\hat{\mu} = \overline{X}_{...}$$

これらはそれぞれの母数の不偏推定量であることを示せ．それぞれの推定量の分散を計算せよ．

9.5.7. 以下の観測値が $a=3$, $b=4$, $c=2$ である 2 元配置のもとで与えられている．すべての交互作用が 0 ($\gamma_{ij}=0$)，すべての列平均が 0 ($\beta_j=0$)，すべての行平均が 0 ($\alpha_i=0$) を検定するための F 統計量をそれぞれ計算せよ．

行/列	1	2	3	4
1	3.1	4.2	2.7	4.9
	2.9	4.9	3.2	4.5
2	2.7	2.9	1.8	3.0
	2.9	2.3	2.4	3.7
3	4.0	4.6	3.0	3.9
	4.4	5.0	2.5	4.2

9.5.8. (9.5.1) 式の加法モデルに関して，平均プロファイルプロットが平行になることを示せ．標本平均プロファイルプロットはそれぞれの i において，j に対して $\overline{X}_{ij.}$ を描画することによって与えられる．これらは交互作用の検出に関して，図による判断の助けになる．前の練習問題に対してこれらのプロットを得よ．

9.5.9. $a=3$ 種類の異なった乾燥法に応じたコンクリートの圧縮強度を比較したい．コンクリートは 3 つの円筒を十分に製造できる大きさの窯の中で混ぜ合わせられる．処理は一様となるようになされるが，以下の圧力強度を得るために用いられる $b=5$ 個の窯の間でいくらかの変動が予想される．(交互作用が疑われる理由はほとんどないため，それぞれのセルにおいて観測値は 1 つだけである．)

	窯				
乾燥法	B_1	B_2	B_3	B_4	B_5
A_1	52	47	44	51	42
A_2	60	55	49	52	43
A_3	56	48	45	44	38

(a) 5%の有意水準を用いて，すべての対立仮説に対して $H_A : \alpha_1 = \alpha_2 = \alpha_3 = 0$ を検定せよ．

(b) 5%の有意水準を用いて，すべての対立仮説に対して $H_B : \beta_1 = \beta_2 = \beta_3 = \beta_4 = \beta_5 = 0$ を検定せよ．

9.5.10. $a=3$, $b=4$ であり，$i=1,2,3$ と $j=1,2,3,4$ に関して μ_{ij} が以下から得られたとき，$\mu, \alpha_i, \beta_j, \gamma_{ij}$ を求めよ．

$$\begin{array}{cccc} 6 & 7 & 7 & 12 \\ 10 & 3 & 11 & 8 \\ 8 & 5 & 9 & 10 \end{array}$$

9.6 回帰の問題

2つの変数間の関係に興味があるということがしばしばある．例えば，生徒の学校での数学の理解力テストの点数と，その生徒の微積分学の成績である．しばしば，これらの変数のうちのひとつ，例えば x が他の変数より先にわかっており，したがって，未来の確率変数 Y を予測するという興味がある．Y は確率変数であるので，その未来の実現値 $Y=y$ を確実に予測することはできない．したがって，はじめに Y の平均，すなわち $E(Y)$ を推定する問題に専念しよう．さて，$E(Y)$ は通常 x の関数である．例えば，微積分学の成績 Y の説明において，数学の理解力の点数 x の増加に伴う $E(Y)$ の増加を期待するだろう．しばしば，$E(Y) = \mu(x)$ は，線形関数，2次関数，指数関数のような所与の形式で仮定される．すなわち，$\mu(x)$ は，$\alpha + \beta x$ もしくは $\alpha + \beta x + \gamma x^2$ もしくは $\alpha e^{\beta x}$ に等しいと仮定できる．$E(Y) = \mu(x)$ を推定するため，もしくは同等に母数 α, β, γ を推定するため，x のとりうる n 個の個々の値，例えば $x_1, x_2, \ldots, x_n$（これらはすべてが同じ値というわけではない）に対して，確率変数 Y を観測する．いったん n 個の統計的独立な試行が完了すると，n ペアの既知の数 $(x_1, y_1), (x_2, y_2), \ldots, (x_n, y_n)$ を得る．そして，これらのペアは平均 $E(Y)$ を推定するために用いられる．このような問題は，しばしば回帰 (regression) の問題に分類される．なぜなら，$E(Y) = \mu(x)$ はしばしば回帰曲線とよばれるからである．

注意 9.6.1. $\alpha + \beta x + \gamma x^2$ のような平均のモデルは，線形モデル (linear model) とよばれる．母数 α, β, γ において線形であるからである．したがって，$\alpha e^{\beta x}$ は，α, β において線形ではないため，線形モデルではない．9.1節から9.4節において，すべて

9.6. 回帰の問題

の平均は母数において線形であり，線形モデルであったことに注意せよ．■

$E(Y) = \mu(x)$ が線形関数である場合からはじめよう．x_i における反応を Y_i で表現し，以下のモデルを考える．

$$Y_i = \alpha + \beta(x_i - \overline{x}) + e_i \quad i = 1, \ldots, n \tag{9.6.1}$$

ここで，$\overline{x} = n^{-1} \sum_{i=1}^{n} x_i$ であり，$e_1, \ldots, e_n$ は，共通の分布 $N(0, \sigma^2)$ の iid である確率変数である．したがって，$E(Y_i) = \alpha + \beta(x_i - \overline{x})$, $\text{Var}(Y_i) = \sigma^2$ であり，Y_i は分布 $N(\alpha + \beta(x_i - \overline{x}), \sigma^2)$ に従う．n 個の点は $(x_1, y_1), (x_2, y_2), \ldots, (x_n, y_n)$ であり，したがって，はじめの問題は点の集合に直線をあてはめることである．図 9.6.1 は，(9.6.1) 式の形の線形モデルから描かれた 60 個の実現値 $(x_1, y_1), \ldots, (x_{60}, y_{60})$ の散布図 (scatterplot) を示している．

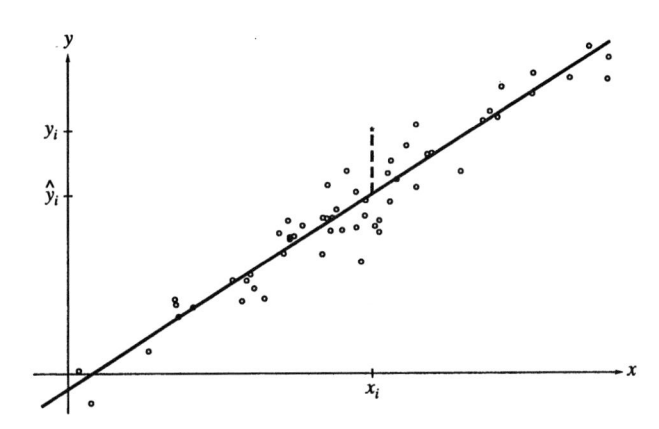

図 9.6.1 プロットは，データの集合に対して，最小 2 乗法に適合した直線 (実線) を示している．$(x_i, \hat{y}_i)$ から (x_i, y_i) への破線の部分は，(x_i, y_i) の，当てはめからの偏差を示している．

$Y_1, \ldots, Y_n$ の同時 pdf は個々の確率密度関数の積である．すなわち，尤度関数は以下に等しい．

$$L(\alpha, \beta, \sigma^2) = \prod_{i=1}^{n} \frac{1}{\sqrt{2\pi\sigma^2}} \exp\left\{-\frac{[y_i - \alpha - \beta(x_i - \overline{x})]^2}{2\sigma^2}\right\}$$

$$= \left(\frac{1}{2\pi\sigma^2}\right)^{n/2} \exp\left\{-\frac{1}{2\sigma^2} \sum_{i=1}^{n} [y_i - \alpha - \beta(x_i - \overline{x})]^2\right\}$$

$L(\alpha, \beta, \sigma^2)$ を最大化するため，もしくは同等に，以下を最小化するため，

$$-\log L(\alpha, \beta, \sigma^2) = \frac{n}{2} \log(2\pi\sigma^2) + \frac{\sum_{i=1}^{n} [y_i - \alpha - \beta(x_i - \overline{x})]^2}{2\sigma^2}$$

以下を最小化する α と β を選ばなくてはならない.

$$H(\alpha,\beta) = \sum_{i=1}^{n}[y_i - \alpha - \beta(x_i - \overline{x})]^2$$

$|y_i - \alpha - \beta(x_i - \overline{x})| = |y_i - \mu(x_i)|$ は,点 (x_i, y_i) から線 $y = \mu(x)$ への垂直距離なので(図 9.6.1 の破線部分を参照),$H(\alpha,\beta)$ はこれらの距離の 2 乗の和を表すことに気が付く.したがって,2 乗の和が最小になるように α と β を選ぶことは,最小 2 乗法 (method of least squares, LS) によって,データに直線を当てはめることを意味する.

$H(\alpha,\beta)$ を最小化するため,2 つの 1 次偏導関数

$$\frac{\partial H(\alpha,\beta)}{\partial \alpha} = 2\sum_{i=1}^{n}[y_i - \alpha - \beta(x_i - \overline{x})](-1)$$

と,

$$\frac{\partial H(\alpha,\beta)}{\partial \beta} = 2\sum_{i=1}^{n}[y_i - \alpha - \beta(x_i - \overline{x})][-(x_i - \overline{x})]$$

を求める. $\partial H(\alpha,\beta)/\partial \alpha = 0$ とし,

$$\sum_{i=1}^{n} y_i - n\alpha - \beta \sum_{i=1}^{n}(x_i - \overline{x}) = 0 \tag{9.6.2}$$

を求める.

$$\sum_{i=1}^{n}(x_i - \overline{x}) = 0$$

なので,

$$\sum_{i=1}^{n} y_i - n\alpha = 0$$

となり,したがって

$$\hat{\alpha} = \overline{Y}$$

である.

方程式 $\partial H(\alpha,\beta)/\partial \beta = 0$ は,α を $\overline{y}$ と置き換えることによって,

$$\sum_{i=1}^{n}(y_i - \overline{y})(x_i - \overline{x}) - \beta \sum_{i=1}^{n}(x_i - \overline{x})^2 = 0 \tag{9.6.3}$$

もしくは,同等に,

$$\hat{\beta} = \frac{\sum_{i=1}^{n}(Y_i - \overline{Y})(x_i - \overline{x})}{\sum_{i=1}^{n}(x_i - \overline{x})^2} = \frac{\sum_{i=1}^{n} Y_i(x_i - \overline{x})}{\sum_{i=1}^{n}(x_i - \overline{x})^2}$$

9.6. 回帰の問題

をもたらす. 方程式 (9.6.2) 式と (9.6.3) 式は, この単純な線形モデルに対する LS 解の推定式である. 点 (x_i, y_i) における当てはめ値 (fitted value) は以下によって与えられる.

$$\hat{y}_i = \hat{\alpha} + \hat{\beta}(x_i - \overline{x}) \tag{9.6.4}$$

これは図 9.6.1 において示された. 当てはめ値 $\hat{y}_i$ は, x_i における y_i の予測値 (predicted value) ともよばれる. 点 (x_i, y_i) における残差 (residual) は以下によって与えられる.

$$\hat{e}_i = y_i - \hat{y}_i, \tag{9.6.5}$$

これもまた図 9.6.1 において示された. 残差は "残ったもの" を意味し, 回帰における残差はまさにそれである. すなわち, 当てはめの後に残ったものである. 当てはめ値と残差の関係は練習問題 9.6.11 で検討する.

σ^2 の最尤推定量を求めるために, 偏導関数

$$\frac{\partial[-\log L(\alpha, \beta, \sigma^2)]}{\partial(\sigma^2)} = \frac{n}{2\sigma^2} - \frac{-\sum_{i=1}^{n}[y_i - \alpha - \beta(x_i - \overline{x})]^2}{2(\sigma^2)^2}$$

を考える. これを $=0$ とし, α と β を, その解である $\hat{\alpha}, \hat{\beta}$ と置き換えることによって,

$$\hat{\sigma}^2 = \frac{1}{n}\sum_{i=1}^{n}[Y_i - \hat{\alpha} - \hat{\beta}(x_i - \overline{x})]^2$$

を得る. もちろん, mle の不変性によって, $\hat{\sigma} = \sqrt{\hat{\sigma}^2}$ である. 残差の観点では, $\hat{\sigma}^2 = n^{-1}\sum_{i=1}^{n}\hat{e}_i^2$ であることに注意せよ. 練習問題 9.6.11 で示すように, 残差の平均は 0 である.

$\hat{\alpha}$ は, 統計的独立であり, かつ正規分布に従う確率変数の線形関数だから, $\hat{\alpha}$ は, 平均が

$$E(\hat{\alpha}) = E\left(\frac{1}{n}\sum_{i=1}^{n}Y_i\right) = \frac{1}{n}\sum_{i=1}^{n}E(Y_i)$$
$$= \frac{1}{n}\sum_{i=1}^{n}[\alpha + \beta(x_i - \overline{x})] = \alpha$$

であり, 分散が

$$\mathrm{var}(\hat{\alpha}) = \sum_{i=1}^{n}\left(\frac{1}{n}\right)^2 \mathrm{var}(Y_i) = \frac{\sigma^2}{n}$$

の正規分布に従う. 推定量 $\hat{\beta}$ も $Y_1, Y_2, \ldots, Y_n$ の線形関数であり, したがって, 平均が

$$E(\hat{\beta}) = \frac{\sum_{i=1}^{n}(x_i - \overline{x})[\alpha + \beta(x_i - \overline{x})]}{\sum_{i=1}^{n}(x_i - \overline{x})^2}$$

$$= \frac{\alpha \sum_{i=1}^{n}(x_i - \overline{x}) + \beta \sum_{i=1}^{n}(x_i - \overline{x})^2}{\sum_{i=1}^{n}(x_i - \overline{x})^2} = \beta$$

であり，分散が

$$\mathrm{var}(\hat{\beta}) = \sum_{i=1}^{n}\left[\frac{x_i - \overline{x}}{\sum_{i=1}^{n}(x_i - \overline{x})^2}\right]^2 \mathrm{var}(Y_i)$$

$$= \frac{\sum_{i=1}^{n}(x_i - \overline{x})^2}{[\sum_{i=1}^{n}(x_i - \overline{x})^2]^2}\sigma^2 = \frac{\sigma^2}{\sum_{i=1}^{n}(x_i - \overline{x})^2}$$

の正規分布に従う．

要約すると，推定量 $\hat{\alpha}$, $\hat{\beta}$ は，統計的独立な正規確率変数 $Y_1, \ldots, Y_n$ の線形関数である．練習問題 9.6.10 においては，さらに $\hat{\alpha}$ と $\hat{\beta}$ の共分散が 0 であることが示される．$\hat{\alpha}$ と $\hat{\beta}$ は 2 変量正規分布の統計的独立な確率変数ということになる．すなわち以下である．

$$\begin{pmatrix} \hat{\alpha} \\ \hat{\beta} \end{pmatrix} \text{は，分布 } N_2\left(\begin{pmatrix} \alpha \\ \beta \end{pmatrix}, \sigma^2 \begin{bmatrix} \frac{1}{n} & 0 \\ 0 & \frac{1}{\sum_{i=1}^{n}(x_i-\overline{x})^2} \end{bmatrix}\right) \text{に従う} \quad (9.6.6)$$

次に，σ^2 の推定量を考える．それは，

$$\sum_{i=1}^{n}[Y_i - \alpha - \beta(x_i - \overline{x})]^2 = \sum_{i=1}^{n}\{(\hat{\alpha} - \alpha) + (\hat{\beta} - \beta)(x_i - \overline{x})$$
$$+ [Y_i - \hat{\alpha} - \hat{\beta}(x_i - \overline{x})]\}^2$$
$$= n(\hat{\alpha} - \alpha)^2 + (\hat{\beta} - \beta)^2 \sum_{i=1}^{n}(x_i - \overline{x})^2 + n\hat{\sigma}^2$$

のように表され (練習問題 9.6.6)，もしくは略して，

$$Q = Q_1 + Q_2 + Q_3$$

と示すことができる．ここで Q, Q_1, Q_2, Q_3 は，変数

$$Y_i - \alpha - \beta(x_i - \overline{x}), \ i = 1, 2, \ldots, n$$

についての実 2 次形式である．この方程式において Q は，平均 0，分散 σ^2 の正規分布に従う，n 個の統計的独立な確率変数の 2 乗和を表している．したがって，Q/σ^2 は自由度 n のカイ 2 乗分布に従う．各確率変数 $\sqrt{n}(\hat{\alpha}-\alpha)/\sigma$, $\sqrt{\sum_{i=1}^{n}(x_i-\overline{x})^2}(\hat{\beta}-\beta)/\sigma$ は，平均 0 で分散 1 の正規分布に従う．したがって，Q_1/σ^2, Q_2/σ^2 のそれぞれは，自由度 1 のカイ 2 乗分布に従う．Q_3 は非負であるので，定理 9.1.1 に従って，Q_1, Q_2, Q_3 は統計的独立であり，Q_3/σ^2 は自由度 $n-1-1=n-2$ のカイ 2 乗分布に従う．すなわち，$n\hat{\sigma}^2/\sigma^2$ は自由度 $n-2$ のカイ 2 乗分布に従う．

さて，この議論を母数 α, β の推測に拡大しよう．上記の導出より，確率変数

9.6. 回帰の問題

$$T_1 = \frac{[\sqrt{n}\,(\hat{\alpha}-\alpha)]/\sigma}{\sqrt{Q_3/[\sigma^2(n-2)]}} = \frac{\hat{\alpha}-\alpha}{\sqrt{\hat{\sigma}^2/(n-2)}}$$

と，

$$T_2 = \frac{\left[\sqrt{\sum_{i=1}^n (x_i-\overline{x})^2}(\hat{\beta}-\beta)\right]/\sigma}{\sqrt{Q_3/[\sigma^2(n-2)]}} = \frac{\hat{\beta}-\beta}{\sqrt{n\hat{\sigma}^2/[(n-2)\sum_1^n (x_i-\overline{x})^2]}}$$

のそれぞれは，自由度 $n-2$ の t 分布に従う．これらの事実は α と β の信頼区間を求めることを可能にする（練習問題 9.6.3 参照）．$n\hat{\sigma}^2/\sigma^2$ が自由度 $n-2$ のカイ 2 乗分布に従うという事実は，σ^2 の信頼区間を決定する方法を与える．この節の導入において言及がなされた母数に関するいくつかの統計的推定が存在する．

注意 9.6.2. 洞察力のある読者は，直前の T_1 と T_2 の説明に厳密に疑問をもつだろう．線形形式の 2 乗 (square) は $Q_3 = n\hat{\sigma}^2$ とは独立であることは既知であるが，この時点では，線形形式自身がこの独立性をもっていることはわからない．より一般的な問題は後に第 12 章で解決するが，これは特別な事例である（練習問題 9.6.6 参照）．■

例 9.6.1 (最小 2 乗法による当てはめの幾何学). 現代の文献において，線形モデルは，この例で簡潔に説明するように，通常行列やベクトルの観点から表現される．さらに，これにより最小 2 乗法の当てはめの背後の簡単な幾何学について論じることができる．モデル (9.6.1) 式を考えよう．$\mathbf{Y}=(Y_1,\ldots,Y_n)'$, $\mathbf{e}=(e_1,\ldots,e_n)'$, $\mathbf{x}_c=(x_1-\overline{x},\ldots,x_n-\overline{x})'$ とベクトル表記をする．$\mathbf{1}$ は要素がすべて 1 の $n \times 1$ のベクトルを表すとする．すると，モデル (9.6.1) 式は同等に以下のように表現できる．

$$\mathbf{Y} = \alpha\mathbf{1} + \beta\mathbf{x}_c + \mathbf{e}$$
$$= [\mathbf{1}\,\mathbf{x}_c]\begin{pmatrix}\alpha\\\beta\end{pmatrix} + \mathbf{e}$$
$$= \mathbf{X}\boldsymbol{\beta} + \mathbf{e} \qquad (9.6.7)$$

ここで，$\mathbf{X}$ は列が $\mathbf{1}$ と $\mathbf{x}_c$ の $n \times 2$ の行列であり，$\boldsymbol{\beta}=(\alpha,\beta)'$ である．次に，$\boldsymbol{\theta}=E(\mathbf{Y})=\mathbf{X}\boldsymbol{\beta}$ とする．最後に，V は $\mathbf{X}$ の列によって張られた R^n の 2 次元の部分空間とする．すなわち，V は行列 $\mathbf{X}$ の範囲である．したがって，モデルを簡潔に以下のように表すこともできる．

$$\mathbf{Y} = \boldsymbol{\theta} + \mathbf{e}, \quad \boldsymbol{\theta} \in V \qquad (9.6.8)$$

したがって，確率誤差ベクトル $\mathbf{e}$ を除いて，$\mathbf{Y}$ は V にあるだろう．そして，図 9.6.2 で示唆されるように，$\mathbf{Y}$ に（ユークリッド距離で）"最も近い" V 上のベクトルによって $\boldsymbol{\theta}$ を推定することは直感的に理にかなっている．すなわち，

$$\hat{\boldsymbol{\theta}} = \text{Argmin}_{\boldsymbol{\theta}\in V}\|\mathbf{Y}-\boldsymbol{\theta}\|^2 \qquad (9.6.9)$$

のような $\hat{\boldsymbol{\theta}}$ によってである．ここで，ユークリッドノルム (Euclidean norm) の 2 乗は $\|\mathbf{u}\|^2 = \sum_{i=1}^n u_i^2$ によって与えられる．$\mathbf{u} \in R^n$ である．練習問題 9.6.11 で示し，図 9.6.2 で描くように，$\hat{\boldsymbol{\theta}} = \hat{\alpha}\mathbf{1} + \hat{\beta}\mathbf{x}_c$ である．ここで，$\hat{\alpha}$ と $\hat{\beta}$ は前述で与えられた最小 2 乗推定値である．また，ベクトル $\hat{\mathbf{e}} = \mathbf{Y} - \hat{\boldsymbol{\theta}}$ は残差のベクトルであり，$n\hat{\sigma}^2 = \|\hat{\mathbf{e}}\|^2$ である．また，図 9.6.2 で描くように，ベクトル $\hat{\boldsymbol{\theta}}$, $\hat{\mathbf{e}}$ 間の角度は直角である．線形モデルにおいて，$\hat{\boldsymbol{\theta}}$ は部分空間 V 上の $\mathbf{Y}$ の射影であるといえる．■

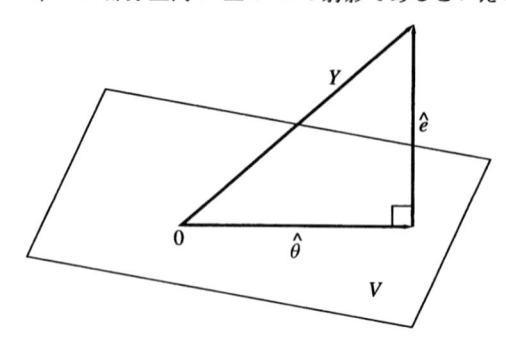

図 9.6.2 図は最小 2 乗法の幾何学的表現を示している．反応のベクトルは $\mathbf{Y}$, 当てはめは $\hat{\boldsymbol{\theta}}$, 残差のベクトルは $\hat{\mathbf{e}}$ である．

練習問題

9.6.1. 生徒の，ACT 試験の一部である数学の点数 x と，前期の微積分学の最終試験の点数 (200 点まで可能) y が所与である．
(a) これらのデータに対する最小 2 乗回帰直線を計算せよ．
(b) 同じグラフに点と最小 2 乗回帰直線を描け．
(c) α, β, σ^2 の点推定値を求めよ．
(d) 通常の仮定のもとで，α と β の 95%信頼区間を求めよ．

x	y	x	y
25	138	20	100
20	84	25	143
26	104	26	141
26	112	28	161
28	88	25	124
28	132	31	118
29	90	30	168
32	183		

9.6.2 (テレフォンデータ). 下に提示したデータを考える．このデータセットの反応 (y) は，1950 年から 1973 にかけてベルギーでかけられた電話の数 (千万単位) である．時期，すなわち年が予測変数 (x) となっている．このデータは Hettmansperger and

9.6. 回帰の問題

McKean (1998) の 151 ページで議論されている.

年	50	51	52	53	54	55
電話の数	0.44	0.47	0.47	0.59	0.66	0.73
年	56	57	58	59	60	61
電話の数	0.81	0.88	1.06	1.20	1.35	1.49
年	62	63	64	65	66	67
電話の数	1.61	2.12	11.90	12.40	14.20	15.90
年	68	69	70	71	72	73
電話の数	18.20	21.20	4.30	2.40	2.70	2.90

(a) これらのデータに対する最小2乗回帰直線を計算せよ.
(b) 同じグラフに点と最小2乗回帰直線を描け.
(c) 最小2乗の当てはまりがよくない理由はなにか.

9.6.3. モデル (9.6.1) 式の母数 α と β の $(1-\alpha)100\%$ 信頼区間を求めよ.

9.6.4. モデル (9.6.1) 式を考える. $\eta_0 = E(Y|x=x_0-\bar{x})$ とする. η_0 の最小2乗推定量は $\hat{\eta}_0 = \hat{\alpha} + \hat{\beta}(x_0-\bar{x})$ である.
(a) (9.6.6) を用いて $\hat{\eta}_0$ の分布を決定せよ.
(b) η の $(1-\alpha)100\%$ 信頼区間を求めよ.

9.6.5. 標本 $(x_1,Y_1),\ldots,(x_n,Y_n)$ は線形モデル (9.6.1) 式に従うと仮定する. Y_0 を $x = x_0-\bar{x}$ における未来の実現値とし, その予測区間を決定したいとする. モデル (9.6.1) 式が Y_0 に対して成り立つと仮定する. すなわち, Y_0 は分布 $N(\alpha+\beta(x_0-\bar{x}),\sigma^2)$ に従うとする. 練習問題 9.6.4 の $\hat{\eta}_0$ を Y_0 の予測として用いる.
(a) $Y_0 - \hat{\eta}_0$ の分布を求めよ. 未来の実現値 Y_0 は標本 $(x_1,Y_1),\ldots,(x_n,Y_n)$ と独立であるという事実を用いよ.
(b) 分子 $Y_0 - \hat{\eta}_0$ の t 統計量を決定せよ.
(c) $0<\alpha<1$ で, $1-\alpha = P[-t_{\alpha/2,n-2} < t < t_{\alpha/2,n-2}]$ から始め, Y_0 の $(1-\alpha)100\%$ の予測区間を決定せよ.
(d) この予測区間を 練習問題 9.6.4 で求めた信頼区間と比較せよ. 直感的に, 予測区間のほうが広いのはなぜか.

9.6.6. 以下を示せ.
$$\sum_{i=1}^{n}[Y_i - \alpha - \beta(x_i-\bar{x})]^2$$
$$= n(\hat{\alpha}-\alpha)^2 + (\hat{\beta}-\beta)^2\sum_{i=1}^{n}(x_i-\bar{x})^2 + \sum_{i=1}^{n}[Y_i - \hat{\alpha} - \hat{\beta}(x_i-\bar{x})]^2$$

9.6.7. 統計的独立な確率変数 $Y_1, Y_2, \ldots, Y_n$ は, それぞれ確率密度関数 $N(\beta x_i, \gamma^2 x_i^2)$,

$i=1,2,\ldots,n$ に従うとする．ここで所与の数 $x_1, x_2, \ldots, x_n$ はすべて異なり，どれも 0 でない．β と γ^2 の最尤推定量を求めよ．

9.6.8. 統計的独立な確率変数 $Y_1, \ldots, Y_n$ は以下の同時 pdf に従うとする．

$$L(\alpha, \beta, \sigma^2) = \left(\frac{1}{2\pi\sigma^2}\right)^{n/2} \exp\left\{-\frac{1}{2\sigma^2} \sum_1^n [y_i - \alpha - \beta(x_i - \overline{x})]^2\right\}$$

ここで，所与の数 $x_1, x_2, \ldots, x_n$ はすべてが同じというわけではない．$H_0: \beta = 0$（α と σ^2 は特定されていない）とする．すべてのありうる対立仮説に対する H_0 を検定するために尤度比検定を用いることが望まれる．Λ を求め，検定が通常の統計量に基づいて行うことができるかを考えよ．

ヒント：この節の表記法で以下を示せ．

$$\sum_1^n (Y_i - \hat{\alpha})^2 = Q_3 + \hat{\beta}^2 \sum_1^n (x_i - \overline{x})^2$$

9.6.9. 9.2 節の表記法を用い，平均 μ_j は j の線形関数を満たすと仮定する．すなわち $\mu_j = c + d[j - (b+1)/2]$ である．サイズ a の統計的独立な無作為標本が，それぞれの平均 $\mu_1, \mu_2, \ldots, \mu_b$，共通の未知の分散 σ^2 に従う b 個の正規分布から抽出されるとする．

(a) c と d の最尤推定量が，それぞれ，$\hat{c} = \overline{X}_{..}$ と

$$\hat{d} = \frac{\sum_{j=1}^b [j - (b-1)/2](\overline{X}_{.j} - \overline{X}_{..})}{\sum_{j=1}^b [j - (b+1)/2]^2}$$

であることを示せ．

(b) 以下を示せ．

$$\sum_{i=1}^a \sum_{j=1}^b (X_{ij} - \overline{X}_{..})^2 = \sum_{i=1}^a \sum_{j=1}^b \left[X_{ij} - \overline{X}_{..} - \hat{d}\left(j - \frac{b+1}{2}\right)\right]^2 + \hat{d}^2 \sum_{j=1}^b a\left(j - \frac{b+1}{2}\right)^2$$

(c) (b) の右辺の 2 つの項が σ^2 によって割られたならば，そして $d=0$ であるなら，カイ 2 乗分布に従う統計的独立な確率変数であることを論ぜよ．

(d) 平均が等しいこと，すなわち $H_0: d=0$ を検定するために，どんな F 統計量が用いられるだろうか．

9.6.10. $\hat{\alpha}$ と $\hat{\beta}$ の共分散が 0 であることを示せ．

9.6.11. 例 9.6.1 を再考する．
(a) $\hat{\boldsymbol{\theta}} = \hat{\alpha}\mathbf{1} + \hat{\beta}\mathbf{x}_c$ を示せ．ここで，$\hat{\alpha}$ と $\hat{\beta}$ はこの節で導かれた最小 2 乗推定量であ

9.6. 回帰の問題

る.

(b) ベクトル $\hat{\mathbf{e}} = \mathbf{Y} - \hat{\boldsymbol{\theta}}$ が残差のベクトルであることを示せ. すなわち, この i 番目の要素は $\hat{e}_i$, (9.6.5) 式である.

(c) 図 9.6.2 で描かれたように, ベクトル $\hat{\boldsymbol{\theta}}$, $\hat{\mathbf{e}}$ 間の角度が直角であることを示せ.

(d) 残差の合計が 0 になること, すなわち $\mathbf{1}'\hat{\mathbf{e}} = 0$ を示せ.

9.6.12. 最小 2 乗法によって, 以下のデータに $y = a + x$ を当てはめよ.

x	0	1	2
y	1	3	4

9.6.13. 最小 2 乗法により, 平面 $z = a + bx + cy$ を 5 つの点 (x, y, z): $(-1, -2, 5)$, $(0, -2, 4), (0, 0, 4), (1, 0, 2), (2, 1, 0)$ に当てはめよ.

9.6.14. 4×1 の行列 $\mathbf{Y}$ は多変量正規分布 $N(\mathbf{X}\boldsymbol{\beta}, \sigma^2 \mathbf{I})$ に従うものとする. ここで, 4×3 の行列 $\mathbf{X}$ は

$$\mathbf{X} = \begin{bmatrix} 1 & 1 & 2 \\ 1 & -1 & 2 \\ 1 & 0 & -3 \\ 1 & 0 & -1 \end{bmatrix}$$

に等しく, $\boldsymbol{\beta}$ は 3×1 の回帰係数行列である.

(a) $\hat{\boldsymbol{\beta}} = (\mathbf{X}'\mathbf{X})^{-1}\mathbf{X}'\mathbf{Y}$ の平均行列と分散共分散行列を求めよ.

(b) $(6, 1, 11, 3)$ に等しい $\mathbf{Y}'$ が観測されたとき, $\hat{\boldsymbol{\beta}}$ を計算せよ.

9.6.15. $\mathbf{Y}$ は $n \times 1$ の確率ベクトル, $\mathbf{X}$ は $n \times p$ の階数 p の既知の定数の行列, $\boldsymbol{\beta}$ は $p \times 1$ の回帰係数のベクトルと仮定する. $\mathbf{Y}$ は分布 $N(\mathbf{X}\boldsymbol{\beta}, \sigma^2 \mathbf{I})$ に従うとする. $\hat{\boldsymbol{\beta}} = (\mathbf{X}'\mathbf{X})^{-1}\mathbf{X}'\mathbf{Y}$ と $\mathbf{Y}'[\mathbf{I} - \mathbf{X}(\mathbf{X}'\mathbf{X})^{-1}\mathbf{X}']\mathbf{Y}/\sigma^2$ の同時 pdf を論ぜよ.

9.6.16. 統計的独立な正規確率変数 $Y_1, Y_2, \ldots, Y_n$ は, それぞれ確率密度関数 $N(\mu, \gamma^2 x_i^2)$, $i = 1, 2, \ldots, n$ に従うとする. ここで所与の $x_1, x_2, \ldots, x_n$ はすべて異なり, どれも 0 でない. μ が特定されていないすべての対立仮説 $H_1 : \gamma \neq 1$ に対する, μ が特定されていない仮説 $H_0 : \gamma = 1$ の検定を論ぜよ.

9.6.17. $Y_1, Y_2, \ldots, Y_n$ は, 共通の未知の分散 σ^2 の n 個の統計的独立な正規変数とする. また, Y_i は平均 βx_i, $i = 1, 2, \ldots, n$ をもつとする. ここで, $x_1, x_2, \ldots, x_n$ は既知だがすべて異なり, β は未知の定数である. すべての対立仮説に対する $H_0 : \beta = 0$ の尤度比検定を求めよ. また, この尤度比検定はよく知られたある分布に従う統計量に基づいて行うことができるが, この分布は何か示せ.

9.7 独立性の検定

X と Y が平均 μ_1 と μ_2, 正の分散 σ_1^2 と σ_2^2, 相関係数 ρ の2変量正規分布に従うものとする. いま, X と Y が独立であるという仮説を検定したい. 同時正規分布に従う2つの確率変数が $\rho=0$ のとき, かつそのときにかぎり統計的に独立であるので, 対立仮説 $H_1 : \rho \neq 0$ に対して帰無仮説 $H_0 : \rho = 0$ を検定する. この検定を行うために, 尤度比検定が利用される. $(X_1, Y_1), (X_2, Y_2), \ldots, (X_n, Y_n)$ を2変量正規分布からのサイズ $n > 2$ の無作為標本とする. したがって, これら $2n$ 個の確率変数の同時pdfは以下により与えられる.

$$f(x_1, y_1) f(x_2, y_2) \cdots f(x_n, y_n)$$

証明することはかなり難しいのだが, 尤度比 Λ によって定義された統計量は統計量の関数となる. そしてその統計量とは ρ のmleである. すなわち,

$$R = \frac{\sum_{i=1}^n (X_i - \overline{X})(Y_i - \overline{Y})}{\sqrt{\sum_{i=1}^n (X_i - \overline{X})^2 \sum_{i=1}^n (Y_i - \overline{Y})^2}} \tag{9.7.1}$$

である. この統計量 R は無作為標本の標本相関係数 (correlation coefficient) とよばれている. (4.5.5) 式の後で行われた議論に従うと, 統計量 R は ρ の一致推定値である. これについては練習問題 9.7.5 を参照せよ. $\Lambda \leq \lambda_0$ である場合に H_0 が棄却されるという尤度比原理は計算された値が $|R| \geq c$ となることに等しい. つまり, もし標本の相関係数の絶対値が大きくなると, 分布の相関係数が0と等しくなるという仮説を棄却するということである. 満足できる有意水準となるような c の値を決定するために, H_0 が真であるときの R の分布か, あるいは R の関数を見つけることが必要不可欠である. いまからこれを行う.

$X_1 = x_1, X_2 = x_2, \ldots, X_n = x_n, n > 2$ とする. ここで, $x_1, x_2, \ldots, x_n$ と $\overline{x} = \sum_1^n x_i / n$ は $\sum_1^n (x_i - \overline{x})^2 > 0$ であるような固定された数である. $X_1 = x_1, X_2 = x_2, \ldots, X_n = x_n$ が所与のときの $Y_1, Y_2, \ldots, Y_n$ の条件付きpdfを考える. $Y_1, Y_2, \ldots, Y_n$ は統計的に独立であり, また $\rho = 0$ のため, $X_1, X_2, \ldots, X_n$ ともまた独立であるので, この条件付きpdfは以下により与えられる.

$$\left(\frac{1}{\sqrt{2\pi}\sigma_2} \right)^n \exp\left\{ -\frac{1}{2\sigma_2^2} \sum_1^n (y_i - \mu_2)^2 \right\}$$

R_c を $X_1 = x_1, X_2 = x_2, \ldots, X_n = x_n$ が与えられたときの相関係数とする. このとき,

$$\frac{R_c \sqrt{\sum_{i=1}^n (Y_i - \overline{Y})^2}}{\sqrt{\sum_{i=1}^n (x_i - \overline{x})^2}} = \frac{\sum_{i=1}^n (x_i - \overline{x})(Y_i - \overline{Y})}{\sum_{i=1}^n (x_i - \overline{x})^2} = \frac{\sum_{i=1}^n (x_i - \overline{x}) Y_i}{\sum_{i=1}^n (x_i - \overline{x})^2}$$

は, 9.6節の $\hat{\beta}$ と同形になり, $\rho = 0$ のとき, 平均は0である. したがって, 9.6節の

9.7. 独立性の検定

T_2 を参考にすると，$X_1 = x_1, \ldots, X_n = x_n$ が与えられたとき，

$$\frac{R_c\sqrt{\sum(Y_i-\overline{Y})^2}\big/\sqrt{\sum(x_i-\overline{x})^2}}{\sqrt{\dfrac{\sum_{i=1}^n\left\{Y_i-\overline{Y}-\left[R_c\sqrt{\sum_{j=1}^n(Y_j-\overline{Y})^2}\big/\sqrt{\sum_{j=1}^n(x_j-\overline{x})^2}\right](x_i-\overline{x})\right\}^2}{(n-2)\sum_{j=1}^n(x_j-\overline{x})^2}}} = \frac{R_c\sqrt{n-2}}{\sqrt{1-R_c^2}} \qquad (9.7.2)$$

は自由度 $n-2$ の条件付き t 分布に従うということがわかる．この t 分布の pdf (例えば $g(t)$ とする) は $x_1, x_2, \ldots, x_n$ に依存しないということに注意しよう．いま，$X_1, X_2, \ldots, X_n$ と $R\sqrt{n-2}/\sqrt{1-R^2}$ の同時 pdf は，$X_1, \ldots, X_n$ の同時 pdf と $g(t)$ との積である．ここで，

$$R = \frac{\sum_1^n(X_i-\overline{X})(Y_i-\overline{Y})}{\sqrt{\sum_1^n(X_i-\overline{X})^2\sum_1^n(Y_i-\overline{Y})^2}}$$

である．$x_1, x_2, \ldots, x_n$ の積分により $R\sqrt{n-2}/\sqrt{1-R^2}$ の周辺 pdf が導かれる．なぜなら $g(t)$ は $x_1, x_2, \ldots, x_n$ に依存しないので，この周辺 pdf は $g(t)$，すなわち $R\sqrt{n-2}/\sqrt{1-R^2}$ の条件付き pdf であるということは明らかである．いま，R の pdf を見つけるために，変数変換の手法を使うことができる．

注意 9.7.1. $\rho = 0$ のとき，R は $x_1, x_2, \ldots, x_n$ に依存しない条件付き分布に従う (したがってその条件付き分布は，実際には R の周辺分布になる) ので，R は $X_1, X_2, \ldots, X_n$ において統計的に独立である．これは注目に値する．要するに，R は $X_1, X_2, \ldots, X_n$ の一つ一つに対する<u>すべての関数</u>において独立，つまり任意の Y_i に依存しない関数と独立ということである．同様に，R は $Y_1, Y_2, \ldots, Y_n$ 一つ一つに対するすべての関数においても独立である．さらにこの議論を注意深くみると，X が正規周辺分布に従うという事実はどこにも使われていないということが明らかになる．したがって，もし X と Y が独立であり，かつ Y が正規分布に従うなら，R は X の分布がどのようなものであったとしても同じ条件付き分布に従う．ただし，$\sum_1^n(x_i-\overline{x})^2 > 0$ を条件とする．さらに，もし $P\left[\sum_1^n(X_i-\overline{X})^2 > 0\right] = 1$ であるなら，R は X の分布がどのようなものであったとしても同じ周辺分布に従う．■

仮に $T = R\sqrt{n-2}/\sqrt{1-R^2}$ と表記する．ここで，T は自由度 $n-2 > 0$ の t 分布に従うものとする．このとき，変数変換の手法 (練習問題 9.7.4) を用いて，R の pdf が以下の式によって与えられるということを証明することは簡単である．

$$g(t) = \begin{cases} \dfrac{\Gamma[(n-1)/2]}{\Gamma\left(\dfrac{1}{2}\right)\Gamma[(n-2)/2]}(1-r^2)^{(n-4)/2} & -1 < r < 1 \\ 0 & \text{それ以外の場合} \end{cases} \qquad (9.7.3)$$

これで，$\rho = 0$ かつ $n > 2$ のときの R の分布，あるいは，おそらくさらに都合のよいこと

に, $R\sqrt{n-2}/\sqrt{1-R^2}$ の分布に関する問題は解決した. すべての対立仮説 $H_1: \rho \neq 0$ に対する帰無仮説 $H_0: \rho = 0$ の尤度比検定は統計量 R と統計量 $R\sqrt{n-2}/\sqrt{1-R^2} = T$ のどちらに基づいていてもよい. しかし, 扱いは後者の方が簡単である. いずれにしても, 検定の有意水準は,

$$\alpha = P_{H_0}(|R| \geq c_1) = P_{H_0}(|T| \geq c_2)$$

である. ここで, 危険率 α が望まれた値となるように定数 c_1 か c_2 を選ぶ.

注意 9.7.2. 以下の式が平均 $\frac{1}{2}\log[(1+\rho)/(1-\rho)]$, 分散 $1/(n-3)$ である正規分布に近似的に従うという事実を用いて, 危険率 α のおおよその検定ができる.

$$W = \frac{1}{2}\log\left(\frac{1+R}{1-R}\right)$$

証明を行わずにこのことを認めることとする. したがって, 帰無仮説 $H_0: \rho = 0$ の検定は, $\frac{1}{2}\log[(1+\rho)/(1-\rho)] = 0$ となるように $\rho = 0$ をとった以下の統計量 Z に基づいている.

$$Z = \frac{\frac{1}{2}\log[(1+R)/(1-R)] - \frac{1}{2}\log[(1+\rho)/(1-\rho)]}{\sqrt{1/(n-3)}}$$

しかしながら W を使うと, 対立仮説 $H_1: \rho \neq \rho_0$ に対して, 帰無仮説が $H_0: \rho = \rho_0$ であるような仮説もまた検定できる. ただし, ρ_0 は必ずしも 0 ではない. また, この場合には, W の仮定された平均は以下である.

$$\frac{1}{2}\log\left(\frac{1+\rho_0}{1-\rho_0}\right) \blacksquare$$

練習問題

9.7.1. 以下の式を証明せよ.

$$R = \frac{\sum_{1}^{n}(X_i - \overline{X})(Y_i - \overline{Y})}{\sqrt{\sum_{1}^{n}(X_i - \overline{X})^2 \sum_{1}^{n}(Y_i - \overline{Y})^2}} = \frac{\sum_{1}^{n}X_i Y_i - n\overline{XY}}{\sqrt{\left(\sum_{1}^{n}X_i^2 - n\overline{X}^2\right)\left(\sum_{1}^{n}Y_i^2 - n\overline{Y}^2\right)}}$$

9.7.2. 2変量正規分布からのサイズ $n=6$ の無作為標本は, 相関係数が 0.89 になる. 5%水準で, $\rho = 0$ という仮説を棄却, あるいは採択できるか.

9.7.3. 本節の (9.7.2) 式を証明せよ.

9.7.4. 本節の (9.7.3) 式で与えられる pdf を証明せよ.

9.7.5. 4.5 節の結果を用いて, (9.7.1) 式で与えられる統計量 R が ρ の一致推定値で

あることを証明せよ．

9.7.6. 2つの実験を行い，以下のような結果を得た．

n	$\overline{x}$	$\overline{y}$	s_x	s_y	r
100	10	20	5	8	0.70
200	12	22	6	10	0.80

2つの標本を結合したときの r を計算せよ．

9.8 特定の2次形式の分布

注意 9.8.1. 9.8節と9.9節を理解するためには，3.5節で取り上げた多変量正規分布の知識が読者にあることを前提としている．■

注意 9.8.2. 正方行列のトレース (trace) を今後用いることになる．$\mathbf{A} = [a_{ij}]$ を $n \times n$ の行列とするとき，$\mathbf{A}$ のトレース ($\text{tr}\,\mathbf{A}$) は，対角要素の和として定義される．つまり，

$$\text{tr}\,\mathbf{A} = \sum_{i=1}^{n} a_{ii} \tag{9.8.1}$$

である．行列のトレースには様々な興味深い性質がある．1つめは，線形操作であることであり，つまり，

$$\text{tr}(a\mathbf{A} + b\mathbf{B}) = a\,\text{tr}\,\mathbf{A} + b\,\text{tr}\,\mathbf{B} \tag{9.8.2}$$

となる．2つめの有用な性質は，$\mathbf{A}$ を $n \times m$ の行列，$\mathbf{B}$ を $m \times k$ の行列，そして $\mathbf{C}$ を $k \times n$ の行列とするとき，

$$\text{tr}(\mathbf{ABC}) = \text{tr}(\mathbf{BCA}) = \text{tr}(\mathbf{CAB}) \tag{9.8.3}$$

となることである．練習問題 9.8.7 では，読者はこれらの事実を証明することが求められる．最後の単純かつ有用な性質は，いかなるスカラー a に対しても，$\text{tr}\,a = a$ となることである．■

本章では，はじめにより形式的であるが同等な2次形式の定義を紹介する．$\mathbf{X} = (X_1, \ldots, X_n)$ を n 次の確率変数ベクトルとし，$\mathbf{A}$ を $n \times n$ の実対称行列とする．このとき，確率変数 $Q = \mathbf{X'AX}$ は，$\mathbf{X}$ の2次形式 (quadratic form) とよばれる．$\mathbf{A}$ は対称行列であるから，Q の様々な表記方法が考えられる．

$$Q = \mathbf{X'AX} = \sum_{i=1}^{n}\sum_{j=1}^{n} a_{ij} X_i X_j = \sum_{i=1}^{n} a_{ii} X_i^2 + \sum_{i \neq j}\sum a_{ij} X_i X_j \tag{9.8.4}$$

$$= \sum_{i=1}^{n} a_{ii} X_i^2 + 2 \sum_{i<j} \sum a_{ij} X_i X_j \tag{9.8.5}$$

これらは，分散分析モデルにおいては，非常に有用な確率変数である．次の定理で証明されるように，2次形式の平均は簡単に得られる．

定理 9.8.1.

$\mathbf{X}$ は n 次の確率変数ベクトルであり，その平均を $\boldsymbol{\mu}$，そして分散共分散行列を $\boldsymbol{\Sigma}$ とする．$Q = \mathbf{X}'\mathbf{AX}$ とする．ここで，$\mathbf{A}$ は $n \times n$ の実対称行列である．すると，次のようになる．

$$E(Q) = \text{tr}\mathbf{A}\boldsymbol{\Sigma} + \boldsymbol{\mu}'\mathbf{A}\boldsymbol{\mu} \tag{9.8.6}$$

証明 トレース操作と (9.8.3) 式の性質を用いると，

$$E(Q) = E(\text{tr}\mathbf{X}'\mathbf{AX}) = E(\text{tr}\mathbf{AXX}')$$
$$= \text{tr}\mathbf{A}E(\mathbf{XX}')$$
$$= \text{tr}\mathbf{A}(\boldsymbol{\Sigma} + \boldsymbol{\mu}\boldsymbol{\mu}')$$
$$= \text{tr}\mathbf{A}\boldsymbol{\Sigma} + \boldsymbol{\mu}'\mathbf{A}\boldsymbol{\mu}$$

となる．ここで，3番目の等式は定理 2.6.2 より成立する．

例 9.8.1 (標本分散). $\mathbf{X}' = (X_1, \ldots, X_n)$ を n 次の確率変数ベクトルとする．そして，$\mathbf{1}' = (1, \ldots, 1)$ を要素がすべて 1 である n 次のベクトルとする．2次形式 $Q = \mathbf{X}'(\mathbf{I} - \frac{1}{n}\mathbf{J})\mathbf{X}$ を考える．ここで，$\mathbf{J} = \mathbf{11}'$ である．つまり，$\mathbf{J}$ はすべての要素が 1 である $n \times n$ 次の行列である．$(\mathbf{I} - \frac{1}{n}\mathbf{J})$ の非対角要素は $-n^{-1}$ であるが，対角要素は $1 - n^{-1}$ であることに注意してほしい．したがって，(9.8.4) 式から Q は次のように簡略化される．

$$Q = \sum_{i=1}^{n} X_i^2 \left(1 - \frac{1}{n}\right) + \sum_{i \neq j} \sum \left(-\frac{1}{n}\right) X_i X_j$$
$$= \sum_{i=1}^{n} X_i^2 \left(1 - \frac{1}{n}\right) - \frac{1}{n} \sum_{i=1}^{n} X_i \sum_{j=1}^{n} X_j + \frac{1}{n} \sum_{i=1}^{n} X_i^2$$
$$= \sum_{i=1}^{n} X_i^2 - n\overline{X}^2 = (n-1)S^2 \tag{9.8.7}$$

ここで，$\overline{X}$ と S^2 は，$X_1, \ldots, X_n$ の標本平均と標本分散を表す．

さらに，$X_1, \ldots, X_n$ は共通な平均 μ と分散 σ^2 をもつ iid な確率変数と仮定する．すると，定理 9.8.1 を用いて，S^2 は σ^2 の不偏推定量であることを示す別の証明を得ることが可能である．確率変数ベクトル $\mathbf{X}$ の平均を $\mu\mathbf{1}$ として，その分散共分散行列

9.8. 特定の2次形式の分布

を $\sigma^2 \mathbf{I}$ とする. 定理 9.8.1 に基づくと, ただちに,

$$E(S^2) = \frac{1}{n-1}\left\{\text{tr}\left(\mathbf{I} - \frac{1}{n}\mathbf{J}\right)\sigma^2\mathbf{I} + \mu^2\left(\mathbf{1}'\mathbf{1} - \frac{1}{n}\mathbf{1}'\mathbf{1}\mathbf{1}'\mathbf{1}\right)\right\} = \sigma^2$$

であることがわかる. ∎

対称行列のスペクトル分解は本章の本節において, 非常に有用であることがわかるだろう. (3.5.4) 式の表現のあたりで議論したように, 実対称行列 $\mathbf{A}$ は以下のように対角化される.

$$\mathbf{A} = \mathbf{\Gamma}'\mathbf{\Lambda}\mathbf{\Gamma} \tag{9.8.8}$$

ここで, $\mathbf{\Lambda}$ は対角行列 $\mathbf{\Lambda} = \text{diag}(\lambda_1, \ldots, \lambda_n)$ であり, $\lambda_1 \geq \cdots \geq \lambda_n$ は行列 $\mathbf{A}$ の固有値であり, 列 $\mathbf{\Gamma}' = [\mathbf{v}_1 \cdots \mathbf{v}_n]$ は対応する直交ベクトルである (つまり, $\mathbf{\Gamma}$ は直交行列である). 線形代数では, $\mathbf{A}$ のランクは 0 ではない固有値の数であることを思い出そう. $\mathbf{\Lambda}$ は対角行列であるから, この表現は以下のように記述することが可能である.

$$\mathbf{A} = \sum_{i=1}^{n} \lambda_i \mathbf{v}_i \mathbf{v}_i' \tag{9.8.9}$$

正規確率変数に対しては, 2次形式 Q の mgf を求めるために, (9.8.9) 式を用いることが可能である.

定理 9.8.2.

$\mathbf{X}' = (X_1, \ldots, X_n)$ とする. ここで, $X_1, \ldots, X_n$ は iid であり, $N(0, \sigma^2)$ に従っているとする. ランク $r \leq n$ の対称行列 $\mathbf{A}$ に対して, その2次形式 $Q = \sigma^{-2}\mathbf{X}'\mathbf{A}\mathbf{X}$ を考える. すると, Q は次のような積率母関数に従う.

$$M(t) = \prod_{i=1}^{r}(1 - 2t\lambda_i)^{-1/2} = |\mathbf{I} - 2t\mathbf{A}|^{-1/2} \tag{9.8.10}$$

ここで, $\lambda_1, \ldots, \lambda_r$ は $\mathbf{A}$ の非ゼロの固有値であり, $|t| < 1/(2\lambda^*)$ である. λ^* の値は $\lambda^* = \max_{1 \leq i \leq r}|\lambda_i|$ によって与えられる.

証明 $\mathbf{A}$ のスペクトル分解を (9.8.9) 式の表現のように記述する. $\mathbf{A}$ のランクは r だから, ちょうど r 個の固有値は 0 ではない. 非ゼロの固有値を $\lambda_1, \ldots, \lambda_r$ と記述する. すると, Q は,

$$Q = \sum_{i=1}^{r} \lambda_i (\sigma^{-1}\mathbf{v}_i'\mathbf{X})^2 \tag{9.8.11}$$

と表される. $\mathbf{\Gamma}_1' = [\mathbf{v}_1 \cdots \mathbf{v}_r]$ とし, r 次の確率変数ベクトル $\mathbf{W}$ を $\mathbf{W} = \sigma^{-1}\mathbf{\Gamma}_1\mathbf{X}$ と定義する. $\mathbf{X}$ は, $N_n(\mathbf{0}, \sigma^2\mathbf{I}_n)$ に従い, $\mathbf{\Gamma}_1'\mathbf{\Gamma}_1 = \mathbf{I}_r$ であるから, 定理 3.5.1 により $\mathbf{W}$ は, 分布 $N_r(\mathbf{0}, \mathbf{I}_r)$ に従うことが示される. W_i を用いると, (9.8.1) 式は次のように表される.

$$Q = \sum_{i=1}^{r} \lambda_i W_i^2 \tag{9.8.12}$$

$W_1, \ldots, W_r$ は $N(0,1)$ に従う独立な確率変数だから，$W_1^2, \ldots, W_r^2$ は $\chi^2(1)$ に従う独立な確率変数である．したがって，Q の mgf は，

$$E[\exp\{tQ\}] = E\left[\exp\left\{\sum_{i=1}^{r} t\lambda_i W_i^2\right\}\right]$$

$$= \prod_{i=1}^{r} E[\exp\{t\lambda_i W_i^2\}] = \prod_{i=1}^{r} (1 - 2t\lambda_i)^{-1/2} \tag{9.8.13}$$

となる．最後の等式は，$\lambda^* = \max_{1 \leq i \leq r} |\lambda_i|$ として，$|t| < 1/(2\lambda^*)$ であると仮定すれば成立する．詳しくは練習問題 9.8.6 をみよ．(9.8.10) 式の 2 番目の等式の形を得るために，直交行列の行列式は 1 であることを思い出してもらいたい．すると，結果は次から得られる．

$$|\mathbf{I} - 2t\mathbf{A}| = |\mathbf{\Gamma}'\mathbf{\Gamma} - 2t\mathbf{\Gamma}'\mathbf{\Lambda}\mathbf{\Gamma}| = |\mathbf{\Gamma}'(\mathbf{I} - 2t\mathbf{\Lambda})\mathbf{\Gamma}|$$

$$= |\mathbf{I} - 2t\mathbf{\Lambda}| = \left\{\prod_{i=1}^{r} (1 - 2t\lambda_i)^{-1/2}\right\}^{-2} \blacksquare$$

例 9.8.2. この定理の例として，$X_i, i = 1, 2, \ldots, n$ は独立な確率変数であり，X_i はそれぞれ $N(\mu_i, \sigma_i^2), i = 1, 2, \ldots, n$ に従う場合を考える．$Z_i = (X_i - \mu_i)/\sigma_i$ とする．$\sum_{i=1}^{n} Z_i^2$ が自由度 n の χ^2 に従うことはわかっている．定理 9.8.2 を例示するために，$\mathbf{Z}' = (Z_1, \ldots, Z_n)$ とする．そして，$Q = \mathbf{Z}'\mathbf{I}\mathbf{Z}$ とする．したがって，Q に対応する対称行列は，単位行列 $\mathbf{I}$ であり，n 個の固有値はすべて 1 である．つまり，$\lambda_i \equiv 1$ である．定理 9.8.2 から，Q の mgf は $(1 - 2t)^{-n/2}$ である．つまり，Q は自由度 n の χ^2 分布に従う．

一般に，定理 9.8.2 から，2 次形式 Q の mgf とカイ 2 乗分布の mgf の近さに注意する必要がある．次の 2 つの定理では，これが真であるための条件が与えられる．

定理 9.8.3.
$\mathbf{X}' = (X_1, X_2, \ldots, X_n)$ は，分布 $N_n(\boldsymbol{\mu}, \boldsymbol{\Sigma})$ に従い，$\boldsymbol{\Sigma}$ は正定値とする．すると，$Q = (\mathbf{X} - \boldsymbol{\mu})'\boldsymbol{\Sigma}^{-1}(\mathbf{X} - \boldsymbol{\mu})$ は，$\chi^2(n)$ 分布に従う．

証明 $\boldsymbol{\Sigma}$ のスペクトル分解を $\boldsymbol{\Sigma} = \boldsymbol{\Gamma}'\boldsymbol{\Lambda}\boldsymbol{\Gamma}$ と表す．ここで，$\boldsymbol{\Gamma}$ は直交行列であり，$\boldsymbol{\Lambda} = \mathrm{diag}\{\lambda_1, \ldots, \lambda_n\}$ は，対角要素が $\boldsymbol{\Sigma}$ の固有値である対角行列とする．$\boldsymbol{\Sigma}$ は正定値であるから，すべての i について $\lambda_i > 0$ である．したがって，次のようになる．

$$\boldsymbol{\Sigma}^{-1} = \boldsymbol{\Gamma}'\boldsymbol{\Lambda}^{-1}\boldsymbol{\Gamma} = \boldsymbol{\Gamma}'\boldsymbol{\Lambda}^{-1/2}\boldsymbol{\Gamma}\boldsymbol{\Gamma}'\boldsymbol{\Lambda}^{-1/2}\boldsymbol{\Gamma}$$

9.8. 特定の2次形式の分布

ここで，$\boldsymbol{\Lambda}^{-1/2} = \text{diag}\{\lambda_1^{-1/2}, \ldots, \lambda_n^{-1/2}\}$ である．したがって，次のようになる．

$$Q = \{\boldsymbol{\Lambda}^{-1/2}\boldsymbol{\Gamma}(\mathbf{X}-\boldsymbol{\mu})\}' \mathbf{I} \{\boldsymbol{\Lambda}^{-1/2}\boldsymbol{\Gamma}(\mathbf{X}-\boldsymbol{\mu})\}$$

しかし，定理3.5.1から，確率変数ベクトル $\boldsymbol{\Lambda}^{-1/2}\boldsymbol{\Gamma}(\mathbf{X}-\boldsymbol{\mu})$ は分布 $N_n(\mathbf{0},\mathbf{I})$ に従うことは容易に証明される．したがって，Q は，$\chi^2(n)$ 分布に従う．■

最後の定理の確率変数 Q が $\chi^2(n)$ に従うという驚くべき事実から，正規分布に従う変数の2次形式に関する様々な問題が浮かんでくる．この問題は一般的にとらえたいが，紙面の都合上そのようには扱えない．また，いくつかの特別な場合に限定する必要があるだろうとも思われる．そこで，詳しい議論は例えば Stapleton (1995) を参照されたい．

線形代数では，$\mathbf{A}^2 = \mathbf{A}$ のときに，対称行列 $\mathbf{A}$ はべき等 (idempotent) といったことを思い出そう．9.1節では，いくつかのべき等行列をすでに目にしてきた．例えば，例9.8.1の行列 $\mathbf{I} - \frac{1}{n}\mathbf{J}$ はべき等である．べき等行列にはいくつかの重要な性質がある．λ は，べき等行列 $\mathbf{A}$ の固有値とする．なお，対応する固有ベクトルは $\mathbf{v}$ とする．すると，次の等式は真である．

$$\lambda \mathbf{v} = \mathbf{A}\mathbf{v} = \mathbf{A}^2\mathbf{v} = \lambda \mathbf{A}\mathbf{v} = \lambda^2 \mathbf{v}$$

したがって，$\lambda(\lambda-1)\mathbf{v} = \mathbf{0}$ である．$\mathbf{v} \neq \mathbf{0}$ であるから，$\lambda = 0$ または 1 である．逆に，実対称行列のすべての固有値が 0 または 1 ならば，その行列はべき等である．詳しくは練習問題 9.8.10 にある．したがって，べき等行列 $\mathbf{A}$ のランクは 1 である固有値の数に等しい．$\mathbf{A}$ のスペクトル分解を $\mathbf{A} = \boldsymbol{\Gamma}'\boldsymbol{\Lambda}\boldsymbol{\Gamma}$ と表す．ここで，$\boldsymbol{\Lambda}$ は固有値を配した対角行列であり，$\boldsymbol{\Gamma}$ は列が対応する正規直交固有ベクトルであるような直交行列である．$\boldsymbol{\Lambda}$ の対角要素は 0 または 1 であり，$\boldsymbol{\Gamma}$ は直交行列であるから，

$$\text{tr}\,\mathbf{A} = \text{tr}\,\boldsymbol{\Lambda}\boldsymbol{\Gamma}\boldsymbol{\Gamma}' = \text{tr}\,\boldsymbol{\Lambda} = \text{rank}(\mathbf{A})$$

となる．つまり，べき等行列のランクはそのトレースに等しい．

定理 9.8.4.
$\mathbf{X}' = (X_1, \ldots, X_n)$ とする．ただし，$X_1, \ldots, X_n$ は iid であり，$N(0, \sigma^2)$ に従う．ランクが r の対称行列 $\mathbf{A}$ に対して，$Q = \sigma^{-2}\mathbf{X}'\mathbf{A}\mathbf{X}$ とする．すると，$\mathbf{A}$ がべき等である場合かつその場合にかぎり，Q は $\chi^2(r)$ 分布に従う．

証明 定理9.8.2から，Q の mgf は次のようになる．

$$M_Q(t) = \prod_{i=1}^{r}(1-2t\lambda_i)^{-1/2} \tag{9.8.14}$$

ただし，$\lambda_1, \ldots, \lambda_r$ は $\mathbf{A}$ の非ゼロの r 個の固有値である．はじめに，$\mathbf{A}$ がべき等である場合を考える．すると，$\lambda_1 = \cdots = \lambda_r = 1$ であり，Q の mgf は $M_Q(t) =$

$(1-2t)^{-r/2}$ となる．つまり，Q は $\chi^2(r)$ 分布に従う．次に，Q が $\chi^2(r)$ 分布に従うと仮定する．すると，0 の近傍における t に対して，次の等式が成立する．

$$\prod_{i=1}^{r}(1-2t\lambda_i)^{-1/2} = (1-2t)^{-r/2}$$

両辺を 2 乗すると，次のようになる．

$$\prod_{i=1}^{r}(1-2t\lambda_i) = (1-2t)^{r}$$

多項式の分解の一意性から，$\lambda_1 = \cdots = \lambda_r = 1$ となる．したがって，$\mathbf{A}$ はべき等である．

例 9.8.3. 最後の定理に基づくと，正規分布から抽出された場合の標本分散の分布を容易に求めることが可能である．$X_1, X_2, \ldots, X_n$ は iid であり，$N(\mu, \sigma^2)$ に従うとする．$\mathbf{X} = (X_1, X_2, \ldots, X_n)'$ とする．すると，$\mathbf{X}$ は $N_n(\mu\mathbf{1}, \sigma^2\mathbf{I})$ に従う．ここで，$\mathbf{1}$ はすべての要素が 1 であるサイズ $n \times 1$ のベクトルを表す．$S^2 = (n-1)^{-1}\sum_{i=1}^{n}(X_i - \overline{X})^2$ とする．すると，例 9.8.1 から，次のように記述される．

$$\frac{(n-1)S^2}{\sigma^2} = \sigma^{-2}\mathbf{X}'\left(\mathbf{I}-\frac{1}{n}\mathbf{J}\right)\mathbf{X} = \sigma^{-2}(\mathbf{X}-\mu\mathbf{1})'\left(\mathbf{I}-\frac{1}{n}\mathbf{J}\right)(\mathbf{X}-\mu\mathbf{1})$$

ここで，最後の等式は，$\left(\mathbf{I}-\frac{1}{n}\mathbf{J}\right)\mathbf{1} = \mathbf{0}$ であることから成立する．行列 $\mathbf{I}-\frac{1}{n}\mathbf{J}$ はべき等であること，$\text{tr}\left(\mathbf{I}-\frac{1}{n}\mathbf{J}\right) = n-1$ であること，そして $\mathbf{X}-\mu\mathbf{1}$ は $N_n(\mathbf{0}, \sigma^2\mathbf{I})$ に従うことから，定理 9.8.4 とあわせると，$(n-1)S^2/\sigma^2$ は $\chi^2(n-1)$ 分布に従う．

注意 9.8.3. 定理 9.8.4 の正規分布が $N_n(\boldsymbol{\mu}, \sigma^2\mathbf{I})$ ならば，条件 $\mathbf{A}^2 = \mathbf{A}$ は Q/σ^2 がカイ 2 乗分布に従うための必要十分条件である．しかし，一般に Q/σ^2 は中心 $\chi^2(r)$ ではなく，$\mathbf{A}^2 = \mathbf{A}$ ならば Q/σ^2 は非心カイ 2 乗分布に従う．自由度は r であり，これは $\mathbf{A}$ のランクである．そして，非心母数は $\boldsymbol{\mu}'\mathbf{A}\boldsymbol{\mu}/\sigma^2$ である．$\boldsymbol{\mu} = \mu\mathbf{1}$ ならば，$\boldsymbol{\mu}'\mathbf{A}\boldsymbol{\mu} = \mu^2 \sum_{i,j} a_{ij}$ である．ただし，$\mathbf{A} = [a_{ij}]$ である．すると，$\mu \neq 0$ ならば，条件 $\mathbf{A}^2 = \mathbf{A}$ と $\sum_{i,j} a_{ij} = 0$ は，Q/σ^2 が中心 $\chi^2(r)$ に従うための必要十分条件である．さらに，この定理は正定値の共分散行列 $\boldsymbol{\Sigma}$ をもつ多変量正規分布に従う確率変数の 2 次形式にまで拡張される．ここでは，Q がカイ 2 乗分布に従うための必要十分条件は $\mathbf{A}\boldsymbol{\Sigma}\mathbf{A} = \mathbf{A}$ である．練習問題 9.8.9 をみよ．∎

練習問題

9.8.1. $Q = X_1 X_2 - X_3 X_4$ とする．ここで，X_1, X_2, X_3, X_4 は分布 $N(0, \sigma^2)$ からのサイズ 4 の無作為標本である．Q/σ^2 がカイ 2 乗分布に従わないことを証明せよ．Q/σ^2 の mgf を求めよ．

9.8. 特定の 2 次形式の分布

9.8.2. $\mathbf{X}' = [X_1, X_2]$ は 2 変量正規分布に従い，その平均は $\boldsymbol{\mu}' = [\mu_1, \mu_2]$，正定値の共分散行列は $\boldsymbol{\Sigma}$ とする．次のとき，

$$Q_1 = \frac{X_1^2}{\sigma_1^2(1-\rho^2)} - 2\rho\frac{X_1 X_2}{\sigma_1\sigma_2(1-\rho^2)} + \frac{X_2^2}{\sigma_2^2(1-\rho^2)}$$

Q_1 は $\chi^2(r,\theta)$ に従うことを証明し，r と θ を求めよ．Q_1 が中心カイ 2 乗分布に従う唯一の場合を考えよ．

9.8.3. $\mathbf{X}' = [X_1, X_2, X_3]$ は $N(4,8)$ に従う分布からのサイズ 3 の無作為標本とする．そして，以下とする．

$$\mathbf{A} = \begin{pmatrix} 1/2 & 0 & 1/2 \\ 0 & 1 & 0 \\ 1/2 & 0 & 1/2 \end{pmatrix}$$

$Q = \mathbf{X}'\mathbf{A}\mathbf{X}/\sigma^2$ とする．
(a) 定理 9.8.1 を用いて，$E(Q)$ を求めよ．
(b) Q が $\chi^2(2,6)$ に従うことを証明せよ．

9.8.4. $X_1,\ldots,X_n$ は共通の平均 μ をもち，i ごとに異なる分散 $\sigma_i^2 = \text{Var}(X_i)$ をもつ独立な確率変数とする．
(a) $\overline{X}$ の分散を求めよ．
(b) $Q = K\sum_{i=1}^{n}(X_i - \overline{X})^2$ が $\overline{X}$ の分散の不偏推定量となるような定数 K を求めよ．
ヒント：例 9.8.3 と同じように進めてみよ．

9.8.5. $X_1,\ldots,X_n$ は共通の平均 μ と共通の分散 σ^2 をもち，相関係数が ρ となる (すべての相関係数は同じ)，独立ではない確率変数とする．
(a) $\overline{X}$ の分散を求めよ．
(b) $Q = K\sum_{i=1}^{n}(X_i - \overline{X})^2$ が $\overline{X}$ の分散の不偏推定量となるような定数 K を求めよ．
ヒント：例 9.8.3 と同じように進めてみよ．

9.8.6. (9.8.13) 式が成立することを詳細に示せ．

9.8.7. (9.8.1) 式で定義されたトレース操作に対して，次に示す性質が真であることを証明せよ．
(a) $\mathbf{A}$ と $\mathbf{B}$ がサイズ $n \times n$ の行列であり，a と b がスカラーのとき以下となる．

$$\text{tr}(a\mathbf{A} + b\mathbf{B}) = a\,\text{tr}\,\mathbf{A} + b\,\text{tr}\,\mathbf{B}$$

(b) $\mathbf{A}$ はサイズ $n \times m$ の行列であり，$\mathbf{B}$ はサイズ $m \times k$ の行列であり，そして $\mathbf{C}$ はサイズ $k \times n$ の行列であるとき，以下となる．

$$\text{tr}(\mathbf{ABC}) = \text{tr}(\mathbf{BCA}) = \text{tr}(\mathbf{CAB})$$

(c) $\mathbf{A}$ が正方行列であり，$\boldsymbol{\Gamma}$ が直交行列であるとき，(b) の結果を用いると $\text{tr}(\boldsymbol{\Gamma}'\mathbf{A}\boldsymbol{\Gamma}) =$

trA が証明される.

(d) $\mathbf{A}$ は実対称べき等行列であるとき, (c) の結果を用いると, $\mathbf{A}$ のランクは trA に等しいことが証明される.

9.8.8. $\mathbf{A} = [a_{ij}]$ は実対称行列とする. $\sum_i \sum_j a_{ij}^2$ は $\mathbf{A}$ の固有値の 2 乗和に等しいことを証明せよ.

ヒント: $\mathbf{\Gamma}$ が直交行列のときに, $\sum_j \sum_i a_{ij}^2 = \text{tr}(\mathbf{A}^2) = \text{tr}(\mathbf{\Gamma}'\mathbf{\Lambda}^2\mathbf{\Gamma}) = \text{tr}[(\mathbf{\Gamma}'\mathbf{\Lambda}\mathbf{\Gamma})(\mathbf{\Gamma}'\mathbf{\Lambda}\mathbf{\Gamma})]$ を証明せよ.

9.8.9. $\mathbf{X}$ は $N_n(\mathbf{0}, \mathbf{\Sigma})$ に従うとする. ここで, $\mathbf{\Sigma}$ は正定値行列である. ランク r の対称行列 $\mathbf{A}$ に対して, $Q = \mathbf{X}'\mathbf{A}\mathbf{X}$ とする. $\mathbf{A}\mathbf{\Sigma}\mathbf{A} = \mathbf{A}$ のとき, かつそのときのみ Q は $\chi^2(r)$ に従うことを証明せよ.

ヒント: Q を次のように表せ.

$$Q = (\mathbf{\Sigma}^{-1/2}\mathbf{X})'\mathbf{\Sigma}^{1/2}\mathbf{A}\mathbf{\Sigma}^{1/2}(\mathbf{\Sigma}^{-1/2}\mathbf{X})$$

ここで, $\mathbf{\Sigma}^{1/2} = \mathbf{\Gamma}'\mathbf{\Lambda}^{1/2}\mathbf{\Gamma}$ であり, $\mathbf{\Sigma} = \mathbf{\Gamma}'\mathbf{\Lambda}\mathbf{\Gamma}$ は $\mathbf{\Sigma}$ のスペクトル分解である. そして, 定理 9.8.4 を用いよ.

9.8.10. $\mathbf{A}$ は実対称行列とする. $\mathbf{A}$ の固有値が 0 または 1 ばかりとするとき, $\mathbf{A}$ はべき等であることを証明せよ.

9.9 特定の 2 次形式の独立性

正規分布に従う変数の線形関数の独立性については, すでにみてきた. 本章では, 2 次形式の独立性に関するいくつか定理を証明していく. ここでは, 正規分布に従う変数のみに注目する. その正規分布は $N(0, \sigma^2)$ であり, ここからサイズ n の無作為標本が抽出されたとする.

注意 9.9.1. 次の定理の証明では, $\mathbf{A}$ がサイズ $m \times n$ でランクが n (つまり $\mathbf{A}$ は列フルランク) とすると, 行列 $\mathbf{A}'\mathbf{A}$ は正則であるという事実を利用する. この線形代数に関する事実の証明は, 12 章の練習問題 12.3.2 と練習問題 12.3.3 で行われる. ■

定理 9.9.1 (クレイグの定理).
$\mathbf{X}' = (X_1, \ldots, X_n)$ とする. ここで, $X_1, \ldots, X_n$ は iid であり, $N(0, \sigma^2)$ に従う確率変数である. 実対称行列 $\mathbf{A}$ と $\mathbf{B}$ に対して, $Q_1 = \sigma^{-2}\mathbf{X}'\mathbf{A}\mathbf{X}$ と $Q_2 = \sigma^{-2}\mathbf{X}'\mathbf{B}\mathbf{X}$ は $\mathbf{X}$ の 2 次形式を表す. 確率変数 Q_1 と Q_2 は, $\mathbf{A}\mathbf{B} = \mathbf{0}$ ならばかつそのときのみ独立である.

証明 はじめに, 準備のためにいくつかの結果を求めておこう. これらの結果を基にすれば, ただちに証明がなされる. 行列 $\mathbf{A}$ と $\mathbf{B}$ のランクはそれぞれ r と s

9.9. 特定の2次形式の独立性

とする．$\Gamma_1'\Lambda_1\Gamma_1$ は $\mathbf{A}$ のスペクトル分解を表すとする．$\mathbf{A}$ の r 個の非ゼロの固有値を $\lambda_1,\ldots,\lambda_r$ と表す．一般性を失うことなく，$\mathbf{A}$ のこれらの非ゼロの固有値は，Λ_1 の主対角のはじめの r 個の要素であるとする．そして，Γ_{11}' は列が対応する固有ベクトルである $n \times r$ の行列とする．最後に，$\Lambda_{11} = \mathrm{diag}\{\lambda_1,\ldots,\lambda_r\}$ とする．すると，$\mathbf{A}$ のスペクトル分解は2つのうちのいずれかで表される．

$$\mathbf{A} = \Gamma_1'\Lambda_1\Gamma_1 = \Gamma_{11}'\Lambda_{11}\Gamma_{11} \tag{9.9.1}$$

Q_1 は次のように表されることに注意してほしい．

$$Q_1 = \sigma^{-2}\mathbf{X}'\Gamma_{11}'\Lambda_{11}\Gamma_{11}\mathbf{X} = \sigma^{-2}(\Gamma_{11}\mathbf{X})'\Lambda_{11}(\Gamma_{11}\mathbf{X}) = \mathbf{W}_1'\Lambda_{11}\mathbf{W}_1 \tag{9.9.2}$$

ただし，$\mathbf{W}_1 = \sigma^{-1}\Gamma_{11}\mathbf{X}$ である．次に，$\mathbf{B}$ の s 個の非ゼロの固有値 $\gamma_1,\ldots,\gamma_s$ に基づいて，同じように再表現する．$\Lambda_{22} = \mathrm{diag}\{\gamma_1,\ldots,\gamma_s\}$ はサイズ $s \times s$ の対称行列であり，その固有値は非ゼロであるとする．そして，対応する固有ベクトルのサイズ $n \times s$ の行列 $\Gamma_{21}' = [\mathbf{u}_1 \cdots \mathbf{u}_s]$ を構成するとする．すると，$\mathbf{B}$ のスペクトル分解は以下のように表される．

$$\mathbf{B} = \Gamma_{21}'\Lambda_{22}\Gamma_{21} \tag{9.9.3}$$

同様にして，Q_2 は次のように表される．

$$Q_2 = \mathbf{W}_2'\Lambda_{22}\mathbf{W}_2 \tag{9.9.4}$$

ここで，$\mathbf{W}_2 = \sigma^{-1}\Gamma_{21}\mathbf{X}$ である．$\mathbf{W}' = (\mathbf{W}_1', \mathbf{W}_2')$ とすると，以下となる．

$$\mathbf{W} = \sigma^{-1}\begin{bmatrix}\Gamma_{11}\\\Gamma_{21}\end{bmatrix}\mathbf{X}$$

$\mathbf{X}$ は分布 $N_n(\mathbf{0}, \sigma^2\mathbf{I})$ に従うので，定理 3.5.1 から $\mathbf{W}$ が平均 $\mathbf{0}$，分散共分散行列が次のような $(r+s)$ 次元の多変量正規分布に従うことが証明される．

$$\mathrm{Var}(\mathbf{W}) = \begin{bmatrix}\mathbf{I}_r & \Gamma_{11}\Gamma_{21}'\\\Gamma_{21}\Gamma_{11}' & \mathbf{I}_s\end{bmatrix} \tag{9.9.5}$$

最後に (9.9.1) 式と (9.9.3) 式を用いると，次の等式が成立する．

$$\mathbf{AB} = \{\Gamma_{11}'\Lambda_{11}\}\Gamma_{11}\Gamma_{21}'\{\Lambda_{22}\Gamma_{21}\} \tag{9.9.6}$$

$\mathbf{U}$ は，はじめの括弧内の行列を表すとする．$(\mathbf{U}'\mathbf{U})^{-1}$ が存在する場合にかぎり，$\mathbf{U}$ は列フルランクであることに注意してほしい．$\mathbf{V}$ は，2つ目の括弧内の行列を表すとする．$(\mathbf{VV}')^{-1}$ が存在する場合に限り，$\mathbf{V}$ は行フルランクであることに注意してほしい．したがって，この等式は次のように表される．

$$(\mathbf{U}'\mathbf{U})^{-1}\mathbf{U}'\mathbf{AB}\,\mathbf{V}'(\mathbf{VV}')^{-1} = \Gamma_{11}\Gamma_{21}' \tag{9.9.7}$$

証明のために，$\mathbf{AB} = \mathbf{0}$ と仮定する．すると，(9.9.7) 式より，$\Gamma_{11}\Gamma_{21}' = \mathbf{0}$ であり，したがって (9.9.5) 式から，確率変数ベクトル $\mathbf{W}_1$ と $\mathbf{W}_2$ は独立である．し

たがって，(9.9.2) 式と (9.9.4) 式から，Q_1 と Q_2 は独立である．

逆に，Q_1 と Q_2 が独立とすると，$(0,0)$ の開近傍の (t_1, t_2) に対して，以下が成立する．

$$E^{-2}[\exp\{t_1 Q_1 + t_2 Q_2\}] = E^{-2}[\exp\{t_1 Q_1\}] E^{-2}[\exp\{t_2 Q_2\}] \quad (9.9.8)$$

$t_1 Q_1 + t_2 Q_2$ は，対称行列 $t_1 \mathbf{A} + t_2 \mathbf{B}$ である $\mathbf{X}$ の 2 次形式である．$\mathbf{\Gamma}_1$ は直交行列であり，したがって，行列式は 1 であることを思い出そう．これと，定理 9.8.2 を用いると，(9.9.8) 式の左辺は次のように表される．

$$\begin{aligned}
E^{-2}[\exp\{t_1 Q_1 + t_2 Q_2\}] &= |\mathbf{I}_n - 2t_1 \mathbf{A} - 2t_2 \mathbf{B}| \\
&= |\mathbf{\Gamma}'_1 \mathbf{\Gamma}_1 - 2t_1 \mathbf{\Gamma}'_1 \mathbf{\Lambda}_1 \mathbf{\Gamma}_1 - 2t_2 \mathbf{\Gamma}'_1 (\mathbf{\Gamma}_1 \mathbf{B} \mathbf{\Gamma}'_1) \mathbf{\Gamma}_1| \\
&= |\mathbf{I}_n - 2t_1 \mathbf{\Lambda}_1 - 2t_2 \mathbf{D}| \quad (9.9.9)
\end{aligned}$$

ここで，行列 $\mathbf{D}$ は次のように表される．

$$\mathbf{D} = \mathbf{\Gamma}_1 \mathbf{B} \mathbf{\Gamma}'_1 = \begin{bmatrix} \mathbf{D}_{11} & \mathbf{D}_{12} \\ \mathbf{D}_{21} & \mathbf{D}_{22} \end{bmatrix} \quad (9.9.10)$$

そして，$\mathbf{D}_{11}$ はサイズ $r \times r$ である．(9.9.2) 式，(9.9.3) 式そして定理 9.8.2 から，(9.9.8) 式の右辺は次のように表される．

$$E^{-2}[\exp\{t_1 Q_1\}] E^{-2}[\exp\{t_2 Q_2\}] = \left\{ \prod_{i=1}^{r}(1 - 2t_1 \lambda_i) \right\} |\mathbf{I}_n - 2t_2 \mathbf{D}| \quad (9.9.11)$$

すると，$(0,0)$ の開近傍における (t_1, t_2) に対して，次の等式が成立する．

$$|\mathbf{I}_n - 2t_1 \mathbf{\Lambda}_1 - 2t_2 \mathbf{D}| = \left\{ \prod_{i=1}^{r}(1 - 2t_1 \lambda_i) \right\} |\mathbf{I}_n - 2t_2 \mathbf{D}| \quad (9.9.12)$$

(9.9.12) 式右辺の $(-2t_1)^r$ の係数は $\lambda_1 \cdots \lambda_r |\mathbf{I} - 2t_2 \mathbf{D}|$ である．(9.9.12) 式左辺の $(-2t_1)^r$ 係数の係数を求めることはそれほど容易ではない．この行列式を，はじめの r 列で構成される r 次の小行列式によって展開することを考える．この展開の 1 つの項は，左上に配される r 次の小行列，つまり $|\mathbf{I}_r - 2t_1 \mathbf{\Lambda}_{11} - 2t_2 \mathbf{D}_{11}|$ と，右下に配される $n-r$ 次の小行列，つまり $|\mathbf{I}_{n-r} - 2t_2 \mathbf{D}_{22}|$ との積である．さらに，この積は $(-2t_1)^r$ を含む行列式の展開におけるただ 1 つの項である．したがって，(9.9.12) 式左辺の $(-2t_1)^r$ の係数は，$\lambda_1 \cdots \lambda_r |\mathbf{I}_{n-r} - 2t_2 \mathbf{D}_{22}|$ となる．もし，$(-2t_1)^r$ のこれらの係数が等しいとすると，0 の開近傍における t_2 に対して，以下のようになる．

$$|\mathbf{I} - 2t_2 \mathbf{D}| = |\mathbf{I}_{n-r} - 2t_2 \mathbf{D}_{22}| \quad (9.9.13)$$

(9.9.12) 式は，$\mathbf{D}$ と $\mathbf{D}_{22}$ の非ゼロの固有値は同じであることを示している (練習問題 9.9.8 をみよ)．対称行列の固有値の 2 乗和は，その行列の要素の 2 乗和に等

9.9. 特定の2次形式の独立性

しいことを思い出してもらいたい (練習問題 9.8.8 をみよ). したがって, 行列 $\mathbf{D}$ の要素の 2 乗和は, $\mathbf{D}_{22}$ の要素の 2 乗和に等しい. 行列 $\mathbf{D}$ の要素は実数であるから, $\mathbf{D}_{11}, \mathbf{D}_{12}$ そして $\mathbf{D}_{21}$ の要素それぞれは 0 ではないことになる. したがって, 次のようになる.

$$\mathbf{0} = \mathbf{\Lambda}_1 \mathbf{D} = \mathbf{\Gamma}_1 \mathbf{A}\mathbf{\Gamma}_1' \mathbf{\Gamma}_1 \mathbf{B}\mathbf{\Gamma}_1'$$

$\mathbf{\Gamma}_1$ は直交行列であるから, $\mathbf{AB}=\mathbf{0}$ である. ∎

注意 9.9.2. すべての実数 μ に対して, 分布 $N(\mu, \sigma^2)$ からの無作為標本ならば, 定理 9.9.1 は真である. さらに, 定理 9.9.1 は, 正定値である共分散行列 $\mathbf{\Sigma}$ をもつ同時多変量正規分布に従う確率変数の 2 次形式に対して拡張される. 対称行列 $\mathbf{A}$ と $\mathbf{B}$ の 2 つの 2 次形式の独立の必要十分条件は, $\mathbf{A\Sigma B}=\mathbf{0}$ となる. 定理 9.9.1 では, $\mathbf{\Sigma}=\sigma^2 \mathbf{I}$ とした結果, $\mathbf{A\Sigma B}=\mathbf{A}\sigma^2 \mathbf{I}\mathbf{B}=\sigma^2 \mathbf{AB}=\mathbf{0}$ となった. ∎

次の定義は Hogg and Craig (1958) にある.

定理 9.9.2 (ホッグ・クレイグの定理).

$Q = Q_1 + \cdots + Q_{k-1} + Q_k$ とする. ここで, $Q, Q_1, \ldots, Q_{k-1}, Q_k$ は分布 $N(0, \sigma^2)$ からのサイズ n の無作為標本の 2 次形式である $k+1$ 個の確率変数である. Q/σ^2 は $\chi^2(r)$ に従うとする. また, Q_i/σ^2 は $\chi^2(r_i)$, $i=1, 2, \ldots, k-1$ に従い, Q_k は非負であるとする. すると, 確率変数 $Q_1, Q_2, \ldots, Q_k$ は独立である. したがって, Q_k/σ^2 は $\chi^2(r_k = r - r_1 - \cdots - r_{k-1})$ に従う.

証明 はじめに, $k=2$ の場合を取り上げる. そして, 実対称行列 Q, Q_1 と Q_2 を $\mathbf{A}, \mathbf{A}_1, \mathbf{A}_2$ と表すとする. $Q = Q_1 + Q_2$ または同等に, $\mathbf{A} = \mathbf{A}_1 + \mathbf{A}_2$ が与えられている. また, Q/σ^2 は $\chi^2(r)$ に従い, Q_1/σ^2 は $\chi^2(r_1)$ に従うことも与えられている. 定理 9.8.4 に従って, $\mathbf{A}^2 = \mathbf{A}$ そして $\mathbf{A}_1^2 = \mathbf{A}$ とする. $Q_2 \geq 0$ であるから, 行列 $\mathbf{A}, \mathbf{A}_1$ と $\mathbf{A}_2$ は半定値である. $\mathbf{A}^2 = \mathbf{A}$ であるから, 次のような直交行列 $\mathbf{\Gamma}$ を見つけることができる.

$$\mathbf{\Gamma}' \mathbf{A} \mathbf{\Gamma} = \begin{bmatrix} \mathbf{I}_r & \mathbf{O} \\ \mathbf{O} & \mathbf{O} \end{bmatrix}$$

$\mathbf{A} = \mathbf{A}_1 + \mathbf{A}_2$ に対して, 左から $\mathbf{\Gamma}'$ を掛けて, 右から $\mathbf{\Gamma}$ を掛けると次のようになる.

$$\begin{bmatrix} \mathbf{I}_r & \mathbf{0} \\ \mathbf{0} & \mathbf{0} \end{bmatrix} = \mathbf{\Gamma}' \mathbf{A}_1 \mathbf{\Gamma} + \mathbf{\Gamma}' \mathbf{A}_2 \mathbf{\Gamma}$$

いま, $\mathbf{A}_1$ と $\mathbf{A}_2$, したがって $\mathbf{\Gamma}' \mathbf{A}_1 \mathbf{\Gamma}$ と $\mathbf{\Gamma}' \mathbf{A}_2 \mathbf{\Gamma}$ は半定値である. 実対称行列が半定値ならば, 主対角の各要素は正または 0 であることを思い出そう. さらに, 主対角の要素が 0 ならば, その行のすべての要素と, その列のすべての要素は 0

である．したがって，$\Gamma'A\Gamma = \Gamma'A_1\Gamma + \Gamma'A_2\Gamma$ は次のように表される．

$$\begin{bmatrix} I_r & 0 \\ 0 & 0 \end{bmatrix} = \begin{bmatrix} G_r & 0 \\ 0 & 0 \end{bmatrix} + \begin{bmatrix} H_r & 0 \\ 0 & 0 \end{bmatrix} \tag{9.9.14}$$

$A_1^2 = A_1$ であるから，次のようになる．

$$(\Gamma'A_1\Gamma)^2 = \Gamma'A_1\Gamma = \begin{bmatrix} G_r & 0 \\ 0 & 0 \end{bmatrix}$$

(9.9.14)式に対して，左から行列 $\Gamma'A_1\Gamma$ を掛けると次のようになる．

$$\begin{bmatrix} G_r & 0 \\ 0 & 0 \end{bmatrix} = \begin{bmatrix} G_r & 0 \\ 0 & 0 \end{bmatrix} + \begin{bmatrix} G_rH_r & 0 \\ 0 & 0 \end{bmatrix}$$

または同等に，$\Gamma'A_1\Gamma = \Gamma'A_1\Gamma + (\Gamma'A_1\Gamma)(\Gamma'A_2\Gamma)$ となる．したがって，$(\Gamma'A_1\Gamma)(\Gamma'A_2\Gamma) = 0$，$A_1A_2 = 0$ となる．定理 9.9.1 に従うと，Q_1 と Q_2 は独立である．この独立性からただちに，Q_2/σ^2 が $\chi^2(r_2 = r - r_1)$ に従うことが示唆される．これで，$k = 2$ の場合が証明された．$k > 2$ の場合には，証明は帰納的に行われる．ここでは，$k = 3$ の場合を用いて，どのように証明が行われるのかだけを示しておこう．$A = A_1 + A_2 + A_3$ とする．ここで，$A^2 = A$，$A_1^2 = A_1$，$A_2^2 = A_2$，そして A_3 は半定値である．$A = A_1 + (A_2 + A_2) = A_1 + B_1$ と表しておく．いま，$A^2 = A$，$A_1^2 = A_1$ そして，B_1 は半定値である．$k = 2$ の場合に従って，$A_1B_1 = 0$ とすると結果として $B_1^2 = B_1$ となる．$B_1 = A_2 + A_3$ であるから，$k = 2$ の場合に従って，$A_2A_3 = 0$ そして $A_3^2 = A_3$ である．ただし，$B_1^2 = B_1$，$A_2^2 = A_2$ である．$A = A_2 + (A_1 + A_3)$ として，再グループ化すれば，$A_1A_3 = 0$ となり，これを繰り返せばよい．

注意 9.9.3. 定理 9.9.2 の記述では，$X_1, X_2, \ldots, X_n$ は分布 $N(0, \sigma^2)$ からの無作為標本であった．このようにしたのは，定理 9.9.1 の証明が，この場合に限定されていたからである．実は，もし $Q', Q'_1, \ldots, Q'_k$ が (多変量正規変数を含む) あらゆる正規変数の 2 次形式でもあり，$Q' = Q'_1 + \cdots + Q'_k$ であって，$Q', Q'_1, \ldots, Q'_{k-1}$ が中心あるいは非心カイ 2 乗分布に従い，さらに，Q'_k が非負であるならば，$Q'_1, \ldots, Q'_k$ は独立であり，Q'_k は中心あるいは非心カイ 2 乗分布に従うのである．■

本章の締めくくりとして，コクランの定理としてしばしば引用される定理を証明する．

定理 9.9.3 (コクランの定理).
$X_1, X_2, \ldots, X_n$ は分布 $N(0, \sigma^2)$ からの無作為標本とする．これらの観測値の 2 乗和を次のように表すことにする．

$$\sum_{i=1}^n X_i^2 = Q_1 + Q_2 + \cdots + Q_k$$

9.9. 特定の2次形式の独立性

ここで, Q_j は $X_1, X_2, \ldots, X_n$ の2次形式であり, ランク r_j, $j=1,2,\ldots,k$ の行列 A_j をもつ. 確率変数 $Q_1, Q_2, \ldots, Q_k$ は独立であり, $\sum_1^n r_j = n$ の場合かつその場合にかぎり, Q_j/σ^2 は $\chi^2(r_j)$, $j=1,2,\ldots,k$ に従う.

証明 はじめに, 2つの条件 $\sum_1^n r_j = n$ と $\sum_1^n X_i^2 = \sum_1^n Q_j$ が満たされていると仮定する. 2つ目の条件は $I = A_1 + A_2 + \cdots + A_k$ を意味する. $B_i = I - A_i$ とする. つまり, B_i は A_i を除いた行列 $A_1, \ldots, A_k$ の和である. R_i は B_i のランクを表すとする. 複数の行列の和のランクは, それらの行列のランクの和よりも小さいかあるいは同じであるから, $R_i \leq \sum_1^n r_j - r_i = n - r_i$ となる. しかし, $I = A_i + B_i$ であるから, $n \leq r_i + R_i$ すなわち $n - r_i \leq R_i$ となる. したがって, $R_i = n - r_i$ である. B_i の固有値は式 $|B_i - \lambda I| = 0$ の根である. $B_i = I - A_i$ であるから, この式は $|I - A_i - \lambda I| = 0$ と表される. したがって, $|A_i - (1-\lambda)I| = 0$ となる. しかし, 最後の式の根は A_i の固有値から1を引いた値である. B_i はちょうど $n - R_i = r_i$ 個の0の固有値をもっているから, A_i はちょうど r_i 個の0の固有値をもっている. しかし, r_i は A_i のランクである. したがって, A_i の各 r_i 個の非ゼロの固有値は1である. つまり, $A_i^2 = A_i$ そしてしたがって $Q_i/\sigma^2(r_i)$, $i=1,2,\ldots,k$ である. すると, 定理9.9.2から, 確率変数 $Q_1, Q_2, \ldots, Q_k$ は独立となる.

定理9.9.3の証明を完結するために, 次のようにする.

$$\sum_1^n X_i^2 = Q_1 + Q_2 + \cdots + Q_k$$

$Q_1, Q_2, \ldots, Q_k$ は独立であり, Q_j/σ^2 は $\chi^2(r_j)$, $j=1,2,\ldots,k$ に従うとする. すると, $\sum_1^n Q_j/\sigma^2$ は $\chi^2\left(\sum_1^n r_j\right)$ に従う. しかし, $\sum_1^n Q_j/\sigma^2 = \sum_1^n X_i^2/\sigma^2$ は $\chi^2(n)$ に従う. したがって, $\sum_1^n r_j = n$ となり, 証明は成された.

練習問題

9.9.1. X_1, X_2, X_3 は正規分布 $N(0, \sigma^2)$ からの無作為標本とする. 2次形式 $X_1^2 + 3X_1X_2 + X_2^2 + X_1X_3 + X_3^2$ と $X_1^2 - 2X_1X_2 + \frac{2}{3}X_2^2 - 2X_1X_2 - X_3^2$ は独立だろうか, それとも独立ではないだろうか.

9.9.2. $X_1, X_2, \ldots, X_n$ は, 分布 $N(0, \sigma^2)$ からのサイズ n の無作為標本とする. $\sum_1^n X_i^2$ と, $X_1, X_2, \ldots, X_n$ の0に等しくないすべての2次形式は独立であることを証明せよ.

9.9.3. X_1, X_2, X_3, X_4 は分布 $N(0, \sigma^2)$ からのサイズ4の無作為標本とする. $Y = \sum_1^4 a_i X_i$ とする. ただし, a_1, a_2, a_3 と a_4 は実定数である. Y^2 と $Q = X_1X_2 - X_3X_4$ が独立なとき, a_1, a_2, a_3 と a_4 を求めよ.

9.9.4. A は分布 $N(0, \sigma^2)$ からのサイズ n の無作為標本で構成された 2 次形式 Q の実対称行列とする．Q と標本平均 $\overline{X}$ は独立とするとき，A の各行 (列) に関してどのようなことがいえるか．
ヒント：Q と $\overline{X}^2$ は独立だろうか．

9.9.5. $A_1, A_2, \ldots, A_k$ は分布 $N(0, \sigma^2)$ からのサイズ n の無作為標本で構成された $k > 2$ 個の 2 次形式 $Q_1, Q_2, \ldots, Q_k$ の行列とする．これらの 2 次形式の 2 組ごとの独立は，すべての行列が互いに独立であることを示すことを証明せよ．
ヒント：$A_i A_j = 0$, $i \neq j$ ならば，$E[\exp(t_1 Q_1 + t_2 Q_2 + \cdots t_k Q_k)]$ は $Q_1, Q_2, \ldots, Q_k$ の mgf の積で表されることを示せ．

9.9.6. $X' = [X_1, X_2, \ldots, X_n]$ とする．ただし，$X_1, X_2, \ldots, X_n$ は分布 $N(0, \sigma^2)$ からの無作為標本とする．$b' = [b_1, b_2, \ldots, b_n]$ を非ゼロの実数ベクトルとし，A は n 次の実対称行列とする．1 次形式 $b'X$ と 2 次形式 $X'AX$ は，$b'A = 0$ ならば，かつその場合にかぎり独立であることを証明せよ．この事実を使い，2 つの 2 次形式 $(b'X)^2 = X'bb'X$ と $X'AX$ が独立な場合，かつその場合にかぎり，$b'X$ と $X'AX$ は独立であることを証明せよ．

9.9.7. Q_1 と Q_2 は分布 $N(0, \sigma^2)$ からの無作為標本の 2 つの非負の 2 次形式とする．別の 2 次形式 Q が $Q_1 + Q_2$ と独立であるのは，Q が Q_1 と Q_2 のそれぞれと独立である場合，かつその場合にかぎることを証明せよ．
ヒント：行列 $Q_1 + Q_2$ を対角化する直交変換を考えよ．この変換の後に Q と $Q_1 + Q_2$ が独立ならば，Q, Q_1 と Q_2 はどんな形をしているだろうか．

9.9.8. 本章の (9.9.13) 式は，行列 D と D_{22} の非ゼロの固有値は等しいことを意味することを証明せよ．
ヒント：$\lambda = 1/(2t_2)$, $t_2 \neq 0$ とする．そして，(9.9.13) 式は $|D - \lambda I| = (-\lambda)^r |D_{22} - \lambda I_{n-r}|$ と等しいことを証明せよ．

9.9.9. いま，Q_1 と Q_2 は $N(0, 1)$ からの無作為標本の 2 次形式とする．Q_1 と Q_2 は独立であり，$Q_1 + Q_2$ がカイ 2 乗分布に従うならば，Q_1 と Q_2 はカイ 2 乗変数であることを証明せよ．

9.9.10. しばしば回帰においては，確率変数 Y の平均は p 個の変数 $x_1, x_2, \ldots, x_p$ の線形関数である．それは例えば，$\beta_1 x_1 + \beta_2 x_2 + \cdots + \beta_p x_p$ として表される．ここで，$\beta' = (\beta_1, \beta_2, \ldots, \beta_p)$ は回帰係数 (regression coefficients) である．n 個の変数 $Y' = (Y_1, Y_2, \ldots, Y_n)$ が観測されたとする．x 側の変数は，$X = (x_{ij})$ で観測されているとする．ここで，X は $n \times p$ の計画行列 (design matrix) であり，その i 番目の行は $Y_i, i = 1, 2, \ldots, n$ に対応しているとする．Y は平均 $X\beta$，分散共分散行列 $\sigma^2 I$ をもつ多変量正規分布に従うと仮定する．ここで，I は $n \times n$ の単位行列である．

(a) $Y_1, Y_2, \ldots, Y_n$ は独立であることに注意してほしい．なぜだろうか．

9.9. 特定の2次形式の独立性

(b) Y はその平均 $X\beta$ と近似的に等しいから,正規方程式 $X'Y = X'X\beta$ を β について解くことで β は推定される. $X'X$ は正則であると仮定し $\hat{\beta} = (X'X)^{-1}X'Y$ を得るために方程式を解け. $\hat{\beta}$ は,平均 β, 分散共分散行列 $\sigma^2(X'X)^{-1}$ をもつ多変量正規分布に従うことを証明せよ.

(c)
$$(Y - X\beta)'(Y - X\beta) = (\hat{\beta} - \beta)'(X'X)(\hat{\beta} - \beta) + (Y - X\hat{\beta})'(Y - X\hat{\beta})$$

を証明せよ.簡単のために $Q = Q_1 + Q_2$ とする.

(d) Q_1/σ^2 は $\chi^2(p)$ に従うことを証明せよ.

(e) Q_1 と Q_2 は独立であることを証明せよ.

(f) Q_2/σ^2 は $\chi^2(n-p)$ に従うことを証明せよ.

(g) cQ_1/Q_2 が F 分布に従うような c を求めよ.

(h) $Pr(cQ_1/Q_2 \leq d) = 1 - \alpha$ となるような値 d を求めることができるという事実は,β に対する $100(1-\alpha)\%$ 信頼区間を求めるために使用できる.これを説明せよ.

9.9.11. G.P.A. (Y) は,コード化された高校ランク (x_2) とコード化された ACT スコア (x_3) の線形関数で表されると考える.つまり,$\beta_1 + \beta_2 x_2 + \beta_3 x_3$ である. x_1 の値はすべて1とする.このとき,次の5つのオブザベーションを得たとする.

x_1	x_2	x_3	Y
1	1	2	3
1	4	3	6
1	2	2	4
1	4	2	4
1	3	2	4

(a) $X'X$ と $\hat{\beta} = (X'X)^{-1}X'Y$ を計算せよ.

(b) $\beta' = (\beta_1, \beta_2, \beta_3)$ の95%信頼区間を計算せよ.練習問題9.9.10の (h) をみよ.

第10章　ノンパラメトリック統計

10.1 位置モデル

　この章では，単純な位置問題に関するノンパラメトリック法をいくつか紹介する．これから示すように，これらの手法に関連する検定の手続きは，帰無仮説のもとで分布に依存していない．また，これらの検定に関連した点推定量と信頼区間も得る．ただし，推定量の分布は分布に依存している．したがって，これらの手続きを総称するために，順位に基づいた (rank–based) という用語を使う．これらの手続きの漸近相対効率は簡単に得られ，それゆえにそれらの間の比較と前章で議論した手続きを容易にしている．また，漸近的に有効である推定量も得る．すなわち，それらはラオ・クラメールの下限に漸近する．

　本節での目的はこれらの概念の厳密な拡張ではない．折に触れて，単純にその理論を概説するつもりである．厳密な扱いは，より発展的な内容を扱った教科書で解説されている．例えば，Randles and Wolfe (1979) や Hettmansperger and McKean (1998) を参照せよ．

　本節および次節では，標本が1つのときの問題を考える．ほとんどの章で，$F_X(x)$ という cdf と $f_X(x)$ という pdf に従う連続型確率変数 X を考えてきた．本章および次章では，母数のクラスを識別したい．ある母数を，与えられた確率変数の cdf (もしくは pdf) の関数と見なす．例えば，確率変数 X の平均 μ を考える．T を以下のように定義すると，$\mu_X = T(F_X)$ として書くことができる．

$$T(F_X) = \int_{-\infty}^{\infty} x f_X(x)\, dx$$

もうひとつの例として，確率変数 X の中央値は $F_X(\xi) = 1/2$ (言い換えれば，$\xi = F_X^{-1}(1/2)$) となるような母数 ξ であるということを思い出しなさい．したがって，この記法では，母数 ξ は関数 $T(F_X) = F_X^{-1}(1/2)$ によって定義されるといえる．これらの T は cdf (あるいは pdf) の関数であるということに注意しなさい．ここではそれらのことを汎関数 (functional) とよぶことにする．

　汎関数はノンパラメトリック推定量を自然と誘導する．$X_1, X_2, \ldots, X_n$ は $F(x)$ という cdf に従うある分布からの無作為標本とし，$T(F)$ を汎関数とする．以下の式により与えられる標本の経験分布関数を思い出しなさい．

$$\widehat{F}_n(x) = n^{-1}[\#\{X_i \leq x\}], \quad -\infty < x < \infty \tag{10.1.1}$$

$\widehat{F}_n(x)$ は cdf であるので，$T(\widehat{F}_n)$ は明確である．さらに，$T(\widehat{F}_n)$ は標本にのみ依存して

10.1. 位置モデル

いるので，統計量である．そこで，$T(\widehat{F}_n)$ を $T(F)$ の誘導推定量 (include estimator) とよぶ．例えば，もし $T(F)$ が分布の平均であるなら，$T(\widehat{F}_n) = \overline{X}$ ということを理解するのは簡単である．練習問題 10.1.3 を参照せよ．同様に，もし $T(F) = F^{-1}(1/2)$ が分布の中央値であるなら，$T(\widehat{F}_n) = Q_2$，すなわち標本中央値である．

まず，位置汎関数の定義から始める．

定義 10.1.1.

X を cdf $F_X(x)$ と pdf $f_X(x)$ に従う連続型確率変数とする．以下を満たすとき，$T(F_X)$ を位置汎関数 (location functional) という．

もし $Y = X + a$ ならば，$T(F_Y) = T(F_X) + a$, すべての $a \in R$ に関して
(10.1.2)

もし $Y = aX$ ならば，$T(F_Y) = aT(F_X)$, すべての $a \neq 0$ に関して
(10.1.3)

例えば，T が平均値汎関数，すなわち $T(F_X) = E(X)$ であると仮定する．$Y = X + a$ とすると，$E(Y) = E(X+a) = E(X) + a$ となる．次に，もし $Y = aX$ であるならば，$E(Y) = aE(X)$ である．したがって，平均は位置汎関数である．次の例では，中央値が位置汎関数であるということを示す．

例 10.1.1. $F(x)$ を X の cdf とし，$T(F_X) = F_X^{-1}(1/2)$ を X の中央値汎関数とする．別の言い方をすると，$F_X(T(F_X)) = 1/2$ となる．$Y = X + a$ とする．このとき，Y の cdf は $F_Y(y) = F_X(y - a)$ である．下記の恒等式により，$T(F_Y) = T(F_X) + a$ ということが示される．

$$F_Y(T(F_X) + a) = F_X(T(F_X) + a - a) = F_X(T(F_X)) = 1/2$$

次に，$Y = aX$ と仮定する．もし $a > 0$ なら，$F_Y(y) = F_X(y/a)$ であるので，

$$F_Y(aT(F_X)) = F_X(aT(F_X)/a) = F_X(T(F_X)) = 1/2$$

となる．したがって，$a > 0$ のとき，$T(F_Y) = aT(F_X)$ である．
一方，もし $a < 0$ なら，$F_Y(y) = 1 - F_X(y/a)$ である．それゆえに，

$$F_Y(aT(F_X)) = 1 - F_X(aT(F_X)/a) = 1 - F_X(T(F_X)) = 1 - 1/2 = 1/2$$

である．したがって，(10.1.3) は $a \neq 0$ であるかぎり成り立つ．よって，中央値は位置母数である．

中央値はパーセンタイル，すなわち分布の 50 パーセンタイルであるということを思い出しなさい．練習問題 10.1.1 で示されるように，中央値は位置汎関数である唯一のパーセンタイルである．■

汎関数を表すのに，しばらくは母数表記を使い続けることにする．例えば，$\theta_X = T(F_X)$ のように表記する．

第5章と第6章で，特定の pdf における位置モデルを書いた．本章では，特定の位置汎関数に関して，一般的な pdf を書くことにする．X を cdf $F_X(x)$ と pdf $f_X(x)$ に従う確率変数とする．また，$\theta_X = T(F_X)$ を位置汎関数とする．このとき，確率変数 ε を $\varepsilon = X - T(F_X)$ となるように定義しなさい．すると (10.1.2) により，$T(F_\varepsilon) = 0$，すなわち T により，ε は位置 0 をもつ．さらに X の pdf は，$f(x)$ が ε の pdf である $f_X(x) = f(x - T(F_X))$ として書き表すことができる．

定義 10.1.2 (位置モデル).
$\theta_X = T(F_X)$ を位置汎関数とする．もし，
$$X_i = \theta_X + \varepsilon_i \tag{10.1.4}$$
であるなら，観測値 $X_1, X_2, \ldots, X_n$ は $\theta_X = T(F_X)$ という汎関数をもつ位置モデル (location model) に従うという．ここで，$\varepsilon_1, \varepsilon_2, \ldots, \varepsilon_n$ は pdf $f(x)$ に iid に従う確率変数であり，$T(F_\varepsilon) = 0$ である．ゆえに，上記の議論により，$X_1, X_2, \ldots, X_n$ は pdf $f_X(x) = f(x - T(F_X))$ に iid に従う．

例 10.1.2. ε を $F(0) = 1/2$ となるような cdf $F(x)$ に従う確率変数とする．$\varepsilon_1, \varepsilon_2, \ldots, \varepsilon_n$ は $F(x)$ という cdf に iid に従うと仮定する．$\theta \in R$ とし，以下のように定義する．
$$X_i = \theta + \varepsilon_i, \quad i = 1, 2, \ldots, n$$
このとき，$X_1, X_2, \ldots, X_n$ は位置汎関数 θ をもつ位置モデルに従う．ここで，θ は X_i の中央値である．■

位置モデルは汎関数に強く依存しているということに注意しなさい．つまり，モデルの状態を記述するためには，どの位置汎関数が使われているのかということをはっきりと述べなければならない．ただし，対称な密度のクラスにとって，すべての位置汎関数は同じである．

定理 10.1.1.
X を分布が a に対して対称であるような cdf $F_X(x)$ と pdf $f_X(x)$ に従う確率変数であるとする．また，$T(F_X)$ を任意の位置汎関数とする．このとき，$T(F_X) = a$ である．

証明 (10.1.2) により，以下を得る．
$$T(F_{X-a}) = T(F_X) - a \tag{10.1.5}$$
X の分布は a に対して対称であるので，$X - a$ と $-(X - a)$ が同じ分布に従うということを示すことは容易である．これについては練習問題 10.1.2 を参照せよ．それゆえに，(10.1.2) と (10.1.3) を用いると，以下を得る．

10.2. 標本中央値と符号検定

$$T(F_{X-a}) = T(F_{-(X-a)}) = -(T(F_X)-a) = -T(F_X)+a \tag{10.1.6}$$

よって，(10.1.5) と (10.1.6) をともに満たすことにより，$T(F_X)=a$ という結果が得られる．■

それゆえ，対称の仮定は非常に魅力的である．その仮定のもとで，「中心」の概念は一意である．

練習問題

10.1.1. X を cdf $F(x)$ に従う連続型確率変数とする．$0<p<1$ において，ξ_p を p 番目の分位，つまり $F(\xi_p)=p$ であるとする．もし $p \neq 1/2$ であるなら，性質 (10.1.2) は成り立つが，性質 (10.1.3) は成り立たないということを示せ．したがって，ξ_p は位置母数ではない．

10.1.2. X を pdf $f(x)$ に従う連続型確率変数とする．$f(x)$ は a に対して対称であると仮定する．すなわち，$f(x-a)=f(-(x-a))$ であるとする．確率変数 $X-a$ と確率変数 $-(X-a)$ が同じ pdf に従うということを証明せよ．

10.1.3. $\widehat{F}_n(x)$ を標本 $X_1, X_2, \ldots, X_n$ の経験 cdf とする．$\widehat{F}_n(x)$ の分布はそれぞれの標本項目 X_i に $1/n$ をおく．その平均が $\overline{X}$ であるということを証明せよ．もし $T(F)=F^{-1}(1/2)$ が中央値であるなら，$T(\widehat{F}_n)=Q_2$，つまり標本中央値であるということを証明せよ．

10.1.4. X を cdf $F(x)$ に従う確率変数とし，$T(F)$ を汎関数とする．もし以下の 3 つの性質が満たされるなら，$T(F)$ は尺度汎関数 (scale functional) であるという．

  (i) $T(F_{aX}) = aT(F_X),$ $a>0$
  (ii) $T(F_{X+b}) = T(F_X),$ すべての b に関して
  (iii) $T(F_{-X}) = T(F_X)$

以下の汎関数は尺度汎関数であるということを証明せよ．
(a) 標準偏差，$T(F_X)=(\mathrm{Var}(X))^{1/2}$
(b) 四分位範囲，$T(F_X)=F_X^{-1}(3/4)-F_X^{-1}(1/4)$

10.2 標本中央値と符号検定

本節では，標本の中央値から分布の中央値に関して推測を行う方法について考える．そこでまずは，この議論の基礎となる，符号検定統計量について述べることにする．

無作為標本 $X_1, X_2, \ldots, X_n$ は，以下のような位置モデルに従っているものと考える．

$$X_i = \theta + \varepsilon_i \tag{10.2.1}$$

ただし $\varepsilon_1, \varepsilon_2, \ldots, \varepsilon_n$ は cdf が $F(x)$, pdf が $f(x)$ であるような分布に iid に従っており，また，この分布の中央値は 0 であるとする．このとき 10.1 節において論じたように，位置汎関数は中央値に等しいため，θ が X_i の中央値となる．まずは，以下のような片側検定から考えることにしよう．

$$H_0 : \theta = \theta_0, \quad H_1 : \theta > \theta_0 \tag{10.2.2}$$

このとき，統計量

$$S = S(\theta_0) = \#\{X_i > \theta_0\} \tag{10.2.3}$$

を符号統計量 (sign statistic) とよぶ．なぜなら，この統計量は $X_i - \theta_0$, $i = 1, 2, \ldots, n$ という差の値のうち，符号が正になっているものの数を数えているからである．仮に $I(x > a)$ が，$x > a$ のときには 1, $x \leq a$ のときには 0 を表す記号であると定義するならば，S は

$$S = \sum_{i=1}^{n} I(X_i > \theta_0) \tag{10.2.4}$$

と表記することができる．ここで注意しなければならないのは，もし仮説 H_0 が真であるならば観測値の半分が θ_0 よりも大きな値になることが期待されるが，仮説 H_1 が真であるならば，半分よりも多くの観測値が θ_0 よりも大きくなると考えられることである．したがって，仮説 (10.2.2) のための検定は，以下のようなものとして考えることができる．

$$\text{もし } S \geq c \text{ であるならば，仮説 } H_0 \text{ を棄却し，} H_1 \text{ を採択する} \tag{10.2.5}$$

帰無仮説のもとでは，確率変数 $I(X_i > \theta_0)$ は $b(1, 1/2)$ であるようなベルヌイ分布に iid に従っている．よって，S の帰無分布は平均 $n/2$, 分散 $n/4$ の 2 項分布 $b(n, 1/2)$ となる．仮説 H_0 のもとでは，符号検定が X_i の分布に依存しないことに注意してほしい．このような検定は，分布によらない (distribution free) 検定とよばれる．

危険率 α の検定を行うためには，2 項分布 $b(n, 1/2)$ の上側 α 臨界点であるような c_α を c として選ばなければならない．このとき，$P_{H_0}(S \geq c_\alpha) = \alpha$ となる．ただし検定統計量は離散的な分布に従っているため，危険率 α はいくつかの限られた値しか利用することができない．c_α の値を知りたい場合には，例えば Hollander and Wolfe (1999) に掲載されている表などを参照するとよい．また R や S–PLUS が利用可能であるならば，簡単に計算することもできる．例えばコマンド `pbinom(0:15,15,.5)` により，$n = 15$, $p = 0.5$ である 2 項分布の cdf における，すべての利用可能な危険率の値を得ることができる．

特定のデータセットにおける符号検定のための p 値は，$\widehat{p} = P_{H_0}(S \geq s)$ によって与えられる．ただし s は標本における S の実現値である．この値は本書以外の書籍に掲載されている表によって知ることもできるし，R や S–PLUS が利用可能であるならば，コマンド `1 - pbinom(s-1,n,.5)` によって，直接 $\widehat{p} = P_{H_0}(S \geq s)$ の値を計算す

10.2. 標本中央値と符号検定

ることもできる．

また標本のサイズが大きい場合には，検定統計量の漸近分布を利用する方が便利である．中心極限定理より，仮説 H_0 のもとで，標準化された統計量 $[S(\theta_0)-(n/2)]/\sqrt{n}/2$ は漸近的に $N(0,1)$ に従う．したがって大標本下での検定では，

$$[S(\theta_0)-(n/2)]/\sqrt{n}/2 \geq z_\alpha \tag{10.2.6}$$

であったならば H_0 を棄却すればよい．詳しくは練習問題 10.2.2 において検討する．
また，以下のような両側検定についても簡単にみておくことにしよう．

$$H_0 : \theta = \theta_0, \quad H_1 : \theta \neq \theta_0 \tag{10.2.7}$$

この検定のためには，次のような対称型の決定規則が適当であると考えられる．

もし $S \leq c_1$ または $S \geq n-c_1$ であるならば，H_0 を棄却し H_1 を採択する
$$\tag{10.2.8}$$

危険率 α の検定を構成するためには，$\alpha/2 = P_{H_0}(S \leq c_1)$ であるような c_1 を選ばなければならない．臨界点は統計パッケージや書籍に掲載されている表を利用することで知ることができる．また，S の特定の標本における実現値を s としたとき，p 値が $\hat{p} = 2\min\{P_{H_0}(S \leq s), P_{H_0}(S \geq s)\}$ によって得られることも重要である．

例 10.2.1 (ショショニ族の矩形 (Shoshoni rectangle))． 黄金方形とは，その幅 (w) の長さ (l) に対する割合が，黄金比（およそ 0.618）になっているような長方形を指す．このような長方形は，様々な方法によって定義することが可能である．例えば，$w/l = l/(w+l)$ であるような長方形は黄金方形となる．この図形は西洋文明における美学的な規準であると考えられており，古代ギリシャの時代から，美術や建築などの中に表れている．現在では，クレジットカードや名刺などが，この黄金方形になっている．また文化人類学の分野では，DuBois(1960) がショショニ族のビーズのカゴについて報告している．これらのカゴは，ビーズによって作られた矩形から構成されており，問題となったのは，果たしてショショニ族が西洋文明と同じような美学的規範をもっていたのかどうかということである．そこで，X によってショショニ族のビーズのカゴにおける幅の長さに対する割合を表すこととする．また θ によって，X の中央値を表す．このとき検討したい仮説は，以下のようになる．

$$H_0 : \theta = 0.618, \quad H_A : \theta \neq 0.618$$

これは両側仮説であり，すでになされた議論から，符号検定は $S(0.618) \leq c$ か $S(0.618) \geq n-c$ のときに H_0 を棄却して H_1 を採択すればよいことがわかる．

ショショニ族のカゴにおける幅の長さに対する割合の 20 個の標本は，以下のようになった．

矩形における幅の長さに対する割合

0.553	0.570	0.576	0.601	0.606	0.606	0.609	0.611	0.615	0.628
0.654	0.662	0.668	0.670	0.672	0.690	0.693	0.749	0.844	0.933

このデータから，$S(0.618)=9$ であり $2P(\mathrm{b}(20,0.5)\leq 9)=0.8238$ なので，これを p 値として利用することができる．よってこれらのデータに基づいて考えるかぎり，H_0 を棄却すべきだという証拠はどこにもないことになる．

データの箱ひげ図と正規 q–q プロットを図 10.2.1 に示した．ただしデータは，2 つないしは 3 つ程度の外れ値を含んでいるであろうことには注意が必要である．またこのデータは，正規分布から得られたようにはみえない．■

次に，仮説 (10.2.2) を検討するための符号検定の検定力関数に関係する，いくつかの有用な結果を導く．この検定においては，常に各 X_i から θ_0 を減じることが可能なので，一般性を損なうことなく $\theta_0=0$ を仮定することができる．このとき，以下の関数が有用であることを示す．またこの関数は，後に述べるように推定や信頼区間の構成にも関連するものである．

$$S(\theta) = \#\{X_i > \theta\} \tag{10.2.9}$$

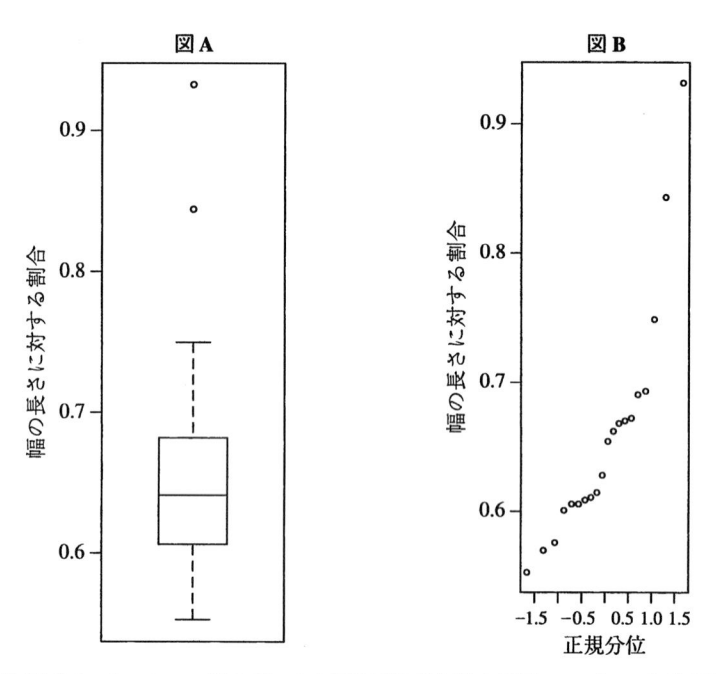

図 10.2.1 ショショニ族のデータの箱ひげ図 (図 A) と正規 q–q プロット (図 B)

10.2. 標本中央値と符号検定

符号検定の統計量は $S(\theta_0)$ によって与えられていたことを思い出してほしい．この関数 $S(\theta)$ は，以下のように簡単に解釈することが可能である．まず，この関数は $X_1,\ldots,X_n$ の順序統計量 $Y_1 < \cdots < Y_n$ を用いて表すことができる．なぜなら，$\#\{Y_i > \theta\} = \#\{X_i > \theta\}$ だからである．このとき，もし $\theta < Y_1$ であるならば，すべての Y_i は θ よりも大きな値をもつことになるので，$S(\theta) = n$ である．次に $Y_1 \leq \theta < Y_2$ であるならば，$S(\theta) = n-1$ となる．以降も同様である．すなわち，$S(\theta)$ は θ の減少段階関数であり，その値は θ が順序統計量 Y_i よりも大きくなるたびに1単位ずつ小さくなることがわかる．またこの関数の最大値は Y_1 において n であり，最小値は Y_n において0である．図10.2.2は，この関数を図示したものである．このとき，以下のような変換規則が成立している．

補題 10.2.1.
 すべての k において，以下が成り立っている．
$$P_\theta[S(0) \geq k] = P_0[S(-\theta) \geq k] \qquad (10.2.10)$$

証明 (10.2.10) 式の左辺は，X_i の中央値が θ であるときの，事象 $\#\{X_i > 0\}$ にかかわる確率を表している．これに対して右辺は，確率変数 $X_i + \theta$ の中央値が θ であるときの，事象 $\#\{(X_i+\theta) > 0\}$ にかかわる確率を表している（$\theta = 0$ のとき，X_i の中央値は0となるため）．したがって左辺と右辺は，同一の確率を示していることになる．■

この補題を用いれば，符号検定の検定力関数が，片側検定の場合には単調となるこ

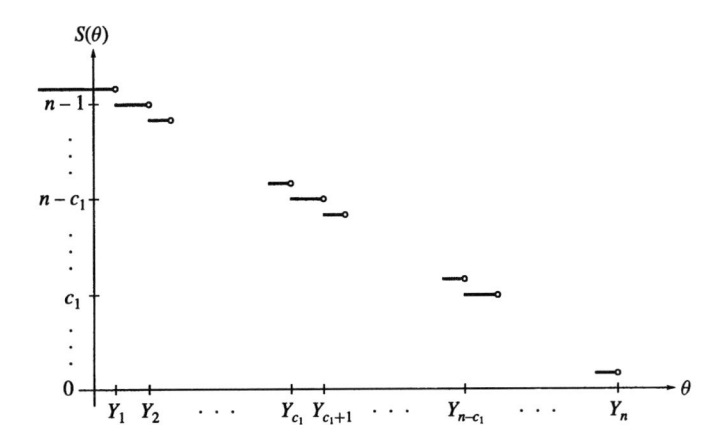

図 10.2.2 減少段階関数 $S(\theta)$ のグラフの描画．関数の値は各順序統計量 Y_i ごとに1単位ずつ減少している．

とを簡単に示すことができる．

> **定理 10.2.1.**
> (10.2.1) 式のモデルが成り立っていると仮定する．さらに，仮説 (10.2.2) を検討するための危険率 α の符号検定の検定力関数を $\gamma(\theta)$ とする．このとき，$\gamma(\theta)$ は θ の非減少な関数となる．

証明 c_α によって，すでに述べたような $b(n,1/2)$ の上側臨界点を表すものとする．このとき一般性を損なうことなく，$\theta_0=0$ を仮定することができる．よって符号検定の検定力関数は

$$\gamma(\theta) = P_\theta[S(0) \geq c_\alpha], \quad -\infty < \theta < \infty$$

となる．ここで，$\theta_1 < \theta_2$ であると仮定する．すると $-\theta_1 > -\theta_2$ であり，なおかつ $S(\theta)$ は非増加関数であるから，$S(-\theta_1) \leq S(-\theta_2)$ となる．このことと補題 10.2.1 より，

$$\gamma(\theta_1) = P_{\theta_1}[S(0) \geq c_\alpha] = P_0[S(-\theta_1) \geq c_\alpha]$$
$$\leq P_0[S(-\theta_2) \geq c_\alpha] = P_{\theta_2}[S(0) \geq c_\alpha] = \gamma(\theta_2)$$

となり，したがって定理は証明される．■

これはあらゆる検定において，非常に望ましい性質である．なぜなら，符号検定の検定力関数の単調性はすべての $\theta \in R$ において成立しているために，(10.2.2) 式の単純帰無仮説を以下のような複合帰無仮説に拡張することが可能だからである．

$$H_0: \theta \leq \theta_0, \quad H_1: \theta > \theta_0 \tag{10.2.11}$$

定義 5.5.1 において，複合帰無仮説を扱う検定の危険率は，$\max_{\theta \leq \theta_0} \gamma(\theta)$ によって与えられていたことを思い出してほしい．この場合 $\gamma(\theta)$ は非減少だから，上のように拡張された帰無仮説に対する符号検定の危険率も，同様に α のままであることがわかる．また 2 次的な性質として，符号検定が不偏な検定であることも直ちに導くことができる．詳しくは 8.3 節を参照のこと．なお，練習問題 10.2.7 において示すように，もう一方の片側仮説 $H_1: \theta < \theta_0$ のための符号検定の検定力関数は非増加となる．

例えば $\theta = \theta_1$ のような対立仮説のもとでは，検定統計量 S は 2 項分布 $b(n,p_1)$ に従う．ただし p_1 は

$$p_1 = P_{\theta_1}(X > 0) = 1 - F(-\theta_1) \tag{10.2.12}$$

であり，$F(x)$ は (10.2.1) 式において示されたモデル中の ε の cdf である．したがって S は対立仮説のもとでは，分布に依存しないわけではないことがわかる．もちろん練習問題 10.2.3 において行うように，特定の θ_1 と $F(x)$ のもとでの検定力を求めることは可能である．しかし実際の解析場面においては，符号検定の検定力を，その他の標本平均に基づく危険率 α の検定と比較したい場合があり，このようなことを行うた

10.2. 標本中央値と符号検定

めには，より一般的な検定力に関する結論が必要となる．このための結論のいくつかを，以下の項において導くことにする．

10.2.1 漸近相対効率

この問題を解決するためのひとつの方法として，局所的な対立仮説の列のもとでの検定の振る舞いについて考察することがあげられる．本節では，多くの場合に仮説 (10.2.2) において $\theta_0 = 0$ が仮定されている．(10.2.9) 式の前において述べたように，この仮定が一般性を損なうことはない．ここで仮説 (10.2.2) を検討するために，以下のような対立仮説の列を考える．

$$H_0: \theta = 0, \quad H_{1n}: \theta_n = \frac{\delta}{\sqrt{n}} \tag{10.2.13}$$

ただし，$\delta > 0$ とする．この対立仮説の列は，$n \to \infty$ のときに帰無仮説に収束することに注意してほしい．このような対立仮説の列を，局所対立仮説 (local alternative) とよぶことが多い．本項で述べる方法の発想は，この対立仮説の列のもとでの検定力関数の振る舞いを比較することにある．ただしここでは，方法の概要を簡単に説明するにとどめる．より詳しい情報を知りたい読者は，10.1 節において引用した発展的な書物を参照してほしい．まず最初に，符号検定の漸近的な検定力の補助定理を求めることを行う．

(10.2.6) 式で与えられた，大標本下での危険率 α の検定を考える．このとき対立仮説 θ_n のもとでの検定の平均値を，以下のように近似することができる．

$$\begin{aligned}
E_{\theta_n}\left[\frac{1}{\sqrt{n}}\left(S(0) - \frac{n}{2}\right)\right] &= E_0\left[\frac{1}{\sqrt{n}}\left(S(-\theta_n) - \frac{n}{2}\right)\right] \\
&= \frac{1}{\sqrt{n}} \sum_{i=1}^{n} E_0[I(X_i > -\theta_n)] - \frac{\sqrt{n}}{2} \\
&= \frac{1}{\sqrt{n}} \sum_{i=1}^{n} P_0(X_i > -\theta_n) - \frac{\sqrt{n}}{2} \\
&= \sqrt{n}\left(1 - F(-\theta_n) - \frac{1}{2}\right) = \sqrt{n}\left(\frac{1}{2} - F(-\theta_n)\right) \\
&\doteq \sqrt{n}\,\theta_n f(0) = \delta f(0)
\end{aligned} \tag{10.2.14}$$

ただし上式の最終行への変形には，平均値定理とよばれるものを利用している．これはより発展的な書籍において詳しい解説が行われているが，簡単に述べるならば，θ_0 のもとでは H_0 の場合と同様に，$\dfrac{n^{-1/2}(S(0) - (n/2))}{1/2}$ の分散が1に収束するという定理である．すなわち，$[S(0) - (n/2) - \sqrt{n}\,\delta f(0)]/(\sqrt{n}/2)$ が極限標準正規分布に従っているということになる．これを用いることにより，以下に定理として述べる漸近的な検定力の補助定理を導くことが可能になる．

定理 10.2.2 (漸近的な検定力の補助定理 (asymptotic power lemma)).
(10.2.13) 式に示したような仮説の列を考える．このとき危険率 α の符号検定の，大標本下での検定力関数の極限は
$$\lim_{n\to\infty} \gamma(\theta_n) = 1 - \Phi(z_\alpha - \delta\tau_S^{-1}) \tag{10.2.15}$$
となる．ただし $\tau_S = 1/[2f(0)]$ であり，$\Phi(z)$ は標準正規分布の cdf である．

証明 (10.2.14) 式の表現と，その導出に伴う議論とから，以下のように導くことができる．
$$\begin{aligned}\gamma(\theta_n) &= P_{\theta_n}\left[\frac{n^{-1/2}[S(0)-(n/2)]}{1/2} \geq z_\alpha\right] \\ &= P_{\theta_n}\left[\frac{n^{-1/2}[S(0)-(n/2)-\sqrt{n}\delta f(0)]}{1/2} \geq z_\alpha - \delta 2f(0)\right] \\ &\to 1 - \Phi(z_\alpha - \delta 2f(0))\end{aligned}$$
したがって定理は証明される．■

練習問題 10.2.4 において示されるように，母数 τ_S は前節の練習問題 10.1.4 において定義されたものと同様の尺度母数 (汎関数) である．後に $\tau_S/\sqrt{n}$ が標本中央値の漸近的な標準偏差に等しいことが示される．

定理 10.2.2 の証明においては，いくつかの近似が利用されていた．より厳格な証明については，10.1 節で示した発展的な書籍を参照してほしい．ここでは続く節において有用となる考え方として，(10.2.14) 式において示した平均値の近似を，効率という概念から再検討することを行う．まず，別のアプローチによるテスト統計量の標準化として，以下のようなものを考える．
$$\overline{S}(0) = \frac{1}{n}\sum_{i=1}^{n} I(X_i > 0) \tag{10.2.16}$$
ただしバーが付与されているのは，$\overline{S}(0)$ が平均であることを明確にするためであり，この場合は H_0 のもとで $\frac{1}{2}$ に確率収束する．ここで，$\mu(\theta) = E_\theta(\overline{S}(0) - \frac{1}{2})$ とする．すると (10.2.14) 式の表現より，以下を得る．
$$\mu(\theta_n) = E_\theta\left(\overline{S}(0) - \frac{1}{2}\right) = \frac{1}{2} - F(-\theta_n) \tag{10.2.17}$$
ここで $\sigma_{\overline{S}}^2 = \text{Var}(\overline{S}(0)) = \frac{1}{4n}$ とすることで，最終的に符号検定の効率 (efficacy) は以下のように定義される．
$$c_S = \lim_{n\to\infty} \frac{\mu'(0)}{\sqrt{n}\,\sigma_{\overline{S}}} \tag{10.2.18}$$
すなわち，効率とは，帰無仮説のもとでの検定統計量の平均的な変化の割合を，$\sqrt{n}$

10.2. 標本中央値と符号検定

と帰無仮説のもとでの検定統計量の標準偏差との積によって除して得られる値である．よって効率は，この割合に応じて増加することになる．本章では，この定式化による効率の概念を用いて議論を行う．

したがって (10.2.14) 式の表現より，符号検定の効率は

$$c_S = \frac{f(0)}{1/2} = 2f(0) = \tau_S^{-1} \tag{10.2.19}$$

と，尺度母数 τ_S の逆数に等しくなる．効率の観点から，漸近的な検定力の補助定理を表現すると，

$$\lim_{n \to \infty} \gamma(\theta_n) = 1 - \Phi(z_\alpha - \delta c_S) \tag{10.2.20}$$

である．これは決して偶然の一致ではなく，次節において論じる手続きにおいても，この性質は保持されることになる．

注意 10.2.1. 本章では古典的なパラメトリックな手法と，ノンパラメトリックな技法との比較を行う．例えば，符号検定を標本平均に基づく検定と比較する．伝統的に，標本平均に基づく検定は t 検定として言及されてきた．ここでの私たちの比較は漸近的なものであり，z 検定という用語を用いることもできるのだが，あえて伝統的な用語である t 検定を利用することにする．■

効率の2番目の解説として，平均のための t 検定の効率を導く．まず (10.2.1) 式のモデルに含まれる確率変数 ε_i が，0に関して対称に分布しており，かつその分布には平均が存在しているものと仮定する．このとき，θ は位置母数であるということになる．より詳しくは，$\theta = E(X_i) = \mathrm{med}(X_i)$ である．また，X_i の分散を σ^2 によって表すものとする．これにより，符号検定と t 検定を対比することが容易になる．仮説 (10.2.2) において，t 検定は $\overline{X} \geq c$ のときに H_0 を棄却し，H_1 を採択していたことを思い出してほしい．よって，テスト統計量は $\overline{X}$ によって構成されることになる．加えて，

$$\mu_{\overline{X}}(\theta) = E_\theta(\overline{X}) = \theta \tag{10.2.21}$$

であり，かつ

$$\sigma_{\overline{X}}^2(0) = V_0(\overline{X}) = \frac{\sigma^2}{n} \tag{10.2.22}$$

である．よって (10.2.21) 式と (10.2.22) 式より，t 検定の効率は以下のように求められる．

$$c_t = \lim_{n \to \infty} \frac{\mu'_{\overline{X}}(0)}{\sqrt{n}\,(\sigma/\sqrt{n})} = \frac{1}{\sigma} \tag{10.2.23}$$

練習問題 10.2.8 において示されるように，(10.2.13) 式の対立仮説の列のもとでの，危険率 α であるような t 検定の大標本下での漸近的な検定力は $1 - \Phi(z_\alpha - \delta c_t)$ である．したがって，符号検定と t 検定との比較は，それらの効率によって行うことが可能で

あることがわかる．以下ではこの比較を，標本サイズの決定という観点から行う．

まず，一般性を損なうことなく，$H_0: \theta = 0$ を仮定する．次に，危険率 α である検定が，対立仮説 $\theta^* > 0$ が成立していることを検出できる確率が (近似的に) γ^* となるような標本サイズを決定したいとする．すなわち，

$$\gamma^* = \gamma(\theta^*) = P_{\theta^*} \left[\frac{S(0) - (n/2)}{\sqrt{n}/2} \geq z_\alpha \right] \tag{10.2.24}$$

であるような n を見いだしたいものとする．ここで $\theta^* = \sqrt{n}\,\theta^*/\sqrt{n}$ と表現し，漸近的な検定力の補助定理を用いることで，以下を得る．

$$\gamma^* = \gamma(\sqrt{n}\,\theta^*/\sqrt{n}) \doteq 1 - \Phi(z_\alpha - \sqrt{n}\,\theta^* \tau_S^{-1})$$

また z_{γ^*} によって，標準正規分布の上側 $1-\gamma^*$ 分位点を表すものとする．すると上の式より，

$$z_{\gamma^*} = z_\alpha - \sqrt{n}\,\theta^* \tau_S^{-1}$$

となる．これを n について解くことで，

$$n_S = \left(\frac{(z_\alpha - z_{\gamma^*})\tau_S}{\theta^*} \right)^2 \tag{10.2.25}$$

を得る．練習問題 10.2.8 において概略が示されるように，この場合の標本平均に基づく検定のための標本サイズの決定は，

$$n_{\overline{X}} = \left(\frac{(z_\alpha - z_{\gamma^*})\sigma}{\theta^*} \right)^2 \tag{10.2.26}$$

によって行うことができる．ただし $\sigma^2 = \mathrm{Var}(\varepsilon)$ である．

漸近的な検定力の列が成立しているような，同じ危険率をもつ 2 つの検定について，ある対立仮説 θ^* に対する検定力が γ^* になるような標本サイズを決定したとする．このとき，これらの標本サイズの比率を，2 つの検定の漸近相対効率 (asymptotic relative efficacy, ARE) とよぶ．後に，これが第 5 章において 2 つの推定量について定義された ARE と同じものであることが示される．この場合，符号検定と t 検定の ARE は

$$ARE(S, t) = \frac{n_{\overline{X}}}{n_S} = \frac{\sigma^2}{\tau_S^2} = \frac{c_S^2}{c_t^2} \tag{10.2.27}$$

である．これは例 6.2.5 において，標本中央値と標本平均との比較を行った場合の相対効率と同じであることに注意してほしい．以下の 2 つの例では，X_i が正規分布に従っている場合とラプラス (2 重指数) 分布に従っている場合について，同様の議論を行う．

例 10.2.2 ($ARE(S,t)$: 正規分布). $X_1, X_2, \ldots, X_n$ が (10.1.4) 式の位置モデルに従っており，$f(x)$ が $N(0, \sigma^2)$ の pdf であると仮定する．このとき $\tau_S = (2f(0))^{-1} = \sqrt{\pi/2}\,\sigma$ であり，したがって $ARE(S,t)$ は

10.2. 標本中央値と符号検定

$$ARE(S,t) = \frac{\sigma^2}{\tau_S^2} = \frac{\sigma^2}{(\pi/2)\sigma^2} = \frac{2}{\pi} \doteqdot 0.637 \tag{10.2.28}$$

となる．よって正規分布のもとでは，符号検定の効率は t 検定の 64%程度しかないことがわかる．これを標本サイズの観点から考えると，符号検定の標本サイズを n_s としたとき，t 検定において同等の検定力を得るためには $0.64 n_s$ という小さな標本サイズで十分であるということになる．ただしこれは，あくまで漸近的な効率であることには注意が必要である．ただし，こういった数値が正しいことを裏づける多くの実証 (シミュレーション) 研究が存在している．■

例 10.2.3 ($ARE(S,t)$: ラプラス分布). この例では，(10.1.4) 式の $f(x)$ がラプラス pdf $f(x) = (2b)^{-1} \exp\{-|x|/b\}, -\infty < x < \infty, b > 0$ である場合について考える．このとき $\tau_S = (2f(0))^{-1} = b$ であり，かつ $\sigma^2 = E(X^2) = 2b^2$ であるから，$ARE(S,t)$ は以下のように求められる．

$$ARE(S,t) = \frac{\sigma^2}{\tau_S^2} = \frac{2b^2}{b^2} = 2 \tag{10.2.29}$$

よってラプラス分布のもとでは，符号検定は (漸近的に) t 検定よりも 2 倍程度効率がよいことがわかる．これを標本サイズの観点から考えるならば，符号検定と同程度の検定力を t 検定によって得るためには，符号検定の 2 倍の標本サイズが必要だということになる．■

正規分布とラプラス分布の pdf は，それぞれ $\exp\{-t^2/2\sigma^2\}$ と $\exp\{-|t|/b\}$ に比例していることから，正規分布はラプラス分布よりも裾が軽いことがわかる．いままでの 2 つの例を踏まえると，t 検定は裾の軽い分布のもとで効率がよく，逆に符号検定は裾の重い分布のもとで効率がよいようにみえる．この性質は実は一般的に成り立つものであり，次の例では裾の重さを容易に変えられるような分布を利用して，詳しい説明を行う．

例 10.2.4 ($ARE(S,t)$: 混入正規分布の族). (10.1.4) 式の ε_i が，(3.4.16) 式の表現のような混入正規 cdf であるとする．加えて，$\theta_0 = 0$ を仮定する．このような分布のもとでは，全体のうち $(1-\epsilon)$ の比率の標本は分布 $N(0, b^2)$ から，残りの ϵ の標本は分布 $N(0, b^2 \sigma_c^2)$ から抽出されることを思い出してほしい．このとき分布の pdf は，以下のようになる．

$$f(x) = \frac{1-\epsilon}{b} \phi\left(\frac{x}{b}\right) + \frac{\epsilon}{b\sigma_c} \phi\left(\frac{x}{b\sigma_c}\right) \tag{10.2.30}$$

ただし，$\phi(z)$ は標準正規確率変数の pdf である．ここで 3.4 節において示したように，ε_i の分散は $b^2(1+\epsilon(\sigma_c^2-1))$ となる．また，$\tau_s = b\sqrt{\pi/2}/[1-\epsilon+(\epsilon/\sigma_c)]$ である．よって ARE は

$$ARE(S,t) = \frac{2}{\pi}[1+\epsilon(\sigma_c^2-1)][1-\epsilon+(\epsilon/\sigma_c)]^2 \tag{10.2.31}$$

となる．ところで ϵ と σ_c のどちらが大きくなっても，混入部分の影響が大きくなり，一般的に分布の裾は重くなる．例えば以下の表 (練習問題 6.2.6 も参照せよ) は，σ_c を 3.0 に固定し，ϵ の値を変化させたときの，ARE を示したものである．

ϵ	0	0.01	0.02	0.03	0.05	0.10	0.15	0.25
$ARE(S,t)$	0.636	0.678	0.718	0.758	0.832	0.998	1.134	1.326

$\sigma_c = 3$ であるときの上に示した ϵ の区間では，混入部分の比率が大きくなるにつれて，ARE の値も大きくなっていることがわかる．しかし混合比率が 10% を超えるまでは，符号検定よりも t 検定の方が有効性が高い状態になっている．■

10.2.2　符号検定に基づく推定式

実際の分析においては，(10.2.1) 式のモデルにおける θ，すなわち X_i の中央値を推定したいという場合が頻繁にある．この符号検定をもとにした中央値の点推定は，標本平均の推定と同じように，簡単な幾何学のアナロジーを用いて表現することが可能である．練習問題 10.2.5 において標本平均は以下のように表現できることが示される．

$$\overline{X} = \text{Argmin} \sqrt{\sum_{i=1}^{n}(X_i - \theta)^2} \tag{10.2.32}$$

式中の量 $\sqrt{\sum_{i=1}^{n}(X_i-\theta)^2}$ は，観測値のベクトル $\mathbf{X} = (X_1, X_2, \ldots, X_n)'$ とベクトル $\theta\mathbf{1}$ のユークリッド距離を表している．この平方根と総和の記号を置き換えることで，ユークリッド距離を L_1 距離に変換することができる．これにより，

$$\widehat{\theta} = \text{Argmin} \sum_{i=1}^{n} |X_i - \theta| \tag{10.2.33}$$

を得る．これを満たす $\widehat{\theta}$ を定めるためには，上式の右辺を単純に θ によって微分すればよい．

$$\frac{\partial}{\partial \theta} \sum_{i=1}^{n} |X_i - \theta| = -\sum_{i=1}^{n} \text{sgn}(X_i - \theta)$$

この式を 0 とおくことにより，推定方程式 (estimating equation, EE) を得る．

$$\sum_{i=1}^{n} \text{sgn}(X_i - \theta) = 0 \tag{10.2.34}$$

この解が，標本中央値 Q_2 の推定値となる．

観測値として連続型であるような確率変数を考えているので，以下の恒等式が成立する．

$$\sum_{i=1}^{n} \text{sgn}(X_i - \theta) = 2S(\theta) - n$$

10.2. 標本中央値と符号検定

したがって標本中央値を求める際にも，$S(\theta) \fallingdotseq n/2$ を解けばよいことになる．ここで再び，図10.2.2を利用する．図中の垂直軸で，$n/2$ をとったところを想像してほしい．これは $S(\theta)$ の値が 0 から n までなので，その半分の所に位置するはずである．そして，この $n/2$ に対応する水平軸上の順序統計量が，すなわち標本中央値（中央順序統計量）にほかならないということになる．検定の観点から先の等式を解釈するならば，$n/2$ がテスト統計量の帰無仮説における期待値に相当するので，データに基づいて考えると，標本中央値が「最も採択しやすい」仮説であるということになる．検定の逆をいくようなこのような考え方を推定に利用することは多い．

次に，標本中央値の漸近分布について簡単な説明を行う．まず，一般性を損なうことなく，真の中央値 X_i が 0 であることを仮定できる．次に $x \in R$ とする．ここで $S(\theta)$ は非増加の関数であることと，$S(\theta) \fallingdotseq n/2$ という同一性を利用すれば，以下が同値であることがわかる．

$$\{\sqrt{n}Q_2 \le x\} \Leftrightarrow \left\{Q_2 \le \frac{x}{\sqrt{n}}\right\} \Leftrightarrow \left\{S\left(\frac{x}{\sqrt{n}}\right) \le \frac{n}{2}\right\}$$

したがって，以下を得る．

$$P_0(\sqrt{n}Q_2 \le x) = P_0\left[S\left(\frac{x}{\sqrt{n}}\right) \le \frac{n}{2}\right] = P_{-x/\sqrt{n}}\left[S(0) \le \frac{n}{2}\right]$$

$$= P_{-x/\sqrt{n}}\left[\frac{S(0) - (n/2)}{\sqrt{n}/2} \le 0\right]$$

$$\to \Phi(0 - x\tau_S^{-1}) = P(\tau_S Z \le x)$$

ただし Z は標準正規分布に従っている．また，極限は $\alpha = 0.5$ のときの漸近的な検定力の補助定理を用いることで求められており，$z_\alpha = 0$ であることに注意してほしい．この式の最後の項を変形することで，以下に定理として述べる，標本中央値の漸近分布を導くことができる．

定理 10.2.3.
　無作為標本 $X_1, X_2, \ldots, X_n$ が (10.2.1) 式のモデルに従っているものとする．また，$f(0) > 0$ を仮定する．このとき，

$$\sqrt{n}(Q_2 - \theta) \to N(0, \tau_S^2) \tag{10.2.35}$$

が成立する．ただし，$\tau_S = (2f(0))^{-1}$ である．■

6.2節において，2つの推定量間の ARE を，それらの漸近分散の比として定義した．標本中央値や平均についても，(10.2.27) 式において与えられたそれぞれの検定に基づく標本サイズの決定のように，同様の比率を用いている．

10.2.3　中央値の信頼区間

(10.2.1) 式の位置モデルに従っている無作為標本 $X_1, X_2, \ldots, X_n$ を考える．ここで

本項では, X_i の中央値 θ の信頼区間を構成する. まず, θ が真の中央値であり, (10.2.9) 式の確率変数 $S(\theta)$ が 2 項分布 $b(n, 1/2)$ に従っていると仮定する. 次に $0 < \alpha < 1$ の範囲で, $P_\theta[S(\theta) \leq c_1] = \alpha/2$ であるような c_1 を選択する. これにより, 以下を得る.

$$1 - \alpha = P_\theta[c_1 < S(\theta) < n - c_1] \tag{10.2.36}$$

ここで第 3 章において, 平均値のための t 信頼区間を構成したときの導出を思い出してほしい. ここでは同様の記述から始め, ピボット確率変数 $t = \sqrt{n}(\overline{X} - \mu)/S$ (S はここでは標本標準偏差を表すものとする) を「逆転させる」ことによって, 中辺に μ のみを配した等価な不等式を求めることを行う. この場合 $S(\theta)$ は逆関数をもたないが, θ に関する減少段階関数になっており, 逆数は求めることができる. また図 10.2.2 に示されているように, $Y_{c_1+1} \leq \theta < Y_{n-c_1}$ である場合, かつまたその場合にかぎり $c_1 < S(\theta) < n - c_1$ となっている. ただし $Y_1 < Y_2 < \cdots < Y_n$ は, 標本 $X_1, X_2, \ldots, X_n$ の順序統計量である. したがって区間 $[Y_{c_1+1}, Y_{n-c_1})$ は, 中央値 θ の $(1-\alpha)100\%$ 信頼区間となる. さらに順序統計量は連続型の確率変数だから, (Y_{c_1+1}, Y_{n-c_1}) も等価な信頼区間となる.

n が大きい場合, c_1 に関して大標本下での近似を考えることができる. 中心極限定理より, $S(\theta)$ は漸近的に平均 $n/2$, 分散 $n/4$ の正規分布に従うことがわかる. したがって, 連続修正を利用することにより, 以下のように近似を行うことができる.

$$c_1 \doteq \frac{n}{2} - \frac{\sqrt{n} \, z_{\alpha/2}}{2} - \frac{1}{2} \tag{10.2.37}$$

ただし $\Phi(-z_{\alpha/2}) = \alpha/2$ である. 詳しくは練習問題 10.2.6 を参照してほしい.

例 10.2.5 (例 10.2.1 の続き). ショショニ族のカゴのデータには, 20 個のデータが含まれていた. 幅の長さに対する比率の標本中央値は, $0.5(0.628 + 0.654) = 0.641$ である. ここで $0.021 = P_{H_0}(S \leq 5)$ であるから, θ の 95.8% 信頼区間は $(y_6, y_{15}) = (0.606, 0.672)$ となる. また, この区間には, 黄金方形の比率である 0.618 も含まれている. ∎

練習問題

10.2.1. 例 10.2.1 において利用したショショニ族のカゴに関するデータについて, 図 10.2.2 に相当するものを描け. さらにテスト統計量, 点推定値, 例 10.2.5 で示された 95.8% 信頼区間を, 図中に示せ.

10.2.2. (10.2.6) 式において与えられた検定が, 漸近的に危険率 α であることを示せ. すなわち, H_0 のもとで

$$[S(\theta_0) - (n/2)]/(\sqrt{n}/2) \xrightarrow{D} Z$$

であることを証明せよ. ただし, Z は分布 $N(0,1)$ に従っているものとする.

10.2.3. θ によって確率変数 X の中央値を表すものとする. ここで, 以下のような

検定を考える.

$$H_0 : \theta = 0, \quad H_A : \theta > 0$$

標本サイズが $n=25$ であると仮定し,以下の問いに答えよ.
(a) S によって符号検定の統計量を表すものとする.このとき,$S \geq 16$ である場合に H_0 を棄却するような検定の危険率を求めよ.
(b) X が分布 $N(0.5, 1)$ に従っている場合の,(a) で求めた検定の検定力を決定せよ.
(c) X が有界である平均 $\mu = \theta$ をもっていると仮定し,$\overline{X}/(\sigma/\sqrt{n}) \geq k$ であるときに H_0 を棄却するような漸近的な検定を考える.$\sigma = 1$ とした場合に,漸近検定が (a) で求めた検定と等しい危険率をもつような k を定めよ.また,(b) で考えた状況における検定力を決定せよ.

10.2.4. 練習問題 10.1.4 における尺度汎関数の定義を思い出してほしい.定理 10.2.2 において定義された母数 τ_S が,尺度汎関数であることを証明せよ.

10.2.5. (10.2.32) 式の右辺を計算すると標本平均になることを示せ.

10.2.6. (10.2.37) 式の近似の導出を行え.

10.2.7. 符号検定の検定力関数が,以下の仮説のもとで非増加であることを示せ.

$$H_0 : \theta = \theta_0, \quad H_1 : \theta < \theta_0 \tag{10.2.38}$$

10.2.8. 無作為標本 $X_1, X_2, \ldots, X_n$ が,(10.2.1) 式の位置モデルに従っているものとする.この問題では,(10.2.2) 式の仮説を検討するための符号検定と t 検定との比較を行う.よって,誤差を表す確率変数 ε_i が,0 に関して対称に分布していると仮定する.また,$\sigma^2 = \text{Var}(\varepsilon_i)$ とする.このとき,位置モデルにおいて平均と中央値は同じものであることになる.さらに $\theta_0 = 0$ を仮定し,大標本下において $\overline{X}/(\sigma/\sqrt{n}) > z_\alpha$ のときに H_0 を棄却し,H_1 を採択するような t 検定を考える.
(a) 大標本下における t 検定の検定力関数 $\gamma_t(\theta)$ を求めよ.
(b) $\gamma_t(\theta)$ が θ に関して非減少であることを示せ.
(c) (10.2.13) 式の局所対立仮説の列のもとで,$\gamma_t(\theta_n) \to 1 - \Phi(z_\alpha - \sigma\theta^*)$ となることを証明せよ.
(d) (c) を踏まえて,近似的な検定力 γ^* によって θ^* を検出するような t 検定を構成するために必要な標本サイズを決定する方法を求めよ.
(e) (10.2.27) 式において与えられた $ARE(S, t)$ を導け.

10.3 ウィルコクスンの符号付き順位

$X_1, X_2, \ldots, X_n$ はモデル (10.2.1) 式に従う無作為標本であるとする.符号検定に基づく θ の推測は簡素で,基礎をなす X_i の分布に関する仮定をほとんど必要としな

い．他方，符号の方法は，基礎をなす正規分布が所与の t 検定に基づく方法と比較して，0.64 の低い効率しかもたない．この節では，t 検定と比較して高い効率を実現するノンパラメトリックの方法を論じる．モデル (10.2.1) 式における ε_i の pdf $f(x)$ は対称である．すなわち，すべての $x \in R$ に対する，$f(x) = f(-x)$ という付加的仮定をする．したがって，X_i は θ に関して対称に分布する．定理 10.1.1 より，すべての位置母数は同一である．

はじめに，(10.2.2) によって与えられた片側仮説を考える．10.2 節でのように，一般性を損なうことなく，$\theta_0 = 0$ を仮定することができる．そうでなければ，標本 $X_1 - \theta_0, \ldots, X_n - \theta_0$ を考える．対称の pdf のもとで 0 から同じ距離の実現値 X_i は同様に確からしく，したがって，同じ重みを受ける．これを検定する検定統計量は，以下によって与えられるウィルコクスンの符号付き順位 (signed–rank Wilcoxon) である．

$$T = \sum_{i=1}^{n} \mathrm{sgn}(X_i) R|X_i| \tag{10.3.1}$$

ここで，$R|X_i|$ は $|X_1|, \ldots, |X_n|$ の中での X_i の順位であり，順位は最低値から最高値である．直感的に，帰無仮説のもとで X_i の半分が正で半分が負であると期待できる．さらに，順位は整数 $\{1, 2, \ldots, n\}$ において一様分布する．したがって，T の値が 0 に近いことは H_0 が正しいことを示唆する．一方，H_1 が真なら，X_i の半分以上が正であり，さらに，正の実現値はより高い順位になりやすいと期待できる．したがって，適切な決定規則は以下である．

$$T \geq c \text{ なら，} H_0 \text{ を棄却し } H_1 \text{ を採択する} \tag{10.3.2}$$

ここで，c は検定の水準 α によって決定される．

α を所与とすると，棄却点 c を決定するため，T の帰無分布が必要である．整数の集合 $\{-n(n+1)/2, -[n(n+1)/2] + 2, \ldots, n(n+1)/2\}$ は T の台を形成する．また，10.2 節より，符号は台 $\{-1, 1\}$ の iid であり，pmf は以下であることがわかっている．

$$p(-1) = p(1) = \frac{1}{2} \tag{10.3.3}$$

重要な結果は以下の補助定理である．

補題 10.3.1.

H_0 と，pdf の 0 に関する対称性のもとで，$|X_1|, \ldots, |X_n|$ は $\mathrm{sgn}(X_1), \ldots, \mathrm{sgn}(X_n)$ と独立である．

証明 $X_1, \ldots, X_n$ は cdf $F(x)$ からの無作為標本なので，$P[|X_i| \leq x, \mathrm{sgn}(X_i) = 1] = P[|X_i| \leq x] P[\mathrm{sgn}(X_i) = 1]$ を示せば十分である．しかし，H_0 と，$f(x)$ の対称性より，これは以下の一連の等式から得られる．

$$P[|X_i| \leq x, \mathrm{sgn}(X_i) = 1] = P[0 < X_i \leq x] = F(x) - \frac{1}{2}$$

10.3. ウィルコクスンの符号付き順位

$$= [2F(x)-1]\frac{1}{2} = P[|X_i| \le x] P[\text{sgn}(X_i) = 1] \quad \blacksquare$$

この補助定理に基づき，X_i の順位は X_i の符号と独立である．順位は整数 $1, 2, \ldots, n$ の順列であることに注意せよ．補助定理より，この独立性は任意の順列に対して真である．特に，絶対値を順位づける順列を用いることを仮定しよう．例えば，実現値が，$-6.1, 4.3, 7.2, 8.0, -2.1$ と仮定する．そのとき，順列 $5, 2, 1, 3, 4$ は絶対値を順位づける．すなわち，5 番目の実現値は絶対値において最も小さく，2 番目の実現値は次に小さい，などである．これはアンチ順位 (anti-ranks) の順列とよばれ，一般に $i_1, i_2, \ldots, i_n$ で表す．アンチ順位を用い，T を

$$T = \sum_{j=1}^{n} j \, \text{sgn}(X_{i_j}) \tag{10.3.4}$$

と記述することができる．ここで，補題 10.3.1 により，$\text{sgn}(X_{i_j})$ は，台 $\{-1, 1\}$ で，pmf (10.3.3) 式に iid に従う．この実現値に基づき，$s \in R$ に対して，T の mgf は以下である．

$$\begin{aligned}
E[\exp\{sT\}] &= E\left[\exp\left\{\sum_{j=1}^{n} s j \, \text{sgn}(X_{i_j})\right\}\right] \\
&= \prod_{j=1}^{n} E[\exp\{s j \, \text{sgn}(X_{i_j})\}] \\
&= \prod_{j=1}^{n} \left(\frac{1}{2} e^{-sj} + \frac{1}{2} e^{+sj}\right) \\
&= \frac{1}{2^n} \prod_{j=1}^{n} \left(e^{-sj} + e^{+sj}\right)
\end{aligned} \tag{10.3.5}$$

この mgf は基礎をなす対称な pdf $f(x)$ に依存しないので，検定統計量 T は H_0 のもとで分布によらない．T の pmf はクローズドフォームで得られないが，この mgf は特定の n の pmf をもたらすために用いることができる．練習問題 10.3.1 参照．

$\text{sgn}(X_{i_j})$ は平均 0 で互いに独立だから，$E_{H_0}[T] = 0$ となる．さらに，$\text{sgn}(X_{i_j})$ の分散は 1 だから，以下を得る．

$$\text{Var}_{H_0}(T) = \sum_{j=1}^{n} \text{Var}_{H_0}(j \, \text{sgn}(X_{i_j})) = \sum_{j=1}^{n} j^2 = \frac{n(n+1)(2n+1)}{6}$$

これらの結果を以下の定理に要約する．

定理 10.3.1.
モデル (10.2.1) が無作為標本 $X_1, \ldots, X_n$ に対して真であると仮定する．また，pdf $f(x)$ は 0 に関して対称であると仮定する．そのとき，H_0 のもとで，

> T は分布によらない．また，対称な pmf に従う． (10.3.6)
> $E_{H_0}[T] = 0$ (10.3.7)
> $\text{Var}_{H_0}(T) = \dfrac{n(n+1)(2n+1)}{6}$ (10.3.8)
> $\dfrac{T}{\sqrt{\text{Var}_{H_0}(T)}}$ は漸近的に分布 $N(0,1)$ に従う． (10.3.9)

証明 (10.3.6) のはじめの部分と，(10.3.7) 式と，(10.3.8) 式は上で導かれた．T の漸近分布は確かにもっともらしく，より発展的な教科書においてみられる．(10.3.6) の2つ目の部分を求めるために，T の分布が 0 に関して対称であることを示す必要がある．しかし，T の mgf (10.3.5) 式により，以下を得る．

$$E[\exp\{s(-T)\}] = E[\exp\{(-s)T\}] = E[\exp\{sT\}]$$

したがって，T と $-T$ は同じ分布に従い，T は 0 に関して対称に分布する．∎

決定規則 (10.3.2) に対する棄却限界値は T の正確な分布に対して得ることができる．正確な分布の表は応用的なノンパラメトリックの教科書，例えば Hollander and Wolfe (1999) においてみることができる．R と S–PLUS の使用に関する議論は次の段落で与えられる．しかし，T の台は符号検定の台より緻密であり，よって，正規近似は 10 の標本サイズに対してでさえ有効であることに注意せよ．

有用であろう別の T の定式化が存在する．T^+ は正の X_i の順位の合計を表すとする．このとき，すべての順位の合計は $n(n+1)/2$ なので，以下を得る．

$$\begin{aligned}
T &= \sum_{i=1}^n \text{sgn}(X_i) R|X_i| = \sum_{X_i > 0} R|X_i| - \sum_{X_i < 0} R|X_i| \\
&= 2 \sum_{X_i > 0} R|X_i| - \frac{n(n+1)}{2} \\
&= 2T^+ - \frac{n(n+1)}{2}
\end{aligned} \quad (10.3.10)$$

したがって，T^+ は T の線形関数であり，符号付き順位検定の統計量 T と同等の定式化である．紹介しておくと，T^+ の帰無平均と帰無分散は以下である．

$$E_{H_0}(T^+) = \frac{n(n+1)}{4}, \quad \text{Var}_{H_0}(T^+) = \frac{n(n+1)(2n+1)}{24} \quad (10.3.11)$$

もし，読者が手元にコンピュータ言語の R もしくは S–PLUS をおもちなら，`psignrank` 機能によって T^+ の cdf が求まる．例えば，標本サイズ n に対して，確率 $P(T^+ \leq t)$ はコマンド `psignrank(t,n)` によって計算される．

$X_i > 0$ とし，$-X_i < X_j < X_i$ となるようなすべての X_j を考える．したがって，これらの制約のもとで，すべての平均 $(X_i + X_j)/2$ は $(X_i + X_i)/2$ を含め正である．この制約からではあるが，これらの正の平均の数は単純に $R|X_i|$ である．これをすべ

10.3. ウィルコクスンの符号付き順位

表 10.3.1 ダーウィンのデータの符号付き順位 (例 10.3.1)

鉢	他家受精	自家受精	差	符号付き順位
1	23.500	17.375	6.125	11
2	12.000	20.375	−8.375	−14
3	21.000	20.000	1.000	2
4	22.000	20.000	2.000	4
5	19.125	18.375	0.750	1
6	21.550	18.625	2.925	5
7	22.125	18.625	3.500	7
8	20.375	15.250	5.125	9
9	18.250	16.500	1.750	3
10	21.625	18.000	3.625	8
11	23.250	16.250	7.000	12
12	21.000	18.000	3.000	6
13	22.125	12.750	9.375	15
14	23.000	15.500	7.500	13
15	12.000	18.000	−6.000	−10

ての $X_i > 0$ に対して行うと以下を得る.

$$T^+ = \#_{i \leq j}\{(X_j + X_i)/2 > 0\} \tag{10.3.12}$$

対の平均 $(X_j + X_i)/2$ はしばしばウォルシュの平均 (Walsh average) とよばれる.したがって,ウィルコクスンの符号付き順位は,正のウォルシュの平均の数を合計することによって求められる.

例 10.3.1 (ダーウィンのトウモロコシのデータ). 例 5.5.1 で議論されたデータセットを再考しよう.W_i は,鉢 i ($i = 1, \ldots, 15$) における,他家受精のものの身長から自家受精のものの身長を引いた差であることを思い出そう.θ を位置母数とし,以下の片側仮説を考える.

$$H_0 : \theta = 0, \quad H_1 : \theta > 0 \tag{10.3.13}$$

表 10.3.1 はデータと符号付き順位を示す.表 10.3.1 の 5 列めにおける正の項の順位を合計し,$T^+ = 96$ を得る.正確な分布を用い,R のコマンドを `1-psignrank(95,15)` とすると,p 値を得る.$\widehat{p} = P_{H_0}(T^+ \geq 96) = 0.021$ である.比較のために,漸近的な p 値は,連続修正を用い,

$$P_{H_0}(T^+ \geq 96) = P_{H_0}(T^+ \geq 95.5) \doteq P\left(Z \geq \frac{95.5 - 60}{\sqrt{15 \cdot 16 \cdot 31/24}}\right)$$
$$= P(Z \geq 2.016) = 0.022$$

である.これは,正確な値 0.021 に非常に近い.∎

恒等式 (10.3.12) に基づき,有用な方法を得る.以下を仮定する.

$$T^+(\theta) = \#_{i \leq j}\{[(X_j - \theta) + (X_i - \theta)]/2 > 0\} = \#_{i \leq j}\{(X_j + X_i)/2 > \theta\} \tag{10.3.14}$$

$T^+(\theta)$ に関連する方法は，符号の方法，(10.2.9) 式に非常に似ている．$W_1 < W_2 < \cdots < W_{n(n+1)/2}$ は $n(n+1)/2$ 個の順位づけられたウォルシュの平均であるとする．そのとき，$T^+(\theta)$ のグラフは，順位づけされたウォルシュの平均が横軸上にあり，縦軸における最大の値が $n(n+1)/2$ であろうことを除いて図 10.2.2 でのようになる．したがって，関数 $T^+(\theta)$ は，各ウォルシュの平均において 1 単位減少する θ の減少階段関数である．この実現値はウィルコクスンの符号付き順位の性質における議論を大いに簡略化する．

　c_α は，符号付き順位検定の統計量 T^+ に基づく，仮説 (10.2.2) の有意水準 α の検定の棄却限界値を表すとする．すなわち，$\alpha = P_{H_0}(T^+ \geq c_\alpha)$ である．また，$\theta \geq \theta_0$ の $\gamma_{SW}(\theta) = P_\theta(T^+ \geq c_\alpha)$ は，この検定の検定力関数を表すとする．変換の性質，補題 10.2.1 は，ウィルコクスンの符号付き順位に対し成立する．したがって，定理 10.2.1 においてのように，検定力関数は θ の非減少関数である．特に，ウィルコクスンの符号付き順位検定は不偏検定である．

10.3.1 漸近相対効率

　ウィルコクスンの符号付き順位検定の効率を検討するために，まずはその効率を定めよう．一般性を損なうことなく，$\theta_0 = 0$ を仮定することができる．直前の節において議論されたものと同じ局所対立仮説の例を考える．すなわち，以下である．

$$H_0: \theta = 0, \quad H_{1n}: \theta_n = \frac{\delta}{\sqrt{n}} \tag{10.3.15}$$

ここで，$\delta > 0$ である．$T^+(\theta)$ の平均である，修正された統計量を考えると以下となる．

$$\overline{T}^+(\theta) = \frac{2}{n(n+1)} T^+(\theta) \tag{10.3.16}$$

このとき，(10.3.11) より，

$$E_0[\overline{T}^+(0)] = \frac{2}{n(n+1)} \frac{n(n+1)}{4} = \frac{1}{2}, \quad \sigma^2_{\overline{T}^+}(0) = \mathrm{Var}_0[\overline{T}^+(0)] = \frac{2n+1}{6n(n+1)} \tag{10.3.17}$$

である．$a_n = 2/n(n+1)$ とする．$\overline{T}^+(\theta_n)$ を以下のように 2 つに分解することができることに注目しよう．

$$\overline{T}^+(\theta_n) = a_n S(\theta_n) + a_n \sum_{i<j} I(X_i + X_j > 2\theta_n) = a_n S(\theta_n) + a_n T^*(\theta_n) \tag{10.3.18}$$

ここで，$S(\theta)$ は符号の方法 (10.2.9) 式であり，また，

10.3. ウィルコクスンの符号付き順位

$$T^*(\theta_n) = \sum_{i<j} I(X_i + X_j > 2\theta_n) \tag{10.3.19}$$

である.

効率を求めるため, 平均

$$\mu_{\overline{T}^+}(\theta_n) = E_{\theta_n}[\overline{T}^+(0)] = E_0[\overline{T}^+(-\theta_n)] \tag{10.3.20}$$

が必要である. (10.2.14) 式より, $a_n E_0(S(-\theta_n)) = a_n n(2^{-1} - F(-\theta_n)) \to 0$ である. したがって, (10.3.18) 式における 2 番目の項を考えればよい. しかし, $T^*(\theta)$ におけるウォルシュの平均は同一の分布に従う. したがって以下である.

$$a_n E_0(T^*(-\theta_n)) = a_n \binom{n}{2} P_0(X_1 + X_2 > -2\theta_n) \tag{10.3.21}$$

この後者の確率は以下のように表現することができる.

$$\begin{aligned}
P_0(X_1 + X_2 > -2\theta_n) &= E_0[P_0(X_1 > -2\theta_n - X_2 | X_2)] = E_0[1 - F(-2\theta_n - X_2)] \\
&= \int_{-\infty}^{\infty} [1 - F(-2\theta_n - x)] f(x)\,dx \\
&= \int_{-\infty}^{\infty} F(2\theta_n + x) f(x)\,dx \\
&\doteq \int_{-\infty}^{\infty} [F(x) + 2\theta_n f(x)] f(x)\,dx \\
&= \frac{1}{2} + 2\theta_n \int_{-\infty}^{\infty} f^2(x)\,dx \tag{10.3.22}
\end{aligned}$$

ここでは, X_1 と X_2 は iid であり, 0 に関して対称に分布しており, 平均値の関数であるという事実を用いた. したがって,

$$\mu_{\overline{T}^+}(\theta_n) \doteq a_n \binom{n}{2} \left(\frac{1}{2} + 2\theta_n \int_{-\infty}^{\infty} f^2(x)\,dx\right) \tag{10.3.23}$$

である. (10.3.17) 式と (10.3.23) 式を考え合わせると, 以下の効率を得る.

$$c_{T^+} = \lim_{n \to \infty} \frac{\mu'_{\overline{T}^+}(0)}{\sqrt{n}\,\sigma_{\overline{T}^+}(0)} = \sqrt{12} \int_{-\infty}^{\infty} f^2(x)\,dx \tag{10.3.24}$$

さらに発展的な教科書においては, この成果は以下の漸近的な検定力の補助定理の厳密な議論につながる.

定理 10.3.2 (漸近的な検定力の補助定理).

仮説 (10.3.15) の列を考える. 危険率 α であるウィルコクスンの符号付き順位検定の検定力関数の極限は以下によって与えられる.

$$\lim_{n \to \infty} \gamma_{SR}(\theta_n) = 1 - \Phi(z_\alpha - \delta \tau_W^{-1}) \tag{10.3.25}$$

ここで, $\tau_W = 1/(\sqrt{12} \int_{-\infty}^{\infty} f^2(x)\,dx)$ は効率 c_{T^+} の逆数であり, $\Phi(z)$ は標準正規

確率変数の cdf である．

練習問題 10.3.7 で示すように，母数 τ_W は尺度汎関数である．

10.2 節においての，符号検定に対する標本サイズの決定に用いられた議論は，漸近的検定力の補助定理に基づいていた．したがって，これらの議論はウィルコクスンの符号付き順位に対してほとんどそのままあてはまるということになる．特に，仮説 (10.2.2) を検討するための，有意水準 α のウィルコクスンの符号付き順位検定が，対立仮説 $\theta = \theta_0 + \theta^*$ を検出する確率が近似的に γ^* になるためには，標本サイズを以下のようにする必要がある．

$$n_W = \left(\frac{(z_\alpha - z_{\gamma^*})\tau_W}{\theta^*} \right)^2 \tag{10.3.26}$$

(10.2.26) 式を用い，標本平均に基づいたウィルコクスンの符号付き順位検定と t 検定間の ARE は以下である．

$$ARE(T,t) = \frac{n_t}{n_T} = \frac{\sigma^2}{\tau_W^2} \tag{10.3.27}$$

ウィルコクスンの符号付き順位検定と t 検定間のいくつかの ARE を導く．前述したように，母数 τ_W は尺度汎関数であり，形式 aX $(a>0)$ の尺度変換によって直ちに変化する．同様に，標準偏差 σ も尺度汎関数である．ここから，ARE は尺度汎関数の比率であるから，尺度不偏である．したがって，ARE の導出に対し，都合のよい尺度をもっている pdf を選ぶことができる．例えば，正規分布で ARE を考えたなら，pdf $N(0,1)$ とする．

例 10.3.2 ($ARE(W,t)$: 正規分布)． $f(x)$ が $N(0,1)$ の pdf なら，

$$\tau_W^{-1} = \sqrt{12} \int_{-\infty}^{\infty} \left(\frac{1}{\sqrt{2\pi}} \exp\left\{ -\frac{x^2}{2} \right\} \right)^2 dx$$

$$= \frac{\sqrt{12}}{\sqrt{2}\sqrt{2\pi}} \int_{-\infty}^{\infty} \frac{1}{\sqrt{2\pi(1/\sqrt{2})}} \exp\left\{ -2^{-1}\left(\frac{x}{1/\sqrt{2}}\right)^2 \right\} dx = \sqrt{\frac{3}{\pi}}$$

であり，したがって，$\tau_W^2 = \pi/3$ である．$\sigma = 1$ なので，以下を得る．

$$ARE(W,t) = \frac{\sigma^2}{\tau_W^2} = \frac{3}{\pi} = 0.955 \tag{10.3.28}$$

前述したように，この ARE はすべての正規分布に対して成立する．したがって，正規分布において，ウィルコクスンの符号付き順位検定は t 検定に対し 95.5%効率的である．ウィルコクスンの符号付き順位検定は高効率 (highly efficient) の方法である．■

例 10.3.3 ($ARE(W,t)$: 混入した正規分布の族)． この例において，$f(x)$ は混入した正規分布の pdf と仮定する．便宜上，(10.2.30) 式の b を 1 と置いた標準化された pdf を用いる．この分布に対して，全体のうち $(1-\epsilon)$ の比率の標本は分布 $N(0,1)$ か

10.3. ウィルコクスンの符号付き順位

ら抽出され，残りの ϵ の標本は分布 $N(0,\sigma_c^2)$ から抽出されることを思い出そう．また，分散は $\sigma^2 = 1 + \epsilon(\sigma_c^2 - 1)$ であることを思い出そう．pdf $f(x)$ の公式は (3.4.14) 式で与えられたことに注意せよ．練習問題 10.3.2 において以下が示される．

$$\int_{-\infty}^{\infty} f^2(x)\,dx = \frac{(1-\epsilon)^2}{2\sqrt{\pi}} + \frac{\epsilon^2}{6\sqrt{\pi}} + \frac{\epsilon(1-\epsilon)\sqrt{2}}{\sqrt{10\pi}} \tag{10.3.29}$$

これに基づき，ARE の式を求めることができる．練習問題 10.3.2 参照．$\sigma_c = 3$ で，ϵ が表 10.3.2 で示したように 0.01 から 0.25 まで変化する状況での，ウィルコクスンの符号付き順位検定と t 検定間の ARE を決定するためにこの式は用いられる．参考のために，符号検定とこれら 2 つの検定の間の ARE も示した．

ウィルコクスンの符号付き順位検定は，1%の混入でさえ t 検定より効率的であり，15%の混入に対して 150%の効率まで増加する．■

表 10.3.2 符号検定，ウィルコクスンの符号付き順位検定，t 検定間の ARE ($\sigma_c = 3$, 混入の割合 ϵ の，混入した正規分布に対して).

ϵ	0.00	0.01	0.02	0.03	0.05	0.10	0.15	0.25
$ARE(W,t)$	0.955	1.009	1.060	1.108	1.196	1.373	1.497	1.616
$ARE(S,t)$	0.637	0.678	0.719	0.758	0.833	0.998	1.134	1.326
$ARE(W,S)$	1.500	1.487	1.474	1.461	1.436	1.376	1.319	1.218

10.3.2 ウィルコクスンの符号付き順位に基づく推定式

符号検定に対しては，θ の推定は L_1 のノルムの最小化に基づいていた．符号付き順位検定に関する推定量は練習問題 10.3.4 と練習問題 10.3.5 において議論される別のノルムを最小化する．符号検定に基づく位置推定量は，検定を逆にすることで求められることも示したことを思い出そう．これをウィルコクスンの符号付き順位検定に対して考えると，推定量 $\widehat{\theta}_W$ は以下を解くことで得られる．

$$T^+(\widehat{\theta}_W) = \frac{n(n+1)}{4} \tag{10.3.30}$$

定義した関数 $T^+(\theta)$ の記述, (10.3.14) 式を用いると，$\widehat{\theta}_W = \text{median}\left\{\frac{X_i + X_j}{2}\right\}$ が容易に示せる．すなわち，ウォルシュの平均の中央値である．これは，この推定量の性質におけるホッジスとレーマンのいくつかの影響力のある論文によって，ホッジス・レーマン推定量とよばれる．Hodges and Lehmann (1963) 参照．

ホッジス・レーマン推定値を求めるコンピュータソフトもある．例えば, minitab (1991) のコマンド wint はホッジス・レーマン推定値を返す．また，推定値はウェブサイト www.stat.wmich.edu/slab/RGLM において計算される．

いま一度，符号の方法に対して用いられたものと同じ議論を，ホッジス・レーマン推定量の漸近的な分布を求めるために実質的に用いることができる．結果を定理にま

とめる.

> **定理 10.3.3.**
> モデル (10.2.1) 式に従う無作為標本 $X_1, X_2, X_3, \ldots, X_n$ を考える. $f(x)$ は 0 に関して対称であると仮定する. このとき以下である.
> $$\sqrt{n}(\widehat{\theta}_W - \theta) \to N(0, \tau_W^2) \tag{10.3.31}$$
> ここで, $\tau_W = \left(\sqrt{12}\int_{-\infty}^{\infty} f^2(x)\, dx\right)^{-1}$ である.

この定理を用いると, ウィルコクスンの符号付き順位検定に対する漸近的な分散に基づく ARE は, 前述で定義したものと同じである.

10.3.3 中央値の信頼区間

$S(\theta)$ と $T^+(\theta)$ の方法の類似ゆえに, ウィルコクスンの符号付き順位に基づく θ の信頼区間は $S(\theta)$ に基づくものと同じ方法となる. 所与の有意水準 α に対して, c_{W1} は, $P_\theta[T^+(\theta) \leq c_{W1}] = \alpha/2$ となるようなウィルコクスンの符号付き順位の分布の棄却点とする. このとき, 10.2.3 項でのように, 以下を得る.

$$\begin{aligned} 1-\alpha &= P_\theta[c_{W1} < T^+(\theta) < n - c_{W1}] \\ &= P_\theta[W_{c_{W1}+1} \leq \theta < W_{m-c_{W1}}] \end{aligned} \tag{10.3.32}$$

ここで, $m = n(n+1)/2$ はウォルシュの平均の数を表す. したがって, 区間 $[W_{c_{W1}+1}, W_{m-c_{W1}})$ は, θ の $(1-\alpha)100\%$ 信頼区間である.

以下の, c_{W1} の近似を求めるため, T^+ の漸近的な帰無分布, (10.3.9) 式を用いることができる. 練習問題 10.3.3 において示すように,

$$c_{W1} \doteq \frac{n(n+1)}{4} - z_{\alpha/2}\sqrt{\frac{n(n+1)(2n+1)}{24}} - \frac{1}{2} \tag{10.3.33}$$

である. ここで, $\Phi(-z_{\alpha/2}) = \alpha/2$ である.

ホッジス・レーマン推定値の計算に加えて, minitab のコマンド wint では信頼区間 $[W_{c_{W1}+1}, W_{m-c_{W1}})$ を計算する. また, これはウェブサイト www.stat.wmich.edu/slab/RGLM においても求めることができる.

> **例 10.3.4 (ダーウィンのトウモロコシのデータの続き).** 例 10.3.1 において議論されたデータセットを思い出そう. 効果 θ が 0 という仮説を検定するためにウィルコクスンの符号付き順位を用いた. ウィルコクスンの符号付き順位に基づき, θ の推定値と, θ の 95% 信頼区間を求める. $n = 15$ であることを思い出そう. したがって, 120 のウォルシュの平均が存在する. コンピュータソフトを用い, これらのウォルシュの平均を並べかえる. 効果の点推定値は 3.14 となるこれらの平均の中央値である. したがって, 他家受精のトウモロコシは自家受精のトウモロコシより 3.14 インチ大きくなると

10.3. ウィルコクスンの符号付き順位

推定する．(10.3.33) 式で与えられた信頼区間に対する近似的な分離点は $c_{W1}=25$ である．したがって，θ の 95%信頼区間は $[W_{26}, W_{95}) = [0.500, 5.250)$ である．すなわち，真の効果は 0.500 インチから 5.250 インチの間であることを 95%信頼できる．■

練習問題

10.3.1.
(a) ウィルコクスンの符号付き順位の分布が以下によって与えられることを示すため，$n=3$ で mgf (10.3.5) 式を展開せよ．

j	-6	-4	-2	0	2	4	6
$P(T=j)$	$\frac{1}{8}$	$\frac{1}{8}$	$\frac{1}{8}$	$\frac{2}{8}$	$\frac{1}{8}$	$\frac{1}{8}$	$\frac{1}{8}$

(b) $n=4$ で，ウィルコクスンの符号付き順位の分布を求めよ．

10.3.2. $f(x)$ は (3.4.14) 式で与えられた混入した正規 pdf に従うと仮定する．この pdf に対して，(10.3.29) 式を導き，それを用いて $ARE(W, t)$ を求めよ．

10.3.3. T^+ の漸近的な帰無分布 (10.3.9) 式を用い，c_{W1} の近似 (10.3.33) 式を求めよ．

10.3.4. ベクトル $\mathbf{v} \in R^n$ に対し，以下の関数を定義する．

$$\|\mathbf{v}\| = \sum_{i=1}^{n} R(|v_i|)|v_i| \tag{10.3.34}$$

この関数は R^n 上のノルムであることを示せ．すなわち，それは以下の性質を満たす．
1. $\|\mathbf{v}\| \geq 0$ であり，$\mathbf{v} = \mathbf{0}$ の場合，そしてその場合のみ $\|\mathbf{v}\| = 0$
2. すべての $a \in R$ に対して，$\|a\mathbf{v}\| = |a|\|\mathbf{v}\|$
3. すべての $\mathbf{u}, \mathbf{v} \in R^n$ に対して，$\|\mathbf{u}+\mathbf{v}\| \leq \|\mathbf{u}\| + \|\mathbf{v}\|$

三角不等式に対し，アンチ順位の方を用いよ．すなわち，以下である．

$$\|\mathbf{v}\| = \sum_{j=1}^{n} j|v_{i_j}| \tag{10.3.35}$$

このとき，次の事実を用いよ：例えば，$\{t_1, t_2, \ldots, t_n\}$ と $\{s_1, s_2, \ldots, s_n\}$ のような，数が n 個の 2 つの集合があるとき，それぞれの集合から抽出された，最も大きいペアの積和は $\sum_{j=1}^{n} t_{i_j} s_{k_j}$ によって与えられる．ここで，$\{i_j\}$ と $\{k_j\}$ は，それぞれ t_i と s_i のアンチ順位である．すなわち，$t_{i_1} \leq t_{i_2} \leq \cdots \leq t_{i_n}$ と $s_{k_1} \leq s_{k_2} \leq \cdots \leq s_{k_n}$ である．

10.3.5. 練習問題 10.3.4 で与えられたノルムを考える．位置モデルに対し，以下のような θ の推定値を決定せよ．

$$\hat{\theta} = \text{Argmin}_\theta \|X_i - \theta\| \tag{10.3.36}$$

ここで $\widehat{\theta}$ がホッジス・レーマン推定値であることを示せ.すなわち,(10.4.25) 式を満たす.

ヒント:θ について微分するとき,ノルムのアンチ順位の方 (10.3.35) 式を用いよ.

10.3.6. mgf が存在するならば,mgf が 0 に関して対称である場合,そしてその場合のみ,pdf (もしくは pmf) $f(x)$ は 0 に関して対称であることを証明せよ.

10.3.7. 練習問題 10.1.4 において,尺度汎関数という語を定義した.母数 τ_W (10.3.25) 式が尺度汎関数であることを示せ.

10.4 マン・ホイットニー・ウィルコクスン法

$X_1, X_2, \ldots, X_{n_1}$ は連続型の cdf $F(x)$ と pdf $f(x)$ に従う分布からの無作為標本とし,$Y_1, Y_2, \ldots, Y_{n_2}$ は連続型の cdf $G(x)$ と pdf $g(x)$ に従う分布からの無作為標本と仮定する.この状況に関して,H_0:すべての x に関して $F(x)=G(x)$,つまり,標本は同じ分布からのものであるという自然帰無仮説が立てられる.H_0 ではない一般的な対立仮説のほかにどのような対立仮説があるだろうか.興味深い対立仮説は,X は Y よりも確率的に大きい (stochastically larger) というものである.これは,すべての x に関して $G(x) \geq F(x)$ であり,少なくとも 1 つの x に関して厳密に不等であることによって定義される.この対立仮説は練習問題において議論される.

本節の大部分において,私たちは位置モデルを考えることになる.この場合,ある値 Δ に関して $G(x) = F(x-\Delta)$ となる.したがって,帰無仮説は $H_0: \Delta = 0$ となる.母数 Δ はしばしば分布間の変動 (shift) とよばれ,この場合,Y の分布は $X+\Delta$ の分布と等しくなる.すなわち,以下である.

$$P(Y \leq y) = F(y - \Delta) = P(X + \Delta \leq y) \tag{10.4.1}$$

もし,$\Delta > 0$ ならば,Y は X よりも確率的に大きくなる.練習問題 10.4.5 を参照せよ.

変動を考える場合,母数 Δ はどのような位置汎関数を用いるかということと独立である.これを確かめるため,X に対して任意の位置汎関数,例えば $T(F_X)$ を選択したと仮定する.すると,X_i は以下のように書くことができる.

$$X_i = T(F) + \varepsilon_i$$

ここで,$\varepsilon_1, \ldots, \varepsilon_{n_1}$ は iid であり,$T(F_\varepsilon) = 0$ に従う.(10.4.1) 式より

$$Y_j = T(F_X) + \Delta + \varepsilon_j, \ j = 1, 2, \ldots, n_2$$

となる.したがって,$T(F_Y) = T(F_X) + \Delta$ である.これより,どんな位置汎関数に関しても $\Delta = T(F_Y) - T(F_X)$ となる.すなわち,Δ はどのような汎関数がモデルの位置に関して選択されたとしても同じである.

次に,変動モデルが 2 つの標本に対して成り立つと仮定する.興味のある対立仮説

10.4. マン・ホイットニー・ウィルコクスン法

は通常, 片側対立仮説と両側対立仮説である. 簡単のため, 以下の片側仮説を取り上げる.

$$H_0: \Delta = 0, \quad H_1: \Delta > 0 \tag{10.4.2}$$

練習問題では別の仮説を検討する. H_0 のもとで, X と Y の分布は同じであり, その標本は $n = n_1 + n_2$ の観測値をもつ 1 つの大標本に統合することができる. 統合した標本を 1 から n まで順序付け, 以下の統計量を考えるとする.

$$W = \sum_{j=1}^{n_2} R(Y_j) \tag{10.4.3}$$

ここで, $R(Y_j)$ は n 個の項目の統合された標本における Y_j の順位を表す. この統計量はしばしば, マン・ホイットニー・ウィルコクスン (Mann–Whitney–Wilcoxon, MWW) 統計量とよばれる. H_0 のもとで, この順位は X_i と Y_j の間で一様に分布するはずである. しかし, $H_1: \Delta > 0$ のもとでは, Y_j は高い順位の多くを得るはずである. したがって, 直感的な棄却規則は以下となる.

$$W \geq c \text{ のとき, } H_0 \text{ を棄却し, } H_1 \text{ を採択する.} \tag{10.4.4}$$

さて, 特定の水準 α に基づいた決定規則に関して c を選択するために, W の帰無分布を考える. H_0 のもとで, Y_j の順位は n 個の要素の集合からのサイズ n_2 の同様に確からしい部分集合となる. そのような部分集合は $\binom{n}{n_2}$ 個あることを思い出そう. したがって, もし $\{r_1, \ldots, r_{n_2}\}$ が $\{1, \ldots, n\}$ からのサイズ n_2 の部分集合ならば,

$$P[R(Y_1) = r_1, \ldots, R(Y_{n_2}) = r_{n_2}] = \binom{n}{n_2}^{-1} \tag{10.4.5}$$

となる. これは, 統計量 W が H_0 のもとで分布に依存しないことを示している. W の帰無分布はクローズドフォームで得られないが, この分布を得る再帰アルゴリズムがある. Hettmansperger and McKean (1998) による教科書の第 2 章を参照せよ. 同様にして, 順位 $R(Y_j)$ 単独の分布は H_0 のもとで, 整数 $\{1, \ldots, n\}$ 上に一様に分布する. したがって, 直ちに

$$E_{H_0}(W) = \sum_{j=1}^{n_2} E_{H_0}(R(Y_j)) = \sum_{j=1}^{n_2} \sum_{i=1}^{n} i \frac{1}{n} = \sum_{j=1}^{n_2} \frac{n(n+1)}{2n} = \frac{n_2(n+1)}{2}$$

を得る. 分散は (10.4.8) 式に記されており, より一般的な場合のちらばりは 10.5 節で与えられる. W が漸近的に正規分布することもまた示されるだろう. 以下の定理にこれらの項目を総括する.

定理 10.4.1.

$X_1, X_2, \ldots, X_{n_1}$ は連続型の cdf $F(x)$ に従う分布からの無作為標本とし, $Y_1, Y_2, \ldots, Y_{n_2}$ は連続型の cdf $G(x)$ に従う分布からの無作為標本と仮定する. H_0: すべての x に関して $F(x) = G(x)$ と仮定する. H_0 が真のとき, 以下となる.

W は分布に依存しない対称的な pmf に従う. (10.4.6)

$$E_{H_0}[W] = \frac{n_2(n+1)}{2} \qquad (10.4.7)$$

$$\text{Var}_{H_0}(W) = \frac{n_1 n_2(n+1)}{12} \qquad (10.4.8)$$

$$\frac{W - n_2(n+1)/2}{\sqrt{\text{Var}_{H_0}(W)}} \text{ は漸近的に分布 } N(0,1) \text{ に従う.} \qquad (10.4.9)$$

定理の中で上記において議論されていない唯一の項目は帰無分布の対称性である. これに関しては, 例を検討した後に示すことにする.

例 10.4.1 (水車データ). Abebe et al. (2001) において議論された実験は, 部分的に水に浸かった車輪にネズミがおかれ, もし, 車輪を動かし続ければ水を避けることができるというものであった. 反応は1分間の車輪の回転数である. グループ1はプラセボ群であり, 一方, グループ2は薬の影響を受けたネズミによって構成されている. データは以下のとおりである.

グループ1 X	2.3	0.3	5.2	3.1	1.1	0.9	2.0	0.7	1.4	0.3
グループ2 Y	0.8	2.8	4.0	2.4	1.2	0.0	6.2	1.5	28.8	0.7

(練習問題 10.4.6 において求められる) データの比較点プロットより, 2つのデータは処置群の大きなはずれ値を除いて類似していることが示される. この場合, 両側仮説が適切であると考えられる. データのうちいくつかの点は同じ値 (同点) であることに注意が必要である. これは実際のデータセットで起こりうることである. 私たちは通常の慣例に従い, 同点のものの順位の平均を用いることにする. 例えば, 観測値 $x_2 = x_{10} = 0.3$ は同点であり, 統合されたデータにおける順位は2と3である. したがって, これらの観測値の順位に関してはそれぞれ 2.5 を用いる. この方法で続けると, ウィルコクソン検定統計量は $w = \sum_{j=1}^{10} R(y_j) = 116.50$ となる. W の帰無平均と帰無分散はそれぞれ 105 と 175 である. 漸近検定統計量は $z = (116.5 - 105)/\sqrt{175} = 0.869$ であり, p 値は $2(1 - \Phi(0.869)) = 0.38$ である. (正確な p 値の議論に関しては以降を参照せよ.) したがって, H_0 は棄却されない. 検定はデータの比較点プロットの結果を追認するものであった. 平均の差に基づく t 検定は練習問題 10.4.6 において議論される. ∎

次に, 検定統計量のいくつかの性質を導出し, これらの性質を用いて Δ の点推定と信頼区間について議論したい. 前節のように, これらの事項において W の別の表記法が有用となるだろう. 一般性を失うことなく, Y_j は順序づけられていると仮定される. X_i と Y_j の分布は連続的であることを思い出そう. したがって, 観測値を識別できるものとして扱う. これより, $R(Y_j) = \#_i\{X_i < Y_j\} + \#_i\{Y_i \leq Y_j\}$ となる. これは,

10.4. マン・ホイットニー・ウィルコクソン法

$$W = \sum_{j=1}^{n_2} R(Y_j) = \sum_{j=1}^{n_2} \#_i\{X_i < Y_j\} + \sum_{j=1}^{n_2} \#_i\{Y_i \leq Y_j\}$$
$$= \#_{i,j}\{Y_j > X_i\} + \frac{n_2(n_2+1)}{2} \qquad (10.4.10)$$

を導く. $U = \#_{i,j}\{Y_j > X_i\}$ とすると, $W = U + n_2(n_2+1)/2$ となる. したがって, (10.4.2)式の仮説に対する同等な検定は, $U \geq c_2$ のときに H_0 を棄却するというものになる. 定理10.4.1より直ちに, H_0 のもとで, U は分布に依存せず, 平均 $n_1n_2/2$, かつ, (10.4.8)式の分散に従うこと, また, 漸近的に正規分布に従うことがわかる. ここで, U もしくは W の帰無分布の対称性が簡単に得られる. H_0 のもとで, X_i と Y_j の双方は同じ分布に従っており, そのため, U と $U' = \#_{i,j}\{X_i > Y_j\}$ の分布は同じになるはずである. さらに, $U + U' = n_1n_2$ である. これは,

$$P_{H_0}\left(U - \frac{n_1n_2}{2} = u\right) = P_{H_0}\left(n_1n_2 - U' - \frac{n_1n_2}{2} = u\right)$$
$$= P_{H_0}\left(U' - \frac{n_1n_2}{2} = -u\right)$$
$$= P_{H_0}\left(U - \frac{n_1n_2}{2} = -u\right)$$

を導く. これにより, 定理10.4.1で求められた対称性の結果が得られる.

U の分布表は文献において見つかるだろう. 例えば, Hollander and Wolfe (1999) を参照せよ. 多くのコンピュータパッケージでも p 値や棄却限界値を得ることができる. RもしくはS-PLUSを利用できる読者は, コマンド `pwilcox(u,n1,n2)` によって $P(U \leq u)$ を計算することができる. ここで, `n1` と `n2` は標本サイズを表している.

もし, $G(x) = F(x - \Delta)$ ならば, $Y_j - \Delta$ は X_i と同じ分布に従うことに注目しよう. そのため, ここで興味のある過程は

$$U(\Delta) = \#_{i,j}\{(Y_j - \Delta) > X_i\} = \#_{i,j}\{Y_j - X_i > \Delta\} \qquad (10.4.11)$$

である. したがって, $U(\Delta)$ は差 $Y_j - X_i$ が Δ を超える回数である. $D_1 < D_2 < \cdots < D_{n_1n_2}$ は n_1n_2 個の順序づけられた差 $Y_j - X_i$ を表すとする. すると, $U(\Delta)$ の図は, 横軸が D_i を表し, 縦軸の n が n_1n_2 に置き換わる点を除いて図10.2.2と同じものとなる. すなわち, $U(\Delta)$ は Δ の減少階段関数であり, 最大値 n_1n_2 から差 D_i ごとに1単位ずつ減少する.

続いて, 先の2つの節のようにウィルコクソンに基づいた推測の性質を得る. c_α は統計量 U に基づいた (10.2.2)式の仮説の検定における水準 α の棄却限界値を表すとする. すなわち, $\alpha = P_{H_0}(U \geq c_\alpha)$ である. $\Delta \geq 0$ に関して, $\gamma_U(\Delta) = P_\Delta(U \geq c_\alpha)$ は検定の検定力関数を表すとする. 補題10.2.1の変換の性質が $U(\Delta)$ の過程で成り立つ. したがって, 定理10.2.1のように, 検定力関数は Δ の非減少関数である. 特に, ウィルコクソンの検定は不偏な検定である.

10.4.1 漸近相対効率

ウィルコクスンの漸近相対効率 (ARE) は，10.2.1 項の符号検定統計量と類似した手順に従う．ここでは，以下の局所対立仮説の列を考える．

$$H_0: \Delta = 0, \quad H_{1n}: \Delta_n = \frac{\delta}{\sqrt{n}} \tag{10.4.12}$$

ここで，$\delta > 0$ である．さらに，以下を仮定する．

$$n_1/n \to \lambda_1, \ n_2/n \to \lambda_2, \ \text{ここで}, \ \lambda_1 + \lambda_2 = 1 \tag{10.4.13}$$

この仮定は $n_1/n_2 \to \lambda_1/\lambda_2$ という意味を含んでいる．すなわち，標本サイズは漸近的に同じ比率を保つということである．

MWW の効率を求めるために，以下の修正統計量を考える．

$$\overline{U}(\Delta) = \frac{1}{n_1 n_2} U(\Delta) \tag{10.4.14}$$

これは直ちに以下を導く．

$$\mu_U(0) = E_0(\overline{U}(0)) = \frac{1}{2}, \quad \overline{\sigma}_U^2(0) = \frac{n+1}{12 n_1 n_2} \tag{10.4.15}$$

(X_i, Y_j) の組は iid であるため，

$$\mu_U(\Delta_n) = E_{\Delta_n}(\overline{U}(0)) = E_0(\overline{U}(-\Delta_n)) = \frac{n_1 n_2}{n_1 n_2} P_0(Y - X > -\Delta_n)$$
$$= P_0(Y - X > -\Delta_n) \tag{10.4.16}$$

となる．X と Y の独立性と $\int_{-\infty}^{\infty} F(x) f(x) \, dx = 1/2$ という事実より，以下が与えられる．

$$P_0(Y - X > -\Delta_n) = E_0(P_0[Y > X - \Delta_n | X])$$
$$= E_0(1 - F(X - \Delta_n))$$
$$= 1 - \int_{-\infty}^{\infty} F(x - \Delta_n) f(x) \, dx$$
$$= \frac{1}{2} + \int_{-\infty}^{\infty} (F(x) - F(x - \Delta_n)) f(x) \, dx$$
$$\doteq \frac{1}{2} + \Delta_n \int_{-\infty}^{\infty} f^2(x) \, dx \tag{10.4.17}$$

ここで，最後の式を得るために平均値定理を適用している．(10.4.15) 式と (10.4.17) 式を併せると，以下の効率を得る．

$$c_U = \lim_{n \to \infty} \frac{\mu'_{\overline{U}}(0)}{\sqrt{n}\, \sigma_{\overline{U}}(0)} = \sqrt{12} \sqrt{\lambda_1 \lambda_2} \int_{-\infty}^{\infty} f^2(x) \, dx \tag{10.4.18}$$

この議論は以下の定理において厳密な議論となる．

定理 10.4.2 (漸近的な検定力の補助定理).
(10.4.12) 式の仮説の列を考える．危険率 α であるマン・ホイットニー・ウィル

10.4. マン・ホイットニー・ウィルコクスン法

コクスン検定の検定力関数の極限は以下によって与えられる.

$$\lim_{n\to\infty} \gamma_U(\Delta_n) = 1 - \Phi(z_\alpha - \sqrt{\lambda_1\lambda_2}\delta\tau_W^{-1}) \qquad (10.4.19)$$

ここで, $\tau_W = 1/\sqrt{12}\int_{-\infty}^{\infty} f^2(x)\,dx$ は効率 c_U の逆数であり, $\Phi(z)$ は標準正規確率変数の cdf である.

先の2つの節のように, 標本サイズの決定について考えることによって, この定理を用いて効率の相対的測度を構築する. (10.4.2) 式の仮説を考える. 水準 α の MMW 検定に関して, 対立仮説の Δ^* を近似的な検定力 γ^* によって検出するように標本サイズ $n = n_1 + n_2$ を求めたいと仮定する. 定理 10.4.2 より, 以下の式が得られる.

$$\gamma^* = \gamma_U(\sqrt{n}\Delta^*/\sqrt{n}) \doteq 1 - \Phi(z_\alpha - \sqrt{\lambda_1\lambda_2}\sqrt{n}\Delta^*\tau_W^{-1}) \qquad (10.4.20)$$

これは以下の式を導く.

$$z_{\gamma^*} = z_\alpha - \sqrt{\lambda_1\lambda_2}\delta\tau_W^{-1} \qquad (10.4.21)$$

ここで, $\Phi(z_{\gamma^*}) = 1 - \gamma^*$ である. n に関して解くと,

$$n_U \doteq \left(\frac{(z_\alpha - z_{\gamma^*})\tau_W}{\Delta^*\sqrt{\lambda_1\lambda_2}}\right)^2 \qquad (10.4.22)$$

を得る. 適用の際これを用いると, 標本サイズの割合 $\lambda_1 = n_1/n$ と $\lambda_2 = n_2/n$ が得られる. 練習問題 10.4.1 で指摘するように, 最強力 2 標本デザインの標本サイズの割合は 1/2, つまり同じ標本サイズである.

これを用いて MWW とプールされた 2 標本 t 検定との間の漸近相対効率を得る. またそれに関して, 練習問題 10.4.2 では, 2 標本 t 検定において Δ^* を検出する際, 近似的な検定力 γ^* を達成するために必要な標本サイズが以下によって与えられることが示される.

$$n_{LS} \doteq \left(\frac{(z_\alpha - z_{\gamma^*})\sigma}{\Delta^*\sqrt{\lambda_1\lambda_2}}\right)^2 \qquad (10.4.23)$$

ここで, σ は e_i の分散である. したがって, 前節のようにウィルコクスン検定 (MWW) と t 検定の間の漸近相対効率は, 以下の (10.4.22) 式と (10.4.23) 式の標本サイズの比となる.

$$ARE(\text{MWW}, \text{LS}) = \frac{\sigma^2}{\tau_W^2} \qquad (10.4.24)$$

この ARE は, 前節において導出したウィルコクスンの符号付順位検定と t 検定の間の ARE と等しいことに注意が必要である. $f(x)$ が正規 pdf のとき, MWW はプールされた t 検定に対して効率 95.5% となる. このように, MWW は正規分布である場合, ほとんど効率を失わない. 一方, 例 10.3.3 のような ($\epsilon > 0$ である) 混入正規分布の族の場合, プールされた t 検定よりはるかに効率的である.

10.4.2 マン・ホイットニー・ウィルコクスンに基づく推定方程式

前節のウィルコクスンの符号付き順位法のように，Δ の推定値を得るために検定統計量を逆転させる．次節で議論するように，この推定値はノルムを最小化するという観点で定義できる．推定量 $\widehat{\theta}_W$ は以下の推定方程式を解くことによって得られる．

$$U(\Delta) = E_{H_0}(U) = \frac{n_1 n_2}{2} \tag{10.4.25}$$

上述した $U(\Delta)$ の過程の説明を思い出すと，以下によってホッジス・レーマン推定量が得られることが明らかである．

$$\widehat{\Delta}_U = \mathrm{med}_{i,j}\{Y_j - X_i\} \tag{10.4.26}$$

推定値の漸近分布は，$U(\Delta)$ の過程と定理 10.4.2 の漸近的な検定力の補助定理に基づいて，前節と同様の方法に従う．証明は省くが，その結果を定理として簡単に記述する．

定理 10.4.3.

確率変数 $X_1, X_2, \ldots, X_{n_1}$ は iid であり，pdf $f(x)$ に従い，確率変数 $Y_1, Y_2, \ldots, Y_{n_2}$ は iid であり，pdf $f(x-\Delta)$ に従うとする．すると，以下となる．

$\widehat{\Delta}_U$ は近似的に分布 $N\left(\Delta, \tau_W^2 \left(\frac{1}{n_1} + \frac{1}{n_2}\right)\right)$ に従う． (10.4.27)

ここで，$\tau_W = \left(\sqrt{12} \int_{-\infty}^{\infty} f^2(x)\, dx\right)^{-1}$ である．

練習問題 10.4.3 で示すように，$\mathrm{Var}(\varepsilon_i) = \sigma^2 < \infty$ と仮定すると，Δ の LS 推定値 $\overline{Y} - \overline{X}$ は以下の近似分布に従う．

$$\overline{Y} - \overline{X} \text{ は近似的に分布 } N\left(\Delta, \sigma^2 \left(\frac{1}{n_1} + \frac{1}{n_2}\right)\right) \text{ に従う．} \tag{10.4.28}$$

$\widehat{\Delta}_U$ の漸近分散の比率は (10.4.24) 式の比率によって与えられることに注意が必要である．したがって，検定の ARE は対応する推定値の ARE に一致する．

10.4.3 変動母数 Δ の信頼区間

MWW 推定値に対応する Δ の信頼区間は前節のホッジス・レーマン推定値と同様の方法で導出される．既知の水準 α に対して，c を $P_\Delta[U(\Delta) \leq c] = \alpha/2$ となるような MWW 分布の棄却限界点とする．すると，10.2.3 項と同様に以下を得る．

$$\begin{aligned} 1-\alpha &= P_\Delta[c < U(\Delta) < n_1 n_2 - c] \\ &= P_\Delta[D_{c+1} \leq \Delta < D_{n_1 n_2 - c}] \end{aligned} \tag{10.4.29}$$

ここで，$D_1 < D_2 < \cdots < D_{n_1 n_2}$ は順序づけられた差 $Y_j - X_i$ を表すとする．したがって，区間 $[D_{c+1}, D_{n_1 n_2 - c})$ は Δ の $(1-\alpha)100\%$ 信頼区間となる．MWW 検定統計量 U の帰無漸近分布を用いると，以下の c の近似値を得ることができる．

10.4. マン・ホイットニー・ウィルコクスン法

$$c \doteq \frac{n_1 n_2}{2} - z_{\alpha/2}\sqrt{\frac{n_1 n_2 (n+1)}{12}} - \frac{1}{2} \quad (10.4.30)$$

ここで，$\Phi(-z_{\alpha/2}) = \alpha/2$ である．練習問題 10.4.4 を参照せよ．

例 10.4.2 (例 10.4.1 の続き). 例 10.4.1 を再考すると，Δ の MWW 推定値は $\widehat{\Delta} = 1.15$ となる．95%信頼区間に入る差を選択するための漸近的な規則によって，$c \doteq 24$ の値が得られる．したがって，信頼区間は (D_{25}, D_{76}) であり，このデータセットに対する値は $(-0.7, 2.6)$ である．したがって，検定統計量の結果と同様に信頼区間は $\Delta = 0$ の帰無仮説を含んでいる．■

ホッジス・レーマン推定値と信頼区間を得るための統計パッケージがある．例えば，Minitab には mann というコマンドがある．これらの統計量は，ウェブサイト www.stat.wmich.edu/slab/RGLM でも得ることができる．

練習問題

10.4.1. 定理 10.4.2 の漸近的な検定力の補助定理を考えることによって，$n_1 + n_2 = n$ (n は固定) のデザインの中で標本サイズが等しい状況 ($n_1 = n_2$) が最強力なデザインであることを示せ．このとき，水準や対立仮説もまた固定されている．
ヒント：この問題は，以下の関数を最大化することと等価であることを示し，答えを得よ．

$$g(n_1) = \frac{n_1(n - n_1)}{n^2}$$

10.4.2. 5.6 節で議論された (10.4.2) 式の仮説に対する t 検定の漸近的な形を考える．
(a) 定理 10.4.2 を用いて，この検定に関して対応する漸近的な検定力の補助定理を導出せよ．
(b) (a) における結果を用いて，(10.4.23) 式の表現を得よ．

10.4.3. (10.4.28) 式の表現が真であることを中心極限定理を用いて示せ．

10.4.4. (10.4.29) 式の Δ の信頼区間における区切りの指標 c に関して，(10.4.30) 式によって近似値が与えられることを導出せよ．

10.4.5. X を cdf $F(x)$ に従う連続型の確率変数とする．$Y = X + \Delta$ と仮定する．ここで，$\Delta > 0$ である．Y が X よりも確率的に大きいことを示せ．

10.4.6. 例 10.4.1 において与えられたデータを考える．
(a) このデータの比較点プロットを得よ．
(b) 標本平均の差は 3.11 であり，これは変動の MWW 推定値よりもはるかに大きい値であることを示せ．この食い違いの理由は何か．
(c) t を用いた Δ の 95%信頼区間が，$(-2.7, 8.92)$ によって与えられることを示せ．

この区間が対応する MWW 区間よりもはるかに大きいのはなぜか.

(d) このデータに関して, 5.6 節で議論した t 検定統計量の値は 1.12 であり, p 値が 0.28 となることを示せ. MWW の結果と同様に, これは比較点プロットに基づいて有意でないと考えられるだろう. しかし, これは保証されるよりは有意であるように思われる.

10.5 一般順位得点

分布によらない方法に対応する推定量を用いて対称な分布の中心を求めたいとする. この場合, 現在選択肢として考えられるのは符号検定あるいはウィルコクスンの符号付き順位検定のいずれかであろう. 標本が正規分布から抽出されたのであれば, 符号検定より有効である点から, ウィルコクスンの符号付き順位検定を選ぶだろう. しかし, ウィルコクスンの符号付き順位検定は十分に有効であるというわけではない. このことは, 以下の疑問を提起する. 正規分布において十分に有効である, すなわち正規分布における t 検定と比較して 100% の効率をもつ分布によらない手法はあるのだろうかということである. より一般的には, 分布を特定した場合を仮定する. このとき, その分布について, 最尤推定量と比較して, 100% の効率をもつ分布によらない手法はあるのだろうかということになる. 一般的には, これらの問いを満たす方法は存在する. 本節では, これらの問いを 2 標本位置問題について調べる. これは, この問題が 10.7 節で説明される回帰問題に即座に一般化されるためである. 1 標本問題に関しても似た定理を構築することが可能である. Hettmansperger and McKean (1998) の第 1 章を参照のこと.

前節と同様に, $X_1, X_2, \ldots, X_{n_1}$ を cdf, pdf がそれぞれ $F(x)$, $f(x)$ である連続的な分布からの無作為標本とする. また, $Y_1, Y_2, \ldots, Y_{n_2}$ を cdf, pdf がそれぞれ $F(x-\Delta)$, $f(x-\Delta)$ である連続的な分布からの無作為標本とする. ここで, Δ は位置の変動を意味する. $n = n_1 + n_2$ を合算されたサンプルサイズとする. このとき, 以下の仮説を考える.

$$H_0: \Delta = 0, \quad H_1: \Delta > 0 \tag{10.5.1}$$

ここで, まず順位得点の一般的なクラスについて定義する. $\varphi(u)$ を $\int_0^1 \varphi^2(u)\, du < \infty$ のように区間 $(0,1)$ に定義される非減少関数とする. ここで, $\varphi(u)$ を得点関数 (score function) とよぶ. 一般性を失わず, この関数を $\int_0^1 \varphi(u)\, du = 0$, $\int_0^1 \varphi^2(u)\, du = 1$ となるように一般化するだろう. 次に, 得点を $a_\varphi(i) = \varphi[i/(n+1)]$, $i = 1, \ldots, n$ のように定義する. このとき $a_\varphi(1) \leq a_\varphi(2) \leq \cdots \leq a_\varphi(n)$ であり, また $\sum_{i=1}^n a(i) = 0$ を仮定する (これは, 本質的には $\int \varphi(u)\, du = 0$ より得られる. 練習問題 10.5.11 参照のこと). このとき, 以下の検定統計量を考える.

10.5. 一般順位得点

$$W_\varphi = \sum_{j=1}^{n_2} a_\varphi(R(Y_j)) \tag{10.5.2}$$

ここで，$R(Y_j)$ は n 個の合算された標本における Y_j の順位を意味する．得点が非減少であるため，棄却の規則は以下により自然に得られる．

$$W_\varphi \geq c \text{ のとき } H_0 \text{ を棄却し } H_1 \text{ を採択する} \tag{10.5.3}$$

線形得点関数 $\varphi(u) = \sqrt{12}(u-(1/2))$ を用いるのであれば，以下のようになる点に注意が必要である．

$$\begin{aligned}W_\varphi &= \sum_{j=1}^{n_2} \sqrt{12}\left(\frac{R(Y_j)}{n+1} - \frac{1}{2}\right) = \frac{\sqrt{12}}{n+1}\sum_{j=1}^{n_2}\left(R(Y_j) - \frac{n+1}{2}\right) \\ &= \frac{\sqrt{12}}{n+1}W - \frac{\sqrt{12}n}{2}\end{aligned} \tag{10.5.4}$$

ここで，W は (10.4.3) 式の MWW 検定統計量である．したがって，線形得点関数の特別な場合が MWW 検定統計量ということになる．

(10.5.2) 式の決定規則を完成させるためには検定統計量 W_φ の帰無分布が必要である．その多くの特徴は，MWW 検定におけるそれと同様である．第一に，帰無仮説のもとで，Y_j の順位に関するすべての部分集合が等しくもっともらしい点から，W_φ は分布に依存しないといえる．一般的に，W_φ の分布はクローズドフォームでは得られないが，MWW 検定統計量の分布に似た形で再帰的に発生させることができる．次に，W_φ の帰無的な平均を得るために，整数 $1, 2, \ldots, n$ について，$R(Y_j)$ が一様であるという事実を用いる．$\sum_{i=1}^n a_\varphi(i) = 0$ から，以下が得られる．

$$E_{H_0}(W_\varphi) = \sum_{j=1}^{n_2} E_{H_0}(a_\varphi(R(Y_j))) = \sum_{j=1}^{n_2}\sum_{i=1}^n a_\varphi(i)\frac{1}{n} = 0 \tag{10.5.5}$$

帰無的な分散を決定するために，まず量 s_a^2 を以下のように定義する．

$$E_{H_0}(a_\varphi^2(R(Y_j))) = \sum_{i=1}^n a_\varphi^2(i)\frac{1}{n} = \frac{1}{n}\sum_{i=1}^n a_\varphi^2(i) = \frac{1}{n}s_a^2 \tag{10.5.6}$$

練習問題 10.5.3 で示されるとおり，$s_a^2/n \doteq 1$ である．$E_{H_0}(W_\varphi) = 0$ より以下を得る．

$$\begin{aligned}\mathrm{Var}_{H_0}(W_\varphi) &= E_{H_0}(W_\varphi^2) = \sum_{j=1}^{n_2}\sum_{j'=1}^{n_2} E_{H_0}[a_\varphi(R(Y_j))a_\varphi(R(Y_{j'}))] \\ &= \sum_{j=1}^{n_2} E_{H_0}[a_\varphi^2(R(Y_j))] + \sum\sum_{j \neq j'} E_{H_0}[a_\varphi(R(Y_j))a_\varphi(R(Y_{j'}))] \\ &= \frac{n_2}{n}s_a^2 - \frac{n_2(n_2-1)}{n(n-1)}s_a^2\end{aligned} \tag{10.5.7}$$

$$= \frac{n_1 n_2}{n(n-1)} s_a^2 \tag{10.5.8}$$

(10.5.7) 式第 2 項の導出に関しては，練習問題 10.5.1 参照のこと．H_0 のもとで W_φ が漸近的に正規分布に従う点は，より発展的な本で示されるだろう．したがって，危険率 α に対応する漸近的な決定規則は以下のとおりとなる．

$$z = \frac{W_\varphi}{\sqrt{\mathrm{Var}_{H_0}(W_\varphi)}} \geq z_\alpha \text{ であるならば，} H_0 \text{ を棄却し } H_1 \text{ を採択する} \tag{10.5.9}$$

本節最初の段落で提起された疑問に答えるために，検定統計量 W_φ の効率が必要である．前節の流れに従って進めるために，以下の過程を定義する．

$$W_\varphi(\Delta) = \sum_{j=1}^{n_2} a_\varphi(R(Y_j - \Delta)) \tag{10.5.10}$$

ここで，$R(Y_j - \Delta)$ は $X_1, \ldots, X_{n_1}, Y_1 - \Delta, \ldots, Y_{n_2} - \Delta$ の中での $Y_j - \Delta$ の順位を意味する．前節においてもまた，MWW 統計量の過程は，差 $Y_j - X_i$ の計算を用いて示されている．ここでは，そのときほど幸運ではない．しかし，次の定理で示すように，この一般的な過程は Δ の単純な減少階段関数である．

定理 10.5.1.

$W_\varphi(\Delta)$ の過程は，Δ の減少階段関数であり，各々の差 $Y_j - X_i$, $i = 1, \ldots, n_1$, $j = 1, \ldots, n_2$ に伴って段階的に減少する．その最大値と最小値はそれぞれ $\sum_{j=n_1+1}^{n} a_\varphi(j) \geq 0$ と $\sum_{j=1}^{n_2} a_\varphi(j) \leq 0$ である．

証明 $\Delta_1 < \Delta_2$, $W_\varphi(\Delta_1) \neq W_\varphi(\Delta_2)$ であるとする．ここから，X_i と $Y_j - \Delta$ の間での順位の割り当ては，Δ_1 と Δ_2 において異なっていなくてはならない．すなわち，$Y_j - \Delta_2 < X_i$, $Y_j - \Delta_1 > X_i$ となるような j と i でなければならない．このことは，$\Delta_1 < Y_j - X_i < \Delta_2$ を含意している．したがって，$W_\varphi(\Delta)$ は差 $Y_j - X_i$ によって値が変化する．この変化が減少であることを示すために，$\Delta_1 < Y_j - X_i < \Delta_2$ であり，Δ_1 と Δ_2 の間にはこれ以上の違いはないと仮定する．このとき，$Y_j - \Delta_1$ と X_i は隣り合った順位とならなければならない．そうでなければ，Δ_1 と Δ_2 には 1 より大きい差があることになるだろう．$Y_j - \Delta_1 > X_i$ と $Y_j - \Delta_2 < X_i$ より以下を得る．

$$R(Y_j - \Delta_1) = R(X_i) + 1, \quad R(Y_j - \Delta_2) = R(X_i) - 1$$

また，$W_\varphi(\Delta)$ の表現において，Y_j の項の順位のみが区間 $[\Delta_1, \Delta_2]$ の中で変化する．したがって，得点が非減少である点から以下のとおりとなる．

$$W_\varphi(\Delta_1) - W_\varphi(\Delta_2) = \sum_{k \neq j} a_\varphi(R(Y_k - \Delta_1)) + a_\varphi(R(Y_j - \Delta_1))$$

10.5. 一般順位得点

$$-\left[\sum_{k \neq j} a_\varphi(R(Y_k - \Delta_2)) + a_\varphi(R(Y_j - \Delta_2))\right]$$
$$= a_\varphi(R(X_i) + 1) - a_\varphi(R(X_i) - 1) \geq 0$$

$W_\varphi(\Delta)$ が減少階段関数であり，$Y_j - X_i$ の値のみで段階を下る点から，その最大値はすべての i, j に対して $\Delta < Y_j - X_i$ のときに発生する．すなわちすべての i, j に対して，$X_i < Y_j - \Delta$ のときである．したがってこの場合，変数 $Y_j - \Delta$ は高い順位のみをとらなければならない．ここから以下となる．

$$\max_\Delta W_\varphi(\Delta) = \sum_{j=n_1+1}^{n} a_\varphi(j)$$

ここで，この最大値は非負でなければならない点に注意が必要である．厳密に負である場合を考えると，$j = n_1 + 1, \ldots, n$ について少なくともひとつは $a_\varphi(j) < 0$ となる．得点は非減少であるため，すべての $i = 1, \ldots, n_1$ について $a_\varphi(i) < 0$ となる．このことは以下の矛盾に繋がる．

$$0 > \sum_{j=n_1+1}^{n} a_\varphi(j) \geq \sum_{j=n_1+1}^{n} a_\varphi(j) + \sum_{j=1}^{n_1} a_\varphi(j) = 0$$

最小値に関しても同様にして得られる．練習問題 10.5.5 を参照のこと．■

練習問題 10.5.6 で示されるとおり，補題 10.2.1 の変換に関する性質は $W_\varphi(\Delta)$ の過程においても維持される．この結果と前の定理より，仮説 (10.5.1) 式に関する検定統計量 W_φ の検定力関数は非減少であることを示すことができる．したがって，検定は不偏である．

10.5.1 効率

次に，W_φ に基づく検定の効率の導出について示す．この議論はより厳密に行うことも可能である．詳しくはより発展的な本を参照のこと．以下の統計量を考える．

$$\overline{W}_\varphi(0) = \frac{1}{n} W_\varphi(0) \tag{10.5.11}$$

(10.5.5) 式と (10.5.8) 式に基づき以下を得る．

$$\mu_\varphi(0) = E_0(\overline{W}_\varphi(0)) = 0, \quad \sigma_\varphi^2 = \mathrm{Var}_0(\overline{W}_\varphi(0)) = \frac{n_1 n_2}{n(n-1)} n^{-2} s_a^2 \tag{10.5.12}$$

$\overline{W}_\varphi(0)$ の分散は $O(n^{-1})$ 次となる．練習問題 10.5.3 に注意してほしい．すると以下を得る．

$$\mu_\varphi(\Delta) = E_\Delta[\overline{W}_\varphi(0)] = E_0[\overline{W}_\varphi(-\Delta)] = \frac{1}{n}\sum_{j=1}^{n_2} E_0[a_\varphi(R(Y_j + \Delta))] \tag{10.5.13}$$

$\widehat{F}_{n_1}$ と $\widehat{F}_{n_2}$ をそれぞれ無作為標本 $X_1, \ldots, X_{n_1}$ と $Y_1, \ldots, Y_{n_2}$ の経験 cdf とする．こ

のとき順位と経験 cdf との関係は以下に従う.

$$R(Y_j+\Delta) = \#_k\{Y_k+\Delta \leq Y_j+\Delta\} + \#_i\{X_i \leq Y_j+\Delta\}$$
$$= \#_k\{Y_k \leq Y_j\} + \#_i\{X_i \leq Y_j+\Delta\}$$
$$= n_2 \widehat{F}_{n_2}(Y_j) + n_1 \widehat{F}_{n_1}(Y_j+\Delta) \tag{10.5.14}$$

この表現を (10.5.13) 式に代入すると以下を得る.

$$\mu_\varphi(\Delta) = \frac{1}{n}\sum_{j=1}^{n_2} E_0\left\{\varphi\left[\frac{n_2}{n+1}\widehat{F}_{n_2}(Y_j) + \frac{n_1}{n+1}\widehat{F}_{n_1}(Y_j+\Delta)\right]\right\} \tag{10.5.15}$$

$$\to \lambda_2 E_0\{\varphi[\lambda_2 F(Y) + \lambda_1 F(Y+\Delta)]\} \tag{10.5.16}$$

$$= \lambda_2 \int_{-\infty}^{\infty} \varphi[\lambda_2 F(Y) + \lambda_1 F(Y+\Delta)] f(y)\,dy \tag{10.5.17}$$

(10.5.16) 式における極限は,実際には H_0 のもとでの $\widehat{F}_{n_i}(x) \to F(x)$, $i=1,2$ から得られる 2 重の極限であり,(10.5.15) 式の経験 cdf である F に代入される実測値について,加算部分は等しく分布する確率変数を含む.したがって,同じ期待値となる.これらの近似は厳密に行うこともできる.ここから即座に以下に従う.

$$\frac{d}{d\Delta}\mu_\varphi(\Delta) = \lambda_2 \int_{-\infty}^{\infty} \varphi'[\lambda_2 F(Y) + \lambda_1 F(Y+\Delta)]\lambda_1 f(y+\Delta) f(y)\,dy$$

したがって以下となる.

$$\mu_\varphi'(0) = \lambda_1\lambda_2 \int_{-\infty}^{\infty} \varphi'[F(y)] f^2(y)\,dy \tag{10.5.18}$$

(10.5.12) 式より以下となる.

$$\sqrt{n}\,\sigma_\varphi = \sqrt{n}\sqrt{\frac{n_1 n_2}{n(n-1)}}\frac{1}{\sqrt{n}}\sqrt{\frac{1}{n}s_a^2} \to \sqrt{\lambda_1\lambda_2} \tag{10.5.19}$$

(10.5.18) 式と (10.5.19) 式に基づき,W_φ の効率は以下のように与えられる.

$$c_\varphi = \lim_{n\to\infty} \frac{\mu_\varphi'(0)}{\sqrt{n}\,\sigma_\varphi} = \sqrt{\lambda_1\lambda_2} \int_{-\infty}^{\infty} \varphi'[F(y)] f^2(y)\,dy \tag{10.5.20}$$

効率を用いると,検定統計量 W_φ の漸近的検定力を導出することができる.(10.4.12) 式より与えられる局所対立仮説の列と W_φ に基づく危険率 α の漸近検定を考える.検定の検定力関数を $\gamma_\varphi(\Delta_n)$ と表すこととする.このとき,以下のように示すことができる.

$$\lim_{n\to\infty} \gamma_\varphi(\Delta_n) = 1 - \Phi(z_\alpha - c_\varphi\delta) \tag{10.5.21}$$

ここで,$\Phi(z)$ は標準正規確率変数の cdf である.サンプルサイズはこの前いくつかの節で述べたように検定統計量 W_φ に基づいて決定される.練習問題 10.5.7 を参照のこと.

10.5. 一般順位得点

10.5.2 一般得点に基づく推定方程式

10.5.1項で議論した得点 $a_\varphi(i) = \varphi(i/(n+1))$ を用いることとする.検定統計量 W_φ の平均は 0 であったことを思い出してほしい.したがって,対応する Δ の推定量は以下の推定方程式を解くことにより得られる.

$$W_\varphi(\widehat{\Delta}) \doteq 0 \tag{10.5.22}$$

定理 10.5.1 より,$W_\varphi(\widehat{\Delta})$ は Δ の減少階段関数となる.さらに,最大値は正,最小値は負となる (退化した場合にかぎり,一方あるいは双方が 0 となるだろう).したがって,(10.5.22)式の解は存在する.$W_\varphi(\widehat{\Delta})$ は階段関数であるため,一意には定まらないかもしれない.一意に定まらない場合にも,ウィルコクソンや中央値の方法のように,解の範囲があり,したがって範囲の中央点を選ぶことができる.2 分法や挟み撃ち法のような簡単な繰り返し計算の手法が使えるため,数値的にはこの方程式は簡単に解くことができる.Hettmansperger and McKean (1998) の 186 ページの議論を参照のこと.この推定量の漸近分布は漸近検定力に関する補助定理を用いて導くことができ,以下のように与えられる.

$$\widehat{\Delta}_\varphi \text{ は漸近的に分布 } N\left(\Delta, \tau_\varphi^2 \left(\frac{1}{n_1} + \frac{1}{n_2}\right)\right) \text{ に従う} \tag{10.5.23}$$

ここで,以下のとおりとなる.

$$\tau_\varphi = \left[\int_{-\infty}^{\infty} \varphi'[F(y)] f^2(y)\, dy\right]^{-1} \tag{10.5.24}$$

したがって,効率は $c_\varphi = \sqrt{\lambda_1 \lambda_2}\tau_\varphi^{-1}$ として表現することができる.練習問題 10.5.8 で示されるとおり,母数 τ_φ は尺度母数である.効率は $c_\varphi = \sqrt{\lambda_1 \lambda_2}\tau_\varphi^{-1}$ であるため,効率は尺度に反比例して変化する.次項においては実測値が助けになるだろう.

10.5.3 最適化:最良の推定値

ここまでくると,最初の段落で示された疑問に回答することができる.与えられた pdf $f(x)$ に関して,一般的に検定の検定力を最大化し,推定量の漸近分散を最小化する得点関数を選ぶことができることを示す.また,ある条件のもとで,この最適な得点関数に基づく推定量が最尤推定量と同じ効率をもつことを示す.すなわち,それらはラオ・クラメールの下限を得る.

これまでのように,$X_1, \ldots, X_{n_1}$ を連続的な cdf $F(x)$ と pdf $f(x)$ からの無作為標本とし,$Y_1, \ldots, Y_{n_2}$ を連続的な cdf $F(x - \Delta)$ と pdf $f(x - \Delta)$ からの無作為標本とする.問題となるのは,(10.5.20)式で与えられる効率 c_φ を最大化する φ を選ぶことである.効率を最大化することは,対応する Δ の推定量の漸近分散を最小化することと等価であることに注意する必要がある.

一般得点関数 $\varphi(u)$ について,その効率は (10.5.20) 式より与えられることを考慮する.一般性を失わず,この表現における相対的な標本数は無視できるものとする.したがって,$c_\varphi^* = (\sqrt{\lambda_1 \lambda_2})^{-1} c_\varphi$ を考慮する.$u = F(y)$ と変数変換し,部分積分すると

以下を得る.

$$c_\varphi^* = \int_{-\infty}^{\infty} \varphi'[F(y)]f^2(y)\,dy$$

$$= \int_0^1 \varphi'(u)f(F^{-1}(u))\,du$$

$$= \int_0^1 \varphi(u)\left[-\frac{f'(F^{-1}(u))}{f(F^{-1}(u))}\right]du \tag{10.5.25}$$

得点関数は $\int \varphi^2(u)\,du = 1$ であることを思い出してほしい. ここから, この問題は以下のように表現することができる.

$$\max_\varphi c_\varphi^{*2} = \max_\varphi \left\{\int_0^1 \varphi(u)\left[-\frac{f'(F^{-1}(u))}{f(F^{-1}(u))}\right]du\right\}^2$$

$$= \left\{\max_\varphi \frac{\left\{\int_0^1 \varphi(u)\left[-\frac{f'(F^{-1}(u))}{f(F^{-1}(u))}\right]du\right\}^2}{\int_0^1 \varphi^2(u)\,du \int_0^1 \left[\frac{f'(F^{-1}(u))}{f(F^{-1}(u))}\right]^2 du}\right\} \int_0^1 \left[\frac{f'(F^{-1}(u))}{f(F^{-1}(u))}\right]^2 du$$

ここで前式において最大化しようとしている量は, たかだか 1 であるような相関係数の 2 乗である. それゆえに,

$$\varphi_f(u) = -\kappa \frac{f'(F^{-1}(u))}{f(F^{-1}(u))} \tag{10.5.26}$$

のような $\varphi(u) = \varphi_f(u)$ と $\int \varphi_f^2(u)\,du = 1$ となるような κ を選ぶことで, 相関は 1 となり, 最大値は下式となる.

$$I(f) = \int_0^1 \left[\frac{f'(F^{-1}(u))}{f(F^{-1}(u))}\right]^2 du \tag{10.5.27}$$

これは, 位置モデルにおけるフィッシャー情報量である. (10.5.26) 式で与えられる得点関数を最適得点関数 (optimal score function) とよぶ.

推定において, $\widehat{\Delta}$ が対応する推定量なのであれば, (10.5.24) 式よりその漸近分散は以下となる.

$$\tau_\varphi^2 = \left[\frac{1}{I(f)}\right]\left(\frac{1}{n_1} + \frac{1}{n_2}\right) \tag{10.5.28}$$

したがって, 推定量 $\widehat{\Delta}$ は漸近的にラオ・クラメールの下限に達する. すなわち $\widehat{\Delta}$ は Δ の漸近有効推定量である. 漸近相対効率の文脈では, 推定量 $\widehat{\Delta}$ と Δ の最尤推定量との間の ARE は 1 となる. したがって, 本節最初の段落の 2 つめの問いに, 回答したことになる.

ここで, いくつかの例に目を向けたい. 最初の例では ε_i の分布には正規分布を仮定している. これにより, 本節最初の段落の最初の問いに答えるだろう. ただし, まず不変という条件が状況を簡略化している点に注意が必要である. Z を確率変数 X の尺度ならびに位置変換とする. すなわち $Z = a(X - b)$, ここで $a > 0$ かつ $-\infty < b <$

10.5. 一般順位得点

∞ である．効率は尺度に伴い間接的に変化するので，$c_{fz}^2 = a^{-2}c_{fx}^2$ となる．さらに，練習問題 10.5.8 に示されるとおり，効率は位置に対して不変であり，また $I(f_Z) = a^{-2}I(f_X)$ となる．したがって，上で最大化された量は位置ならびに尺度の変化に対して不変である．特に，最適得点の導出には，密度の形のみが重要となる．

例 10.5.1 (正規得点). 誤差確率変数 ε_i が正規分布に従うとする．前段落の議論に基づき，分布 $N(0,1)$ の pdf を密度の形として用いることができる．したがって，$f_Z(z) = \phi(z) = (2\pi)^{-1/2}\exp\{-2^{-1}z^2\}$ を考える．ここから $-\phi'(z) = z\phi(z)$ となる．$\Phi(z)$ を Z の cdf を示すものとする．ここから，最適得点関数は以下のとおりとなる．

$$\varphi_N(u) = -\kappa\frac{f'(\Phi^{-1}(u))}{f(\Phi^{-1}(u))} = \Phi^{-1}(u) \tag{10.5.29}$$

練習問題 10.5.4 を参照のこと．そこでは $\int\varphi_N(u)\,du = 0$ のみならず $\kappa = 1$ も示している．対応する得点 $a_N(i) = \Phi^{-1}(i/(n+1))$ はしばしば正規得点 (normal score) とよばれる．また，過程は以下のように表現される．

$$W_N(\Delta) = \sum_{j=1}^{n_2}\Phi^{-1}[R(Y_j - \Delta)/(n+1)] \tag{10.5.30}$$

仮説 (10.5.1) 式に関連づけられる検定統計量は統計量 $W_N = W_N(0)$ である．Δ の推定量は以下の推定方程式を解くことにより得られる．

$$W_N(\widehat{\Delta}_N) \doteq 0 \tag{10.5.31}$$

推定値はクローズドフォームでは得られないが，この方程式は数理的に比較的簡単に解くことができる．上の議論より，正規分布においては $ARE(\widehat{\Delta}_N, \overline{Y} - \overline{X}) = 1$ である．したがって，正規得点法は正規分布においては十分に効率がよい．実際，対称分布においてより強力な結果を得ることができる．なお，すべての対称分布に対して $ARE(\widehat{\Delta}_N, \overline{Y} - \overline{X}) \geq 1$ を示すことが可能である．∎

例 10.5.2 (ウィルコクスン得点). 確率誤差 ε_i, $i=1,2,\ldots,n$ が pdf $f_Z(z) = \exp\{-z\}/(1+\exp\{-z\})^2$ のロジスティック分布に従うとする．その cdf は $F_Z(z) = (1+\exp\{-z\})^{-1}$ となる．練習問題 10.5.10 に示されるとおり，以下となる．

$$-\frac{f'_Z(z)}{f_Z(z)} = F_Z(z)(1-\exp\{-z\}), \quad F_Z^{-1}(u) = \log\frac{u}{1-u} \tag{10.5.32}$$

標準化に際しては，これは結果的に以下の最適得点関数，すなわちウィルコクスン得点となる．

$$\varphi_W(u) = \sqrt{12}(u - (1/2)) \tag{10.5.33}$$

ウィルコクスン得点に基づく推定の特徴は 10.4 節において議論されたとおりである．$\widehat{\Delta}_W = \text{med}\{Y_j - X_i\}$ を対応する推定値を示すものとする．ここで，正規分布においては $ARE(\widehat{\Delta}_W, \overline{Y} - \overline{X}) = 0.955$ となることを思い出してほしい．Hodges and

Lehmann (1956) では，すべての対称な分布の全域において $ARE(\widehat{\Delta}_W, \overline{Y}-\overline{X}) \geq 0.864$ であることを示している．■

例 10.5.3. 数値的な表現としては，しばしば生成された正規分布からの測定値について考察する．X で表現される最初の標本は分布 $N(48, 10^2)$ から生成され，一方 Y で表現される第 2 の標本は分布 $N(58, 10^2)$ から生成されている．それぞれの標本には 15 のオブザベーションがある．そのデータは表 10.5.1 に示され，またデータとともに，順位と正規得点も示されている．ここでは，両側仮説 $H_0: \Delta = 0$ と $H_1: \Delta \neq 0$ の検定をウィルコクソン得点，正規得点，スチューデントの t を用いて考える．

表 10.5.1　例 10.5.3 のデータ

| \multicolumn{3}{c|}{Sample 1 (X)} | \multicolumn{3}{c}{Sample 2 (Y)} |
データ	順位	正規得点	データ	順位	正規得点
51.9	15	−0.04044	59.2	24	0.75273
56.9	23	0.64932	49.1	14	−0.12159
45.2	11	−0.37229	54.4	19	0.28689
52.3	16	0.04044	47.0	13	−0.20354
59.5	26	0.98917	55.9	21	0.46049
41.4	4	−1.13098	34.9	3	−1.30015
46.4	12	−0.28689	62.2	28	1.30015
45.1	10	−0.46049	41.6	6	−0.86489
53.9	17	0.12159	59.3	25	0.86489
42.9	7	−0.75273	32.7	1	−1.84860
41.5	5	−0.98917	72.1	29	1.51793
55.2	20	0.37229	43.8	8	−0.64932
32.9	2	−1.51793	56.8	22	0.55244
54.0	18	0.20354	76.7	30	1.84860
45.0	9	−0.55244	60.3	27	1.13098

次の比較用の図に示されるとおり，2 つめの標本の測定値は 1 つめの標本のそれより大きく見える．

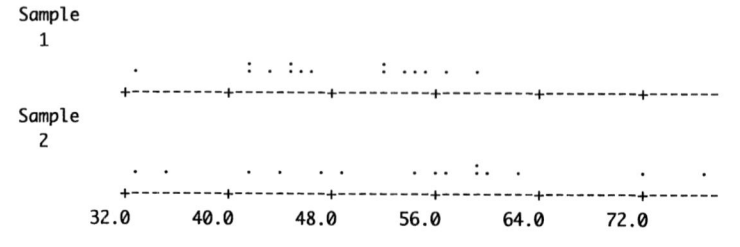

```
Sample
   1
                 .         : .:..         : .... .
           +---------+---------+---------+---------+---------+------
Sample
   2
                .  .             .      . :..        .
           +---------+---------+---------+---------+---------+------
          32.0      40.0      48.0      56.0      64.0      72.0
```

標準化された値と p 値，検定統計量は以下のとおりである．

10.5. 一般順位得点

方法	検定統計量	標準化	p 値	Δ の推定値
スチューデントの t	$\overline{Y}-\overline{X} = 5.43$	1.47	0.15	5.43
ウィルコクスン得点	$W = 270$	1.56	0.12	5.20
正規得点	$W_N = 3.73$	1.48	0.14	5.10

標準化検定統計量とそれに対応する p 値はどれも非常に近い値となっていて，仮説に関するすべての検定の結果は同じ決定をしそうである点に注意してほしい．表に示されるとおり，対応する Δ の点推定値もまた似ている．この推定値はWebサイト www.stat.wmich.edu/slab/RGLM を用いることで得られた．■

例10.5.4 (符号得点). 最後の例として，確率誤差 $\varepsilon_1, \varepsilon_2, \ldots, \varepsilon_n$ がラプラス分布に従う場合を考える．その使いやすい形 $f_Z(z) = 2^{-1}\exp\{-|z|\}$ を考慮する．このとき $f_Z'(z) = -2^{-1}\mathrm{sgn}(z)\exp\{-|z|\}$ であり，したがって $-f_Z'(F_Z^{-1}(u))/f_Z(F_Z^{-1}(u)) = \mathrm{sgn}(z)$ となる．ここで $u > 1/2$ のとき，またそのときにかぎり $F_Z^{-1}(u) > 0$ となる．よって最適得点関数は以下のとおりとなる．

$$\varphi_S(u) = \mathrm{sgn}\left(u - \frac{1}{2}\right) \tag{10.5.34}$$

これを標準化して示すのは容易である．対応する過程は以下のとおりとなる．

$$W_S(\Delta) = \sum_{j=1}^{n_2} \mathrm{sgn}\left[R(Y_j - \Delta) - \frac{n+1}{2}\right] \tag{10.5.35}$$

符号より，この検定統計量はしばしばムードの検定 (Mood's test) とよばれる，より簡単な形で表現することができる．練習問題 10.5.12 参照のこと．

また，関連づけられる推定量をクローズドフォームでも得ることができる．その推定量は以下の方程式を解くことにより求められる．

$$\sum_{j=1}^{n_2} \mathrm{sgn}\left[R(Y_j - \Delta) - \frac{n+1}{2}\right] = 0 \tag{10.5.36}$$

この方程式においては，変数を以下のように順位づけする．

$$\{X_1, \ldots, X_{n_1}, Y_1 - \Delta, \ldots, Y_{n_2} - \Delta\}$$

順位はしかし，定数分の変動に対して不変であるので，変数を以下のように順位づけしても同じ順位を得る．

$$\{X_1 - \mathrm{med}\{X_i\}, \ldots, X_{n_1} - \mathrm{med}\{X_i\}, Y_1 - \Delta - \mathrm{med}\{X_i\}, \ldots, Y_{n_2} - \Delta - \mathrm{med}\{X_i\}\}$$

したがって，(10.5.36) 式の解は以下によって容易に得られることがわかる．

$$\widehat{\Delta}_S = \mathrm{med}\{Y_j\} - \mathrm{med}\{X_i\} \quad\blacksquare \tag{10.5.37}$$

他の例は練習問題によって与えられるだろう．

練習問題

10.5.1. (10.5.7) 式第 2 項が真であることを示すことで，検定統計量 W_φ の帰無的な分散の導出を完成させよ．
ヒント：$j \neq j'$ に関して，H_0 のもとで，ペア $(a_\varphi(R(Y_j)), a_\varphi(R(Y_{j'})))$ は整数のペア (i, i'), $i, i' = 1, 2, \ldots, n$, $i \neq i'$ について一様に分布するという事実を用いよ．

10.5.2. ウィルコクスン得点関数 $\varphi(u) = \sqrt{12}(u - (1/2))$ について，s_a の値を得る．このとき，(10.5.8) 式で与えられる $V_{H_0}(W_\varphi)$ は 10.4 節の MWW 統計量の分散と等しい (標準化した場合を除く) ことを示せ．

10.5.3. 得点は $\int_0^1 \varphi^2(u)\, du = 1$ となるように標準化されていることを思い出してほしい．このことと，リーマン和を用いて $n^{-1} s_a^2 \to 1$ を示せ．ここで，s_a^2 は (10.5.6) 式により定義される．

10.5.4. 例 10.5.1 で導出された (10.5.29) 式の正規得点は標準化される．すなわち $\int_0^1 \varphi_N(u)\, du = 0$, $\int_0^1 \varphi_N^2(u)\, du = 1$ となることを示せ．

10.5.5. 定理 10.5.1 において，$W_\varphi(\Delta)$ の最小値は $\sum_{j=1}^{n_2} a_\varphi(j)$ より与えられ，それは非正となることを示せ．

10.5.6. $E_\Delta[W_\varphi(0)] = E_0[W_\varphi(-\Delta)]$ を示せ．

10.5.7. 仮説 (10.4.2) 式を考える．得点関数 $\varphi(u)$ ならびに W_φ に基づく対応する検定を選択したとする．およその検定力 γ^* をもつ Δ^* を見つけるために，検定の有意水準が α となるような標本数 $n = n_1 + n_2$ を決定したいとする．n_1 と n_2 の標本数が等しいと仮定するとき以下を示せ．

$$n \doteq \left(\frac{(z_\alpha - z_{\gamma^*}) 2\tau_\varphi}{\Delta^*} \right)^2 \tag{10.5.38}$$

10.5.8. 本節の文脈において，以下の不変性について示せ．
(a) (10.5.24) 式における母数 τ_φ は，練習問題 10.1.4 で定義されるような尺度汎関数であることを示せ．
(b) (a) は (10.5.20) 式の効率は位置に対して不変であり，尺度に対して間接的に変化することを含意している点を示せ．
(c) Z は確率変数 X の尺度ならびに位置変換である．すなわち $Z = a(X - b)$，ここで $a > 0$ かつ $-\infty < b < \infty$ であるとする．$I(f_Z) = a^{-2} I(f_X)$ を示せ．

10.5.9. (10.5.24) 式の尺度母数 τ_φ について，正規得点を用いることを考える．すなわち $\varphi(u) = \Phi^{-1}(u)$ である．分布 $N(\mu, \sigma^2)$ から標本抽出するとき，$\tau_\varphi = \sigma$ を示せ．

10.5.10. 例 10.5.2 の文脈において，(10.5.32) 式となることを導け．

10.5. 一般順位得点

10.5.11. 得点 $a(i)$ が $i=1,\ldots,n$ について $a_\varphi(i) = \varphi(i/(n+1))$ から生成されているものとする。ここで、$\int_0^1 \varphi(u)\,du = 0$ かつ $\int_0^1 \varphi^2(u)\,du = 1$ である。リーマン和を用いて、下位区分の区間の等間隔性、積分 $\int_0^1 \varphi(u)\,du$ ならびに $\int_0^1 \varphi^2(u)\,du$ より $\sum_{i=1}^n a(i) \doteq 0$, $\sum_{i=1}^n a^2(i) \doteq n$ を示せ。

10.5.12. 例 10.5.4 で議論した符号得点を用いた検定法を考える。
(a) $W_S = 2W_S^* - n_2$, ここで $W_S^* = \#_j\left\{R(Y_j) > \frac{n+1}{2}\right\}$ を示せ。したがって、W_S は検定統計量と等価である。W_S の帰無的な平均ならびに分散を求めよ。
(b) $W_S^* = \#_j\{Y_j > \theta^*\}$ を示せ。ここで、θ^* は合成された標本の中央値である。
(c) n は偶数であるとする。$W_{XS}^* = \#_i\{X_i > \theta^*\}$ とするとき、W_S^* は以下のようなすべての周辺が固定された 2×2 の分割表で表現できることを示せ。

	Y	X	
θ^* より値が大きい標本数	W_S^*	W_{XS}^*	$n/2$
θ^* より値が小さい標本数	$n_2 - W_S^*$	$n_1 - W_{XS}^*$	$n/2$
	n_2	n_1	n

通常のカイ2乗適合度は Z_S^2 と等しいことを示せ。ここで、Z_S は W_S に基づいた標準化 z 検定である。これはしばしばムードの中央値検定 (Mood's median test) とよばれる。

10.5.13. 例 10.5.3 で議論されたデータを思い出してほしい。
(a) 練習問題 10.5.12 で説明された分割表を得よ。
(b) 表に関連づけられたカイ2乗適合度検定統計量を得よ。また、それを用いて仮説 $H_0: \Delta = 0$ と $H_1: \Delta \neq 0$ について危険率 0.05 で検定せよ。
(c) (10.5.37) 式より与えられる Δ の点推定値を得よ。

10.5.14. 1 標本問題に対しても最適な符号付き順位に基づく方法が存在する。本練習問題では、これらの方法について簡単に議論する。$X_1, X_2, \ldots, X_n$ が以下の位置モデルに従うとする。

$$X_i = \theta + e_i \tag{10.5.39}$$

ここで $e_1, e_2, \ldots, e_n$ は 0 に関して対称な pdf $f(x)$ に iid に従う。すなわち $f(-x) = f(x)$ である。
(a) 対称性のもとで、最適な2標本得点関数 (10.5.26) 式は以下を満たすことを示せ。

$$\varphi_f(1-u) = -\varphi_f(u), \quad 0 < u < 1 \tag{10.5.40}$$

すなわち、$\varphi_f(u)$ は $\frac{1}{2}$ に関して奇関数である。(10.5.40) 式を満たす関数は、$u = \frac{1}{2}$ において 0 となることを示せ。
(b) $\frac{1}{2}$ に関して奇関数となる 2 標本得点関数 $\varphi(u)$ について、関数 $\varphi^+(u) = \varphi[(u+1)/2]$ を定義せよ。すなわち、$\varphi(u)$ の上半分である。また $\varphi(u)$ のもとで、$\varphi^+(u) \geq$

0 が非減少であることを示せ．
(c) 問題の残りの部分について，$\varphi^+(u)$ は区間 $(0,1)$ で非負かつ非減少であると仮定する．得点 $a^+(i) = \varphi^+[i/(n+1)]$, $i=1,2,\ldots,n$ と以下の対応する統計量を定義せよ．
$$W_{\varphi^+} = \sum_{i=1}^{n} \text{sgn}(X_i) a^+(R|X_i|) \tag{10.5.41}$$
$\varphi(u) = 2u-1$ のとき，W_{φ^+} は (10.3.1) 式の符号付き順位検定統計量の線形関数へと帰着することを示せ．
(d) $\varphi(u) = \text{sgn}(2u-1)$ のとき，W_{φ^+} は (10.2.3) 式の符号検定統計量の線形関数へと帰着することを示せ．
注意：モデル (10.5.39) 式は真であり，$\varphi(u) = \varphi_f(u)$ とする．ここで，$\varphi_f(u)$ は (10.5.26) 式より与えられる．もし符号付き順位得点を生成するために $\varphi^+(u) = \varphi[(u+1)/2]$ を選択するならば，対応する検定統計量 W_{φ^+} がすべての符号付き順位検定の中で最適であることを示すことができる．
(e) 以下の仮説を考える．
$$H_0 : \theta = 0, \quad H_1 : \theta > 0$$
ここでの統計量 W_{φ^+} の決定規則は，ある k に関して $W_{\varphi^+} \geq k$ ならば H_0 を棄却して H_1 を採択するというものである．(10.3.4) 式のアンチ順位の文脈から，W_{φ^+} を描け．また，H_0 のもとで W_{φ^+} は分布によらないことを示せ．
(f) H_0 のもとでの W_{φ^+} の平均と分散を決定せよ．
(g) 厳密に帰無分布を標準化するとき漸近的に正規分布に従うとする．漸近的検定を決定せよ．

10.6 適応的な方法

前節では，検定と推定のための十分に有効な順位に基づく方法を紹介した．しかしながら mle 法を用いる場合と同じように，最適な順位得点関数を選択するために，基礎をなす分布の形状が既知でなければならない．実際には基礎をなす分布の形状は未知であることが多い．この場合，中程度に裾の重い誤差分布に対して非常に有効なウィルコクスンのような得点関数を選ぶことができる．あるいは，誤差分布が正規分布によく近似していると考えられるならば，正規得点が適切な選択となる．ここでデータの得点選択に基づく手法を用いるとする．これらの手法は適応的な方法 (adaptive procedure) とよばれている．このような方法により得点関数の推定を試みることができる．例えば Naranjo and Mckean (1997) を参照せよ．しかしながらこれらの方法は膨大なデータセットを必要とすることが多い．得点の有界のクラスから，いくつかの基準に基づいて得点の選択を試みる別の適応的な方法がある．本節では分布によらないという特質を保持した検定のための，適応的な検定法を議論する．

10.6. 適応的な方法

調査者は単純仮説に関連したいくつかの検定統計量の評価を試み，調査者の態度を最も支持する (棄却であるような) 1 つの統計量を用いることが通常多い．明らかにこのタイプの手続きは，用いられている名目上の α から検定の実際の有意水準を変化させる．しかしながら，調査者が最初にデータを検査した後で，次にこの有意水準を変化させることなく検定統計量を選択できる方法がある．例えば $P(W_i \in C_i; H_0) = \alpha, i = 1, 2, 3$ であるような，棄却域 C_1, C_2, C_3 をそれぞれもつ，仮説 H_0 に関する 3 つの可能な検定統計量を仮定する．さらに同じデータに基づく統計量 Q は，統計量 W_1, W_2, W_3 のうちの 1 つ，そして唯一のものを選択し，次にその W は H_0 を検定するために用いられると仮定する．例えば $Q \in D_i, i = 1, 2, 3$ であるならば，検定統計量 W_i を選択する．ここで D_1, D_2 そして D_3 によって定義される事象は互いに排反ですべてを尽くしている．いま Q と各 W_i とが統計的独立であるとし，H_0 が真であるならば，すべての手続き (選択と検定) を用いることにより，棄却の確率は，H_0 のもとで次のようになる．

$$P_{H_0}(Q \in D_1, W_1 \in C_1) + P_{H_0}(Q \in D_2, W_2 \in C_2) + P_{H_0}(Q \in D_3, W_3 \in C_3)$$
$$= P_{H_0}(Q \in D_1) P_{H_0}(W_1 \in C_1) + P_{H_0}(Q \in D_2) P_{H_0}(W_2 \in C_2)$$
$$+ P_{H_0}(Q \in D_3) P_{H_0}(W_3 \in C_3)$$
$$= \alpha [P_{H_0}(Q \in D_1) + P_{H_0}(Q \in D_2) + P_{H_0}(Q \in D_3)] = \alpha$$

すなわち，これは独立な統計量 Q を用いて W_i を選択し，次に全体的に有意水準 α をもつ，統計量 W_i の有意水準 α の検定を構成するという手続きである．

もちろん，この手続きの重要な要素は各々の検定統計量 W と独立である選択統計量 Q を求めることができる能力である．H_0 によって与えられる母数の完備十分統計量が，それらの母数に分布が依存しないようなすべての統計量と独立であるという事実を用いることによって，この手続きはよくなされる．例えば 2 つの正規分布からサイズ n_1 と n_2 の統計的に独立な無作為標本が抽出されるとする．また分布の平均はそれぞれ μ_1, μ_2 であり，共通した分散は σ^2 である．すると μ_1, μ_2 に対する完備十分統計量 $\overline{X}, \overline{Y}$，$\sigma^2$ に対する完備十分統計量

$$V = \sum_1^{n_1}(X_i - \overline{X})^2 + \sum_1^{n_2}(Y_i - \overline{Y})^2$$

は，自身の分布が μ_1, μ_2，σ^2 によらない次のようなすべての統計量と独立である．

$$\frac{\sum_1^{n_1}(X_i - \overline{X})^2}{\sum_1^{n_2}(Y_i - \overline{Y})^2}, \quad \frac{\sum_1^{n_1}|X_i - \mathrm{median}(X_i)|}{\sum_1^{n_2}|Y_i - \mathrm{median}(Y_i)|}, \quad \frac{\mathrm{range}(X_1, X_2, \ldots, X_{n_1})}{\mathrm{range}(Y_1, Y_2, \ldots, Y_{n_2})}$$

それゆえに，一般的に H_0 のもとで，母数に関する完備十分統計量の関数である選択統計量 Q を求め，これが検定統計量と統計的に独立であることが期待できる．

ノンパラメトリック (nonparametric) 法において，母数 (parameter) の完備十分統計量に基づく独立性の結果を用いることによって，この方法を使用することは比較的容易であるということに注意することには意義がある．この状況において，連続型のcdf, F に対する完備十分統計量を求める必要がある．第6章において，$F'(x) = f(x)$ というpdfをもつ連続型の分布からのサイズ n の無作為標本の順序統計量 $Y_1 < Y_2 < \cdots < Y_n$ は f (あるいは F) の「母数」の十分統計量であることが示された．さらに分布族がすべての連続型の確率密度関数を含むならば，$Y_1, Y_2, \ldots, Y_n$ の同時確率密度関数の族もまた完備である．すなわち順序統計量 $Y_1, Y_2, \ldots, Y_n$ は f (あるいは F) の母数の完備十分統計量である．

したがって選択統計量 Q は H_0 のもとで，それらの完備十分統計量である順序統計量に基づいている．このことは，この型の基礎をなす分布に対して適切である，分布によらない検定を，独立に選択することを可能にし，また推論を最適化 (検定力を最大化) する．

多様な基礎をなす分布に対して，期待された有意水準 α に近い有意水準を維持する統計的検定で，これらすべての分布に対してよい (任意の1つの型の分布に対して最良である必要はない) 検定力をもつものは，頑健 (robust) であると記述される．例えば2つの正規分布の平均の等価性を検定するために用いられるプールされた t 検定 (スチューデントの t) は基礎をなす分布が同一の分散をもつ正規分布によく近似するという仮定のもとで極めて頑健である．しかしながら分布のクラスが，混入正規分布のような正規分布に非常に近いというわけではない分布を含んでいる場合，t に基づく検定は頑健で ない．すなわち，裾の重い分布に対して，有意水準は維持されず，t 検定の検定力は極めて小さいものとなりうる．実際問題として，分布のクラスが裾の重い分布を含んでいるならば，マン・ホイットニー・ウィルコクスン統計量 (10.4節) に基づく検定は t に基づく検定よりもより頑健な検定となる．

以下の例では2標本問題に適用される頑健であり分布によらない適応的な方法を示す．

例 10.6.1. $X_1, X_2, \ldots, X_{n_1}$ を cdf $F(x)$ である連続型の分布からの無作為標本とする．また $Y_1, Y_2, \ldots, Y_{n_2}$ を cdf $F(x - \Delta)$ である分布からの無作為標本とする．$n = n_1 + n_2$ は併合した標本サイズを示すとする．ここで，4つの分布によらない統計量の中から1つを用いて次を検定する．

$$H_0 : \Delta = 0, \quad H_1 : \Delta > 0$$

4つのうちの1つの統計量はウィルコクスンであり，他の3つの統計量はウィルコクスンの修正である．ここでこの検定統計量は次のように表される．

$$W_i = \sum_{j=1}^{n_2} a_i[R(Y_j)], \quad i = 1, 2, 3, 4 \tag{10.6.1}$$

ここで

10.6. 適応的な方法

$$a_i(j) = \varphi_i[j/(n+1)]$$

である．また 4 つの関数は図 10.6.1 に描画されている．得点関数 $\varphi_1(u)$ はウィルコクスンである．得点関数 $\varphi_2(u)$ は符号得点関数である．得点関数 $\varphi_3(u)$ は裾の短い分布に適しており，得点関数 $\varphi_4(u)$ は裾が長く，右に変動している対立仮説によって右に歪んでいる分布に適している．

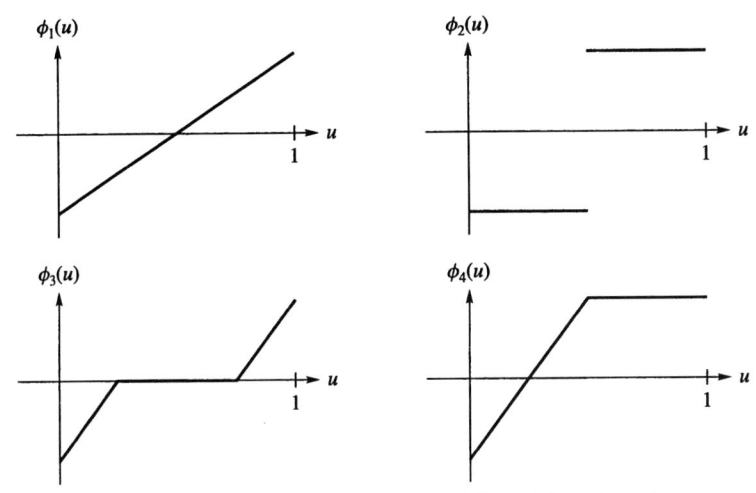

図 10.6.1 得点関数 $\varphi_1(u), \varphi_2(u), \varphi_3(u), \varphi_4(u)$ のプロット．

$V_1 < V_2 < \cdots < V_n$ によって結合された順序統計量を表現することによって，2 つの標本を 1 つに結合する．これらは帰無仮説のもとでの $F(x)$ の完備十分統計量である．$i=1,\ldots,4$ に関して，検定統計量 W_i は H_0 のもとで分布によらず，とりわけ W_i の分布は $F(x)$ に依存しない．したがって各々の W_i は $V_1, V_2, \ldots, V_n$ と独立である．$V_1, V_2, \ldots, V_n$ の関数である 1 組の選択統計量 (Q_1, Q_2) を用いることができる．したがって，統計量 (Q_1, Q_2) もまた各々の W_i と独立である．最初の選択統計量は次で与えられる．

$$Q_1 = \frac{\overline{U}_{0.05} - \overline{M}_{0.5}}{\overline{M}_{0.5} - \overline{L}_{0.05}} \tag{10.6.2}$$

ここで $\overline{U}_{0.05}, \overline{M}_{0.5}, \overline{L}_{0.05}$ はそれぞれ，V の上側の 5%，V の中央 50%，V の下側の 5% の平均である．Q_1 が大きいならば（すなわち 2 あるいはそれ以上），分布の右裾は左裾よりも長い．すなわち Q_1 は分布が右に歪んでいることの指標となる．一方で，$Q_1 < \frac{1}{2}$ であるならば，指標は分布が左に歪んでいる可能性を示す．第 2 の選択統計量は次で与えられる．

$$Q_2 = \frac{\overline{U}_{0.05} - \overline{L}_{0.05}}{\overline{U}_{0.5} - \overline{L}_{0.5}} \tag{10.6.3}$$

小さな値の Q_2 が分布の裾が軽いことを示す一方で，大きな値は分布の裾が重いことを示す．ここで得点選択のための規則が必要とされるのだが，Hogg et al. (1975) による文献に提案されている基準を利用することができる．これらの規則は，彼らによる基準とともに下記の表に記載されている．

基準	指標が示す分布	選択される得点
$Q_2 > 7$	裾の重い対称分布	φ_2
$Q_1 > 2$ と $Q_2 < 7$	右に歪曲	φ_4
$Q_1 \leq 2$ と $Q_2 \leq 2$	裾の軽い対称分布	φ_3
それ以外	適度に裾が重い分布	φ_1

Hogg et al. (1975) は互いに異なる尖度，歪度係数をもつ多数の分布を通じてこの適応的な方法に関して，モンテカルロ法による検定力の検証を行った．この研究において，適応的な方法そしてウィルコクソン検定の両者は分布の差に関係なく危険率 α を維持していたのに対して，スチューデントの t は維持しなかった．

さらにウィルコクソン検定は分布が正規分布 (尖度 $=3$，歪度 $=0$) から非常に逸脱するとき t 検定よりも高い検定力を保持していた．しかし適応的な方法は研究の関心となった，裾の短い分布，非常に裾の重い分布，非常に歪んだ分布に対してウィルコクソン検定よりも高い検定力を保持していた．■

これまで議論してきた適応的な分布によらない方法は検定に関するものであった．位置モデルを考え，位置 Δ のシフトの推定に興味があるとする．例えば真の F が正規 cdf ならば，Δ の統計量に関する最良の選択は 例 10.5.1 において議論された正規得点法である．しかしながらこの統計量は分布に依存するので，上述の論理を適用することはできない．また結合された標本実現値 $X_1, \ldots, X_{n_1}, Y_1, \ldots, Y_{n_2}$ は等しく分布していない．残差，$X_1, \ldots, X_{n_1}, Y_1 - \widehat{\Delta}, \ldots, Y_{n_2} - \widehat{\Delta}$ に基づく適応的な方法が存在する．ここで $\widehat{\Delta}$ は Δ の初期推定量である．詳細は Hettmansperger and McKean (1998) の 212 ページを参照せよ．

練習問題

10.6.1. 例 10.5.3 のデータを考える．
(a) 図 10.6.1 で描画された 4 つの得点関数 $\varphi_1(u)$, $\varphi_2(u)$, $\varphi_3(u)$, $\varphi_4(u)$ を用いて，このデータセットに対する例 10.6.1 の適応的な方法を用意せよ．
(b) 得点関数が次で与えられるとき，$j = 1, 2, 3, 4$, $n = 30$ に対する実際の得点 $a_j(i) = \varphi_j(i/(n+1))$ を求めよ．

$$\varphi_1(u) = 2u - 1 \quad 0 < u < 1$$
$$\varphi_2(u) = \text{sgn}(2u - 1) \quad 0 < u < 1$$

$$\varphi_3(u) = \begin{cases} 4u-1 & 0 < u \le \frac{1}{4} \\ 0 & \frac{1}{4} < u \le \frac{3}{4} \\ 4u-3 & \frac{3}{4} < u < 1 \end{cases}$$

$$\varphi_4(u) = \begin{cases} 4u-1 & 0 < u \le \frac{1}{2} \\ 1 & \frac{1}{2} < u < 1 \end{cases}$$

(c) 和が0となるように得点を標準化せよ.
(d) これら得点関数のそれぞれに対する漸近的検定統計量を求めよ.
(e) 次を検定するために適応的な方法を用いよ.

$$H_0 : \Delta = 0, \quad H_1 : \Delta > 0$$

ここで $\Delta = \mu_Y - \mu_X$ である.この検定の p 値を求めよ.

10.6.2. 例 10.4.1 のデータに対して練習問題 10.6.1 の適応的な方法を用いよ.

10.6.3. 自身の中央値 θ に対して対称である連続型の分布の分布関数を $F(x)$ とする. $H_1 : \theta > 0$ に対する $H_0 : \theta = 0$ の検定を行う.このとき X_i, $-X_i$, $i=1,2,\ldots,n$ を順番に並べた後に,$2n$ 個の値は H_0 は真であるという仮定のもとで F の完備十分統計量であるという性質を用いよ.

(a) 前の練習問題において定義された2標本得点関数 $\varphi_1(u)$, $\varphi_2(u)$, $\varphi_3(u)$ に対応する1標本の符号付き順位検定統計量を,練習問題10.5.14同様に求めよ.また漸近検定統計量を用いよ.これらの得点関数は $\frac{1}{2}$ に関する奇関数であることに注意してほしい.したがって上半分は符号付き順位統計量の得点関数として機能する.

(b) この問題では対称分布を仮定しているので,Q_2 のみを得点選択統計量として選択することができる.$Q_2 \ge 7$ ならば $\varphi_2(u)$ を選択し,$2 < Q_2 < 7$ ならば $\varphi_1(u)$ を選択する.そして最後に $Q_2 \le 2$ ならば $\varphi_3(u)$ を選択する.この適応的な分布によらない検定を構成せよ.

(c) 例 10.3.1 のダーウィンのトウモロコシのデータに対して先に構成した適応的な方法を用いよ.また p 値も求めよ.

10.7 単純線形モデル

本節では単純線形モデルを考える.またこのモデルに対する順位に基づく方法の概略を説明する.

次によって与えられる単純線形モデルを考える.

$$Y_i = \alpha + \beta(x_i - \overline{x}) + \varepsilon_i, \quad i = 1, 2, \ldots, n \tag{10.7.1}$$

ここで $\varepsilon_1, \varepsilon_2, \ldots, \varepsilon_n$ は連続型 cdf $F(x)$, pdf $f(x)$ に iid に従う．このモデルにおいて $x_1, x_2, \ldots, x_n$ は定数であると考えられる．母数 β は傾き母数であり, x が 1 単位増加したときの変化の期待値 (期待値が存在するという仮定のもとで) である．自然帰無仮説は次のようになる．

$$H_0: \beta = 0, \quad H_1: \beta \neq 0 \tag{10.7.2}$$

また H_0 のもとで, Y の分布は x に依存しない．

第 12 章の線形モデルのために，ここで順位に基づく手続きの幾何学を示す．ここで前節での議論に並行する発展系を示すのは容易である．したがって最初に H_0 の順位検定を説明し，次に検定を β の推定へと逆転させる．しかしながらこれを行う前に，10.4 節の 2 標本の位置問題は回帰問題であることを証明する例を示す．

例 10.7.1. 10.4 節同様に, $X_1, X_2, \ldots, X_{n_1}$ を連続型 cdf $F(x-\alpha)$ に従う分布からの無作為標本とする．ここで α は位置母数である．$Y_1, Y_2, \ldots, Y_{n_2}$ を cdf $F(x-\alpha-\Delta)$ からの無作為標本とする．したがって, Δ は X_i と Y_j の cdf 間の位置の変動である．$i = 1, \ldots, n_1$ に対して, $Z_i = X_i$, $i = n_1+1, \ldots, n$ に対して $Z_{n_1+i} = Y_i$ と実現値を再定義する．ここで $n = n_1 + n_2$ である．c_i は $1 \leq i \leq n_1$ か $n_1+1 \leq i \leq n$ のどちらであるかということに依存して, 0 あるいは 1 となるとする．すると 2 標本位置モデルを次のように表現することができる．

$$Z_i = \alpha + \Delta c_i + \varepsilon_i \tag{10.7.3}$$

ここで $\varepsilon_1, \varepsilon_2, \ldots, \varepsilon_n$ は cdf $F(x)$ に iid に従う．したがって位置の変動は，この観点からは傾き母数である．■

(10.7.1) 式の回帰モデルが成立し，さらに H_0 が真であると想定する．すると Y_i と $x_i - \bar{x}$ は互いに関係しておらず，無相関であることが期待できる．したがって検定統計量として $\sum_{i=1}^{n}(x_i - \bar{x})Y_i$ を考えることができる．練習問題 10.7.2 が証明するように，確率誤差 ε_i が正規分布に従うならば，適切に標準化された検定統計量は尤度比検定統計量であるということを付加的に仮定することができる．特定された得点関数に対して，同様の論理によって, H_0 のもとで, $a_\varphi(R(Y_i))$ と $x_i - \bar{x}$ は無相関であることが期待できる．したがって次の検定統計量を考える．

$$T_\varphi = \sum_{i=1}^{n}(x_i - \bar{x})a_\varphi(R(Y_i)) \tag{10.7.4}$$

ここで, $R(Y_i)$ は $Y_1, \ldots, Y_n$ の間の Y_i の順位を示しており, $a_\varphi(i) = \varphi(i/(n+1))$ は, $\int \varphi(u) \, du = 0$, $\int \varphi^2(u) \, du = 1$ となるように標準化された非減少得点関数 $\varphi(u)$ を示している．また 0 に近い T_φ の値は H_0 を示す．

H_0 が真であると仮定する．したがって $Y_1, \ldots, Y_n$ は iid である確率変数である．よって $Y_1, \ldots, Y_n$ の順位として整数 $\{1, 2, \ldots, n\}$ のすべての順列は同様に確からしい．このため $Y_1, \ldots, Y_n$ の分布は $F(x)$ に依存しない．しかしこの分布は $x_1, x_2, \ldots, x_n$

10.7. 単純線形モデル

に依存することに注意してほしい．それゆえに分布表を用いることはできない．しかしコンピュータによる高速計算を利用すればこの分布を生成することができる．$R(Y_i)$ は整数 $\{1, 2, \ldots, n\}$ 上で一様に分布しているので，T_φ の帰無期待値は 0 であることを証明することは容易である．帰無分散は 10.5 節の W_φ のものに従うので，その詳細は練習問題 10.7.4 に残すことにする．要約のために帰無積率を次のように与える．

$$E_{H_0}(T_\varphi) = 0, \quad \text{Var}_{H_0}(T_\varphi) = \frac{1}{n-1} s_a^2 \sum_{i=1}^{n}(x_i - \bar{x})^2 \tag{10.7.5}$$

ここで s_a^2 は (10.5.6) 式の得点の平方和である．また検定統計量は漸近的に正規分布に従うことを証明することができる．したがって仮説 (10.7.2) に関する危険率 α の漸近的な決定規則は次として与えられる．

$$|z| = \left|\frac{T_\varphi}{\sqrt{\text{Var}_{H_0}(T_\varphi)}}\right| \geq z_{\alpha/2} \text{ ならば } H_1 \text{ を採択し } H_0 \text{ を棄却する} \tag{10.7.6}$$

上式に関連する過程は次によって与えられる．

$$T_\varphi(\beta) = \sum_{i=1}^{n}(x_i - \bar{x}) a_\varphi(R(Y_i - x_i \beta)) \tag{10.7.7}$$

したがって対応する β の推定値は $\widehat{\beta}_\varphi$ によって与えられる．そしてこれは次の推定方程式を解くことによって得られる．

$$T_\varphi(\widehat{\beta}_\varphi) \doteq 0 \tag{10.7.8}$$

定理 10.5.1 同様に $T_\varphi(\beta)$ は，各標本の傾き $(Y_j - Y_i)/(x_j - x_i)$ で段階的に減少する β の減少階段関数であることを示すことができる．練習問題 10.7.3 を参照せよ．それゆえに推定値は存在する．これはクローズドフォームにおいて得ることはできないが，単純な反復法を用いることによって解を求めることができる．しかしながら回帰の問題では Y の予測が興味となることが多く，この場合 α の推定値もまた必要とされる．そのような推定値は残差に基づく位置の推定値として求められることに注意してほしい．このことは Hettmansperger and McKean (1998) の 3.5.2 項において詳細に議論されている．本節の目的に関連して，ここでは残差の中央値を考える．すなわち α を次のように推定する．

$$\widehat{\alpha} = \text{med}\{Y_i - \widehat{\beta}_\varphi(x_i - \bar{x})\} \tag{10.7.9}$$

傾きと切片のウィルコクスンの推定値はいくつかの統計パッケージで算出される．minitab のコマンド **rregr** はウィルコクスンのフィットを与える．Terpstra and McKean (2004) はこのフィットを算出する R と S–PLUS の多数の関数を作成している．ウェブサイト **www.stat.wmich.edu/slab/RGLM** においてこれらを入手することができる．このウェブサイトは以下の例で用いられている．

例 10.7.2 (電話のデータ). 練習問題 9.6.2 で議論された回帰データを考える．この

データセットにおける反応 (y) は，ベルギーにおいて 1950 年から 1970 年の間に生じた電話の利用回数 (1000 万を 1 単位とする) であるのに対して，年単位の時間が予測変数 (x) であったことを思い出してほしい．このデータは図 10.7.1 においてプロットされている．例として (10.7.1) 式のモデルをあてはめるためにウィルコクスン得点を用いた．この結果として推定値 $\widehat{\beta}_W = 0.145$ と $\widehat{\alpha} = -7.13$ が得られた．ウィルコクスンのあてはめ値 $\widehat{Y}_{\varphi,i} = -7.13 + 0.145 x_i$ は図 10.7.1 にプロットされている．練習問題 9.6.2 で求められた最小 2 乗法のあてはめ値 $\widehat{Y}_{LS,i} = -26.0 + 0.504 x_i$ もまたプロットされている．ウィルコクスンによるフィットが最小 2 乗法によるフィットよりも外れ値に対して敏感でないことに注意してほしい．

このデータセットの外れ値は記録ミスである．詳細に関しては Leroy (1987) の 25 ページを参照せよ．■

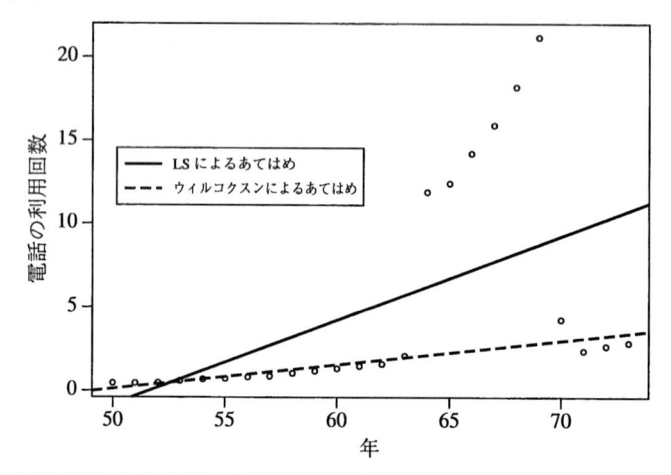

図 10.7.1 例 10.7.2 の電話のデータのプロット．ウィルコクスンと LS によるプロットへのフィットも重ねて表示．

補題 10.2.1 同様に，変換の性質は次によって与えられる過程 $T(\beta)$ に対しても維持される．

$$E_\beta[T(0)] = E_0[T(-\beta)] \tag{10.7.10}$$

練習問題 10.7.1 を参照せよ．さらに練習問題 10.7.5 が示すようにこの性質は，T_φ に基づく検定の不偏性を確認することによって $H_0: \beta = 0$ の片側検定の検定力曲線が単調であることを示す．

ここでこの過程の効率を導出することができる．$\mu_T(\beta) = E_\beta[T(0)]$ そして $\sigma_T^2(0) = \mathrm{Var}_0[T(0)]$ とする．(10.7.5) 式は $\sigma_T^2(0)$ に関する解を与える．平均 $\mu_T(\beta)$ に関して 0 における導関数を必要とすることを思い出してほしい．順位と経験 cdf の関係を自由に用いることができ，それによりこの経験 cdf を真の cdf に近似することができる．

10.7. 単純線形モデル

したがって次を得る.

$$\mu_T(\beta) = E_\beta[T(0)] = E_0[T(-\beta)] = \sum_{i=1}^n (x_i - \bar{x}) E_0[a_\varphi(R(Y_i + x_i\beta))]$$

$$= \sum_{i=1}^n (x_i - \bar{x}) E_0\left[\varphi\left(\frac{n\widehat{F}_n(Y_i + x_i\beta)}{n+1}\right)\right]$$

$$\doteq \sum_{i=1}^n (x_i - \bar{x}) E_0[\varphi(F(Y_i + x_i\beta))]$$

$$= \sum_{i=1}^n (x_i - \bar{x}) \int_{-\infty}^\infty \varphi(F(y + x_i\beta)) f(y)\, dy \qquad (10.7.11)$$

最後の式を微分することにより次式を得る.

$$\mu_T'(\beta) = \sum_{i=1}^n (x_i - \bar{x}) x_i \int_{-\infty}^\infty \varphi'(F(y + x_i\beta)) f(y + x_i\beta) f(y)\, dy$$

この式は次式を導く.

$$\mu_T'(0) = \sum_{i=1}^n (x_i - \bar{x})^2 \int_{-\infty}^\infty \varphi'(F(y)) f^2(y)\, dy \qquad (10.7.12)$$

また $x_1, x_2, \ldots, x_n$ に関する1つの仮定が必要となる. すなわち $n^{-1}\sum_{i=1}^n(x_i-\bar{x})^2 \to \sigma_x^2$ である. ここで $0 < \sigma_x^2 < \infty$ である. $(n-1)^{-1}s_a^2 \to 1$ を思い出してほしい. したがって過程 $T(\beta)$ の効率は次によって与えられる.

$$c_T = \lim_{n\to\infty} \frac{\mu_T'(0)}{\sqrt{n}\,\sigma_T(0)} = \lim_{n\to\infty} \frac{\sum_{i=1}^n(x_i-\bar{x})^2 \int_{-\infty}^\infty \varphi'(F(y))f^2(y)\,dy}{\sqrt{n}\sqrt{(n-1)^{-1}s_a^2}\sqrt{\sum_{i=1}^n(x_i-\bar{x})^2}}$$

$$= \sigma_x \int_{-\infty}^\infty \varphi'(F(y)) f^2(y)\, dy \qquad (10.7.13)$$

上式を用いることによって, T_φ に基づく検定の, 漸近的な検定力の補助定理を導出することができる. 練習問題 10.7.6 の (10.7.17) 式を参照せよ. またこれに基づいて推定量 $\widehat{\beta}_\varphi$ の漸近的な分布が次によって与えられることが証明できる.

$$\widehat{\beta}_\varphi \text{ は近似的に分布 } N\left(\beta, \tau_\varphi^2 \left(\sum_{i=1}^n (x_i - \bar{x})^2\right)^{-1}\right) \text{ に従う} \qquad (10.7.14)$$

また $\tau_\varphi = (\int_{-\infty}^\infty \varphi'(F(y)) f^2(y)\, dy)^{-1}$ によって尺度母数 τ_φ を定義する.

注意 10.7.1. 9.6節ではモデル (10.7.1) 式の最小2乗 (LS) 推定量について議論されたが, これは確率誤差 $\varepsilon_1, \varepsilon_2, \ldots, \varepsilon_n$ が分布 $N(0,\sigma^2)$ に iid に従う場合であった. 一般的に確率誤差が必ずしも正規分布しない場合は, LS推定量の漸近的分布はいくつかの仮定のもとで, 定理 12.4.1 において与えられる. 特にモデル (12.2.2) 式に関して, これらの条件のもとで, β の LS 推定量, すなわち $\widehat{\beta}_{LS}$ は次のような性質をもつ.

$\widehat{\beta}_{LS}$ は近似的に分布 $N\left(\beta, \sigma^2 \left(\sum_{i=1}^n (x_i - \overline{x})^2\right)^{-1}\right)$ に従う (10.7.15)

ここで σ^2 は ε_i の分散である．(10.7.14) 式と (10.7.15) 式から，順位に基づく推定量と LS 推定量の間の ARE は次によって与えられる．

$$ARE(\widehat{\beta}_\varphi, \widehat{\beta}_{LS}) = \frac{\sigma^2}{\tau_\varphi^2} \qquad (10.7.16)$$

したがって，ウィルコクスン得点が用いられるならばこの ARE は 1 標本と 2 標本位置モデルにおけるウィルコクスンと t 検定の ARE と等しい．∎

練習問題

10.7.1. (10.7.10) 式が成り立つことを確認せよ．これを行うため最初にこの式は次の式と等しいことに注意せよ．

$$E_\beta \left[\sum_{i=1}^n (x_i - \overline{x}) a_\varphi(R(Y_i))\right] = E_0 \left[\sum_{i=1}^n (x_i - \overline{x}) a_\varphi(R(Y_i + x_i \beta))\right]$$

そして次に Y_i の cdf (β のもとで) と $Y_i + x_i \beta$ (0 のもとで) は等しいことを証明せよ．

10.7.2. (10.7.1) 式のモデルは真であり，さらに $\varepsilon_1, \ldots, \varepsilon_n$ は $N(0, \sigma^2)$ に iid に従う確率変数であることを仮定する．このとき適切に標準化された検定統計量 $\sum_{i=1}^n (x_i - \overline{x}) Y_i$ は仮説 (10.7.2) の尤度比検定に用いることができることを証明せよ．

10.7.3. (10.7.3) 式で与えられる 2 標本モデルを考える．ウィルコクスン得点を仮定し，検定統計量 (10.7.4) 式は (10.4.3) 式によって求められたウィルコクスンの検定統計量と等しいことを証明せよ．

10.7.4. 検定統計量 T_φ の帰無分散は (10.7.5) 式で与えられた値であることを示せ．

10.7.5. (10.7.10) 式の変換の性質は $H_0: \beta = 0$ の検定統計量 T_φ に基づく片側検定の検定力関数は単調であることを示していることを証明せよ．

10.7.6. 次の仮説によって与えられる局所対立仮説の列を考える．

$$H_0: \beta = 0, \quad H_{1n}: \beta = \beta_n = \frac{\beta_1}{\sqrt{n}}$$

ここで $\beta_1 > 0$ である．$\gamma(\beta)$ を練習問題 10.7.5 において議論された，検定統計量 T_φ に基づく危険率 α の漸近的な検定の検定力関数とする．近似値 $\mu_T(\beta_n)$ に対する平均値定理を用いて，次の極限の証明を示せ．

$$\lim_{n \to \infty} \gamma(\beta_n) = 1 - \Phi(z_\alpha - c_T \beta_1) \qquad (10.7.17)$$

10.8 関連の指標

前節では，単純な線形回帰モデルについて議論した．そこでは，x が独立変数で固定された値とみなされた一方で，確率変数 Y は反応を表す従属変数とされた．回帰モデルは様々な状況で用いられる．実験計画では，独立変数の値はあらかじめ決められており，反応が観測される．生物学的検定 (用量–反応実験) はその例である．薬の投与量は固定されており，その反応が観測される．実験計画が統制された状況 (例えば，その他すべての変数が統制されているような状況) において実行されるのであれば，x と Y の間の因果関係を確定できる可能性がある．一方，観察研究では，x と Y の双方が観測される．そのような状況においても，回帰モデルの枠組みでは，x によって Y を予測することに関心が寄せられる．しかし，このような (x に加えて他の変数も異なっている可能性がある) 研究においては，x と Y の因果関係は考慮の対象から除かれることが普通である．

本節では，観察研究に焦点をあてながらも，Y と x の関連の強さに注意を向けることとする．したがって本節では，X と Y の両方を確率変数として扱い，関心の対象である分布は組 (X,Y) の 2 変量分布となる．この 2 変量分布は，cdf が $F(x,y)$，pdf が $f(x,y)$ である連続分布であるとする．

今後，(X,Y) を確率変数の組とする．自然に仮定される帰無モデル (ベースラインのモデル) は X と Y の間に何ら関連性がないというものである．つまり，帰無仮説は，$H_0: X$ と Y は独立である，という形で与えられる．ただし，対立仮説はどの関連の指標に興味があるかに依存する．例えば，X と Y の相関に関心がある場合，関連の指標として相関係数 ρ (9.7 節) が用いられるだろう．この場合には，両側対立仮説は $H_1: \rho \neq 0$ である．X と Y が互いに統計的独立であることは $\rho = 0$ を意味するが，その逆は必ずしも真ではないことを思い起こそう．しかし対偶は真である．すなわち，$\rho \neq 0$ であれば，X と Y は独立でない．したがって，H_0 を棄却することで，X と Y が統計的独立でないと結論されるだろう．さらに，ρ の大きさは X と Y の相関の強さを示している．

10.8.1 ケンドールの τ

本節で最初に取り上げる関連の指標は，X と Y の単調性 (monotonicity) の指標である．単調性は容易に理解される X と Y との関連性である．(X_1, Y_1) と (X_2, Y_2) を同一の 2 変量分布 (離散または連続) に従う独立な組とする．もし $\text{sgn}\{(X_1 - X_2)(Y_1 - Y_2)\} = 1$ ならば，これらを一致の位置にある組 (concordant pairs) とよび，$\text{sgn}\{(X_1 - X_2)(Y_1 - Y_2)\} = -1$ ならば，一致の位置にない組 (discordant pairs) とよぶ．組の間に一致的な傾向があるとき，変数 X と Y には増加的な関係があり，不一致の傾向の場合は減少関係がある．この指標はケンドールの τ (Kendall's τ) として

$$\tau = P[\text{sgn}\{(X_1 - X_2)(Y_1 - Y_2)\} = 1] - P[\text{sgn}\{(X_1 - X_2)(Y_1 - Y_2)\} = -1]$$
(10.8.1)

のように与えられる．練習問題 10.8.1 において示されるように，$-1 \leq \tau \leq 1$ である．正の値の τ は増加的な単調性を示し，負の値は減少的な単調性を示す．また，そのどちらでもないとき $\tau = 0$ である．さらにいえば，次の定理が示すように，X と Y が統計的に独立であるとき $\tau = 0$ である．

定理 10.8.1.
連続的な 2 変量分布に従う (X, Y) の観測値である独立な組を (X_1, Y_1) と (X_2, Y_2) とする．X と Y が統計的に独立であるならば，$\tau = 0$ である．

証明 (X, Y) と同一な連続的 2 変量分布に従う観測値の独立な組を (X_1, Y_1) と (X_2, Y_2) とする．cdf が連続的であるから，符号関数の値は -1 か 1 のどちらかである．独立性より

$$P[\text{sgn}(X_1 - X_2)(Y_1 - Y_2) = 1] = P[\{X_1 > X_2\} \cap \{Y_1 > Y_2\}]$$
$$+ P[\{X_1 < X_2\} \cap \{Y_1 < Y_2\}]$$
$$= P[X_1 > X_2] P[Y_1 > Y_2]$$
$$+ P[X_1 < X_2] P[Y_1 < Y_2]$$
$$= \left(\frac{1}{2}\right)^2 + \left(\frac{1}{2}\right)^2 = \frac{1}{2}$$

である．同様に，$P[\text{sgn}(X_1 - X_2)(Y_1 - Y_2) = -1] = \frac{1}{2}$ であるので，以上から，$\tau = 0$ である．∎

関連の指標としてのケンドールの τ に関して，ここで興味の対象となる両側仮説は

$$H_0: X \text{ と } Y \text{ は独立}, \quad \tau \neq 0$$
(10.8.2)

である．練習問題 10.8.1 が示すように，定理 10.8.1 の逆は成り立たない．しかし，対偶は真である．つまり，$\tau \neq 0$ は X と Y が独立でないことを示す．相関係数においてそうであったように，H_0 の棄却から X と Y が独立でないことを結論することが可能である．

ケンドールの τ には，簡単な不偏推定量が存在する．$(X_1, Y_1), (X_2, Y_2), \ldots, (X_n, Y_n)$ を cdf $F(x, y)$ からの無作為標本とし，次の統計量

$$K = \binom{n}{2}^{-1} \sum_{i < j} \text{sgn}\{(X_i - X_j)(Y_i - Y_j)\}$$
(10.8.3)

を定義する．すべての $i \neq j$ に対して，組 (X_i, Y_i) と (X_j, Y_j) は同一の分布に従っていることに注意すると，$E(K) = \binom{n}{2}^{-1} \binom{n}{2} E[\text{sgn}\{(X_1 - X_2)(Y_1 - Y_2)\}] = \tau$ である．

10.8. 関連の指標

K を (10.8.2) 式の仮説の検定統計量として利用するためには，その分布を帰無仮説のもとで導く必要がある．H_0 のもとでは $\tau = 0$ であり，$E_{H_0}(K) = 0$ である．K の帰無分散は (10.8.6) 式によって与えられる．例えば，Hettmansperger (1984) の 205 ページを参照せよ．標本の組 $(X_i, Y_i), (X_j, Y_j)$ のうち，そのすべてが一致の位置にある場合は，完全に増加的な単調関係を示す $K = 1$ となる．一方，もしすべての組が一致の位置にないときは，$K = -1$ である．したがって，K の範囲は区間 $[-1, 1]$ に含まれる．また，(10.8.3) 式の和がとられる部分は ± 1 のどちらかである．定理 10.8.1 の証明における議論から，和の部分が 1 である確率は 1/2 である．これは背後の分布に依存せず成立する．したがって，統計量 K は H_0 のもとで分布によらない．K の帰無分布は 0 に関して対称である．このことは次の事実から容易に確認できる．すなわち，一致の位置にある各組に対して，明らかに（Y の間の大小がちょうど反対である）一致の位置にない組の存在が想定でき，一致的な組と不一致的な組は H_0 のもとで同様に確からしい事象であるという事実である．K の帰無分布の表については，Hollander and Wolfe (1999) を参照されたい．また，H_0 のもとで K が漸近的に正規分布することも示すことができる．以上のことを定理の形でまとめよう．

定理 10.8.2.

$(X_1, Y_1), (X_2, Y_2), \ldots, (X_n, Y_n)$ を連続的な cdf $F(x, y)$ に従う 2 変量確率ベクトル (X, Y) の無作為標本とする．X と Y との独立性，すなわち $F(x, y) = F_X(x) F_Y(y)$ という帰無仮説のもとで，(X, Y) の台におけるすべての (x, y) に対して，検定統計量 K は次の性質を満たす．

$$K \text{ は分布によらず対称な pmf に従う} \tag{10.8.4}$$

$$E_{H_0}[K] = 0 \tag{10.8.5}$$

$$\mathrm{Var}_{H_0}(K) = \frac{2}{9} \frac{2n+1}{n(n-1)} \tag{10.8.6}$$

$$\frac{K}{\sqrt{\mathrm{Var}_{H_0}(K)}} \text{ は漸近的に } N(0, 1) \text{ に従う} \tag{10.8.7}$$

漸近的な検定に基づくと，(10.8.2) 式の仮説に対する大標本での有意水準 α の検定は，$Z_K > z_{\alpha/2}$ であるときに H_0 を棄却することになる．ここで，

$$Z_K = \frac{K}{\sqrt{2(2n+1)/9n(n-1)}} \tag{10.8.8}$$

である．次の例でこの検定を説明しよう．

表 10.8.1　例 10.8.1 のデータ

年	1500 m	マラソン*	年	1500 m	マラソン
1896	373.2	3530	1936	227.8	1759
1900	246	3585	1948	229.8	2092
1904	245.4	5333	1952	225.2	1383
1906	252	3084	1956	221.2	1500
1908	243.4	3318	1960	215.6	916
1912	236.8	2215	1964	218.1	731
1920	241.8	1956	1968	214.9	1226
1924	233.6	2483	1972	216.3	740
1928	233.2	1977	1976	219.2	595
1932	231.2	1896	1980	218.4	663

* 実際のマラソンのタイムは表の数値に 2 時間を足した値である．

例 10.8.1 (オリンピックレースの記録).　表 10.8.1 には 1896 年から始まり 1980 年までのオリンピックにおける 2 つの競技の優勝タイムが示されている．データは Hettmansperger (1984) からのものである．秒単位で示されたタイムは 1500m とマラソンのものである．表中のマラソン競技の数値は実際の値から 2 時間を引いて示してある．練習問題 10.8.2 において読者は 2 つの競技のタイムで散布図を描くよう要求される．散布図から 1 つの明らかな外れ値 (1896 年) と強い増加的な単調性がみてとれる．簡単な計算から $K = 0.695$ であることがわかる．対応する漸近的な検定統計量は $Z_K = 6.27$, p 値は 0.000 であり，H_0 を棄却する強固な論拠を示している．■

10.8.2　スピアマンのロー

上述の議論と同様に，$(X_1, Y_1), (X_2, Y_2), \ldots, (X_n, Y_n)$ を連続的な 2 変量の cdf $F(x, y)$ からの無作為標本であると仮定する．母相関係数 ρ は X と Y との直線的な関係の指標である．通常の推定は

$$r = \frac{\sum_{i=1}^{n}(X_i - \overline{X})(Y_i - \overline{Y})}{\sqrt{\sum_{i=1}^{n}(X_i - \overline{X})^2}\sqrt{\sum_{i=1}^{n}(Y_i - \overline{Y})^2}} \tag{10.8.9}$$

と定義される標本相関係数によって行われる．順序統計量との単純な対応は，X_i を $R(X_i)$ と置き換えることで実現される．ここで，$R(X_i)$ は $X_1, \ldots, X_n$ の中での X_i の順位を表している．同様に $Y_1, \ldots, Y_n$ における Y_i の順位を示す $R(Y_i)$ によって Y_i を置き換える．この代入を行うことで，上記の比の分母は定数となる．これにより，スピアマンのロー (Spearman's rho) とよばれる統計量

$$r_S = \frac{\sum_{i=1}^{n}(R(X_i) - \frac{n+1}{2})(R(Y_i) - \frac{n+1}{2})}{n(n^2-1)/12} \tag{10.8.10}$$

が得られる．この統計量 r_S は相関係数であるので，不等式 $-1 \leq r_S \leq 1$ が成り立つ．

10.8. 関連の指標

さらに，次の定理が示すように，統計的独立性は r_S に対応する汎関数 (母数) が 0 であることを示す．

定理 10.8.3.
連続的な cdf である $F(x,y)$ に従う (X,Y) の標本を $(X_1,Y_1),(X_2,Y_2),\ldots,(X_n,Y_n)$ とする．もし X と Y が統計的に独立ならば，$E(r_S) = 0$ である．

証明 統計的な独立性から，X_i と Y_j はすべての i と j において独立である．その順位 $R(X_i)$ と $R(Y_i)$ も互いに独立である．さらに，$R(X_i)$ は整数 $\{1,2,\ldots,n\}$ 上に一様に分布しているので，$E(R(X_i)) = (n+1)/2$ であり，ここから定理が導かれる．■

以上から，関連の指標 r_S をケンドールの K と同様に，独立性の帰無仮説に対する検定のために用いることが可能である．X_i のそれぞれは無作為標本なので，独立性のもとで確率ベクトル $(R(X_1),\ldots,R(X_n))$ は，整数 $\{1,2,\ldots,n\}$ の同様に確からしい任意の順列のうちの 1 つであると仮定される．また，Y_i の順位からなるベクトルも同様である．さらに，独立性のもとでは，確率ベクトル $[R(X_1),\ldots,R(X_n),R(Y_1),\ldots,R(Y_n)]$ は $(n!)^2$ のベクトル $(i_1,i_2,\ldots,i_n,j_1,j_2,\ldots,j_n)$ のうちのいずれかであり，そのどれも同様に確からしい．ここで，$(i_1,i_2,\ldots,i_n)$ と $(j_1,j_2,\ldots,j_n)$ は整数 $\{1,2,\ldots,n\}$ の順列である．したがって，独立性のもとで統計量 r_S は分布によらない．r_S の分布は離散的であり，その表は Hollander and Wolfe (1999) などにみることができる．ケンドールの統計量 K と同じように，その分布は 0 に関して対称的であり，漸近的に正規分布に従う．その漸近的な分散は $1/\sqrt{n-1}$ である．r_s の帰無分散の証明は練習問題 10.8.6 を参照せよ．大標本における有意水準 α での検定は，X と Y の独立性を $|z_S| > z_{\alpha/2}$ ならば棄却する形で行われる．ここで，$z_S = \sqrt{n-1}\,r_s$ である．これらの事実を定理の形で記そう．

定理 10.8.4.
連続的な cdf である $F(x,y)$ に従う 2 変量確率ベクトル (X,Y) の無作為標本を $(X_1,Y_1),(X_2,Y_2),\ldots,(X_n,Y_n)$ とする．(X,Y) の台におけるすべての (x,y) について X と Y とが互いに独立，すなわち $F(x,y) = F_X(x)F_Y(y)$，であるとする帰無仮説のもとで，検定統計量 r_S は次の性質を満たす．

r_S は分布によらず，また 0 に関して対称に分布する (10.8.11)

$E_{H_0}[r_S] = 0$ (10.8.12)

$\text{Var}_{H_0}(r_S) = \dfrac{1}{\sqrt{n-1}}$ (10.8.13)

$\dfrac{r_S}{\sqrt{\text{Var}_{H_0}(r_S)}}$ は漸近的に $N(0,1)$ に従う (10.8.14)

応用場面で統計量 r_S を計算することは容易である．単純に X と Y をその順位で置き換え，相関係数を返す任意の計算手段を用いればよい．本書では，例 10.8.1 のデータに対して，パッケージ minitab のコマンド rank を用いてまず順位を求めた後，コマンド corr を用いて相関係数を計算した．R や S–PLUS ならば，ベクトル x と y がデータを含んでいるとして，コマンド cor(rank(x),rank(y)) によって r_s を計算できる．

例 10.8.2 (例 10.8.1 の続き)． 例 10.8.1 のデータに対する r_s の値は 0.905 である．したがって，漸近的な検定統計量の値は $Z_S = 0.905\sqrt{19} = 3.94$ である．両側検定に対する p 値は 0.00008 であるので，H_0 を棄却するのに十分な証拠となる．■

標本に完全な増加的単調性の関係がある場合，$r_S = 1$ を確認することは容易である．一方，完全に減少的な単調性の関係がある場合は $r_S = -1$ である．ケンドールの K 統計量のように，r_S は母集団における値の推定値であるが，X と Y が統計的に独立である場合を除いて，τ よりも複雑な形となる．$\gamma = P[(X_2 - X_1)(Y_3 - Y_1) > 0]$ として

$$E(r_S) = \frac{3}{n+1}[\tau + (n-2)(2\gamma - 1)] \tag{10.8.15}$$

であることが示される (Kendall, 1962 を参照せよ)．大きな n に対しては，$E(r_S) \doteq 6(\gamma - 1/2)$ であり，この母数は一致度の指標 τ よりも解釈が困難である．

スピアマンのローはウィルコクスンのスコアに基づいているので，他の順位スコア関数に容易に拡張できる．これらの指標のいくつかは練習問題で議論される．

練習問題

10.8.1． ケンドールの τ が不等式 $-1 \leq \tau \leq 1$ を満たすことを示せ．

10.8.2． 例 10.8.1 を考える．Y を 1500 m 競技のある年の優勝タイムとし，X をその年のマラソンの優勝タイムとする．X と Y の散布図を描き，外れ値を見つけよ．

10.8.3． いまの問題を回帰の問題として再考しよう．1500 m の優勝タイムをマラソンの優勝タイムから予測したいものとする．単純な線形モデルを仮定し，最小 2 乗法とウィルコクスンによる方法 (10.7 節) でデータに当てはめよ．結果を練習問題 10.8.2 の散布図に重ねて描け．結果に関して考察せよ．この問題における傾き母数にはどのような意味があるか．

10.8.4． 練習問題 10.8.3 に関連して，予測の問題でより興味深いのは，年によってどちらかの競技の優勝タイムを予測することである．

(a) 年に対する 1500 m 競技の優勝タイムの散布図を描け．単純な線形モデル (この仮定は妥当だろうか) を仮定し，最小 2 乗法とウィルコクスンの方法 (10.7 節) でデータに当てはめよ．散布図に結果を重ねて描いて考察せよ．この問題における傾き母数にはどのような意味があるか．1984 年の優勝タイムを予測せよ．予測

10.8. 関連の指標

と実際のタイムにはどのくらいのズレがあるか．
(b) 1984 年のマラソンの優勝タイムについて，(a) と同様の予測を行え．

10.8.5. スピアマンのローはウィルコクスンのスコアに基づく順位相関係数である．この練習問題では一般スコア関数に基づいた順位相関係数を考察する．(X_1, Y_1), $(X_2, Y_2), \ldots, (X_n, Y_n)$ を 2 変量の連続的な cdf である $F(x, y)$ からの無作為標本とする．また，$a(i) = \varphi(i/(n+1))$ とする．ここで，$\sum_{i=1}^{n} a(i) = 0$ である．さらにいえば $\bar{a} = 0$ である．(10.5.6) 式のように，$s_a^2 = \sum_{i=1}^{n} a^2(i)$ とする．次の順位相関係数

$$r_a = \frac{1}{s_a^2} \sum_{i=1}^{n} a(R(X_i)) a(R(Y_i)) \tag{10.8.16}$$

を考える．
(a) r_a は標本

$$\{(a[R(X_1)], a[R(Y_1)]), (a[R(X_2)], a[R(Y_2)]), \ldots, (a[R(X_n)], a[R(Y_n)])\}$$

における相関係数であることを証明せよ．
(b) スコア関数 $\varphi(u) = \sqrt{12}(u - (1/2))$ に対して，$r_a = r_S$ (スピアマンのロー) であることを示せ．
(c) 符号スコア関数 $\varphi(u) = \operatorname{sgn}(u - (1/2))$ に対する r_a を求めよ．これを順位相関係数 r_{qc} とよぶ (添字 qc の意味は練習問題 10.8.7 から明らかとなる)．

10.8.6. 練習問題 10.8.5 で定義された一般スコア順位相関係数 r_a を考え，帰無仮説を $H_0 : X$ と Y は統計的に独立，とする．
(a) $E_{H_0}(r_a) = 0$ を示せ．
(b) 帰無分散を導く始めの足がかりとして，(a) と H_0 に基づき次の式が成り立つことを示せ．

$$\operatorname{Var}_{H_0}(r_a) = \frac{1}{s_a^4} \sum_{i=1}^{n} \sum_{j=1}^{n} E_{H_0}[a(R(X_i)) a(R(X_j))] E_{H_0}[a(R(Y_i)) a(R(Y_j))]$$

(c) 上式の期待値の部分を求めるために，$i = j$ と $i \neq j$ の 2 つの場合を考える．次に，順位の分布における一様性を利用して

$$\operatorname{Var}_{H_0}(r_a) = \frac{1}{s_a^4} \frac{1}{n-1} s_a^4 = \frac{1}{n-1} \tag{10.8.17}$$

を示せ．

10.8.7. 練習問題 10.8.5 の (c) において r_{qc} によって与えられた順位相関係数を考察する．Q_{2X} と Q_{2Y} は，それぞれ標本 $X_1, \ldots, X_n$ と $Y_1, \ldots, Y_n$ の中央値を表すものとする．いま，

$$I = \{(x, y) : x > Q_{2X}, y > Q_{2Y}\}$$
$$II = \{(x, y) : x < Q_{2X}, y > Q_{2Y}\}$$

$$III = \{(x,y): x < Q_{2X}, y < Q_{2Y}\}$$
$$IV = \{(x,y): x > Q_{2X}, y < Q_{2Y}\}$$

という 4 つの象限を考える．本質的に

$$r_{qc} = \frac{1}{n}\{\#(X_i,Y_i) \in I + \#(X_i,Y_i) \in III - \#(X_i,Y_i) \in II - \#(X_i,Y_i) \in IV\}$$
(10.8.18)

であることを証明せよ．したがって，r_{qc} は象限帰属個数 (quadrant count) 相関係数を表している．

10.8.8. 前の問題の r_{qc} について，漸近的な独立性の検定を構成せよ．次に，例 10.8.1 の 1500 m 競技とマラソン競技のタイム間の独立性に関する検定にそれを利用せよ．

10.8.9. 正規スコア，つまり $a(i) = \Phi^{-1}(i/(n+1))$, $i = 1,\ldots n$ というスコアが用いられた場合の順位相関係数を求めよ．これを r_N とする．r_N に対する漸近的な独立性の検定を構成し，例 10.8.1 の 1500 m 競技とマラソン競技のタイム間の独立性に関する検定に利用せよ．

10.8.10. 2 つの確率変数 X と Y の独立性に関する仮説を H_0 とする．すなわち，すべての対立仮説に対して $H_0 : F(x,y) = F_1(x)F_2(y)$ を検定したい．ここで，F, F_1, F_3 はそれぞれ，連続型確率変数の同時ならびに周辺分布関数である．この同時分布からの無作為標本を $(X_1,Y_1),(X_2,Y_2),\ldots,(X_n,Y_n)$ とする．H_0 のもとでの $X_1,X_2,\ldots,X_n$ の順序統計量と $Y_1,Y_2,\ldots,Y_n$ の順序統計量は，それぞれ H_0 のもとで F_1 と F_2 に対する完備十分統計量である．r_S, r_{qc}，ならびに r_N を用いて，H_0 に対する分布によらない適応型検定を構成せよ．

注意 10.8.1. 注目すべき興味深い事実は，適応的な方法では X と Y に対して異なるスコア関数を用いることができるということである．すなわち，複数の X の値による順序統計量が示唆するスコア関数とは別のスコア関数を Y の順序統計量は示唆するかもしれない．独立であるという帰無仮説のもとで，結果として構成された手続きから有意水準 α の検定が構成されることもある．■

第11章　ベイズ統計

11.1 主観確率

　主観確率 (subjective probability) はベイズ的な手法にとって基礎となるものである．したがって，本節ではこの考え方について概略を論じる．ある人が何らかの事象 C に $P(C) = \frac{2}{5}$ を割り当てたとしよう．このとき C に対するオッズ (odds) は

$$O(C) = \frac{1-P(C)}{P(C)} = \frac{1-\frac{2}{5}}{\frac{2}{5}} = \frac{3}{2}$$

となる．さらに，その人が賭けを行うことになれば，(1) C という事象が生起すれば 3 単位分を獲得し，生起しなければ 2 単位失う．(2) C が起こらなければ 2 単位を獲得し，そうでなければ 3 単位失う．というどちらかに応じることに異論はないだろう．もしそうでないならば，その人は事象 C に対する自分の主観確率を再検討すべきである．

　これは，できるだけ同じ大きさにチョコレートを分けようとしている 2 人の子供の状況と非常に似通っている．1 人が分けて，もう 1 人が分割されたチョコレートのうちどちらが好ましいか，つまりどちらが大きいかを選ぶという状況である．当然のことながら，チョコレートを分ける方の子供は，それをできるだけ均等に分けようと必死に努めるだろう．これは明らかに，オッズが確定した賭けのどちらか一方を選ぶことになったときに，主観的な確率を決めようとする人が行う行為そのものである．

　いま，C が起こった場合は 1 単位分を獲得し，そうでなければ，当然ながら $P(C)$ 分の損失を被ることを前提に，事象 C に対する適正な評価として主観確率 $P(C)$ を受け入れてもかまわないものとしよう．このとき，第 1 章で論じたすべての規則 (定義や定理) は主観確率についても結局は成立するということがわかる．それらすべての証明は与えないが，そのうちの 2 つについてだけは証明し，その他のいくつかは練習問題として残しておく．これらの証明は，個人的な対話の中でアイオワ大学の George Woodworth から筆者らに与えられたものである．

定理 11.1.1.
　C_1 と C_2 が互いに素であるならば，以下が成り立つ．

$$P(C_1 \cup C_2) = P(C_1) + P(C_2)$$

証明 ある人が C_1 に対する適正な評価を $p_1 = P(C_1)$ であると考え, C_2 については $p_2 = P(C_2)$ であると考えるものとする. しかし, この人は $C_1 \cup C_2$ に対する適正評価は $p_1 + p_2$ とは異なる p_3 であると信じているとする. 例えば, $p_3 < p_1 + p_2$ とし, その差を $d = (p_1 + p_2) - p_3$ としよう. 1人の胴元がこの人に $C_1 \cup C_2$ に対して $p_3 + \frac{d}{4}$ という評価を提示する. これは p_3 よりも大きいので, この人は提案を受け入れる. 胴元はこの人に C_1 を $p_1 - \frac{d}{4}$ という割安な評価で渡し, C_2 を $p_2 - \frac{d}{4}$ という割安な評価で渡す. p_1, p_2, p_3 に対して示された評価から, 理性的な人ならば, これら3つすべての取引はとても満足できるものだと考えるだろう. しかしながら, $p_3 + \frac{d}{4}$ を受け取るこの人は, $p_1 + p_2 - \frac{d}{2}$ を支払う. したがって, あらゆる賭けが行われる以前に, この人の収支は

$$p_3 + \frac{d}{4} - (p_1 + p_2 - \frac{d}{2}) = p_3 - p_1 - p_2 + \frac{3d}{4} = -\frac{d}{4}$$

となる. つまり, この人は賭けの以前に $\frac{d}{4}$ の損失を抱える.

- C_1 が起こるとしよう. このとき, 胴元は $C_1 \cup C_2$ で当たり, この人は C_1 で当たる. したがって, お互い単位分を交換するだけのこととなり, 依然としてこの人には $\frac{d}{4}$ の損失がある. C_2 が起こっても同様である.
- C_1 も C_2 も起こらない場合を考えよう. このとき, 胴元とこの人は何も得ず, したがって $\frac{d}{4}$ の損失のままである.
- C_1 と C_2 は互いに素なので, 当然ながらこれらは同時には起こらない.

以上から, この人が

$$p_3 = P(C_1 \cup C_2) < p_1 + p_2 = P(C_1) + P(C_2)$$

と割り当てることは不適切であることがわかる. なぜなら, 胴元は何が起ころうとも $(p_1 + p_2 - p_3)/4$ だけ損をする状況にこの人を追い込むことが可能だからである. これはしばしばダッチブック (Dutch book) とよばれる.

$p_3 > p_1 + p_2$ であるときの議論も同様であり, ダッチブックの状況に導くことができる. この証明は練習問題に残してある. 以上から, ダッチブックの状況を回避するには p_3 は $p_1 + p_2$ と等しくなければならない. すなわち, $P(C_1 \cup C_2) = P(C_1) + P(C_2)$ である. ∎

もうひとつ定理を証明しよう.

定理 11.1.2.
 $C_1 \subset C_2$ ならば, $P(C_1) \leq P(C_2)$ である.

証明 $p_1 = P(C_1) > p_2 = P(C_2)$ を適正評価と信じている人がいるとしよう. このとき, $d = p_1 - p_2$ ならば, 胴元はこの人に C_1 を $p_1 - \frac{d}{4}$ と引き換えに譲り, こ

11.1. 主観確率

の人から C_2 を $p_2 + \frac{d}{4}$ で譲り受ける．この人がもし本当に $p_1 > p_2$ を信じるならば，この取引は両方ともよいものである．賭けが行われる以前に，この人の収支は

$$p_2 + \frac{d}{4} - (p_1 - \frac{d}{4}) = p_2 - p_1 + \frac{d}{2} = -d + \frac{d}{2} = -\frac{d}{2}$$

であり，したがって，$\frac{d}{2}$ の損失を抱える．

- C_1 が真ならば C_2 は真であり，両者ともお互いから 1 単位分勝利し，この人は依然として $\frac{d}{2}$ の損失である．
- C_2 が起こり C_1 は起こらなかった場合は，胴元はこの人から 1 単位分勝利し，この人は $1 + \frac{d}{2}$ の損失である．
- C_1 も C_2 も生起しないときは，胴元もこの人も何も得ず，やはり $\frac{d}{2}$ の損失のままである．

以上から，この人は何が生起しても損をすることがわかる．つまり $p_1 > p_2$ のときはダッチブックの状況である．したがって，$p_1 > p_2$ は不適切であり，このことから $p_1 \leq p_2$ が適正な評価でなければならない．■

練習問題の中では以下を証明するためのヒントが示されている．

$P(\mathcal{C}) = 1$ (練習問題 11.1.3)

$P(C^c) = 1 - P(C)$ (練習問題 11.1.4)

$C_1 \subset C_2$ かつ $C_2 \subset C_1$ (すなわち $C_1 \equiv C_2$) ならば，$P(C_1) = P(C_2)$ (練習問題 11.1.5)

C_1, C_2, C_3 が互いに素ならば，$P(C_1 \cup C_2 \cup C_3) = P(C_1) + P(C_2) + p(C_3)$ (練習問題 11.1.6)

$P(C_1 \cup C_2) = P(C_1) + P(C_2) - P(C_1 \cap C_2)$ (練習問題 11.1.7)

ベイジアン (Bayesian) は，C_2 が真である場合に限ったときの C_1 の適正評価である $P(C_1|C_2)$ のような主観条件付き確率についても研究を進めている．C_2 が真でないときは賭けは取り止めとなる．もちろん，$P(C_1|C_2)$ は $P(C_1)$ とは異なる可能性がある．説明のために，例えば C_2 を「今日雨が降る」という事象とし，C_1 を「そのような日に外にいる人は風邪をひく」という事象としよう．おそらくほとんどの人は

$P(C_1) < P(C_1|C_2)$

となるように適正評価を割り当てるだろう．つまり，雨の日には風邪をひきやすいと考えるということである．

賭けの代償 $P(C_1|C_2)$ は C_2 が起こらなければ返還されることに注意してダッチブックの状況を生み出すことによって，ベイジアンはさらに

$$P(C_1 \cap C_2) = P(C_2)P(C_1|C_2)$$

を示すことができる．しかしながら，ここではこの命題は考察せず，確率に対して主観というアプローチを用いても主観確率の法則のすべては第1章と同じであることを述べるに留めておく．

練習問題

11.1.1. 次に示す金額は A, B, C, D, E で示される馬が勝った場合の賭け金である．

馬	金額
A	600,000 ドル
B	200,000
C	100,000
D	75,000
E	25,000
合計	1,000,000

胴元は20%の上前，すなわち200,000ドルを取ることを望んでいるとしよう．5頭のそれぞれに2ドルずつ賭けた場合の最終的な利得を求めよ（この例では，2着や3着は考慮しないものとする）．
ヒント：胴元が全くお金を得ないように（つまり，胴元の取り分が0であるように）適正な利得を考えよ．そのようにしてから，この利得の80%を計算せよ．

11.1.2. 定理11.1.1の証明において，$p_3 < p_1 + p_2$ の場合を考察した．いま，この人が $p_3 > p_1 + p_2$ を信じているものとして，ダッチブックを構成せよ．
ヒント：$d = p_3 - (p_1 + p_2)$ とせよ．胴元は，割り増し評価の $p_1 + d/4$ で C_1 を，$p_2 + d/4$ で C_2 をこの人から譲り受ける．それから，胴元はこの人に $C_1 \cup C_2$ を割り引き評価の $p_3 - d/4$ で渡す．$p_3 > p_1 + p_2$ だと信じている人にとってすべての取引は満足できるものである．この人がダッチブックの状況であることを示せ．

11.1.3. $P(\mathcal{C}) = 1$ であることを示せ．
ヒント：ある人が $P(\mathcal{C}) = p \neq 1$ と考えていると仮定し，2つの場合，すなわち $p > 1$ と $p < 1$ の場合を考えよ．最初の状況では，例えば $d = p - 1$ とし，胴元がこの人に割り引き評価の $1 + d/2$ で $\mathcal{C}$ を渡すとする．当然ながら，Ω は生起し，胴元はこの人に1単位支払うが，この人は $1 + d/2 - 1 = d/2$ の損失である．したがって，これはダッチブックである．続けてもう一方の場合について考察せよ．

11.1.4. $P(C^c) = 1 - P(C)$ を示せ．
ヒント：$C^c \cup C = \mathcal{C}$ である．また，定理11.1.1と練習問題11.1.3を利用せよ．

11.1.5. $C_1 \subset C_2$ かつ $C_2 \subset C_1$（すなわち $C_1 \equiv C_2$）であるならば，$P(C_1) = P(C_2)$ であることを示せ．
ヒント：定理11.1.2の結果を2回用いよ．

11.2. ベイズ法

11.1.6. C_1, C_2, C_3 が互いに素であるならば, $P(C_1 \cup C_2 \cup C_3) = P(C_1) + P(C_2) + P(C_3)$ であることを示せ.
ヒント: $C_1 \cup C_2 \cup C_3 = C_1 \cup (C_2 \cup C_3)$ と表記し, 定理 11.1.1 の結果を 2 度利用せよ.

11.1.7. $P(C_1 \cup C_2) = P(C_1) + P(C_2) - P(C_1 \cap C_2)$ を示せ.
ヒント: $C_1 \cup C_2 \equiv C_1 \cup (C_1^c \cap C_2)$ であり, $C_2 \equiv (C_1 \cap C_2) \cup (C_1^c \cap C_2)$ である. また, 定理 11.1.1 を 2 度使い, いくらかの代数計算を行え.

11.2 ベイズ法

ベイズ推測を理解するために, 分布の母数を決定するような場合でのベイズの定理 (1.4.1) を再検討する. 母数 $\theta > 0$ をもつポアソン分布を考え, 母数は $\theta = 2$ か $\theta = 3$ のどちらかであると仮定する. ベイズ推測において, 母数は確率変数 Θ として扱われる. この例では, 主観的な事前確率 (prior probability) の 2 つの可能な値として $P(\Theta = 2) = \frac{1}{3}$ と $P(\Theta = 3) = \frac{2}{3}$ を与えると仮定する. これらの主観確率は過去の経験に基づいており, Θ が, 連続量 $\theta > 0$ (についてはこの導入の後すぐに取り扱う) のかわりに, 2 つの値のうち 1 つしかとることができないという仮定は非現実的であるかもしれない. いま, サイズ $n = 2$ の無作為標本が $x_1 = 2, x_2 = 4$ という観測値を得たものと仮定する. これらのデータが与えられた場合, $\Theta = 2$ と $\Theta = 3$ の事後確率 (posterior probability) は何であるだろうか. ベイズの定理により, 以下を得る.

$$P(\Theta = 2 | X_1 = 2, X_2 = 4) = \frac{P(\Theta = 2, X_1 = 2, X_2 = 4)}{P(X_1 = 2, X_2 = 4)}$$

$$= \frac{(\frac{1}{3}) \frac{e^{-2} 2^2}{2!} \frac{e^{-2} 2^4}{4!}}{(\frac{1}{3}) \frac{e^{-2} 2^2}{2!} \frac{e^{-2} 2^4}{4!} + (\frac{2}{3}) \frac{e^{-3} 3^2}{2!} \frac{e^{-3} 3^4}{4!}}$$

$$= 0.245$$

同様に,

$$P(\Theta = 3 | X_1 = 2, X_2 = 4) = 1 - 0.245 = 0.755$$

となる. つまり, 観測値 $x_1 = 2, x_2 = 4$ が所与のときの $\Theta = 2$ の事後確率は $\Theta = 2$ の事前確率よりも小さくなった. 同様に, $\Theta = 3$ の事後確率は対応する事前確率よりも大きくなった. こういうわけで, 観測値 $x_1 = 2, x_2 = 4$ は $\Theta = 2$ よりも $\Theta = 3$ の方に有利に働くようである. またこの結果は, $\bar{x} = 3$ なので直感的に納得のいくものである. ここでは一般的に, 台が連続型の事前 pdf $h(\theta)$ である, より現実的な状況を取り扱うこととする.

11.2.1 事前分布と事後分布

ここでは,推定の問題に対してベイジアンのアプローチ方法を述べるつもりである.このアプローチでは,当該実験に関して統計学者がもっている任意の事前知識を考慮するものであり,ベイズ統計学 (Bayesian statistics) とよばれる統計的推測の原理に関する応用の一種である.ここで,記号 θ に依存するある確率分布に従う確率変数 X を考える.ただし,θ は特定の集合 Ω の要素であるとする.例えば,もし記号 θ が正規分布の平均であるなら,Ω は実数直線である.θ を未知ではあるが存在する母数とみなしてきた.ここで,集合 Ω における,ある確率分布に従う確率変数 Θ を導入する.また,x を確率変数 X のとりうる値とするのとちょうど同じように,θ を確率変数 Θ のとりうる値とみなす.したがって,X の分布は確率変数 Θ の実験値である θ に依存する.Θ の pdf を $h(\theta)$ と表記し,θ が集合 Ω の要素ではないときには $h(\theta)=0$ をとることにする.このとき,pdf $h(\theta)$ は Θ の事前 pdf (prior pdf) とよばれる.さらに,X の pdf を $\Theta = \theta$ が所与のときの X の条件付き pdf として考えるので,$f(x|\theta)$ と表記する.明確にするために,本章では,このモデルに関して,以下のように要約して用いるつもりである.

$$X|\theta \sim f(x|\theta)$$
$$\Theta \sim h(\theta) \tag{11.2.1}$$

$X_1, X_2, \ldots, X_n$ を pdf $f(x|\theta)$ である $\Theta = \theta$ が所与のときの X の条件付き分布からの無作為標本であると仮定する.本章では,ベクトル表記を用いると便利である.よって,$\mathbf{X}' = (X_1, X_2, \ldots, X_n)$ および $\mathbf{x}' = (x_1, x_2, \ldots, x_n)$ と表記する.したがって,$\Theta = \theta$ が所与のときの $\mathbf{X}$ の同時条件付き pdf を以下のように表すことができる.

$$L(\mathbf{x}|\theta) = f(x_1|\theta)f(x_2|\theta)\cdots f(x_n|\theta) \tag{11.2.2}$$

つまり,$\mathbf{X}$ と Θ の同時 pdf は以下である.

$$g(\mathbf{x}, \theta) = L(\mathbf{x}|\theta)h(\theta) \tag{11.2.3}$$

もし Θ が連続型の確率変数であるなら,$\mathbf{X}$ の同時周辺 pdf は以下によって与えられる.

$$g_1(\mathbf{x}) = \int_{-\infty}^{\infty} g(\mathbf{x}, \theta)\, d\theta \tag{11.2.4}$$

また,もし Θ が離散型の確率変数であるなら,積分を総和に置き換えるとよい.どちらの場合でも,標本 $\mathbf{X}$ が与えられたときの Θ の条件付き pdf は以下である.

$$k(\theta|\mathbf{x}) = \frac{g(\mathbf{x}, \theta)}{g_1(\mathbf{x})} = \frac{L(\mathbf{x}|\theta)h(\theta)}{g_1(\mathbf{x})} \tag{11.2.5}$$

この条件付き pdf によって定義された分布は事後分布 (posterior distribution) とよばれ,(11.2.5) 式は事後 pdf (posterior pdf) とよばれる.事前分布は標本が得られる前の Θ の主観的信念を反映しており,一方,事後分布は標本が得られた後での Θ の条

11.2. ベイズ法

件付き分布である．これらの分布に関する発展的な議論を以下に実例をあげて示す．

例 11.2.1. 以下のモデルを考える．

$X_i|\theta \sim$ iid Poisson(θ)

$\Theta \sim \Gamma(\alpha, \beta), \alpha$ と β は既知である

ゆえに，無作為標本は平均が θ であるポアソン分布から得られ，事前分布は分布 $\Gamma(\alpha, \beta)$ である．$\mathbf{X}' = (X_1, X_2, \ldots, X_n)$ とする．したがってこの場合では，(11.2.2) 式のような，$\Theta = \theta$ が所与のときの $\mathbf{X}$ の同時条件付き pdf は以下のようになる．

$$L(\mathbf{x}|\theta) = \frac{\theta^{x_1}e^{-\theta}}{x_1!} \cdots \frac{\theta^{x_n}e^{-\theta}}{x_n!}, \quad x_i = 0, 1, 2, \ldots, i = 1, 2, \ldots, n$$

また，事前 pdf は，

$$h(\theta) = \frac{\theta^{\alpha-1}e^{-\theta/\beta}}{\Gamma(\alpha)\beta^\alpha}, \quad 0 < \theta < \infty$$

である．それゆえに，$x_i = 0, 1, 2, 3, \ldots, i = 1, 2, \ldots, n$ および $0 < \theta < \infty$ が与えられたとき，連続型と離散型の同時混合 pdf は以下のようになり，それ以外では 0 となる．

$$g(\mathbf{x}, \theta) = L(\mathbf{x}|\theta)h(\theta) = \left[\frac{\theta^{x_1}e^{-\theta}}{x_1!} \cdots \frac{\theta^{x_n}e^{-\theta}}{x_n!}\right]\left[\frac{\theta^{\alpha-1}e^{-\theta/\beta}}{\Gamma(\alpha)\beta^\alpha}\right]$$

このとき，(11.2.4) 式で与えられる標本の周辺分布は以下のようになる．

$$g_1(\mathbf{x}) = \int_0^\infty \frac{\theta^{\sum x_i + \alpha - 1}e^{-(n+1/\beta)\theta}}{x_1!\cdots x_n!\Gamma(\alpha)\beta^\alpha}\, d\theta = \frac{\Gamma(\sum_1^n x_i + \alpha)}{x_1!\cdots x_n!\Gamma(\alpha)\beta^\alpha(n+1/\beta)^{\sum x_i + \alpha}} \quad (11.2.6)$$

最終的に，$0 < \theta < \infty$ が与えられたとき，(11.2.5) 式のような $\mathbf{X} = \mathbf{x}$ が所与のときの Θ の事後 pdf は以下のようになり，それ以外では 0 となる．

$$k(\theta|\mathbf{x}) = \frac{L(\mathbf{x}|\theta)h(\theta)}{g_1(\mathbf{x})} = \frac{\theta^{\sum x_i + \alpha - 1}e^{-\theta/[\beta/(n\beta+1)]}}{\Gamma(\sum x_i + \alpha)[\beta/(n\beta+1)]^{\sum x_i + \alpha}} \quad (11.2.7)$$

この条件付き pdf は，母数が $\alpha^* = \sum_{i=1}^n x_i + \alpha$ および $\beta^* = \beta/(n\beta+1)$ であるガンマ型の一種である．ただし，事後 pdf は事前情報 (α, β) と標本の情報 $(\sum_{i=1}^n x_i)$ の両方を反映しているということに注意しよう．■

例 11.2.1 では，事後 pdf $k(\theta|\mathbf{x})$ を見つけるために，周辺 pdf $g_1(\mathbf{x})$ を必ずしも定義する必要はないということに注目してほしい．$L(\mathbf{x}|\theta)h(\theta)$ を $g_1(\mathbf{x})$ で除する場合，$\mathbf{x}$ には依存するが θ には<u>依存しない</u>ような $c(\mathbf{x})$ という因数と以下の式の積を得るはずなのである．

$$\theta^{\sum x_i + \alpha - 1}e^{-\theta/[\beta/(n\beta+1)]}$$

つまり，$0 < \theta < \infty$ および $x_i = 0, 1, 2, \ldots, i = 1, 2, \ldots, n$ が与えられたとき，以下の

ようになる.

$$k(\theta|\mathbf{x}) = c(\mathbf{x})\theta^{\sum x_i + \alpha - 1} e^{-\theta/[\beta/(n\beta+1)]}$$

しかしながら,$c(\mathbf{x})$ は $k(\theta|\mathbf{x})$ が pdf となるような"定数",すなわち以下のようでなければならない.

$$c(\mathbf{x}) = \frac{1}{\Gamma\left(\sum x_i + \alpha\right) [\beta/(n\beta+1)]^{\sum x_i + \alpha}}$$

このことにより,よく $k(\theta|\mathbf{x})$ は $L(\mathbf{x}|\theta)h(\theta)$ に比例するものとして表す.つまり,事後 pdf は以下のように表される.

$$k(\theta|\mathbf{x}) \propto L(\mathbf{x}|\theta)h(\theta) \tag{11.2.8}$$

上式の右辺では,定数と $\mathbf{x}$ のみ (θ ではない) に関連したすべての因数が消去されているということに注意しよう.例として,例 11.2.1 で示された問題の解答として,単純に以下のように表す.

$$k(\theta|\mathbf{x}) \propto \theta^{\sum x_i} e^{-n\theta} \theta^{\alpha-1} e^{-\theta/\beta}$$

あるいは,それと同等に,$0 < \theta < \infty$ のとき,

$$k(\theta|\mathbf{x}) \propto \theta^{\sum x_i + \alpha - 1} e^{-\theta/[\beta/(n\beta+1)]}$$

それ以外では 0 のように表す.明らかに,$k(\theta|\mathbf{x})$ は母数が $\alpha^* = \sum x_i + \alpha$ と $\beta^* = \beta/(n\beta+1)$ であるガンマ pdf でなければならない.

この点で考えられるもうひとつの見解がある.以下のように母数の十分統計量 $Y = u(\mathbf{X})$ が存在するものと仮定する.

$$L(\mathbf{x}|\theta) = g[u(\mathbf{x})|\theta]H(\mathbf{x})$$

ここでは,$g(y|\theta)$ は,$\Theta = \theta$ が所与のときの Y の pdf である.このとき,以下のように表記する.

$$k(\theta|\mathbf{x}) \propto g[u(\mathbf{x})|\theta]h(\theta)$$

なぜなら,θ に依存していない因数 $H(\mathbf{x})$ は消去されるからである.したがって,母数の十分統計量 Y が存在する場合,Y の pdf を利用して,以下のように書くこともできる.

$$k(\theta|y) \propto g(y|\theta)h(\theta) \tag{11.2.9}$$

ただしここでは,$k(\theta|y)$ は十分統計量 $Y = y$ が所与のときの Θ の条件付き pdf である.十分統計量 Y の場合には,Y の周辺 pdf を表すために $g_1(y)$ と表記する.つまり,連続型の場合では,

$$g_1(y) = \int_{-\infty}^{\infty} g(y|\theta)h(\theta)\,d\theta$$

となる.

11.2.2 ベイズ流点推定

θ の点推定量を求めたいとする．ベイジアンの観点から，計算された値 $\mathbf{x}$ と条件付き pdf $k(\theta|\mathbf{x})$ が既知のとき，この点推定量は $\delta(\mathbf{x})$ が θ (確率変数 Θ の実験値) の予測値であるように選ばれた決定関数 δ と実質的に等しい．一般的に，観測値に"よく近似された"予測を行いたい場合，確率変数 (例えば W) の実験値をどのように予測したらよいだろうか．多くの統計学者は，W の分布の平均 $E(W)$ で予測するだろう．他の統計学者は W の分布の (おそらく一意な) 中央値で予測するだろう．またその他の人たちは他の予測値で予測するだろう．しかしながら，決定関数の選択は損失関数 $\mathcal{L}[\theta, \delta(\mathbf{x})]$ に依存することが望ましい．この損失関数への依存が反映できる方法のひとつとして，損失の条件付き期待値を最小にするように決定関数 δ を選択する方法がある．Θ が連続型の確率変数である場合，ベイズの推定量とは以下を最小化するような決定関数 δ である．

$$E\{\mathcal{L}[\Theta, \delta(\mathbf{x})]|\mathbf{X}=\mathbf{x}\} = \int_{-\infty}^{\infty} \mathcal{L}[\theta, \delta(\mathbf{x})] k(\theta|\mathbf{x}) \, d\theta$$

すなわち，

$$\delta(\mathbf{x}) = \operatorname{Argmin} \int_{-\infty}^{\infty} \mathcal{L}[\theta, \delta(\mathbf{x})] k(\theta|\mathbf{x}) \, d\theta \tag{11.2.10}$$

である．これに関連した確率変数 $\delta(\mathbf{X})$ は θ のベイズの推定量とよばれる．確率変数が離散型の場合は，通常はこの等式の右辺を修正する．もし損失関数が $\mathcal{L}[\theta, \delta(\mathbf{x})] = [\theta - \delta(\mathbf{x})]^2$ により与えられたなら，ベイズの推定値は $\delta(\mathbf{x}) = E(\Theta|\mathbf{x})$，すなわち $\mathbf{X} = \mathbf{x}$ が所与のときの Θ の条件付き分布の平均となる．これは，もし $E[(W-b)^2]$ が存在するなら，それが $b = E(W)$ のとき最小となるという事実からいえる．また，もし損失関数が $\mathcal{L}[\theta, \delta(\mathbf{x})] = |\theta - \delta(\mathbf{x})|$ により与えられたなら，$\mathbf{X} = \mathbf{x}$ が所与のときの Θ の条件付き分布の中央値がベイズの解となる．これは，もし $E(|W-b|)$ が存在するなら，それが b が W の分布の中央値と等しいとき，最小となるという事実からいえる．

θ の関数，例えば特定化された関数 $l(\theta)$ における $l(\theta)$ を推定するために，これを一般化することは容易である．損失関数 $\mathcal{L}[\theta, \delta(\mathbf{x})]$ において，$l(\theta)$ のベイズ推定値 (Bayes' estimate) は以下を最小化する決定関数 δ である．

$$E\{\mathcal{L}[l(\Theta), \delta(\mathbf{x})]|\mathbf{X}=\mathbf{x}\} = \int_{-\infty}^{\infty} \mathcal{L}[l(\theta), \delta(\mathbf{x})] k(\theta|\mathbf{x}) \, d\theta$$

確率変数 $\delta(\mathbf{X})$ は $l(\theta)$ のベイズ推定量 (Bayes' estimator) とよばれている．

$\mathbf{X} = \mathbf{x}$ が所与のときの損失の条件付き期待値により，標本 $\mathbf{X}$ の関数である確率変数が定義される．本節の記法では，$\mathbf{X}$ の関数の期待値は，連続型の場合，以下により与えられる．

$$\int_{-\infty}^{\infty} \left\{ \int_{-\infty}^{\infty} \mathcal{L}[\theta, \delta(\mathbf{x})] k(\theta|\mathbf{x}) \, d\theta \right\} g_1(\mathbf{x}) \, d\mathbf{x} = \int_{-\infty}^{\infty} \left\{ \int_{-\infty}^{\infty} \mathcal{L}[\theta, \delta(\mathbf{x})] L(\mathbf{x}|\theta) \, d\mathbf{x} \right\} h(\theta) d\theta$$

後者の式における中括弧の中の積分は，すべての与えられた $\theta \in \Theta$ における危険関数

(risk function) $R(\theta,\delta)$ である．その結果，後者の式は危険度の平均値，あるいは期待された危険度になる．$g(\mathbf{x})>0$ となるすべての $\mathbf{x}$ において，ベイズの推定値 $\delta(\mathbf{x})$ は以下を最小化するので，ベイズの推定値 $\delta(\mathbf{x})$ はこの危険度の平均値を最小化するということは明らかである．

$$\int_{-\infty}^{\infty} \mathcal{L}[\theta,\delta(\mathbf{x})]k(\theta|\mathbf{x})\,d\theta$$

次に2つの例を示す．

例 11.2.2. 以下のモデルを考える．

$X_i|\theta \sim \text{iid}, b(1,\theta)$

$\Theta \sim \text{Beta}\,(\alpha,\beta), \alpha$ と β は既知である

すなわち，事前 pdf は以下のようになる．

$$h(\theta) = \begin{cases} \dfrac{\Gamma(\alpha+\beta)}{\Gamma(\alpha)\Gamma(\beta)}\theta^{\alpha-1}(1-\theta)^{\beta-1} & 0<\theta<1 \\ 0 & \text{それ以外の場合} \end{cases}$$

ここで，α と β は正の定数である．いま，ベイズの解である決定関数 δ を求めたい．十分統計量は $Y=\sum_{i=1}^{n} X_i$ である．ただし，分布 $b(n,\theta)$ に従う．したがって，$\Theta=\theta$ が所与のときの Y の条件付き pdf は以下である．

$$g(y|\theta) = \begin{cases} \dbinom{n}{y}\theta^y(1-\theta)^{n-y} & y=0,1,\ldots,n \\ 0 & \text{それ以外の場合} \end{cases}$$

(11.2.9) 式より，確率密度は正である点では，$Y=y$ が所与のときの Θ の条件付き pdf は以下である．

$$k(\theta|y) \propto \theta^y(1-\theta)^{n-y}\theta^{\alpha-1}(1-\theta)^{\beta-1},\ 0<\theta<1$$

つまり，

$$k(\theta|y) = \frac{\Gamma(n+\alpha+\beta)}{\Gamma(\alpha+y)\Gamma(n+\beta-y)}\theta^{\alpha+y-1}(1-\theta)^{\beta+n-y-1},\ 0<\theta<1$$

であり，$y=0,1,\ldots,n$ である．ゆえに，事後 pdf は母数 $(\alpha+y,\beta+n-y)$ をもつベータ密度関数である．損失関数として，誤差損失の2乗，すなわち $\mathcal{L}[\theta,\delta(y)]=[\theta-\delta(y)]^2$ を得る．このとき，θ のベイズ点推定値は以下のようなベータ pdf の平均である．

$$\delta(y) = \frac{\alpha+y}{\alpha+\beta+n}$$

このベイズの推定量が以下のように表されるということに注意しなければならない．

$$\delta(y) = \left(\frac{n}{\alpha+\beta+n}\right)\frac{y}{n} + \left(\frac{\alpha+\beta}{\alpha+\beta+n}\right)\frac{\alpha}{\alpha+\beta}$$

11.2. ベイズ法

上式は θ の最尤推定値 y/n と母数の事前 pdf の平均 $\alpha/(\alpha+\beta)$ との重み付き平均である．さらに，それぞれの重みは $n/(\alpha+\beta+n)$ と $(\alpha+\beta)/(\alpha+\beta+n)$ である．n が大きくなるとベイズの推定値は θ の最尤推定値に近似し，しかも $\delta(Y)$ は θ の一致推定量であるということに注意しよう．したがって，α と β を $\alpha/(\alpha+\beta)$ が望ましい事前平均となるだけでなく，$\alpha+\beta$ の合計がサイズ n の標本に比べて事前の見解を価値あるものにするように選ぶべきなのである．つまり，事前の見解に標本サイズが 20 と同等の重みをもつようにしてほしいなら，$\alpha+\beta=20$ とすればよいのである．よって，事前平均が $\frac{3}{4}$ である場合，α と β を $\alpha=15$ および $\beta=5$ となるように選べばよいのである．■

例 11.2.3. この例では，以下のような正規モデルを考える．

$X_i|\theta \sim \text{iid } N(\theta, \sigma^2)$, ここで σ^2 は既知である

$\Theta \sim N(\theta_0, \sigma_0^2)$, ここで θ_0 と σ_0^2 は既知である

このとき，$Y=\overline{X}$ は十分統計量である．ゆえに，上記のモデルを以下のように書き換えても等価である．

$Y|\theta \sim N(\theta, \sigma^2/n)$, ここで σ^2 は既知である

$\Theta \sim N(\theta_0, \sigma_0^2)$, ここで θ_0 と σ_0^2 は既知である

このとき，事後 pdf として以下を得る．

$$k(\theta|y) \propto \frac{1}{\sqrt{2\pi}\sigma/\sqrt{n}} \frac{1}{\sqrt{2\pi}\sigma_0} \exp\left[-\frac{(y-\theta)^2}{2(\sigma^2/n)} - \frac{(\theta-\theta_0)^2}{2\sigma_0^2}\right]$$

もし (y のみに関連した因数も含めた) すべての定数を削除したなら，以下のようになる．

$$k(\theta|y) \propto \exp\left[-\frac{(\sigma_0^2+\sigma^2/n)\theta^2 - 2(y\sigma_0^2+\theta_0\sigma^2/n)\theta}{2(\sigma^2/n)\sigma_0^2}\right]$$

(θ に関連するもの以外の因数を削除した後) 平方完成を行うことによって，以下のように単純化できる．

$$k(\theta|y) \propto \exp\left[-\frac{\left(\theta - \frac{y\sigma_0^2+\theta_0\sigma^2/n}{\sigma_0^2+\sigma^2/n}\right)^2}{\frac{2(\sigma^2/n)\sigma_0^2}{(\sigma_0^2+\sigma^2/n)}}\right]$$

つまり，母数の事後 pdf は以下のような平均と分散 $(\sigma^2/n)\sigma_0^2/(\sigma_0^2+\sigma^2/n)$ をもった正規分布であることは明らかである．

$$\frac{y\sigma_0^2+\theta_0\sigma^2/n}{\sigma_0^2+\sigma^2/n} = \left(\frac{\sigma_0^2}{\sigma_0^2+\sigma^2/n}\right)y + \left(\frac{\sigma^2/n}{\sigma_0^2+\sigma^2/n}\right)\theta_0 \qquad (11.2.11)$$

2 乗誤差の損失関数を利用した場合，事後平均はベイズの推定量である．もう一度，そ

れが最尤推定値 $y=\bar{x}$ と事前平均 θ_0 の重み付き平均であるということに注意しよう．前述の例のときのように，n が大きくなると，ベイズの推定量は最尤推定量に近似し，$\delta(Y)$ は θ の一致推定量である．したがって，ベイズ法は事前の考えの影響が小さくなるように，あるいは n が増加するときにその差が小さくなるように，決定を行う者が正当な方法で自分たちの事前の見解を解の中に反映することを認める方法なのである．■

ベイズ統計学では，すべての情報は事後 pdf $k(\theta|y)$ に含まれる．例 11.2.2 と例 11.2.3 では，2 乗誤差の損失関数を用いてベイズ点推定値を求めた．もし $\mathcal{L}[\delta(y),\theta] = |\delta(y)-\theta|$ すなわち誤差の絶対値であるなら，ベイズの解は母数の事後分布の中央値であるということに注意すべきである．これは $k(\theta|y)$ により与えられる．ゆえに，ベイズの推定量は損失関数の違いによって，<u>敏感に</u> 変化する．

11.2.3 ベイズ流区間推定

θ の区間推定値を求めたいなら，以下の条件付き確率が 0.95 のような大きな値となるように 2 つの関数 $u(\mathbf{x})$ と $v(\mathbf{x})$ を見つける必要がある．

$$P[u(\mathbf{x}) < \Theta < v(\mathbf{x}) | \mathbf{X}=\mathbf{x}] = \int_{u(\mathbf{x})}^{v(\mathbf{x})} k(\theta|\mathbf{x})\,d\theta$$

このとき，その区間に含まれる Θ の条件付き確率が 0.95 と等しくなるという意味において，$u(\mathbf{x})$ から $v(\mathbf{x})$ までの区間が θ の区間推定値となる．これらの区間は，信頼区間と混同しないために，確信区間 (credible interval) や確率区間 (probability interval) とよばれることが多い．

例 11.2.4. 例として，$X_1, X_2, \ldots, X_n$ が分布 $N(\theta, \sigma^2)$ からの無作為標本である例 11.2.3 を考える．ここで σ^2 は既知であり，事前分布は正規分布 $N(\theta_0, \sigma_0^2)$ であるとする．$Y = \bar{X}$ は十分統計量である．ここで，$Y = y$ が所与のときの Θ の事後 pdf は，(11.2.11) 式付近の平均と分散をもつ正規分布であったということを思い出そう．ゆえに，確信区間は事後分布の平均から標準偏差を 1.96 倍したものを加えたり減じたりすることによって見つけられる．つまり，θ における確率 0.95 の確信区間は以下のようになる．

$$\frac{y\sigma_0^2 + \theta_0\sigma^2/n}{\sigma_0^2 + \sigma^2/n} \pm 1.96\sqrt{\frac{(\sigma^2/n)\sigma_0^2}{\sigma_0^2 + \sigma^2/n}} \quad ■$$

例 11.2.5. $\mathbf{X}' = (X_1, X_2, \ldots, X_n)$ が平均 θ をもつポアソン分布からの無作為標本であり，事前分布として α と β が既知である $\Gamma(\alpha, \beta)$ が考えられていた例 11.2.1 を思い出そう．(11.2.7) 式により与えられたように，事後 pdf は $\Gamma(y+\alpha, \beta/(n\beta+1))$ である．ただし，$y = \sum_{i=1}^n x_i$ である．ゆえに，もし 2 乗誤差損失関数を用いるなら，θ におけるベイズの点推定値は以下のような事後 pdf の平均である．

11.2. ベイズ法

$$\delta(y) = \frac{\beta(y+\alpha)}{n\beta+1} = \frac{n\beta}{n\beta+1}\frac{y}{n} + \frac{\alpha\beta}{n\beta+1}$$

本節で議論した他のベイズの推定値と同様に，n が大きくなると，この推定値は最尤推定値に近似し，統計量 $\delta(Y)$ は θ の一致推定値となる．確信区間を得るために，$\frac{2(n\beta+1)}{\beta}\Theta$ の事後分布が $\chi^2(2(\sum_{i=1}^n x_i + \alpha))$ であるということに注意しよう．これに基づき，以下の区間は θ の $(1-\alpha)100\%$ 確信区間である．

$$\left(\frac{\beta}{2(n\beta+1)}\chi^2_{1-(\alpha/2)}\left(2\left(\sum_{i=1}^n x_i + \alpha\right)\right), \frac{\beta}{2(n\beta+1)}\chi^2_{\alpha/2}\left(2\left(\sum_{i=1}^n x_i + \alpha\right)\right)\right)$$
(11.2.12)

ここで $\chi^2_{1-(\alpha/2)}(2(\sum_{i=1}^n x_i + \alpha))$ と $\chi^2_{\alpha/2}(2(\sum_{i=1}^n x_i + \alpha))$ は自由度 $2(\sum_{i=1}^n x_i + \alpha)$ のカイ2乗分布における χ^2 値の下限と上限である．■

11.2.4 ベイズ流検定法

上記のように，X を pdf(pmf)$f(x|\theta)$, $\theta \in \Omega$ に従う確率変数とする．以下の仮説を検定したいと仮定する．

$$H_0 : \theta \in \omega_0, \quad H_1 : \theta \in \omega_1$$

ここで，$\omega_0 \cup \omega_1 = \Omega$ および $\omega_0 \cap \omega_1 = \phi$ とする．これらの仮説を検定するための単純なベイズ法は以下のようなものである．$h(\theta)$ を事前の確率変数 Θ の事前分布とする．また，$\mathbf{X}' = (X_1, X_2, \ldots, X_n)$ を X における無作為標本とする．そして，事後 pdf あるいは pmf を $k(\theta|\mathbf{x})$ とする．事後分布を用いて，以下のような条件付き確率を求める．

$$P(\Theta \in \omega_0|\mathbf{x}), \quad P(\Theta \in \omega_1|\mathbf{x})$$

ベイジアンの枠組みでは，これらの条件付き確率は，H_0 が真であるのか，あるいは H_1 が真であるのかを表している．規則は以下のように単純なものである．

$$P(\Theta \in \omega_0|\mathbf{x}) \geq P(\Theta \in \omega_1|\mathbf{x}) \text{ であるなら，} H_0 \text{ を採択する}$$

そうでなければ，H_1 を採択する．つまり，より大きな条件付き確率をもつ仮説を採択するということである．条件 $\omega_0 \cap \omega_1 = \phi$ は要求されるが，条件 $\omega_0 \cup \omega_1 = \Omega$ は必要ではないということに注意しよう．2つ以上の仮説を同時に検定したい場合，上記の単純な規則により，より大きな条件付き確率をもった仮説を採択することになる．次に数値例を示し，本節を終えることにする．

例 11.2.6. $\mathbf{X}' = (X_1, X_2, \ldots, X_n)$ が平均 θ をもつポアソン分布からの無作為標本であった例 11.2.1 をもう一度参照する．以下を検定したいと仮定しなさい．

$$H_0 : \theta \leq 10, \quad H_1 : \theta > 10 \tag{11.2.13}$$

そして、θ は 12 くらいだと思われるが、はっきりとはわからないものとする。つまり、事前分布として 図 11.2.1 の左図で示されている $\Gamma(10, 1.2)$ pdf を選ぶということである。事前分布の平均は 12 ではあるが、図はいくらかの分散 (事前分布の分散は 14.4) をもつものとして示される。問題としてのデータは以下である。

$$11 \quad 7 \quad 11 \quad 6 \quad 5 \quad 9 \quad 14 \quad 10 \quad 9 \quad 5$$
$$8 \quad 10 \quad 8 \quad 10 \quad 12 \quad 9 \quad 3 \quad 12 \quad 14 \quad 4$$

(この値は、平均が 8 であるポアソン分布から得られるサイズ $n = 20$ の無作為標本から得ている。もちろん、平均が 8 であるということは実際にはわからない。) 十分統計量の値は $y = \sum_{i=1}^{20} x_i = 177$ である。つまり、例 11.2.1 から、事後分布は分布 $\Gamma\left(177 + 10, \frac{1.2}{20(1.2)+1}\right) = \Gamma(187, 0.048)$ であるということである。この分布は図 11.2.1 の右図に示されている。データが平均を 12 から $187(0.048) = 8.976$ の方へ左に動かしたということに注意しよう。ここで、この値が θ の (2 乗誤差損失のもとでの) ベイズ推定値である。統計計算のパッケージ (R では **pgamma** というコマンドを用いた) を利用して、H_0 の事後確率を以下のように計算する。

$$P[\Theta \leq 10 | y = 177] = P[\Gamma(187, 0.048) \leq 10] = 0.9368$$

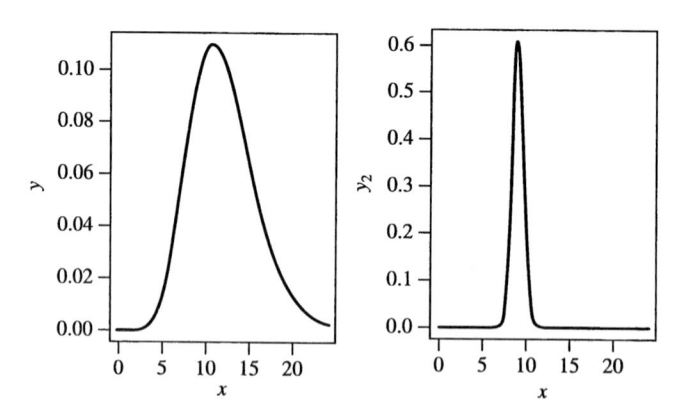

図 11.2.1 例 11.2.6 の事前 pdf (左図) と事後 pdf (右図)

したがって、$P[\Theta > 10 | y = 177] = 1 - 0.9368 = 0.0632$ となる。結果的に、前述の規則により、H_0 を採択することになる。(11.2.12) 式で与えられる 95% 確信区間は $(7.77, 10.31)$ である。これは区間に 10 を含んでいる。詳しくは練習問題 11.2.7 を参照せよ。■

11.2.5 ベイズ流逐次法

最後に，$x_1, x_2, \ldots, x_n$ を得た後，新たに追加のデータが集められた場合にベイジアンが何を行うのかをみるべきである．そのような状況では，観測値 $x_1, x_2, \ldots, x_n$ を用いて求められた事後分布が新たな事前分布となり，追加の観測値が新たな事後分布を与え，推測はその 2 番目の事後分布でなされる．もちろん，この方法はさらに多くの観測値が得られた場合にも連続的に利用できる．つまり，2 番目の事後分布は新たな事前分布となり，観測値の次の集合は推測がなされる次の事後分布を与える．明らかに，この方法はベイジアンに逐次解析を行ううえでのすばらしい方法を提供した．それらはデータを得るごとに連続的に適用でき，そのたびに先の事後分布を修正し，それが新たな事前分布となる．ベイジアンが推測したいことのすべては，この逐次法によって得られた最終的な事後分布に含まれている．

練習問題

11.2.1. Y が $n=20$, $p=\theta$ である 2 項分布に従うとする．θ の事前確率は $P(\theta=0.3)=2/3$ と $P(\theta=0.5)=1/3$ である．もし $y=9$ であるなら，$\theta=0.3$ および $\theta=0.5$ のときの事後確率は何であるか．

11.2.2. $X_1, X_2, \ldots, X_n$ を分布 $b(1,\theta)$ からの無作為標本とする．また，Θ の事前分布は母数 α と β をもつベータ分布とする．事後 pdf $k(\theta|x_1, x_2, \ldots, x_n)$ が例 11.2.2 で与えられた $k(\theta|y)$ と全く同じであるということを証明せよ．

11.2.3. $X_1, X_2, \ldots, X_n$ を分布 $N(\theta, \sigma^2)$ からの無作為標本とする．ここで，$-\infty < \theta < \infty$ であり σ^2 は与えられた正数である．また，$Y = \overline{X}$ を無作為標本の平均とする．$\mathcal{L}[\theta, \delta(y)] = |\theta - \delta(y)|$ であるような損失関数を使用せよ．また，もし θ が確率変数 Θ の観測値，すなわち $N(\mu, \tau^2)$ であるなら，点推定値 θ のベイズの解 $\delta(y)$ を求めよ．ただし，$\tau^2 > 0$ であり μ は既知の数である．

11.2.4. $X_1, X_2, \ldots, X_n$ を平均 θ, $0 < \theta < \infty$ をもつポアソン分布からの無作為標本とする．また，$Y = \sum_1^n X_i$ とする．$\mathcal{L}[\theta, \delta(y)] = [\theta - \delta(y)]^2$ である損失関数を利用しなさい．θ を確率変数 Θ の観測値とする．もし Θ が $0 < \theta < \infty$ のときには $h(\theta) = \theta^{\alpha-1} e^{-\theta/\beta} / \Gamma(\alpha) \beta^\alpha$，それ以外では 0 に従うなら，点推定値 θ のベイズの解 $\delta(y)$ を求めよ．ただし，$\alpha > 0$, $\beta > 0$ は既知の数である．

11.2.5. Y_n を pdf $f(x|\theta) = 1/\theta$, $0 < x < \theta$, それ以外では 0, である分布からの，サイズが n である無作為標本の n 番目の順序統計量とする．$\mathcal{L}[\theta, \delta(y)] = [\theta - \delta(y_n)]^2$ である損失関数を使用せよ．また，θ を確率変数 Θ の観測値とし，$\alpha > 0$, $\beta > 0$ をもつ $h(\theta) = \beta\alpha^\beta / \theta^{\beta+1}$, $\alpha < \theta < \infty$, それ以外では 0, の pdf に従うものとする．点推定値 θ のベイズの解 $\delta(y_n)$ を求めよ．

11.2.6. Y_1 と Y_2 を母数 n, θ_1, および θ_2 をもつ 3 項分布に従う統計量とする．こ

こで，θ_1 と θ_2 は確率変数 Θ_1 と Θ_2 の観測値である．ただし，それらは母数 α_1, α_2, および α_3 が既知であるディリクレ分布に従う．これについては (3.3.6) 式を参照せよ．Θ_1 と Θ_2 の条件付き分布はディリクレ分布であるということを証明せよ．また，条件付き平均 $E(\Theta_1|y_1, y_2)$ と $E(\Theta_2|y_1, y_2)$ を決定せよ．

11.2.7. 例 11.2.6 に関して，θ の 95% 確信区間を求めよ．次に，θ の mle の値と第 6 章で議論した θ の 95% 信頼区間を求めよ．

11.2.8. 例 11.2.2 において，$\delta(y) = (10+y)/45$ が θ のベイズの推定値であるように $n = 30$, $\alpha = 10$, および $\beta = 5$ とする．
(a) Y が 2 項分布 $b(30, \theta)$ に従う場合，危険度 $E\{[\theta - \delta(Y)]^2\}$ を計算せよ．
(b) 上問 (a) の危険度が $\theta(1-\theta)/30$ よりも小さくなるなるような (この値は θ の最尤推定量 Y/n に関連した危険度である) θ の値を見つけよ．

11.2.9. Y_4 を $0 < x < \theta$ のときは一様 pdf $f(x;\theta) = 1/\theta$ に，それ以外のときは 0 に従う分布からのサイズが $n = 4$ である標本のもっとも大きな順序統計量とする．$1 < \theta < \infty$ のときは母数 $g(\theta) = 2/\theta^3$, それ以外では 0 の事前 pdf である場合，損失関数 $|\delta(y_4) - \theta|$ を利用して，十分統計量 Y_4 に基づいた，θ のベイズ推定量 $\delta(Y_4)$ を見つけよ．

11.2.10. 例 11.2.3 を参照し，$\sigma_0^2 = d\sigma^2$ を選ぶと仮定する．ただし，σ^2 はこの例では既知であった．事後分布の分散が $Y = \overline{X}$ の分散，すなわち σ^2/n の 3 分の 2 となるためには，d にどのような値を割り当てるとよいか．

11.3 ベイズ統計学の用語と考え方についての続き

$\mathbf{X}' = (X_1, X_2, \ldots, X_n)$ は無作為標本を表し，その尤度は $L(\mathbf{x}|\theta)$, 事前 pdf は $h(\theta)$ とする．$\mathbf{X}$ の同時周辺 pdf は次のように与えられる．

$$g_1(\mathbf{x}) = \int_{-\infty}^{\infty} L(\mathbf{x}|\theta) h(\theta) d\theta$$

これは，しばしば $\mathbf{X}$ の予測分布 (predictive distribution) とよばれる．その理由は，上式が尤度と事前分布が得られたときの $\mathbf{X}$ の確率をよく表しているからである．これは，例 11.2.1 の (11.2.6) 式の表現に例示されている．また，この予測分布は X と Θ の確率モデルに強く依存していることに注意してほしい．

本節では，2 つのクラスの事前分布を考える．1 つめのクラスは，次のように定義される共役事前分布のクラスである．

定義 11.3.1.
母数の事後 pdf と事前分布が同じ分布族に従うとき，$f(x|\theta)$, $\theta \in \Omega$ という pdf の分布族に従う事前 pdf のクラスを共役分布族 (conjugate family of distributions)

11.3. ベイズ統計学の用語と考え方についての続き

とよぶ.

例として, 例 11.2.5 を考える. そこでは, θ が与えられたもとでの X_i の pmf は, 平均 θ のポアソン分布であった. その例では, 事前分布としてガンマ分布を選択した結果, 事後分布もまたガンマ分布の分布族であった. したがって, ガンマ pdf はポアソンモデルに対して共役な事前分布のクラスである. これは, 例 11.2.2 において, モデルが 2 項分布であり共役分布族がベータ分布であった場合や, 例 11.2.3 において, モデルと事前分布がともに正規分布であった場合でも成り立っていた.

2 つめの事前分布のクラスについて考えていく動機として, 例 11.2.2 で登場した 2 項モデル $b(1,\theta)$ を考える. Thomas Bayes (1763) は, ベータ分布を $\alpha=\beta=1$, つまり $h(\theta)=1, 0<\theta<1$, その他の場合は 0, とし, 事前分布として用いた. その理由は θ についての事前知識をあまりもっていないからであると彼は主張した. しかし, このようにしてしまうと次のような推定値を導いてしまうことに注意してほしい.

$$\left(\frac{n}{n+2}\right)\left(\frac{y}{n}\right)+\left(\frac{2}{n+2}\right)\left(\frac{1}{2}\right)$$

これは, しばしば縮小推定値 (shrinkage estimate) とよばれる. 名の由来は, ベイズは推測に事前分布が影響しないように努めたが, 推定値 $\frac{y}{n}$ が事前平均 $\frac{1}{2}$ の方向に少し引っ張られるからである.

Haldane (1948) は, $\alpha=\beta=0$ としたベータ pdf を事前分布として用いれば, 縮小推定値は mle である y/n になるだろうと主張した. もちろん, $\alpha=\beta=0$ としたベータ pdf は pdf とは全くいえなくなり, 次のようになる.

$$h(\theta) \propto \frac{1}{\theta(1-\theta)},\ 0<\theta<1$$

ただし, その他では 0, である. そして,

$$\int_0^1 \frac{c}{\theta(1-\theta)} d\theta$$

は存在しない. しかし, 尤度とあわせることによって適切な pdf を得たいときには, このような事前分布を用いる. 正則 (proper) という言葉は, 積分を行うと正の定数になるという意味で用いた. この例では, 次のような事後 pdf が得られる.

$$f(\theta|y) \propto \theta^{y-1}(1-\theta)^{n-y-1}$$

これは, $y>1$ そして $n-y>1$ ならば正則である. もちろん, 事後平均は y/n である.

定義 11.3.2.
$\mathbf{X}'=(X_1, X_2, \ldots, X_n)$ は $f(x|\theta)$ という pdf からの無作為標本とする. この族の事前分布 $h(\theta) \geq 0$ は, $k(\theta|\mathbf{x}) \propto L(\mathbf{x}|\theta)h(\theta)$ を適切にする $h(\theta)$ が pdf ではなく関数ならば, 非正則 (improper) である.

無情報事前分布 (noninformative prior) とは，θ のすべての値を同等に扱う事前分布，つまりは，一様分布である．連続的な無情報事前分布は非正則であることが多い．例として，θ_1 と $\theta_2 > 0$ はともに未知であるような正規分布 $N(\theta_1, \theta_2)$ を考える．θ_1 に対する無情報事前分布は，$h_1(\theta_1) = 1$, $-\infty < \theta_1 < \infty$ である．明らかに，これは pdf ではない．θ_2 に対する非正則な分布は，$h_2(\theta_2) = c_2/\theta_2$, $0 < \theta_2 < \infty$, その他では 0, である．$\log \theta_2$ は，$-\infty < \log \theta_2 < \infty$ の範囲で一様に分布していることに注意してほしい．したがって，このようにすることで，これは無情報事前分布といえる．さらに，母数は独立であると仮定する．すると，同時事前分布は，非正則であるが，次のようになる．

$$h_1(\theta_1)h_2(\theta_2) \propto 1/\theta_2, \quad -\infty < \theta_1 < \infty, 0 < \theta_2 < \infty \tag{11.3.1}$$

この事前分布を用いることで，次の例においては θ_1 のベイズ解を求めていることを示す．

例 11.3.1. $X_1, X_2, \ldots, X_n$ は分布 $N(\theta_1, \theta_2)$ からの無作為標本とする．$\overline{X}$ と $S^2 = (n-1)^{-1} \sum_{i=1}^{n}(X_i - \overline{X})^2$ は十分統計量であることを思い出そう．(11.3.1)式で与えられた非正則な事前分布を用いることにする．すると，事後分布は次のように与えられる．

$$k_{12}(\theta_1, \theta_2 | \overline{x}, s^2) \propto \left(\frac{1}{\theta_2}\right)\left(\frac{1}{\sqrt{2\pi\theta_2}}\right)^n \exp\left[-\frac{1}{2}\left\{(n-1)s^2 + n(\overline{x} - \theta_1)^2\right\}/\theta_2\right]$$

$$\propto \left(\frac{1}{\theta_2}\right)^{\frac{n}{2}+1} \exp\left[-\frac{1}{2}\left\{(n-1)s^2 + n(\overline{x} - \theta_1)^2\right\}/\theta_2\right]$$

$\overline{x}$ と s^2 が与えられたもとでの θ_1 の条件付 pdf を得るために，θ_2 を積分消去する．

$$k_1(\theta_1 | \overline{x}, s^2) = \int_0^\infty k_{12}(\theta_1, \theta_2 | \overline{x}, s^2) d\theta_2$$

積分を行うために，$z = 1/\theta_2$, $\theta_2 = 1/z$ そしてヤコビアンを $-1/z^2$ として変数変換を行う．したがって，次のようになる．

$$k_1(\theta_1 | \overline{x}, s^2) \propto \int_0^\infty \frac{z^{\frac{n}{2}+1}}{z^2} \exp\left[-\left\{\frac{(n-1)s^2 + n(\overline{x} - \theta_1)^2}{2}\right\}z\right] dz$$

$\alpha = n/2$ で $\beta = 2/\{(n-1)s^2 + n(\overline{x} - \theta_1)^2\}$ のガンマ分布と比べると，この結果は次と比例する．

$$k_1(\theta_1 | \overline{x}, s^2) \propto \{(n-1)s^2 + n(\overline{x} - \theta_1)^2\}^{-n/2}$$

よりなじみ深い結果を得るために，さらに変数変換を行う．

$$t = \frac{\theta_1 - \overline{x}}{s/\sqrt{n}}, \quad \theta_1 = \overline{x} + ts/\sqrt{n}$$

ヤコビアンは $s/\sqrt{n}$ である．$\overline{x}$ と s^2 が与えられたもとでの t の条件付き pdf は，したがって次のようになる．

11.3. ベイズ統計学の用語と考え方についての続き

$$k(t|\overline{x}, s^2) \propto \{(n-1)s^2 + (st)^2\}^{-n/2}$$
$$\propto \frac{1}{[1+t^2/(n-1)]^{[(n-1)+1]/2}}$$

つまり, $\overline{x}$ と s^2 が与えられたもとでの $t=(\theta_1-\overline{x})/(s/\sqrt{n})$ の条件付き pdf は, 自由度 $n-1$ のスチューデントの t 分布である. この pdf の平均は 0 であるから ($n>2$ を仮定すれば), 平方誤差の損失のもとで, θ_1 のベイズ推定量は $\overline{X}$ となる. これは mle と同じである.

もちろん, $k_1(\theta_1|\overline{x}, s^2)$ または $k(t|\overline{x}, s^2)$ から, θ_1 に対する確信区間を構成することも可能である. これを求めるためのひとつの方法は, θ_1 の pdf または t の最高密度領域 (highest density region, HDR) を選択することである. 前者は θ_1 に対して, 後者は 0 に対して対称で単峰であるが, 後者の限界値は表になっている. そこで, t 分布に基づく HDR を用いることにする. したがって, 確率 $1-\alpha$ の区間を求めたければ,

$$-t_{\alpha/2} < \frac{\theta_1-\overline{x}}{s/\sqrt{n}} < t_{\alpha/2}$$

または同等に,

$$\overline{x} - t_{\alpha/2}s/\sqrt{n} < \theta_1 < \overline{x} + t_{\alpha/2}s/\sqrt{n}$$

とすればよい. この区間は, 例 5.4.3 の θ_1 に対する信頼区間と同じである. したがって, この場合には, (11.3.1) 式の非正則な事前分布は, 古典的な方法と同じ推測を導くことになる. ∎

ベイズ流の分析では, 事前情報があるならば, 無情報事前分布を用いることはほとんどない. 例 11.3.1 と同じ状況を考える. そこでは, モデルは分布 $N(\theta_1, \theta_2)$ であった. いま, 分散 θ_2 のかわりに, 精度 (precision) $\theta_3 = 1/\theta_2$ を考える. 尤度は次のようになる.

$$\left(\frac{\theta_3}{2\pi}\right)^{n/2} \exp\left[-\frac{1}{2}\{(n-1)s^2 + n(\overline{x}-\theta_1)^2\}\theta_3\right]$$

すると, θ_3 に対する共役事前分布が $\Gamma(\alpha, \beta)$ であることは明らかである. さらに, θ_3 が与えられたもとで, θ_1 に対する理にかなった事前分布は $N(\theta_0, \frac{1}{n_0\theta_3})$ である. ここで, n_0 は事前分布がどれくらいの数の観測値に値するのかを, 何らかの方法で反映させて選択される. したがって, θ_1 と θ_3 の同時事前分布は次のようになる.

$$h(\theta_1, \theta_3) \propto \theta_3^{\alpha-1} e^{-\theta_3/\beta}(n_0\theta_3)^{1/2} e^{-(\theta_1-\theta_0)^2\theta_3 n_0/2}$$

ここで, 尤度関数を掛けると, θ_1 と θ_3 の事後同時 pdf が次のように得られる.

$$k(\theta_1, \theta_3|\overline{x}, s^2) \propto \theta_3^{\alpha+n/2+1/2-1} \exp\left[-\frac{1}{2}Q(\theta_1)\theta_3\right]$$

ここで,

$$Q(\theta_1) = \frac{2}{\beta} + n_0(\theta_1-\theta_0)^2 + [(n-1)s^2 + n(\overline{x}-\theta_1)^2]$$
$$= (n_0+n_1)\left[\left(\theta_1 - \frac{n_0\theta_0+n\overline{x}}{n_0+n}\right)^2\right] + D$$

であり，また，
$$D = \frac{2}{\beta} + (n-1)s^2 + (n_0^{-1}+n^{-1})^{-1}(\theta_0-\overline{x})^2$$

である．θ_3 を積分消去すると，
$$k_1(\theta_1|\overline{x},s^2) \propto \int_0^\infty k(\theta_1,\theta_3|\overline{x},s^2)d\theta_3$$
$$\propto \frac{1}{[Q(\theta_1)]^{[(n-1)+\alpha]/2}}$$

となる．よりなじみ深い形にするために，次のような変数変換を行う．
$$t = \frac{\theta_1 - [(n_0\theta_0+n\overline{x})/(n_0+n)]}{\sqrt{D/[(n_0+n)(n-1+\alpha-1)]}}$$

ヤコビアンは $\sqrt{D/[(n_0+n)(n-1+\alpha-1)]}$ である．すると，
$$k_2(t|\overline{x},s^2) \propto \frac{1}{\left[1+\frac{t^2}{n-1+\alpha-1}\right]^{(n-1+\alpha-1+1)/2}}$$

となり，これは自由度 $n-1+\alpha-1$ のスチューデントの t 分布である．この場合のベイズ推定値 (平方誤差の損失のもとでの) は，
$$\frac{n_0\theta_0+n\overline{x}}{n_0+n}$$

である．さらに，新しい標本統計量を次のように定義する．
$$n_k = n_0+n$$
$$\overline{x}_k = \frac{n_0\theta_0+n\overline{x}}{n_0+n}$$
$$s_k^2 = D/(n-1+\alpha-1)$$

すると，
$$t = \frac{\theta_1-\overline{x}_k}{s_k/\sqrt{n_k}}$$

は自由度 $n-1+\alpha-1$ の t 分布に従うことは興味深い．もちろん，これらの自由度を用いて，次のようになる $t_{\gamma/2}$ を見つけることは可能である．
$$\overline{x}_k \pm t_{\gamma/2}s_k/\sqrt{n_k}$$

そして，これは θ_1 に対する確率 $1-\gamma$ の HDR 確信区間の推定値である．ベイジアンは，α, β, n_0 そして θ_0 に対する適切な値を割り当てる必要に迫られることになる．小

11.3. ベイズ統計学の用語と考え方についての続き

さな値の α と n_0 に対して，β の値が大きいと，普通に求められたものに比べて区間の推定値がほとんど変わらないような事前分布を作ることになるだろう．

最後に，対称で単峰な事後分布を扱った場合には，HDR 区間の推定値を求めることは非常に簡単であったことに注意してほしい．しかし，事後分布が対称ではない場合には，それは非常に難しく，ベイジアンは両側に対して同じ確率をもった区間を求めることが多い．

練習問題

11.3.1. X_1, X_2 は，次のような pdf をもつコーシー分布からの無作為標本とする．
$$f(x;\theta_1,\theta_2) = \left(\frac{1}{\pi}\right)\frac{\theta_2}{\theta_2^2 + (x-\theta_1)^2}, \quad -\infty < x < \infty$$
ここで，$-\infty < \theta_1 < \infty, 0 < \theta_2$ である．無情報事前分布 $h(\theta_1,\theta_2) \propto 1$ を用いる．
(a) 比例定数を除いた，θ_1, θ_2 の事後 pdf を求めよ．
(b) $\theta_1 = 1, 2, 3, 4$ そして $\theta_2 = 0.5, 1.0, 1.5, 2.0$ に対して $x_1 = 1, x_2 = 4$ のとき，この事後 pdf を評価せよ．
(c) (b) の 16 個の値の中で，事後 pdf が最大になるのはどのときと予想されるか．
(d) 最大値を与える点 (θ_1,θ_2) を求めるコンピュータプログラム名を答えよ．

11.3.2. $X_1, X_2, \ldots, X_{10}$ は，$\alpha = 3$ そして $\beta = 1/\theta$ であるガンマ分布からのサイズ 10 の無作為標本とする．θ は，$\alpha = 10$ そして $\beta = 2$ のガンマ分布に従うと信じていると仮定する．
(a) θ の事後分布を求めよ．
(b) 観測値から $\bar{x} = 18.2$ を得たとき，平方誤差の損失関数から求まるベイズ点推定値はいくつだろうか．
(c) 事後分布のモードを用いたベイズ点推定値はいくつだろうか．
(d) θ に対する HDR 区間の推定値についてコメントしなさい．両側に同じだけの確率をもつ区間を見つけることの方が簡単だろうか．
ヒント：事後分布はカイ 2 乗分布と関連しているだろうか．

11.3.3. 本節の正規分布の例において，事前分布が $\alpha = 4$, $\beta = 0.5$, $n_0 = 5$, $\theta_0 = 75$ で与えられ，サイズ $n = 50$ の標本から $\bar{x} = 77.02$, $s^2 = 8.2$ となったとする．
(a) 平均 θ_1 のベイズ点推定値を求めよ．
(b) $1 - \gamma = 0.90$ の HDR 区間の推定値を求めよ．

11.3.4. $f(x|\theta)$, $\theta \in \Omega$ は (6.2.4) 式のフィッシャー情報量が $I(\theta)$ である pdf とする．次のようなベイズモデルを考える．
$$\begin{aligned} X|\theta &\sim f(x|\theta), \quad \theta \in \Omega \\ \Theta &\sim h(\theta) \propto \sqrt{I(\theta)} \end{aligned} \quad (11.3.2)$$

(a) 母数 $\tau = u(\theta)$ に興味があるとする．合成関数の公式を用いて次を証明せよ．
$$\sqrt{I(\tau)} = \sqrt{I(\theta)} \left| \frac{\partial \theta}{\partial \tau} \right| \tag{11.3.3}$$

(b) (11.3.2) 式のベイズモデルに対して，τ に対する事前 pdf は $\sqrt{I(\tau)}$ に比例することを証明せよ．

(11.3.2) 式の表現で与えられる事前分布のクラスは，しばしばジェフリーズの事前分布 (Jeffreys prior) のクラスとよばれる．Jeffreys (1961) をみよ．この練習問題では，θ の関数である母数 τ の事前分布はまた，τ の情報関数の平方根に比例するというジェフリーズの事前分布の不変性を示した．

11.3.5. 次のようなベイズモデルを考える．
$$X_i|\theta, i=1,2,\ldots,n \sim \text{iid であり}, \Gamma(1,\theta) \text{ 分布に従う}, \theta > 0$$
$$\Theta \sim h(\theta) \propto \frac{1}{\theta}$$

(a) $h(\theta)$ はジェフリーズの事前分布のクラスに属することを証明せよ．
(b) 事後 pdf が次のようになることを証明せよ．
$$h(\theta|y) \propto \left(\frac{1}{\theta}\right)^{n+2-1} e^{-y/\theta}$$
ただし，$y = \sum_{i=1}^{n} x_i$ である．
(c) $\tau = \theta^{-1}$ ならば，事後分布 $k(\tau|y)$ は pdf が $\Gamma(n, 1/y)$ 分布であることを証明せよ．
(d) $2y\tau$ の事後 pdf を求めよ．これを用いて，θ の $(1-\alpha)100\%$ 確信区間を求めよ．
(e) (d) の事後 pdf を用いて，$H_0 : \theta \geq \theta_0$ と $H_1 : \theta < \theta_0$ のベイズ検定を決定せよ．ただし，θ_0 は決まった値である．

11.3.6. 次のようなベイズモデルを考える．
$$X_i|\theta, i=1,2,\ldots,n \sim \text{iid であり}, \text{ポアソン}(\theta) \text{ 分布に従う}, \theta > 0$$
$$\Theta \sim h(\theta) \propto \theta^{-1/2}$$

(a) $h(\theta)$ はジェフリーズの事前分布のクラスに属することを証明せよ．
(b) $2n\theta$ の事後 pdf は，$\chi^2(2y+1)$ 分布の pdf と等しいことを証明せよ．ただし，$y = \sum_{i=1}^{n} x_i$ である．
(c) (b) の事後 pdf を用いて，θ の $(1-\alpha)100\%$ 確信区間を求めよ．
(d) (b) の事後 pdf を用いて，$H_0 : \theta \geq \theta_0$ と $H_1 : \theta < \theta_0$ のベイズ検定を決定せよ．ただし，θ_0 は決まった値である．

11.3.7. 次のようなベイズモデルを考える．
$$X_i|\theta, i=1,2,\ldots,n \sim \text{iid であり}, b(1,\theta) \text{ 分布に従う}, 0 < \theta < 1$$

(a) このモデルのジェフリーズの事前分布を求めよ．

11.4. ギブスサンプラー

(b) 平方誤差の損失を仮定して，θ のベイズ推定値を求めよ．

11.3.8. 次のようなベイズモデルを考える．

$X_i|\theta, i = 1, 2, \ldots, n \sim$ iid であり，$b(1,\theta)$ 分布に従う，$0 < \theta < 1$
$$\Theta \sim h(\theta) = 1$$

(a) 事後 pdf を求めよ．
(b) 平方誤差の損失を仮定して，θ のベイズ推定値を求めよ．

11.4 ギブスサンプラー

ここまでの節から，ベイズ推測において積分の技法が大きな役割を果たしていることは明らかである．そこでここでは，ベイズ推測のための積分において用いられるモンテカルロ法についての議論を行う．

第5章において述べたモンテカルロ法は，ベイズ推定値を求めるために利用されることが多い．例えば，無作為標本が既知である σ^2 をもつ分布 $N(\theta, \sigma^2)$ から得られたと仮定する．このとき，$Y = \overline{X}$ は十分統計量となる．ここで，以下のようなベイズモデルを考える．

$Y|\theta \sim N(\theta, \sigma^2/n)$
$\Theta \sim h(\theta) \propto \exp\{-(\theta-a)/b\}/(1+\exp\{-[(\theta-a)/b]^2\}), -\infty < \theta < \infty,$
ただし a および $b > 0$ は既知 \hfill (11.4.1)

すなわち，事前分布はロジスティック分布である．すると事後 pdf は，

$$k(\theta|y) = \frac{\frac{1}{\sqrt{2\pi}\sigma/\sqrt{n}} \exp\left\{-\frac{1}{2}\frac{(y-\theta)^2}{\sigma^2/n}\right\} b^{-1}e^{-(\theta-a)/b}/(1+e^{-[(\theta-a)/b]^2})}{\int_{-\infty}^{\infty} \frac{1}{\sqrt{2\pi}\sigma/\sqrt{n}} \exp\left\{-\frac{1}{2}\frac{(y-\theta)^2}{\sigma^2/n}\right\} b^{-1}e^{-(\theta-a)/b}/(1+e^{-[(\theta-a)/b]^2})\,d\theta}$$

となる．ここで損失関数として平方誤差を仮定すると，ベイズ推定値はこの事後分布の平均値になる．しかしその計算には，クローズドフォームでは定まらない2つの積分が含まれることになる．ところがこの積分は，以下のように考えれば解くことができる．まず，尤度 $f(y|\theta)$ を θ の関数であると考える．すなわち，

$$w(\theta) = f(y|\theta) = \frac{1}{\sqrt{2\pi}\sigma/\sqrt{n}} \exp\left\{-\frac{1}{2}\frac{(y-\theta)^2}{\sigma^2/n}\right\}$$

とする．これを用いるとベイズ推定値は，以下のように表すことができる．

$$\delta(y) = \frac{\int_{-\infty}^{\infty} \theta w(\theta) b^{-1} e^{-(\theta-a)/b}/(1+e^{-[(\theta-a)/b]^2})\,d\theta}{\int_{-\infty}^{\infty} w(\theta) b^{-1} e^{-(\theta-a)/b}/(1+e^{-[(\theta-a)/b]^2})\,d\theta} = \frac{E[\Theta w(\Theta)]}{E[w(\Theta)]} \quad (11.4.2)$$

ただし式中の期待値は，ロジスティック事前分布に従う Θ に関してとられたものである．

この推定は，単純なモンテカルロ法によって行うことができる．まず (11.4.1) 式に示されたような pdf に従うロジスティック分布から，独立に $\Theta_1, \Theta_2, \ldots, \Theta_m$ を発生させる．ロジスティック cdf の逆関数は $a + b\log\{u/(1-u)\}, 0 < u < 1$ によって与えられることから，この発生は容易に行うことが可能である．次に，以下のような確率変数を構成する．

$$T_m = \frac{m^{-1}\sum_{i=1}^m \Theta_i w(\Theta_i)}{m^{-1}\sum_{i=1}^m w(\Theta_i)} \tag{11.4.3}$$

大数の弱法則 (定理 4.2.1) とスラッキーの定理 (定理 4.3.4) より，この T_m は $\delta(y)$ に確率収束する．そして，m の値を大きくすることはそれほど難しいことではない．よって，単純なモンテカルロ法によって，ベイズ推定値が得られることになる．また，ここで得られた標本にブートストラップ法を適用することによって，$E[\Theta w(\Theta)]/E[w(\Theta)]$ の信頼区間を求めることも可能である．練習問題 11.4.2 を参照のこと．

単純なモンテカルロ法以外にも，ベイズ推測において有用である，より複雑なモンテカルロ法が存在している．このような手法が必要となる動機として，pdf $f_X(x)$ に従う観測値を発生させたいが，その生成が困難であるような状況を考えてみよう．しかし一方で，pdf $f_Y(y)$ に従う Y と，条件付き pdf $f_{X|Y}(x|y)$ からの観測値の生成は容易であると仮定する．このとき，以下の定理に示すような手続きを踏めば，$f_X(x)$ からの発生を簡単に行うことができる．

定理 11.4.1.

以下のようなアルゴリズムに則って確率変数を生成するものとする．

(1). $f_Y(y)$ から Y を発生させる

(2). $f_{X|Y}(x|Y)$ から X を発生させる

このとき，X は pdf $f_X(x)$ に従う．

証明 混乱を避けるために，アルゴリズムによって生成される確率変数を W によって表す．ここで必要なのは，W が pdf $f_X(x)$ に従っていると示すことである．W に関する事象の確率は Y によって条件づけられているので，cdf $F_{X|Y}$ に関して確率はとられていることになる．ここで，確率は常に定義関数の期待値として表記することが可能であったことを思い出してほしい．したがって W にかかわる事象の場合，確率は条件付き期待値となる．具体的には，任意の $t \in R$ において

$$P[W \leq t] = E[F_{X|Y}(t)]$$
$$= \int_{-\infty}^{\infty} \left[\int_{-\infty}^{t} f_{X|Y}(x|y)\,dx\right] f_Y(y)\,dy$$

11.4. ギブスサンプラー

$$= \int_{-\infty}^{t} \left[\int_{-\infty}^{\infty} f_{X|Y}(x|y) f_Y(y) \, dy \right] dx$$

$$= \int_{-\infty}^{t} \left[\int_{-\infty}^{\infty} f_{X,Y}(x,y) \, dy \right] dx$$

$$= \int_{-\infty}^{t} f_X(x) \, dx$$

となる．よって以上の式において示されたように，このアルゴリズムによって生成される確率変数は pdf $f_X(x)$ に従っていることがわかる．■

定理の応用例として，ある関数 $W(x)$ を用いた $E[W(X)]$ を定めたい場合を考える．ただし $E[W^2(X)]<\infty$ とする．このとき定理に基づくアルゴリズムを利用して，Y_i を pdf $f_Y(y)$ から抽出し，X_i を pdf $f_{X|Y}(x|Y)$ から発生させることにより，m の値を定めた場合の列 $(Y_1,X_1),(Y_2,X_2),\ldots,(Y_m,X_m)$ を得ることができる．これらに対して大数の弱法則を適用することで，

$$\overline{W} = \frac{1}{m} \sum_{i=1}^{m} W(X_i) \xrightarrow{P} \int_{-\infty}^{\infty} W(x) f_X(x) \, dx = E[W(X)]$$

となる．さらに中心極限定理より，$\sqrt{m}(\overline{W}-E[W(X)])$ は $N(0,\sigma_W^2)$ に分布収束することがわかる．ただし，$\sigma_W^2 = \mathrm{Var}(W(X))$ である．よって $w_1,w_2,\ldots,w_m$ がそのような分布に従う無作為標本の実現値であるならば，$E[W(X)]$ の（大標本下での）近似的な $(1-\alpha)100\%$ 信頼区間は

$$\overline{w} \pm z_{\alpha/2} \frac{s_W}{\sqrt{m}} \tag{11.4.4}$$

となる．ただし，$s_W^2 = (m-1)^{-1} \sum_{i=1}^{m}(w_i-\overline{w})^2$ である．
以上の考え方について説明するために，以下に簡単な例を示す．

例 11.4.1. 確率変数 X が，次のような pdf に従っているとする．

$$f_X(x) = \begin{cases} 2e^{-x}(1-e^{-x}) & 0<x<\infty \\ 0 & \text{それ以外の場合} \end{cases} \tag{11.4.5}$$

また Y と $X|Y$ が，各々以下のような pdf に従っているとする．

$$f_Y(y) = \begin{cases} 2e^{-2y} & 0<x<\infty \\ 0 & \text{それ以外の場合} \end{cases} \tag{11.4.6}$$

$$f_{X|Y}(x|y) = \begin{cases} e^{-(x-y)} & y<x<\infty \\ 0 & \text{それ以外の場合} \end{cases} \tag{11.4.7}$$

ここで，下のようなアルゴリズムによって確率変数を発生させる．

(1). (11.4.6)式の $f_Y(y)$ から Y を発生させる

(2). (11.4.7) 式の $f_{X|Y}(x|Y)$ から X を発生させる

このとき定理 11.4.1 より，X は (11.4.5) 式の pdf に従う．また，(11.4.6) 式および (11.4.7) 式の pdf からの発生は簡単に行うことができる．なぜなら，これらの pdf の逆関数は，それぞれ $F_Y^{-1}(u) = -2^{-1}\log(1-u)$ および $F_{X|Y}^{-1}(u) = -\log(1-u) + Y$ となるからである．

数値例として，付録 B に示した R の関数 condsim1 を用いて，上のアルゴリズムに従って (11.4.5) 式の pdf からの観測値の発生を行った結果をみてみよう．ここでは，$m = 10000$ としてアルゴリズムのシミュレーションを実行した．得られた標本の平均と標準偏差は，それぞれ $\bar{x} = 1.495$, $s = 1.112$ となった．したがって $E(X)$ の 95%信頼区間は $(1.473, 1.517)$ であり，これは真値である $E(X) = 1.5$ を含んでいる．詳しくは練習問題 11.4.4 を参照のこと．■

練習問題 11.4.3 では，先の場合における (X, Y) の同時分布を求め，X の周辺分布が (11.4.5) 式に与えられている pdf になることを確認する．もちろんこの例では，練習問題において示されるように，容易に X の分布から観測値を直接発生させることができる．しかし実際のベイズ推測においては，条件付き pdf を用いる定理 11.4.1 のような定理が有用となる場合が多い．

このようなアルゴリズムについて論じた主たる目的は，ギブスサンプラー (Gibbs sampler) とよばれている，ベイズ統計の手法において有用なアルゴリズムの導入を行うことにある．ここでは，2 変量確率変数を扱う場合のギブスサンプラーについて詳述する．まず，(X, Y) が pdf $f(x, y)$ に従っているものとする．また最終的な目的は，X と Y のそれぞれについて，iid な確率変数の列を得ることである．このとき，ギブスサンプラーのアルゴリズムは以下のとおりとなる．

アルゴリズム 11.4.1 (ギブスサンプラー). m を任意の正の整数，X_0 を値が所与の初期値とする．このとき $i = 1, 2, 3, \ldots, m$ について，以下を行う．

(1). $f(y|x)$ から $Y_i | X_{i-1}$ を発生させる

(2). $f(x|y)$ から $X_i | Y_i$ を発生させる

アルゴリズムの i 番目の手順を実行する前に，X_{i-1} の生成が必要となることに注意してほしい．x_{i-1} によって X_{i-1} の観測値を表すとすると，この値を利用してまずは新しい Y_i を pdf $f(y|x_{i-1})$ から発生させ，次に (新しい)X_i を pdf $f(x|y_i)$ から抽出する．ただし y_i は Y_i の観測値である．発展的な教科書では，$i \to \infty$ のときに以下が成り立つことが示されている．

$$Y_i \xrightarrow{D} f_Y(y)$$
$$X_i \xrightarrow{D} f_X(x)$$

よって大数の法則より，算術平均は以下のような性質をもつ．

11.4. ギブスサンプラー

$$\frac{1}{m}\sum_{i=1}^{m} W(X_i) \xrightarrow{P} E[W(X)], \quad m \to \infty \tag{11.4.8}$$

ギブスサンプラーは定理 11.4.1 で与えられたアルゴリズムと，似てはいるものの同じではないことに注意してほしい．以下のような変数の組の列が生成されたとしよう．

$$(X_1, Y_1), (X_2, Y_2), \ldots, (X_k, Y_k), (X_{k+1}, Y_{k+1})$$

このとき，(X_{k+1}, Y_{k+1}) を求めるためには組 (X_k, Y_k) のみが必要であり，1 から $k-1$ までの他の組は全く必要でないことが重要である．すなわち，列の現在の状態が所与のもとでは，列の未来は過去とは独立なのである．このような性質をもつ確率過程を，マルコフ連鎖 (Markov chain) とよぶ．一般的な条件のもとでは，マルコフ連鎖は連鎖数の増加につれて安定する (均衡，あるいは定常分布に至る)．ギブスサンプラーの場合，均衡分布は (11.4.8) 式の表現の，$i \to \infty$ における極限分布である．それでは，i はどの程度多ければよいのだろうか．実際の分析場面においては，記録を開始する前にある程度の長さの i までの連鎖を構成することが普通である．また，同じ i について何回かの記録が行われ，生成された無作為標本の経験分布が似た形になっているかどうかの検討も行われる．このほかに，X_0 の初期値も重要である．詳しくは Casella and George (1992) を参照のこと．また，(11.4.8) 式に示した確率収束の背後にある理論については，本書では取り扱わない．この分野については，いくつもの優れた書籍が存在している．入門者レベルでの議論としては Casella and George (1992) がよいだろう．また理論の全体を概観したい場合には，Robert and Casella (1999) の第 7 章や，Lehmann and Casella (1998) を参照するとよい．以下では，簡単な例について述べることにする．

例 11.4.2. (X, Y) が，以下に示すような，連続的な確率変数と離散的な確率変数とが混ざっている pdf に従っていると仮定する．

$$f(x, y) = \begin{cases} \dfrac{1}{\Gamma(\alpha)} \dfrac{1}{x!} y^{\alpha+x-1} e^{-2y} & y > 0,\ x = 0, 1, 2, \ldots \\ 0 & \text{それ以外の場合} \end{cases} \tag{11.4.9}$$

ただし $\alpha > 0$ とする．練習問題 11.4.5 では，これが pdf であることを確認するとともに，その周辺 pdf の導出が行われる．しかし条件付き pdf については，以下のとおりとなる．

$$f(y|x) \propto y^{\alpha+x-1} e^{-2y} \tag{11.4.10}$$

$$f(x|y) \propto e^{-y} \frac{y^x}{x!} \tag{11.4.11}$$

よって条件付き密度は，それぞれ $\Gamma(\alpha+x, 1/2)$ と Poisson (y) であることがわかる．したがってギブスサンプラーのアルゴリズムは，$i = 1, 2, \ldots, m$ について，以下のとおりとなる．

(1). $\Gamma(\alpha+X_{i-1},1/2)$ から $Y_i|X_{i-1}$ を発生させる

(2). Poisson(Y_i) から $X_i|Y_i$ を発生させる

また，特に m の値が大きく，かつ $n>m$ であるときには，

$$\overline{Y}=(n-m)^{-1}\sum_{i=m+1}^{n}Y_i\xrightarrow{P}E(Y) \qquad (11.4.12)$$

$$\overline{X}=(n-m)^{-1}\sum_{i=m+1}^{n}X_i\xrightarrow{P}E(X) \qquad (11.4.13)$$

となる．この場合には，どちらの期待値も α に等しくなる（練習問題 11.4.5 を参照のこと）．R の処理命令 `gibbser2` が，このギブスサンプラーを実行するものである．これを利用して，$\alpha=10$, $m=3000$, $n=6000$ に設定することで，以下のような結果を得た．

母数	推定対象	標本推定値	標本分散	近似的な95%信頼区間
$E(Y)=\alpha=10$	$\overline{y}$	10.027	10.775	(9.910, 10.145)
$E(X)=\alpha=10$	$\overline{x}$	10.061	21.191	(9.896, 10.225)

表中の推定値は，それぞれ (11.4.12) 式および (11.4.13) 式に基づいて計算されたものである．また α の信頼区間は，表の4列目のデータをもとに，(5.8.3) 式によって求められた大標本下での近似的な信頼区間である．どちらの区間も $\alpha=10$ を含んでいる．■

練習問題

11.4.1. Y が $\Gamma(1,1)$ に従っており，また X は Y が所与のもとで以下のような条件付き pdf に従っているものとする．

$$f(x|y)=\begin{cases} e^{-(x-y)} & 0<y<x<\infty \\ 0 & \text{それ以外の場合} \end{cases}$$

どちらの pdf もシミュレートしやすいものであることに注意してほしい．これを踏まえたうえで，以下の問いに答えよ．

(a) 定理 11.4.1 のアルゴリズムに基づき，pdf $f_X(x)$ からの iid な観測値を含んだ列を発生させる方法を定めよ．

(b) $E(X)$ を推定する方法を述べよ．

(c) コンピュータ環境が利用可能であるならば，(a) で求めたアルゴリズムによって $E(X)$ の推定を行うプログラムを作成せよ．

(d) 自分の書いたプログラムを用いて，2000個の観測値を含む列を求めよ．それをもとにして $E(X)$ の推定値を計算し，近似的な 95%信頼区間を求めよ．

(e) X が分布 $\Gamma(2,1)$ に従っていることを示せ．先ほどの信頼区間が，真値 2 を含んでいたかどうかを確認せよ．

11.4. ギブスサンプラー

11.4.2. 標本 $\Theta_1, \Theta_2, \ldots, \Theta_m$ と (11.4.3) 式において与えられた推定量を用いて，$E[\Theta\ w(\Theta)]/E[w(\Theta)]$ のブートストラップパーセンタイル信頼区間を求めるアルゴリズムを，慎重に構成せよ．またコンピュータ環境が整っているならば，このブートストラップ推定を行うプログラムを実装せよ．

11.4.3. 例 11.4.1 について，以下の問いに答えよ．
(a) $E(X) = 1.5$ であることを示せ．
(b) X の cdf の逆関数を求め，これを用いて X を直接発生させる方法について述べよ．

11.4.4. コンピュータ環境が利用可能であるならば，自分で例 11.4.1 の最後で示したシミュレーションを 10000 回行い，$E(X)$ の信頼区間を求めよ．

11.4.5. 例 11.4.2 について，以下の問いに答えよ．
(a) (11.4.9) 式において与えられた関数が，連続的な確率変数と離散的な確率変数とが混ざっているような pdf であることを証明せよ．
(b) 確率変数 Y が，分布 $\Gamma(\alpha, 1)$ に従っていることを示せ．
(c) 確率変数 X が，以下のような pmf をもつ負の 2 項分布に従っていることを示せ.

$$p(x) = \begin{cases} \dfrac{(\alpha+x-1)\cdots\alpha}{x!} 2^{-(\alpha+x)} & x = 0, 1, 2, \ldots \\ 0 & \text{それ以外の場合} \end{cases}$$

(d) $E(X) = \alpha$ となることを証明せよ．

11.4.6. コンピュータ環境が利用可能であるならば，例 11.4.2 で論じたギブスサンプラーを行うためのプログラムを作成せよ (付録 B の `gibbser2` を利用してもよい)．プログラムを $\alpha = 10$, $m = 3000$, $n = 6000$ という条件のもとで実行し，本文中で示した表と結果を比較せよ．

11.4.7. 確率変数ベクトル (X, Y) が，以下に示すような連続的な確率変数と離散的な確率変数とが混ざっている pdf に従っているものとする (これは Casella and George (1992) において論じられたものである)．

$$f(x, y) \propto \begin{cases} \binom{n}{x} y^{x+\alpha-1}(1-y)^{n-x+\beta-1} & x = 0, 1, \ldots, n,\ 0 < y < 1 \\ 0 & \text{それ以外の場合} \end{cases}$$

ただし，$\alpha > 0$, $\beta > 0$ とする．このとき，以下の問いに答えよ．
(a) 適切な比例定数を見いだすことで，この関数が確かに連続的な確率変数と離散的な確率変数とが混ざっているような pdf であることを示せ．
(b) 条件付き pdf $f(x|y)$ および $f(y|x)$ を求めよ．
(c) X と Y の無作為標本を得るためのギブスサンプラーのアルゴリズムを構成せよ．

(d) X と Y の周辺分布を求めよ.

11.4.8. コンピュータ環境が利用可能であるならば，練習問題 11.4.7 のギブスサンプラーを実行するためのプログラムを実装せよ．プログラムを $\alpha = 10$, $\beta = 4$, $m = 3000$, $n = 6000$ という設定のもとで実行し，$E(X)$ と $E(Y)$ の推定値 (および信頼区間) を求め，結果を真値と比較せよ.

11.5 近年のベイズ統計における手法

ベイズ推測には事前 pdf が大きな影響を与えている．正規分布に基づくモデルの場合ですら，例 11.2.3 と例 11.3.1 に示されたように，異なる事前分布を用いれば異なるベイズ推定値が得られることになる．事前分布の影響を統制するためのひとつの方法として，事前分布を別の確率変数の関数としてモデル化する方法がある．これは階層ベイズ (hierachical Bayes) モデルとよばれ，例えば以下のような形になる.

$$X|\theta \sim f(x|\theta)$$
$$\Theta|\gamma \sim h(\theta|\gamma)$$
$$\Gamma \sim \psi(\gamma) \tag{11.5.1}$$

このようなモデル化を行うことで，確率変数 Γ の pdf を変更することにより，事前分布 $h(\theta|\gamma)$ に対して調整を行うことができる．また別の方法として，経験ベイズ (empirical Bayes) モデルとよばれる方法もある．この方法では，γ の推定値を求め，事後分布に組み込むことを行う．本節では，これらの方法に対する簡単な導入を行う．また，ベイズモデルについては多くの良書がある．特に Lehmann and Casella (1998) の第 4 章は，これらの手続きに対する詳しい議論を行っている.

まずは (11.5.1) 式で与えられたような，階層ベイズモデルについて考える．この場合，γ は局外母数と考えることができる．しかしこれはまた，超母数 (hyperparameter) とよばれることも多い．通常のベイズモデルと同じように，階層ベイズモデルにおいても推測の興味は母数 θ に集中している．よって，その興味に基づいて構成された事後 pdf は，条件付き pdf $k(\theta|\mathbf{x})$ となる.

以後の議論では，何通りもの pdf を利用する．そこで一般的に pdf を表す記号として g を用いることにする．記号がどの pdf を表しているかは，常に文脈から明らかなはずである．まず，条件付き pdf $f(\mathbf{x}|\theta)$ が γ に依存していないことを念頭においてほしい．したがって

$$g(\theta, \gamma|\mathbf{x}) = \frac{g(\mathbf{x}, \theta, \gamma)}{g(\mathbf{x})} = \frac{g(\mathbf{x}|\theta, \gamma)g(\theta, \gamma)}{g(\mathbf{x})} = \frac{f(\mathbf{x}|\theta)h(\theta|\gamma)\psi(\gamma)}{g(\mathbf{x})}$$

である．よって事後 pdf は，以下のように導かれる.

$$k(\theta|\mathbf{x}) = \frac{\int_{-\infty}^{\infty} f(\mathbf{x}|\theta)h(\theta|\gamma)\psi(\gamma)\,d\gamma}{\int_{-\infty}^{\infty}\int_{-\infty}^{\infty} f(\mathbf{x}|\theta)h(\theta|\gamma)\psi(\gamma)\,d\gamma d\theta} \tag{11.5.2}$$

11.5. 近年のベイズ統計における手法

加えて損失関数が平方誤差であると仮定すれば，$W(\theta)$ のベイズ推定値は以下のとおりとなる．

$$\delta_W(\mathbf{x}) = \frac{\int_{-\infty}^{\infty}\int_{-\infty}^{\infty} W(\theta)f(\mathbf{x}|\theta)h(\theta|\gamma)\psi(\gamma)\,d\gamma d\theta}{\int_{-\infty}^{\infty}\int_{-\infty}^{\infty} f(\mathbf{x}|\theta)h(\theta|\gamma)\psi(\gamma)\,d\gamma d\theta} \tag{11.5.3}$$

ここで，11.4 節において定義したギブスサンプラーを思い出してほしい．$W(\theta)$ のベイズ推定値を求めるために，この手法を利用する．m の値が決定されているような $i = 1, 2, \ldots, m$ のうち，特定の i 番目の手順におけるアルゴリズムは，次のとおりである．

$$\Theta_i | \mathbf{x}, \gamma_{i-1} \sim g(\theta | \mathbf{x}, \gamma_{i-1})$$
$$\Gamma_i | \mathbf{x}, \theta_i \sim g(\gamma | \mathbf{x}, \theta_i)$$

このとき 11.4 節の議論より，$i \to \infty$ において

$$\Theta_i \xrightarrow{D} k(\theta | \mathbf{x})$$
$$\Gamma_i \xrightarrow{D} g(\gamma | \mathbf{x})$$

となる．さらに算術平均は以下のようになる．

$$\frac{1}{m}\sum_{i=1}^{m} W(\Theta_i) \xrightarrow{P} E[W(\Theta)|\mathbf{x}] = \delta_W(\mathbf{x}), \quad m \to \infty \tag{11.5.4}$$

実際の解析場面においてギブスサンプラーを用いて $W(\theta)$ のベイズ推定値を求めるためには，値 $(\theta_1, \gamma_1), (\theta_2, \gamma_2), \ldots$ の列をモンテカルロ法によって発生させ，十分に大きな値 m と $n > m$ のもとでの $W(\theta)$ の推定値を，以下のような平均値として定める．

$$\frac{1}{n-m}\sum_{i=m+1}^{n} W(\theta_i) \tag{11.5.5}$$

モンテカルロ発生を利用していることから，これらの手続きはマルコフ連鎖モンテカルロ (Markov chain Monte Carlo) 法，あるいは MCMC とよばれることが多い．以下に 2 つの例を示す．

例 11.5.1. 例 11.2.3 において取り上げた，正規分布に対して共役な分布族について再び考察を行う．ただし $\theta_0 = 0$ である．ここで，以下のようなモデルを考える．

$$\overline{X}|\Theta \sim N\left(\theta, \frac{\sigma^2}{n}\right), \text{ただし } \sigma^2 \text{ は既知}$$
$$\Theta|\tau^2 \sim N(0, \tau^2)$$
$$\frac{1}{\tau^2} \sim \Gamma(a, b), \text{ただし } a \text{ と } b \text{ は既知} \tag{11.5.6}$$

この階層ベイズモデルに対するギブスサンプラーを構成するためには，条件付き pdf $g(\theta|\overline{x}, \tau^2)$ および $g(\tau^2|\overline{x}, \theta)$ が必要となる．このうち前者については，

$$g(\theta|\overline{x}, \tau^2) \propto f(\overline{x}|\theta)h(\theta|\tau^2)\psi(\tau^{-2})$$

となる．しかしすでに行ってきたように，規格化定数は無視することが可能である．よって実際に考慮すべきなのは積 $f(\overline{x}|\theta)h(\theta|\tau^2)$ のみとなる．また，これは例 11.2.3 において求めた 2 つの正規 pdf の積に等しい．したがって以前の結果を利用することで，$g(\theta|\overline{x},\tau^2)$ は pdf $N\left(\frac{\tau^2}{(\sigma^2/n)+\tau^2}\overline{x}, \frac{\tau^2\sigma^2}{\sigma^2+n\tau^2}\right)$ であることがわかる．これに対して後者の pdf は，規格化定数を無視して式の整理を行うことで，以下のように導かれる．

$$g\left(\frac{1}{\tau^2}\Big|\overline{x},\theta\right) \propto f(\overline{x}|\theta)g(\theta|\tau^2)\psi(1/\tau^2)$$

$$\propto \frac{1}{\tau}\exp\left\{-\frac{1}{2}\frac{\theta^2}{\tau^2}\right\}\left(\frac{1}{\tau^2}\right)^{a-1}\exp\left\{-\frac{1}{\tau^2}\frac{1}{b}\right\}$$

$$\propto \left(\frac{1}{\tau^2}\right)^{a+(1/2)-1}\exp\left\{-\frac{1}{\tau^2}\left[\frac{\theta^2}{2}+\frac{1}{b}\right]\right\} \qquad (11.5.7)$$

これは分布 $\Gamma\left(a+\frac{1}{2},\left(\frac{\theta^2}{2}+\frac{1}{b}\right)^{-1}\right)$ の pdf にほかならない．したがってこのモデルに対するギブスサンプラーは，$i=1,2,\ldots,m$ において，

$$\Theta_i|\overline{x},\tau_{i-1}^2 \sim N\left(\frac{\tau_{i-1}^2}{(\sigma^2/n)+\tau_{i-1}^2}\overline{x}, \frac{\tau_{i-1}^2\sigma^2}{\sigma^2+n\tau_{i-1}^2}\right)$$

$$\frac{1}{\tau_i^2}\Big|\overline{x},\Theta_i \sim \Gamma\left(a+\frac{1}{2},\left(\frac{\theta_i^2}{2}+\frac{1}{b}\right)^{-1}\right) \qquad (11.5.8)$$

となる．すでにみてきたように，ここで大きな値 m と $n^* > m$ を定めることで，値の連鎖 $((\Theta_m,\tau_m),(\Theta_{m+1},\tau_{m+1}),\ldots,(\Theta_{n^*},\tau_{n^*}))$ を集め，（損失関数が 2 乗誤差であることを仮定すれば）θ のベイズ推定値を以下のように求めることができる．

$$\widehat{\theta} = \frac{1}{n^*-m}\sum_{i=m+1}^{n^*}\Theta_i \qquad (11.5.9)$$

また $\overline{x}$ と τ が所与のもとでの Θ の条件付き分布からは，以下のような別の形の推定値を利用することも可能であることが示唆される．

$$\widehat{\theta}^* = \frac{1}{n^*-m}\sum_{i=m+1}^{n^*}\frac{\tau_i^2}{\tau_i^2+(\sigma^2/n)}\overline{x} \quad \blacksquare \qquad (11.5.10)$$

例 11.5.2. Lehmann and Casella (1998, p.257) では，以下のような階層ベイズモデルが提示されている．

$X|\lambda \sim \text{Poisson}(\lambda)$

$\Lambda|b \sim \Gamma(1,b)$

$B \sim g(b) = \tau^{-1}b^{-2}\exp\{-1/b\tau\}, \ b>0, \tau>0$

ギブスサンプラーを構成するためには，2 つの pdf $g(\lambda|x,b)$ と $g(b|x,\lambda)$ が必要とな

11.5. 近年のベイズ統計における手法

る.まず,同時 pdf は以下のとおりである.

$$g(x,\lambda,b) = f(x|\lambda)h(\lambda|b)\psi(b) \tag{11.5.11}$$

この (11.5.11) 式の pdf から,前者の条件付き pdf は

$$g(\lambda|x,b) \propto e^{-\lambda}\frac{\lambda^x}{x!}\frac{1}{b}e^{-\lambda/b} \propto \lambda^{x+1-1}e^{-\lambda[1+(1/b)]} \tag{11.5.12}$$

と導かれる.これは分布 $\Gamma(x+1, b/[b+1])$ の pdf である.

また後者の条件付き pdf は,以下のとおりとなる.

$$g(b|x,\lambda) \propto \frac{1}{b}e^{-\lambda/b}\tau^{-1}b^{-2}e^{-1/(b\tau)} \propto b^{-3}\exp\left\{-\frac{1}{b}\left[\frac{1}{\tau}+\lambda\right]\right\}$$

上式の最後の行において,ヤコビアンが $db/dy = -y^{-2}$ であるような変数変換 $y = 1/b$ を利用することにより,

$$g(y|x,\lambda) \propto y^3 \exp\left\{-y\left[\frac{1}{\tau}+\lambda\right]\right\}y^{-2} \propto y^{2-1}\exp\left\{-y\left[\frac{1+\lambda\tau}{\tau}\right]\right\}$$

を得る.これが分布 $\Gamma(2, \tau/[\lambda\tau+1])$ の pdf であることは明らかである.したがって必要なギブスサンプラーは,m の値が定められているとき $i = 1, 2, \ldots, m$ において,以下のとおりとなる.

$$\Lambda_i|x, b_{i-1} \sim \Gamma(x+1, b_{i-1}/[1+b_{i-1}])$$

$$B_i = Y_i^{-1} \text{ ただし } Y_i|x, \lambda_i \sim \Gamma(2, \tau/[\lambda_i\tau+1]) \quad \blacksquare$$

最後の例の数値例として,$\tau = 0.05$ としたときの $x = 6$ の結果をみてみよう.R において例で論じたギブスサンプラーを実行するためのプログラムは,付録 B の hierarch1 に示した.プログラムを実行する際には,サンプリングを開始する時点と終了する時点の i の値を指定する必要がある.ここではそれぞれ,$m = 1000$, $n = 4000$ とした.すなわち,推定に用いた値の連鎖の長さは 3000 である.さらに τ の値が変化したときのベイズ推定量の変化をみるために,5 回のギブスサンプラーを実行した結果,以下を得た.

τ	0.040	0.045	0.050	0.055	0.060
$\hat{\delta}$	6.60	6.49	6.53	6.50	6.44

値にはある程度のばらつきがみられる.しかし Lehmann and Casella (1998) において論じられているように,一般的にみて,超母数の値の違いがベイズ推定量に与える影響は,通常のベイズモデルにおける事前分布の違いほどに大きくはない.

11.5.1 経験ベイズモデル

経験ベイズモデルは,階層ベイズモデルの最初の 2 行によって構成されている.すなわち,

$$X|\theta \sim f(x|\theta)$$
$$\Theta|\gamma \sim h(\theta|\gamma)$$

である．階層ベイズモデルにおいては母数 γ を pdf によってモデル化していたのに対して，経験ベイズモデルの手法では，以下のようにしてデータに基づいた γ の推定を行う．まず，

$$g(x,\theta|\gamma) = \frac{g(x,\theta,\gamma)}{\psi(\gamma)} = \frac{f(x|\theta)h(\theta|\gamma)\psi(\gamma)}{\psi(\gamma)} = f(x|\theta)h(\theta|\gamma)$$

であることを思い出してほしい．次に，尤度関数

$$m(x|\gamma) = \int_{-\infty}^{\infty} f(x|\theta)h(\theta|\gamma)\,d\theta \tag{11.5.13}$$

を構成する．ここで pdf $m(x|\gamma)$ を用いることによって，推定値 $\widehat{\gamma} = \widehat{\gamma}(x)$ を得る．推定は通常，最尤法によって行われる．また経験ベイズ法において母数 θ の推測を行う際には，事後 pdf $k(\theta|x,\widehat{\gamma})$ を利用する．

以下の例では，経験ベイズ法の手続きについて解説を行う．

例 11.5.3. 例 11.5.2 において論じたのと同じ状況を考える．ただし，X については無作為標本が得られているものとする．すなわち，考えるモデルは以下のとおりとなる．

$$X_i|\lambda, i=1,2,\ldots,n \sim \text{iid Poisson}(\lambda)$$
$$\Lambda|b \sim \Gamma(1,b)$$

ここで $X = (X_1, X_2, \ldots, X_n)'$ とする．このとき，

$$g(x|\lambda) = \frac{\lambda^{n\overline{x}}}{x_1! \cdots x_n!} e^{-n\lambda}$$

である．ただし $\overline{x} = n^{-1}\sum_{i=1}^{n} x_i$ とする．したがって最大化すべき pdf は，以下のとおりとなる．

$$m(x|b) = \int_0^{\infty} g(x|\lambda)h(\lambda|b)\,d\lambda = \int_0^{\infty} \frac{1}{x_1!\cdots x_n!}\lambda^{n\overline{x}+1-1}e^{-n\lambda}\frac{1}{b}e^{-\lambda/b}\,d\lambda$$
$$= \frac{\Gamma(n\overline{x}+1)[b/(nb+1)]^{n\overline{x}+1}}{x_1!\cdots x_n!b}$$

$m(x|b)$ の b に関する偏微分を求めると，

$$\frac{\partial \log m(x|b)}{\partial b} = -\frac{1}{b} + (n\overline{x}+1)\frac{1}{b(bn+1)}$$

となり，これを 0 とおいて b について解くことで，以下の解を得ることができる．

$$\widehat{b} = \overline{x} \tag{11.5.14}$$

λ の経験ベイズ推定値を求めるためには，b に対して $\widehat{b}$ を代入した事後 pdf を求める

11.5. 近年のベイズ統計における手法

必要がある．この事後 pdf は

$$k(\lambda|\mathbf{x},\widehat{b}) \propto g(\mathbf{x}|\lambda)h(\lambda|\widehat{b}) \propto \lambda^{n\overline{x}+1-1} e^{-\lambda[n+(1/\widehat{b})]} \tag{11.5.15}$$

となり，分布 $\Gamma(n\overline{x}+1, \widehat{b}/[n\widehat{b}+1])$ の pdf であることがわかる．したがって，誤差関数が 2 乗誤差であると仮定したもとでの経験ベイズ推定値は分布の平均，すなわち

$$\widehat{\lambda} = [n\overline{x}+1]\frac{\widehat{b}}{n\widehat{b}+1} = \overline{x} \tag{11.5.16}$$

となる．よって以上のような事前分布のもとでは，経験ベイズ推定値は mle と等しい． ∎

最後の例において示した解を用いて，例 11.5.2 のための経験ベイズ推定値を求めることも可能である．例 11.5.2 においては，標本サイズが 1 であった．よって λ の経験ベイズ推定値は x となる．また，例 11.5.2 に対して示した数値例の場合には，経験ベイズ推定値は 6 となる．

練習問題

11.5.1. 以下のようなベイズモデルを考える．

$$X_i|\theta \sim \text{iid}\,\Gamma\left(1, \frac{1}{\theta}\right)$$
$$\Theta|\beta \sim \Gamma(2,\beta)$$

ここで次に示すような手順を踏むことで，θ の経験ベイズ推定値を求めよ．
(a) 以下の尤度関数を求めよ．

$$m(\mathbf{x}|\beta) = \int_0^\infty f(\mathbf{x}|\theta)h(\theta|\beta)\,d\theta$$

(b) 尤度 $m(\mathbf{x}|\beta)$ における β の mle $\widehat{\beta}$ を求めよ．
(c) $\mathbf{x}$ と $\widehat{\beta}$ が所与のもとでの Θ の事後分布がガンマ分布になることを示せ．
(d) 損失関数は平方誤差であるものと仮定し，経験ベイズ推定量を導け．

11.5.2. 以下のような階層ベイズモデルについて，続く問いに答えよ．

$$Y \sim b(n,p),\ 0<p<1$$
$$p|\theta \sim h(p|\theta) = \theta p^{\theta-1},\ \theta>0$$
$$\theta \sim \Gamma(1,a),\ \text{ただし}\,a>0\,\text{の値は，すでに定められている} \tag{11.5.17}$$

(a) 損失関数は平方誤差であると仮定し，(11.5.3) 式のような形で p のベイズ推定値を表現せよ．その後，先に θ に関する積分を行い，分子と分母の双方が母数 $y+1$ および $n-y+1$ であるようなベータ分布の期待値となっていることを示せ．
(b) (11.4.2) 式近辺での議論を思い出し，(a) において導いたベイズ推定値を計算するための明示的なモンテカルロ法のアルゴリズムを構成せよ．

11.5.3. 練習問題 11.5.2 の (11.4.2) 式で取り上げた階層ベイズモデルについて，以下の問いに答えよ．
(a) 条件付き pdf $g(p|y,\theta)$ が，母数 $y+\theta$, $n-y+1$ であるようなベータ分布の pdf であることを示せ．
(b) 条件付き pdf $g(\theta|y,p)$ が，母数 $2, \left[\frac{1}{a}-\log p\right]^{-1}$ であるようなガンマ分布の pdf であることを示せ．
(c) (a) と (b) の結果を利用し，損失関数は平方誤差であると仮定することで，p のベイズ推定量を求めるためのギブスサンプラーのアルゴリズムを導け．

11.5.4. 練習問題 11.5.2 の階層ベイズモデルにおいて，$n=50$, $a=2$ とした場合を考える．まず，分布 $\Gamma(1,2)$ から生成した θ の無作為標本を θ^* とする．次に，pdf $\theta^* p^{\theta^*-1}$ から抽出した p の無作為標本を p^* とする．最後に，分布 $b(n,p^*)$ から y の無作為標本を発生させる．このとき，以下の問いに答えよ．
(a) m を 3000 に設定し，練習問題 11.5.2 において導いたモンテカルロ法を用いることで，θ^* の推定値を求めよ．
(b) m を 3000, n を 6000 に設定して，練習問題 11.5.3 において作成したギブスサンプラーのプログラムを利用することで，θ^* の推定値を求めよ．また，抽出された値の列を $p_{3001}, p_{3002}, \ldots, p_{6000}$ によって表すものとする．このとき，これらの値は (漸近的に) 事後 pdf $g(p|y)$ をシミュレートしたものになっていることに注意せよ．この列の値を用いることで，95%確信区間を求めよ．

11.5.5. 練習問題 11.5.2 のベイズモデルを，以下のように表現する．
$$Y \sim b(n,p),\ 0<p<1$$
$$p|\theta \sim h(p|\theta) = \theta p^{\theta-1},\ \theta>0$$
このとき，$g(y|\theta)$ の mle を求めるための推定方程式を定めよ．これはすなわち，p の経験ベイズ推定量を求めるための第 1 歩である．なお，結果は可能なかぎり整理して単純化せよ．

11.5.6. 例 11.5.1 は，正規分布に関して共役な分布族に関する階層ベイズモデルを扱っていた．このモデルを，以下のように表現する．
$$\overline{X}|\Theta \sim N\left(\theta, \frac{\sigma^2}{n}\right),\ ただし\ \sigma^2\ は既知$$
$$\Theta|\tau^2 \sim N(0,\tau^2)$$
このとき，θ の経験ベイズ推定量を求めよ．

第12章 線形モデル

　この章では線形モデルの概論を示す．これらのモデルは回帰モデルや分散分析モデルを含み，また，実際に最も広く用いられるモデルである．線形モデルの当てはめにおける最も一般的な方法は，最小2乗法 (LS) を用いる方法である．しかし，LS の当てはめは外れ値と影響のある点に非常に敏感である．この章では，影響関数と破局の2つの頑健の概念を示す．影響関数は外れ値と影響のある点に対しての LS の敏感さの予測によって容易に示すことができる．また，線形モデルと LS 推定を，それらの幾何学を通して示す．これは簡潔な提示を与えるだけではなく，LS の当てはめに代わる別な手段の容易な導入を可能にする．LS の当てはめで用いられるユークリッドノルムを，別のノルムに取り替える．単純な位置モデルから始め，単純回帰モデル，重回帰モデルへと進める．

12.1 頑健の概念

　簡単にいうと，推定量がデータにおける外れ値に対し敏感でないなら推定量は頑健 (robust) であるという．本節では，これを位置モデルに対してより的確なものとする．$Y_1, Y_2, \ldots Y_n$ は以下の位置モデルに従う無作為標本とする．

$$Y_i = \theta + \varepsilon_i, \quad i = 1, 2, \ldots, n \tag{12.1.1}$$

ここで，ε_i は cdf $F(t)$, pdf $f(t)$ に従う．$F_Y(t)$ と $f_Y(t)$ は，それぞれ Y の cdf と pdf を表すとする．このとき，$F_Y(t) = F(t-\theta)$ である．このモデルは，$\mathbf{Y}' = (Y_1, \ldots, Y_n)$, $\boldsymbol{\varepsilon}' = (\varepsilon_1, \ldots, \varepsilon_n)$ とし，

$$\mathbf{Y} = \mathbf{1}\theta + \boldsymbol{\varepsilon} \tag{12.1.2}$$

とすることで，行列の形式で記述することができる．ここで，$\mathbf{1}$ は要素がすべて1の $n \times 1$ のベクトルである．V を，$\mathbf{1}$ によって張られた R^n の部分空間としたなら，モデル (12.1.2) 式の簡単な記述方法は以下のようになる．

$$\mathbf{Y} = \boldsymbol{\eta} + \boldsymbol{\varepsilon}, \quad \boldsymbol{\eta} \in V \tag{12.1.3}$$

もし確率誤差が $\mathbf{0}$ なら，Y は V 上にあるだろう．したがって，$\boldsymbol{\eta}$ を推定する単純な方法は，V 上の，$\mathbf{Y}$ に"最も近い"ベクトルを決定することである．ここで，"最も近い"というのは特定のノルムの観点からである．本節では，2つのノルムと，それらに対応する推定値を考える．

12.1.1 ノルムと推定方程式

1つめのノルムとして，ユークリッドノルムを取り上げる．これは，この章においては，最小2乗 (LS) ノルムとなっている．このノルムの2乗は当然以下によって与えられる．

$$\|\mathbf{v}\|_{LS}^2 = \sum_{i=1}^n v_i^2, \quad \mathbf{v} \in R^n \tag{12.1.4}$$

このとき，θ の LS 推定値は $\widehat{\theta}_{LS}$ であり，

$$\widehat{\theta}_{LS} = \mathrm{Argmin}_{\theta \in R} \|\mathbf{Y} - \mathbf{1}\theta\|_{LS}^2 \tag{12.1.5}$$

である．θ を用いるかわりに，η の推定の観点からこれを表現することができるが，本節では θ のみを用いる．練習問題 12.1.1 参照．

方程式 (12.1.4) は，ノルム (norm) の観点からみると，この場合は LS ノルムである．しかし，θ の関数を最小化をする．したがって，θ についての偏導関数を計算し，最小化するような点について解くことがしばしばより容易である．これは，推定方程式 (estimating equation)

$$\sum_{i=1}^n (Y_i - \theta) = 0 \tag{12.1.6}$$

になることが簡単にわかる．この方程式の解は $\widehat{\theta}_{LS} = \overline{Y}$ である．すなわち，標本平均 (sample mean) である．特定の付加的仮定のもとで，θ の LS 推定値は最適な特性をもつ．例えば，ε_i が分布 $N(0, \sigma^2)$ に従うと仮定したとき，第7章より，LS 推定値は θ の MVUE である．

2つめのノルムとして，以下によって与えられる，最小絶対値 (L_1) のノルムを取り上げる．

$$\|\mathbf{v}\|_{L_1} = \sum_{i=1}^n |v_i|, \quad \mathbf{v} \in R^n \tag{12.1.7}$$

このとき，θ の L_1 推定値は $\widehat{\theta}_{L_1}$ であり，

$$\widehat{\theta}_{L_1} = \mathrm{Argmin}_{\theta \in R} \|\mathbf{Y} - \mathbf{1}\theta\|_{L_1} \tag{12.1.8}$$

である．対応する推定方程式は，

$$\sum_{i=1}^n \mathrm{sgn}(Y_i - \theta) = 0 \tag{12.1.9}$$

である．この方程式の解は，$\widehat{\theta}_{L_1} = \mathrm{median}\{Y_1, \ldots, Y_n\}$ と表現される，$Y_1, Y_2, \ldots, Y_n$ の中央値とされる．

影響関数の議論につなげるため，これら2つの推定値をそれぞれの感度関数の観点から比べる．$\widehat{\theta} = \widehat{\theta}(\mathbf{Y})$ といったような，一般的な推定量に対し議論を始めよう．標

12.1. 頑健の概念

本に外れ値が加わったとき，$\widehat{\theta}$ に何が起こるだろうか．これを検討するため，$\mathbf{y}_n = (y_1, y_2, \ldots y_n)$ を標本の実現値とし，y を追加された点とし，議論される標本を $\mathbf{y}'_{n+1} = (\mathbf{y}'_n, y)$ と表現する．このとき，簡単な測度は，y の量 $(1/(n+1))$ に対する，y が加わったことによる推定値の変化の比率，すなわち，

$$S(y; \widehat{\theta}) = \frac{\widehat{\theta}(\mathbf{y}_{n+1}) - \widehat{\theta}(\mathbf{y}_n)}{1/(n+1)} \tag{12.1.10}$$

である．これは，推定値 $\widehat{\theta}$ の感度曲線 (sensitivity curve) とよばれる．

例として，標本平均と標本中央値を考える．標本平均に対して以下を考えるのは容易である．

$$S(y; \overline{Y}) = \frac{\overline{y}_{n+1} - \overline{y}_n}{1/(n+1)} = y - \overline{y}_n \tag{12.1.11}$$

したがって，標本平均における相対的な変化は y の線形関数である．したがって，y が大きいなら標本平均における変化も大きい．実際，変化は y において限界はない．したがって，標本平均は外れ値の大きさに対し非常に敏感である．これに比較して，標本サイズ n が奇数の標本中央値を考える．この場合，標本中央値は $\widehat{\theta}_{L_1,n} = y_{(r)}$，ここで $r=(n+1)/2$ である．追加の点 y が加わったとき，標本サイズは偶数となり，標本中央値 $\widehat{\theta}_{L_1,n+1}$ は真ん中の 2 つの順序統計量の平均である．y がこれらの 2 つの順序統計量の間で変化したとき，$\widehat{\theta}_{L_1,n}$ と $\widehat{\theta}_{L_1,n+1}$ の関係にはいくぶん変化がある．しかし，ひとたび y がこれらの真ん中の 2 つの順序統計量の域を越えて動いたときは変化はない．したがって，$S(y; \widehat{\theta}_{L_1,n})$ は y の有界な関数である．以上より，$\widehat{\theta}_{L_1,n}$ は標本平均に比べ，外れ値に対してずっと敏感でない．練習問題 12.1.2 の数値例を参照．

12.1.2 影響関数

感度曲線のひとつの問題は標本への依存である．前半の章で，推定量をその基礎をなす分布の関数である分散の観点から比較した．これは，ここで行おうとしている種類の比較である．

位置モデル (12.1.1) 式は，興味の対象となっているモデルであり，ここで，$F_Y(t) = F(t-\theta)$ は Y の cdf であり，$F(t)$ は ε の cdf であったことを思い出そう．10.1 節で議論したように，母数 θ は cdf $F_Y(y)$ の関数である．このとき，$\theta = T(F_Y)$ のような表記法の関数を用いると便利である．例えば，θ が平均なら，$T(F_Y)$ は以下のように定義される．

$$T(F_Y) = \int_{-\infty}^{\infty} y \, dF_Y(y) = \int_{-\infty}^{\infty} y f_Y(y) \, dy \tag{12.1.12}$$

一方，θ が中央値なら，$T(F_Y)$ は以下のように定義される．

$$T(F_Y) = F_Y^{-1}\left(\frac{1}{2}\right) \tag{12.1.13}$$

$T(F_Y)$ を汎関数 (functional) とよぶ．汎関数は第10章において，位置モデルに対し導入されたことも思い出そう．そこでは，$T(F_Y) = T(F) + \theta$ ということが示された．練習問題12.1.3では，読者は，これが上で定義された平均の汎関数と中央値の汎関数に対し真であることを示すことが求められる．

(12.1.6)式，(12.1.14)式で定義されたような推定方程式は，例えば，尤度方程式や最小2乗のような方法に基づき，しばしば非常に直感的に理解できる．他方，汎関数はより抽象的な概念である．しかし，しばしば推定方程式は汎関数へと導かれる．次では，これを平均の汎関数と中央値の汎関数に対して概説する．

F_n は，実現標本 $y_1, y_2, \ldots, y_n$ の経験分布関数であるとする．すなわち，F_n は，量 n^{-1} をそれぞれの y_i に割り当てる，分布の cdf である．(10.1.1)式参照．推定方程式 (12.1.6) を表記することができることに注意しよう．これは，標本平均を以下のように定義する．

$$\sum_{i=1}^{n}(y_i - \theta)\frac{1}{n} = 0 \tag{12.1.14}$$

これは経験分布を用いた期待値である．$F_n \to F_Y$ と確率収束するから，この期待値は以下へ収束すると考えられる．

$$\int_{-\infty}^{\infty}[y - T(F_Y)]f_Y(y)\,dy = 0 \tag{12.1.15}$$

この方程式に対する解は，当然，$T(F_Y) = E(Y)$ である．

同様に，標本中央値を定義する EE，(12.1.14) 式を以下のように表すことができる．

$$\sum_{i=1}^{n}\mathrm{sgn}(Y_i - \theta)\frac{1}{n} = 0 \tag{12.1.16}$$

汎関数 $\theta = T(F_Y)$ に対する対応する方程式は，方程式

$$\int_{-\infty}^{\infty}\mathrm{sgn}[y - T(F_Y)]f_Y(y)\,dy = 0 \tag{12.1.17}$$

の解である．これは，以下のように記述することができることに注意しよう．

$$0 = -\int_{-\infty}^{T(F_Y)}f_Y(y)\,dy + \int_{T(F_Y)}^{\infty}f_Y(y)\,dy = -F_Y[T(F_Y)] + 1 - F_Y[T(F_Y)]$$

よって，$F_Y[T(F_Y)] = 1/2$ もしくは $T(F_Y) = F_Y^{-1}(1/2)$ である．したがって，$T(F_Y)$ は Y の分布の中央値である．

所与の汎関数 $T(F_Y)$ が摂動に対してどのように変化するかを考えたい．$F(t)$ への外れ値の追加を考えることと類似しているのは，cdf $F_Y(t)$ に点 y における局所的な量の混入を考えることである．すなわち，$\epsilon > 0$ で，

$$F_{y,\epsilon}(t) = (1-\epsilon)F_Y(t) + \epsilon\Delta_y(t) \tag{12.1.18}$$

とする．ここで，$\Delta_y(t)$ は，y においてそのすべての量があるような cdf である．す

12.1. 頑健の概念

なわち，以下である．

$$\Delta_y(t) = \begin{cases} 0 & t < y \\ 1 & t \geq y \end{cases} \tag{12.1.19}$$

cdf $F_{y,\epsilon}(t)$ は2つの分布の混合分布である．そこから標本抽出する際，全体のうち $(1-\epsilon)100\%$ の比率の実現値が $F_Y(t)$ から抽出され，残りの $\epsilon 100\%$ の比率の y (外れ値) が抽出される．したがって，y は，感度曲線において外れ値の特色をもつ．練習問題 12.1.4 で示すように，最小上界のノルムに基づき，すべての y に対して，$F_{y,\epsilon}(t)$ は $F_Y(t)$ の ϵ 近傍内にある．すなわち，すべての y に対して，$|F_{y,\epsilon}(t) - F_Y(t)| \leq \epsilon$ である．したがって，$F_{y,\epsilon}(t)$ における汎関数は $T(F_Y)$ にも近いはずである．感度曲線に対応する，汎関数に対する概念は，極限が存在するなら，以下の関数である．

$$IF(y;\widehat{\theta}) = \lim_{\epsilon \to 0} \frac{T(F_{y,\epsilon}) - T(F_Y)}{\epsilon} \tag{12.1.20}$$

関数 $IF(y;\widehat{\theta})$ は，y における推定量 $\widehat{\theta}$ の影響関数 (influence function) とよばれる．この表記法が示唆するように，これは，汎関数 $T(F_{y\epsilon})$ の ϵ についての導関数を 0 において評価したものと考えられ，しばしばこれをこのように定義する．小さな ϵ に対して，

$$T(F_{y,\epsilon}) \doteq T(F_Y) + \epsilon IF(y;\widehat{\theta})$$

であることに注意せよ．したがって，局所的な量の混入による汎関数の変化は，近似的に直接的に影響関数に比例する．影響関数が外れ値に対して敏感ではない推定量がほしい．さらに，上述したように，任意の y に対して $F_{y,\epsilon}(t)$ は $F_Y(t)$ に近い．したがって，少なくとも影響関数は y の有界な関数のはずである．

> **定義 12.1.1.**
> $|IF(y;\widehat{\theta})|$ がすべての y に対して有界なら，推定量 $\widehat{\theta}$ は頑健 (robust) であるという．

Hampel (1974) は影響関数を提案し，その重要な性質について論じた．その少しばかりを以下に記載しよう．しかし，はじめに標本平均と標本中央値の影響関数を決定する．

標本平均について，混合分布に関する 3.4.1 項を思い出そう．関数 $F_{y,\epsilon}(t)$ は確率変数 $U = I_{1-\epsilon} Y + [1 - I_{1-\epsilon}] W$ の cdf である．ここで，$Y, I_{1-\epsilon}, W$ は統計的独立な確率変数である．Y は cdf $F_Y(t)$ に従い，W は cdf $\Delta_y(t)$ に従い，$I_{1-\epsilon}$ は $b(1, 1-\epsilon)$ である．したがって，以下である．

$$E(U) = (1-\epsilon)E(Y) + \epsilon E(W) = (1-\epsilon)E(Y) + \epsilon y$$

平均の汎関数を $T_\mu(F_Y) = E(Y)$ と表す．$T_\mu(F)$ の観点から，以下が示されたことになる．

$$T_\mu(F_{y,\epsilon}) = (1-\epsilon)T_\mu(F_Y) + \epsilon y$$

したがって，以下である．

$$\frac{\partial T_\mu(F_{y,\epsilon})}{\partial \epsilon} = -T_\mu(F_Y) + y$$

よって，標本平均の影響関数は，

$$IF(y;\overline{Y}) = y - \mu \tag{12.1.21}$$

であり，ここで，$\mu = E(Y)$ である．標本平均の影響関数は y において線形であり，したがって，y の有界ではない関数である．よって，標本平均は頑健ではない推定量である．影響関数を導く別の方法は，$F_{y,\epsilon}(t)$ に対して方程式 (12.1.15) が定義されたとき，方程式 (12.1.15) を陰に微分することである．練習問題 12.1.6 参照．後の節では，この方法で影響関数を求める．

例 12.1.1 (標本中央値の影響関数). この例では，標本中央値 $\widehat{\theta}_{L_1}$ の影響関数を導く．この場合，汎関数は $T_\theta(F) = F^{-1}(1/2)$，すなわち，$F$ の中央値である．影響関数を決定するため，混入した cdf $F_{y,\epsilon}(t)$ における汎関数を決定する必要がある．すなわち，$F_{y,\epsilon}^{-1}(1/2)$ を決定する．練習問題 12.1.8 で示すように，cdf $F_{y,\epsilon}(t)$ の逆関数は以下によって与えられる．

$$F_{y,\epsilon}^{-1}(u) = \begin{cases} F^{-1}\left(\dfrac{u}{1-\epsilon}\right) & u < F(y) \\ F^{-1}\left(\dfrac{u-\epsilon}{1-\epsilon}\right) & u \geq F(y) \end{cases} \tag{12.1.22}$$

ここで，$0 < u < 1$ である．したがって，$u = 1/2$ とし，以下を得る．

$$T(F_{y,\epsilon}) = F_{y,\epsilon}^{-1}(1/2) = \begin{cases} F_Y^{-1}\left(\dfrac{1/2}{1-\epsilon}\right) & F_Y^{-1}\left(\dfrac{1}{2}\right) < y \\ F_Y^{-1}\left(\dfrac{(1/2)-\epsilon}{1-\epsilon}\right) & F_Y^{-1}\left(\dfrac{1}{2}\right) > y \end{cases} \tag{12.1.23}$$

(12.1.23) 式に基づき，$F_{y,\epsilon}^{-1}(1/2)$ の ϵ についての偏導関数は，以下のようになることがわかる．

$$\frac{\partial T_\theta(F_{y,\epsilon})}{\partial \epsilon} = \begin{cases} \dfrac{(1/2)(1-\epsilon)^{-2}}{f_Y[F_Y^{-1}((1/2)/(1-\epsilon))]} & F_Y^{-1}\left(\dfrac{1}{2}\right) < y \\ \dfrac{(-1/2)(1-\epsilon)^{-2}}{f_Y[F_Y^{-1}(\{(1/2)-\epsilon\}/\{1-\epsilon\})]} & F_Y^{-1}\left(\dfrac{1}{2}\right) > y \end{cases} \tag{12.1.24}$$

この偏導関数を $\epsilon = 0$ において評価することで，中央値の影響関数

$$IF(y;\widehat{\theta}_{L_1}) = \begin{cases} \dfrac{1}{2f_Y(\theta)} & \theta < y \\ \dfrac{-1}{2f_Y(\theta)} & \theta > y \end{cases} = \frac{\text{sgn}(y-\theta)}{2f(\theta)} \tag{12.1.25}$$

12.1. 頑健の概念

に到達する．ここで，θ は F_Y の中央値である．この影響関数は有界であるから，標本中央値は頑健な推定量である．■

ここで，推定量の影響関数の3つの有用な性質を記載する．標本平均に対し，$E[IF(Y;\overline{Y})] = E[Y] - \mu = 0$ であることに注目しよう．練習問題12.1.9で示すように，これは標本中央値の影響関数に対しても真である．実際，これは一般的に真である．$IF(y) = IF(y;\widehat{\theta})$ は，汎関数 $\theta = T(F_Y)$ の推定量 $\widehat{\theta}$ の影響関数を表すとする．このとき，期待値が存在するなら，

$$E[IF(Y)] = 0 \tag{12.1.26}$$

である．Huber (1981) の議論を参照．したがって，2乗された期待値が存在するなら，

$$\mathrm{Var}[IF(Y)] = E[IF^2(Y)] \tag{12.1.27}$$

を得る．影響関数の3つめの性質は以下の漸近的な結果である．

$$\sqrt{n}\,[\widehat{\theta} - \theta] = \frac{1}{\sqrt{n}} \sum_{i=1}^{n} IF(Y_i) + o_p(1) \tag{12.1.28}$$

分散 (12.1.27) 式が存在すると仮定すると，$IF(Y_1), \ldots, IF(Y_n)$ は有限の分散の iid なので，単純な中心極限定理と (12.1.28) 式は以下を示唆する．

$$\sqrt{n}\,[\widehat{\theta} - \theta] \xrightarrow{D} N(0, E[IF^2(Y)]) \tag{12.1.29}$$

したがって，推定量の影響関数から，推定量の漸近分布を求めることができる．一般的な条件のもと，(12.1.28) 式は成り立つ．しかし，しばしば条件の立証は困難である．そして，漸近分布は別の方法でより簡単に求めることができる．Huber (1981) の議論を参照．しかしこの章では，推定量の漸近分布を求めるために，(12.1.28) 式を用いよう．推定量 $\widehat{\theta}_1$, $\widehat{\theta}_2$ に対して，(12.1.28) 式が成り立つと仮定する．これらは両方とも同じ汎関数，例えば θ の推定量である．このとき，IF_i は $\widehat{\theta}_i$, $i = 1, 2$ の影響関数を表すとすると，2つの推定量間の漸近相対効率を以下のように表現することができる．

$$ARE(\widehat{\theta}_1, \widehat{\theta}_2) = \frac{E[IF_2^2(Y)]}{E[IF_1^2(Y)]} \tag{12.1.30}$$

これらの考えを，標本中央値を用いて説明する．

例 12.1.2 (標本中央値の漸近分布). 標本中央値 $\widehat{\theta}_{L_1}$ の影響関数は，(12.1.25) 式で与えられた．$E[\mathrm{sgn}^2(Y - \theta)] = 1$ なので，(12.1.29) 式より，標本中央値の漸近分布は以下のようになる．

$$\sqrt{n}\,[\widehat{\theta} - \theta] \xrightarrow{D} N\left(0, [2f_Y(\theta)]^{-2}\right)$$

ここで，θ は pdf $f_Y(t)$ の中央値である．これは第10章で与えられた結果と一致する．■

12.1.3 推定量の破局点

 推定量の影響関数は,推定量の局所的な感度 (local sensitivity) とよばれる,ひとつの外れ値に対する推定量の感度を測る.次に,推定量の大域的な感度 (global sensitivity) を測ることについて論じよう.すなわち,推定量が破局することなく,どれだけの割合の外れ値を許容できるかである.

 明確にするため, $\mathbf{y}' = (y_1, y_2, \ldots, y_n)$ は標本の実現値とする.標本の m 個の点を改悪すると仮定する.すなわち, $y_1, \ldots, y_m$ を $y_1^*, \ldots, y_m^*$ に置き換える.これらの点は大きな外れ値である. $\mathbf{y}_m = (y_1^*, \ldots, y_m^*, y_{m+1}, \ldots, y_n)$ は改悪された標本を表すとする. m 個の点を改悪した推定量の偏りを,以下のように定義する.

$$\mathrm{bias}(m, \mathbf{y}_n, \widehat{\theta}) = \sup |\widehat{\theta}(\mathbf{y}_m) - \widehat{\theta}(\mathbf{y}_n)| \tag{12.1.31}$$

ここで, sup は,すべてのありうる改悪された標本にわたって考えられる.この偏りに上限がないなら,推定量は破局 (breakdown) している.推定量が破局するまで許容することのできる改悪の最小の割合を,その有限標本破局点 (finite sample breakdown point) とよぶ.より正確に述べると,

$$\epsilon_n^* = \min_m \{m/n : \mathrm{bias}(m, \mathbf{y}_n, \widehat{\theta}) = \infty\} \tag{12.1.32}$$

であったとき, ϵ_n^* を, $\widehat{\theta}$ の有限標本破局点とよぶ.もし,

$$\epsilon_n^* \to \epsilon^* \tag{12.1.33}$$

という極限が存在するなら, ϵ^* を $\widehat{\theta}$ の破局点 (breakdown point) とよぶ.

 標本平均の破局点を決定するため,データのあるひとつの点,例えば,一般性を損なうことなく1番目のデータ点を改悪すると仮定する.このとき,改悪された標本は $\mathbf{y}' = (y_1^*, y_2, \ldots, y_n)$ である.改悪された標本の標本平均を $\overline{y}^*$ で表す.このとき,以下が容易に示される.

$$\overline{y}^* - \overline{y} = \frac{1}{n}(y_1^* - y_1)$$

したがって, $\mathrm{bias}(1, \mathbf{y}_n, \overline{y})$ は y_1^* の線形関数であり, y_1^* を (絶対値で) 大きくとることによって好きなだけ (絶対値で) 大きくすることができる.したがって,標本平均の有限標本破局点は $1/n$ である.これは, $n \to \infty$ に伴い 0 に向かうので,標本平均の破局点は 0 である.

例 12.1.2 (標本中央値の破局値). 次は標本中央値を考える. $\mathbf{y}_n = (y_1, y_2, \ldots, y_n)$ は無作為標本の実現値とする.標本サイズが $n = 2k$ のとき,改悪された標本 $\mathbf{y}_n$ において $y_{(k)}$ が $-\infty$ になるとき,中央値も $-\infty$ となる.したがって,標本中央値の破局値は, 0.5 となる k/n である.同様の理由より,標本サイズが $n = 2k+1$ のとき,破局値は $(k+1)/n$ であり,これも標本サイズが大きくなるに伴って 0.5 となる.したがって,標本中央値は 50% 破局推定値といえる.位置モデルに対し, 50%破局は,推定値に対し最も安全な破局点である.したがって,中央値は最も満足できる破局点を

12.1. 頑健の概念

達成しているのである.

練習問題

12.1.1. (12.1.3) 式で定義されたような位置モデルを考える. また,
$$\widehat{\boldsymbol{\eta}} = \operatorname{Argmin}_{\boldsymbol{\eta}} \|\mathbf{Y} - \boldsymbol{\eta}\|_{LS}^2$$
とする. $\widehat{\boldsymbol{\eta}} = \overline{y}\mathbf{1}$ を示せ.

12.1.2. 以下のデータセットに対する, 標本平均と標本中央値の感度曲線を求めよ. また, 10 きざみで -300 から 300 において曲線を評価し, 同じところに曲線を図示しなさい. また, 感度曲線を比較せよ.

$$-9 \quad 58 \quad 12 \quad -1 \quad -37 \quad 0 \quad 11 \quad 21$$
$$18 \quad -24 \quad -4 \quad -53 \quad -9 \quad 9 \quad 8$$

12.1.3. 位置モデル (12.1.1) 式が真であると仮定する.
(a) (12.1.15) 式において陰に定義された平均の汎関数を考える. $T(F_Y) = T(F) + \theta$ を示せ.
(b) (12.1.16) 式で定義された中央値の汎関数に対して, (a) と同じことをせよ.

12.1.4. $F_{y,\epsilon}(t)$ は, (12.1.18) 式で与えられた, 局所的な量が混入した cdf であるとする. すべての t に対して,
$$|F_{y,\epsilon}(t) - F_Y(t)| \leq \epsilon$$
であることを示せ.

12.1.5. Y は, 平均 0, 分散 σ^2 の確率変数であると仮定する. 関数 $F_{y,\epsilon}(t)$ は, 確率変数 $U = I_{1-\epsilon}Y + [1 - I_{1-\epsilon}]W$ の cdf であることを思い出そう. ここで, $Y, I_{1-\epsilon}, W$ は統計的独立な確率変数であり, Y は cdf $F_Y(t)$ に従い, W は cdf $\Delta_y(t)$ に従い, $I_{1-\epsilon}$ は $b(1, 1-\epsilon)$ である. 汎関数 $V(F_Y) = \operatorname{Var}(Y) = \sigma^2$ を定義する. 混入した cdf $F_{y,\epsilon}(t)$ におけるこの汎関数は, 確率変数 $U = I_{1-\epsilon}Y + [1 - I_{1-\epsilon}]W$ の分散である. この分散の影響関数を導くため, 以下の手続きを実行せよ.
(a) $E(U) = \epsilon y$ を示せ.
(b) $\operatorname{Var}(U) = (1-\epsilon)\sigma^2 + \epsilon y^2 - \epsilon^2 y^2$ を示せ.
(c) 直前の式の右辺の ϵ についての偏導関数を求めよ. これが影響関数である.
ヒント: $I_{1-\epsilon}$ はベルヌイ確率変数なので, $I_{1-\epsilon}^2 = I_{1-\epsilon}$ である. これはなぜか.

12.1.6. しばしば影響関数は, 混入した cdf $F_{y,\epsilon}(t)$, (12.1.18) 式において, 汎関数に対して定義された式を陰に微分することによって導かれる. 定義式 (12.1.15) をもつ平均の汎関数を考えよ. 微分の線形性を用い, まず cdf $F_{y,\epsilon}(t)$ において定義された式が, 以下のように表現できることを示せ.

$$0 = \int_{-\infty}^{\infty}[t - T(F_{y,\epsilon})]dF_{y,\epsilon}(t) = (1-\epsilon)\int_{-\infty}^{\infty}[t-T(F_{y,\epsilon})]f_Y(t)\,dt$$
$$+ \epsilon \int_{-\infty}^{\infty}[t-T(F_{y,\epsilon})]\,d_\Delta(t) \quad (12.1.34)$$

$\partial T(F_{y,\epsilon})/\partial \epsilon$ を求めたいことを思い出そう．上の式を ϵ について陰に微分することによってこれを求めよ．

12.1.7. 練習問題 12.1.5 において，分散の汎関数の影響関数は直接導かれた．Y の平均を 0 と仮定し，分散の汎関数 $V(F_Y)$ も以下の方程式を解くことに注意せよ．

$$0 = \int_{-\infty}^{\infty}[t^2 - V(F_Y)]f_Y(t)\,dt$$

(a) cdf $F_Y(t)$ に従う iid $Y_1 - \overline{Y}, \ldots Y_n - \overline{Y}$ に対し，経験 cdf $F_n(t)$ において，定義された方程式を記述し，$V(F_n)$ について解くことで，分散の自然な推定量を求めよ．

(b) 練習問題 12.1.6 でのように，混入した cdf $F_{y,\epsilon}(t)$ において，分散の汎関数に対して定義された方程式を記述せよ．

(c) (b) の定義された方程式を陰に微分することで影響関数を導け．

12.1.8. (12.1.22) 式で与えられた cdf $F_{y,\epsilon}(t)$ の逆関数が正しいことを示せ．

12.1.9. $IF(y)$ は，(12.1.25) 式で与えられた標本中央値の影響関数である．$E[IF(Y)]$ と $\mathrm{Var}[IF(Y)]$ を決定せよ．

12.1.10. $y_1, y_2, \ldots, y_n$ は無作為標本の実現値とする．位置のホッジス・レーマン推定値（第 10 章）はウォルシュの平均の中央値であることを思い出そう．すなわち，以下である．

$$\widehat{\theta} = \mathrm{med}_{i \leq j}\left\{\frac{y_i + y_j}{2}\right\} \quad (12.1.35)$$

この推定値の破局点は 0.29 であることを示せ．
ヒント：m 個の点を改悪すると仮定する．ウォルシュの平均の 2 分の 1 の改悪となる m の値を決定する必要がある．m 個の点の改悪が，

$$p(m) = m + \binom{m}{2} + m(n-m)$$

個の改悪されたウォルシュの平均の導くことを示せ．したがって，有限標本破局点は，2 次方程式 $p(m) = n(n+1)/4$ の "正確な" 解である．

12.2 傾きの最小 2 乗推定量とウィルコクスン推定量

9.6 節と 10.7 節において，それぞれ最小 2 乗 (LS) 法と順位に基づく（ウィルコクス

12.2. 傾きの最小2乗推定量とウィルコクスン推定量

ンの) 方法による単純線形モデルへの当てはめについて説明した. 本節では, 幾何的な側面と頑健性という点からこれらの手法を簡単に比較する. なお, ここでは前節と同じ流れで説明を行う.

下式で与えられる単純線形モデルを思い出してほしい.

$$Y_i = \alpha + \beta x_{ci} + \varepsilon_i, \quad i=1,2,\ldots,n \tag{12.2.1}$$

ここで, $\varepsilon_1, \varepsilon_2, \ldots, \varepsilon_n$ はそれぞれ iid な連続型の確率変数である. このモデルにおいて, 私たちは回帰変数を中心化していた. すなわち $x_{ci} = x_i - \bar{x}$, ここで $x_1, x_2, \ldots, x_n$ は固定されていると見なす, ということである. 本節において興味のある母数は傾き母数 β である. これは, (期待値が存在しているならば) 回帰変数が1単位増加した際の期待される変化量である. x の中心化は, 傾き母数のみに注目することを可能とする. そこから示される結果は切片母数 α に対して不変ということである. α の推定に関しては, 12.2.3項において議論されるだろう. e_i を $\varepsilon_i + \alpha$ と定義することで, このモデルは以下のとおりとなる.

$$Y_i = \beta x_{ci} + e_i, \quad i=1,2,\ldots,n \tag{12.2.2}$$

ここで, $e_1, e_2, \ldots, e_n$ は連続型 cdf $F(x)$ と pdf $f(x)$ に iid に従う. ここで, Y の台のことをしばしば Y 空間 (Y-space) とよぶ. 同様に, X の範囲のことを X 空間 (X-space) とよぶ. また, X 空間はしばしば因子空間 (factor space) とよばれる.

9.6節において, 線形モデルの行列による定式化もまた行った. $\mathbf{Y} = (Y_1, \ldots, Y_n)'$ を反応ベクトル, $\mathbf{e} = (e_1, \ldots, e_n)'$ を確率誤差ベクトル, $\mathbf{x}_c = (x_{c1}, \ldots, x_{cn})'$ を回帰変数のベクトルを示すものとする. このとき線形モデルは以下の形で示すことができる.

$$\mathbf{Y} = \mathbf{x}_c \beta + \mathbf{e} \tag{12.2.3}$$

12.2.1 ノルムと推定方程式

まず最小2乗法 (least squares, LS) について説明する. 例9.6.1を思い出してほしい. β の LS 推定量は, ベクトル $\mathbf{Y}$ と $\mathbf{x}_c \beta$ のユークリッド距離の2乗を最小化する. すなわち以下となる.

$$\widehat{\beta}_{LS} = \mathrm{Argmin} \|\mathbf{Y} - \mathbf{x}_c \beta\|_{LS}^2 \tag{12.2.4}$$

ここで, ユークリッドノルムの2乗は $\mathbf{v} \in R^n$ について $\|\mathbf{v}\|_{LS}^2 = \sum_{i=1}^n v_i^2$ である. 同様に, それぞれの β に対して $\|\mathbf{Y} - \mathbf{x}_c \beta\|_{LS}^2$ の偏導関数を求め, それを0とすると LS 推定量は以下の方程式を解くことにより与えられる.

$$\sum_{i=1}^n (Y_i - x_{ci}\beta)x_{ci} = 0 \tag{12.2.5}$$

これが β の LS 推定量の推定方程式 (estimating equation, EE) であり, これは時として正規方程式 (normal equation) とよばれる. LS 推定量が以下となることは容易

にわかり，

$$\widehat{\beta}_{LS} = \frac{\sum_{i=1}^{n} x_{ci} Y_i}{\sum_{i=1}^{n} x_{ci}^2} \tag{12.2.6}$$

これは 9.6 節の (9.6.3) 式と一致する．

(12.2.3) 式の行列モデルという観点からは，$\widehat{\beta}_{LS} = (\mathbf{x}_c' \mathbf{x}_c)^{-1} \mathbf{x}_c' \mathbf{Y}$ となる．練習問題 12.2.1 参照のこと．$\mathbf{Y}$ の当てはめられる，あるいは予測される値は以下のとおりとなる．

$$\widehat{\mathbf{Y}}_{LS} = \mathbf{x}_c \widehat{\beta}_{LS} = \mathbf{x}_c (\mathbf{x}_c' \mathbf{x}_c)^{-1} \mathbf{x}_c' \mathbf{Y} = \mathbf{P}_c \mathbf{Y} \tag{12.2.7}$$

ここで，$\mathbf{P}_c$ は $\mathbf{x}_c$ に張られたベクトル空間上の射影行列である．LS における残差を $\widehat{\mathbf{e}}_{LS} = \mathbf{Y} - \widehat{\mathbf{Y}}_{LS}$ と表現することにしよう．このときベクトル $\widehat{\mathbf{Y}}_{LS}$ と $\widehat{\mathbf{e}}_{LS}$ は図 9.6.2 に示されたように直交する．詳細は練習問題 12.2.1 を参照のこと．

ウィルコクソン推定量 (Wilcoxon estimator) に関しては，単に異なるノルムを用いるだけである．練習問題 12.2.2 は，以下の関数は R^n 上のノルムであるということを示している．

$$\|\mathbf{v}\|_W = \sum_{i=1}^{n} a(R(v_i)) v_i, \ \mathbf{v} \in R^n \tag{12.2.8}$$

ここで，$R(v_i)$ は $v_1, \ldots, v_n$ の中での v_i の順位を示し，$a(i) = \varphi(i/(n+1))$ かつ $\varphi(u) = \sqrt{12}[u - (1/2)]$ である．したがって，LS と同じようにして，β の推定量を以下のように定めることができる．

$$\widehat{\beta}_W = \mathrm{Argmin} \|\mathbf{Y} - \mathbf{x}_c \beta\|_W \tag{12.2.9}$$

ここで，10.4 節で最初に使われたように，線形得点関数 $\varphi(u)$ はウィルコクソン得点関数である点から，添え字 W はウィルコクソンを意味している．$\|\mathbf{Y} - \mathbf{x}_c \beta\|_W$ を β についてそれぞれ微分すると，$\widehat{\beta}_W$ は以下の式を解くことで得られることがわかる．

$$\sum_{i=1}^{n} a(R(Y_i - x_{ci} \beta)) x_{ci} = 0 \tag{12.2.10}$$

練習問題 12.2.3 参照のこと．これが β のウィルコクソン推定量の推定方程式である．これは，10.7 節で議論されたウィルコクソン得点関数に関する推定量と同じものであることに注意してほしい．この方程式は LS における正規方程式の類似物である．

LS 同様に，ウィルコクソンにより当てはめられた値とその残差のベクトルをそれぞれ以下のように表現しよう．

$$\widehat{\mathbf{Y}}_W = \mathbf{x}_c \widehat{\beta}_W, \ \ \widehat{\mathbf{e}}_W = \mathbf{Y} - \widehat{\mathbf{Y}}_W$$

これらは，図 9.6.2 のように示すことができる．しかし，これらの間の角度は直角である必要はない．これらの議論に関しては練習問題 12.2.4 参照のこと．

12.2.2 影響関数

これらの方法の頑健性を判断するために，まず (12.2.2) 式のモデルに対応する確率モデルを考える．ここでは Y に加えて X も確率変数である．確率ベクトル (X,Y) は同時 cdf $H(x,y)$ と同時 pdf $h(x,y)$ にそれぞれ従い，以下を満たすと仮定しよう．

$$Y = \beta X + e \tag{12.2.11}$$

ここで，確率変数 e は cdf $F(t)$ と pdf $f(t)$ にそれぞれ従い，e と X は独立であるとする．x を中心化しているため，ここでもまた $E(X)=0$ と仮定しよう．練習問題 12.2.5 にも示されるとおり以下となる．

$$P(Y \leq t | X = x) = F(t - \beta x) \tag{12.2.12}$$

したがって，Y と X は $\beta=0$ であるとき，またそのときにかぎり独立である．

LS 推定量の汎関数は，(12.2.5) 式の LS における正規方程式から簡単に得られる．H_n を $(x_1,Y_1),(x_2,Y_2),\ldots,(x_n,Y_n)$ というペアにおける経験 cdf とする．すなわち H_n はそれぞれの点 (x_i,Y_i) において $1/n$ の確率 (量) が加算される離散分布に対応する cdf である．よって，(12.2.5) 式の LS 推定方程式はこの分布に対する期待値として以下のように表すことができる．

$$\sum_{i=1}^{n}(Y_i - x_{ci}\beta)x_{ci}\frac{1}{n} = 0 \tag{12.2.13}$$

(12.2.11) 式の確率モデルにおいては，LS 推定量に対応する汎関数 $T_{LS}(H)$ は以下の方程式の解となる．

$$\int_{-\infty}^{\infty}\int_{-\infty}^{\infty}[y - T_{LS}(H)x]xh(x,y)\,dxdy = 0 \tag{12.2.14}$$

ウィルコクスン推定量に対応する汎関数を得るために，順位と経験 cdf の関係 ((10.5.14) 式参照のこと) を思い出してほしい．ここから以下を得る．

$$a(R(Y_i - x_{ci}\beta)) = \varphi\left[\frac{n}{n+1}F_n(Y_i - x_{ci}\beta)\right] \tag{12.2.15}$$

ウィルコクスン推定方程式 (12.2.10) 式と (12.2.15) 式に基づき，ウィルコクスン推定量に対応する汎関数 $T_W(H)$ は以下の方程式を満たす．

$$\int_{-\infty}^{\infty}\int_{-\infty}^{\infty}\varphi\{F[y - T_W(H)x]\}xh(x,y)\,dxdy = 0 \tag{12.2.16}$$

続いて β に関する LS 推定量とウィルコクスン推定量の影響関数を導く．回帰モデルにおいては，Y 空間，X 空間双方における外れ値の影響に関する問題がある．ここで，すべての量がある点 (x_0,y_0) にかかり，$\Delta_{(x_0,y_0)}(x,y)$ が対応する cdf となるような質点分布を考えよう．ϵ はこの混入分布からの標本の確率とする．ここで，$0 < \epsilon < 1$ である．したがって，以下の cdf に従う混入分布を考えよう．

$$H_\epsilon(x,y) = (1-\epsilon)H(x,y) + \epsilon\Delta_{(x_0,y_0)}(x,y) \tag{12.2.17}$$

微分は線形操作であるため以下を得る．

$$dH_\epsilon(x,y) = (1-\epsilon)dH(x,y) + \epsilon d\Delta_{(x_0,y_0)}(x,y) \tag{12.2.18}$$

ここで, $dH(x,y) = h(x,y)\,dxdy$ である．すなわち, d は 2 変数による 2 階偏微分 $\partial^2/\partial x\,\partial y$ に対応している．

(12.2.14) 式より, cdf $H_\epsilon(x,y)$ における LS の汎関数 T_ϵ は以下の式を満たす.

$$\begin{aligned}
0 = &(1-\epsilon)\int_{-\infty}^\infty \int_{-\infty}^\infty x(y - xT_\epsilon)h(x,y)\,dxdy \\
&+ \epsilon\int_{-\infty}^\infty \int_{-\infty}^\infty x(y - xT_\epsilon)\,d\Delta_{(x_0,y_0)}(x,y)
\end{aligned} \tag{12.2.19}$$

ϵ に対する T_ϵ の偏導関数を見つけるためには，単に (12.2.19) 式を ϵ に対して陰関数の微分をすればいい．そこから以下を得る．

$$\begin{aligned}
0 = &-\int_{-\infty}^\infty \int_{-\infty}^\infty x(y - T_\epsilon x)h(x,y)\,dxdy \\
&+ (1-\epsilon)\int_{-\infty}^\infty \int_{-\infty}^\infty x(-x)\frac{\partial T_\epsilon}{\partial \epsilon}h(x,y)\,dxdy \\
&+ \int_{-\infty}^\infty \int_{-\infty}^\infty x(y - xT_\epsilon)\,d\Delta_{(x_0,y_0)}(x,y) + \epsilon B
\end{aligned} \tag{12.2.20}$$

$\epsilon = 0$ における偏導関数を評価するので，ここでは，B に関する表現は必要ではない．$\epsilon = 0$ においては，$y - T_\epsilon x = y - Tx = y - \beta x$ となることに注意してほしい．したがって，$\epsilon = 0$ で (12.2.20) 式右辺第 1 項は 0 となる．第 2 項は $-E(X^2)(\partial T/\partial \epsilon)$ となる．ここで偏微分は 0 において評価されている．最後に第 3 項は $x_0(y_0 - \beta x_0)$ となる．したがって，$\partial T_\epsilon/\partial \epsilon$ を解き，$\epsilon = 0$ について評価すると，LS 推定量の影響関数が以下によって与えられることがわかる．

$$IF(x_0, y_0; \widehat{\beta}_{LS}) = \frac{(y_0 - \beta x_0)x_0}{E(X^2)} \tag{12.2.21}$$

影響関数は Y 空間，X 空間のどちらにも有界でないことに注意が必要である．したがって，LS 推定量は双方の空間における外れ値に対して極度に敏感になるであろうことがわかる．つまり頑健ではない．

(12.2.16) 式に基づき，混入分布におけるウィルコクスン汎関数は以下を満たす．

$$\begin{aligned}
0 = &(1-\epsilon)\int_{-\infty}^\infty \int_{-\infty}^\infty x\varphi[F(y - xT_\epsilon)]h(x,y)\,dxdy \\
&+ \epsilon\int_{-\infty}^\infty \int_{-\infty}^\infty x\varphi[F(y - xT_\epsilon)]\,d\Delta_{(x_0,y_0)}(x,y)
\end{aligned} \tag{12.2.22}$$

(技術的には，cdf F は残差の実際の cdf と置き換えられるべきである．しかし，その結果は等しい．Hettmansperger and McKean, 1998: p.426 参照のこと)．ϵ に対するこの式の陰関数に関する微分へと進めることで以下を得る．

12.2. 傾きの最小2乗推定量とウィルコクスン推定量

$$\begin{aligned}0 =& -\int_{-\infty}^{\infty}\int_{-\infty}^{\infty} x\varphi[F(y-xT_\epsilon)]h(x,y)\,dxdy \\ &+(1-\epsilon)\int_{-\infty}^{\infty}\int_{-\infty}^{\infty} x\varphi'[F(y-T_\epsilon x)]f(y-T_\epsilon x)(-x)\frac{\partial T_\epsilon}{\partial \epsilon}h(x,y)\,dxdy \\ &+\int_{-\infty}^{\infty}\int_{-\infty}^{\infty} x\varphi[F(y-xT_\epsilon)]\,d\Delta_{(x_0,y_0)}(x,y)+\epsilon B \end{aligned} \quad (12.2.23)$$

ここで，偏微分を $\epsilon=0$ について評価するので B の表現は不要である．$\epsilon=0$ のとき，$Y-TX=e$ であり，確率変数 e，X は独立である．したがって，$\epsilon=0$ とおくことにより，(12.2.23) 式は以下のように単純化される．

$$0 = -E[\varphi'(F(e))f(e)]E(X^2)\left.\frac{\partial T_\epsilon}{\partial \epsilon}\right|_{\epsilon=0} + \varphi[F(y_0-x_0\beta)]x_0 \quad (12.2.24)$$

$\varphi'(u)=\sqrt{12}$ より，ウィルコクスン推定量の影響関数として最終的に以下を得る．

$$IF(x_0,y_0;\widehat{\beta}_W) = \frac{\tau\varphi[F(y_0-\beta x_0)]x_0}{E(X^2)} \quad (12.2.25)$$

ここで，$\tau=1/[\sqrt{12}\int f^2(e)\,de]$ である．影響関数は Y 空間において有界であるが X 空間においては有界ではないという点に注意してほしい．したがって，LS 推定量とは異なり，ウィルコクスン推定量は Y 空間における外れ値に対して頑健である．しかし，LS 推定量同様に X 空間における外れ値には敏感である．

回帰モデルにおける破局はモデル (12.2.2) 式における標本の改悪に基づいている．すなわち標本 $(x_{c1},Y_1),\ldots,(x_{cn},Y_n)$ である．LS 推定量，ウィルコクスン推定量双方の影響関数に基づくと，1つの x_i を改悪することで双方の推定量は破局することが明らかである．このことは練習問題 12.2.6 より示される．したがって，双方の推定量における破局点は 0 である．重み付きの場合には，ウィルコクスン推定量であっても双方の空間において有界であり，その破局点はたかだか 50% となる．注意 12.4.1 参照のこと．12.4 節においては，LS 推定量とウィルコクスン推定量の漸近分布について議論する．

12.2.3 切片

実際には，多くの場合線形モデルは切片母数を含んでいる．すなわちモデルは切片母数 α ももっているような (12.2.1) 式によって与えられる．α は確率変数 $Y_i-\beta X_i$ の位置母数であることに注意してほしい．このことは，残差 $Y_i-\widehat{\beta}X_i$ における位置の推定を示唆する．LS に関しては，残差の平均を用いる．すなわち X_i は中心化されているため以下のとおりとなる．

$$\widehat{\alpha}_{LS} = n^{-1}\sum_{i=1}^{n}(Y_i-\widehat{\beta}_{LS}X_i) = \overline{Y} \quad (12.2.26)$$

練習問題 12.3.13 ではこの推定値を最小2乗 (least squares) の観点から議論してい

る．ウィルコクソンへの当てはめのためには，いくつかの選択肢が適切であるようだ．
ここではウィルコクソン残差の中央値を用いることとする．すなわち以下とおく．

$$\widehat{\alpha}_W = \text{med}_{1 \leq i \leq n}\{Y_i - \widehat{\beta}_W X_i\} \tag{12.2.27}$$

注意 12.2.1（計算法）． ウィルコクソン推定値を計算するためにはいくつかの手段がある．例えばウェブサイト www.stat.wmich.edu/slab/RGLM ではウィルコクソン，LS 双方の当てはめが得られるコマンドを提供している．そのサイトで **Simple Regression** をクリックしてみよう．また，minitab というパッケージには **rregr** というコマンドがあり，これもウィルコクソン，LS 双方の当てはめを計算する．Terpstra et al. (2004) はウィルコクソンの当てはめを計算する R と S–PLUS のスクリプトを開発している．ウェブサイト www.stat.wmich.edu/mckean/HMC/Rcode でそのスクリプトはダウンロード可能である．■

練習問題

12.2.1. (12.2.3) 式の行列モデルから，
(a) LS 推定値は $\widehat{\beta}_{LS} = (\mathbf{x}_c'\mathbf{x}_c)^{-1}\mathbf{x}_c'\mathbf{Y}$ より与えられることを示せ．
(b) ベクトル $\widehat{\mathbf{Y}}_{LS}$ と $\widehat{\mathbf{e}}_{LS}$ は直交することを示せ．

12.2.2. 関数 (12.2.8) 式を考えよ．順序統計量と順位との対応を用いることで以下を示せ．

$$\|\mathbf{v}\|_W = \sum_{i=1}^n a(R(v_i))v_i = \sum_{i=1}^n a(i)v_{(i)}$$

ここで，$v_{(1)} \leq \cdots \leq v_{(n)}$ は $v_1, \ldots, v_n$ の順序づけられた値である．よって，以下の特徴を確立することで，関数 (12.2.8) 式は R^n 上の擬ノルム (pseudo–norm) であることを示せ．

(a) $v_1 = v_2 = \cdots = v_n$ のとき，またそのときにかぎり $\|\mathbf{v}\|_W \geq 0$ かつ $\|\mathbf{v}\|_W = 0$ である．

ヒント：まず得点 $a(i)$ の和が 0 となる点から以下を示せ．

$$\sum_{i=1}^n a(i)v_{(i)} = \sum_{i<j} a(i)[v_{(i)} - v_{(j)}] + \sum_{i>j} a(i)[v_{(i)} - v_{(j)}]$$

ここで j は $a(j) < 0$ となるような集合 $\{1, 2, \ldots, n\}$ における最大の整数である．

(b) すべての $c \in R$ について $\|c\mathbf{v}\|_W = |c|\|\mathbf{v}\|_W$ である．
(c) すべての $\mathbf{v}, \mathbf{w} \in R^n$ について $\|\mathbf{v} + \mathbf{w}\|_W \leq \|\mathbf{v}\|_W + \|\mathbf{w}\|_W$ である．

ヒント：順列を定めよ．例えば 2 つの数値の集合 $\{c_1, \ldots, c_n\}$，$\{d_1, \ldots, d_n\}$ において，$\sum_{k=1}^n c_{i_k}d_{j_k}$ を最大化するような整数 $\{1, 2, \ldots, n\}$ を取る i_k と j_k である．

12.2. 傾きの最小 2 乗推定量とウィルコクスン推定量

12.2.3. (12.2.9) 式のウィルコクスンの正規方程式を導け.
ヒント：以下の恒等式を用いよ.

$$\|\mathbf{Y} - \mathbf{x}_C \beta\|_W = \sum_{i=1}^{n} a(i)(Y - x_c\beta)_{(i)}$$

12.2.4. ウィルコクスンによる回帰の方法について，どのベクトルが $\widehat{\mathbf{Y}}_W$ と直交するか.

12.2.5. (12.2.11) 式のモデルについて，(12.2.12) 式が保持されることを示せ．また，Y と X は $\beta = 0$ であるならば，またその場合にかぎり独立であることを示せ．したがって，独立性はその母数に基づいている．これは，正規性にこの独立性は必須ではない場合である．

12.2.6. 例 10.7.2 で議論された電話のデータを考えよう．図 10.7.1 から Y 空間には 7 つの外れ値があることは容易にわかる．この例で議論された推定値に基づくと，傾きの LS 推定値は外れ値に対して特に敏感であり，ウィルコクスン推定値はこれらの外れ値に対して頑健である．

(a) このデータセットについて，x の最後の値を 73 から 173 に変更する．LS への当てはめでは大きく値が変化することを示せ．

(b) (a) で示した変更を加えたデータのウィルコクスン推定値を求めよ．これもまた，値が大きく変化することを示せ．ウィルコクスンの当てはめを得るために，Web サイト www.stat.wmich.edu/slab で RGLM という箇所をクリックせよ．

(c) $x = 173$ における Y の値を例 10.7.2 のウィルコクスン推定値に基づく Y の予測値に変更せよ．この点は，外れ値 x に関して "よい" 点である．すなわちモデルに適合している値であることに注意せよ．ここで，ウィルコクスン推定値と LS 推定値を算出し，それらの特徴について述べよ．

12.2.7. すべての $\mathbf{v} \in R^n$ に対して以下が恒等式であることを導け．

$$\|\mathbf{v}\|_W = \frac{\sqrt{3}}{2(n+1)} \sum_{i=1}^{n} \sum_{j=1}^{n} |v_i - v_j| \tag{12.2.28}$$

したがって，以下が示される．

$$\widehat{\beta}_W = \operatorname{Argmin} \sum_{i=1}^{n} \sum_{j=1}^{n} |(y_i - y_j) - \beta(x_{ci} - x_{cj})| \tag{12.2.29}$$

(12.2.29) 式で与えられた $\widehat{\beta}_W$ の定式化は，L_1 (最小絶対偏差) の計算スクリプトを用いることで，傾きのウィルコクスン推定値を簡単に求めることを可能とすることに注意せよ．このことは，前に言及した Terpstra 他のウィルコクスンの当てはめを計算する R や S–PLUS の関数についての論文でも用いられている．

12.2.8. この練習問題では S–PLUS が使用可能であるか, L_1 の当てはめを計算する何らかのソフトウェアが使用可能であることを仮定する. 以下の簡単なデータセットを考える.

x	1	2	3	4	5	6
Y	18.1	6.5	10.1	14.9	21.9	22.9

(a) $\binom{6}{2}$ 組の x のペアにおける差と, それに対応する Y のペアにおける差を構成せよ.

(b) S–PLUS のコマンド l1fit を用い, 練習問題 12.2.7 で述べられたウィルコクスンの当てはめを計算せよ.

(c) このデータの散布図を描き, そこにウィルコクスンの当てはめと LS の当てはめを重ねてその当てはまりについて述べよ.

12.2.9. 確率変数 e は cdf $F(t)$ に従うと仮定し, $\varphi(u) = \sqrt{12}[u - (1/2)]$, $0 < u < 1$ をウィルコクソン得点関数とする.

(a) 確率変数 $\varphi[F(e_i)]$ の平均は 0, 分散は 1 となることを示せ.

(b) $\int_0^1 \varphi(u)\, du = 0$, $\int_0^1 \varphi^2(u)\, du = 1$ を満たすある得点関数 $\varphi(u)$ に関して, $\varphi[F(e_i)]$ の平均と分散を吟味せよ.

12.3 線形モデルの LS 推定

9.6 節において導入された単回帰の例を思い出そう. この例では, 適性テストの得点 (x_1) から生徒の微積分学の成績 (Y) を予測することに興味があった. おそらくこの問題に対して, x_1 に加え他の予測変数が利用可能だろう. 例えば, 学生の高校における評定平均値 (grade point average) や高校におけるパーセンタイル, 微積分学の前段階の科目においての成績といった予測変数は Y の予測に対して有用な情報を含んでいるだろう.

本節では, p 個の予測変数 $x_1, \ldots, x_p$ と反応変数 Y に関する問題について考える. このとき, 以下のような形式のモデルを検討することができるだろう.

$$Y = h(x_1, x_2, \ldots, x_p) + \varepsilon$$

ここで, ε は確率変数であり, しばしば確率誤差 (random error) とよばれる. また, h は特定の関数である. 本章では, h が係数 β について線形である場合のみを興味の対象とする. データは, $i = 1, 2, \ldots, n$ に関して $(Y_i, x_{i1}, x_{i2}, \ldots, x_{ip})$ という形式である n 個のベクトルからなっている. x を中心化する. すなわち, $x_{cij} = x_{ij} - \bar{x}_j$ とする. ここで, $\bar{x}_j = n^{-1} \sum_{i=1}^n x_{ij}$ である. 線形モデルは以下となる.

$$Y_i = \alpha + x_{ci1}\beta_1 + x_{ci2}\beta_2 + \cdots + x_{cip}\beta_p + \varepsilon_i, \quad i = 1, 2, \ldots, n \qquad (12.3.1)$$

ここで, $\alpha, \beta_1, \ldots, \beta_p$ は未知の母数であり, しばしば回帰係数 (regression coefficient)

12.3. 線形モデルの LS 推定

とよばれる.

このモデルに関する主な仮定は,確率誤差 $\varepsilon_1, \varepsilon_2, \ldots, \varepsilon_n$ が iid であることである. この仮定が成り立つとき,モデルは「真」であるという.特に,これは誤差の分布が x に依存しないことを意味している.この仮定のもとでは,$\alpha + x_{ci1}\beta_1 + x_{ci2}\beta_2 + \cdots + x_{cip}\beta_p$ に対する ε_i のプロットはランダムに散布するだろう.もちろん確率誤差や回帰係数は観測できないため,このプロットを得ることはできない.しかし,いったん回帰係数を推定すれば,残差プロット (residual plot) とよばれるこのプロットの推定値を得ることができる.モデルの確認はこのプロットのランダムな散布によって示される.

モデルの行列表記はさらに使いやすい. (12.3.1) 式のモデルは以下のように書くことができる.

$$\begin{bmatrix} Y_1 \\ Y_2 \\ \vdots \\ Y_n \end{bmatrix} = \begin{bmatrix} 1 \\ 1 \\ \vdots \\ 1 \end{bmatrix} \alpha + \begin{bmatrix} x_{c11} & x_{c12} & \cdots & x_{c1p} \\ x_{c21} & x_{c22} & \cdots & x_{c2p} \\ \vdots & \vdots & & \vdots \\ x_{cn1} & x_{cn2} & \cdots & x_{cnp} \end{bmatrix} \begin{bmatrix} \beta_1 \\ \beta_2 \\ \vdots \\ \beta_p \end{bmatrix} + \begin{bmatrix} \varepsilon_1 \\ \varepsilon_2 \\ \vdots \\ \varepsilon_n \end{bmatrix}$$

もしくは,同等に

$$\mathbf{Y} = \mathbf{1}_n \alpha + \mathbf{X}_c \boldsymbol{\beta} + \boldsymbol{\varepsilon} \qquad (12.3.2)$$

である.さらに簡潔な形式が便利だろう.$\mathbf{X} = [\mathbf{1}\, \mathbf{X}_c]$,かつ,$\mathbf{b} = (\alpha, \boldsymbol{\beta}')'$ とすると,モデルは以下のように書ける.

$$\mathbf{Y} = \mathbf{X}\mathbf{b} + \boldsymbol{\varepsilon} \qquad (12.3.3)$$

$n \times (p+1)$ の行列 $\mathbf{X}$ が $p+1$ 列フルランクをもつと仮定する.さらに,ベクトル $\mathbf{Xb}$ は行列 $\mathbf{X}$ の列の線形結合であることに注意が必要である.V を $\mathbf{X}$ の列空間 (column space),すなわち,$\mathbf{X}$ の列によって張られた空間とする.すると,V は R^n の $(p+1)$ 次元のベクトル空間となる.$\boldsymbol{\eta} = \mathbf{Xb}$ とすると,(12.3.3) 式のモデルの最も簡潔な記法は

$$\mathbf{Y} = \boldsymbol{\eta} + \boldsymbol{\varepsilon}, \quad \boldsymbol{\eta} \in V \qquad (12.3.4)$$

となる.この最後の定式に関してよい解釈の方法がある.確率誤差を除けば,$\mathbf{Y}$ は部分空間 V に位置するということである.したがって,$\boldsymbol{\eta}$ を推定するためには,(既知のノルムの観点において) $\mathbf{Y}$ の「最も近く」に位置する V の中のベクトルを見つければよいのである.

12.3.1 最小 2 乗

$\boldsymbol{\eta}$ の LS 推定量はベクトル $\mathbf{Y}$ と部分空間 V の間のユークリッド距離の 2 乗を最小

化する．すなわち，$\widehat{\boldsymbol{\eta}}$ は以下となるものである．

$$\widehat{\boldsymbol{\eta}} = \text{Argmin}_{\boldsymbol{\eta} \in V} \|\mathbf{Y} - \boldsymbol{\eta}\|^2 \tag{12.3.5}$$

ここで，$\|\mathbf{v}\|^2 = \sum_{i=1}^{n} v_i^2$ はユークリッドノルムの 2 乗である．練習問題 12.3.1 で示すように，前節と同様に進め，正規方程式を求めることができる．ここではそのかわりに，ベクトルの部分空間上への射影を導入する．それにより，上記の作業や次の議論を容易にする．$V^{\perp}$ を V 内のすべてのベクトルと直交する R^n 内のすべてのベクトルからなる部分空間とする．すなわち，

$$V^{\perp} = \{\mathbf{w} \in R^n : \mathbf{w}'\mathbf{v} = 0, \text{ すべての } \mathbf{v} \in V \text{ に関して}\} \tag{12.3.6}$$

である．V の次元が $(p+1)$ とすると，$V^{\perp}$ は $n-(p+1)$ 次元であることが簡単にわかる．

定義 12.3.1.

$\mathbf{v}$ を R^n 内のベクトルとし，V を R^n 内の部分空間とする．もし以下ならば，$\widehat{\mathbf{v}}$ は $\mathbf{v}$ の V 上への射影であるという．

$$\widehat{\mathbf{v}} \in V \tag{12.3.7}$$
$$\mathbf{v} - \widehat{\mathbf{v}} \in V^{\perp} \tag{12.3.8}$$

次に，射影に関するいくつかの定理を述べる．1 つめは一意性に注目し，2 つめは射影 (の存在) を得るための簡単な方法を与える．

定理 12.3.1.

射影は一意である．

証明 $\widehat{\mathbf{v}}_1$ と $\widehat{\mathbf{v}}_2$ を $\mathbf{v}$ の V 上への射影とする．V は部分空間なので，(12.3.7) 式より $\widehat{\mathbf{v}}_1 - \widehat{\mathbf{v}}_2 \in V$ である．しかし，$V^{\perp}$ もまた部分空間である．したがって，$\widehat{\mathbf{v}}_1 - \widehat{\mathbf{v}}_2 = (\mathbf{v} - \widehat{\mathbf{v}}_2) - (\mathbf{v} - \widehat{\mathbf{v}}_1) \in V^{\perp}$ である．すると，$\|\widehat{\mathbf{v}}_1 - \widehat{\mathbf{v}}_2\|^2 = 0$ となり，これは，$\widehat{\mathbf{v}}_1 = \widehat{\mathbf{v}}_2$ を意味している．■

行列 $\mathbf{X}$ の列は部分空間 V の基礎を形成している．したがって，$\mathbf{X}$ は V の基底行列 (basis matrix) という．また，$\mathbf{X}$ は列フルランク (full column rank) をもつともいう．練習問題 12.3.3 で示すように，$\mathbf{X}$ が列フルランクをもつことは，$(\mathbf{X}'\mathbf{X})^{-1}$ が存在するという意味を含んでいる．

定理 12.3.2.

$\mathbf{X}$ を部分空間 V の基底行列とする．また，$\mathbf{H} = \mathbf{X}(\mathbf{X}'\mathbf{X})^{-1}\mathbf{X}'$ とし，$\mathbf{v}$ を R^n 内のベクトルとする．このとき，$\mathbf{v}$ の V 上への射影は $\mathbf{H}\mathbf{v}$ である．

証明 定義 12.3.1 の 2 つの条件のみを証明すればよい．(12.3.7) 式の条件は $\mathbf{H}\mathbf{v}$

12.3. 線形モデルの LS 推定

を以下のように書くことによって直ちに導かれる．

$$\mathbf{Hv} = \mathbf{X}\{(\mathbf{X}'\mathbf{X})^{-1}\mathbf{X}'\mathbf{v}\}$$

これは，明らかに $\mathbf{X}$ の列空間 V 内のベクトルである．$\mathbf{u}$ を V 内の任意のベクトルとする．すると，$\mathbf{X}$ は V の基底行列であるため $\mathbf{u} = \mathbf{Xc}$ と書くことができる．ここで，$\mathbf{c} \in R^p$ である．このとき，

$$(\mathbf{v}-\mathbf{Hv})'\mathbf{u} = \mathbf{v}'(\mathbf{I}-\mathbf{X}(\mathbf{X}'\mathbf{X})^{-1}\mathbf{X}')\mathbf{Xc} = \mathbf{v}'(\mathbf{X}-\mathbf{X})\mathbf{c} = 0$$

であり，したがって，(12.3.8) 式の条件が成り立つ．∎

この定理から直ちに導かれる結論は，射影行列 $\mathbf{H}$ はべき等 (すなわち，$\mathbf{H}^2 = \mathbf{H}$) であることと，対称であることである．したがって，第 9 章より，$\mathbf{H}$ のすべての固有値は 0 か 1 のどちらかであり，$\mathbf{H}$ のランクはそのトレースに等しくなる．また，練習問題 12.3.4 が示すように，行列 $\mathbf{I}-\mathbf{H}$ は $V^\perp$ 上への射影行列である．

先の 2 つの定理に基づくと，射影行列を形成するためには基底行列のみが必要であり，それはどのような基底行列でもよいことがわかる．例えば，$\mathbf{U}$ の列を V の正規直交した基底行列とする．すると，$\mathbf{U}'\mathbf{U} = \mathbf{I}_p$ となる．したがって，一意性より $\mathbf{H} = \mathbf{UU}' = \mathbf{X}(\mathbf{X}'\mathbf{X})^{-1}\mathbf{X}'$ となる．正規直交した基底行列の定式化がしばしば便利である．次に，$\mathbf{Y}$ の射影が LS 解であることを示す．

定理 12.3.3.
(12.3.4) 式のモデルを考える．$\mathbf{H}$ を V 上への射影行列とする．また，$\hat{\boldsymbol{\eta}} = \mathbf{HY} = \mathbf{X}(\mathbf{X}'\mathbf{X})^{-1}\mathbf{X}'\mathbf{Y}$ とする．このとき，$\hat{\boldsymbol{\eta}}$ は LS 解である．すなわち，$\hat{\boldsymbol{\eta}}$ は (12.3.5) 式を満たす．

証明 $\boldsymbol{\eta} \in V$ とする．すると，$\mathbf{HY} - \boldsymbol{\eta} \in V$ である．しかし，$(\mathbf{I}-\mathbf{H})\mathbf{Y} \in V^\perp$ である．これは以下を導く．

$$\begin{aligned}
\|\mathbf{Y}-\boldsymbol{\eta}\|^2 &= \|\mathbf{Y}-\mathbf{HY}+\mathbf{HY}-\boldsymbol{\eta}\|^2 \\
&= \|(\mathbf{I}-\mathbf{H})\mathbf{Y}+(\mathbf{HY}-\boldsymbol{\eta})\|^2 \\
&= \|(\mathbf{I}-\mathbf{H})\mathbf{Y}\|^2 + \|(\mathbf{HY}-\boldsymbol{\eta})\|^2
\end{aligned} \quad (12.3.9)$$

ここで，最後の等式は $\mathbf{HY}-\boldsymbol{\eta} \in V$，かつ，$(\mathbf{I}-\mathbf{H})\mathbf{Y} \in V^\perp$ であるためである．$\boldsymbol{\eta}$ は (12.3.9) 式の右辺第 1 項には現れないため，$\boldsymbol{\eta} = \mathbf{HY}$ とすることによって左辺を最小化することができる．したがって，LS 解は射影 $\mathbf{HY}$ である．LS 解の一意性は練習問題 12.3.5 で得られる．∎

$\mathbf{b}$ の LS 推定値 $\hat{\mathbf{b}}$ は，したがって，以下を満たすはずである．

$$\mathbf{X}\hat{\mathbf{b}} = \mathbf{HY} = \mathbf{X}(\mathbf{X}'\mathbf{X})^{-1}\mathbf{X}'\mathbf{Y} \quad (12.3.10)$$

この式の両辺に $\mathbf{X}'$ を掛けることによって

$$\mathbf{X}'\mathbf{X}\widehat{\mathbf{b}} = \mathbf{X}'\mathbf{Y} \tag{12.3.11}$$

を得る．これらが重回帰モデルに対する推定方程式であり，正規方程式 (normal equation) とよばれる．(12.3.11) 式に $(\mathbf{X}'\mathbf{X})^{-1}$ を掛ければ，以下の $\mathbf{b}$ の LS 推定値を得る．

$$\widehat{\mathbf{b}} = (\mathbf{X}'\mathbf{X})^{-1}\mathbf{X}'\mathbf{Y} \tag{12.3.12}$$

推定値 $\widehat{\mathbf{Y}} = \mathbf{X}\widehat{\mathbf{b}}$ は $\mathbf{Y}$ の当てはめ値 (fitted value) もしくは予測値 (predicted value) とよばれる．したがって，残差 (residual) もしくは誤差ベクトルの推定値は $\widehat{\boldsymbol{\varepsilon}} = \mathbf{Y} - \widehat{\mathbf{Y}}$ によって与えられる．$\widehat{\mathbf{Y}} \in V$ と $\widehat{\boldsymbol{\varepsilon}} \in V^{\perp}$ であることに注意が必要である．したがって，$\widehat{\mathbf{Y}} \perp \widehat{\boldsymbol{\varepsilon}}$ は繰り返し用いられるだろう事実である．

(12.3.1) 式のモデルに対する主な仮定は，確率誤差の分布がモデルの $\mathbf{x}$ 部分に依存しないということであることを思い出そう．この仮定の確認は，当てはめ値 $\widehat{\mathbf{Y}} = (\widehat{Y}_1, \widehat{Y}_2, \ldots, \widehat{Y}_n)'$ に対して残差 $\widehat{\boldsymbol{\varepsilon}} = (\widehat{\varepsilon}_1, \widehat{\varepsilon}_2, \ldots, \widehat{\varepsilon}_n)'$ をプロットすることによって簡単になされる．このプロットは残差プロット (residual plot) とよばれる．プロットのランダムな散布がモデルの主な仮定の確認として用いられる．一方，このプロットがある傾向をもっていれば，主な仮定が偽であるかもしれないことが示される．練習問題 12.3.8 では，残差プロットにおける傾向がより適切なモデルを定めるために役立つことが示される．

次の項では LS 推定量の分布について述べる．しかし，まず次の定理において，$E(\varepsilon_i) = 0$ と $\mathrm{Var}(\varepsilon_i) = \sigma^2 < \infty$ という追加の仮定のもとで，LS 推定量は不偏であることを示し，さらにそれらの 2 次の積率を求める．先の仮定のもとで，LS 推定量の推測には σ^2 の推定量が必要であることに注意しよう．単純な位置モデルにおいて，分散の推定量が平均からの偏差の平方和に比例したことを思い出そう．回帰問題における偏差は残差である．したがって，σ^2 の推定値を以下とする．

$$\widehat{\sigma}^2 = \frac{1}{n-p-1} \sum_{i=1}^{n} \widehat{\varepsilon}_i^2 \tag{12.3.13}$$

次の定理が示すように，$\widehat{\sigma}^2$ は σ^2 の不偏推定値である．

定理 12.3.4.

(12.3.3) 式のモデルが真であり，$E(\varepsilon_i) = 0$，かつ，$\mathrm{Var}(\varepsilon_i) = \sigma^2 < \infty$ であると仮定する．このとき以下である．
(a) $E(\widehat{\mathbf{b}}) = \mathbf{b}$，かつ，$\mathrm{Cov}(\widehat{\mathbf{b}}) = \sigma^2 (\mathbf{X}'\mathbf{X})^{-1}$
(b) $E(\widehat{\mathbf{Y}}) = \mathbf{X}\mathbf{b}$，かつ，$\mathrm{Cov}(\widehat{\mathbf{Y}}) = \sigma^2 \mathbf{H}$
(c) $E(\widehat{\boldsymbol{\varepsilon}}) = \mathbf{0}$，かつ，$\mathrm{Cov}(\widehat{\boldsymbol{\varepsilon}}) = \sigma^2 (\mathbf{I} - \mathbf{H})$
(d) $E(\widehat{\sigma}^2) = \sigma^2$

証明 (12.3.3) 式のモデルにおける仮定のもとで，以下であることに注目しよう．

12.3. 線形モデルの LS 推定

$$\hat{\mathbf{b}} = \mathbf{b} + (\mathbf{X}'\mathbf{X})^{-1}\mathbf{X}'\varepsilon$$
$$\hat{\mathbf{Y}} = \mathbf{X}\mathbf{b} + \mathbf{H}\varepsilon$$
$$\hat{\varepsilon} = (\mathbf{I} - \mathbf{H})\varepsilon \tag{12.3.14}$$

仮説より，$E(\varepsilon) = \mathbf{0}$，かつ，$\text{Cov}(\varepsilon) = \sigma^2 \mathbf{I}$ である．このことや，3.5 節の結果，$\mathbf{H}$ と $\mathbf{I} - \mathbf{H}$ は対称であり，べき等であるという事実を用いると，直ちに (a)〜(c) が得られる．練習問題 12.3.9 を参照せよ．(d) に関しては，最初に $(n-p-1)\hat{\sigma}^2 = \varepsilon'(\mathbf{I}-\mathbf{H})\varepsilon$ であることに注目しよう．したがって，

$$E[(n-p-1)\hat{\sigma}^2] = E[\varepsilon'(\mathbf{I}-\mathbf{H})\varepsilon] = E[\text{tr}(\mathbf{I}-\mathbf{H})\varepsilon\varepsilon']$$
$$= \text{tr}(\mathbf{I}-\mathbf{H})E[\varepsilon\varepsilon'] = \text{tr}(\mathbf{I}-\mathbf{H})\sigma^2\mathbf{I}$$
$$= (n-p-1)\sigma^2$$

であり，(d) もまた真となる．■

12.3.2 正規誤差のもとでの LS 推測の基礎

本項では，(12.3.1) 式のモデルの確率誤差が正規分布しているという仮定のもとで，LS 推定量の分布を得る．練習問題 12.3.10 と 12.3.11 では，LS 統計量は十分であり，回帰母数の mle であることが示される．

定理 12.3.5.

(12.3.1) 式のモデルは真であり，誤差確率ベクトル ε は分布 $N_n(\mathbf{0}, \sigma^2\mathbf{I})$ に従っていると仮定する．すると，LS 推定量は以下を満たす．
(a) $\hat{\mathbf{b}}$ は分布 $N(\mathbf{b}, \sigma^2(\mathbf{X}'\mathbf{X})^{-1})$ に従う．
(b) $\hat{\mathbf{Y}}$ は分布 $N(\mathbf{X}\mathbf{b}, \sigma^2\mathbf{H})$ に従う．
(c) $\hat{\varepsilon}$ は分布 $N(\mathbf{0}, \sigma^2(\mathbf{I}-\mathbf{H}))$ に従う．
(d) $(n-p-1)\hat{\sigma}^2/\sigma^2$ は分布 $\chi^2(n-p-1)$ に従う．
(e) $\hat{\mathbf{Y}}$ と $\hat{\varepsilon}$ は独立である．
(f) $\hat{\mathbf{b}}$ と $\hat{\sigma}^2$ は独立である．

証明 定理 12.3.4 から，上述の確率ベクトルの積率がわかっている．正規性に関して，$\mathbf{Y}$ が分布 $N_n(\mathbf{X}\beta, \sigma^2\mathbf{I})$ に従っていることに注目しよう．$\hat{\mathbf{b}}, \hat{\mathbf{Y}}, \hat{\varepsilon}$ の正規性はこれらの確率ベクトルが $\mathbf{Y}$ の線形関数であることから導かれる．定理 3.5.1 を参照せよ．したがって，(a)〜(c) は真である．(d) に関しては，定理 12.3.4 のように

$$\frac{(n-p-1)\hat{\sigma}^2}{\sigma^2} = \sigma^{-2}\varepsilon'(\mathbf{I}-\mathbf{H})\varepsilon$$

と書くことができる．したがって，$\mathbf{I} - \mathbf{H}$ はランク $n-p-1$ のべき等行列であるため，定理 9.8.4 より (d) が示唆される．$\hat{\mathbf{Y}}$ と $\hat{\varepsilon}$ の独立性に関して，以下のよう

に同時に表現する．

$$\begin{bmatrix} \widehat{Y} \\ \widehat{\varepsilon} \end{bmatrix} = \begin{bmatrix} H \\ I-H \end{bmatrix} Y$$

このように，$\widehat{Y}$ と $\widehat{\varepsilon}$ は同時正規分布に従い，さらに，それらの共分散行列は，H がべき等であるため，

$$\begin{bmatrix} H \\ I-H \end{bmatrix} \sigma^2 I \begin{bmatrix} H \\ I-H \end{bmatrix}' = \sigma^2 \begin{bmatrix} H & O \\ O & I-H \end{bmatrix}$$

となる．このように，$\widehat{Y}$ と $\widehat{\varepsilon}$ は同時正規分布に従い，無相関である．したがって，それらは独立な確率ベクトルである．$\widehat{b}$ と $\widehat{\sigma}^2$ はそれぞれ $\widehat{Y}$ と $\widehat{\varepsilon}$ の関数であるため，直ちに $\widehat{b}$ と $\widehat{\sigma}^2$ が独立であることが導かれる．■

この定理に基づいて，ピボット t 確率変数に関する以下の系を導入する．これは回帰分析で用いられる t 信頼区間や t 検定の基礎として役立つ．ここでは，回帰母数 $\beta_1,\ldots,\beta_p$ に関して記述する．切片母数に関する対応した結果は練習問題 12.3.13 で与えられる．系の証明は練習問題として残しておく．練習問題 12.3.12 を参照せよ．

> **系 12.3.1.**
> 先の定理における仮定のもとで，$j=1,2,\ldots,p$ に関して，以下の確率変数は自由度 $n-p-1$ の t 分布に従う．
>
> $$t_j = \frac{\widehat{\beta}_j - \beta}{\widehat{\sigma}\sqrt{(X_c' X_c)^{-1}_{jj}}} \tag{12.3.15}$$
>
> ここで，$(X_c' X_c)^{-1}_{jj}$ は $(X_c' X_c)^{-1}$ の j 番目の対角要素である．また，X_c は (12.3.2) 式で与えられるような中心化された計画行列である．

この系に基づくと，β_j の $(1-\alpha)100\%$ 信頼区間が以下のように与えられる．

$$\widehat{\beta}_j \pm t_{\alpha/2, n-p-1} \widehat{\sigma} \sqrt{(X_c' X_c)^{-1}_{jj}} \tag{12.3.16}$$

同様に，仮説 $H_0: \beta_j=0$ 対 $H_1: \beta_j \neq 0$，$j=1,2,\ldots,p$ に対する水準 α の検定は以下のように与えられる．

$$|t| = \frac{|\widehat{\beta}_j|}{\widehat{\sigma}\sqrt{(X_c' X_c)^{-1}_{jj}}} > t_{\alpha/2, n-p-1} \text{ のとき，} H_0 \text{ を棄却する．} \tag{12.3.17}$$

この検定統計量はしばしば，t 比 (t-ratio) とよばれる．これらの検定の非心度は練習問題 12.3.14 において求められる．

練習問題

12.3.1. (12.3.3) 式のように線形モデルを書く．すなわち，$Y = Xb + \varepsilon$ である．このとき，b の LS 推定量は以下を満たす．

12.3. 線形モデルの LS 推定

$$\widehat{\mathbf{b}} = \text{Argmin} \|\mathbf{Y} - \mathbf{Xb}\|^2$$

(a) 以下を示せ．
$$\|\mathbf{Y} - \mathbf{Xb}\|^2 = \mathbf{Y}'\mathbf{Y} - 2(\mathbf{X}'\mathbf{Y})'\mathbf{b} + \mathbf{b}'\mathbf{X}'\mathbf{Xb}$$

(b) $\mathbf{b}$ に関して前式の偏導関数を得よ．また，そこから正規方程式を導出せよ．

12.3.2. $\mathbf{X}$ は $n \times p$ の行列と仮定する．このとき $\mathbf{X}$ の核は，空間 $\ker(\mathbf{X}) = \{\mathbf{b} : \mathbf{Xb} = \mathbf{0}\}$ と定義される．

(a) $\ker(\mathbf{X})$ は R^p の部分空間であることを示せ．

(b) $\ker(\mathbf{X})$ の次数は $\mathbf{X}$ の退化次数 (nullity) とよばれ，$\nu(\mathbf{X})$ と表記される．$\rho(\mathbf{X})$ は $\mathbf{X}$ のランクを表すとする．線形代数の基礎的な定理から，$\rho(\mathbf{X}) + \nu(\mathbf{X}) = p$ である．これを用いて，$\mathbf{X}$ が列フルランクならば，$\ker(\mathbf{X}) = \{\mathbf{0}\}$ となることを示せ．

12.3.3. $\mathbf{X}$ はランク p の $n \times p$ の行列とする．

(a) $\ker(\mathbf{X}'\mathbf{X}) = \ker(\mathbf{X})$ を示せ．

(b) (a)と練習問題 12.3.2 を用いて，$\mathbf{X}$ がフル列ランクのとき，$\mathbf{X}'\mathbf{X}$ は正則であることを示せ．

12.3.4. $(\mathbf{I} - \mathbf{H})\mathbf{v} = \mathbf{v} - \widehat{\mathbf{v}}$ と書き，定義 12.3.1 の射影の定義を用いて，$\mathbf{I} - \mathbf{H}$ が $V^\perp$ 上への射影行列であることを証明せよ．

12.3.5. 定理 12.3.3 の証明を完成させるために，LS 推定量 $\widehat{\eta} = \mathbf{HY}$ が一意であることを示すことが必要である．$\widehat{\eta}_2 \in V$ もまた LS 解であるとする．

(a) 以下を示せ．
$$\|\widehat{\eta} - \widehat{\eta}_2\|^2 = 2\|(\mathbf{I} - \mathbf{H})\mathbf{Y}\|^2 - 2\mathbf{Y}'(\mathbf{I} - \mathbf{H})(\mathbf{Y} - \widehat{\eta}_2)$$

(b) 今，前式の右辺が 0 であることを示し，そこから一意性を証明せよ．

12.3.6. 計画行列が $\mathbf{X} = [\mathbf{1}\, \mathbf{c}_1 \cdots \mathbf{c}_p]$ である (12.3.2) 式の線形モデルを考える．計画行列 $\mathbf{X}$ の列は直行していると仮定する．$\mathbf{b}$ の LS 推定値は $\widehat{\mathbf{b}}' = (\overline{Y}, \widehat{b}_1, \ldots, \widehat{b}_p)$ で与えられることを示せ．ここで，$\widehat{b}_j$ は単回帰モデル $Y_i = b_j c_{ij} + \varepsilon_i$, $j = 1, \ldots, p$ の LS 推定値である．すなわち，この場合の LS 重回帰推定量は LS 単回帰推定量によって求められるということである．

12.3.7. 練習問題 12.3.6 より，計画行列が直行するとき，重回帰の LS 推定値は個々の単回帰のものに等しくなる．本問では，以下のデータとモデル $Y_i = \alpha + c_{i1}\beta_1 + c_{i2}\beta_2 + e_i$ を考える．

	X		Y
	c_1	c_2	
1	-3	-2.52857	45.6150
1	-2	-2.02857	44.8358
1	-1	-0.62857	57.5003
1	0	-0.12857	41.1391
1	1	1.07143	52.9030
1	2	1.37143	48.2027
1	3	2.87143	56.5706

(a) LS を用いて，2つの単純なモデル $Y_i = \alpha + c_{ij}\beta_j + e_i$, $j=1,2$ の個々の適合度を求めよ．

(b) モデル $Y_i = \alpha + c_{i1}\beta_1 + c_{i2}\beta_2 + e_i$ の LS 適合度を求めよ．

(c) それらの適合度を比較せよ．

(d) c_{i2}, $i=1,\ldots,n$ に対して c_{i1} をプロットせよ．
適合度がどのくらい異なるかに注目せよ．代数的な観点から，この大きな差異の原因はプロットで示されたような c_1 と c_2 間の高い共線性 (colinearity) である．

12.3.8. 以下のデータは，$i=1,\ldots,10$ に関して $Y_i = 0 + 5i + i^2 + \varepsilon_i$ であり，ε_i が $N(0, 4^2)$ に iid に従うというモデルから生成されたものである．

i	1	2	3	4	5	6	7	8	9	10
Y_i	3.1	20.1	20.4	31.6	57.0	61.7	86.9	107.5	125.7	148.0

(a) 誤って定められたモデル $Y_i = \alpha + \beta_1 i + \varepsilon_i$ を LS によって当てはめ，残差プロットを得よ．そのプロットについて意見を述べよ．(それはランダムだろうか．もしそうでないならば，他のモデルを試すことを示唆しているだろうか．)

(b) モデル $Y_i = \alpha + \beta_1 i + \beta_2 i^2 + \varepsilon_i$ の LS による当てはめに関して，(a) と同じ作業をせよ．

12.3.9. 定理 12.3.4 の証明の詳細を補え．

12.3.10. 定理 12.3.4 の仮説が成り立っていると仮定する．$\mathbf{x}'_i$ は $\mathbf{X}$ の i 番目の行を表すとする．

(a) 尤度関数が以下のように書けることを示せ．

$$L(\mathbf{b}, \sigma^2) = (2\pi)^{-n/2}(\sigma^2)^{-n/2}\exp\left\{-\frac{1}{2\sigma^2}(\mathbf{y}'\mathbf{y} - 2\mathbf{b}'\mathbf{X}'\mathbf{y} + \mathbf{b}'\mathbf{X}'\mathbf{X}\mathbf{b})\right\}$$

(b) この尤度の定式化を，指数族の正則な場合として再表現せよ．また，以下の統計量が十分であることを示せ．

$$\mathbf{X}'\mathbf{y} = \sum_{i=1}^n y_i \mathbf{x}_i, \quad \mathbf{y}'\mathbf{y} = \sum_{i=1}^n y_i^2$$

(c) $\mathbf{h}'\mathbf{b}$ (ここで $\mathbf{h}$ は固定されている) と σ^2 の MVUE を求めよ．

12.3. 線形モデルの LS 推定

12.3.11. 定理 12.3.4 の仮説が成り立っていると仮定する．$\mathbf{x}_i'$ は $\mathbf{X}$ の i 番目の行を表すとする．

(a) 尤度関数が以下のように書けることを示せ．

$$L(\mathbf{b}, \sigma^2) = (2\pi)^{-n/2}(\sigma^2)^{-n/2} \exp\left\{\sigma^{-2}\sum_{i=1}^n (y_i - \mathbf{x}_i'\mathbf{b})^2\right\}$$

(b) σ^2 は任意の，しかし，固定された値とする．微分を用いずに，$\mathbf{b}$ の mle が LS 推定量であることを示せ．

(c) 次に，σ^2 の mle を求めよ．それは不偏だろうか．

12.3.12. 系 12.3.1 を証明せよ．

12.3.13. 簡単のために，(12.3.2) 式のモデルでは独立変数を中心化していた．ここでは，そのかわりに以下のモデルを仮定する．

$$\mathbf{Y} = \mathbf{1}_n \alpha^* + \mathbf{X}^* \boldsymbol{\beta} + \boldsymbol{\varepsilon}$$

ここで，$n \times p$ の行列 $\mathbf{X}^*$ は必ずしも中心化されている必要はない．$\mathbf{H}_1 = n^{-1}\mathbf{1}_n\mathbf{1}_n'$ を $\mathbf{1}_n$ によって張られた空間上への射影行列とする．また，$\overline{\mathbf{x}}'$ を $\mathbf{X}^*$ の列平均の行ベクトルとする．

(a) $\boldsymbol{\beta}$ の LS 推定値が，このモデルにおいて (12.3.2) 式のものと同じままであることを示し，α^* の LS 推定値を定めるために，以下の導出のそれぞれの段階に対してその理由を述べよ．

$$\begin{aligned}\|\mathbf{Y} - \alpha^*\mathbf{1}_n - \mathbf{X}^*\boldsymbol{\beta}\|^2 &= \|\mathbf{Y} - \alpha^*\mathbf{1}_n - (\mathbf{H}_1 + \mathbf{I} - \mathbf{H}_1)\mathbf{X}^*\boldsymbol{\beta}\|^2 \\ &= \|\mathbf{Y} - \alpha^*\mathbf{1}_n - \overline{\mathbf{x}}'\boldsymbol{\beta}\mathbf{1} - \mathbf{X}_c\boldsymbol{\beta}\|^2 \\ &= \|\mathbf{Y} - \alpha\mathbf{1}_n - \mathbf{X}_c\boldsymbol{\beta}\|^2 \quad (12.3.18)\end{aligned}$$

ここで，$\alpha = \alpha^* + \overline{\mathbf{x}}'\boldsymbol{\beta}$ である．(12.3.18) 式を最小化する推定量は，(12.3.2) 式のモデルにおける α と $\boldsymbol{\beta}$ の LS 推定量である (なぜだろうか)．したがって，α^* の LS 推定量は $\widehat{\alpha}^* = \widehat{\alpha} - \overline{\mathbf{x}}'\widehat{\boldsymbol{\beta}}$ である (なぜだろうか)．

(b) 定理 12.3.5 の仮定のもとで，まず以下の式が真であることを示すことによって $\widehat{\alpha}^*$ の分布を得よ．

$$\begin{aligned}\widehat{\alpha}^* &= \overline{Y} - \overline{x}'\widehat{\boldsymbol{\beta}} \\ &= \left[\frac{1}{n}\mathbf{1}' - \overline{x}'(\mathbf{X}_c'\mathbf{X}_c)^{-1}\mathbf{X}_c'\right]\mathbf{Y} \\ &= \left[\frac{1}{n}\mathbf{1}' - \overline{x}'(\mathbf{X}_c'\mathbf{X}_c)^{-1}\mathbf{X}_c'\right][\mathbf{1}(\alpha^* + \overline{x}'\boldsymbol{\beta}) + \mathbf{X}_c\boldsymbol{\beta} + \mathbf{e}] \\ &= \alpha^* + \left[\frac{1}{n} - \overline{x}'(\mathbf{X}_c'\mathbf{X}_c)^{-1}\mathbf{X}_c'\right]\mathbf{e}\end{aligned}$$

この最後の式より，$\widehat{\alpha}^*$ の分布が直ちに求められる．

(c) 定理 12.3.5 の仮定のもとで，α^* に関して信頼度 $1-\gamma$ の信頼区間を得よ．

(d) 定理 12.3.5 の仮定のもとで，仮説 $H_0: \alpha^*=0$ 対 $H_1: \alpha^* \neq 0$ に関して水準 γ の t 検定を得よ．

(e) **0** のまわりのデータがないとき，(d) の検定は実用的だろうか．議論せよ．

12.3.14. 系 12.3.1 において定義した検定の非心度を求めよ．

12.4 線形モデルのウィルコクスン推定

12.3.2 項で論じられた LS 推測には誤差が正規分布に従っているという仮定がおかれていた．しかし他の誤差分布に対しては，漸近性の仮定が必要である．しかしながら，これは 12.2 節で説明された単純線形回帰モデルの漸近性の単純な拡張である．また同節の頑健なウィルコクスン推定量は，本節の重回帰モデルに容易に拡張される．

12.3.2 項同様に，回帰母数 $\beta_1,\ldots,\beta_p$ について考える．また切片母数については後に議論する．したがってモデル (12.3.2) 式を以下のように表現することができる．

$$\mathbf{Y}=\mathbf{X}_c\boldsymbol{\beta}+\mathbf{e} \tag{12.4.1}$$

ここで $\mathbf{e}=\mathbf{1}\alpha+\boldsymbol{\varepsilon}$ である．V_c を行列 $\mathbf{X}_c$ の列空間とする．このモデルは誤差 $e_1, e_2,\ldots,e_n$ が cdf $F(x)$ と pdf $f(x)$ に iid に従うならば真である．確率誤差を除くならば，$\mathbf{Y}$ は V_c に位置する．したがって R^n 上にノルムが与えられたならば，$\mathbf{X}_c\boldsymbol{\beta}$ の単純推定値は，$\mathbf{Y}$ に最も近い V_c に含まれるベクトルである．

12.4.1 ノルムと推定方程式

ユークリッドノルムの 2 乗を用いることによって，LS 推定量は以下として与えられる．

$$\widehat{\boldsymbol{\beta}}_{LS} = \underset{\boldsymbol{\beta}\in R^p}{\mathrm{Argmin}} \|\mathbf{Y}-\mathbf{X}_c\boldsymbol{\beta}\|_{LS}^2 \tag{12.4.2}$$

ここで $\|\cdot\|_{LS}^2$ はユークリッドノルムの 2 乗である．練習問題 12.4.1 で証明するように，$\widehat{\boldsymbol{\beta}}_{LS}$ は 12.3 節の回帰係数の推定量と同様のものである．したがって，同様に LS 推定量は以下の推定方程式を解くことによって得られる．

$$\sum_{i=1}^n \mathbf{x}_{ci}(Y_i-\mathbf{x}'_{ci}\boldsymbol{\beta}) = \mathbf{0} \tag{12.4.3}$$

ここで $\mathbf{x}'_{ci}$ は $\mathbf{X}_c$ の i 番目の行である．

モデル (12.4.1) 式の $\boldsymbol{\beta}$ のウィルコクスン推定量は以下のようなベクトル $\widehat{\boldsymbol{\beta}}_W$ である．

$$\widehat{\boldsymbol{\beta}}_W = \underset{\boldsymbol{\beta}\in R^p}{\mathrm{Argmin}} \|\mathbf{Y}-\mathbf{X}_c\boldsymbol{\beta}\|_W \tag{12.4.4}$$

ここで $\|\cdot\|_W$ は (12.2.8) 式で与えられたウィルコクスンのノルムである．$p=1$ のと

12.4. 線形モデルのウィルコクスン推定

きこれは 12.2 節で説明した傾きのウィルコクスン推定量である．また同等に，ウィルコクスン推定量は以下の推定方程式を解くことによって得られる．

$$\sum_{i=1}^{n} \mathbf{x}_{ci} a[R(Y_i - \mathbf{x}'_{ci}\beta)] = \mathbf{0} \tag{12.4.5}$$

ここで $\mathbf{x}'_{ci}$ は $\mathbf{X}_c$ の i 番目の行であり，順位得点は 12.2 節のものと等しい．すなわち $a(i) = \varphi[i/(n+1)]$ と $\varphi(u) = \sqrt{12}[u - (1/2)]$ である．

12.4.2 影響関数

LS そしてウィルコクスン推定量のための重回帰モデルにおける影響関数の導出は，単純線形モデルにおける導出とよく似ているため，説明は簡潔に行う．単回帰モデルと同様に，$\mathbf{x}$ を確率ベクトルと仮定する．確率モデルの拡張は以下によって与えられる．

$$Y = \mathbf{x}'\beta + e \tag{12.4.6}$$

ここで $(p+1) \times 1$ の確率ベクトル $(\mathbf{x}', y)'$ は同時 cdf $H(\mathbf{x}, y)$ と同時 pdf $h(\mathbf{x}, y)$ に従う．また確率変数 e は cdf $F(t)$ と pdf $f(t)$ に従う．また e と $\mathbf{x}$ は統計的に独立であり，かつ $E(\mathbf{x}) = \mathbf{0}$ である．

LS 推定量の影響関数

$\mathbf{T}_{LS}(H)$ は LS 推定量に対応する汎関数を示すとする．(12.4.3) 式に基づいて，$\mathbf{T}_{LS}(H)$ が以下の方程式を解くことによって得られることを簡単に確認することができる．

$$\int_{-\infty}^{\infty} \cdots \int_{-\infty}^{\infty} \mathbf{x}[y - \mathbf{x}'\mathbf{T}_{LS}(H)] h(\mathbf{x}, y) \, d\mathbf{x} dy = \mathbf{0} \tag{12.4.7}$$

12.2 節同様に，混入 cdf $H_\epsilon(\mathbf{x}, y)$ を考える．この分布は質点 cdf $\Delta_{(\mathbf{x}_0, y_0)}$ によって $\epsilon 100\%$ の混入が定義されている．すなわち

$$H_\epsilon(\mathbf{x}, y) = (1-\epsilon)H(\mathbf{x}, y) + \epsilon \Delta_{(\mathbf{x}_0, y_0)}(\mathbf{x}, y) \tag{12.4.8}$$

である．(12.4.7) 式に相当する式として $\mathbf{T}_\epsilon = \mathbf{T}_{LS}(H_\epsilon)$ は以下の式を満たす．

$$\begin{aligned}
\mathbf{0} = (1-\epsilon) &\int_{-\infty}^{\infty} \cdots \int_{-\infty}^{\infty} \mathbf{x}(y - \mathbf{x}'\mathbf{T}_\epsilon) h(\mathbf{x}, y) \, d\mathbf{x} dy \\
+ \epsilon &\int_{-\infty}^{\infty} \cdots \int_{-\infty}^{\infty} \mathbf{x}(y - \mathbf{x}'\mathbf{T}_\epsilon) \, d\Delta_{(\mathbf{x}_0, y_0)}(\mathbf{x}, y)
\end{aligned} \tag{12.4.9}$$

しかしながら，上式と (12.2.19) 式の唯一の違いは汎関数と x が上式ではベクトルであるという点のみである．次に $j = 1, \ldots, p$ に対して，ϵ に関して T_j の偏微分を計算し，その結果を行ベクトルの要素とすることにより，ϵ についてこの陰関数を微分することができる．これは以下のようになる．

$$0 = -\int_{-\infty}^{\infty} \cdots \int_{-\infty}^{\infty} \mathbf{x}(y - \mathbf{x}'\mathbf{T}_\epsilon) h(\mathbf{x}, y)\, d\mathbf{x}dy$$
$$+ (1-\epsilon) \int_{-\infty}^{\infty} \cdots \int_{-\infty}^{\infty} \mathbf{x}(-\mathbf{x}') \frac{\partial \mathbf{T}_\epsilon}{\partial \epsilon} h(\mathbf{x}, y)\, d\mathbf{x}dy$$
$$+ \int_{-\infty}^{\infty} \cdots \int_{-\infty}^{\infty} (y - \mathbf{x}'\mathbf{T}_\epsilon)\, d\Delta_{(\mathbf{x}_0, y_0)}(\mathbf{x}, y) + \epsilon B, \qquad (12.4.10)$$

ここで $\epsilon = 0$ においてこの偏微分を評価しているので，B は無視できる．$\epsilon = 0$ とおき，$\mathbf{T}$ の偏微分を解くと，影響関数は以下となることがわかる．

$$IF(\mathbf{x}_0, y_0; \widehat{\boldsymbol{\beta}}_{LS}) = [E(\mathbf{xx}')]^{-1}\, (y_0 - \mathbf{x}_0'\boldsymbol{\beta})\mathbf{x}_0 \qquad (12.4.11)$$

この LS 影響関数は空間 Y と空間 $\mathbf{x}$ のどちらにおいても有界でない．したがって LS 推定量はどちらの空間においても頑健でない．これは LS 影響関数が破局点 0 をもつということからもまた明らかである．例として練習問題 12.2.6 を参照せよ．

ウィルコクスン推定量の影響関数

LS 推定量における導出と同じ手順で，ウィルコクスン推定量の影響関数を定義する．(12.4.6) 式の確率モデルに対して，$\mathbf{T}_W(H)$ はウィルコクスン推定量の対応する汎関数を示すとする．12.2 節から，得点は以下のように表現できたことを思い出してほしい．

$$a[R(Y_i - \mathbf{x}_{ci}'\boldsymbol{\beta})] = \varphi\left[\frac{n}{n+1} F_n(Y_i - \mathbf{x}_{ci}'\boldsymbol{\beta})\right]$$

ここで F_n は残差の経験分布である．それゆえに汎関数は以下の式を解くことによって得られる．

$$\int_{-\infty}^{\infty} \cdots \int_{-\infty}^{\infty} \mathbf{x}\varphi[y - \mathbf{x}'\mathbf{T}_W(H)] h(\mathbf{x}, y)\, d\mathbf{x}dy = \mathbf{0} \qquad (12.4.12)$$

ここでウィルコクスン汎関数が (12.4.8) 式の混入 cdf $H_\epsilon(\mathbf{x}, y)$ を解くことによって得られる方程式を考える．これは以下として与えられる．

$$0 = (1-\epsilon) \int_{-\infty}^{\infty} \cdots \int_{-\infty}^{\infty} \mathbf{x}\varphi[y - \mathbf{x}'\mathbf{T}_\epsilon] h(\mathbf{x}, y)\, d\mathbf{x}dy$$
$$+ \epsilon \int_{-\infty}^{\infty} \cdots \int_{-\infty}^{\infty} \mathbf{x}\varphi[y - \mathbf{x}'\mathbf{T}_\epsilon]\, d\Delta_{(\mathbf{x}_0, y_0)}(\mathbf{x}, y) \qquad (12.4.13)$$

次に，$j = 1, \ldots, p$ に対して，ϵ に関する T_j の偏微分を計算しその解を行ベクトルの要素とすることにより，ϵ に関してこの陰関数である方程式を微分することができる．この導出は 12.2 節の導出と非常によく似ている．したがってこの解のみを以下にあげ，その詳細な導出は練習問題 12.4.2 として読者に委ねることにする．ウィルコクスン推定量の影響関数は以下によって与えられる．

$$IF(\mathbf{x}_0, y_0; \widehat{\boldsymbol{\beta}}_W) = \tau\, [E(\mathbf{xx}')]^{-1}\, \varphi(y_0 - \mathbf{x}_0'\boldsymbol{\beta})\mathbf{x}_0 \qquad (12.4.14)$$

12.4. 線形モデルのウィルコクスン推定

ここで $\tau = [\sqrt{12} \int f^2(t)\,dt]^{-1}$ である.

注意 12.4.1. 単純線形モデルの場合同様にウィルコクスン影響関数は空間 Y において有界であるが, 空間 $\mathbf{x}$ において有界でない. したがってウィルコクスン推定量は空間 Y において頑健であるが, LS 推定量と同様に空間 $\mathbf{x}$ において頑健でない. しかしながら, 単純なウィルコクスンの重み付き推定量は空間 $\mathbf{x}$ と空間 Y の両方において有界である影響関数をもつ. しかしながらそこにはトレードオフが存在する. これらの推定量は 50% の破局点を達成する一方で, ウィルコクスン推定量よりも有効でない. これらの推定量に関する議論は本書の範囲を超えるため, その詳細については Chang 他 (1999), Hettmansperger and McKean (1998) の第 5 章を参照してほしい. ■

12.4.3 漸近分布論

単純線形モデル同様に, 影響関数から β の推定量の漸近分布を求めることができる. ここでも x が定数と考えられた場合の回帰モデルの漸近分布を求めることにする. $E(\mathbf{x}\mathbf{x}')$ の推定量は以下の算術平均として与えられる.

$$\frac{1}{n}\sum_{i=1}^{n}\mathbf{x}_{ci}\mathbf{x}'_{ci} = \frac{1}{n}\mathbf{X}'_c\mathbf{X}_c$$

以下に議論される理論のために, いくつか仮定が必要となる. $\mathbf{H}_c = \mathbf{X}_c(\mathbf{X}'_c\mathbf{X}_c)^{-1}\mathbf{X}'_c$ は V_c 上の射影行列を示すとする. ここで $\mathbf{H}_c$ のてこ比 (leverage) の値はその対角要素である. すなわち, i 番目のてこ比の値は

$$h_{cni} = \mathbf{x}'_{ci}(\mathbf{X}'_c\mathbf{X}_c)^{-1}\mathbf{x}_{ci} \tag{12.4.15}$$

である. ここで添え字 n は計画行列が n に依存するということを示している. $\mathbf{x}_{ci}$ は計画空間の「中心」からの i 番目の計画点の偏差ベクトルであることを思い出してほしい. $\mathbf{X}'_c\mathbf{X}_c$ が単位行列のとき, h_{cni} は計画空間の中心からの i 番目の計画点の距離の平方となる. しかしながら行列 $\mathbf{X}'_c\mathbf{X}_c$ は正定値であるから, これは $\mathbf{X}'_c\mathbf{X}_c$ に関する距離の平方である (これはマハラノビスの平方距離 (Mahalanobis squared distance) ともよばれることが多い).

仮定 12.4.1 (漸近分布論の仮定).
LS 推定量が仮定 (a),(b),(d),(e) を必要とする一方で, ウィルコクスン推定量は (a),(c),(d),(e) を必要とする.
(a): 確率誤差 $e_1, e_2, \ldots, e_n$ は cdf $F(x)$ と pdf $f(x)$ に iid に従う.
(b): $\mathrm{Var}(e_i) = \sigma^2 < \infty$.
(c): pdf $f(x)$ は有界であるフィッシャー情報量をもつ.
(d): $n \to \infty$ のとき, $\limsup h_{cni} \to 0$ である.
(e): $n^{-1}\mathbf{X}'_c\mathbf{X}_c \xrightarrow{P} \Sigma$, ここで Σ は正定値である.

練習問題 12.4.9 で証明するように，対角要素 h_{cni} は射影行列の他の要素を支配する．したがって仮定 (d) は本質的にすべての計画点は一様に等しいということを示している．(e) は通常の基準化の仮定である．

さらに $e_i = Y_i - \mathbf{x}'_{ci}\boldsymbol{\beta}$ であることに注意してほしい．するとその影響関数 (12.4.11) 式に対応する LS 推定量の表現は

$$\sqrt{n}(\widehat{\boldsymbol{\beta}}_{LS} - \boldsymbol{\beta}) = \boldsymbol{\Sigma}^{-1} \sum_{i=1}^{n} \frac{1}{\sqrt{n}} \mathbf{x}_{ci} e_i + o_p(1) \tag{12.4.16}$$

となる．確率ベクトル $\mathbf{W}_i = \frac{1}{\sqrt{n}}\mathbf{x}_{ci}e_i$ は独立であり，また以下の仮定に基づいていることに注意してほしい．

$$E\left(\sum_{i=1}^{n} \mathbf{W}_{ni}\right) = \mathbf{0}, \quad \lim_{n\to\infty} \mathrm{Cov}\left(\sum_{i=1}^{n} \mathbf{W}_{ni}\right) = \lim_{n\to\infty} \sigma^2 n^{-1} \mathbf{X}'_c \mathbf{X}_c = \sigma^2 \boldsymbol{\Sigma}$$
$$\tag{12.4.17}$$

練習問題 12.4.10 を参照せよ．多変量中心極限定理を用いることによって，以下の定理は証明される．

> **定理 12.4.1.**
> 仮定 (12.4.1) の (a),(b),(d),(e) のもとで，LS 推定量の漸近分布は以下のようになる．
>
> $\widehat{\boldsymbol{\beta}}_{LS}$ は極限分布 $N_p(\boldsymbol{\beta}, \sigma^2(\mathbf{X}'_c\mathbf{X}_c)^{-1})$ に従う． (12.4.18)

(12.4.14) 式の影響関数から，$\widehat{\boldsymbol{\beta}}_W$ の漸近分布を求めることができる．この漸近的表現は以下によって与えられる．

$$\sqrt{n}(\widehat{\boldsymbol{\beta}}_W - \boldsymbol{\beta}) = \boldsymbol{\Sigma}^{-1} \sum_{i=1}^{n} \frac{\tau}{\sqrt{n}} \mathbf{x}_{ci} \varphi[F(e_i)] + o_p(1) \tag{12.4.19}$$

確率ベクトル $\mathbf{W}_i = \frac{\tau}{\sqrt{n}}\mathbf{x}_{ci}\varphi[F(e_i)]$ は独立であり，以下の仮定に基づいていることに注意してほしい．

$$E\left(\sum_{i=1}^{n} \mathbf{W}_{ni}\right) = \mathbf{0}, \quad \lim_{n\to\infty} \mathrm{Var}\left(\sum_{i=1}^{n} \mathbf{W}_{ni}\right) = \lim_{n\to\infty} \tau^2 n^{-1} \mathbf{X}'_c \mathbf{X}_c = \tau^2 \boldsymbol{\Sigma}$$
$$\tag{12.4.20}$$

練習問題 12.4.11 を参照せよ．定理 12.4.1 同様に，以下の定理を証明するために多変量中心極限定理を用いることができる．

> **定理 12.4.2.**
> 仮定 12.4.1 の (a),(c),(d),(e) のもとで，ウィルコクスン推定量の漸近分布は以下

12.4. 線形モデルのウィルコクスン推定

のようになる.

$\widehat{\boldsymbol{\beta}}_W$ は極限分布 $N_p(\boldsymbol{\beta}, \tau^2 (\mathbf{X}_c' \mathbf{X}_c)^{-1})$ に従う. (12.4.21)

$\widehat{\boldsymbol{\beta}}_W$ の漸近分散は, ウィルコクスンに対しては τ^2, LS に対しては σ^2 である比率の定数に関してのみ, LS の漸近分散と異なる. それゆえにこの LS 回帰推定量に対するウィルコクスン回帰推定量の有効な性質は, 単一位置モデルと同様のものである. 注意 10.7.1 を参照せよ.

(12.4.21) 式に基づくと, 個々の回帰係数の漸近信頼区間は以下のように定式化される.

$$\widehat{\beta}_{W,j} \pm t_{(\alpha/2, n-p-1)} \tau \sqrt{(\mathbf{X}_c' \mathbf{X}_c)_{jj}^{-1}} \qquad (12.4.22)$$

ここで $(\mathbf{X}_c' \mathbf{X}_c)_{jj}^{-1}$ は行列 $(\mathbf{X}_c' \mathbf{X}_c)^{-1}$ の j 番目の対角要素を示している. 母数 τ は推定を必要とし, またそのような推定量は t 臨界値の使用に関する話題と共に Hettmansperger and McKean (1998) において議論されている. さらに, 注意 12.2.1 において触れた統計パッケージやウェブサイトはこれらの推定値を算出する. この近似的な信頼区間は対応する LS 信頼区間に類似している. 唯一の違いは LS 信頼区間は σ の推定値を必要とすることである.

12.4.4 切片母数の推定量

通常回帰モデルは切片母数 α をもっている. (12.4.1) 式を以下のように再表現する.

$$\mathbf{Y} = \alpha \mathbf{1} + \mathbf{X}_c \boldsymbol{\beta} + \mathbf{e} \qquad (12.4.23)$$

ここで, 通例どおり, $\mathbf{1}$ はすべての要素が 1 である, 長さが n の列ベクトルを示す. ウィルコクスンの当てはめを完成させるために, 切片母数 α の推定量が必要となる. 12.2 節で議論されたように, ウィルコクスン残差の中央値を用いる. すなわち以下である.

$$\widehat{\alpha}_W = \mathrm{med}_i \{ Y_i - \mathbf{x}_{ci}' \widehat{\boldsymbol{\beta}}_W \} \qquad (12.4.24)$$

$\widehat{\mathbf{b}}_W = (\widehat{\alpha}_W, \widehat{\boldsymbol{\beta}}_W')'$ とする. $\widehat{\mathbf{b}}_W$ の漸近分布は以下のように示すことができる.

$$N_{p+1} \left(\begin{pmatrix} \alpha \\ \boldsymbol{\beta} \end{pmatrix}, \begin{bmatrix} n^{-1} \tau_S^2 & \mathbf{0}' \\ \mathbf{0} & \tau^2 (\mathbf{X}_c' \mathbf{X}_c)^{-1} \end{bmatrix} \right) \qquad (12.4.25)$$

ここで尺度母数 τ_S と τ は (10.2.15) 式と (12.2.25) 式においてそれぞれ与えられている.

練習問題

12.4.1. (12.4.2) 式の $\boldsymbol{\beta}$ の LS 推定量は (12.3.11) 式の $\boldsymbol{\beta}$ の LS 推定量と等しいことを示せ.

12.4.2. (12.4.13) 式に基づいて，(12.4.14) 式で与えられたウィルコクスン推定量の影響関数を導出せよ．

12.4.3. LS 推定値のかわりにウィルコクスン推定値を用いて，練習問題 12.3.8 を解け．計算を実行するための方法に関して注意 12.2.1 を参照せよ．

12.4.4. 練習問題 12.3.8 において，Y_{10} の値を -148.0 に変更する．このとき，LS とウィルコクスンの当てはめの両方を用いて練習問題 12.3.8 の (a) と (b) のステップを実行せよ．次に両手法の当てはめについて比較せよ．

12.4.5. 表 12.4.1 のデータは 13 の観測値と 4 つの予測変数から構成されている．このデータは Hald (1952) において報告されているものであるが，Draper and Smith (1966) においてもまた議論されており，そこでは R^2 に基づいた予測変数の部分集合の選択手法を例示するために用いられている．この反応はセメント 1 グラムごとに放出される熱量である．予測変数はセメントに用いられる材料の重さの割合であり，以下に与えられている．

$x_1 = 3\text{CaO} \cdot \text{Al}_2\text{O}_3$ の総量の割合

$x_2 = 3\text{CaO} \cdot \text{SiO}_2$ の総量の割合

$x_3 = 3\text{CaO} \cdot \text{Fe}_2\text{O}_3$ の総量の割合

$x_4 = 2\text{CaO} \cdot \text{SiO}_2$ の総量の割合．

(a) ウィルコクスン推定値を用いてこのデータに当てはめよ．
(b) この回帰係数に対して (12.4.22) 式において与えられた信頼区間を求めよ．

表 12.4.1 練習問題 12.4.5 で用いられた Hald のデータ

x_1	x_2	x_3	x_4	反応
7	26	6	60	78.5
1	29	15	52	74.3
11	56	8	20	104.3
11	31	8	47	87.6
7	52	6	33	95.9
11	55	9	22	109.2
3	71	17	6	102.7
1	31	22	44	72.5
2	54	18	22	93.1
21	47	4	26	115.9
1	40	23	34	83.8
11	66	9	12	113.3
10	68	8	12	109.4

12.4.6. (12.4.16) 式と (12.4.19) 式を用いることによって，$\widehat{\beta}_{LS}$ と $\widehat{\beta}_W$ の間の漸近共分散を定めよ．これを行う際，最初に次の結果を成り立たせよ．以下を示すために

12.5. 一般線形仮説の検定

$$E[(\widehat{\boldsymbol{\beta}}_{LS}-\boldsymbol{\beta})(\widehat{\boldsymbol{\beta}}_W-\boldsymbol{\beta})'] = \boldsymbol{\Sigma}^{-1}\sum_{i=1}^{n}\frac{1}{\sqrt{n}}\mathbf{x}_{ci}\tau E\{e_i\varphi[F(e_i)]\}\frac{1}{\sqrt{n}}\mathbf{x}'_{ci}\boldsymbol{\Sigma}^{-1}$$

12.4.7. (12.4.19) 式を用いることによって，これが (12.4.21) 式に与えられたように $\widehat{\boldsymbol{\beta}}_W$ の漸近分散を示すことを証明せよ．

12.4.8. 練習問題 12.4.7 の，ウィルコクスンの当てはめ値 $\mathbf{X}_c\widehat{\boldsymbol{\beta}}_W$ の漸近分散を求めよ．

12.4.9. $\mathbf{H}_c = \mathbf{X}_c(\mathbf{X}'_c\mathbf{X}_c)^{-1}\mathbf{X}'_c$ は V_c 上の射影行列を示すとする．h_{cnil} は $\mathbf{H}_c$ の要素 (i,l) を示し，h_{cni} は i 番目の対角要素を示すとする．
(a) $\mathbf{H}_c$ はべき等であるから，以下の不等式は真であることを示せ．

$$h_{cni} = \sum_{j=1}^{n} h_{cnij}^2 \geq h_{cnil}^2, \quad \text{すべての } i,l=1,\ldots,n \text{ に関して} \qquad (12.4.26)$$

(b) (a) の結果に基づいて，仮定 12.4.1 の (d) が真のとき，すべての計画点は一様に小さくなることを示せ．
ヒント：計画行列 $\mathbf{X}_c$ の範囲は $\mathbf{H}_c$ の範囲と同じである．

12.4.10. (12.4.17) 式において述べられた命題を証明せよ．

12.4.11. (12.4.20) 式において述べられた命題を証明せよ．

12.5 一般線形仮説の検定

本節では一般線形仮説の検定を考える．前節同様にこの手法を簡単な幾何学的表現により示すことにする．ここでは行列形式を用い，(12.3.2) 式すなわち下式としてモデルを定義する．

$$\mathbf{Y} = \mathbf{Xb} + \boldsymbol{\varepsilon} \qquad (12.5.1)$$

ここで $\mathbf{X}$ は $n \times (p+1)$ の計画行列である．興味のある仮説は互いに独立であるような回帰母数の線形制約の寄せ集めである．より正確には一般線形仮説とその対立仮説は以下によって与えられる．

$$H_0: \mathbf{Ab} = \mathbf{0}, \quad H_1: \mathbf{Ab} \neq \mathbf{0} \qquad (12.5.2)$$

ここで $\mathbf{A}$ は $q \times (p+1)$ の特定化された行フルランク $q < p+1$ の行列である．$\mathbf{A}$ の行は線形制約を与える．

例として，x_1 と x_2 における 2 次の多項モデルより，Y を予測するとする．したがって Y の期待値は以下である．

$$E(Y) = \alpha + \beta_1 x_1 + \beta_2 x_2 + \beta_3 x_1^2 + \beta_4 x_2^2 + \beta_5 x_1 x_2 \qquad (12.5.3)$$

Y を予測するのには，1 次の項のみで十分であるという帰無仮説を仮定する．H_0 のもとで，$E(Y) = \alpha + \beta_1 x_1 + \beta_2 x_2$ であるから，対応する行列 $\mathbf{A}$ は以下である．

$$\mathbf{A} = \begin{bmatrix} 0 & 0 & 0 & 1 & 0 & 0 \\ 0 & 0 & 0 & 0 & 1 & 0 \\ 0 & 0 & 0 & 0 & 0 & 1 \end{bmatrix}$$

第 2 の例として，(12.5.3) 式を仮定し，x_1 と x_2 の傾き母数は等しいと考える．この帰無仮説は次の行列によって表現される．

$$\mathbf{A} = \begin{bmatrix} 0 & 1 & -1 & 0 & 0 & 0 \end{bmatrix}$$

仮説検定において，モデル (12.5.1) 式はフルモデル (full model) であると考える．V_F (ここで F は full を示す) は $\mathbf{X}$ の列空間を示すとする．(12.5.2) の仮説において，制約されたモデル (reduced model) は H_0 に対してフルモデルである．すなわち以下によって与えられる部分空間である．

$$V_R = \{\mathbf{v} \in V_F : \mathbf{v} = \mathbf{Xb}, \ \mathbf{Ab} = 0\} \tag{12.5.4}$$

ここで R は制約を受けたということを示している（練習問題 12.5.1 で証明するように，V_R は V_F の部分空間である）．補題 12.5.2 では V_R は $(p+1)-q$ 次元であることを示す．

モデルの当てはめのためのノルム $\|\cdot\|$ が既知であるとする．すると幾何学的表現によって単純検定手続きを記述することができる．$\widehat{\eta}_F$ をノルムに基づいたフルモデルの当てはめとする．すなわち $\widehat{\eta}_F = \mathrm{Argmin}\|\mathbf{Y} - \boldsymbol{\eta}\|, \ \boldsymbol{\eta} \in V_F$ である．したがって $\mathbf{Y}$ と部分空間 V_F との間の距離は次によって与えられる．

$$d(\mathbf{Y}, V_F) = \|\mathbf{Y} - \widehat{\eta}_F\| \tag{12.5.5}$$

同様に次に制約されたモデルを当てはめることにする．$\widehat{\eta}_R$ は制約されたモデルの当てはめを示し，$d(\mathbf{Y}, V_R)$ は $\mathbf{Y}$ と制約されたモデルの空間 V_R との距離を示すとする．小さい方の部分空間を最小化するので，$d(\mathbf{Y}, V_R) \geq d(\mathbf{Y}, V_F)$ である．図 12.5.1 はこの状況の幾何学的表現である．これは $\widehat{\eta}_F$ そして $\widehat{\eta}_R$ の当てはめと，関連する部分空間の反応ベクトル $\mathbf{Y}$ との距離を描写している．

直感的な検定統計量はこれらの距離における差であり，この差以下によって与えられる．

$$RD_{\|\cdot\|} = d(\mathbf{Y}, V_R) - d(\mathbf{Y}, V_F) \tag{12.5.6}$$

ここで $RD_{\|\cdot\|}$ は距離の制約を示している．$RD_{\|\cdot\|}$ の小さな値が H_0 が真であることを示す一方で，大きい値は H_1 が真であることを示す．したがって対応する検定は以下となる．

$$RD_{\|\cdot\|} \geq c \text{ のとき，} H_1 \text{ を採択し，} H_0 \text{ を棄却する．} \tag{12.5.7}$$

ここで c は決定されていなければならない．通常 $RD_{\|\cdot\|}$ は尺度あるいは分散の推定

12.5. 一般線形仮説の検定

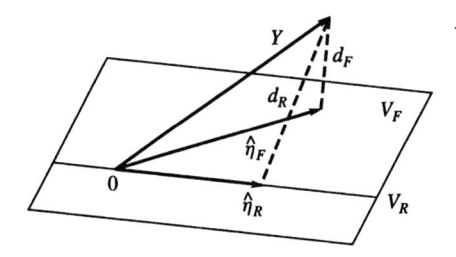

図 12.5.1 この図は検定統計量 $RD_{\|\cdot\|}$ の基礎となる幾何学的表現であり，$\mathbf{Y}$ と部分空間 V_F そして V_R との距離の差である．プロット上ではそれぞれの距離は d_F そして d_R によって示されており，またこれらは破線部分の長さである．

値によって標準化されている．

ノルムをユークリッドノルムと仮定する．この場合，ノルムの 2 乗によって説明することがより簡便である．それゆえに当てはめは LS によってなされるものである．$\mathbf{H}_F$ と $\mathbf{H}_R$ がそれぞれ部分空間 V_F と V_R 上の射影行列を示すとき，12.6 節から以下となる．

$$d_{LS}^2(\mathbf{Y}, V_F) = \|\mathbf{Y} - \mathbf{H}_F \mathbf{Y}\|_{LS}^2 = \mathbf{Y}'(\mathbf{I} - \mathbf{H}_F)\mathbf{Y}$$
$$d_{LS}^2(\mathbf{Y}, V_R) = \|\mathbf{Y} - \mathbf{H}_R \mathbf{Y}\|_{LS}^2 = \mathbf{Y}'(\mathbf{I} - \mathbf{H}_R)\mathbf{Y} \tag{12.5.8}$$

したがって，LS の制約は以下のようになる．

$$RD_{LS} = d_{LS}^2(\mathbf{Y}, V_R) - d_{LS}^2(\mathbf{Y}, V_F) = \mathbf{Y}'(\mathbf{H}_F - \mathbf{H}_R)\mathbf{Y} \tag{12.5.9}$$

以下ではこの検定に関連する分布理論を定義する．

ウィルコクソンノルム $\|\cdot\|_W$ が選択されると仮定する．ウィルコクソンの当てはめは切片に対して不変であるから，行列 $\mathbf{A}$ は切片母数を含まないと仮定する．フルモデルのウィルコクソンの当てはめは以下であったことを思い出してほしい．

$$\widehat{\eta}_{W,F} = \mathrm{Argmin}_{\eta \in V_F} \|\mathbf{Y} - \eta\|$$

したがって，以下となる．

$$d_W(\mathbf{Y}, V_F) = \|\mathbf{Y} - \widehat{\eta}_{W,F}\|_W$$

式 $d_W(\mathbf{Y}, V_R)$ は同様に定義される．ウィルコクソン検定の統計量は

$$RD_W = d_W(\mathbf{Y}, V_R) - d_W(\mathbf{Y}, V_F)$$

である．

12.5.1 正規誤差を仮定した LS 検定の分布論

本項では，(12.5.2) 式で表される仮説の LS 検定に対する分布論を学ぶ．(12.5.1) 式

の誤差確率ベクトル ε が分布 $N_n(\mathbf{0}, \sigma^2 \mathbf{I})$ に従っていると仮定する.まず,この分布論から直ちに導かれる2つの補助定理から議論を始める.

最初に,V_1 と V_2 が R^n 上の2つの部分空間であり,かつ,$V_1 \subset V_2$ ならば,$V_2 \bmod V_1$ は

$$V_2|V_1 = \{\mathbf{v} \in V_2 : \mathbf{v} \perp \mathbf{w}, \text{ すべての } \mathbf{w} \in V_1 \text{ に対して }\} \tag{12.5.10}$$

によって定義されるという線形代数の知識を思い起こそう.

補題 12.5.1.
(12.5.9)式において,$\mathbf{H}_F - \mathbf{H}_R$ は空間 $V_F|V_R$ への射影行列である.

証明 $\mathbf{U}_R$ を V_R に対する正規直交基底行列とし,それを V_F に対する正規直交行列に拡張したものを $[\mathbf{U}_R : \mathbf{U}_2]$ とする.このとき明らかに,$\mathbf{U}_2$ は $V_F|V_R$ に対する基底行列であり,$\mathbf{U}_2 \mathbf{U}_2'$ は $V_F|V_R$ への射影行列である.また,$\mathbf{H}_R = \mathbf{U}_R \mathbf{U}_R'$ であり,

$$\mathbf{H}_F = [\mathbf{U}_R : \mathbf{U}_2][\mathbf{U}_R : \mathbf{U}_2]' = \mathbf{U}_R \mathbf{U}_R' + \mathbf{U}_2 \mathbf{U}_2' = \mathbf{H}_R + \mathbf{U}_2 \mathbf{U}_2',$$

である.したがって,題意は示された.∎

補題 12.5.2.
$\mathbf{C} = \mathbf{X}(\mathbf{X}'\mathbf{X})^{-1}\mathbf{A}'$ とする.このとき,$\mathbf{C}$ は $V_F|V_R$ に対する基底行列である.さらに,$V_F|V_R$ の次元は q であり,V_R の次元は $p+1-q$ である.

この補助定理に対する証明の概略は練習問題 12.5.3 で示される.また,Arnold (1981) も参照せよ.$\mathbf{C}$ は基底行列であり,列数が q であるから,この補助定理に基づくと $V_F|V_R$ の次元は q であり,したがって,V_R の次元は $(p+1)-q$ である.さらに,$\mathbf{H}_F - \mathbf{H}_R$ は部分空間 $V_F|V_R$ の射影行列であるから (補題12.5.1),$\mathbf{H}_F - \mathbf{H}_R = \mathbf{C}(\mathbf{C}'\mathbf{C})^{-1}\mathbf{C}'$ であることが導かれる.簡単な行列の代数操作を用いて以下を得る.

$$\begin{aligned} RD_{LS} &= \mathbf{Y}'(\mathbf{H}_F - \mathbf{H}_R)\mathbf{Y} \\ &= \mathbf{Y}'\mathbf{X}(\mathbf{X}'\mathbf{X})^{-1}\mathbf{A}'[\mathbf{A}(\mathbf{X}'\mathbf{X})^{-1}\mathbf{A}']^{-1}\mathbf{A}(\mathbf{X}'\mathbf{X})^{-1}\mathbf{X}'\mathbf{Y} \\ &= (\mathbf{A}\widehat{\mathbf{b}}_{LS})'[\mathbf{A}(\mathbf{X}'\mathbf{X})^{-1}\mathbf{A}']^{-1}\mathbf{A}\widehat{\mathbf{b}}_{LS} \end{aligned} \tag{12.5.11}$$

すでに述べたように,通常は制約された距離は尺度か分散の推定値によって標準化される.仮説 (12.5.2) 式に対する検定統計量は

$$F_{LS} = \frac{(\mathbf{A}\widehat{\mathbf{b}}_{LS})'[\mathbf{A}(\mathbf{X}'\mathbf{X})^{-1}\mathbf{A}']^{-1}\mathbf{A}\widehat{\mathbf{b}}_{LS}/q}{\widehat{\sigma}^2} \tag{12.5.12}$$

によって与えられる.ここで,$\widehat{\sigma}^2$ は (12.3.5) 式の σ^2 の推定値である.練習問題 12.5.4 が示すように,これは尤度比検定統計量である.この統計量の帰無分布は次の定理によって与えられる.

12.5. 一般線形仮説の検定

定理 12.5.1.
モデル (12.3.2) 式を仮定し，誤差確率ベクトル ε が分布 $N_n(\mathbf{0}, \sigma^2 \mathbf{I})$ に従っているという仮定のもとで，統計量 F_{LS} は自由度 q と $n-p-1$ で非心母数が

$$\theta = \frac{(\mathbf{Ab})'[\mathbf{A}(\mathbf{X'X})^{-1}\mathbf{A'}]^{-1}\mathbf{Ab}}{\sigma^2} \tag{12.5.13}$$

である F 分布に従う．

証明 定理 12.3.5 により $(n-p-1)\widehat{\sigma}^2/\sigma^2$ は $\chi^2(n-p-1)$ に従い，$\widehat{\sigma}^2$ は $\widehat{\mathbf{b}}_{LS}$ と独立であることがわかる．したがって，F_{LS} の分母分子は独立である．また，定理 12.3.5 から，$\widehat{\mathbf{b}}_{LS}$ は $N_{p+1}(\mathbf{b}, \sigma^2(\mathbf{X'X})^{-1})$ に従うことがわかる．したがって，定理 3.5.1 から $\mathbf{A}\widehat{\mathbf{b}}_{LS}$ は $N_q(\mathbf{Ab}, \sigma^2 \mathbf{A}(\mathbf{X'X})^{-1}\mathbf{A'})$ に従う．F_{LS} の分子を q/σ^2 倍したものは，自由度 q, 非心母数が θ のカイ 2 乗分布に従うことが定理 3.5.4 から直ちに導かれる．これらの結果を合わせると定理が証明される．■

F_{LS} の非心母数は H_0 が真の場合にかぎり 0 であることに注目されたい．この場合は，F_{LS} は中心 F 分布に従う．したがって，有意水準 α の検定は以下のようになる．

$$F_{LS} \geq F_{\alpha,q,n-p-1} \text{ ならば } H_0 \text{ を棄却し } H_1 \text{ を採択する} \tag{12.5.14}$$

12.5.2 漸近的な性質

誤差の確率ベクトルが正規分布しないときには，漸近的な結果を用いることが可能である．しかし，この発展的内容は本書の範囲を超えているので，例えば Arnold (1981) などを参照してほしい．ただし，仮定 12.4.1 の (a), (b), (d), (e) と H_0 が真であるという仮定のもとでは，

$$\frac{(\mathbf{A}\widehat{\mathbf{b}}_{LS})'[\mathbf{A}(\mathbf{X'X})^{-1}\mathbf{A'}]^{-1}\mathbf{A}\widehat{\mathbf{b}}_{LS}}{\sigma^2} \xrightarrow{D} \chi^2(q) \tag{12.5.15}$$

を示すことができる．さらに，$\widehat{\sigma}^2$ は σ^2 の一致推定量である．したがって，(12.5.15) 式の σ^2 に $\widehat{\sigma}^2$ を代入すると，近似的なカイ 2 乗検定統計量を得ることができる．しかし，応用場面での検定は F_{LS} に基づいて F の臨界値を利用するのが普通である．正規分布しない場合には，たとえ H_0 のもとでも F_{LS} は F 分布に従わないとしてもである．これによって，より保守的な検定を提供することになる．

ウィルコクスン検定においては，τ の推定値が RD_W を標準化するために利用される．通常の検定統計量は

$$F_W = \frac{RD_W/q}{\widehat{\tau}/2} \tag{12.5.16}$$

という形である．LS 理論は距離の 2 乗の垂線と $\widehat{\boldsymbol{\beta}}_{LS}$ の 2 次形式との同一性から簡便化される．これは，ウィルコクスン検定においては代数的に正しくはないものの漸近的には正しい．この漸近的な同値性を利用すると，仮定 12.4.1 の (a), (c), (d), (e) と

H_0 が真であるという仮定のもとで,

$$qF_W \xrightarrow{D} \chi^2(q) \qquad (12.5.17)$$

であることが示される. ただし, 小標本での研究でも F の臨界値が真の有意水準により近い結果となることが示されている. したがって, ある特定化された有意水準 α に対して,

$$F_W \geq F_{\alpha,q,n-p-1} \text{ ならば}, H_0 \text{ を棄却して } H_1 \text{ を採択する} \qquad (12.5.18)$$

によって与えられる決定規則を漸近的な検定と考えて適用できるだろう.

局所対立仮説に対して, F_W に対する非心母数を得ることが可能である. それは, τ^2 が σ^2 と置き換わっていることを除いて, (12.5.13) 式の θ と同じである. このことから, F_W と F_{LS} の ARE は, 回帰の問題での推定値に対するものと同じである. 検定の頑健な性質もまた, 回帰における推定量と同じである. LS に対して, 検定は Y や x の空間のどちらにおいても頑健でない. 一方, ウィルコクスンの F_W は空間 Y において頑健であるが, x の空間では頑健ではない.

注意 12.5.1 (計算について). 多くの異なるモデルや仮説に対して F_{LS} に基づく LS 検定を行うことのできるコンピュータパッケージは数多く存在している. これらを論じることがここでの目的ではないが, 本書の例や練習問題では, 計算のための R や S-PLUS の簡単なコードがいくつか用意されている. 例えば, 仮説行列が行列 am にあり, 反応がベクトル y に, 全体のモデルの計画行列が x に入力されている場合には, 付録 B の関数 lslinhypoth(x,y,am) によって F_{LS} 検定統計量と p 値が得られる.

検定統計量 F_W を計算し, 対応する分析を行う方法はいくつかある. ウェブサイト www.stat.wmich.edu/slab/RGLM では, LS とウィルコクスンによる分析が並んで出力される. また, Terpstra and McKean (2004) は検定統計量 F_W を計算する R または S-PLUS のコードを開発している. このコードはウェブサイト www.stat.wmich.edu/mckean/HMC/Rcode からダウンロードすることができる. ■

12.5.3 いくつかの例

本章の導入で述べたように, 線形モデルは統計学において最も広範に利用されている. これは回帰モデルだけではなく, すべての分散分析 (analysis of variance, ANOVA) モデルを包含している. 今までのほとんどの例では回帰モデルを用いてきた. そこで, 本項では ANOVA 型のモデルを考察する. これは広い研究領域であり, ここではその概略について触れる. 特に, 2 元配置 ANOVA モデルと簡単な共分散分析に注目する. 実際の研究から取り上げた 2 つの例を用いて説明を行おう. 興味のある読者は, この分野における多くの優れた教科書, 例えば Neter 他 (1996) や Scheffé (1959), Arnold (1981), Stapleton (1995), Graybill (1976) などを参照されたい.

12.5. 一般線形仮説の検定

2元配置分散分析 9.5節で議論した2元配置 ANOVA モデルを考察する．このモデルは反応が2つの要因，例えばAとBから影響されると考えられる実験計画に対するものであった．要因Aには a 個の水準がある一方，要因Bには b 個の水準がある．データを表示する最も簡単な方法は，a 行 b 列の表に示すことである．したがって，結果としてできる表には ab 個のセルがあることになる．セル (i,j) に n_{ij} 個の反応があるものとしよう．Y_{ijk} によって，要因Aの水準 i と要因Bの水準 j における k 番目の実験個体 (被験者) を表す．μ_{ij} は Y_{ijk} の平均とする．このとき，2元配置モデルは

$$Y_{ijk} = \mu_{ij} + e_{ijk}, \quad k=1,\ldots,n_{ij}, \ i=1,\ldots,a, \ j=1,\ldots,b \tag{12.5.19}$$

のように表現できる．ここで，確率誤差 e_{ijk} は iid で pdf $f(t)$ に従う．$n = \sum\sum n_{ij}$ を全体の標本サイズとし，$\mathbf{Y}$ を $n \times 1$ の反応ベクトルとしよう．便宜上，添字 k がいちばん始めに，j がその次，そして i が最も後に動いて反応 Y_{ijk} がこのベクトルに格納されると仮定する．$\mathbf{x}_{ij}$ を k 番目の要素が

$$x_{ijk} = \begin{cases} 1 & y_k \text{ がセル } (i,j) \text{ の観測値であるとき} \\ 0 & \text{それ以外} \end{cases}$$

のように定義される $n \times 1$ ベクトルとする．つまり，$\mathbf{x}_{ij}$ はセル (i,j) に対する生起ベクトル (incidence vector) である．$\mathbf{W}$ を列が $\mathbf{x}_{ij}$ であるサイズ $n \times ab$ の行列とする．すなわち，$\mathbf{W} = [\mathbf{x}_{11}\,\mathbf{x}_{12}\,\cdots\,\mathbf{x}_{ab}]$ である．このとき，モデル (12.5.19) 式は

$$\mathbf{Y} = \mathbf{W}\boldsymbol{\mu} + \mathbf{e} \tag{12.5.20}$$

のように行列の形式で表現することができる．ここで，$\mathbf{e}$ は e_{ijk} からなるベクトルであり，$\boldsymbol{\mu}$ は μ_{ij} からなるベクトルである．これは線形モデルであり，ここでの2元配置 ANOVA に関する議論においてはフルモデルとして扱う．行列 $\mathbf{W}$ は生起行列 (incidence matrix) とよばれる．

フルモデルの LS 推定量をクローズドフォームで得ることは容易である．$\mathbf{Y}$ へのデータの入力のされ方から，$\mathbf{W}'\mathbf{W}$ は主対角が $\mathrm{diag}\{n_{11}, n_{12}, \ldots, n_{ab}\}$ である対角行列であり，$\mathbf{W}'\mathbf{Y} = (\sum_{k=1}^{n_{11}} Y_{11k}, \sum_{k=1}^{n_{12}} Y_{12k}, \ldots, \sum_{k=1}^{n_{ab}} Y_{abk})'$ である．したがって，$\boldsymbol{\mu}$ の LS 推定量は $\widehat{\boldsymbol{\mu}} = (\overline{Y}_{11\cdot}, \overline{Y}_{12\cdot}, \ldots, \overline{Y}_{ab\cdot})'$ であり，これはすなわち，セルの標本平均である．さらに，σ^2 の推定量は

$$\widehat{\sigma}^2 = (n-ab)^{-1} \sum_{i=1}^{a}\sum_{j=1}^{b}\sum_{k=1}^{n_{ij}}(Y_{ijk} - \overline{Y}_{ij\cdot})^2 \tag{12.5.21}$$

によって与えられる．練習問題 12.5.2 を参照せよ．ウィルコクスンの推定量はクローズドフォームでは得られない．しかし，注意 12.5.1 で述べたアルゴリズムによって容易にモデルを当てはめることはできる．

次に，セル平均が

$$\mu_{ij}^* = \overline{\mu}_{\cdot\cdot} + (\overline{\mu}_{i\cdot} - \overline{\mu}_{\cdot\cdot}) + (\overline{\mu}_{\cdot j} - \overline{\mu}_{\cdot\cdot}) \tag{12.5.22}$$

によって与えられる加法的な下位モデルについて考える．加法モデル (additive model) は好ましい性質をもつ制約されたモデルである．加法モデルのもとでは，$i=1,\ldots,a$ に対して帰無仮説 $H_{0A} : \overline{\mu}_{i\cdot} - \overline{\mu}_{\cdot\cdot} = 0$ は，要因 A の個々の水準は反応に影響を与えないことを示していることに注意しよう．要因 B についても同様であり，$j=1,\ldots,b$ に対して帰無仮説 $H_{0B} : \overline{\mu}_{\cdot j} - \overline{\mu}_{\cdot\cdot} = 0$ は要因 B の個々の水準は反応に影響を与えないことを意味している．これら 2 つの帰無仮説は主効果仮説 (main effect hypothese) とよばれる．

加法モデルは好ましいが，それ自体は帰無仮説である．9.5 節と同様に，交互作用母数 (interaction parameter) をフルモデルと加法モデルとの差として定義する．つまり，母数を

$$\gamma_{ij} = \mu_{ij} - \mu_{ij}^* = \mu_{ij} - \overline{\mu}_{i\cdot} - \overline{\mu}_{\cdot j} + \overline{\mu}_{\cdot\cdot}, \quad i=1,\ldots,a, \ j=1,\ldots,b \quad (12.5.23)$$

のように定義する．以上から，加法モデルはすべての i と j に対して $H_{0AB} : \gamma_{ij} = 0$ であるという帰無仮説と同値である．注目すべきは，仮説 H_{0A}, H_{0B}, H_{0AB} はフルモデルの母数 μ_{ij} に関する線形な制約という観点から定義されるという事実である．したがって，これらは線形な仮説である．第 9 章の議論から，線形な仮説に対する線形独立な制約の数は，それぞれ $a-1$, $b-1$, $(a-1)(b-1)$ であることがわかる．この議論を明確にする手がかりとして次のデータ例を示そう．

例 12.5.1 (モーターの耐久時間). この問題は，Nelson (1982) の 471 ページで論じられた不釣り合い型の 2 元配置の実験計画である．2 つの要因のうち要因 A は断熱材の種類 (1,2,3) であり，要因 B はモーターが壊れるまで保たれる温度 (200°F, 225°F, 250°F) である．したがって，2 つの要因ともに 3 つの水準がある．

表 12.5.1 に実際のデータを示した．Nelson に従い，反応変数として耐久時間の対数を考察した．温度の水準 i でモーター断熱材が j である繰り返し測定 k 番目の耐久時間の対数を Y_{ijk} とする．フルモデルとしてセル平均モデル (12.5.19) 式を採用する．データを上述したとおりに反応ベクトルに入力するので，$\boldsymbol{\mu}' = (\mu_{11}, \mu_{12}, \mu_{13}, \mu_{21},$ $\mu_{22}, \mu_{23}, \mu_{31}, \mu_{32}, \mu_{33})$ である．仮説行列を表現するために，まず要因 A の主効果を考える．ここでのセル平均モデル H_{0A} は行平均が同じであることを意味している．これは，次の 2 つの制約 $3(\overline{\mu}_{1\cdot} - \overline{\mu}_{3\cdot}) = 0$ と $3(\overline{\mu}_{2\cdot} - \overline{\mu}_{3\cdot}) = 0$ が成り立つ場合，その場合に限って成立する．したがって，H_{0A} に対する仮説行列は

$$\mathbf{A}_1 = \begin{bmatrix} 1 & 1 & 1 & 0 & 0 & 0 & -1 & -1 & -1 \\ 0 & 0 & 0 & 1 & 1 & 1 & -1 & -1 & -1 \end{bmatrix} \quad (12.5.24)$$

によって与えられる．同様に，H_{0B} に対する仮説行列は

$$\mathbf{A}_2 = \begin{bmatrix} 1 & 0 & -1 & 1 & 0 & -1 & 1 & 0 & -1 \\ 0 & 1 & -1 & 0 & 1 & -1 & 0 & 1 & -1 \end{bmatrix} \quad (12.5.25)$$

によって与えられる．交互作用母数が 0 であるという検定のためには，4 つの独立な線形制約式が必要である．ここでは γ_{11}, γ_{12}, γ_{21}, γ_{22} を選択した．簡略化の後，こ

12.5. 一般線形仮説の検定

表 12.5.1 例 12.5.1 のデータであるモーターの耐久時間 (単位は時間). 例ではこれらの対数が用いられたことに注意せよ.

	断熱材		
温度	1	2	3
200°F	1176	2856	3528
	1512	3192	3528
	1512	2520	3528
	1512	3192	
	3528	3528	
225°F	624	816	720
	624	912	1296
	624	1296	1488
	816	1392	
	1296	1488	
250°F	204	300	252
	228	324	300
	252	372	324
	300	372	
	324	444	

こから仮説行列

$$\mathbf{A}_3 = \begin{bmatrix} 4 & -2 & -2 & -2 & 1 & 1 & -2 & 1 & 1 \\ -2 & 4 & -2 & 1 & -2 & 1 & 1 & -2 & 1 \\ -2 & 1 & 1 & 4 & -2 & -2 & -2 & 1 & 1 \\ 1 & -2 & 1 & -2 & 4 & -2 & 1 & -2 & 1 \end{bmatrix} \quad (12.5.26)$$

が導かれる. 練習問題 12.5.5 において, これら 2 つの行列がそれぞれ H_{0B} と H_{0AB} に対する仮説行列であるか確かめることが求められる.

注意 12.5.1 で述べたウェブサイトを利用して, 以下に示す F_{LS} と F_W に基づく検定の結果が得られた.

仮説	F_{LS}	p値	F_W	p値
H_{0A}	214.1	0.000	121.7	0.000
H_{0B}	12.51	0.000	17.15	0.000
H_{0AB}	1.297	0.293	2.854	0.041

交互作用仮説に対する LS とウィルコクスンの結果の間にはズレが生じていることに注目されたい. これについては, 練習問題 12.5.6 において詳しく調べることになる. ∎

共分散分析 実験計画においては, しばしば反応変数の他に統制できない剰余変数が存在することがある. 例えば, いくつかのダイエット法による減量の 1 要因実験を考えてみよう. 反応は体重の減少量であるが, 実験前の被験者の体重が重要となる. この変数は, どれくらい体重が減るかに影響を与えそうであるが, 大概の場合におい

て統制は不可能である.期待としては,データに含まれる何らかのノイズをこれらの変数によって説明させたい.このような変数は共変量 (covariate),あるいは付随変数 (concomitant variable) とよばれ,このようなデータに従来から用いられる分析は共分散分析 (analysis of covariance) とよばれる.

どんな実験計画においても共変量は存在しうるものである.状況を単純化するため,共変量が1つの1元配置 ANOVA を考えよう.単一の要因 A の水準は a であり,水準 i の測定値の個数は n_i である.$j=1,2,\ldots,n_i$ と $i=1,2,\ldots,a$ に対して,Y_{ij} と x_{ij} をそれぞれ水準 i における j 番目の反応変数と共変量の値とする.1次のモデルは

$$Y_{ij} = \mu_i + \beta x_{ij} + e_{ij}, \quad j=1,2,\ldots,n_i, \ i=1,2,\ldots,a \tag{12.5.27}$$

によって与えられる.このモデルの母数 μ_i の解釈は自然なものである.2つの反応 Y_{ij} と $Y_{i'j'}$ について,$x_{ij}=x_{i'j'}$ であると仮定すると,$E(Y_{ij})-E(Y_{i'j'})=\mu_i-\mu_{i'}$ である.この意味において,母数 μ_i は平均的な効果を示していることになる.したがって,関心の対象となる帰無仮説は,$H_{0A}: \mu_1 = \cdots = \mu_a$ によって与えられる.つまり,H_{0A} のもとでは,要因 A の各水準は反応に影響を与えない.

しかし,モデル (12.5.27) 式は各水準で共変量が同じように影響していると仮定しているため,あまりにも単純すぎる可能性がある.より一般的なモデルは

$$Y_{ij} = \mu_i + \beta_i x_{ij} + e_{ij}, \quad j=1,\ldots,n_i, i=1,\ldots,a \tag{12.5.28}$$

によって与えられる.このとき,i 番目の水準における傾きと切片は,それぞれ β_i と μ_i である.したがって,各水準には独自の線形モデルが仮定されることになる.もちろん,このモデルに対する自然な帰無仮説は,H_{0C} のもとでは単純なモデル (12.5.27) 式が成り立つので,$H_{0C}: \beta_1 = \cdots = \beta_k$ である.H_{0C} が成り立たないのであれば,共変量と水準の間には交互作用がある.具体的には,ある水準が他より優れているかどうかは,反応が要因のどこで,つまり x 空間のどこで測定されるかに依存する可能性があるということである.したがって,2元配置の実験計画と同様に,主効果仮説の解釈は不明確になりかねない.これらの仮説はモデルの母数において線形であり,したがって,上述のように検定することができる.次の例では,対応する仮説行列について論じる.

例 12.5.2 (ヘビデータ). 共分散分析の問題を扱う例として,Afifi and Azen (1972) で論じられたデータを考察する.40人の被験者に対して,不快感をもたずにどのくらい近くまでヘビに歩み寄れるかを決める行動アプローチテストが実施された.この距離は共変量として扱われた.次に,被験者は4水準ある処遇に無作為に割り当てられた.最初の水準は統制群 (プラセボ群) であり,他の3群は人間のヘビに対する恐怖心を軽減する手法において異なっていた.反応は処遇の後の被験者の行動アプローチテストにおける距離であった.10人の被験者がそれぞれの水準に割り当てられた.したがって,全体の標本サイズは40であり,モデル (12.5.28) 式の母数は8である.データ (Initial Dist. が共変量で Final Dist. が反応である) は以下のとおりであった.

12.5. 一般線形仮説の検定

	プラセボ群		水準 2		水準 3		水準 4	
	Initial Dist.	Final Dist.	Initial Dist.	Final Dist.	Initial Dist.	Final Dist.	Initial Dist.	Final Dist.
	25	25	17	11	32	24	10	8
	13	25	9	9	30	18	29	17
	10	12	19	16	12	2	7	8
	25	30	25	17	30	24	17	12
	10	37	6	1	10	2	8	7
	17	25	23	12	8	0	30	26
	9	31	7	4	5	0	5	8
	18	26	5	3	11	1	29	29
	27	28	30	26	5	1	5	29
	17	29	19	20	25	10	13	9

$\mathbf{Y}$ を反応ベクトルとし，$\mathbf{z}$ を対応する共変量の値とする．$\mathbf{w}_i$, $i=1,\ldots,4$ を水準 i に対する生起ベクトルとする．$\mathbf{v}_i$ を j 番目の要素が $w_{ij}z_j$ であるベクトルとする．このとき，モデル (12.5.28) 式に対応する計画行列は

$$\mathbf{X} = [\mathbf{w}_1\ \mathbf{v}_1\ \mathbf{w}_2\ \mathbf{v}_2\ \mathbf{w}_3\ \mathbf{v}_3\ \mathbf{w}_4\ \mathbf{v}_4] \qquad (12.5.29)$$

である．LS とウィルコクスンの方法による計算機を用いた結果は以下に論じるとおりとなった．

各水準における共変量に対する反応変数の散布図は，図 12.5.1 の Panel A から D にみられるとおりである．この散布図から反応と共変量の関係は水準によって異なることが明らかである．最初の水準 (プラセボ群) での関係のように，見た目ではほとんど無関係のものから，3 番目の水準におけるかなり強い線形関係まで様々である．これらの散布図から外れ値が存在することもまた明らかである．散布図にはフルモデル，つまりモデル (12.5.28) 式のウィルコクスンと LS によって得られた直線を重ねて描いている．

各水準におけるウィルコクスンと LS による切片と傾きの推定値は，次に示すとおりであった．

水準	ウィルコクスン推定値				LS 推定値			
	切片	(SE)	傾き	(SE)	切片	(SE)	傾き	(SE)
1	27.3	(3.6)	−0.02	(.20)	25.6	(5.3)	0.07	(.29)
2	−1.78	(2.8)	0.83	(.15)	−1.39	(4.0)	0.83	(.22)
3	−6.7	(2.4)	0.87	(.12)	−6.4	(3.5)	0.87	(.17)
4	2.9	(2.4)	0.66	(.13)	7.8	(3.4)	0.49	(.19)

この表と図 12.5.1 が示すように，大きな外れ値のある水準においてウィルコクスンと LS 推定値とのズレが大きい．τ と σ の推定値はそれぞれ 3.92 と 5.82 である．したがって，ウィルコクスンの推定値に対する推定された標準誤差は，表が示すとおりに LS の標準誤差よりも小さい．

仮説 H_{0A} と H_{0C} を検定するために，(12.5.29) 式の計画行列 $\mathbf{X}$ の定式化に対応し

Panel A: Level 1 (Placebo)

Panel B: Level 2

Panel C: Level 3

Panel D: Level 4

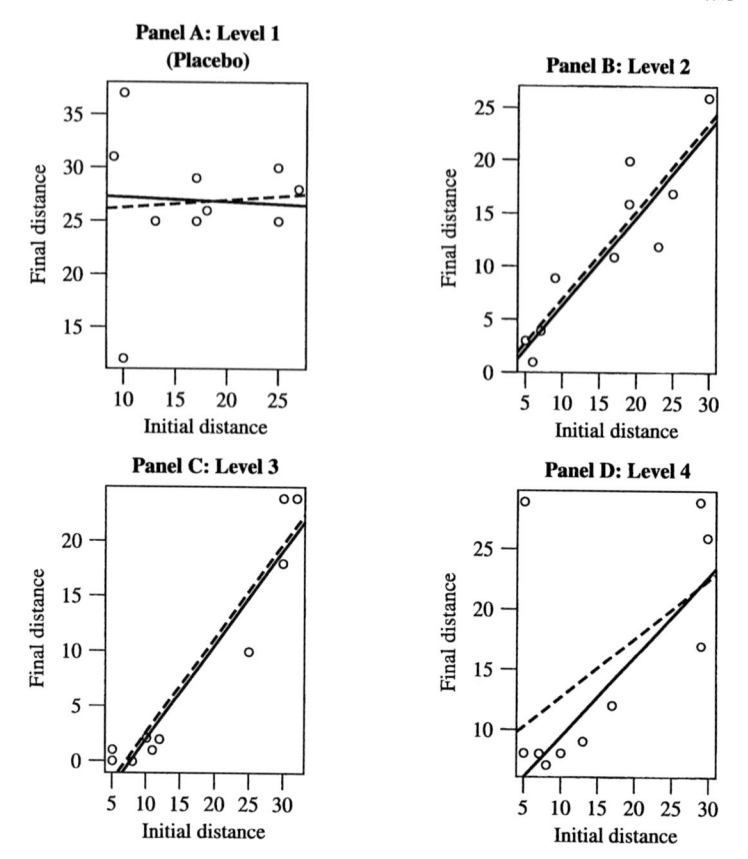

図 12.5.1 ヘビデータに対する Final Distance(反応) と Initial Distance(共変量) の散布図. Panel A から D はプラセボ群と水準 2 から 4 を示しており, 図にはウィルコクスンによる直線 (実線) と LS による直線 (破線) も重ねて描かれている.

た仮説行列を構成しよう. H_{0C} を検定するための仮説行列は

$$\mathbf{A}_{0C} = \begin{bmatrix} 0 & 1 & 0 & 0 & 0 & 0 & 0 & -1 \\ 0 & 0 & 0 & 1 & 0 & 0 & 0 & -1 \\ 0 & 0 & 0 & 0 & 0 & 1 & 0 & -1 \end{bmatrix} \qquad (12.5.30)$$

であり, 一方, H_{0A} に対する仮説行列は

12.5. 一般線形仮説の検定

$$\mathbf{A}_{0A} = \begin{bmatrix} 1 & 0 & 0 & 0 & 0 & 0 & -1 & 0 \\ 0 & 0 & 1 & 0 & 0 & 0 & -1 & 0 \\ 0 & 0 & 0 & 0 & 1 & 0 & -1 & 0 \end{bmatrix} \quad (12.5.31)$$

である．F_{LS} と F_W に基づく検定を要約したものが以下の表である．

仮説	F_{LS}	p 値	F_W	p 値
H_{0C}	2.34	0.09	4.07	0.01
H_{0A}	9.63	0.00	12.67	0.00

各仮説に対して，3つの独立な線形制約があることに注意しよう．さらに，フルモデルには8個の母数が存在する．したがって，表中の p 値は自由度 3 と 32 に基づいたものである．

F_W により H_{0C} は明確に棄却される (p 値は 0.01) のに対して，F_{LS} に基づく検定の p 値は 0.09 である．このことから，図 12.5.2 にみられたような外れ値に関する上述の議論が確かめられる．H_{0C} が棄却された場合，仮説 H_{0A} の解釈は明確でなくなる．したがって，ここでの具体的な問題に対する実際的な解釈は，LS とウィルコクソンで異なるものとなるだろう．■

練習問題

12.5.1. 制約されたモデル空間 (12.5.1) 式の定義を用いて，V_R が V_F の部分空間であることを示せ．

12.5.2. (12.5.21) 式の周辺で議論した μ と σ^2 の LS 推定値の妥当性を確認せよ．

12.5.3. 補題 12.5.2 は，次の各命題が成り立つことを示すことによって証明されることを示せ．$k = (p+1) - q$ とする．もし行列が列フルランクならば，その核は $\{\mathbf{0}\}$ であることに注意せよ．これを次の $\mathbf{X}$ と $\mathbf{A}'$ の双方に適用せよ．

(a) 部分空間 $W = \{\mathbf{b} | \mathbf{Ab} = \mathbf{0}\}$ を定義する．W は $\mathbf{A}$ の行空間に対して直交した空間であることを示せ．このことから W の次元は k である．

(b) $\mathbf{b}_1, \ldots, \mathbf{b}_k$ は W の基底とする．$\mathbf{v}_1, \ldots, \mathbf{v}_k$ が V_R の基底であることを証明せよ．ここで，$\mathbf{v}_i = \mathbf{Xb}_i$ である．このことから，V_R の次元は k である．したがって，$V_F | V_R$ の次元は $p + 1 - k = q$ である．

(c) $\mathbf{C} = \mathbf{X}(\mathbf{X}'\mathbf{X})^{-1}\mathbf{A}'$ とする．$\text{range}\,\mathbf{C} \subset V_F | V_R$ を示せ．

(d) $\ker(\mathbf{C}) = \mathbf{0}$ を証明せよ．このとき，$\text{range}\,\mathbf{C}$ は $V_F | V_R$ と同じ階数をもつ $V_F | V_R$ の部分空間である．したがって，$\text{range}\,\mathbf{C} = V_F | V_R$ である．

12.5.4. モデル (12.3.2) 式が成り立つものとし，確率誤差ベクトル ε は $N_n(\mathbf{0}, \sigma^2 \mathbf{I})$ に従うとする．(12.5.12) 式の検定統計量 F_{LS} に基づく検定が，(12.5.2) 式の仮説に対する尤度比検定と同じであることを示せ．
ヒント：(12.5.11) 式の等式を利用せよ．

12.5.5. 例 12.5.1 において, (12.5.25) 式と (12.5.26) 式の行列が, それぞれ仮説 H_{0B} と H_{0AB} を表していることを確認せよ.

12.5.6. 例 12.5.1 を考える. 反応は表 12.5.1 の耐久時間の対数であることに注意して, 以下の問いに答えよ.
(a) 9.5 節で議論されたセルの中央値によるプロファイルプロットを描け. 要因 A (モーター断熱材) に対するセル中央値をプロットし, 要因 B (温度) の各水準に対してその点を結べ. プロファイルは交差し, 交互作用の可能性を示すことに注目せよ.
(b) LS (またはウィルコクスン) の残差と予測値の散布図を描け. この図から外れ値を検討せよ.
(c) (b) の結果から, 交互作用に対する LS とウィルコクスン検定とのズレについてどのようなことがいえるか.

12.5.7. 例 12.5.2 を考える.
(a) モデル (12.5.28) 式の当てはめにおける LS とウィルコクスンの残差をプロットせよ. ここから, 残差の分散は当てはめの結果の全体にわたって一定であるわけではないことがわかる.
(b) 反応を平方根変換してモデルをもう 1 度あてはめよ. その結果得られる残差プロットについて考察せよ.

12.5.8. 本節では, 9.5 節の 2 元配置 ANOVA モデルを線形モデル (行列形式) による定式化により構成した.
(a) 9.2 節の 1 元配置 ANOVA に対する線形モデルを構成せよ. また, 仮説 $H_{0A}: \mu_1 = \mu_2 = \cdots = \mu_a$ を検定するための仮説行列を構成せよ.
(b) (a) を用いて, 練習問題 9.2.7 で与えられたデータに対する LS とウィルコクスンによる分析を行え.
(c) 練習問題 9.2.7 のデータにおいて, Brand C の最後の測定値の値を 40.3 から 4.3 に変えて LS とウィルコクスンによる分析を行え. 分析結果がどう変わったか考察せよ.

12.5.9. 練習問題 9.5.7 のデータを本節で議論したように 2 元配置 ANOVA モデルとして構成せよ. 主効果と交互作用について仮説行列を求めよ. コンピュータパッケージを用いて, LS ならびにウィルコクスンによる分析を実行せよ.

12.5.10. 練習問題 9.5.7 のデータにおいて, セル (3,4) の最後の測定値の値を 4.2 から 0.2 に変えて, LS とウィルコクスンによる分析を実行せよ. 分析結果がどう変わったか報告せよ.

12.5.11. 次のデータは Shirley (1981) からのものである. これは, McKean and Vidmar (1994) において頑健性の観点から議論されている. 反応は, 小屋に入る時間

12.5. 一般線形仮説の検定

が遅くなるよう意図された処遇を受けた後のラットが，小屋に入るのにかかった時間である．実験は 30 匹のラットで行われ，それらは 3 群に分けられていた．グループ 2 とグループ 3 のラットには処遇への対抗策が与えられた．共変量は，この処遇が与えられる前に測定されたラットの小屋への進入時間である．データは次に示すとおりである．

| グループ1 || グループ2 || グループ3 ||
実験前	実験後	実験前	実験後	実験前	実験後
1.8	79.1	1.6	10.2	1.3	14.8
1.3	47.6	0.9	3.4	2.3	30.7
1.8	64.4	1.5	9.9	0.9	7.7
1.1	68.7	1.6	3.7	1.9	63.9
2.5	180.0	2.6	39.3	1.2	3.5
1.0	27.3	1.4	34.0	1.3	10.0
1.1	56.4	2.0	40.7	1.2	6.9
2.3	163.3	0.9	10.5	2.4	22.5
2.4	180.0	1.6	0.8	1.4	11.4
2.8	132.4	1.2	4.9	0.8	3.3

(a) グループごとにデータの散布図を描け．
(b) フルモデル $y_{ij} = \mu_i + \beta_i x_{ij} + e_{ij}$, $i=1,2,3$, $j=1,\ldots,10$, を LS とウィルコクスンの方法によってデータに当てはめよ．ここで，y_{ij} はグループ i の j 番目のラットの反応を表し，x_{ij} は対応する共変量を表す．
(c) LS とウィルコクスンによって当てはめた結果を (a) の散布図に重ねて描け．グループ 2 と 3 にある外れ値の影響について考察せよ．
(d) 傾きの同一性，すなわち $H_0: \beta_1 = \beta_2 = \beta_3$ を検定するための仮説行列を考えよ．
(e) (d) の仮説について LS とウィルコクスンによる検定を行え．

A 数　　学

A.1 正 則 条 件

　ここでは，本書の 6.4 節，6.5 節において参照した正則条件について述べる．これらの条件は，Lehmann and Casella (1998) の第 6 章においてより詳しく論じられている．

　いま，$\boldsymbol{\theta} \in \Omega \subset R^p$ として，X は $f(x;\boldsymbol{\theta})$ という pdf に従うものとする．これから述べる仮定において X はスカラーの確率変数でも，R^k の確率ベクトルのどちらでもよい．6.4 節でそうであったように，$\mathbf{I}(\boldsymbol{\theta}) = [I_{jk}]$ を (6.4.4) 式で与えられた $p \times p$ の情報行列とする．また，真の母数 $\boldsymbol{\theta}$ を $\boldsymbol{\theta}_0$ によって表す．

仮定 A.1.1 (6.4 節，6.5 節に対する付加的な正則条件)．
(R6): $\boldsymbol{\theta}_0 \in \Omega_0$ であるような開部分集合 $\Omega_0 \subset \Omega$ が存在し，すべての $\boldsymbol{\theta} \in \Omega_0$ に対して $f(x;\boldsymbol{\theta})$ の 3 階微分が存在する．
(R7): 次の等式が成立する (本質的に期待値と微分は交換可能である)．

$$E_{\boldsymbol{\theta}}\left[\frac{\partial}{\partial \theta_j} \log f(x;\boldsymbol{\theta})\right] = 0, \quad \text{for } j = 1, \ldots, p,$$

$$I_{jk}(\boldsymbol{\theta}) = E_{\boldsymbol{\theta}}\left[-\frac{\partial^2}{\partial \theta_j \partial \theta_k} \log f(x;\boldsymbol{\theta})\right], \quad j, k = 1, \ldots, p$$

(R8): すべての $\boldsymbol{\theta} \in \Omega_0$ に対して，$\mathbf{I}(\boldsymbol{\theta})$ は正定値である．
(R9): 以下の条件

$$\left|\frac{\partial^3}{\partial \theta_j \partial \theta_k \theta_l} \log f(x;\boldsymbol{\theta})\right| \le M_{jkl}(x), \quad \text{すべての } \boldsymbol{\theta} \in \Omega_0 \text{ に対して}$$

かつ

$$E_{\boldsymbol{\theta}_0}[M_{jkl}] < \infty, \quad \text{すべての } j, k, l \in 1, \ldots, p \text{ に対して}$$

を満たすような関数 $M_{jkl}(x)$ が存在する．■

A.2 数　　列

　$\{a_n\}$ を実数の列とする．解析学により $a_n \to a$ ($\lim_{n \to \infty} a_n = a$) とは

任意の $\epsilon > 0$ に対して, $n \geq N_0 \implies |a_n - a| < \epsilon$ となる N_0 が存在する

(A.2.1)

という命題と同値である.

A を上に有界な実数の集合とする. すなわち, すべての $x \in A$ に対して $x \leq M$ であるような $M \in R$ が存在する. このとき, a が A のすべての上界のうち最小であるならば, a は A の最小上界 (supremum) である. 解析学において, 上に有界な集合には最小上界が存在することが知られている. さらに, 任意の $\epsilon > 0$ に対して, $a - \epsilon < x \leq a$ であるような $x \in A$ が存在する場合に限り, a は A の最小上界であることも知られている. 同様に, A の最大下界 (infimum) も定義することができる.

3 つの付加的な解析学の定理も必要となる. まず, 挟み撃ちの定理について論じる.

定理 A.2.1 (挟み撃ちの定理 (サンドイッチ定理)).
点列 $\{a_n\}$, $\{b_n\}$, $\{c_n\}$ が, すべての n に対して $c_n \leq a_n \leq b_n$ を満たし, $\lim_{n \to \infty} b_n = \lim_{n \to \infty} c_n = a$ であると仮定する. このとき, $\lim_{n \to \infty} a_n = a$ が成立する.

証明 $\epsilon > 0$ が所与であるとする. $\{b_n\}$ と $\{c_n\}$ の双方は収束するから, $n \geq N_0$ に対して $|c_n - a| < \epsilon$ であり, かつ $|b_n - a| < \epsilon$ であるような十分に大きい N_0 をとることができる. $c_n \leq a_n \leq b_n$ であるから, すべての n について

$$|a_n - a| \leq \max\{|c_n - a|, |b_n - a|\}$$

を示すのは容易である. したがって, $n \geq N_0$ ならば, $|a_n - a| < \epsilon$ である. ∎

2 番目の定理は部分列に関するものである. 数列 $n_1 \leq n_2 \leq \cdots$ が正の整数の有限な部分集合ならば, $\{a_{n_k}\}$ は $\{a_n\}$ の部分列であることに注意せよ. なお, $n_k \geq k$ である.

定理 A.2.2.
数列 $\{a_n\}$ は, すべての部分列 $\{a_{n_k}\}$ が a に収束する場合にかぎり, a に収束する.

証明 数列 $\{a_n\}$ が a に収束するものとする. $\{a_{n_k}\}$ を任意の部分列とし, $\epsilon > 0$ は所与であるとする. このとき, $n \geq N_0$ に対して $|a_n - a| < \epsilon$ であるような N_0 が存在する. 部分列に対して, k' を N_0 を超える部分列の最初の指標とする. $n_k \geq k$ であるすべての k に対して, $n_k \geq n_{k'} \geq k' \geq N_0$ であり, ここから $|a_{n_k} - a| < \epsilon$ が示される. したがって, $\{a_{n_k}\}$ は a に収束する. 列はそれ自身の部分列であるから, 逆は直ちに示される. ∎

最後の 3 番目の定理は単調数列に関するものである.

A.2. 数　　列

定理 A.2.3.
$\{a_n\}$ を実数の非減少な数列とする. すなわち, すべての n について $a_n \leq a_{n+1}$ である. また, $\{a_n\}$ は上に有界であると仮定する. つまり, ある $M \in R$ に対して, すべての n において $a_n \leq M$ である. このとき, a_n の極限が存在する.

証明 a を $\{a_n\}$ の最小上界とする. また, $\epsilon > 0$ が所与であるとする. このとき, $a - \epsilon < a_{N_0} \leq a$ であるような N_0 が存在する. 数列は非減少であるから, これはすべての $n \geq N_0$ において $a - \epsilon < a_n \leq a$ であることを示している. したがって, 定義から $a_n \to a$ である. ∎

$\{a_n\}$ を実数列とし,

$$b_n = \sup\{a_n, a_{n+1}, \ldots\}, \quad n = 1, 2, 3 \ldots \tag{A.2.2}$$

$$c_n = \inf\{a_n, a_{n+1}, \ldots\}, \quad n = 1, 2, 3 \ldots \tag{A.2.3}$$

のように 2 つの部分列を定義する. $\{b_n\}$ が非増加な数列であることは明らかである. したがって, $\{a_n\}$ が下に有界ならば, b_n の極限が存在する. このとき, $\{b_n\}$ の極限を数列 $\{a_n\}$ の上極限 (limit supremum, limsup) とよび,

$$\varlimsup_{n \to \infty} a_n = \lim_{n \to \infty} b_n \tag{A.2.4}$$

のように表記する. $\{a_n\}$ が下に有界でないならば, $\varlimsup_{n \to \infty} a_n = -\infty$ であることに注意が必要である. また, $\{a_n\}$ が上に有界でない場合は, $\varlimsup_{n \to \infty} a_n = \infty$ と定義する. したがって, 任意の列の $\varlimsup$ は常に存在する. また, 部分列 $\{b_n\}$ の定義より以下が成り立つ.

$$a_n \leq b_n, \quad n = 1, 2, 3, \ldots \tag{A.2.5}$$

一方, $\{c_n\}$ は非減少な数列である. したがって, $\{a_n\}$ が上に有界ならば, c_n の極限が存在する. この $\{c_n\}$ の極限は, 数列 $\{a_n\}$ の下極限 (limit infimum, liminf) とよばれ,

$$\varliminf_{n \to \infty} a_n = \lim_{n \to \infty} c_n \tag{A.2.6}$$

のように表記される. $\{a_n\}$ が上に有界でないならば, $\varliminf_{n \to \infty} a_n = \infty$ であることに注意せよ. また, $\{a_n\}$ が下に有界でないならば, $\varliminf_{n \to \infty} a_n = -\infty$ である. よって, 任意の列の $\varliminf$ は常に存在する. また, 部分列 $\{c_n\}$, ならびに $\{b_n\}$ の定義から

$$c_n \leq a_n \leq b_n, \quad n = 1, 2, 3, \ldots \tag{A.2.7}$$

である. また, すべての n に対して $c_n \leq b_n$ であるから以下となる.

$$\varliminf_{n \to \infty} a_n \leq \varlimsup_{n \to \infty} a_n \tag{A.2.8}$$

例 A.2.1. ここで 2 つの例を示す. 他の多くの例は練習問題で与えられる.

1. すべての $n=1,2,\ldots$ に対して $a_n=-n$ とする. このとき, $b_n=\sup\{-n,-n-1,\ldots\}=-n\to-\infty$ であり, $c_n=\inf\{-n,-n-1,\ldots\}=-\infty\to-\infty$ である. したがって, $\varliminf_{n\to\infty}a_n=\varlimsup_{n\to\infty}a_n=-\infty$ である.

2. $\{a_n\}$ を

$$a_n=\begin{cases}1+(1/n)&n\text{ が偶数の場合}\\2+(1/n)&n\text{ が奇数の場合}\end{cases}$$

と定義する. このとき, $\{b_n\}$ は数列 $\{3,2+(1/3),2+(1/3),2+(1/5),2+(1/5),\ldots\}$ であり, 2 に収束する. 一方, $\{c_n\}\equiv 1$ であり, これは 1 に収束する. したがって, $\varliminf_{n\to\infty}a_n=1$ であり, $\varlimsup_{n\to\infty}a_n=2$ である. ■

すべての数列で $\varliminf_{n\to\infty}$ と $\varlimsup_{n\to\infty}$ が存在することは有用である. また, (A.2.7) 式と (A.2.8) 式の挟み撃ちの効果によって次の定理が示される.

定理 A.2.4.
 $\{a_n\}$ を実数列とする. このとき, $\varliminf_{n\to\infty}a_n=\varlimsup_{n\to\infty}a_n$ である場合, またその場合にかぎり $\{a_n\}$ の極限が存在する. そのようなとき, $\lim_{n\to\infty}a_n=\varliminf_{n\to\infty}a_n=\varlimsup_{n\to\infty}a_n$ である.

証明 まず, $\lim_{n\to\infty}a_n=a$ であるとする. 数列 $\{c_n\}$ と $\{b_n\}$ は $\{a_n\}$ の部分列であるから, 定理 A.2.2 から, これらもまた a に収束することが示される. 反対に, $\varliminf_{n\to\infty}a_n=\varlimsup_{n\to\infty}a_n$ ならば, (A.2.7) 式と定理 A.2.1 の挟み撃ち定理によって題意が示される. ■

この定理に基づいて, 統計学や確率論で頻繁に用いられる 2 つの興味深い応用が可能である. $\{p_n\}$ を確率の数列とし, $b_n=\sup\{p_n,p_{n+1},\ldots\}$, ならびに $c_n=\inf\{p_n,p_{n+1},\ldots\}$ とする. 最初の応用として, $\varlimsup_{n\to\infty}p_n=0$ を示すことができるものと仮定しよう. すると, $0\leq p_n\leq b_n$ という事実と挟み撃ちの定理から, $\lim_{n\to\infty}p_n=0$ となる. 2 番目の応用としては, $\varliminf_{n\to\infty}p_n=1$ が示せると仮定する. このとき, $c_n\leq p_n\leq 1$ と挟み撃ちの定理から $\lim_{n\to\infty}p_n=1$ となる.

他のいくつかの性質については, 定理の形で列挙した. それらの証明は 練習問題 A.2.2 において読者に委ねた.

定理 A.2.5.
 $\{a_n\}$ と $\{d_n\}$ を実数列とすると以下が成り立つ.

$$\varlimsup_{n\to\infty}(a_n+d_n)\leq\varlimsup_{n\to\infty}a_n+\varlimsup_{n\to\infty}d_n \qquad(A.2.9)$$

$$\varliminf_{n\to\infty}a_n=-\varlimsup_{n\to\infty}(-a_n) \qquad(A.2.10)$$

A.2. 数　　列

練習問題

A.2.1. 以下の数列について, $\underline{\lim}$ と $\overline{\lim}$ を求めよ.
 (a) $n=1,2,\ldots$ に対して, $a_n = (-1)^n \left(2 - \frac{4}{2^n}\right)$
 (b) $n=1,2,\ldots$ に対して, $a_n = n^{\cos(\pi n/2)}$
 (c) $n=1,2,\ldots$ に対して, $a_n = \frac{1}{n} + \cos\frac{\pi n}{2} + (-1)^n$

A.2.2. (A.2.9) 式と (A.2.10) 式で示される性質を証明せよ.

A.2.3. $\{a_n\}$ と $\{d_n\}$ を実数列とする. 以下を証明せよ.

$$\underline{\lim}_{n\to\infty}(a_n + d_n) \geq \underline{\lim}_{n\to\infty} a_n + \underline{\lim}_{n\to\infty} d_n$$

A.2.4. $\{a_n\}$ を実数列とし, $\{a_{n_k}\}$ を $\{a_n\}$ の部分列とする. $k\to\infty$ に従って $\{a_{n_k}\} \to a_0$ であるとき, $\underline{\lim}_{n\to\infty} a_n \leq a_0 \leq \overline{\lim}_{n\to\infty} a_n$ を証明せよ.

B RとS–PLUSの関数

以下は，本書で参照されているRとS–PLUSの関数である．
1. **boottestonemean**. 次に示すブートストラップ検定のためのルーチンである．
$$H_0: \theta = \theta_0, \quad H_A: \theta > \theta_0$$
この検定は標本平均をもとにしているが，容易に他の検定に変更可能である．
```
boottestonemean<-function(x,theta0,b){
#
#  x = sample
#  theta0 is the null value of the mean
#  b is the number of bootstrap resamples
#
#  origtest contains the value of the test statistics
#          for the original sample
#  pvalue is the bootstrap p-value
#  teststatall contains the b bootstrap tests
#
n<-length(x)
v<-mean(x)
z<-x-median(x)+theta0
counter<-0
teststatall<-rep(0,b)
for(i in 1:b){xstar<-sample(z,n,replace=T)
              vstar<-mean(xstar)
              if(vstar >= v){counter<-counter+1}
              teststatall[i]<-vstar}
pvalue<-counter/b
list(origtest=v,pvalue=pvalue,teststatall=teststatall)
}
```
2. **boottesttwo**. 2標本に対してブートストラップ検定を行うプログラムについては，練習問題5.9.6で議論された．検定統計量は，標本平均の差である．他の検定統計量に変更したければ，平均ではなく，他の命令に書き換えるだけでよい．
```
boottesttwo<-function(x,y,b){
#
```

B. RとS-PLUSの関数

```
#   x vector containing first sample.
#   y vector containing first sample.
#   b number of bootstrap replications.
#
#   origtest: value of test statistic on original samples
#   pvalue: bootstrap p-value
#   teststatall: vector of bootstrap test statistics
#
n1<-length(x)
n2<-length(y)
v<-mean(y) - mean(x)
z<-c(x,y)
counter<-0
teststatall<-rep(0,b)
for(i in 1:b){xstar<-sample(z,n1,replace=T)
              ystar<-sample(z,n2,replace=T)
              vstar<-mean(ystar) - mean(xstar)
              if(vstar >= v){counter<-counter+1}
              teststatall[i]<-vstar}
pvalue<-counter/b
list(origtest=v,pvalue=pvalue,teststatall=teststatall)
#list(origtest=v,pvaule=pvalue)
}
```

3. **condsim1.** このアルゴリズムに従えば, (11.4.5)式のpdfからの標本が発生される.

```
condsim1<-function(nsims){
collect<-rep(0,nsims)
for(i in 1:nsims)
   {y<--.5*log(1-runif(1))
    collect[i]<--log(1-runif(1))+y
   }
collect
}
```

4. **empalphacn.** これは, 例5.8.5で議論した検定の経験的な危険率を得るためのルーチンである.

```
empalphacn<-function(nsims){
#
#   Obtains the empirical level of the test discussed
```

```
#   in 例5.8.5
#
#   nsims is the number of simulations
#
sigmac<-25
eps<-.25
alpha<-.05
n<-20
tc<-qt(1-alpha,n-1)
ic<-0
for(i in 1:nsims){
    samp<-rcn(n,eps,sigmac)
    ttest<-(sqrt(n)*mean(samp))/var(samp)^.5
    if(ttest > tc){ic<-ic+1}
    }
empalp<-ic/nsims
err<-1.96*sqrt((empalp*(1-empalp))/nsims)
list(empiricalalpha=empalp,error=err)
}
```

5. **hieracrh1**. このRのプログラムは，例11.5.2で述べたギブスサンプラーを実行する.

```
hieracrh1<-function(nsims,x,tau,kstart){
bold<-1
clambda<-rep(0,(nsims+kstart))
cb<-rep(0,(nsims+kstart))
for(i in 1:(nsims+kstart))
   {clambda[i]<-rgamma(1,shape=(x+1),scale=(bold/(bold+1)))
    newy<-rgamma(1,shape=2,scale=(tau/(clambda[i]*tau+1)))
    cb[i]<-1/newy
    bold<-1/newy}
gibbslambda<-clambda[(kstart+1):(nsims+kstart)]
gibbsb<-cb[(kstart+1):(nsims+kstart)]
list(clambda=clambda,cb=cb,gibbslambda=gibbslambda,
gibbsb=gibbsb)
}
```

6. **lslinhypoth**. 仮説行列amに基づくF_{LS}検定統計量とp値を返すルーチンである. ここで，反応はyであり，フルモデルの計画行列はxである.

```
lslinhypoth<-function(x,y,am){
```

B. RとS–PLUSの関数

```
      n<-length(x[,1])
      p<-length(x[1,])
      q<-length(am[,1])
      beta<-lsfit(x,y)$coef
      sig<-sum((lsfit(x,y)$resid)^2)/(n-p)
      mid<-am%*%solve(t(x)%*%x)%*%t(am)
      top<-t(am%*%beta)%*%solve(mid)%*%am%*%beta/q
      fls<-top/sig
      pvalue<-1-pf(fls,q,n-p)
      list(fls=fls,pvalue=pvalue)
      }
```

7. **mixnormal**. このR/S–PLUSの関数は，練習問題6.6.8のEMステップを1回実行する．各ステップにおける初期推定値は，インプットベクトルtheta0である．

```
    mixnormal = function(x,theta0){
    part1=(1-theta0[5])*dnorm(x,theta0[1],theta0[3])
    part2=theta0[5]*dnorm(x,theta0[2],theta0[4])
    gam = part2/(part1+part2)
    denom1 = sum(1 - gam)
    denom2 = sum(gam)
    mu1 = sum((1-gam)*x)/denom1
    sig1 = sqrt(sum((1-gam)*((x-mu1)^2))/denom1)
    mu2 = sum(gam*x)/denom2
    sig2 = sqrt(sum(gam*((x-mu2)^2))/denom2)
    p = mean(gam)
    mixnormal = c(mu1,mu2,sig1,sig2,p)
    mixnormal
    }
```

8. **piest**. このルーチンによって，例5.8.1で議論されたシミュレーションに対するπの推定値とその標準誤差が得られる．

```
    piest<-function(n){
    #
    # Obtains the estimate of pi and its standard
    # error for the simulation discussed in 例5.8.1
    #
    # n is the number of simulations
    #
    u1<-runif(n)
```

```
    u2<-runif(n)
    cnt<-rep(0,n)
    chk<-u1^2 + u2^2 - 1
    cnt[chk < 0]<-1
    est<-mean(cnt)
    se<-4*sqrt(est*(1-est)/n)
    est<-4*est
    list(estimate=est,standard=se)
    }
```
9. **piest2**. このルーチンによって，例 5.8.3 で議論されたシミュレーションに対するπの推定値とその標準誤差が得られる．
```
    piest2<-function(n){
    #
    #  Obtains the estimate of pi and its standard
    #  error for the simulation discussed in 例 5.8.3
    #
    #  n is the number of simulations
    #
    samp<-4*sqrt(1-runif(n)^2)
    est<-mean(samp)
    se<-sqrt(var(samp)/n)
    list(est=est,se=se)
    }
```
10. **percentciboot**．これは，平均に対する任意のパーセンタイル信頼区間を得るためのプログラムである．平均ではなく，他の母数に変更したい場合には，2か所の平均の命令を適切な関数に置き換えるだけでよい．
```
    percentciboot<-function(x,b,alpha){
    # x is a vector containing the original sample.
    # b is the desired number of bootstraps.
    # alpha: (1 - alpha) is the confidence coefficient.
    #
    # theta is the point estimate.
    # lower is the Lower end of the percentile confidence interval.
    # upper is the Upper end of the percentile confidence interval.
    # thetastar is the vector of bootstrapped theta^*s.
    #
    theta<-mean(x)
    thetastar<-rep(0,b)
```

B. R と S-PLUS の関数

```
    n<-length(x)
    for(i in 1:b){xstar<-sample(x,n,replace=T)
                 thetastar[i]<-mean(xstar)
                 }
    thetastar<-sort(thetastar)
    pick<-round((alpha/2)*(b+1))
    lower<-thetastar[pick]
    upper<-thetastar[b-pick+1]
    list(theta=theta,lower=lower,upper=upper,thetastar=thetastar)
    #list(theta=theta,lower=lower,upper=upper)
    }
```

11. **rcn**. このプログラムは，混入パーセントが ϵ で標準偏差の比率が σ_c の混入正規分布からのサイズ n の無作為標本を発生する．

```
    rcn<-function(n,eps,sigmac){
    #
    #   returns a random sample of size n drawn from
    #   a contaminated normal distribution with percent
    #   contamination eps and variance ratio sigmac
    #
    ind<-rbinom(n,1,eps)
    x<-rnorm(n)
    rcn<-x*(1-ind)+sigmac*x*ind
    rcn
    }
```

12. **gibbser2**. このプログラムは，例 11.4.2 のギブスサンプラーを実行する．

```
    gibbser2 = function(alpha,m,n){
    x0 = 1
    yc = rep(0,m+n)
    xc = c(x0,rep(0,m-1+n))
    for(i in 2:(m+n)){yc[i] = rgamma(1,alpha+xc[i-1],2)
                 xc[i] = rpois(1,yc[i])}
    y1=yc[1:m]
    y2=yc[(m+1):(m+n)]
    x1=xc[1:m]
    x2=xc[(m+1):(m+n)]
    list(y1 = y1,y2=y2,x1=x1,x2=x2)
    }
```

13. **binpower**.

```
binpower<-function(){
  n<-20
  k1<-11
  k2<-12
  p0<-.7
  bx<-.27
  ex<-1.1
  by<--.1
  ey<-1.2
  x<-seq(.4,1,.01)
  pow1<-pbinom(k1,n,x)
  pow2<-pbinom(k2,n,x)
  dumy<-runif(100,by,ey)
  dumx<-runif(100,bx,ex)
# par(mfrow=c(2,2))
  postscript(file="figbino.ps")
  plot(dumx,dumy,axes=F,pch=" ",xlab=" ",ylab=" ")

  arrows(.30,0,.30,1.1)
  arrows(.30,0,1,0)
  text(1.05,0,expression(p),cex=2)
  text(.30,1.2,expression(gamma(p)),cex=2)
  par(lwd=3)
  lines(x,pow2,lty=2)
  lines(x,pow1,lty=1)
  text(.80,.6,expression(paste
  ("Test 2: size ",alpha, "=  0.227")),cex=2)
  text(.47,.2,expression(paste
  ("Test 1: size ",alpha, "=  0.113")),cex=2)
  text(.27,.2,"0.2",cex=2)
  text(.30,.2,"-",cex=2)
  text(.27,.4,"0.4",cex=2)
  text(.30,.4,"-",cex=2)
  text(.27,.8,"0.8",cex=2)
  text(.30,.8,"-",cex=2)
  text(.80,-.05,"0.8",cex=2)
  text(.80,0,"|",cex=2)
  text(.70,-.05,"0.7",cex=2)
```

B. R と S-PLUS の関数

```
    text(.70,0,"|",cex=2)
    text(.50,-.05,"0.5",cex=2)
    text(.50,0,"|",cex=2)
    text(.40,-.05,"0.4",cex=2)
    text(.40,0,"|",cex=2)

  dev.off()
}
```

C 分布に関する表

付録Cでは，以下の分布に関する表を示す．
表 I いくつかのポアソン分布における累積分布関数
表 II カイ2乗分布におけるいくつかの分位
表 III 標準正規確率変数の累積分布関数
表 IV t 分布におけるいくつかの分位
表 V F 分布におけるいくつかの分位
これらの表は，Rによって生成したものである．多くの統計処理パッケージには，ここに示した分布やそれ以外の多くの分布について，確率や分位を求める関数が存在している．また，関数電卓にも同様の機能があることが多い．

C. 分布に関する表

表I
ポアソン分布

以下の表は，いくつかのポアソン分布を示したものである．表中の値は，各々の m において次のような式によって求められている．

$$P(X \leq x) = \sum_{w=0}^{x} e^{-m} \frac{m^w}{w!}$$

x	\multicolumn{12}{c}{$m = E(X)$}
	0.5	1.0	1.5	2.0	3.0	4.0	5.0	6.0	7.0	8.0	9.0	10.0
0	0.607	0.368	0.223	0.135	0.050	0.018	0.007	0.002	0.001	0.000	0.000	0.000
1	0.910	0.736	0.558	0.406	0.199	0.092	0.040	0.017	0.007	0.003	0.001	0.000
2	0.986	0.920	0.809	0.677	0.423	0.238	0.125	0.062	0.030	0.014	0.006	0.003
3	0.998	0.981	0.934	0.857	0.647	0.433	0.265	0.151	0.082	0.042	0.021	0.010
4	1.000	0.996	0.981	0.947	0.815	0.629	0.440	0.285	0.173	0.100	0.055	0.029
5	1.000	0.999	0.996	0.983	0.916	0.785	0.616	0.446	0.301	0.191	0.116	0.067
6	1.000	1.000	0.999	0.995	0.966	0.889	0.762	0.606	0.450	0.313	0.207	0.130
7	1.000	1.000	1.000	0.999	0.988	0.949	0.867	0.744	0.599	0.453	0.324	0.220
8	1.000	1.000	1.000	1.000	0.996	0.979	0.932	0.847	0.729	0.593	0.456	0.333
9	1.000	1.000	1.000	1.000	0.999	0.992	0.968	0.916	0.830	0.717	0.587	0.458
10	1.000	1.000	1.000	1.000	1.000	0.997	0.986	0.957	0.901	0.816	0.706	0.583
11	1.000	1.000	1.000	1.000	1.000	0.999	0.995	0.980	0.947	0.888	0.803	0.697
12	1.000	1.000	1.000	1.000	1.000	1.000	0.998	0.991	0.973	0.936	0.876	0.792
13	1.000	1.000	1.000	1.000	1.000	1.000	0.999	0.996	0.987	0.966	0.926	0.864
14	1.000	1.000	1.000	1.000	1.000	1.000	1.000	0.999	0.994	0.983	0.959	0.917
15	1.000	1.000	1.000	1.000	1.000	1.000	1.000	0.999	0.998	0.992	0.978	0.951
16	1.000	1.000	1.000	1.000	1.000	1.000	1.000	1.000	0.999	0.996	0.989	0.973
17	1.000	1.000	1.000	1.000	1.000	1.000	1.000	1.000	1.000	0.998	0.995	0.986
18	1.000	1.000	1.000	1.000	1.000	1.000	1.000	1.000	1.000	0.999	0.998	0.993
19	1.000	1.000	1.000	1.000	1.000	1.000	1.000	1.000	1.000	1.000	0.999	0.997
20	1.000	1.000	1.000	1.000	1.000	1.000	1.000	1.000	1.000	1.000	1.000	0.998
21	1.000	1.000	1.000	1.000	1.000	1.000	1.000	1.000	1.000	1.000	1.000	0.999
22	1.000	1.000	1.000	1.000	1.000	1.000	1.000	1.000	1.000	1.000	1.000	1.000

表 II
カイ 2 乗分布

以下の表は，カイ 2 乗分布におけるいくつかの分位を示したものである．すなわち，ある自由度 r のもとでの

$$P(X \leq x) = \int_0^x \frac{1}{\Gamma(r/2)2^{r/2}} w^{r/2-1} e^{-w/2} \, dw$$

を満たすような x の値を表している．

r	\multicolumn{8}{c}{$P(X \leq x)$}								
	0.010	0.025	0.050	0.100	0.900	0.950	0.975	0.990
1	0.000	0.001	0.004	0.016	2.706	3.841	5.024	6.635
2	0.020	0.051	0.103	0.211	4.605	5.991	7.378	9.210
3	0.115	0.216	0.352	0.584	6.251	7.815	9.348	11.345
4	0.297	0.484	0.711	1.064	7.779	9.488	11.143	13.277
5	0.554	0.831	1.145	1.610	9.236	11.070	12.833	15.086
6	0.872	1.237	1.635	2.204	10.645	12.592	14.449	16.812
7	1.239	1.690	2.167	2.833	12.017	14.067	16.013	18.475
8	1.646	2.180	2.733	3.490	13.362	15.507	17.535	20.090
9	2.088	2.700	3.325	4.168	14.684	16.919	19.023	21.666
10	2.558	3.247	3.940	4.865	15.987	18.307	20.483	23.209
11	3.053	3.816	4.575	5.578	17.275	19.675	21.920	24.725
12	3.571	4.404	5.226	6.304	18.549	21.026	23.337	26.217
13	4.107	5.009	5.892	7.042	19.812	22.362	24.736	27.688
14	4.660	5.629	6.571	7.790	21.064	23.685	26.119	29.141
15	5.229	6.262	7.261	8.547	22.307	24.996	27.488	30.578
16	5.812	6.908	7.962	9.312	23.542	26.296	28.845	32.000
17	6.408	7.564	8.672	10.085	24.769	27.587	30.191	33.409
18	7.015	8.231	9.390	10.865	25.989	28.869	31.526	34.805
19	7.633	8.907	10.117	11.651	27.204	30.144	32.852	36.191
20	8.260	9.591	10.851	12.443	28.412	31.410	34.170	37.566
21	8.897	10.283	11.591	13.240	29.615	32.671	35.479	38.932
22	9.542	10.982	12.338	14.041	30.813	33.924	36.781	40.289
23	10.196	11.689	13.091	14.848	32.007	35.172	38.076	41.638
24	10.856	12.401	13.848	15.659	33.196	36.415	39.364	42.980
25	11.524	13.120	14.611	16.473	34.382	37.652	40.646	44.314
26	12.198	13.844	15.379	17.292	35.563	38.885	41.923	45.642
27	12.879	14.573	16.151	18.114	36.741	40.113	43.195	46.963
28	13.565	15.308	16.928	18.939	37.916	41.337	44.461	48.278
29	14.256	16.047	17.708	19.768	39.087	42.557	45.722	49.588
30	14.953	16.791	18.493	20.599	40.256	43.773	46.979	50.892

C. 分布に関する表

表 III
正規分布

以下の表は，標準正規分布を表したものである．すなわち，以下の式によって定義される確率を示している．

$$P(X \leq x) = \Phi(x) = \int_{-\infty}^{x} \frac{1}{\sqrt{2\pi}} e^{-w^2/2}\, dw$$

表中には，$x \geq 0$ の場合の確率しか提示されていないことに注意してほしい．$x < 0$ における確率を求めたい場合には，$\Phi(-x) = 1 - \Phi(x)$ を利用すればよい．

x	0.00	0.01	0.02	0.03	0.04	0.05	0.06	0.07	0.08	0.09
0.0	.5000	.5040	.5080	.5120	.5160	.5199	.5239	.5279	.5319	.5359
0.1	.5398	.5438	.5478	.5517	.5557	.5596	.5636	.5675	.5714	.5753
0.2	.5793	.5832	.5871	.5910	.5948	.5987	.6026	.6064	.6103	.6141
0.3	.6179	.6217	.6255	.6293	.6331	.6368	.6406	.6443	.6480	.6517
0.4	.6554	.6591	.6628	.6664	.6700	.6736	.6772	.6808	.6844	.6879
0.5	.6915	.6950	.6985	.7019	.7054	.7088	.7123	.7157	.7190	.7224
0.6	.7257	.7291	.7324	.7357	.7389	.7422	.7454	.7486	.7517	.7549
0.7	.7580	.7611	.7642	.7673	.7704	.7734	.7764	.7794	.7823	.7852
0.8	.7881	.7910	.7939	.7967	.7995	.8023	.8051	.8078	.8106	.8133
0.9	.8159	.8186	.8212	.8238	.8264	.8289	.8315	.8340	.8365	.8389
1.0	.8413	.8438	.8461	.8485	.8508	.8531	.8554	.8577	.8599	.8621
1.1	.8643	.8665	.8686	.8708	.8729	.8749	.8770	.8790	.8810	.8830
1.2	.8849	.8869	.8888	.8907	.8925	.8944	.8962	.8980	.8997	.9015
1.3	.9032	.9049	.9066	.9082	.9099	.9115	.9131	.9147	.9162	.9177
1.4	.9192	.9207	.9222	.9236	.9251	.9265	.9279	.9292	.9306	.9319
1.5	.9332	.9345	.9357	.9370	.9382	.9394	.9406	.9418	.9429	.9441
1.6	.9452	.9463	.9474	.9484	.9495	.9505	.9515	.9525	.9535	.9545
1.7	.9554	.9564	.9573	.9582	.9591	.9599	.9608	.9616	.9625	.9633
1.8	.9641	.9649	.9656	.9664	.9671	.9678	.9686	.9693	.9699	.9706
1.9	.9713	.9719	.9726	.9732	.9738	.9744	.9750	.9756	.9761	.9767
2.0	.9772	.9778	.9783	.9788	.9793	.9798	.9803	.9808	.9812	.9817
2.1	.9821	.9826	.9830	.9834	.9838	.9842	.9846	.9850	.9854	.9857
2.2	.9861	.9864	.9868	.9871	.9875	.9878	.9881	.9884	.9887	.9890
2.3	.9893	.9896	.9898	.9901	.9904	.9906	.9909	.9911	.9913	.9916
2.4	.9918	.9920	.9922	.9925	.9927	.9929	.9931	.9932	.9934	.9936
2.5	.9938	.9940	.9941	.9943	.9945	.9946	.9948	.9949	.9951	.9952
2.6	.9953	.9955	.9956	.9957	.9959	.9960	.9961	.9962	.9963	.9964
2.7	.9965	.9966	.9967	.9968	.9969	.9970	.9971	.9972	.9973	.9974
2.8	.9974	.9975	.9976	.9977	.9977	.9978	.9979	.9979	.9980	.9981
2.9	.9981	.9982	.9982	.9983	.9984	.9984	.9985	.9985	.9986	.9986
3.0	.9987	.9987	.9987	.9988	.9988	.9989	.9989	.9989	.9990	.9990
3.1	.9990	.9991	.9991	.9991	.9992	.9992	.9992	.9992	.9993	.9993
3.2	.9993	.9993	.9994	.9994	.9994	.9994	.9994	.9995	.9995	.9995
3.3	.9995	.9995	.9995	.9996	.9996	.9996	.9996	.9996	.9996	.9997
3.4	.9997	.9997	.9997	.9997	.9997	.9997	.9997	.9997	.9997	.9998
3.5	.9998	.9998	.9998	.9998	.9998	.9998	.9998	.9998	.9998	.9998

表 IV
t 分布

以下の表は，t 分布におけるいくつかの分位を示したものである．すなわち，自由度 r において

$$P(X \leq x) = \int_{-\infty}^{x} \frac{\Gamma[(r+1)/2]}{\sqrt{\pi r}\Gamma(r/2)(1+w^2/r)^{(r+1)/2}}\,dw$$

を満たすような x の値を表している．また最終行は，標準正規分位を示している．

r	$P(X \leq x)$					
	0.900	0.950	0.975	0.990	0.995	0.999
1	3.078	6.314	12.706	31.821	63.657	318.309
2	1.886	2.920	4.303	6.965	9.925	22.327
3	1.638	2.353	3.182	4.541	5.841	10.215
4	1.533	2.132	2.776	3.747	4.604	7.173
5	1.476	2.015	2.571	3.365	4.032	5.893
6	1.440	1.943	2.447	3.143	3.707	5.208
7	1.415	1.895	2.365	2.998	3.499	4.785
8	1.397	1.860	2.306	2.896	3.355	4.501
9	1.383	1.833	2.262	2.821	3.250	4.297
10	1.372	1.812	2.228	2.764	3.169	4.144
11	1.363	1.796	2.201	2.718	3.106	4.025
12	1.356	1.782	2.179	2.681	3.055	3.930
13	1.350	1.771	2.160	2.650	3.012	3.852
14	1.345	1.761	2.145	2.624	2.977	3.787
15	1.341	1.753	2.131	2.602	2.947	3.733
16	1.337	1.746	2.120	2.583	2.921	3.686
17	1.333	1.740	2.110	2.567	2.898	3.646
18	1.330	1.734	2.101	2.552	2.878	3.610
19	1.328	1.729	2.093	2.539	2.861	3.579
20	1.325	1.725	2.086	2.528	2.845	3.552
21	1.323	1.721	2.080	2.518	2.831	3.527
22	1.321	1.717	2.074	2.508	2.819	3.505
23	1.319	1.714	2.069	2.500	2.807	3.485
24	1.318	1.711	2.064	2.492	2.797	3.467
25	1.316	1.708	2.060	2.485	2.787	3.450
26	1.315	1.706	2.056	2.479	2.779	3.435
27	1.314	1.703	2.052	2.473	2.771	3.421
28	1.313	1.701	2.048	2.467	2.763	3.408
29	1.311	1.699	2.045	2.462	2.756	3.396
30	1.310	1.697	2.042	2.457	2.750	3.385
∞	1.282	1.645	1.960	2.326	2.576	3.090

C. 分布に関する表

表V
F 分布

以下の表は，F 分布におけるいくつかの分位を示したものである．すなわち，自由度の分子と分母がそれぞれ r_1, r_2 であるときに

$$P(X \leq x) = \int_0^x \frac{\Gamma[(r_1+r_2)/2](r_1/r_2)^{r_1/2} w^{r_1/2-1}}{\Gamma(r_1/2)\Gamma(r_2/2)(1+r_1 w/r_2)^{(r_1+r_2)/2}} dw$$

であるような x の値を表している．

$P(X \leq x)$	r_2	1	2	3	4	5	6	7	8
0.950	1	161.450	199.500	215.710	224.580	230.160	233.990	236.770	238.880
0.975	1	647.790	799.500	864.160	899.580	921.850	937.110	948.220	956.660
0.990	1	4052.180	4999.500	5403.350	5624.580	5763.650	5858.990	5928.360	5981.070
0.950	2	18.510	19.000	19.160	19.250	19.300	19.330	19.350	19.370
0.975	2	38.510	39.000	39.170	39.250	39.300	39.330	39.360	39.370
0.990	2	98.500	99.000	99.170	99.250	99.300	99.330	99.360	99.370
0.950	3	10.130	9.550	9.280	9.120	9.010	8.940	8.890	8.850
0.975	3	17.440	16.040	15.440	15.100	14.880	14.730	14.620	14.540
0.990	3	34.120	30.820	29.460	28.710	28.240	27.910	27.670	27.490
0.950	4	7.710	6.940	6.590	6.390	6.260	6.160	6.090	6.040
0.975	4	12.220	10.650	9.980	9.600	9.360	9.200	9.070	8.980
0.990	4	21.200	18.000	16.690	15.980	15.520	15.210	14.980	14.800
0.950	5	6.610	5.790	5.410	5.190	5.050	4.950	4.880	4.820
0.975	5	10.010	8.430	7.760	7.390	7.150	6.980	6.850	6.760
0.990	5	16.260	13.270	12.060	11.390	10.970	10.670	10.460	10.290
0.950	6	5.990	5.140	4.760	4.530	4.390	4.280	4.210	4.150
0.975	6	8.810	7.260	6.600	6.230	5.990	5.820	5.700	5.600
0.990	6	13.750	10.920	9.780	9.150	8.750	8.470	8.260	8.100
0.950	7	5.590	4.740	4.350	4.120	3.970	3.870	3.790	3.730
0.975	7	8.070	6.540	5.890	5.520	5.290	5.120	4.990	4.900
0.990	7	12.250	9.550	8.450	7.850	7.460	7.190	6.990	6.840
0.950	8	5.320	4.460	4.070	3.840	3.690	3.580	3.500	3.440
0.975	8	7.570	6.060	5.420	5.050	4.820	4.650	4.530	4.430
0.990	8	11.260	8.650	7.590	7.010	6.630	6.370	6.180	6.030
0.950	9	5.120	4.260	3.860	3.630	3.480	3.370	3.290	3.230
0.975	9	7.210	5.710	5.080	4.720	4.480	4.320	4.200	4.100
0.990	9	10.560	8.020	6.990	6.420	6.060	5.800	5.610	5.470
0.950	10	4.960	4.100	3.710	3.480	3.330	3.220	3.140	3.070
0.975	10	6.940	5.460	4.830	4.470	4.240	4.070	3.950	3.850
0.990	10	10.040	7.560	6.550	5.990	5.640	5.390	5.200	5.060
0.950	11	4.840	3.980	3.590	3.360	3.200	3.090	3.010	2.950
0.975	11	6.720	5.260	4.630	4.280	4.040	3.880	3.760	3.660
0.990	11	9.650	7.210	6.220	5.670	5.320	5.070	4.890	4.740
0.950	12	4.750	3.890	3.490	3.260	3.110	3.000	2.910	2.850
0.975	12	6.550	5.100	4.470	4.120	3.890	3.730	3.610	3.510
0.990	12	9.330	6.930	5.950	5.410	5.060	4.820	4.640	4.500
0.950	13	4.670	3.810	3.410	3.180	3.030	2.920	2.830	2.770
0.975	13	6.410	4.970	4.350	4.000	3.770	3.600	3.480	3.390
0.990	13	9.070	6.700	5.740	5.210	4.860	4.620	4.440	4.300
0.950	14	4.600	3.740	3.340	3.110	2.960	2.850	2.760	2.700
0.975	14	6.300	4.860	4.240	3.890	3.660	3.500	3.380	3.290
0.990	14	8.860	6.510	5.560	5.040	4.690	4.460	4.280	4.140
0.950	15	4.540	3.680	3.290	3.060	2.900	2.790	2.710	2.640
0.975	15	6.200	4.770	4.150	3.800	3.580	3.410	3.290	3.200
0.990	15	8.680	6.360	5.420	4.890	4.560	4.320	4.140	4.000
0.950	16	4.490	3.630	3.240	3.010	2.850	2.740	2.660	2.590
0.975	16	6.120	4.690	4.080	3.730	3.500	3.340	3.220	3.120
0.990	16	8.530	6.230	5.290	4.770	4.440	4.200	4.030	3.890

表 V (続き)
F 分布

$P(X \leq x)$	r_2	9	10	11	12 r_1	13	14	15	16
0.950	1	240.540	241.880	242.980	243.910	244.690	245.360	245.950	246.460
0.975	1	963.280	968.630	973.030	976.710	979.840	982.530	984.870	986.920
0.990	1	6022.470	6055.850	6083.320	6106.320	6125.860	6142.670	6157.280	6170.100
0.950	2	19.380	19.400	19.400	19.410	19.420	19.420	19.430	19.430
0.975	2	39.390	39.400	39.410	39.410	39.420	39.430	39.430	39.440
0.990	2	99.390	99.400	99.410	99.420	99.420	99.430	99.430	99.440
0.950	3	8.810	8.790	8.760	8.740	8.730	8.710	8.700	8.690
0.975	3	14.470	14.420	14.370	14.340	14.300	14.280	14.250	14.230
0.990	3	27.350	27.230	27.130	27.050	26.980	26.920	26.870	26.830
0.950	4	6.000	5.960	5.940	5.910	5.890	5.870	5.860	5.840
0.975	4	8.900	8.840	8.790	8.750	8.710	8.680	8.660	8.630
0.990	4	14.660	14.550	14.450	14.370	14.310	14.250	14.200	14.150
0.950	5	4.770	4.740	4.700	4.680	4.660	4.640	4.620	4.600
0.975	5	6.680	6.620	6.570	6.520	6.490	6.460	6.430	6.400
0.990	5	10.160	10.050	9.960	9.890	9.820	9.770	9.720	9.680
0.950	6	4.100	4.060	4.030	4.000	3.980	3.960	3.940	3.920
0.975	6	5.520	5.460	5.410	5.370	5.330	5.300	5.270	5.240
0.990	6	7.980	7.870	7.790	7.720	7.660	7.600	7.560	7.520
0.950	7	3.680	3.640	3.600	3.570	3.550	3.530	3.510	3.490
0.975	7	4.820	4.760	4.710	4.670	4.630	4.600	4.570	4.540
0.990	7	6.720	6.620	6.540	6.470	6.410	6.360	6.310	6.280
0.950	8	3.390	3.350	3.310	3.280	3.260	3.240	3.220	3.200
0.975	8	4.360	4.300	4.240	4.200	4.160	4.130	4.100	4.080
0.990	8	5.910	5.810	5.730	5.670	5.610	5.560	5.520	5.480
0.950	9	3.180	3.140	3.100	3.070	3.050	3.030	3.010	2.990
0.975	9	4.030	3.960	3.910	3.870	3.830	3.800	3.770	3.740
0.990	9	5.350	5.260	5.180	5.110	5.050	5.010	4.960	4.920
0.950	10	3.020	2.980	2.940	2.910	2.890	2.860	2.850	2.830
0.975	10	3.780	3.720	3.660	3.620	3.580	3.550	3.520	3.500
0.990	10	4.940	4.850	4.770	4.710	4.650	4.600	4.560	4.520
0.950	11	2.900	2.850	2.820	2.790	2.760	2.740	2.720	2.700
0.975	11	3.590	3.530	3.470	3.430	3.390	3.360	3.330	3.300
0.990	11	4.630	4.540	4.460	4.400	4.340	4.290	4.250	4.210
0.950	12	2.800	2.750	2.720	2.690	2.660	2.640	2.620	2.600
0.975	12	3.440	3.370	3.320	3.280	3.240	3.210	3.180	3.150
0.990	12	4.390	4.300	4.220	4.160	4.100	4.050	4.010	3.970
0.950	13	2.710	2.670	2.630	2.600	2.580	2.550	2.530	2.510
0.975	13	3.310	3.250	3.200	3.150	3.120	3.080	3.050	3.030
0.990	13	4.190	4.100	4.020	3.960	3.910	3.860	3.820	3.780
0.950	14	2.650	2.600	2.570	2.530	2.510	2.480	2.460	2.440
0.975	14	3.210	3.150	3.090	3.050	3.010	2.980	2.950	2.920
0.990	14	4.030	3.940	3.860	3.800	3.750	3.700	3.660	3.620
0.950	15	2.590	2.540	2.510	2.480	2.450	2.420	2.400	2.380
0.975	15	3.120	3.060	3.010	2.960	2.920	2.890	2.860	2.840
0.990	15	3.890	3.800	3.730	3.670	3.610	3.560	3.520	3.490
0.950	16	2.540	2.490	2.460	2.420	2.400	2.370	2.350	2.330
0.975	16	3.050	2.990	2.930	2.890	2.850	2.820	2.790	2.760
0.990	16	3.780	3.690	3.620	3.550	3.500	3.450	3.410	3.370

D 文 献

Abebe, A., Crimin, K., McKean, J. W., Haas, J. V. and Vidmar, T. J. (2001), Rank-based procedures for linear models: applications to pharmaceutical science data, *Drug Information Journal*, **35**, 947-971.

Afifi, A. A. and Azen, S. P. (1972), *Statistical Analysis: A Computer Oriented Approach*, New York: Academic Press.

Arnold, S. F. (1981), *The Theory of Linear Models and Multivariate Analysis*, New York: John Wiley & Sons.

Box, G. E. P. and Muller, M. (1958), A note on the generation of random normal variates, *Annals of Mathematical Statistics*, **29**, 610-611.

Breiman, L. (1968), *Probability*, Reading, MA: Addison-Wesley.

Buck, R. C. (1965), *Advanced Calculus*, New York: McGraw-Hill.

Casella, G. and George, E. I. (1992), Explaining the Gibbs sampler, *The American Statistician*, **46**, 167-174.

Chang, W. H., McKean, J. W., Naranjo, J. D. and Sheather, S. J. (1999), High breakdown rank-based regression, *Journal of the American Statistical Association*, **94**, 205-219.

Chung, K. L. (1974), *A Course in Probability Theory*, New York: Academic Press.

Conover, W. J. and Iman, R. L. (1981), Rank transform as a bridge between parametric and nonparametric statistics, *The American Statistician*, **35**, 124-133.

D'Agostino, R. B. and Stephens, M. A. (1986), *Goodness-of-Fit Techniques*, New York: Marcel Dekker.

Davison, A. C. and Hinkley, D. V. (1997), *Bootstrap Methods and Their Applications*, Cambridge, MA: Cambridge University Press.

Draper, N. R. and Smith, H. (1966), *Applied Regression Analysis*, New York: John Wiley & Sons.

DuBois, C., ed. (1960), *Lowie's Selected Papers in Anthropology*. Berkeley: University of California Press.

Efron B. and Tibshirani, R. J. (1993), *An Introduction to the Bootstrap*, New York: Chapman & Hall.

Graybill, F. A. (1969), *Introduction to Matrices with Applications in Statistics*, Belmont, CA: Wadsworth.

Graybill, F. A. (1976), *Theory and Application of the Linear Model*, North Scituate, MA: Duxbury.

Hald, A. (1952), *Statistical Theory with Engineering Applications*, New York: John Wiley & Sons.

Haldane, J. B. S. (1948), The precision of observed values of small frequencies, *Biometrika*, **35**, 297-303.

Hampel, F. R. (1974), The influence curve and its role in robust estimation, *Journal of the American Statistical Association*, **69**, 383-393.

Hardy, G. H. (1992), *A Course in Pure Mathematics*, Cambridge, England: Cambridge

University Press.
Hettmansperger, T. P. (1984), *Statistical Inference Based on Ranks*, New York: John Wiley & Sons.
Hettmansperger, T. P. and McKean, J. W. (1998), *Robust Nonparametric Statistical Methods*, London: Arnold.
Hewitt. E. and Stromberg, K. (1965), *Real and Abstract Analysis*, New York: Springer-Verlag.
Hodges, J. L., Jr. and Lehmann, E. L. (1961), Comparison of the normal scores and Wilcoxon tests, In: *Proceedings of the Fourth Berkeley Symposium on Mathematical Statistics and Probability*, 1, 307-317, Berkeley: University of California Press.
Hodges, J. L., Jr. and Lehmann, E. L. (1963), Estimates of location based on rank tests. *Annals of Mathematical Statistics*, 34, 598-611.
Hogg, R. V. and Craig, A. T. (1958), On the decomposition of certain chi-square variables, *Annals of Mathematical Statistics*, 29, 608.
Hogg, R.V., Fisher, D. M. and Randles, R. H. (1975), A two-sample adaptive distribution-free test, *Journal of the American Statistical Association*, 70, 656-661.
Hollander, M. and Wolfe, D. A. (1999), *Nonparametric Statistical Methods, 2nd Edition*, New York: John Wiley & Sons.
Hsu, J. C. (1996), *Multiple Comparisons*, London: Chapman & Hall.
Huber, P. J. (1981), *Robust Statistics*, New York: John Wiley & Sons.
Ihaka, R. and Gentleman, R. (1996), R: A language for data analysis and graphics, *Journal of Computational and Graphical Statistics*, 5, 229-314.
Jeffreys, H. (1961), *The Theory of Probability*, Oxford: Oxford University Press.
Kendall, M. G. (1962), *Rank Correlation Methods, 3rd Edition*, London: Griffin.
Kennedy, W. J. and Gentle, J. E. (1980), *Statistical Computing*, New York: Marcel Dekker.
Lehmann, E. L. (1983), *Theory of Point Estimation*, New York: John Wiley & Sons.
Lehmann, E. L. (1986), *Testing Statistical Hypotheses, 2nd Edition*, London, England: Chapman & Hall.
Lehmann, E. L. (1999), *Elements of Large Sample Theory*, New York: Springer-Verlag.
Lehmann, E. L. and Casella, G. (1998), *Theory of Point Estimation, 2nd Edition*, New York: Springer-Verlag.
Lehmann, E. L. and Scheffé, H. (1950), Completeness, similar regions, and unbiased estimation, *Sankhya*, 10, 305-340.
Marsaglia, G. and Bray, T. A. (1964), A convenient method for generating normal variables, *SIAM Review*, 6, 260-264.
McKean, J. W. and Vidmar, T. J. (1994), A comparison of two rank-based methods for the analysis of linear models, *The American Statistician*, 48, 220-229.
McLachlan, G. J. and Krishnan, T. (1997), *The EM Algorithm and Extensions*, New York: John Wiley & Sons.
Minitab (1991), MINITAB Reference Manual, Valley Forge, PA: Minitab.
Mosteller, F. and Tukey, J. W. (1977), *Data Reduction and Regression*, Reading, MA: Addison-Wesley.
Naranjo, J. D. and McKean, J. W. (1997), Rank regression with estimated scores, *Statistics and Probability Letters*, 33, 209-216.

D. 文　献

Nelson, W. (1982), *Applied Lifetime Data Analysis*, New York: John Wiley & Sons.
Neter, J., Kutner, M. H., Nachtsheim, C. J. and Wasserman, W. (1996), *Applied Linear Statistical Models, 4th Edition*, Chicago: Irwin.
Randles, R. H. and Wolfe, D. A. (1979), *Introduction to the Theory of Nonparametric Statistics*, New York: John Wiley & Sons.
Rao, C. R. (1973), *Linear Statistical Inference and Its Applications , 2nd Edition*, New York: John Wiley & Sons.
Robert, C. P. and Casella, G. (1999), *Monte Carlo Statistical Methods*, New York: Springer-Verlag.
Rousseeuw, P. J. and Leroy, A. M. (1987), *Robust Regression and Outlier Detection*, New York: John Wiley & Sons.
Scheffé. H. (1959), *The Analysis of Variance*, New York: John Wiley & Sons.
Seber, G. A. F. (1984), *Multivariate Observations*, New York: John Wiley & Sons.
Serfling, R. J. (1980), *Approximation Theorems of Mathematical Statistics*, New York: John Wiley & Sons.
Shirley, E. A. C. (1981), A distribution-free method for analysis of covariance based on rank data, *Applied Statistics*, **30**, 158-162.
S-PLUS (2000), *S-PLUS 6.0 Guide to Statistics, Volume 2*, Seattle WA: Data Analysis Division, MathSoft.
Stapleton, J. H. (1995), *Linear Statistical Models*, New York: John Wiley & Sons.
Terpstra, J. T. and McKean, J. W. (2004), Rank-Based Analyses of Linear Models using R, *Technical Report #151*, Statistical Computation Lab, Western Michigan University.
Tucker, H. G. (1967), *A Graduate Course in Probability*, New York: Academic Press.
Tukey, J. W. (1977), *Exploratory Data Analysis*, Reading, MA: Addison-Wesley.
Venables, W. N. and Ripley, B. D. (2002), *Modern Applied Statistics with S, 4th Edition*, New York: Springer-Verlag.

E 練習問題略解

第1章

1.2.1 (a) $\{0,1,2,3,4\}$, $\{2\}$;
(b) $(0,3), \{x:1\leq x<2\}$;
(c) $\{(x,y):1<x<2, 1<y<2\}$.

1.2.2 (a) $\{x:0<x\leq 5/8\}$.

1.2.3 $C_1\cap C_2=\{mary, mray\}$.

1.2.4 $x\in(C_1\cap C_2)^c$
$\Leftrightarrow x\notin C_1\cap C_2$
$\Leftrightarrow x\in C_1^c\cup C_2^c$.
$x\in(C_1\cup C_2)^c$
$\Leftrightarrow x\notin C_1\cup C_2$
$\Leftrightarrow x\in C_1^c\cap C_2^c$.
一般化は片方のみを示す.
$x\in(C_1\cup C_2\cdots\cup C_n)^c$
$\Leftrightarrow x\notin C_1\cup C_2\cdots\cup C_n$
$\Leftrightarrow x\in C_1^c\cap C_2^c\cdots\cap C_n^c$.
よって
$(C_1\cup C_2\cup\cdots\cup C_n)^c = C_1^c\cap C_2^c\cap\cdots\cap C_n^c$.

1.2.5 (a) (b)

1.2.6 $C_k=\{x:-k\leq x\leq k\}$, $k=1,2,3,\ldots$.

1.2.7 $C_k=\{x:-1/k\leq x\leq 1/k\}$, $k=1,2,3,\ldots$.

1.2.8 (a) $\{x:0<x<3\}$,
(b) $\{(x,y):0<x^2+y^2<4\}$.

1.2.9 (a) $\{x:x=2\}$, (b) ϕ,
(c) $\{(x,y):x=0, y=0\}$.

1.2.10 (a) $\frac{80}{81}$, (b) 1.

1.2.11 $\frac{11}{16}, 0, 1$.

1.2.12 $\frac{8}{3}, 0, \frac{\pi}{2}$.

1.2.13 (a) $\frac{1}{2}$, (b) 0, (c) $\frac{2}{9}$.

1.2.14 (a) $\frac{1}{6}$, (b) 0.

1.2.15 $Q(C)=\int_0^{2\pi}\int_0^\pi\int_0^1 r|J|dxd\theta d\varphi$
$=[\varphi]_0^{2\pi}[-\cos\theta]_0^\pi\left[\frac{r^4}{4}\right]_0^1$
$=2\pi\times 2\times\frac{1}{4}=\pi$.

1.2.16 10.

1.2.17 腰を C_1, 腕を C_2, 膝を C_3, $Q(C)$ を C に該当する人数とすると, $Q(C_1\cup C_2\cup C_3)=Q(C_1)+Q(C_2)+Q(C_3)-Q(C_1\cap C_2)-Q(C_1\cap C_3)-Q(C_2\cap C_3)+Q(C_1\cap C_2\cap C_3)=8+6+5-3-2-1+0=13\neq 11$ となり, 報告は不正確である.

1.3.1 $P(C_1\cup C_2)=\frac{2}{3}+\frac{2}{3}-\frac{1}{3}=1$.

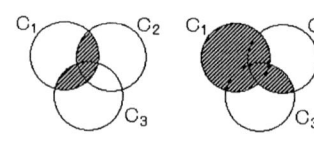

1.3.2 $\frac{1}{4}, \frac{1}{13}, \frac{1}{52}, \frac{4}{13}$.

1.3.3 $\frac{31}{32}, \frac{3}{64}, \frac{1}{32}, \frac{63}{64}$.

1.3.4 0.3.

1.3.5 $e^{-4}, 1-e^{-4}, 1$.

1.3.6 $\frac{1}{2}$.

1.3.7 $P(C_1)=P(C_1\cap C_2^c)+P(C_1\cap C_2)$ より
$P(C_1\cap C_2)\leq P(C_1)$
$P(C_1\cup C_2)=P(C_1)+P(C_2)-P(C_1\cap C_2)$, $P(C_1\cap C_2)\geq 0$ より
$P(C_1\cup C_2)\leq P(C_1)+P(C_2)$.

1.3.8 0, $P(C_1^c\cup C_2^c)=P(C_1^c)+P(C_2^c)-P(C_1^c\cap C_2^c)=2-[P(C_1)+P(C_2)+P(C_1\cup C_2)^c]=1$.

1.3.9 (a) $P(C_1\cup C_2\cup C_3)=P(C_1)+$

E. 練習問題略解

$P(C_1^c \cap (C_2 \cup C_3))$ に $P(C_2 \cup C_3) = P(C_1 \cap (C_2 \cup C_3)) + P(C_1^c \cap (C_2 \cup C_3)) = P((C_1 \cap C_2) \cup (C_1 \cap C_3)) + P(C_1^c \cap (C_2 \cup C_3))$ を整理して代入. (b) $P(C_1 \cup C_2 \cup \cdots \cup C_{k-1} \cup C_k) = P(C^* \cup C_k) = P(C^*) + P(C_k) - P(C^* \cup C_k)$ とし, 帰納法による.

1.3.10 (a)(1.3.4) 式について, p_n を考えると, $p_n = \binom{52}{n}\frac{(52-n)!}{52!} = \frac{52!(52-n)!}{n!(52-n)!52!} = \frac{1}{n!}$ となる. よって, 包除公式より式は成り立つ. (b) 関数 $f(x) = e^x$ のマクローリン展開を考えると $f(x) = 1 + \frac{1}{1!}x + \frac{1}{2!}x^2 \cdots \frac{1}{52!}x^{52} \cdots$ である. $x = -1$ としたときの結果に p_M を代入すればよい.

1.3.11 (a) $\binom{6}{4}/\binom{16}{4}$, (b) $\binom{10}{4}/\binom{16}{4}$.

1.3.12 $1 - \binom{990}{5}/\binom{1000}{5}$.

1.3.13 (a) 0.001959, (b) 6.299×10^{-12}.

1.3.14 (b) $1 - \binom{10}{3}/\binom{20}{3}$.

1.3.15 $\frac{\binom{5}{2}+\binom{3}{2}+3}{\binom{8}{2}} = \frac{4}{7}$.

1.3.16 (a) $1 - \binom{48}{5}/\binom{50}{5}$.

1.3.17 定理 1.3.1 と, ド・モルガンの一般法則によって以下が成り立つことにより証明される. $1 = P\left(\bigcup_{i=1}^{k} C_i\right) + P\left(\left(\bigcup_{i=1}^{k} C_i\right)^c\right)$.

1.3.18 $P(C_1 \cup C_2 \cup C_3) = P(C_1) + P(C_2) + P(C_3) - P(C_1 \cap C_2) - P(C_1 \cap C_3) - P(C_2 \cap C_3) + P(C_1 \cap C_2 \cap C_3) = \frac{2}{3}$.

1.3.19 $13 \cdot 12 \binom{4}{3}\binom{4}{2}/\binom{52}{5}$.

1.3.22 $n \geq 1$ に対して, $R_n = C_n \cap C_{n+1}^c$ とおく. すると, $P(\cap_{n=1}^{\infty} C_n)$
$= P(C_1 \cap (\cup_{n=1}^{\infty} R_n)^c)$
$= P(C_1) + P((\cup_{n=1}^{\infty} R_n)^c)$
$- P(C_1 \cup (\cup_{n=1}^{\infty} R_n)^c)$
$= P(C_1) - \sum_{n=1}^{\infty} P(R_n)$
$= \lim_{n \to +\infty} P(C_n)$

1.3.23 区間 $C_n = \left(a, a + \frac{1}{n}\right)$ について考える. このとき (1.3.10) 式より, $\lim_{n \to \infty} P(C_n) = P(\{a\})$ である. また, 定義より $P(C_n) = \frac{1}{n}$ と導かれるので, (1.3.10) 式にこれを代入することで, $\lim_{n \to \infty} P(C_n) = 0$ を得る. 以上より題意を得る.

1.3.24 (a) ≤ 1, (b) いいえ.

1.4.1 $P(C_2 \cup C_3 \cup \cdots | C_1)$
$= \frac{P\{C_1 \cap (C_2 \cup C_3 \cup \cdots)\}}{P(C_1)}$
$= \frac{P(C_1 \cap C_2) \cup P(C_1 \cap C_3) \cup \cdots}{P(C_1)}$
$= P(C_2|C_1) + P(C_3|C_1) + \cdots$.

1.4.2 乗法法則を数学的帰納法から以下の一般系に拡張する. $n = 1, n = 2$ のとき自明であり, $n = k$ のとき成立するとして $k+1$ においても下式は成り立つことから題意を得る. $P(C_1 \cap C_2 \cap \cdots C_n) = P(C_1)P(C_2|C_1)P(C_3|C_1 \cap C_2) \times \cdots P(C_n|C_1 \cap C_2 \cap \cdots \cap C_{n-1})$.

1.4.3 $\frac{9}{47}$.

1.4.4 $2\frac{13 \cdot 12 \cdot 26 \cdot 25}{52 \cdot 51 \cdot 50 \cdot 49}$.

1.4.5 $P(C_2|C_1)$
$= \frac{[\binom{4}{3}\binom{48}{10} + \binom{4}{4}\binom{48}{9}]/\binom{52}{13}}{[\binom{4}{2}\binom{48}{11} + \binom{4}{3}\binom{48}{10} + \binom{4}{4}\binom{48}{9}]/\binom{52}{13}}$
$= 0.1704$.

1.4.6 $\frac{111}{143}$.

1.4.7 (a) n 回の試行で, $n-1$ 回目まで 7 も 8 も出ず, n 回目に 7 が出るとすると, $\left(\frac{25}{36}\right)^{n-1} \cdot \frac{6}{36}$. 試行は独立で ∞ 回まであるので, $\sum_{n=1}^{\infty}\left(\frac{25}{36}\right)^{n-1} \cdot \frac{6}{36} = \frac{6}{11}$.

1.4.8 (a) 0.022, (b) $\frac{5}{11}$.

1.4.9 $\frac{5}{14}$.

1.4.10 $\frac{3}{7}, \frac{4}{7}$.

1.4.11 (a) $P(C_1)[1 - P(C_2|C_1)] = P(C_1)P(C_2^c)$

(b) $P(C_2)[1-P(C_1)]=$
$P(C_1^c)P(C_2)$ (c) $P(C_1^c)\times$
$[1-P(C_2|C_1^c)]=P(C_1^c)P(C_2^c)$.

1.4.12 (c) 0.88.

1.4.13 $P(C_1\cup C_2\cup\cdots\cup C_k)$
$=1-P((C_1\cup C_2\cup\cdots\cup C_k)^c)$
$=1-P(C_1^c\cap C_2^c\cap\cdots\cap C_k^c)$
$=1-(1-p_1)(1-p_2)\cdots(1-p_k)$.

1.4.14 (a) 0.1764.

1.4.15 $4(0.7)^3(0.3)$.

1.4.16 0.75.

1.4.17 (a) 0.9409, (b) 0.8376, (c) 0.0004, (d) 0.9996. (b) と (c) は誤りの確率だが, (b) を下げるように判断基準を変えると (c) が上がる可能性がある.

1.4.18 (a) $\frac{6}{11}$.

1.4.19 (a) 最低4回カードを引く=連続して3回スペード以外を引く. $\frac{39}{52}\cdot\frac{39}{52}\cdot\frac{39}{52}$ $=0.42$, (b) $\frac{39}{52}\cdot\frac{38}{51}\cdot\frac{37}{50}=0.41$.

1.4.20 $\frac{1}{7}$.

1.4.21 (a) $1-\left(\frac{5}{6}\right)^6$, (b) $1-e^{-1}$.

1.4.22 A の勝率 $\frac{169}{324}$, B の勝率 $\frac{155}{324}$.

1.4.23 $\frac{3}{4}$.

1.4.24 0.4167.

1.4.25 $\frac{43}{64}$.

1.4.26 $\frac{3}{5}$.

1.4.27 C_1 を赤5個, 黄20個の袋を選ぶ事象, C_2 を赤15個, 黄10個の袋を選ぶ事象, C を黄色のチューリップである事象とする. (a) $P(C)=P(C_1)P(C|C_1)+P(C_2)P(C|C_2)=\frac{16}{25}$, (b) $P(C_1|C)=\frac{P(C_1)P(C|C_1)}{P(C)}=\frac{3}{4}$.

1.4.28 $\frac{5\cdot 4\cdot 5\cdot 4\cdot 3}{10\cdot 9\cdot 8\cdot 7\cdot 6}$.

1.4.29 $\frac{13}{4}$.

1.4.30 $\frac{2}{3}$.

1.4.31 0.518, 0.491.

1.4.32 いいえ.

1.5.1 $\frac{9}{13},\frac{1}{13},\frac{1}{13},\frac{1}{13},\frac{1}{13}$.

1.5.2 (a) $\frac{1}{2}$, (b) $\frac{1}{21}$.

1.5.3 $\frac{1}{5},\frac{1}{5},\frac{1}{5}$.

(a)
$$F(x)=\begin{cases}0 & x=-1,-2,\cdots\\ 1 & x=0,1,\cdots.\end{cases}$$

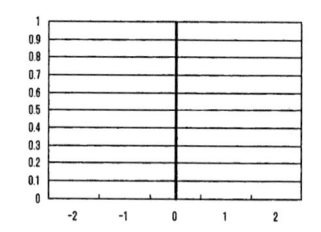

(b)
$$F(x)=\begin{cases}0 & x=-2,-3,\cdots\\ \sum_{i=-1}^{x}\frac{1}{3} & x=-1,0,1\\ 1 & x=2,3,\cdots.\end{cases}$$

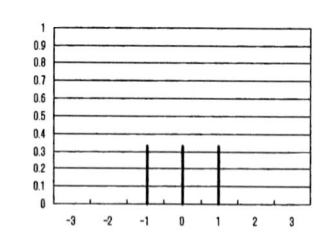

(c)
$$F(x)=\begin{cases}0 & x=0,-1,\cdots\\ \sum_{i=1}^{x}\frac{i}{15} & x=1,2,3,4,5\\ 1 & x=6,7\cdots.\end{cases}$$

E. 練習問題略解

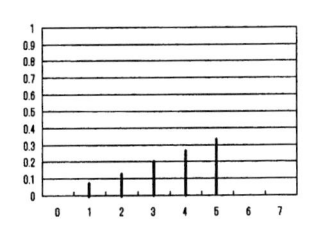

1.5.5 (a) $\frac{\binom{13}{x}\binom{39}{5-x}}{\binom{52}{5}}, x=0,1,2,3,4,5$, (b) $\left[\binom{39}{5}+\binom{13}{1}\binom{39}{4}\right]/\binom{52}{5}$.

1.5.6 $P_X(D_1)=\int_0^1 \frac{2x}{9}dx=\frac{1}{9}$
$P_X(D_2)=\int_2^3 \frac{2x}{9}dx=\frac{5}{9}$
$P_X(D_1\cup D_2)=P_X(D_1)+P_X(D_2)$
$=\frac{2}{3}$.

1.5.7 $\frac{3}{4}$.

1.5.8 (a) $\frac{1}{4}$, (b) 0, (c) $\frac{1}{4}$, (d) 0.

1.5.9 (a) $1=\sum_{i=1}^{100} cx_i = c5050$. したがって $c=\frac{1}{5050}$ となる. ∴ $p(x)=\frac{x}{5050}$, (b) $\sum_{i=1}^{50}\frac{x_i}{5050}=0.2524$, (c) 初項1, 公差1の等差数列の $[x]$ までの和は $\sum_{i=1}^{[x]} x_i = \frac{[x]([x]+1)}{2}$ である.
∴ $P(X\leq [x]) = \frac{[x]([x]+1)}{2}\times\frac{1}{5050} = \frac{[x]([x]+1)}{10100}$.

1.5.10 2つの証明は, D_n を単一事象の和集合ととらえなおせばよい.

1.5.11 (b) 実数列 $\{x_n\}(x_{n-1}>x_n)$ を考え, $C_n=\{x:-\infty<x<x_n\}$. $\lim_{n\to-\infty}F(x_n)=P(\phi)=0$, (c) $\{x_n\}(x_{n-1}<x_n)$ とし, $C_n=\{x:-\infty<x<x_n\}$. $\lim_{n\to\infty}F(x_n)=P(\mathcal{C})=1$.

1.6.1 Xのpdfは, $p_X(x)=\frac{4!}{16\cdot x!(4-x)!}$, ($x=0,1,2,3,4$), それ以外は0.
$P(X=1,3)=\frac{1}{4}+\frac{1}{4}=\frac{1}{2}$.

1.6.2 (a) $p_X(x)=\frac{1}{10}, x=1,2,\ldots,10$, (b) $\frac{4}{10}$.

1.6.3 (a) $\left(\frac{5}{6}\right)^{x-1}\frac{1}{6}$ $x=1,2,3,\ldots$. (b) $\sum_{x=1}^{\infty}\left(\frac{5}{6}\right)^{x-1}\frac{1}{6} = \frac{1}{5}\sum_{x=1}^{\infty}\left(\frac{5}{6}\right)^x$
$=\frac{1}{5}\left(\frac{1}{1-\frac{5}{6}}-\left(\frac{5}{6}\right)^0\right)=\frac{1}{5}(6-1)=1$,
(c) $\frac{6}{11}$. (d) $F(x)=\sum_{i=1}^{x}\left(\frac{5}{6}\right)^{i-1}\frac{1}{6}$

1.6.4 $\frac{6}{36}$, $x=0$; $\frac{12-2x}{36}$, $x=1,2,3,4,5$.

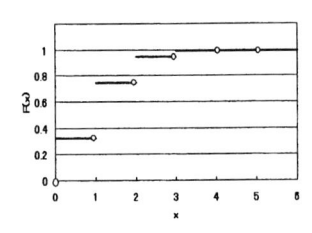

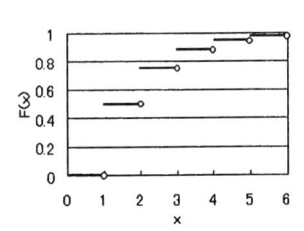

1.6.5

1.6.6

1.6.7 $\frac{1}{3}, y=3,5,7$.

1.6.8 $\left(\frac{1}{2}\right)^{\sqrt[3]{y}}, y=1,8,27,\ldots$.

1.6.9 当該の関数が (1.6.3) 式の性質のうち, (i) を満たすことは自明である. また (ii) についても, $\sum_{z\in\mathcal{D}_z}p_Z(z)=p_Z(0)+p_Z(1)+\sum_{z=4}^{\infty}\frac{1}{4}\left(\frac{1}{2}\right)^{\sqrt{z}}=\frac{1}{4}+\frac{5}{8}+\frac{\frac{1}{4}\left(\frac{1}{2}\right)^{\sqrt{4}}\times\left[1-\left(\frac{1}{2}\right)^{\infty}\right]}{1-\frac{1}{2}}=1$ より満たすことがわかる.

1.7.1 $F(x)=\frac{\sqrt{x}}{10}, 0\leq x<100$;

$f(x)=\frac{1}{20\sqrt{x}}, 0<x<100$.

1.7.2 $P_X(C_1\cup C_2) \leq P_X(\mathcal{C})=1$
∴ $P_X(C_1)+P_X(C_2)\leq 1$
∴ $P_X(C_2)\leq \frac{5}{8}$.

1.7.3 $\frac{5}{8}$; $\frac{7}{8}$; $\frac{3}{8}$.

1.7.4 $f(x)=1/\pi(1+x^2)\geq 0$,
$\int_{-\infty}^{\infty} f(x)dx = [1/\pi \arctan(x)]_{-\infty}^{\infty} = 1$.

1.7.5 $e^{-2}-e^{-3}$.

1.7.6 (a) $\frac{1}{27},1$; (b) $\frac{2}{9}, \frac{25}{36}$.

1.7.7 C_1 と C_2 は互いに素の集合である.
$P(C_1\cup C_2) = \int_1^2 \frac{1}{x^2}dx+\int_4^5 \frac{1}{x^2}dx$
$= \left[-\frac{1}{x}\right]_1^2 + \left[-\frac{1}{x}\right]_4^5 = 0.55$
$P(C_1\cap C_2)=P(\phi)=0$.

1.7.8 (a) 1 ; (b) $\frac{2}{3}$; (c) 2.

1.7.9 (a) $F(0)=\frac{81}{256}, F(1)=\frac{189}{256}$ より, 存在しない; (b) $\sqrt[3]{1/2}$; (c) 0.

1.7.10 $\sqrt[4]{0.2}$.

1.7.11 $f(x)$, 25 パーセンタイル, 60 パーセンタイルの順に,

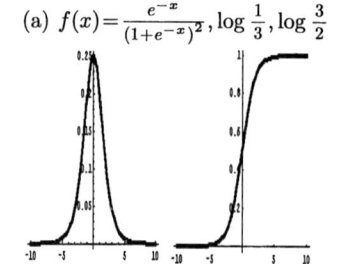

(a) $f(x)=\frac{e^{-x}}{(1+e^{-x})^2}, \log\frac{1}{3}, \log\frac{3}{2}$

(b) $f(x)=e^{-x-e^{-x}}, -\log(\log 4), -\log(\log\frac{5}{3})$

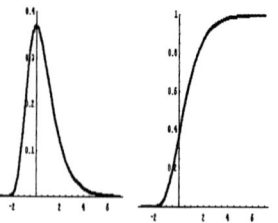

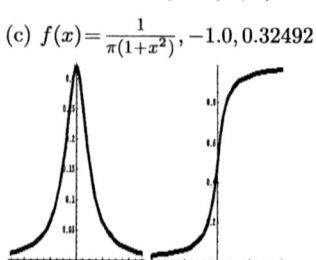

(c) $f(x)=\frac{1}{\pi(1+x^2)}, -1.0, 0.32492$

1.7.12 $F(x)$, 中央値, 25 パーセンタイルの順に,

(a) $1-(1-x)^3, 0\leq x<1, 0.206, 0.091$.

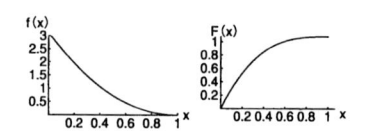

(b) $1-\frac{1}{x}, 1\leq x<\infty, 2, \frac{4}{3}$.

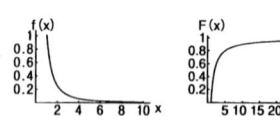

(c) $\frac{1}{3}x, 0\leq x<1$ および $\frac{1}{3}x-\frac{1}{3}, 2\leq x<4, \frac{5}{2}, \frac{3}{4}$.

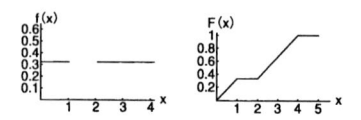

E. 練習問題略解

1.7.13 $xe^{-x}, 0<x<\infty$; 最頻値は 1.

1.7.14 $\frac{7}{12}$.

1.7.15 $P(X>z) \geq P(Y>z)$
$1-P(X\leq z) \geq 1-P(Y\leq z)$
$P(X\leq z) \leq P(Y\leq z)$
$F_X(z) \leq F_Y(z)$
より $P(X>z) \geq P(Y>z) \Rightarrow F_X(z) \leq F_Y(z)$. また, $P(X>z)=P(Y>z) \Rightarrow F_X(z)=F_Y(z)$ から.

1.7.16 $P(Y>z) \geq P(X>z) = P(X>g^{-1}(z)) \geq P(X>z)$ である. $g^{-1}(z)=z-\Delta$ から, $P(X>z-\Delta) \geq P(X>z)$ である. $\therefore Y$ は X よりも確率的に大きい.

1.7.17 $\frac{1}{2}$.

1.7.18 $\int_0^a 12x(1000-x)^2/10^{12} dx = 0.95$, $3a^4 - 8000a^3 + 6 \cdot 10^6 a^2 - 0.95 \cdot 10^{12} = 0$ を解く, $a=751.395$.

1.7.19 $-\sqrt{2}$.

1.7.20 $\frac{1}{27}, 0<y<27$.

1.7.21 Y の台は正の値となるので $x=\sqrt{y}$. 変換のヤコビアンは $J=\frac{1}{2\sqrt{y}}$. したがって, 累積分布関数法を用いて, $f(y)=f(\sqrt{y})|J|=e^{-y}$, それ以外では 0 となる.

1.7.22 $\frac{1}{\pi(1+y^2)}, -\infty<y<\infty$.

1.7.23 cdf $1-e^{-y}, 0\leq y<\infty$.

1.7.24 pdf $\frac{1}{3\sqrt{y}}, 0<y<1$,
$\frac{1}{6\sqrt{y}}, 1<y<4$.

1.8.1 $\int_{x\in S_X} g(x)f_X(x)dx = \int_{y\in S_Y} y \frac{dF_X(g^{-1}(y))}{dy} dy$. $F_Y(y)=F_X(g^{-1}(y))$ から $\int_{y\in S_Y} y \frac{dF_Y(y)}{dy} dy$ であり, $\int_{y\in S_Y} y f_Y(y) dy$ が成り立つ. よって題意を得る.

1.8.2 $E(g(x))=\sum_x g(x)P_X(x)$
$= \sum_y y P_Y(y) = k$.

1.8.3 $2, 86.4, -160.8$.

1.8.4 $3, 11, 27$.

1.8.5 $\frac{\log 100.5 - \log 50.5}{50}$.

1.8.6 (a) $\frac{3}{4}$; (b) $\frac{1}{4}, \frac{1}{2}$.

1.8.7 $\frac{3}{20}$.

1.8.8 7.80 ドル.

1.8.9 $m<b$ の場合 $E(|X-b|)=\int_{-\infty}^m (b-m)f(x)dx + \int_{-\infty}^m (m-x)f(x)dx + \int_m^b (b-x)f(x)dx + \int_b^\infty (x-m)f(x)dx - \int_m^\infty (b-m)f(x)dx + \int_m^b (b-x)f(x)dx$ となるので, $\int_{-\infty}^m f(x)dx = \int_m^\infty f(x)dx$ より題意を得る. $b<m$ の場合も同様. m と b の大小にかかわらず右辺第 2 項は正であるため, $\int_m^b (b-x)f(x)dx=0$ が成り立つ $b=m$ のとき最小となる.

1.8.10 (a) 2; (b) pdf は $\frac{2}{y^3}, 1<y<\infty$; (c) 2.

1.8.11 $\frac{7}{3}$.

1.8.12 $E(X)=\int_1^\infty x \cdot \frac{1}{x^2} dx = \lim_{b\to\infty} \int_1^b \frac{1}{x} dx = \lim_{b\to\infty} (\log b - \log 1)$. 発散するため, $E(X)$ は存在しない.

1.8.13 コーシー分布の pmf は $f(x)=\frac{1}{\pi(1+x^2)}$. $E(X)=\int_{-\infty}^\infty x \frac{1}{\pi(1+x^2)} = \int_{-1}^\infty \frac{1}{\pi t} \frac{dt}{2} = \frac{1}{2\pi}[\log t]_1^\infty$. これは発散する.

1.8.14 (a) $\frac{1}{2}$; (b) $f_Y(y)=f(\sqrt[3]{y})|J|=3(\sqrt[3]{y})^2 \times \frac{1}{3}y^{-2/3}=1, \{y: 0<y<1\}$; (c) $\frac{1}{2}$.

1.9.1 (a) $1.5, 0.75$; (b) $0.5, 0.05$; (c) 2, 存在しない.

1.9.2 $\frac{e^t}{2-e^t}, t<\log 2; 2; 2$.

1.9.3 (a) $P\left(\frac{1}{2} - \frac{1}{\sqrt{5}} < X < \frac{1}{2} + \frac{1}{\sqrt{5}}\right) = \int_{\frac{1}{2} - \frac{1}{\sqrt{5}}}^{\frac{1}{2} + \frac{1}{\sqrt{5}}} 6x(1-x)dx = 0.9839$.

(b) $P(X = 1,2,3,4) = \sum_{x=1}^{4} \left(\frac{1}{2}\right)^x = \frac{1}{2} + \frac{1}{4} + \frac{1}{8} + \frac{1}{16} = \frac{15}{16}$.

1.9.4 $\sigma^2 = E(X^2) - [E(X)]^2 \geq 0$.

1.9.6 $E\left(\frac{X-\mu}{\sigma}\right) = \frac{1}{\sigma}\int_{-\infty}^{\infty} xf(x)dx - \frac{\mu}{\sigma}\int_{-\infty}^{\infty} f(x)dx = 0$, $E\left[\left(\frac{X-\mu}{\sigma}\right)^2\right] = \frac{1}{\sigma^2}\int_{-\infty}^{\infty}(x-\mu)^2 f(x)dx = \frac{\sigma^2}{\sigma^2} = 1$, $E\{e^{t[(X-\mu)/\sigma]}\} = e^{-t\mu/\sigma} E(e^{tX/\sigma}) = e^{-\mu t/\sigma} M\left(\frac{t}{\sigma}\right)$.

1.9.7 $t \neq 0$ のとき, $M(t) = E(e^{tx}) = \int_{-1}^{2} \frac{1}{3} e^{tx} dx = \frac{e^{2t} - e^{-t}}{3t}$. $t = 0$ のときは, $M(0) = E(e^0) = 1$.

1.9.8 $b = E(X)$ のとき $E[(X - b)^2] = V(X)$ であるから, $E[(X-b)^2] > V(X)$ を証明すればよい. $b \neq E(X)$ のとき $E[(X-b)^2] = E[(x - E(X) - (b - E(X)))^2] = V(X) + (b - E(X))^2$ が成り立つ. $\therefore V(X) + (b - E(X))^2 > V(X)$ であり題意を得る.

1.9.11 $10; 0; 2; -30$.

1.9.12 確率変数を連続型とし, その pdf を $f(x)$ とするとき, $R(t) = E(e^{t(X-b)}) = \int e^{t(x-b)} f(x)dx$ から $R'(0) = \int (x-b)f(x)dx = E[X - b]$ となる. 同様にして, $R^{(m)}(0) = \int_{-\infty}^{\infty} (x-b)^m f(x)dx = E[(X-b)^m]$ が得られる. よって題意を得る.

1.9.13 (a) $-\frac{2\sqrt{2}}{5}$; (b) 0; (c) $\frac{2\sqrt{2}}{5}$.

1.9.14 (a) $\frac{9}{5}$(左図); (b) $\frac{15}{7}$(右図).

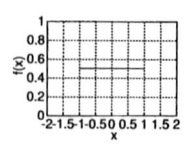

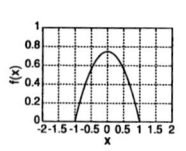

1.9.15 $\frac{1}{2p}$; $\frac{3}{2}$; $\frac{5}{2}$; 5; 50.

1.9.16 $\psi'(t) = \frac{M'(t)}{M(t)}$ より $\psi'(0) = M'(0) = \mu$, $\psi''(t) = \frac{d}{dt} M'(t) \cdot [M(t)]^{-1}$ より $\psi''(0) = M''(0) \cdot [M(0)]^{-1} + [M'(0)]^2 \cdot -[M(0)]^{-2} = M''(0) - [M'(0)]^2 = E(X^2) - \mu^2 = \sigma^2$.

1.9.17 $\frac{31}{12}$; $\frac{167}{144}$.

1.9.18 $E(X^r) = \frac{(r+2)!}{2}$.

1.9.21 $t \neq 0$ のとき, $M(t) = \sum_x e^{tk} \frac{1}{k} = \frac{e^t(1-e^{kt})}{k(1-e^t)}$. $t = 0$ のとき, $M(t) = \sum_x \frac{1}{k} = 1$.

1.9.22 $\frac{5}{8}$; $\frac{37}{192}$.

1.9.24 $-X$ の積率母関数を考えればよい. $M(t) = \int_{-\infty}^{\infty} e^{-tx} f(-x)dx = \int_{-\infty}^{\infty} e^{-tx} f(x)dx = M(-t)$.

1.9.25 $(1-\beta t)^{-1}, \beta, \beta^2$.

1.10.2 $X \leq 0$ のときは必ず成立. よって, $X > 0$ のとき, X は非負なので, $u(x) = x, c = 2\mu$ とおくと, マルコフの不等式より, $P[X \geq 2\mu] \leq \frac{E[X]}{2\mu} = \frac{1}{2}$.

1.10.3 0.84.

1.10.4 マルコフの不等式において $u(X) = e^{tX}, c = e^{ta}$ とおくことで, $P(e^{tX} \geq e^{ta}) \leq \frac{E[e^{tX}]}{e^{ta}}$ を得る. これを整理することで $P(tX \geq ta) \leq e^{-ta} M(t)$ より, 題意を得る.

1.10.5 $0 < t < \infty$ について, $a = 1$ を考えると練習問題 1.10.4 より $P(X \geq 1) \leq$

E. 練習問題略解

$\frac{1-e^{-2t}}{2t}, 0<t<\infty$ である．これは右辺の最小値より左辺の確率は小さいことを意味している．$t\to\infty$ のとき右辺は 0 となるので，左辺の取りうる最小値は 0 となり，題意を得る．$P(X\leq -1)$ については，$-\infty<t<0$ について，$a=-1$ とおく以外は同様である．

1.10.6 以下の凸関数 $\phi(t)$ とジェンセンの不等式を用いればよい．
(a) $\frac{1}{t}$, (b) $-\log t$, (c) $\log\frac{1}{t}$, (d) t^3.

第2章

2.1.1 $\frac{15}{64}; 0; \frac{1}{2}; \frac{1}{2}$.

2.1.2 $\frac{1}{4}$.

2.1.3 $P(a<X\leq b, c<Y\leq d)=P(a<X\leq b, Y\leq d)-P(a<X\leq b,Y\leq c)= P(X\leq b, Y\leq d)-P(X\leq a, Y\leq d)-P(X\leq b, Y\leq c)+P(X\leq a, Y\leq c)$.

2.1.4 $1-2d\leq a<1-2c\leq b$ を満たす $\{a,b,c,d\}$，たとえば $\{0,1,0,1\}$ によって示される．

2.1.5 $g(x)$ は非負関数かつ定義域より $\sqrt{x_1^2+x_2^2}>0$ なので，$f(x_1,x_2)\geq 0$ である．(x_1,x_2) を極座標変換すると $r=\sqrt{x_1^2+x_2^2}$．ここで $0<r<\infty$，$x_1=r\cos\theta>0$ かつ $x_2=r\sin\theta>0$ なので，$0<\theta<\frac{\pi}{2}$ となる．また，変換のヤコビアンは r より $\int_0^{\pi/2}\int_0^\infty f(r\cos\theta, r\sin\theta)|J|drd\theta=\int_0^{\pi/2}\int_0^\infty \frac{2g(r)}{\pi r}rdrd\theta=1$ となり題意を得た．

2.1.6 $ze^{-z}, 0<z<\infty$.

2.1.7 $-\log z, 0<z<1$.

2.1.8 $\binom{13}{x}\binom{13}{y}\binom{26}{13-x-y}/\binom{52}{13}$，ここで x と y は $x+y\leq 13$ を満たすような非負の整数．

2.1.9 (a) 下表; (b) $P(X_1+X_2=1)=\frac{3}{12}+\frac{2}{12}=\frac{5}{12}$.

$X_1\backslash X_2$	0	1	2	$p_1(x_1)$
0	$\frac{2}{12}$	$\frac{3}{12}$	$\frac{2}{12}$	$\frac{7}{12}$
1	$\frac{2}{12}$	$\frac{2}{12}$	$\frac{1}{12}$	$\frac{5}{12}$
$p_2(x_2)$	$\frac{4}{12}$	$\frac{5}{12}$	$\frac{3}{12}$	

2.1.10 $\frac{15}{2}x_1^2(1-x_1^2), 0<x_1<1$; $5x_2^4, 0<x_2<1$.

2.1.11 $\sum\sum_{(x_1,x_2)\in\mathcal{S}} |g(x_1,x_2)|p(x_1,x_2)= \sum_{y\in S_Y}\sum_{\{x_1,x_2\in S_X:g(x_1,x_2)=y\}} |g(x_1,x_2)|p(x_1,x_2)=\sum_{y\in S_Y}|y|\sum_{\{x_1,x_2\in S_X:g(x_1,x_2)=y\}}p(x_1,x_2)=\sum_{y\in S_Y}|y|p(y)<\infty$ なので，$E(Y)$ は存在する．同様に，$\sum\sum_{(x_1,x_2)\in\mathcal{S}} g(x_1,x_2)p(x_1,x_2)=\sum_{y\in S_Y}yp(y)=E(Y)$ であり，これは収束することが示された．よって題意を得る．

2.1.12 $p(x_1)=\frac{2x_1+3}{12}$, $p(x_2)=\frac{2x_2+3}{12}$ より，$E(X_1)=\frac{19}{12}$; $E(X_1^2)=\frac{33}{12}$; $E(X_2)=\frac{19}{12}$; $E(X_2^2)=\frac{33}{12}$; $E(X_1X_2)=\frac{5}{2}$; $\frac{5}{2}=E(X_1X_2)\neq E(X_1)E(X_2)=\frac{361}{144}$; $E(2X_1-6X_2^2+7X_1X_2)=2E(X_1)-6E(X_2^2)+7E(X_1X_2)=\frac{25}{6}$.

2.1.13 $\frac{2}{3}; \frac{1}{2}; \frac{2}{3}; \frac{1}{2}; \frac{4}{9}$; 成立する; $\frac{11}{3}$.

2.1.14 $\frac{e^{t_1+t_2}}{(2-e^{t_1})(2-e^{t_2})}, t_i<\log 2$.

2.1.15 $(1-t_2)^{-1}(1-t_1-t_2)^{-2}, t_2<1, t_1+t_2<1$; いいえ．

2.1.16 $\frac{13}{36}; \frac{1}{4}$.

2.2.1 $y_1=x_1-x_2, y_2=x_1+x_2$ より $x_1=\frac{y_1+y_2}{2}, x_2=\frac{y_2-y_1}{2}$. ∴

$p_{Y_1,Y_2}(y_1,y_2) = \left(\frac{2}{3}\right)^{y_2}\left(\frac{1}{3}\right)^{2-y_2}$.

2.2.2

1	2	3	4	6	9
$\frac{1}{36}$	$\frac{4}{36}$	$\frac{6}{36}$	$\frac{4}{36}$	$\frac{12}{36}$	$\frac{9}{36}$

2.2.3 $e^{-y_1-y_2}, 0 < y_i < \infty$.

2.2.4 $8y_1 y_2^3, 0 < y_i < 1$.

2.2.6 (a) $y_1 e^{-y_1}, 0 < y_1 < \infty$;
(b) $(1-t_1)^{-2}, t_1 < 1$.

2.2.7 $f_{Y_1}(y_1) = \int_{\frac{1}{2}y_1}^{y_1} 2e^{-y_1}dy_2 =$
$[y_2 \cdot 2e^{-y_1}]_{\frac{1}{2}y_1}^{y_1} = y_1 e^{-y_1}, 0 < y_1 < \infty$.

2.3.1 $\frac{3x_1+2}{6x_1+3}$; $\frac{6x_1^2+6x_1+1}{2(6x_1^2+3)^2}$.

2.3.2 (a) $2,5$; (b) $10x_1 x_2^2, 0 < x_1 < x_2 < 1$; (c) $\frac{12}{25}$; (d) $\frac{449}{1536}$.

2.3.3 (a) $\frac{3x_2}{4}, \frac{3x_2^2}{80}$; (b) pdf は $7(4/3)^7 y^6$, $0 < y < \frac{3}{4}$; (c) $E(X) = E(Y) = \frac{21}{32}$; $\mathrm{Var}(X_1) = \frac{553}{15360} > \mathrm{Var}(Y) = \frac{7}{1024}$.

2.3.4 $\frac{13}{8}, \frac{16}{10}, \frac{15}{64}, \frac{6}{25}, \frac{13}{9}$.

2.3.5 (a) $E(X_1+X_2|X_2) = \iint(x_1+x_2) f_{X_1,X_2|X_2}(x_1,x_2|x_2)dx_2 dx_1 =$
$\int x_1 f_{X_1|X_2}(x_1|x_2)dx_1 + \int x_2 f_{X_2|X_2}(x_2|x_2)dx_2 = E(X_1|X_2) + E(X_2|X_2) = E(X_1|X_2) + X_2$; (b) $E(u(X_2)|X_2) = \int u(X_2)f(u(x_2)|x_2)dx_2 = u(X_2)\int f(u(x_2)|x_2)dx_2 = u(X_2)$.

2.3.6 (a) x の周辺 pdf $f(x)$ は, $\frac{1}{(1+x)^2}$, 条件付き pdf $f(y|x)$ は, $\frac{2(1+x)^2}{(1+x+y)^3}$; (b) $E(1+x+Y|x)$ は, $2(1+x)$ となる. よって, $E[Y|x]=1+x$.

2.3.7 $p_{2|1}(x_2|x_1) = \frac{3x_1+x_2}{24}/(\sum_{x_2=1}^{2}\frac{3x_1+x_2}{24}) = \frac{3x_1+x_2}{6x_1+3}$, $E(X_2|x_1=1) = \sum_{x_2=1}^{2} x_2\left(\frac{3+x_2}{9}\right) = \frac{14}{9}$.

2.3.8 $x+1, 0 < x < \infty$.

2.3.9 (a) $\binom{13}{x_1}\binom{13}{x_2}\binom{26}{5-x_1-x_2}/\binom{52}{5}$, ここで x_1 と x_2 は $x_1+x_2 \leq 5$ を満たすような非負の整数; (c) $\binom{13}{x_2}\binom{26}{5-x_1-x_2}/\binom{39}{5-x_1}$, $x_2 \leq 5-x_1$.

2.3.10 x_1 の周辺 pmf $P_{X_1}(x_1) = \sum_{x_2} p_{X_1,X_2}(x_1,x_2)$, x_1 の条件付き平均 $E(X_1|x_2) = \sum_{x_1} x_1 p_{1|2}(x_1|x_2)$, x_2 についても同様.

$X_1\backslash X_2$	0	1	$p_{X_1}(x_1)$	$E(X_2|x_1)$
0	$\frac{1}{18}$	$\frac{3}{18}$	$\frac{4}{18}$	0.75
1	$\frac{4}{18}$	$\frac{3}{18}$	$\frac{7}{18}$	0.43
2	$\frac{6}{18}$	$\frac{1}{18}$	$\frac{7}{18}$	0.14
$p_{X_2}(x_2)$	$\frac{11}{18}$	$\frac{7}{18}$		
$E(X_1|x_2)$	1.45	0.71		

2.3.11 (a) $\frac{1}{x_1}, 0 < x_2 < x_1 < 1$; (b) $1 - \log 2$.

2.3.12 (b) e^{-1}.

2.4.1 (a) 1; (b) -1; (c) 0.

2.4.2 (a) $\frac{7}{\sqrt{804}}$.

2.4.3 $E(X|y) = \int_0^y x\frac{1}{y}dx = \frac{y}{2}, 0 < y < 1$ と $E(Y|x) = \int_x^1 y\frac{1}{1-x}dy = \frac{1+x}{2}, 0 < x < 1$. $\rho = \frac{\frac{1}{4}-\frac{1}{3}\cdot\frac{2}{3}}{\sqrt{(\frac{1}{18})(\frac{1}{18})}} = \frac{1}{2}$.

2.4.4 $E(X^2|y) = \frac{y^2}{3}$, $[E(X|y)]^2 = \frac{y^2}{4}$ から $V(X|y) = \frac{y^2}{3} - \frac{y^2}{4} = \frac{y^2}{12}$, $E(Y^2|x) = \frac{1^2+x+x^2}{3}$, $[E(Y|x)]^2 = \frac{(1+x)^2}{4}$ から $V(Y|x) = \frac{1^2+x+x^2}{3} - \frac{(1+x)^2}{4} = \frac{(1-x)^2}{12}$.

2.4.6 $E[Y|x]=0$ となるので, 直線である. しかし, $E[X|y] = \frac{1-y}{2}$ $(-1 < y \leq 0)$, $E[X|y] = \frac{1+y}{2}$ $(0 < y \leq 1)$ となるので,

E. 練習問題略解

折線である.

2.4.7 $h(v)=\sigma_2^2 v^2 + 2\sigma_1\sigma_2\rho v + \sigma_1^2$. 判別式 $(\sigma_1\sigma_2\rho)^2 - \sigma_2^2\sigma_1^2 \leq 0$ を用いる.

2.4.8 $1, 2, 1, 2, 1$.

2.4.9 $\frac{1}{2}$.

2.4.10 $p_1(0)=\frac{1}{3}$, $p_1(1)=\frac{7}{12}$, $p_1(2)=\frac{1}{12}$, $p_2(0)=\frac{1}{12}$, $p_2(1)=\frac{5}{12}$, $p_2(2)=\frac{1}{2}$, $\mu_1=\frac{3}{4}$, $\mu_2=\frac{17}{12}$, $\sigma_1^2=\frac{17}{48}$, $\sigma_2^2=\frac{59}{144}$, $\mathrm{cov}(X_1, X_2) = E(X_1 X_2) - \mu_1\mu_2 = \frac{3}{16}$ より $\rho=\frac{3/16}{\sqrt{17/48}\sqrt{59/144}} \simeq 0.2017$.

2.4.11 マルコフの不等式において, $u(X) = \{(X_1-\mu_1)+(X_2-\mu_2)\}^2$, $c=k^2\sigma^2$ とおき, $E[\{(X_1-\mu_1)+(X_2-\mu_2)\}^2] = \sigma^2 + 2\rho\sigma^2 + \sigma^2$ を利用する.

2.5.1 $f_1(x_1)=2x_1$, $f_2(x_2)=6x_2(1-x_2)$ より $f(x_1, x_2) \equiv f_1(x_1)f_2(x_2)$.

2.5.2 $f(x_1)=2e^{-x_1}$, $f(x_2)=2e^{-2x_2}(-1+e^{x_2})$ より $f(x_1)f(x_2) \neq f(x_1, x_2)$.

2.5.3 x_1 の周辺 pmf は $p_1(x_1) = \sum_{x_2} p(x_1, x_2) = \frac{4}{16}$. x_2 の周辺 pmf は $p_2(x_2) = \sum_{x_1} p(x_1, x_2) = \frac{4}{16}$. $p_1(x_1)p_2(x_2) = \frac{4}{16} \cdot \frac{4}{16} = \frac{1}{16}$.

2.5.4 $\frac{5}{81}$.

2.5.5 $\frac{7}{8}$.

2.5.6 $2; 2$.

2.5.7 $f_1(x_1)=\int_{-\sqrt{-x_1^2+2x_1}-2}^{\sqrt{-x_1^2+2x_1}-2} \frac{1}{\pi} dx_2 = \frac{2}{\pi}\sqrt{-x_1^2+2x_1}$, $0<x_1<2$, $f_2(x_2)=\int_{-\sqrt{-x_2^2-4x_2-3}+1}^{\sqrt{-x_2^2-4x_2-3}+1} \frac{1}{\pi} dx_1 = \frac{2}{\pi}\sqrt{-x_2^2-4x_2-3}$, $-3<x_2<-1$, 例えば $(x_1, x_2)=(1, -2)$ のとき, $f_1(x_1)f_2(x_2)=\frac{2}{\pi} \times \frac{2}{\pi} \neq f(x_1, x_2)$ より従属.

2.5.8 $\frac{2(1-y^3)}{3(1-y^2)}$, $0<y<1$.

2.5.9 $\frac{1}{2}$.

2.5.10 各点に 0.25 を割り当てるとき, $\mathrm{Cov}(XY)=0$ だから X と Y は無相関である. しかし $p_X(0)p_Y(0)=0.125 \neq 0.25$ であり必ずしも独立でない.

2.5.12 $\frac{4}{9}$.

2.5.13 $4; 4$.

2.6.1 (g) $\frac{2+3y+3z}{3+6y+6z}$.

2.6.2 (a) $\frac{1}{6}; 0$; (b) $(1-t_1)^{-1}(1-t_2)^{-1}(1-t_3)^{-1}$; はい.

2.6.3 pdf は $12(1-y)^{11}$, $0<y<1$.

2.6.4 pmf は $\frac{y^3-(y-1)^3}{6^3}$.

2.6.5 $M(t_i, t_j, 0) = \sum_{x_i}\sum_{x_j} e^{t_i x_i + t_j x_j} f_{ij}(x_i, x_j) = \sum_{x_i} e^{t_i x_i} f_i(x_i) \sum_{x_j} e^{t_j x_j} f_j(x_j) = M(0, t_i, 0)M(0, t_j, 0)$; $M(t) = \sum_{\mathbf{x}} e^{t'\mathbf{x}} f(\mathbf{x}) \neq \prod M(0, t_i, 0)$.

2.6.6 $\sigma_1(\rho_{12}-\rho_{13}\rho_{23})/\sigma_2(1-\rho_{23}^2)$; $\sigma_1(\rho_{13}-\rho_{12}\rho_{23})/\sigma_3(1-\rho_{23}^2)$.

2.6.7 $\mathrm{Cov}(\mathbf{X}) = E[\mathbf{X}\mathbf{X}'] - \boldsymbol{\mu}\boldsymbol{\mu}'$ であり, 右辺 i 番目の対角要素は (2.6.8) 式を用いて $E(X_i X_i) - \mu_i\mu_i = E(X_i^2) - \mu_i^2 = \mathrm{Var}(X_i)$ となる. (i, j) 番目の非対角要素は $E(X_i X_j) - \mu_i\mu_j = \mathrm{Cov}(X_i, X_j)$ である.

2.6.8 (a) $\frac{3}{4}$.

2.7.1 同時 pdf $y_2 y_3^2 e^{-y_3}$, $0<y_1<1$, $0<y_2<1$, $0<y_3<\infty$.

2.7.2 $\frac{1}{2\sqrt{y}}$, $0<y<1$.

2.7.3 $\frac{1}{4\sqrt{y}}$, $0<y<1$; $\frac{1}{8\sqrt{y}}$, $1 \leq y<9$.

2.7.4 $x_1=y_1, x_2=y_2-y_1, x_3=y_3-y_2$ より, ヤコビアンは $J=1$. ゆえに $0<y_3$ のとき $g(y_1, y_2, y_3)=e^{-y_3}$ それ以外では 0 となる.

2.7.5 同時 pdf は $y_1 > 0$, $y_2 > 0$, $y_3 > 0$ において $g(y_1, y_2, y_3) = \frac{y_3^2}{(y_1+1)^2} e^{-y_3(1+y_2)}$, それ以外では 0. また $g(y_1) = \frac{1}{(y_1+1)^2}$, $g(y_2) = \frac{2}{(y_2+1)^2}$, $g(y_3) = y_3 e^{-y_3}$ であり, $g(y_1, y_2, y_3) \neq g(y_1)g(y_2)g(y_3)$.

2.7.6 $\frac{1}{\pi} \frac{1}{\sqrt{y_1 - y_2^2}}$. ただし, $0 < y_1 < 1$, $-1 < y_2 < 1$.

2.7.7 $24 y_2 y_3^2 y_4^3$, $0 < y_i < 1$.

2.7.8 (a) $\frac{9}{16}$; $\frac{6}{16}$; $\frac{1}{16}$;

(b) $\left(\frac{3}{4} + \frac{1}{4} e^t\right)^6$.

第 3 章

3.1.1 $\frac{40}{81}$.

3.1.2 X の pmf は $p(x) = \binom{9}{x} \left(\frac{1}{3}\right)^x \left(\frac{2}{3}\right)^{9-x}$, $x = 0, 1, 2, \cdots, 9$, それ以外では 0. $\mu = 3$, $\sigma = \sqrt{2}$ より, $P(0.1716 < x < 5.8284)$ となる.

3.1.3 $E\left[\left(\frac{X}{n} - p\right)^2\right]$
$= \frac{1}{n^2} E(X^2) - 2pE\left(\frac{X}{n}\right) + p^2$
$= \frac{1}{n^2} (E(X^2) - \mu^2) = \frac{p(1-p)}{n}$.

3.1.4 $\frac{147}{512}$.

3.1.5 $n=3$ のとき Y の pmf は, $p(y) = \binom{3}{y} \left(\frac{2}{3}\right)^y \left(1 - \frac{2}{3}\right)^{3-y}$. よって, $P(2 \leq Y) = P(2) + P(3) = \frac{4}{9} + \frac{8}{27} = \frac{20}{27}$. $n=5$ のとき Y の pmf は, $p(y) = \binom{5}{y} \left(\frac{2}{3}\right)^y \left(1 - \frac{2}{3}\right)^{5-y}$. よって, $P(3 \leq Y) = P(3) + P(4) + P(5) = \frac{80}{243} + \frac{80}{243} + \frac{32}{243} = \frac{192}{243}$.

3.1.6 5.

3.1.7 $P(X_1 = X_2) = P(X_1 = X_2 = 0) + P(X_1 = X_2 = 1) + P(X_1 = X_2 = 2) + P(X_1 = X_2 = 3) = \frac{1}{27} \times \frac{1}{16} + \frac{2}{9} \times \frac{1}{4} + \frac{4}{9} \times \frac{3}{8} + \frac{8}{27} \times \frac{1}{4} = \frac{43}{144}$.

3.1.9 $\frac{3}{16}$.

3.1.10 (a) $(p_1 + p_2 e^{t_2} + \cdots + p_{k-1} e^{t_{k-1}} + p_k)^n$

(b) $\frac{n!}{X_2! \cdots X_{k-1}! (n - X_2 - \cdots - X_{k-1})!} \times p_2^{X_2} p_3^{X_3} \cdots \times p_{k-1}^{X_{k-1}} (p_1 + p_k)^{n - X_2 - \cdots - X_{k-1}}$

(c) $\frac{(n - X_2 - \cdots - X_{k-1})!}{X_1!(n - X_1 - X_2 - \cdots - X_{k-1})!}$
$\times \frac{p_1^{X_1} p_k^{n - X_1 - X_2 - \cdots - X_{k-1}}}{(p_1 + p_k)^{n - X_2 - \cdots - X_{k-1}}}$

(d) $(n - X_2 - \cdots - X_{k-1})$
$\times \left(\frac{p_1}{1 - p_2 - \cdots - p_{k-1}}\right)$.

3.1.11 $\frac{65}{81}$.

3.1.13 $P(X \geq 1) = 1 - P(X = 0) = 1 - \left(\frac{2}{3}\right)^n$. $1 - \left(\frac{2}{3}\right)^n \geq 0.85$ を解くと $n \geq 4.678$ となり, 最小の整数は $n = 5$.

3.1.14 $\left(\frac{1}{3}\right)\left(\frac{2}{3}\right)^{x-3}$, $x = 3, 4, 5, \ldots$.

3.1.15 $\frac{5}{72}$.

3.1.17 $E(X_1 X_2) = \frac{\partial^2 M(t_1, t_2)}{\partial t_1 \partial t_2}|_{t=0} = n(n-1)p_1 p_2$, $E(X_1) = \frac{dM(t_1, 0)}{dt_1}|_{t=0} = np_1$, $E(X_2) = \frac{dM(0, t_2)}{dt_2}|_{t=0} = np_2$ から, Cov$(X_1 X_2) = n(n-1)p_1 p_2 - n^2 p_1 p_2 = -np_1 p_2$.

3.1.18 $\frac{1}{6}$.

3.1.19 $\frac{24}{625}$.

3.1.20 歪度 $= (1 - 2p)/\sigma$; 尖度 $= [3(n-2)p(1-p) + 1]/np(1-p)$.

3.1.21 (a) $\frac{11}{6}$; (b) $\frac{x_1}{2}$; (c) $\frac{11}{6}$.

3.1.22 $\frac{25}{4}$.

3.1.23 $(X \geq k + j) \cap (X \geq k) = X \geq k + j$ より, $P(X \geq k + j | X \geq k) =$

E. 練習問題略解

$\frac{P(X \geq k+j, X \geq k)}{P(X \geq k)} = \frac{P(X \geq k+j)}{P(X \geq k)}$ となる．$P(X \geq k)$ は少なくとも k 回失敗する確率だから，成功率を p とすると $(1-p)^k$．ここから，$\frac{P(X \geq k+j)}{P(X \geq k)} = \frac{(1-p)^{k+j}}{(1-p)^k} = (1-p)^j = P(X \geq j)$．

3.1.24 (a) $x \leq 3$ については明らかなので，$x \geq 4$ について考える．このとき，求める結果は $x-3$ 回目までに [HH] というパターンが出現せず，かつ最後の3回が [THH] となるものである．よって $x \geq 4$ において，「最初の $x-3$ 回において [HH] が出現しない」パターンを数える方法を考えればよい．試行回数が n のときの当該パターン数 A_n が，n がそれよりも少ない場合のパターン数を用いて $A_n = A_{n-1} + A_{n-2}$ によって求められることから，数学的帰納法を用いる．(b) $\frac{1+\sqrt{5}}{2} > 1$ および $1 > \frac{1-\sqrt{5}}{2} > -1$ より，$\sum_{x=2}^{\infty} p(x) = \sum_{x=2}^{\infty} \left[\frac{1}{2^x \sqrt{5}} \times \left(\frac{1+\sqrt{5}}{2} \right)^{x-1} \right] - \sum_{x=2}^{\infty} \left[\frac{1}{2^x \sqrt{5}} \times \left(\frac{1-\sqrt{5}}{2} \right)^{x-1} \right] = 1$．

3.2.1 0.09．

3.2.2 $P(X \leq 7) - P(X=0) = 0.949 - 0.018 = 0.931$．

3.2.3 $\frac{m^0 e^{-m}}{0!} = 0.135$ より $m = 2$．$p(X=1) = \frac{2^1 e^{-2}}{1!} \simeq 0.2706$ から 27.1%．

3.2.4 $4^x e^{-4}/x!, x = 0, 1, 2, \ldots$．

3.2.5 0.84．

3.2.6 $\frac{dg(n+1, w)}{dw} = -\lambda g(n+1, w) + \frac{\lambda(\lambda w)^n e^{-\lambda w}}{n!}$ を満たす $g(n+1, w)$ が，$g(n+1, w) = \frac{(\lambda w)^{n+1} e^{-\lambda w}}{(n+1)!}$ となること示せばよい．このとき，まずは微分方程式 $\frac{dg(n+1, w)}{dw} = -\lambda g(n+1, w)$ を解く．

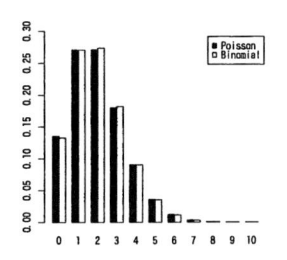

3.2.7 ベルヌイ試行は近似的にポアソンの公理を満たす．ここから，$p = 0.02$ のベルヌイ試行を $n = 100$ 回繰り返すときの事象発生数は，期待値 $m = 0.02 \times 100 = 2$ のポアソン分布に近似的に従うため．

3.2.8 約 6.7．

3.2.9 歪度 $= \frac{1}{\sqrt{\mu}}$，尖度 $= \frac{3\mu + 1}{\mu}$．

3.2.10 8．

3.2.11 2．

3.2.12 $E(X!)$ が存在するための条件式が，$\sum_x |x!| \frac{e^{-1}}{x!}$（$x$ の範囲において $x!$ は常に正）$= \sum_x x! \frac{e^{-1}}{x!} = \sum_x e^{-1}$ と発散してしまう．

3.2.13 (a) $\sum_{y=0}^{\infty} \sum_{x=0}^{y} e^{t_1 x + t_2 y} \frac{e^{-2}}{x!(y-x)!} = e^{-2} \sum_{y=0}^{\infty} \frac{e^{t_2 y}}{y!} (1 + e^{t_1})^y = \exp[e^{t_2}(1 + e^{t_1}) - 2]$; (b) $\frac{\partial M(0,0)}{\partial t_1} = 1$, $\frac{\partial^2 M(0,0)}{\partial^2 t_1} = 2$, $\frac{\partial M(0,0)}{\partial t_2} = 2$, $\frac{\partial^2 M(0,0)}{\partial^2 t_2} = 6$, $\frac{\partial M(0,0)}{\partial t_1 \partial t_2} = 3$ より $E(X) = V(X) = 1$, $E(Y) = V(Y) = 2$, $\rho = \frac{1}{\sqrt{2}}$; (c) $p_{1|2}(x|y) = \frac{e^{-2}}{x!(y-x)!} \times \frac{y!}{2^y e^{-2}} = \binom{y}{x} \left(\frac{1}{2} \right)^x \left(\frac{1}{2} \right)^{y-x}$ より $E(X|y) = \frac{1}{2} y$．

3.2.14 $M_Y(t) = e^{\mu(e^t - 1)}$，$M_Y(t) = E_Y[e^{t(x_1+x_2)}] = e^{\mu_1(e^t-1)} E_{X_2}(e^{tx_2})$ より $E_{X_2}(e^{tx_2}) = \exp[(\mu - \mu_1)(e^t -$

1)]. よって，平均 $(\mu-\mu_1)$ をもつポアソン分布．

3.2.15 (a)$M(t) = E(e^{tk_1X_1} \times e^{tk_2X_2} \times \cdots \times e^{tk_nX_n}) = E[e^{tk_1X_1}]E[e^{tk_2X_2}] \cdots E[e^{tk_nX_n}] = \prod_1^n M_i(k_it)$. (b) $M(t) = \prod_1^n M_i(t) = \prod_1^n e^{-\mu_i}e^{e^t\mu_i} = \exp[\sum_1^n \mu_i \times (e^t-1)]$.

3.3.1 0.05.

3.3.2 $0.831\,;12.8$.

3.3.3 0.90.

3.3.4 $\chi^2(4)$.

3.3.5 $\int_\mu^\infty [1/\Gamma(k)]z^{k-1}e^{-z}dz = \frac{\mu^{k-1}e^{-\mu}}{\Gamma(k)}$
$+ \frac{\mu^{k-2}e^{-\mu}}{\Gamma(k-1)} + \cdots + \frac{\mu^1 e^{-\mu}}{\Gamma(2)} + [-e^{-z}]_\mu^\infty$
$= \sum_{x=0}^{k-1} \frac{\mu^x e^{-\mu}}{x!}$.

3.3.6 pdf は $3e^{-3y}$, $0 < y < \infty$.

3.3.7 $2\,;0.95$.

3.3.8 歪度$=\frac{2}{\sqrt{\alpha}}$，尖度$=3+\frac{6}{\alpha}$.

3.3.9 $P(X \geq 2\alpha\beta) \leq e^{-2\alpha\beta t}M(t) = \frac{e^{-2\alpha\beta t}}{(1-\beta t)^\alpha}$, $0 < t < \frac{1}{\beta}$ より，$t=1$，$\beta = \frac{1}{2}$ とすると $\frac{e^{-2\alpha\beta t}}{(1-\beta t)^\alpha} = (\frac{2}{e})^\alpha$，$P(X \geq 2\alpha\beta) = (\frac{2}{e})^\alpha$.

3.3.10 カイ2乗分布の mgf において $r=0$ とおくと，$M(t)=1$ より，すべての積率が0に等しいことがわかる．よって自由度0のカイ2乗分布は，0に対する一点分布と考えるのが妥当である．

3.3.11 自由度 γ が相当大きいとき $\sqrt{2X} - \sqrt{2\gamma-1}$ は漸近的に $N(0,1)$ に近づくことが知られている．

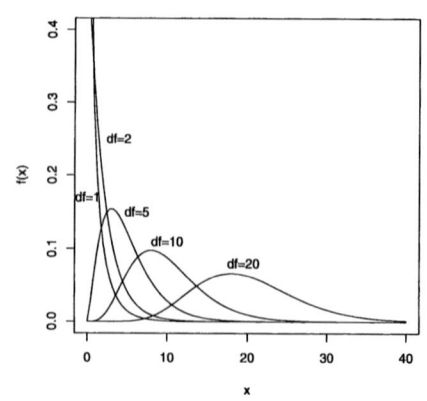

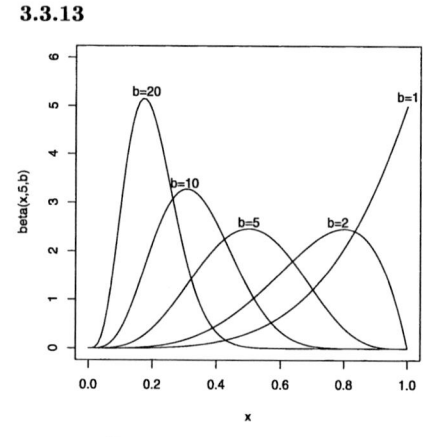

3.3.13

3.3.15 $\frac{11}{16}$.

3.3.16 $\chi^2(2)$.

3.3.17 $\chi^2(8)$ は $\mu = 8, \sigma^2 = 16$. 一様分布は $E[X] = \frac{b+c}{2}, V[X] = \frac{(c-b)^2}{12}$ なので，$(b,c) = (8 \pm \sqrt{48}, 8 \mp \sqrt{48})$(複号同順)

3.3.18 $\frac{\alpha}{\alpha+\beta}$；$\frac{\alpha\beta}{(\alpha+\beta+1)(\alpha+\beta)^2}$.

3.3.19 (a) 20; (b) 1260; (c) 495.

3.3.20 $\frac{10}{243}$.

3.3.21 任意の a に関して，$g(\frac{1}{2} - a) = \frac{\Gamma(\alpha+\alpha)}{\Gamma(\alpha)\Gamma(\alpha)}(\frac{1}{2}-a)^{\alpha-1}$ $(\frac{1}{2}+a)^{\alpha-1} =$

E. 練習問題略解

$g(\frac{1}{2}+a)$ より題意を得る．

3.3.22 左辺に対して部分積分を k 回行うと，積分を含まない k 個の項が生成される．それらが，右辺の k 個の項に対応することを示せばよい．

3.3.23 X_1 と X_2 は独立だから，$E[e^{tY}]=E[e^{t(X_1+X_2)}]=E[e^{tX_1}]\times E[e^{tX_2}]$, $t<\frac{1}{2}$ となる．したがって $E[e^{tX_2}]=E[e^{tY}]\ /\ E[e^{tX_1}]=(1-2t)^{\frac{-r+r_1}{2}}=(1-2t)^{-\frac{r-r_1}{2}}, t<\frac{1}{2}$.

3.3.24 (a) $(1-6t)^{-8}, t<\frac{1}{6}$;
(b) $\Gamma(\alpha=8,\beta=6)$.

3.3.25 (a) $x>0$ かつ $y>0$ のとき，$P(X>x+y\cap X>x)=P(X>x+y)$ なので，$\frac{P(X>x+y)}{P(X>x)}=\frac{1-P(X\le x+y)}{1-P(X\le x)}=\frac{1-\int_0^{x+y}\lambda e^{-\lambda w}dw}{1-\int_0^x \lambda e^{-\lambda w}dw}=e^{-\lambda y}=P(X>y)$
(b) ヒントを用いると，指数法則より $g(y)=a^{by}$ である．なお，a,b は $a<1, b<0$ あるいは $0<a<1, b>0$ となる任意の定数である．$\lambda=-b\log a$ となるような定数 λ を考えると，$a=\exp[-\lambda/b]$ より，$g(y)=e^{-\lambda y}$ なので，$F(y)=1-e^{-\lambda y}$ である．

3.4.1 $\phi(-z)=\frac{1}{\sqrt{2\pi}}e^{-(-z)^2/2}=\frac{1}{\sqrt{2\pi}}e^{-z^2/2}=\phi(z)$. このことから，$\Phi(-z)=\int_{-\infty}^{-z}\frac{1}{\sqrt{2\pi}}e^{-w^2/2}dw=\int_z^{\infty}\frac{1}{\sqrt{2\pi}}e^{-w^2/2}dw=\int_{-\infty}^{\infty}\frac{1}{\sqrt{2\pi}}e^{-w^2/2}dw-\int_{-\infty}^{z}\frac{1}{\sqrt{2\pi}}e^{-w^2/2}dw=1-\Phi(z)$.

3.4.2 $0.067 ; 0.685$.

3.4.3 1.645 .

3.4.4 $71.3 ; 189.7$.

3.4.6 $E(|X-\mu|)=\int_{-\infty}^{\infty}|x-\mu|\frac{1}{\sqrt{2\pi}\sigma}\times \exp\{-\frac{1}{2}(\frac{x-\mu}{\sigma})^2\}dx$. 被積分関数は $x=\mu$ を通る垂直な軸に対して対称なので絶対値をはずし $x\ge\mu$ の範囲で積分し 2 倍すると，$2\int_{\mu}^{\infty}(x-\mu)\frac{1}{\sqrt{2\pi}\sigma}\times \exp\{-\frac{1}{2}(\frac{(x-\mu)^2}{\sigma^2})\}dx$. ここで $(x-\mu)^2=t$ とおくと，$dt=2(x-\mu)dx$ となり，$\int_0^{\infty}\frac{1}{\sqrt{2\pi}\sigma}\exp\{-\frac{1}{2}\frac{t}{\sigma^2}\}dt=\sigma\sqrt{2/\pi}$.

3.4.7 正規分布の pdf の 2 次導関数を求めて代入すると，$f''(\mu-\sigma)=0, f''(\mu+\sigma)=0$ となる．

3.4.8 0.598 .

3.4.9 71.4078

3.4.10 0.774 .

3.4.11 $\sqrt{\frac{2}{\pi}} ; \frac{\pi-2}{\pi}$.

3.4.12 0.90 .

3.4.13 0.477 .

3.4.14 0.461 .

3.4.15 $N(0,1)$.

3.4.16 0.433 .

3.4.17 j が偶数のとき $E(Z^{j=2l})=\frac{(2l)!}{2^l l!}$, 奇数のとき $E(Z^{j=2l-1})=0$ から，$E(X^3)=\mu^3+3\sigma^2\mu$, $E(X^4)=\mu^4+6\sigma^2\mu^2+3\sigma^4$.

3.4.18 $0 ; 3$.

3.4.21 $E(Y)=\frac{1}{\Phi(b)-\Phi(a)}\int_a^b y\phi(y)dy=\frac{1}{\Phi(b)-\Phi(a)}\times[-\phi(y)]_a^b=\frac{\phi(a)-\phi(b)}{\Phi(b)-\Phi(a)}$.

3.4.23 $N(0,2)$.

3.4.25 $E(W)=E(Z)E(I_{1-\epsilon})+\sigma_c E(Z)-\sigma_c E(Z)E(I_{1-\epsilon})=0$, $E(Z^2)=1$, $E(I_{1-\epsilon})=E(I_{1-\epsilon}^2)=1-\epsilon$ より $V(W)=E(Z^2)E(I_{1-\epsilon}^2)+2\sigma_c[E(Z^2)E(I_{1-\epsilon})-E(Z^2)E(I_{1-\epsilon}^2)]+\sigma_c^2[E(Z^2)-2E(Z^2)E(I_{1-\epsilon})+E(Z^2)E(I_{1-\epsilon}^2)]=1+\epsilon(\sigma_c^2-1)$.

3.4.26 (a) 0.955, (b) 0.835, (c) 0.823, (d) 0.736.

3.4.27 (b) と (c) はほぼ重なっている.

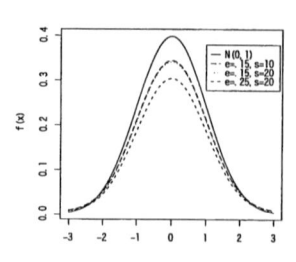

3.4.28 0.24.

3.4.29 0.159.

3.4.30 0.159.

3.4.31 $E[e^{tY}] = E[e^{tX^2}] = \int_{-\infty}^{\infty} e^{tx^2} \frac{1}{\sqrt{2\pi}} e^{-\frac{x^2}{2}} dx = \int_{-\infty}^{\infty} \frac{1}{\sqrt{2\pi}} e^{-\frac{x^2(1-2t)}{2}} dx$ と導かれる. ここで, $w = x\sqrt{1-2t}$, $t < \frac{1}{2}$ を用いて変数変換を行うことにより, $E[e^{tY}] = \int_{-\infty}^{\infty} \frac{1}{\sqrt{2\pi}} e^{-\frac{w^2}{2}} \frac{1}{\sqrt{1-2t}} dw = (1-2t)^{-\frac{1}{2}}$, $t < \frac{1}{2}$ となる.

3.4.32 $\chi^2(2)$.

3.5.1 (a) 0.574; (b) 0.735.

3.5.2 (a) 0.264; (b) 0.440; (c) 0.433; (d) 0.642.

3.5.3 $\frac{\partial M(0,0)}{\partial t_1} = \mu_1$, $\frac{\partial M(0,0)}{\partial t_2} = \mu_2$, $\frac{\partial^2 M(0,0)}{\partial t_1 \partial t_2} = \mu_1 \mu_2 + \sigma_{12}$ より $\text{Cov}(X_1 X_2) = \sigma_{12}$, $\frac{\partial^2 \psi(0,0)}{\partial t_1 \partial t_2} = \frac{\partial}{\partial t_1 \partial t_2} [t'\boldsymbol{\mu} + (1/2) \times t'\Sigma t]_{t=0} = \sigma_{12}$.

3.5.5 $\frac{4}{5}$.

3.5.6 (38.2, 43.4).

3.5.7 $X_1 = 6$ が所与のもとでの X_2 の条件付き pdf は平均 5.4205, 標準偏差 0.0893 の正規分布に従う. $\Phi\left(\frac{x_2 - \mu}{\sigma}\right)$ かつ $\Phi(1.96) - \Phi(-1.96) = 0.95$ より 5.25 フィートから 5.60 フィート.

3.5.8 $x \geq 0, y \geq 0$ および $x \leq 0, y \leq 0$ のときに, $f(x,y) > 0$ となることは明らかである. また $x \geq 0, y \leq 0$ および $x \leq 0, y \geq 0$ のときは, $1 + xy \exp\left[-\frac{1}{2}(x^2 + y^2 - 2)\right]$ の極小値が最小値となるため, $f(x,y) \geq 0$ である. よって定義域において $f(x,y) \geq 0$ が成り立つことが証明される. また, $f(x,y) = \frac{1}{\sqrt{2\pi}} \exp\left[-\frac{x^2}{2}\right] \frac{1}{\sqrt{2\pi}} \exp\left[-\frac{y^2}{2}\right] + \frac{e}{2} x \frac{\sqrt{2}}{\sqrt{2\pi}} \exp\left[-\frac{1}{2}\left(\frac{x}{1/\sqrt{2}}\right)^2\right] y \frac{\sqrt{2}}{\sqrt{2\pi}} \exp\left[-\frac{1}{2}\left(\frac{y}{1/\sqrt{2}}\right)^2\right]$ としてから x, y のいずれかに関する周辺化を行うことで, 式中に現れる積分を $N(0,1)$ の定義域における積分と $N(0, 1/\sqrt{2})$ の期待値の演算と見なすことが可能となり, それぞれ y, x が $N(0,1)$ であるという結果が得られる. また, さらにこれらを積分することにより, $f(x,y)$ の定義域における積分の値は 1 となる.

3.5.11 $A = \Gamma'\Lambda^{-1/2}$ とおく. $\Sigma^{1/2}A = \Gamma'\Lambda^{1/2}\Gamma\Gamma'\Lambda^{-1/2}\Gamma = I$.

3.5.13 $E[Y|x] = \mu_2 + \frac{\sigma_{12}}{\sigma_1^2}(x - \mu_1) = \mu_2 + \rho\frac{\sigma_2}{\sigma_1}(x - \mu_1)$, $V[Y|x] = \sigma_2^2 - \frac{\sigma_{12}^2}{\sigma_1^2} = \sigma_2^2(1 - \rho^2)$ より題意.

3.5.15 (a) $\mathbf{a} = [n^{-1} \ n^{-1} \ \cdots \ n^{-1}]$ とし定理 3.5.1 を適用. (b) $\mathbf{a}\boldsymbol{\mu} = \mu$ より $N(\mu, \mathbf{a}\Sigma\mathbf{a}')$.

3.5.16 $\mathbf{A} = \begin{bmatrix} 1 & 1 \\ 1 & -1 \end{bmatrix}$, $\mathbf{b} = [0 \ 0]'$ とおいて定理 3.5.1 を用いる. このとき平均ベクトル, 分散共分散行列がそれぞれ $[\mu_1 + \mu_2 \ \mu_1 - \mu_2]'$, $\begin{bmatrix} \sigma_1^2 + \sigma_2^2 + 2\sigma_{12} & \sigma_1^2 - \sigma_2^2 \\ \sigma_1^2 - \sigma_2^2 & \sigma_1^2 + \sigma_2^2 - 2\sigma_{12} \end{bmatrix}$ となる 2 変量正規分布に従う. $\sigma_1^2 = \sigma_2^2$ のとき, 定理 3.5.2 より 2 つの確率変数は独立である.

3.5.17 0.05.

E. 練習問題略解

3.5.19 ここでの関係を, $\Sigma \mathbf{v}_1 = \lambda_1 \mathbf{v}_1, \ldots, \Sigma \mathbf{v}_i = \lambda_i \mathbf{v}_i, \ldots, \Sigma \mathbf{v}_n = \lambda_n \mathbf{v}_n$ とまとめると, $\Leftrightarrow \Sigma[\mathbf{v}_1, \ldots, \mathbf{v}_i, \ldots, \mathbf{v}_n] = [\mathbf{v}_1, \ldots, \mathbf{v}_i, \ldots, \mathbf{v}_n] \times \text{diag}[\lambda_1, \ldots, \lambda_i, \ldots, \lambda_n] \Leftrightarrow \Sigma \Gamma' = \Gamma' \Lambda \Leftrightarrow \Sigma = \Gamma' \Lambda \Gamma = \lambda_1 \mathbf{v}_1 \mathbf{v}_1' + \cdots + \lambda_i \mathbf{v}_i \mathbf{v}_i' + \cdots + \lambda_n \mathbf{v}_n \mathbf{v}_n' = \sum_{i=1}^{n} \lambda_i \mathbf{v}_i \mathbf{v}_i'$.

3.5.21 (a)1026, (b)Y の要素は, $Y_1 = 0.536 X_1 + 0.432 X_2 + 0.584 X_3 + 0.431 X_4$, $Y_2 = 0.191 X_1 + 0.769 X_2 - 0.413 X_3 - 0.450 X_4$, $Y_3 = -0.705 X_1 + 0.342 X_2 + 0.573 X_3 - 0.241 X_4$, $Y_4 = -0.423 X_1 + 0.325 X_2 - 0.402 X_3 + 0.744 X_4$, (c) 第 1 主成分の分散は 925 であり, 90 % 以上を説明する. (d)$(1/2)\bar{X}$ の分散は 909.5 となり, 第 1 主成分の分散に近い. したがって題意を得る.

3.6.1 0.05.

3.6.2 1.761.

3.6.3 (3.6.4) 式より $E(T^4) = \frac{3r^2}{(r-2)(r-4)}$ T の分散は $\frac{r}{r-2}$ より $\sigma^4 = \left(\frac{r}{r-2}\right)^4$ $\therefore \frac{3(r-2)}{r-4}, r > 4$ が求める結果となる.

3.6.4

3.6.6 $E(F^2) = \frac{r_2^2}{r_1} \frac{(r_1+2)}{(r_2-2)(r_2-4)}, E(F^3) = \frac{r_2^3}{r_1^3} \frac{(r_1+2)(r_1+4)}{(r_2-2)(r_2-4)(r_2-6)}, \cdots, E(F^k) = \frac{r_2^k}{r_1^k} \frac{\prod_{i=1}^{k}(r_1+2i-2)}{\prod_{i=1}^{k}(r_2-2i)}$.

3.6.8 確率変数 $\frac{1}{F} = \frac{V/r_2}{U/r_1} = X$ を定義し, 変数変換 $x = \frac{vr_1}{r_2 u}, z = u$ より以下を得る. $g(x) = \frac{\Gamma[(r_1+r_2)/2]}{\Gamma(r_1/2)\Gamma(r_2/2)} \times \frac{(r_2/r_1)^{r_2/2}(x)^{r_2/2-1}}{(r_2 x/r_1+1)^{(r_1+r_2)/2}}, 0 < x < \infty$.

3.6.9 $\frac{1}{4.74}$; 3.33.

3.6.10 T^2 の分子は標準正規確率変数の 2 乗で $\chi^2(1)$ より直ちに示される.

3.6.11 自由度 1 の t 分布は, $\frac{\Gamma(1)}{\sqrt{\pi}\Gamma(\frac{1}{2})(1+x^2)}$ $\Gamma(\frac{1}{2}) = \sqrt{\pi}$ なので, コーシー分布 $\frac{1}{\pi(1+x^2)}$ と一致する.

3.6.12 $X_1 \sim \chi^2(r_2), X_2 \sim \chi^2(r_1)$ である互いに独立な 2 つの確率変数を考えると, $W \sim F(r_1, r_2)$ より $W = \frac{X_2/r_1}{X_1/r_2}$ である. このとき, $Y = \frac{1}{1+(r_1/r_2)W} = \frac{1}{1+\frac{r_1}{r_2}\frac{r_2}{r_1}\frac{X_2}{X_1}} = \frac{X_1}{X_1+X_2}$ である. ここで, カイ 2 乗分布の定義より $X_1 \sim \Gamma(r_2/2, 2), X_2 \sim \Gamma(r_1/2, 2)$ であり, ベータ分布の定義から Y はベータ分布に従う.

3.6.13 $z = x_1/x_2, w = x_2$ として変数変換を行い, z と w の同時分布を求める. 同時分布から w を積分消去すると, $1/(z+1)^2$ という F(2, 2) 分布が得られる.

3.6.14 (a) 同時分布 $f(x_1, x_2)$ に対して, 変数変換 $Y_1 = X_1/X_2, Y_2 = X_1 + X_2$ を考える. ヤコビアンが $\frac{y_2}{(y_1+1)^2}$ であることから, 変換後の同時分布は $f(y_1, y_2) = \frac{1}{\Gamma(r_1/2)\Gamma(r_2/2)2^{(r_1+r_2)/2}} y_1^{\frac{r_1}{2}-1}(1+y_1)^{-\frac{r_1+r_2}{2}} y_2^{\frac{r_1+r_2}{2}-1} e^{-\frac{y_2}{2}}$, $0 < y_1 < \infty, 0 < y_2 < \infty$ となり, 周辺分布は $f(y_1) = \int_0^\infty f(y_1, y_2) dy_2 = \frac{\Gamma[(r_1+r_2)/2]}{\Gamma(r_1/2)\Gamma(r_2/2)} y_1^{\frac{r_1}{2}-1}(1+y_1)^{-\frac{r_1+r_2}{2}}$, $0 < y_1 < \infty$; $f(y_2) = \int_0^\infty f(y_1, y_2) dy_1 = \frac{1}{\Gamma[\frac{r_1+r_2}{2}]2^{\frac{r_1+r_2}{2}}} y_2^{(r_1+r_2)/2-1} e^{-y_2/2}$,

$0 < y_2 < \infty$ である．(b) 同時分布 $f(x_1, x_2, x_3)$ に対して，変数変換 $Y_1 = \frac{X_1/r_1}{X_2/r_2}$, $Y_2 = \frac{X_3/r_3}{(X_1+X_2)/(r_1+r_2)}$, $Y_3 = X_3$ を考える．

3.7.2 (3.7.1) 式より $0 < x \leq 1$ のとき $f(x) = p \cdot 0 + (1-p)\Gamma(\alpha_2, \beta_2)$, $1 < x$ のとき $f(x) = p \cdot \log \Gamma(\alpha_1, \beta_1) + (1-p)\Gamma(\alpha_2, \beta_2)$．練習問題 3.7.1 を用いて $\log \Gamma(\alpha_1, \beta_1), \Gamma(\alpha_2, \beta_2)$, 混合 pdf の平均と分散をそれぞれ $\mu_1, \sigma_1^2, \mu_2, \sigma_2^2$, μ, σ^2 とおくと，(3.7.2) 式と (3.7.3) 式より，$\mu = p\mu_1 + (1-p)\mu_2$, $\sigma^2 = p\sigma_1^2 + (1-p)\sigma_2^2 + p(\mu_1-\mu)^2 + (1-p)(\mu_2-\mu)^2$．

3.7.3 $\frac{E((W)^4)}{\sigma^4} = \frac{3(1-\epsilon) - 3\sigma_c^4 \epsilon}{(1+\epsilon(\sigma_c^2-1))^2} = \frac{3(1-0.1)+81\times 0.3}{(1+0.1(9-1))^2} = 8.3333 \simeq 8.34$.

3.7.4 $\int_\theta \left[\frac{\Gamma(\alpha+\beta)}{\Gamma(\alpha)\Gamma(\beta)}\theta^{\alpha-1}(1-\theta)^{\beta-1}\right] [\theta(1-\theta)^{x-1}]d\theta = \frac{\Gamma(\alpha+\beta)}{\Gamma(\alpha)\Gamma(\beta)}\int_\theta \theta^\alpha(1-\theta)^{\beta+x-2}d\theta$. $0 < \theta < 1$ なので $\int_\theta \theta^\alpha (1-\theta)^{\beta+x-2}d\theta$ は母数 $\alpha+1, \beta+x-1$ のベータ関数である．$B(\alpha,\beta) = \frac{\Gamma(\alpha)\Gamma(\beta)}{\Gamma(\alpha+\beta)}$ を利用すると，$\frac{\Gamma(\alpha+\beta)\Gamma(\alpha+1)\Gamma(\beta+x-1)}{\Gamma(\alpha)\Gamma(\beta)\Gamma(\alpha+\beta+x)}$ となり，題意を得る．

3.7.5 X と θ の同時 pdf は $p(x|\theta)g(\theta) = \frac{(x-1)!}{(r-1)!(x-r)!}\theta^r(1-\theta)^{x-r}\frac{\Gamma(\alpha+\beta)}{\Gamma(\alpha)\Gamma(\beta)}\times \theta^{\alpha-1}(1-\theta)^{\beta-1}$ より，X の周辺 pmf は以下となる．$h(x) = \frac{(x-1)!}{(r-1)!(x-r)!}\times \frac{\Gamma(\alpha+\beta)\Gamma(\alpha+r)\Gamma(\beta+x-r)}{\Gamma(\alpha)\Gamma(\beta)\Gamma(\alpha+\beta+x)}$, $x = 1, 2, \ldots$.

3.7.7 両分布とも $h(x)/(1-H(x))$ としてハザード関数を求める．パー分布のハザード関数は $\frac{\alpha\beta\tau}{1/y^{\tau-1}+\beta y}$ となる．∞ の場合の極限をとると，両分布のハザード関数とも 0 に近づく．

3.7.8 変数変換 $\beta x^\tau = w$ を利用することで，$E(X^k) = \int_0^\infty x^k \frac{\alpha\beta\tau x^{\tau-1}}{(1+\beta x^\tau)^{\alpha+1}}dx = \frac{\alpha}{\beta^{k/\tau}}\int_0^\infty \frac{w^{k/\tau}}{(1+w)^{\alpha+1}}dw$ となる．ここで $k < \alpha\tau$ であるならば，積分の内部は母数 $k/\tau+1, \alpha-k/\tau$ のベータ関数 $\int_0^\infty \frac{w^{(k/\tau+1)-1}}{(1+w)^{(k/\tau+1)+(\alpha-k/\tau)}}dw$ であると見なすことができる．これを利用してベータ関数をガンマ関数の形に書き換えることで，題意を得る．

3.7.12 $g(x) = cx$, $g^{-1}(y) = c^{-1}y$ とし，$P[Y \leq y] = P[X \leq g^{-1}(y)] = H(g^{-1}(y))$ の関係を用いればよい．

第 4 章

4.1.2 $F_{Y_n}(t) = P(Y_n \leq t) = P(X_1 \leq t)P(X_2 \leq t)\cdots P(X_n \leq t) = (\frac{t}{\theta})^n$, $0 < t \leq \theta$ より題意を得る．

4.1.3 $\sum_{i=1}^n X_i = n\bar{X}$ より $s^2 = (n-1)^{-1}\left(\sum_{i=1}^n X_i^2 - 2\bar{X}\cdot n\bar{X} + n\bar{X}^2\right) = (n-1)^{-1}\left(\sum_{i=1}^n X_i^2 - n\bar{X}^2\right)$.

4.1.4 $\frac{8}{3}; \frac{2}{9}$.

4.1.5 7.

4.1.6 $V(Y) = E(X_1^2)E(X_2^2) - E(Y)^2 = (\sigma_1^2+\mu_1^2)(\sigma_2^2+\mu_2^2) - \mu_1^2\mu_2^2 = \sigma_1^2\sigma_2^2 + \mu_1^2\sigma_2^2 + \mu_2^2\sigma_1^2$.

4.1.7 $2.5; 0.25$.

4.1.8 $E(\bar{X}) = \sum_{i=1}^n a_i E(X_i) = \sum_{i=1}^9 \frac{1}{9}\frac{4}{5} = \frac{4}{5}$. $V(\bar{X}) = \sum_{i=1}^n a_i^2 V(X_i) = \sum_{i=1}^9 (\frac{1}{9})^2 \frac{2}{75} = \frac{2}{675}$.

4.1.9 $-5; 30.6$.

4.1.10 $\frac{\sigma_1}{\sqrt{\sigma_1^2+\sigma_2^2}}$.

4.1.11 $E[Y] = c + bE[X] = c + b\mu; V[Y] = E[(Y-\bar{Y})^2] = b^2 E[(x-\mu)^2] = b^2\sigma^2$.

4.1.12 $12; 168$.

4.1.13 0.265.

4.1.14 $E(W) = a\mu_1 + b, V(W) = a^2\sigma_1^2$.

E. 練習問題略解

$E(Z) = c\mu_2 + d, V(Z) = c^2\sigma_2^2$.
$\dfrac{E[(W-\bar{W})(Z-\bar{Z})]}{\sqrt{V(W)}\sqrt{V(Z)}} = \dfrac{E[(X-\mu_1)(Y-\mu_2)]}{\sigma_1\sigma_2}$
$= \rho$.

4.1.15 $22.5 ; 65.25$.

4.1.16 $\dfrac{\mu_2\sigma_1}{\sqrt{\sigma_1^2\sigma_2^2 + \mu_1^2\sigma_2^2 + \mu_2^2\sigma_1^2}}$.

4.1.18 0.801.

4.1.19 確率変数を $X_1,...,X_{10}$ とすると,$T=\sum_{i=1}^{10} X_i$ の分散は,(4.1.1) 式においてすべての $a_i=1$ であると見なし,$\text{Var}(T) = 10 \times 5 + 2 \times 45 \times 0.5 = 95$.

4.1.20 $\text{Cov}[X, Y - \rho(\sigma_2/\sigma_1)X] = E[XY] - \rho(\sigma_2/\sigma_1)E[X^2] - E[X]E[Y] + \rho(\sigma_2/\sigma_1)(E[X])^2 = \rho\sigma_1\sigma_2 + \mu_1\mu_2 - \rho(\sigma_2/\sigma_1)(\sigma_1^2 + \mu_1^2) - \mu_1\mu_2 + \rho(\sigma_2/\sigma_1)\mu_1^2 = 0$ より題意を得る.

4.1.21 正規分布の mgf において t に求めたい積率の次数 k を割り当てる.$E(Y_1) = \exp\left[\mu_1 + \frac{\sigma_1^2}{2}\right]$, $E(Y_2) = \exp\left[\mu_2 + \frac{\sigma_2^2}{2}\right]$, $V(Y_1) = \exp(2\mu_1 + \sigma_1^2)(\exp(\sigma_1^2)-1)$, $V(Y_2) = \exp(2\mu_2 + \sigma_2^2)(\exp(\sigma_2^2)-1)$, $V(Y_1) = \exp(2\mu_1 + \sigma_1^2)(\exp(\sigma_1^2)-1)$, $V(Y_2) = \exp(2\mu_2 + \sigma_2^2)(\exp(\sigma_2^2)-1)$, $\text{Cov}(Y_1, Y_2) = \exp\left[\mu_1 + \mu_2 + \frac{\sigma_1^2 + \sigma_2^2 + 2\sigma_{12}}{2}\right] - \exp\left[\mu_1 + \mu_2 + \frac{\sigma_1^2 + \sigma_2^2}{2}\right]$). 以上から相関係数を求める.

4.1.22 (a) $e^{\mu + (\sigma^2/2)}$; $e^{2\mu}\left(e^{2\sigma^2} - e^{\sigma^2}\right)$.

4.1.23 (a) $b(n, p_1 + p_2)$,
(b) $\dfrac{-np_1p_2}{\sqrt{np_1(1-p_1)}\sqrt{np_2(1-p_2)}}$.

4.1.24 (a) 相関は $\dfrac{\mu_2}{\sqrt{(\mu_1+\mu_2)(\mu_2+\mu_3)}}$, 同時 mgf は $e^{\mu_1(e^{t_1}-1)} + e^{\mu_3(e^{t_2}-1)} + e^{\mu_2(e^{t_1+t_2}-1)}$, (b) 相関は $\dfrac{\sigma_2^2}{\sqrt{(\sigma_1^2+\sigma_2^2)(\sigma_2^2+\sigma_3^2)}}$, 同時 mgf は $\exp[t_1(\mu_1+\mu_2) + t_2(\mu_2+\mu_3) + \frac{1}{2}(t_1^2(\sigma_1^2+\sigma_2^2) + 2t_1t_2\sigma_2^2 + t_2^2(\sigma_2^2+\sigma_3^2))]$.

4.1.25 $\phi(x) = x^2$ とおくと, $\phi'(x) = 2x$ となり微分は狭義の単調増加関数である.よって $\phi(x)$ は狭義の凸関数である.この点とジェンセンの不等式ならびに $S \geq 0$ を利用すると $\sqrt{\phi(E(S))} < \sqrt{E(\phi(S))}$ より $E(S) < \sigma$.

4.1.26 定理 3.3.1 より
$$E\left(\left(\dfrac{(n-1)S^2}{\sigma^2}\right)^{\frac{1}{2}}\right) = \dfrac{2^{\frac{1}{2}}\Gamma\left(\frac{n-1}{2} + \frac{1}{2}\right)}{\Gamma\left(\frac{n-1}{2}\right)}$$
$$\dfrac{E((n-1)^{\frac{1}{2}}S)}{\sigma} = \dfrac{2^{\frac{1}{2}}\Gamma\left(\frac{n}{2}\right)}{\Gamma\left(\frac{n-1}{2}\right)}$$
$$\sigma = E\left(S\left(\dfrac{n-1}{2}\right)^{\frac{1}{2}} \dfrac{\Gamma\left(\frac{n-1}{2}\right)}{\Gamma\left(\frac{n}{2}\right)}\right).$$

4.2.1 条件より $a_n \to a$ であるから, $\epsilon > 0$ に関して, $\lim_{n\to\infty} P[|a_n - a| \geq \epsilon] = P[|a - a| \geq \epsilon] = 0$.

4.2.3 チェビシェフの定理より, 任意の $\epsilon > 0$ に対して, $P[|W_n - \mu| \geq \epsilon] = P[|W_n - \mu| \geq (\epsilon\sqrt{n^p}/\sqrt{b})(\sqrt{b}/\sqrt{n^p})] \leq \dfrac{b}{\epsilon^2 n^p} \longrightarrow 0$.

4.2.4 cdf は $F_{Y_n}(t) = 1 - (1 - \int_\theta^t f(x)dx)^n = 1 - \exp[-n(t-\theta)]$, pdf は $f_{Y_n}(t) = n\exp[-n(t-\theta)]$ となる. ここから, 期待値は $\theta + \frac{1}{n}$, 分散は $\frac{1}{n^2}$ となるので, θ に確率収束する.

4.2.5 いいえ;$Y_n - \frac{1}{n}$.

4.3.1 μ に退化する.

4.3.2 Gamma $(\alpha=1, \beta=1)$.

4.3.3 Gamma $(\alpha=1, \beta=1)$.

4.3.4 Gamma $(\alpha=2, \beta=1)$.

4.3.5 Y_n の cdf は, $F_n(y) = \begin{cases} 0 & y < n \\ 1 & y \geq n \end{cases}$

$\lim_{n\to\infty} F_n(y) = \begin{cases} 0 & y < \infty \\ 1 & y \geq \infty \end{cases}$

$y = \infty$ で cdf が 1 になるということは, cdf が 1 にならない.

4.3.6 $F_n(z)$ の被積分関数の絶対値 $|f_n(z)|$

は，積分可能な関数によって支配されているので，$f_n(z)$ の極限を求めると 0 となる．したがって極限分布をもたない．

4.3.7 β に退化する．

4.3.9 0.682．

4.3.10 (b) 0.815．

4.3.11 $M_{Y_n}(t) = \exp(-t\sqrt{n})\exp[n(e^{t/\sqrt{n}} - 1)] = \exp[-t\sqrt{n} + n(1 + \frac{t}{\sqrt{n}} + \frac{1}{2}(\frac{t}{\sqrt{n}})^2 + \frac{e^{\xi(n)}}{6}(\frac{t}{\sqrt{n}})^3 - 1)] = \exp(\frac{t^2}{2} + \frac{e^{\xi(n)}t^3}{6\sqrt{n}})$ である．$\xi(n)$ は 0 に収束するため $\lim_{n\to\infty} M_{Y_n}(t) = e^{t^2/2}$ となり題意を得る．

4.3.12 $\lim_{n\to\infty}\sup F_{X_n+Y_n}(x)$ と $\lim_{n\to\infty}\inf F_{X_n+Y_n}(x)$ を求め，$F_{X_n+Y_n} \xrightarrow{D} F_{X+y}(x)$ が成り立つことを証明し，定数 y を 0 とする．

4.3.13 $\mu_2 + \frac{\sigma_2}{\sigma_1}(x - \mu_1)$ に退化する．

4.3.14 (b) $N(0,1)$．

4.3.16 (b) $N(0,1)$．

4.3.17 $g(t) = \sqrt{t}$ より，$g(\overline{X}_n) = \sqrt{\overline{X}_n}$，$g(1) = 1$，$g'(1) = \frac{1}{2}$．定理 4.3.9 と練習問題 4.3.16 より，$\sqrt{n}(g(\overline{X}_n) - g(1)) = \sqrt{n}[\sqrt{\overline{X}_n} - 1] \xrightarrow{D} N(0, \sigma^2(g'(1))^2) = N(0, \frac{1}{4})$．

4.3.18 pdf $f(x)$ に従う確率変数 X の cdf は $F_X(x) = \int_0^x e^{-t}dt = 1 - e^{-x}$ なので，練習問題 4.1.2 を参考にすると $F_{Y_n}(x) = (1 - e^{-x})^n$ である．ここから $\lim_{n\to\infty} P(Z_n \le z) = \lim_{n\to\infty} P(Y_n - \log n \le z) = \lim_{n\to\infty} P(Y_n \le z + \log n) = \lim_{n\to\infty}(1 - e^{-z-\log n})^n = \lim_{n\to\infty}\left(1 + \frac{-e^{-z}}{n}\right)^n = e^{-e^{-z}}$．

4.3.19 $\frac{1}{5}$．

4.3.20 ガンマ関数の性質から $\Gamma\left(a + \frac{1}{2}\right) = \frac{(2a)!}{2^{2a}a!}\sqrt{\pi}$，$\frac{1}{a}\Gamma(a+1) = \Gamma(a)$ より，$\frac{\Gamma\left(\frac{n+1}{2}\right)}{\sqrt{\frac{n}{2}}\Gamma\left(\frac{n}{2}\right)} = \frac{\sqrt{2\pi n}}{2^{n+1}}\frac{\Gamma(n+1)}{\left[\Gamma\left(\frac{n}{2}+1\right)\right]^2}$ にスターリングの公式を適用することで，$\lim_{n\to\infty}\frac{\Gamma\left(\frac{n+1}{2}\right)}{\sqrt{\frac{n}{2}}\Gamma\left(\frac{n}{2}\right)} \doteq \lim_{n\to\infty} 1 = 1$．

4.4.1 $P(49 < \overline{X} < 51) = P\left(-0.1 < \frac{\sqrt{100}(\overline{X}_n - 50)}{\sqrt{100}} < 0.1\right)$．表 III より，0.0796．

4.4.2 0.954．

4.4.3 0.604．

4.4.4 0.840．

4.4.5 0.728．

4.4.6 $P(\frac{100-np}{\sqrt{np(1-p)}} < \frac{Y-np}{\sqrt{np(1-p)}}) = P(2.5 < \frac{Y-80}{8}) = 0.0062$．

4.4.7 0.08．

4.4.8 $P(Y/n > \frac{1}{2}) = P[(Y - 0.55n)/\sqrt{2475n} > -0.05\sqrt{n}/\sqrt{0.2475}] \ge 0.95$ より，$-0.05\sqrt{n}/\sqrt{0.2475} \le -1.65$ を解き，最小値は 270．

4.4.9 0.267．

4.4.10 個々の丸め誤差を X_n とおくと，X_n はそれぞれ平均 0，標準偏差 $\frac{1}{\sqrt{12}}$ の一様分布に従うので，中心極限定理より $\sqrt{48}\left(\frac{1}{48}\sum_{n=1}^{48} X_n\right)/\left(\frac{1}{\sqrt{12}}\right) = \frac{1}{2}\sum_{n=1}^{48} X_n \sim N(0,1)$．よって，$P\left(-2 \le \sum_{n=1}^{48} X_n \le 2\right) = P(-1 \le \frac{1}{2}\sum_{n=1}^{48} X_n \le 1) = 0.683$．

4.4.11 $N(\mu^3, 9\mu^4\sigma^2/n)$．

4.5.2 定理 4.5.1 より，Y_1 が a に，Y_2 が b にそれぞれ確率収束することを示せばよい．簡単のために，一様分布 $U(0, b-a)$ からの無作為標本の最小値 Y_1^* と最

E. 練習問題略解

大値 Y_2^* を考え，分布関数を導くと，$F_{Y_1^*}=1-(1-\frac{t}{b-a})^n$, $F_{Y_2^*}=(\frac{t}{b-a})^n$ となる．

4.5.3 $\lim_{n\to\infty} P(\|\mathbf{X}_n-\mathbf{Y}_n-0\|\geq\epsilon)=\lim_{n\to\infty} P(\|\|\mathbf{X}_n-\mathbf{Y}_n\|\|-0|\geq\epsilon)=0$ より $\|\mathbf{X}_n-\mathbf{Y}_n\|$ は 0 に収束する．$\|\lim_{n\to\infty}(\mathbf{X}_n-\mathbf{Y}_n)\|=0$ のとき $\lim_{n\to\infty}(\mathbf{X}_n-\mathbf{Y}_n)=\mathbf{0}$ となり，$\lim_{n\to\infty}\mathbf{X}_n=\lim_{n\to\infty}\mathbf{Y}_n$ なので，$\lim_{n\to\infty} F_{\mathbf{Y}_n}(x)=\lim_{n\to\infty} F_{\mathbf{X}_n}(x)=F_{\mathbf{X}}(x)$ より $\mathbf{Y}_n\xrightarrow{D}\mathbf{X}$.

4.5.4 X_n と Y_n は独立であるから，$M_{\mathbf{X}_n}(t_1)M_{\mathbf{Y}_n}(t_2)$ が成り立つ．また問題の前提から，$\lim_{n\to\infty}M_{\mathbf{X}_n}(t)=M_{\mathbf{X}}(t)$ が成り立つ．したがって $\lim_{n\to\infty} M_{\mathbf{X}_n\mathbf{Y}_n}(t_1,t_2)=M_{\mathbf{X}}M_{\mathbf{Y}}(t_1,t_2)$ が成り立つ．

4.5.5 $\mu_n\to\mu$ かつ $\Sigma_n\to\Sigma$ のとき，X_n の mgf について $\lim_{n\to\infty}\exp[t'\mu_n+\frac{1}{2}t'\Sigma_n t]=\exp[t'\mu+\frac{1}{2}t'\Sigma t]$ であるから，定理 4.5.3 より $X_n\xrightarrow{D} N_p(\mu,\Sigma)$．逆に $X_n\xrightarrow{D} N_p(\mu,\Sigma)$ のとき，定理 4.5.2 より $E[X_n]\xrightarrow{D} E[N_p(\mu,\Sigma)]$ および $\mathrm{Cov}[X_n]\xrightarrow{D} \mathrm{Cov}[N_p(\mu,\Sigma)]$ であるから，$\mu_n\to\mu$ かつ $\Sigma_n\to\Sigma$．

第 5 章

5.1.1 (a) $\frac{1}{m(m-1)}$, $x_i=1,2,\ldots,m$, $x_j=1,2,\ldots,m$, $x_i\neq x_j$．

5.1.2 (a) $b(n,p)$; (c) $\frac{p(1-p)}{n}$．

5.1.3 (b) Gamma $(\alpha=n, \beta=\theta/n)$; (d) $c=9.59, d=34.2$．

5.1.4 (a) 定理 3.3.2 より $Y\sim\Gamma(2n,\theta)$．また $E[cY]=2cn\theta$ より，$c=1/2n$ のとき，cY は θ の不偏推定量となる．(b) 例 3.3.6 より $2Y/\theta\sim\chi^2(20)$ であるから，付録 C の表 II より題意を得る．(c) $P(9.59<\frac{2Y}{\theta}<34.2)=P(\frac{2Y}{34.2}<\theta<\frac{2Y}{9.59})$．(d) 点推定値は 11.43, 95%信頼区間は (6.69, 23.84) より，95%信頼区間は点推定値を含んでいる．

5.1.5 9.5．

5.1.6 (a) $P(X_1\leq X_2)=\frac{1}{2}$, $P(X_1\leq X_2,(X_1\leq X_3)=\frac{1}{3}$, $P(X_1\leq X_i, i=2,3,\cdots,n)=\frac{1}{n}$, (b) y 回目まで X_1 より X_i が小さい確率は $\frac{1}{y}$ となる．$y+1$ 回目に $X_{y+1}<X_1$ となる確率は $\frac{1}{y+1}$ であるから，2 つを掛けると $\frac{1}{y(y+1)}$ となる．(c) $\sum_{y=1}^{\infty}|y|\frac{1}{y(y+1)}=\sum_{y=1}^{\infty}\frac{1}{y}$ は発散する．それには，2 つの無限級数 $\frac{1}{2}+\frac{1}{4}+\frac{1}{4}+\frac{1}{8}+\frac{1}{8}+\frac{1}{8}+\frac{1}{8}+\cdots$ と $\frac{1}{2}+\frac{1}{3}+\frac{1}{4}+\frac{1}{5}+\frac{1}{6}+\frac{1}{7}+\frac{1}{8}+\cdots$ を考え，前者の和が後者の和よりも小さいにもかかわらず ∞ に発散することを示せばよい．

5.2.1 指数分布は $\xi_p=-\frac{-\log(1-p)}{\lambda}$, ラプラス分布は $p<0.5$ のとき $\xi_p=\log(p)$, $p\geq 0.5$ のとき $\xi_p=-\log(-2p+2)$．

5.2.2 (a) 0.006977. (b) 0.02439. (c) 0.0625

5.2.3 (a) 最小値 $=4, Q_1=23, Q_2=67, Q_3=99$, 最大値 $=301$．(b) 301．(c) 箱はデータの中央 50 % を囲んでおり，箱の中の線は中央値である．外れ値が 1 つ存在している．(d) (36, 84)．

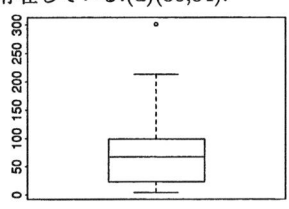

5.2.4 理論分布を標準正規分布とした場合の q-q プロットは以下である．

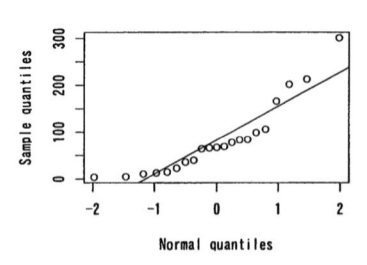

例えば理論分布を標準指数分布とした場合のプロットは以下であり、標準正規分布を選択するよりも適当である.

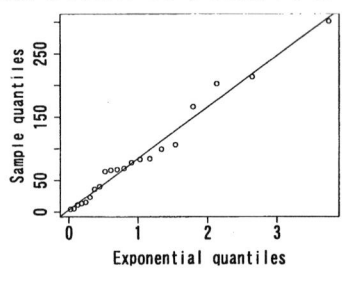

5.2.5 $1-(1-e^{-3})^4$.

5.2.6 (a) $\frac{1}{8}$.

5.2.7 $y_1=6$ となるのは観測値が 6 のみの場合なので, $P(y_1=6)=\frac{1^5}{6^5}$. $y_1=5$ となるのは, 観測値が 5 か 6 の場合から 6 のみの場合を引けばよいので, $P(y_1=5)=\frac{2^5}{6^5}-\frac{1^5}{6^5}$. 以下 $y_1=1$ までを一般化することで, 題意を得る; 定理 5.2.1 の証明の前提となっている性質が, 離散型確率変数の場合には成り立たないため.

5.2.8 $g(y_2,y_4)=120(1-e^{-y_2})(e^{-y_2}-e^{-y_4})e^{-y_2-2y_4}$, 変数変換により $h(z_1,z_2)=120(e^{-4z_1}-e^{-5z_1})(e^{-2z_2}-e^{-3z_2}), 0<z_1<\infty, 0<z_2<\infty$ を得る.

5.2.9 Y_k の分布 $g(y_k)$ は $\frac{\Gamma n+1}{\Gamma k!\Gamma n-k+1}y_k^{k-1}(1-y_k)^{n-k}$ となり, これは母数 k と $n-k$ のベータ pdf に一致する.

5.2.10 ワイブル.

5.2.11 $\frac{5}{16}$.

5.2.12 pdf: $(2z_1)(4z_2^3)(6z_3^5)$, $0<z_i<1$.

5.2.13 $\frac{7}{12}$.

5.2.14 $Z_0=Y_3$ とすると $y_1=2z-z_0, y_3=z_0$ となるから, ヤコビアンは 2 である. よって, $0<z<z_0<1$ のとき $h(z,z_0)=24(z_0-z)$, それ以外では 0 である. 周辺 pdf を求めると, $0<Z<1$ のとき, $h_1(z)=23z^2-24z+12$ となり, それ以外では 0 となる.

5.2.15 (a) $g(y_1,y_2) = 2!f(y_1)f(y_2)$ となる. したがって, $E(Y_1) = \int_{-\infty}^{\infty}\int_{y_1}^{\infty}2y_1f(y_1)f(y_2)dy_2dy_1 = \int_{-\infty}^{\infty}2f(y_2)\int_{-\infty}^{y_2}y_1f(y_1)dy_1dy_2 = \frac{-\sigma}{\sqrt{\pi}}$, (b) 同様にして $E(Y_2) = \frac{\sigma}{\sqrt{\pi}}$, $E(Y_1Y_2)=0$ となるので, 共分散は $\frac{\sigma^2}{\pi}$.

5.2.16 Y_1, Y_2 の同時 pdf は $f(y_1,y_2) = 2f(y_1)f(y_2), y_1,y_2 \geq 0$. ここで $Z_1=Y_1, Z_2=Y_2-Y_1$ という変数変換を考えるとすると, Z_1, Z_2 の同時 pdf は $h(z_1,z_2)=2f(z_1)f(z_1+z_2)$, $z_1, z_2 \geq 0$. 条件より Z_1 と Z_2 が独立なので $h(z_1)h(z_2)=2f(z_1)f(z_1+z_2)$ より, $\frac{h(z_1)}{f(z_1)}=g(z_1)$ とすれば $g(z_1)h(z_2) = 2f(z_1+z_2), z_1, z_2 \geq 0$. コーシーの方程式の解の定数部を $\beta>0$ を用いて表すことで $g(z_1)=g(y_1)=\frac{1}{\beta}e^{-y_1/\beta}=\frac{1}{\Gamma(1)\beta^1}y_1^{1-1}e^{-y_1/\beta}$, $y_1 \geq 0, \beta>0$ を得る.

5.2.17 (a) $48y_3^5y_4, 0<y_3<y_4<1$; (b) $\frac{6y_3^5}{y_4^6}, 0<y_3<y_4$; (c) $\frac{6}{7}y_4$.

5.2.18 $\frac{1}{4}$.

5.2.19 $6uv(u+v), 0<u<v<1$.

5.2.22 (a) 定理 5.2.1 より $g(y_1\cdots y_n)=$

E. 練習問題略解

$n!e^{-y_1}\cdots e^{-y_n}$ である．変数変換は Y_i について整理すると $Y_i = \frac{Z_1}{n} + \frac{Z_2}{n-1}+\cdots+\frac{Z_i}{n-i+1}$ となる．ここから，ヤコビアンは $1/n!$ である．よって，$g(z_1\cdots z_n)=n!e^{-\frac{z_1}{n}}e^{-\frac{z_1}{n}+\frac{z_2}{n-1}}\cdots e^{-\frac{z_n}{1}}|J|=e^{-z_1}e^{-z_2}\cdots e^{-z_n}$ である．$g(z_1\cdots z_n)=\prod_{i=1}^n g(z_i)$ が成立するため独立となり，指数分布 $g(z_i)=e^{-z_i}$ に従う．
(b) 任意の定数 a_i に関する線形関数 $\sum a_i Y_i$ は，変数変換 $R_i=a_i Y_i$ を用いて $\sum R_i$ と表現される．さらに $S_1 = nR_1, S_2=(n-1)(R_2-R_1),\cdots,S_n= R_n-R_{n-1}$ という変数変換を行ったうえでその同時 pdf を求め，定理 2.5.1 を用いてその独立性を示す．その上で，$\sum a_i Y_i=\sum R_i=\sum S_i$ となることを示すことで題意を得る．

5.2.23 (a) まず $Z=X_1+X_2$ のようにおいて畳み込みを行う．次に，$Y=Z+X_3$ について畳み込みを行う．2 回の畳み込みで $2\times 2+1=5$ 通りに場合分けされ，同じ範囲になった部分を整理すると以下となる．

$$f(y)=\begin{cases}\frac{y^2}{2} & 0\le Y\le 1 \\ -y^2+3y-\frac{3}{2} & 1\le Y\le 2 \\ \frac{y^2}{2}-3y+\frac{9}{2} & 2\le Y\le 3 \\ 0 & それ以外\end{cases}$$

(b) 順序統計量 $Y_1<Y_2<Y_3$ を考えると $Z=Y_3$ である．Y_3 の周辺 pdf は (5.2.2) 式について，$n=3, k=3$ かつ $f(x)=1, F(x)=x$ なので，$f(z)=\frac{3!}{(3-1)!(3-3)!}[F(y_3)]^{3-1}[1-F(y_3)]^{3-3}f(y_3)=3z^2$，それ以外は 0 となる．

5.2.24 14．

5.2.25 (a) $\frac{15}{16}$; (b) $\frac{675}{1024}$; (c) $(0.8)^4$．

5.2.26 0.824．

5.2.27 8．

5.2.28 (a) 1.13σ; (b) 0.92σ．

5.3.1 式 (1.7.9) より，$F_Z(z)=P[Z\le z]=P[F(X)\le z]=P[X\le F^{-1}(z)]=Z$．

5.3.2 8．

5.3.3 $\int_p^1 h_{(n-1)-2}(v)dv = \frac{1}{6}\{(n-2)(n-1)n(1-p^{n-3})-3(n-3)(n-1)n(1-p^{n-2})+3(n-3)(n-2)n(1-p^{n-1})-(n-3)(n-2)(n-1)(1-p^n)\}$．

5.3.5 (a) Beta $(n-j+1,j)$;
(b) Beta $(n-j+i-1,j-i+2)$．

5.3.6 $\frac{10!}{1!3!4!}v_1 v_2^3(1-v_1-v_2)^4$, $0<v_2, v_1+v_2<1$．

5.4.1 $(77.28, 85.12)$．

5.4.2 24 または 25．

5.4.3 $(3.7, 5.7)$．

5.4.4 160．

5.4.5 (a) 1.31σ; (b) 1.49σ．

5.4.6 $c=\sqrt{\frac{n-1}{n+1}}; k=1.60$．

5.4.7 $0.25\pm 1.65\sqrt{0.25\times 0.75/300}$ より，$[0.20875, 0.29125]$．

5.4.9 $0.954 = P(-2<\frac{5\overline{X}}{2\beta}-10<2)=P(\frac{5\overline{X}}{6}<4\beta<\frac{5\overline{X}}{4})$ より，$[\frac{5\overline{x}}{6},\frac{5\overline{x}}{4}]$．

5.4.10 62．

5.4.11 7675．

5.4.12 $(3.19, 3.61)$．

5.4.13 $g_n(Y_n)=n(\frac{y_n^3}{\theta^3})^{n-1}\frac{3y_n^2}{\theta^3}$ となるので，$P(\theta c<Y_n<\theta)=\int_{\theta c}^{\theta}g_n(Y_n)dy_n=1-c^{3n}$, (b) 2.3 から 2.95．

5.4.14 (b) $(3.625, 29.101)$．

5.4.15 例 3.3.6 と系 3.3.1 より $2\sum_{i=1}^n \frac{X_i}{\beta}\sim \chi^2(6n)$．よって $0<\alpha<1$ において $\chi^2_{\alpha/2,6n}$ で $\chi^2(6n)$ の上側 $\alpha/2$ 基準点を表すと，$1-\alpha = P\left(-\chi^2_{\alpha/2,6n}\right.$

$< 2\sum_{i=1}^{n} \frac{X_i}{\beta} < \chi^2_{\alpha/2, 6n}$). したがって β の $(1-\alpha)\times 100\%$ 信頼区間は $\left(\frac{2\sum_{i=1}^{n} X_i}{\chi^2_{\alpha/2, 6n}}, \frac{2\sum_{i=1}^{n} X_i}{-\chi^2_{\alpha/2, 6n}}\right)$.

5.4.16 $\hat{p}=0.6, n=100, z_{\alpha/2}=1.96$ だから, (5.4.8) 式より, $(0.50, 0.70)$.

5.4.18 $\sqrt{\frac{S_1^2}{n_1}+\frac{S_2^2}{n_2}}/\sqrt{\frac{\sigma_1^2}{n_1}+\frac{\sigma_2^2}{n_2}}\xrightarrow{P}1$ を示すためには, $\left(\frac{S_1^2}{n_1}+\frac{S_2^2}{n_2}\right)/\left(\frac{\sigma_1^2}{n_1}+\frac{\sigma_2^2}{n_2}\right)\xrightarrow{P}1$ を示せばよい. S_1^2, S_1^2 は σ_1^2, σ_2^2 の一致推定量なので, $S_1^2\xrightarrow{P}\sigma_1^2, S_2^2\xrightarrow{P}\sigma_2^2$ である点と定理 4.2.2, 4.2.3, 4.2.5 を用いて題意を得る.

5.4.19 $(-3.0, 2.0)$.

5.4.20 $\hat{p}_1-\hat{p}_2\pm z_{\alpha/2}\sqrt{\frac{\hat{p}_1(1-\hat{p}_1)}{n_1}+\frac{\hat{p}_2(1-\hat{p}_2)}{n_2}}$. $\hat{p}_1=\frac{50}{100}, \hat{p}_2=\frac{40}{100}, z_{0.05}=1.65$ より, $(-0.0155, 0.2155)$.

5.4.21 サイズの小さい群の分散がより大きいとき, 差の標準誤差が過大評価される.

5.4.24 135 または 136.

5.5.1 $\frac{d}{d\mu}(-z_\alpha-\frac{\sqrt{n}(\mu_0-\mu)}{\sigma})=\frac{\sqrt{n}}{\sigma}$ より, $-z_\alpha-\frac{\sqrt{n}(\mu_0-\mu)}{\sigma}$ は μ に関して単調増加. よって題意を得る. また, 検定力関数の定義と単調性より, $\max_{\mu\le\mu_0} P_\mu[\frac{\bar{X}-\mu_0}{S/\sqrt{n}}\ge z_\alpha]=P_{\mu_0}[\frac{\bar{X}-\mu_0}{S/\sqrt{n}}\ge z_\alpha]=\alpha$ が成り立ち, 題意を得る.

5.5.2 $T=\frac{2.62-0}{4.72/\sqrt{15}}\simeq 2.148$.

5.5.3 $1-\left(\frac{3}{4}\right)^\theta+\theta\left(\frac{3}{4}\right)^\theta\log\left(\frac{3}{4}\right), \theta=1, 2$.

5.5.4 $0.17; 0.78$.

5.5.5 $\frac{f(x_1;2)f(x_2;2)}{f(x_1;1)f(x_2;1)}\le\frac{1}{2}$ より $x_1+x_2\le 2\log 2$ となる. 有意水準は $\theta=2$ のとき, 検定力は $\theta=1$ のときにこの関係が成立する確率であるので, まず畳み込みで $x=x_1+x_2$ の pdf をそれぞれについて求め, $P(0\le x_1+x_2\le 2\log 2)$ を求めると有意水準は $\int_0^{2\log 2}\frac{x}{4}e^{-\frac{x}{2}}=0.153$, 検定力は $\int_0^{2\log 2} xe^{-x}dx=0.403$ である.

5.5.6 有意水準は $P_{H_0}[S\le 10]=0.048$

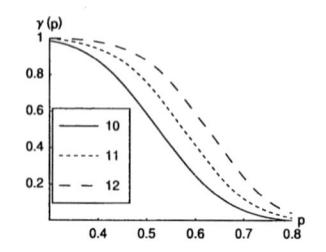

5.5.7 $k_A=k_B+\Delta$ と定義すると, $\gamma_A(\theta)=\sum_{x=0}^{k_B} {}_{20}C_x\theta^x(1-\theta)^{n-x}+\Delta_p > \sum_{x=0}^{k_B} {}_{20}C_x\theta^x(1-\theta)^{n-x}=\gamma_B(\theta)$ が成り立つ. したがって任意の θ で $\gamma_A(\theta)$ は Δ_p だけ $\gamma_B(\theta)$ より大きい.

5.5.8 $n=19$ または 20.

5.5.9 $\gamma\left(\frac{1}{2}\right)=0.062$; $\gamma\left(\frac{1}{12}\right)=0.920$.

5.5.10 $n\doteq 73; c\doteq 42$.

5.5.11 (a) Y_4 の周辺 pdf は $g_4(y_4)=\frac{4y_4^3}{\theta^4}$ より, $\int_0^c 4y_4^3 dy_4=0.95$ を解き $c\doteq 0.987$. (b) $P(Y_4\ge c)=1-\int_0^c \frac{4y_4^3}{\theta^4}dy_4=1-\frac{0.95}{\theta^4}$.

5.5.12 (a) 0.051; (c) $0.256; 0.547; 0.780$.

5.5.13 (a) 0.154; (b) 0.154.

5.6.1 $\gamma(\mu)=\Phi(\frac{\sqrt{20}(30000-\mu)}{5000}-1.96)+1-\Phi(\frac{\sqrt{20}(30000-\mu)}{5000}+1.96, \gamma(\mu)=0.994; 0.609; 0.050; 0.609; 0.994$.

E. 練習問題略解

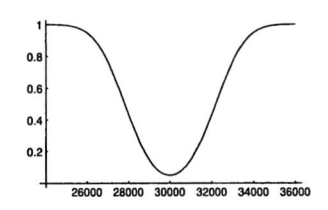

5.6.2 $\phi(x)$ は，$x<0$ のとき狭義の単調増加，$x>0$ のとき狭義の単調減少関数であることと，引数の正負が $\mu_0-\mu$ によって決まることを用いる．

5.6.3 H_0 の下で $\frac{\overline{X}-\mu_0}{S/\sqrt{n}}$ は自由度 $n-1$ の t 分布に従う．$t_{\alpha/2,n-1}$ を t 分布の上側 $\frac{\alpha}{2}$ 基準点とすると，$P_{H_0}[\overline{X} \leq \mu_0 - t_{\alpha/2,n-1}S/\sqrt{n}$ or $\overline{X} \geq \mu_0 + t_{\alpha/2,n-1}S/\sqrt{n}]=\alpha$ となり題意．

5.6.4 t 統計量を T とすると，片側検定の検定力関数は $P\left(T \leq -\frac{\sqrt{n}(\mu_0-\mu)}{\sigma} - t_{\alpha,n-1}\right)$ となり，両側検定の $\mu > \mu_0$ に対応する部分の検定力関数は $P(T \leq -\frac{\sqrt{n}(\mu_0-\mu)}{\sigma} - t_{\alpha/2,n-1})$．$t_{\alpha/2,n-1}>t_{\alpha,n-1}$ より，前者は後者よりも大きくなる．

5.6.5 (a) 棄却する；(b) p 値 $\fallingdotseq 0.005$．

5.6.6 (a) 棄却しない；(b) p 値 $\fallingdotseq 0.056$．

5.6.7 (a) $t=\frac{\overline{X}-\overline{Y}}{S\sqrt{\frac{1}{n}+\frac{1}{m}}}$
$t<-t_\alpha(n+m-2)=-t_{0.05,27}$
(b) $t=-0.869>-t_{0.05,27}$ より棄却されない．

5.6.8 2ヶ月前の p を p_0 とする．(a) $H_0:p=p_0, H_1:p>p_0$．(b) $\frac{\hat{p}-p_0}{\sqrt{\hat{p}(1-\hat{p})/n}} \geq 2.33$．(c) 検定統計量の観測値は 2.31．$P$ 値は，$P[\frac{\hat{p}-p_0}{\sqrt{\hat{p}(1-\hat{p})/n}} \geq 2.31]=0.0104 > 0.01$ なので H_0 を棄却しない．

5.6.9 $c=4.404$．

5.6.10 $c=2.91$．

5.7.1 $8.37>7.81$；棄却する．

5.7.2 Q_7 の観測値は 6.925．$\chi^2_{0.05}(7)=14.067$ より，$Q_7<14.067$．$\therefore H_0$ は有意水準 5% で棄却されない．

5.7.3 $b\leq 8$ または $b\geq 32$．

5.7.4 $2.44<11.3$；H_0 を棄却しない．

5.7.5 $6.40<9.49$；H_0 を棄却しない．

5.7.6 χ^2 値は 12.94．$df=6$ より $c=12.592$．$\chi^2>c$ より仮説 H_0 は棄却．

5.7.7 遺伝モデルの理論確率を H_0 とし，統計量 $Q_2=\sum_{i=1}^{3}(X_i-3p_i)^2/3p_i$ を定義する．H_0 のもとで Q_2 は漸近的に自由度 2 のカイ 2 乗分布に従うことを利用し適合度検定を行う．

5.7.8 $k=3$．

5.7.9 (a) ポアソン分布のパラメタは母平均に等しいので，パラメタ推定値として標本平均を用いると，ヒントも利用して $\hat{m}=1.5$ と導ける．ここから，$p(0)=0.223, p(1)=0.335, p(2)=0.251, p(3)=0.126, p(x>3)=1-0.223-0.335-0.251-0.126=0.065$．よって，$\chi^2(r)=7.150$．(b) 3．(c) $7.815>7.150$ より棄却されない．

5.8.1 推定値：0.693176，誤差：0.002747

5.8.2 $g(t)=\int_0^{1.96} 1/\sqrt{2\pi}\exp\{-\frac{1}{2}t^2\}dt$．区間 $(0,1.96)$ の一様分布からサイズ 10,000 の無作為標本を発生させ $Y_i=1.96g(T_i)$ の平均 $\overline{Y}$ が一致推定量．

5.8.3 $f(z)$ から発生された z_i を $x_i=(bz_i+a)/b$ と変換すればよい．

5.8.4 $F^{-1}(u)=\log[u/(1-u)]$．

5.8.5 $f(x)$ の分布関数の逆関数を求める．区間 $(0,1)$ の一様分布に従う確率変数を U とし，$F^{-1}(u)=u^{1/4}$ を計算する．

5.8.6 区間 $(0,1)$ の一様分布に従う確率変

数 U_1 と U_2 を利用して，$U_1 < \frac{1}{2}$ のときは $\log(2U_2)$ を，$U_1 \geq \frac{1}{2}$ のときは $-\log(2-2U_2)$ を採択する．

5.8.7 $F^{-1}(u) = \log[-\log(1-u)]$．

5.8.8 $X = \tan\left[\pi\left(U - \frac{1}{2}\right)\right]$，ここで U は区間 $(0,1)$ からの一様乱数である．

5.8.9 母数 $1/\theta$ の指数分布に従う標本と区間 $(0,1)$ からの一様乱数を用いた受容-棄却法を用いる．定数を除いた後の M を θ^2 とする．

5.8.10 例 5.8.5 のアルゴリズムについて，$t = \bar{x}/(s/\sqrt{20})$ を $t = (\bar{x}-0.5)/(s/\sqrt{20})$ と置き換えればよい．R のコードについても t を設定している部分に関して同様の変更を加えればよい．

5.8.11 練習問題 5.8.10 のうち混入正規分布からの発生を行っている部分を，練習問題 5.8.4 の方法に置き換える．

5.8.14 (5.8.10) 式は $b^{-[\alpha]}, e^{-(1-b)x}$，$x^{\alpha-[\alpha]-1}$ が正であることより，$x < \frac{\alpha-[\alpha]}{1-b}$ のとき正，$x = \frac{\alpha-[\alpha]}{1-b}$ のとき 0，$x > \frac{\alpha-[\alpha]}{1-b}$ のとき負となるため題意を得る．

5.8.15 $\frac{d}{db} b^{-[\alpha]} [\frac{\alpha-[\alpha]}{(1-b)e}]^{\alpha-[\alpha]}$ は $b < \frac{[\alpha]}{\alpha}$ のとき負，$b = \frac{[\alpha]}{\alpha}$ のとき 0，$b > \frac{[\alpha]}{\alpha}$ のとき正となるため題意を得る．

5.8.16 ポアソン pmf を $h(x)$ とおくと，$h'(x) = -x \exp\left\{-\frac{x^2}{2}\right\}(x^2-1)$．

	-1		0		+1	
+	0	-	0	+	0	-
↗	極大	↘	極小	↗	極大	↘

5.8.17 (a) $F^{-1}(u) = u^{1/\beta}$；
(b) 例えば，一様 pdf に従う．

5.8.18 例 5.8.6 の $f(x)$ を t 分布に置き換えると，$\frac{f(x)}{g(x)}$ の最大値は $\frac{\Gamma((r+1)/2)}{\sqrt{\pi r}\Gamma(r/2)}$ となる．これを M として受容-棄却アルゴリズムに従う．

5.8.19 U_1, U_2 の同時分布から変数変換 $W = U_1^{1/\alpha} + U_2^{1/\beta}$，$X = \frac{U_1^{1/\alpha}}{W}$ により W と X の同時分布 $f(w, x) = w\alpha\beta (wx)^{\alpha-1}(w-wx)^{\beta-1}, 0 \leq w \leq 2, 0 \leq x \leq \infty$ を導く．ここから $f(x|w \leq 1) = \frac{f(x, w \leq 1)}{f(w \leq 1)}$ を求めることで題意を得る．ただし $W \leq 1$ のとき，$0 \leq X \leq 1$ となることに注意．

5.9.1 (a) ブートストラップ法の定義より直ちに示される．
(b) x_i^* が $x_1, x_2, \ldots, x_n$ から $1/n$ で抽出されることから示される．

5.9.2 (a) $\Gamma(\frac{2}{2}, \beta)$ と考え，$[\chi^2]^{(\alpha/2)} < \frac{2}{\beta} \sum_{i=1}^n X_i < [\chi^2]^{(1-(\alpha/2))}$ を β に関して整理する．

```
(b)func <- function(n,xbar,
alpha){lower <- (2*n*xbar)
/qchisq(1-(alpha/2),40)
upper <- (2*n*xbar)/qchisq
(alpha/2,40)list(lower=
lower,upper=upper)}
func(20,90.59,0.1)
```

5.9.3 (a) $\beta \log 2$．

5.9.4 X は正規分布に従うため，平均値と中央値は等しい．よって，例 5.2.7 を参考にすると，$t = \frac{\bar{X}-\mu}{S/\sqrt{n}}$ と変換された t を用いて，中央値の信頼区間は，$1-\alpha = P\left(t^{(\alpha/2)} < \frac{\bar{x}-\mu}{s/\sqrt{n}} < t^{(1-\alpha/2)}\right) = P\left(\bar{x} - t^{(1-\alpha/2)}\frac{s}{\sqrt{n}} < \mu < \bar{x} - t^{(\alpha/2)}\frac{s}{\sqrt{n}}\right)$ である．

5.9.5 (a) (5.9.4) 式の手順 4 を「$\mathbf{x}_j^*$ を t_j^* に変換する．」とし，手順 5 を「(5.9.17) 式の信頼区間を構成する」と書き換える．(b) 90% 信頼区間は 62.825 から 127.545 となり広くなった．

5.9.6 (a) $\bar{x}_j^*$ を $\text{median}(x_j^*)$ に置き換え，$\bar{y}_j^*$ を $\text{median}(y_j^*)$ に置き換える．

E. 練習問題略解

(b)mean を median に置き換える．

5.9.7 $s_x = 20.41$; $s_y = 18.59$ を用いる．

5.9.8 (a) $\frac{\#_{j=1}^{B}\{|\bar{z}_j^*| \geq \bar{x}\}}{B}$．(c) 例えば 0.197．

5.9.9 (a) $\bar{y} - \bar{x} = 9.67$；
20 個の可能な順列；
(c) P_n^n / n^n．

5.9.10 μ_0; $n^{-1} \sum_{i=1}^{n}(x_i - \bar{x})^2$．

5.9.11 $T = \frac{95.27 - 90}{27.9/\sqrt{20}} = 0.844$，自由度 19 の t 分布において $P(T \geq 0.844) = 0.204$ より題意を得る．

5.9.12 $z_i = x_i - 100 + 90$ に対してブートストラップを行う．1％水準で有意．

5.9.13 (a) まず鉢をランダムに選び，次に鉢に含まれる2つのデータのうち，どちらを自家受精による標本として扱うかをランダムに決定する．

第6章

6.1.1 $\bar{X}$．

6.1.2 $\bar{X}/3$．

6.1.3 (b) $-n/\log(\prod_{i=1}^{n} X_i)$．
(d) $Y_1 = \min\{X_1, \ldots, X_n\}$．

6.1.4 尤度関数は例 6.1.5 と pdf $f(x) = 1, \theta - \frac{1}{2} < x < \theta + \frac{1}{2}$ より $L(\theta) = 1 I\left(y_n, \theta + \frac{1}{2}\right) I\left(\theta - \frac{1}{2}, y_1\right) = I\left(y_n - \frac{1}{2}, \theta\right) I\left(\theta, y_1 + \frac{1}{2}\right)$ とおける．ここで確率変数の台から $y_n - y_1 \leq 1$ なので，$y_n - \frac{1}{2} \leq y_1 + \frac{1}{2}$ となり，$L(\theta) = 1, y_n - \frac{1}{2} \leq \theta \leq y_1 + \frac{1}{2}$，それ以外では 0 である．

6.1.5 (a) $Y_n = \max\{X_1, \ldots, X_n\}$．
(b) $(2n+1)/n$．
(c) $\sqrt[2n]{1/2} Y_n$．

6.1.6 $1 - \exp\{-2/\bar{X}\}$．

6.1.7 $\hat{p} = \frac{53}{125}$,
$\sum_{x=3}^{5} \binom{5}{x} \hat{p}^x (1-\hat{p})^{5-x}$．

6.1.8 -0.53

6.1.9 $\bar{x} = 2.109$; $\bar{x}^2 e^{-\bar{x}}/2$．

6.1.10 $\max\left\{\frac{1}{2}, \bar{X}\right\}$．

6.1.11 (a) $L(\theta, \sigma^2) = (\sqrt{2\pi}\sigma)^{-n} \exp\left\{-\sum_{i=1}^{n} \frac{(X_i - \theta)^2}{2\sigma^2}\right\}$ より $\log L(\theta, \sigma^2) = -\frac{1}{2\sigma^2} \sum_{i=1}^{n}(X_i - \theta)^2 - n \log \sigma - n \log \sqrt{2\pi}$．これを最大にする θ の値は $\bar{X}$．
(b) $\bar{X} < 0$ なら $\theta = 0$ のとき，$0 \leq \bar{X} < \infty$ なら $\theta = \bar{X}$ のときに尤度が最大となる．

6.1.12 $l(\theta) = \log \theta \sum_{i=1}^{n} x_i - n\theta - \sum_{i=1}^{n} \log x_i!$ だから $l'(\theta) = \theta^{-1} \sum_{i=1}^{n} x_i - n$．$l'(\theta) = 0$ とし，θ について解くと $\theta = \bar{x}$ を得る．

6.1.13 p は標準正規分布，q は標準コーシー分布と定義する．

$$\hat{\theta} = \begin{cases} 1 & \prod_{i=1}^{n} p_i \geq \prod_{i=1}^{n} q_i \\ 2 & \prod_{i=1}^{n} p_i < \prod_{i=1}^{n} q_i \end{cases}$$

6.2.1 $I(\theta) = \frac{E(x-\theta)^2}{\sigma^4} = \frac{1}{\sigma^2}$，系 3.4.1 を利用して $V(\bar{x}) = \frac{\sigma^2}{n} = \frac{1}{nI(\theta)}$ よりラオ・クラメールの下限に達している．

6.2.3 $-\int_{-\infty}^{\infty}\left(-\frac{2}{1+(x-y)^2} + \frac{4(x-y)^2}{(1+(x-y)^2)^2}\right) \frac{1}{\pi[1+(x-y)^2]} dx = 1/2 \therefore \frac{1}{nI(\theta)} = 2/n$
$\sqrt{n}(\hat{\theta} - \theta)$ の漸近分布は $N(0, 2)$

6.2.5 $V(\hat{\theta}) = \frac{1}{I(\theta)n} = \frac{1}{\frac{1}{3}n} = \frac{3}{n}$．$V(Q_2) = \frac{1}{4f^2(0)n} = \frac{(1+e^\theta)^4}{4ne^{2\theta}}$．$ARE(Q_2, \hat{\theta}) = \frac{V(\hat{\theta})}{V(Q_2)} = \frac{12e^{2\theta}}{(1+e^\theta)^4}$．

6.2.6 Q の漸近分散を (3.4.14) 式の混入正規分布から $r_s^2 = [(2f(0))^{-1}]^2$ を利用し算出する．また (3.4.15) 式から $\bar{X}$ の漸近分散を算出する．次に両者の比率をとることによって題意を得る．

(a)

ϵ	0	0.05	0.10	0.15
$e(Q_2, \overline{X})$	0.637	0.833	0.999	1.135

(b) $\hat{\epsilon}=0.100592$.

6.2.7 (a) $\frac{4}{\theta^2}$.

6.2.8 (a) $\frac{1}{2\theta^2}$.

6.2.9 $E[2\overline{X}] = \frac{2}{n}\sum_{i=1}^{n} E[X] = \theta$ より，題意を得る．また，$\text{Var}[2\overline{X}] = \frac{3\theta^2}{n}$ および $I(\theta) = -E[-\frac{3}{\theta^2} + \frac{4}{(X+\theta)^2}] = \frac{3}{5\theta^2}$ より，効率は $\frac{5}{9}$．

6.2.11 不偏推定量の証明は，$\bar{X}$ を $\frac{1}{n}\sum X_i$ として，各 X_i が独立であることを利用して行う．$\bar{X}^2 - \frac{\sigma^2}{n}$ の分散はデルタ法を用いると $\frac{4}{n}\sigma^2\theta^2$ となりラオ・クラメールの下限に等しくなるので，効率は1である．

6.2.13 $-E[l''(\theta_0)] = I(\theta_0)$ より $\hat{\theta}^{(1)} = \hat{\theta}^{(0)} + I^{-1}(\hat{\theta}^{(0)}) l'(\hat{\theta}^{(0)})$．

6.2.14 (a) 系 6.2.1 のラオ・クラメールの下限に値を代入すると，分散の下限は $2\theta^2/n$ である．スチューデントの定理と $\chi^2(n-1)$ の分散は $2(n-1)$ から，$V\left(\frac{(n-1)S^2}{\theta}\right) = 2(n-1)$ より $V(S^2) = 2\theta^2/(n-1)$ である．よって効率は $(n-1)/n$ である．(b) 対数尤度関数の1次偏導関数は $\frac{\partial}{\partial \theta} l(\theta) = \frac{\sum_{i=1}^{n}(x-\mu)^2}{2\theta^2} - \frac{n}{2\theta}$ となるので，これを0とおいて解くと $\hat{\theta} = \frac{\sum_{i=1}^{n}(x-\mu)^2}{n}$．(c) 情報量は $\frac{1}{2\theta^2}$ であるので，定理 6.2.2 より，$\sqrt{n}(\hat{\theta} - \theta_0) \xrightarrow{D} N(0, 2\theta^2)$．

6.3.1

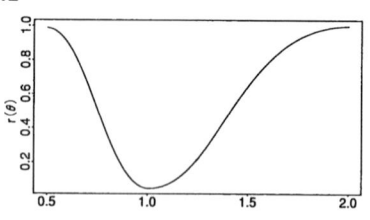

6.3.2 帰無仮説のもとで $\hat{\mu}_0$ と $\hat{\sigma}_0^2$ は母平均が既知のとき $\hat{\mu}_0 = \mu_0$, $\hat{\sigma}^2 = \frac{1}{N}\sum_{i=1}^{N}(x-\mu_0)^2$ である．また $\hat{\theta}$ は $\hat{\mu} = \bar{x}$, $\hat{\sigma}^2 = \frac{1}{N}\sum_{i=1}^{N}(x_i - \bar{x})^2$ である．このとき $\lambda = \left[\left(1 + \frac{N(\bar{x}-\mu_0)^2}{\sum_{i=1}^{N}(x_i-\bar{x})^2}\right)^{-1}\right]^{\frac{n}{2}}$ である．括弧内の分数を $N-1$ で除することにより λ は $|t| = \left|\frac{(\bar{x}-\mu_0)}{S/\sqrt{N}}\right|$ に関する単調関数であることがわかる．したがって尤度比検定は両側 t 検定と等しい．

6.3.3 標準正規分布の検定統計量は (6.3.6) 式について，$\theta_0 = 0$, $\sigma = 1$ とおくと $-2\log\Lambda = n\bar{X}^2$ である．検定統計量は，$\bar{X} \sim N(\theta, \sigma^2/n)$ を利用して
$P\left(\left(\frac{\bar{X}-\theta_0}{\sigma/\sqrt{n}}\right)^2 \geq \chi_\alpha^2(1)\right) = $
$\Phi\left(\frac{\sqrt{n}(\theta_0-\theta)}{\sigma} - \sqrt{\chi_\alpha^2(1)}\right) + 1 - $
$\Phi\left(\frac{\sqrt{n}(\theta_0-\theta)}{\sigma} + \sqrt{\chi_\alpha^2(1)}\right)$ となる．

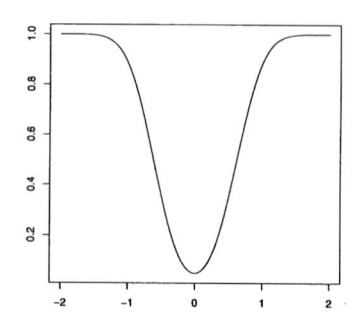

E. 練習問題略解

6.3.5 $\Lambda = \left(\frac{\hat{\theta}}{\theta_0}\right)^{n/2} \left[\left\{\frac{\hat{\theta}}{\theta_0}-1\right\}\right]^{-n/2} = \left(\frac{1}{n}W\right)^{n/2} \left[\exp\left\{\frac{1}{n}W-1\right\}\right]^{-n/2}$.
また, $W = \frac{(n-1)S^2}{\theta_0}$ (S^2 は不偏分散). スチューデントの定理より,「$W \leq \chi^2_{1-\alpha/2}(n-1)$ または $W \geq \chi^2_{\alpha/2}(n-1)$ のとき, H_0 を棄却する」となる.

6.3.6

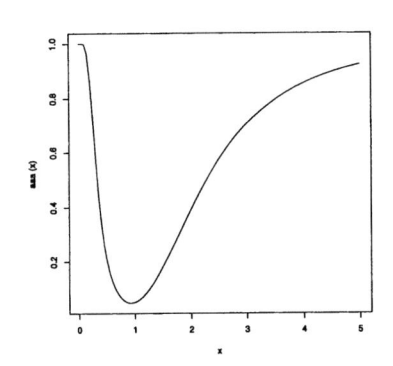

[グラフ]

6.3.10 (a) $\frac{2}{\theta}X \sim \chi^2(6)$ より $L(\theta) = \left(\frac{1}{4\theta^2}\right)^n \times \prod_{i=1}^n x_i^2 \exp[-\frac{n\overline{X}}{\theta}]$. 練習問題 6.1.2 より $\hat{\theta} = \frac{\overline{X}}{3}$ を利用して検定統計量を構成し定数部を除くと, $\Lambda = (\frac{\overline{X}}{\theta_0})^{2n} \exp[-\frac{\overline{X}}{\theta_0}n] = (\frac{W}{n\theta_0})^{2n} \exp[\frac{W}{\theta_0}]$. またカイ2乗分布の加法性より, $\sum_{i=1}^n \frac{2}{\theta_0}X_i = \frac{2W}{\theta_0} \sim \chi^2(6n)$; (b) 検定統計量を $\frac{\overline{X}}{\theta_0} = t$ の関数 $g(t) = t^{2n} \exp(-nt)$ と見なすと, この関数は $t = 2$ で最大値をとる. また $\frac{2W}{\theta_0} \sim \chi^2(6n)$ であるから, $\frac{2W}{\theta_0} \leq \chi^2_{1-\alpha/2}(6n)$ か $\frac{2W}{\theta_0} \geq \chi^2_{\alpha/2}(6n)$ のときに H_0 を棄却すれば有意水準 α の検定となる. θ_0 と n の値を代入して変形することで, $c_1 = 25.187$, $c_2 = 70.469$.

6.3.12 $\theta = 1$ のとき尤度は 1 となり, $\theta = 2$ のとき尤度は $6^n \prod x_i(1-x_i)$ となる. よって, 尤度比は $2W + 2n\log 6$ となり W の関数である.

6.3.15 (a) $\left(\frac{1}{3\overline{x}}\right)^{n\overline{x}} \left(\frac{2}{3(1-\overline{x})}\right)^{n-n\overline{x}}$.

6.3.16 (a) $n\overline{x}\log(2/\overline{x}) - n(2-\overline{x})$.

6.3.17 $\left(\frac{\overline{x}/\alpha}{\beta_0}\right)^{n\alpha} \exp\left\{-\sum_{i=1}^n x_i\left(\frac{1}{\beta_0} - \frac{\alpha}{\overline{x}}\right)\right\}$.

6.4.1 $\frac{4}{25}, \frac{11}{25}, \frac{7}{25}$.

6.4.2 (a) $\overline{x}, \overline{y}, \frac{1}{n+m}[\sum_{i=1}^n (x_i-\overline{x})^2 + \sum_{i=1}^m (y_i-\overline{y})^2]$.
(b) $\frac{n\overline{x}+m\overline{y}}{n+m}, \frac{1}{n+m}[\sum_{i=1}^n (x_i-\hat{\theta}_1)^2 + \sum_{i=1}^m (y_i-\hat{\theta}_1)^2]$.

6.4.3 $\hat{\theta}_1 = \min\{X_i\}, \frac{1}{n}\sum_{i=1}^n (X_i - \hat{\theta}_1)$.

6.4.4 $\hat{\theta}_1 = \min\{X_i\}$, $n/\log\left[\prod_{i=1}^n X_i/\hat{\theta}_1^n\right]$.

6.4.5 $(Y_1+Y_n)/2, (Y_n-y_1)/2$; No.

6.4.6 (a) $\overline{X} + 1.282\sqrt{\frac{n-1}{n}}S$.
(b) $\Phi\left(\frac{c-\overline{X}}{\sqrt{(n-1)/n}S}\right)$.

6.4.7 もし $\frac{y_1}{n_1} \leq \frac{y_2}{n_2}$ なら, $\hat{p}_1 = \frac{y_1}{n_1}$ かつ $\hat{p}_2 = \frac{y_2}{n_2}$;
それ以外なら $\hat{p}_1 = \hat{p}_2 = \frac{y_1+y_2}{n_1+n_2}$.

6.4.8 $z = \frac{x-a}{b}$ として, $f(x)$ を $f(z)$ に変数変換すると $f(z) = f(x)b$ という等式が得られる. これを $f(x)$ について解くことで題意を得る.

6.4.9 $\frac{b}{f\left(\frac{x-a}{b}\right)} \cdot \frac{1}{b}f'\left(\frac{x-a}{b}\right) \cdot \left(-\frac{1}{b}\right)$;
$\frac{b}{f\left(\frac{x-a}{b}\right)} \cdot \{\frac{-1}{b^2}f\left(\frac{x-a}{b}\right) + \frac{1}{b}f'\left(\frac{x-a}{b}\right) \cdot \left(\frac{-(x-a)}{b^2}\right)\}$;
$\int_{-\infty}^{\infty} \frac{1}{b^2}\left[1 + \frac{\frac{x-a}{b}f'\left(\frac{x-a}{b}\right)}{f\left(\frac{x-a}{b}\right)}\right]^2 \times$

$\frac{1}{b} f\left(\frac{x-a}{b}\right) dx$; $\int_{-\infty}^{\infty} \left\{ -\frac{1}{b} \frac{f'(z)}{f(z)} \right\} \times$
$\left\{ -\frac{1}{b} \left[1 + \frac{zf'(z)}{f(z)} \right] \right\} f(z) dz$.

6.4.11 $f(z) \sim N(0, 1)$ としたとき, $z = \frac{x-a}{b}$ と変数変換すると $\frac{1}{b} f\left(\frac{x-a}{b}\right) \sim N(a, b^2)$ であることが示せる. この結果と (6.4.14) 式の平均, 分散が一致することを示すことで位置・尺度モデルに従うことは示せる. 情報行列は $f(z)$ の導関数を求めたうえで (6.4.15), (6.4.16), (6.4.17) 式に代入する.

6.5.1 $t = 3 > 2.262$; H_0 を棄却する.

6.5.2 $\Lambda = \dfrac{\left(\sqrt{\frac{n}{2\pi \sum_{i=1}^n (x_i - \bar{x})^2}}\right)^n \exp\{-\frac{n}{2}\}}{\left(\sqrt{\frac{n}{2\pi \sum_{i=1}^n (x_i - \theta_2')^2}}\right)^n \exp\{-\frac{n}{2}\}}$
$= \left(\dfrac{\sum_{i=1}^n (x_i - \bar{x})^2}{\sum_{i=1}^n (x_i - \theta_2')^2} \right)^{n-1}$. $t = \sum_{i=1}^n (x_i - \bar{x})^2$ とすると, $g(t) = t^{n-1} / \sum_{i=1}^n (x_i - \theta_2')^2$ であり題意が得られる.

6.5.3 (a) 完全モデルのもとでは, 尤度が $N(\theta_1, \theta_3)$ と $N(\theta_2, \theta_4)$ の積になるために, 例 6.5.1 と同様の手続きにより, 定数部を除くと $L(\hat{\Omega}) = [\sum_{i=1}^n \frac{(x_i - \bar{x})^2}{n}]^{-\frac{n}{2}} [\sum_{i=1}^m (y_i - \bar{y})^2 / m]^{-m/2}$. 退化した母数空間ではすべての標本が単一の分布 $N(\mu, \sigma^2)$ に従うので, 定数部を除くと $L(\hat{\omega}) = [\{\sum_{i=1}^n (x_i - u)^2 + \sum_{i=1}^m (y_i - u)^2\} / (n+m)]^{-\frac{n+m}{2}}$; (b) 完全モデルのもとでは, スチューデントの定理より $\frac{(n-1)S_X^2}{\theta_3} \sim \chi^2(n-1)$, $\frac{(m-1)S_Y^2}{\theta_4} \sim \chi^2(m-1)$ から, $\frac{S_X^2 \theta_4}{S_Y^2 \theta_3} \sim F(n-1, m-1)$ を利用して, F 分布に基づいた尤度を構成する. 同様に退化した母数空間では, $\frac{S_X^2}{S_Y^2} \sim F(n-1, m-1)$ を用いる. 尤度比を導く際に $\hat{\theta}_3, \hat{\theta}_4$ を S_X^2, S_Y^2 を利用して表現することで, 題意を得る.

6.5.4 (b) $c \dfrac{\sum_{i=1}^n X_i^2}{\sum_{i=1}^m Y_i^2}$.

6.5.5 $c \dfrac{\bar{X}}{\bar{Y}}$.

6.5.6 $c \dfrac{[\max\{-X_1, X_{n_1}\}]^{n_1} [\max\{-Y_1, Y_{n_2}\}]^{n_2}}{[\max\{-X_1, -Y_1, X_{n_1}, Y_{n_2}\}]^{n_1 + n_2}}$, $\chi^2(2)$.

6.5.7 2 変量正規分布の場合, 平均の mle はそれぞれ $\bar{x}, \bar{y}$ である. $\rho = 1/2$ を考慮すると, σ^2 の mle は $\frac{2}{3n^2} \sum ((x_i - \bar{x})^2 - (x_i - \bar{x})(y_i - \bar{y}) + (y_i - \bar{y})^2)$ となる. これらを利用して, 尤度比は $\sum ((x_i - \bar{x})^2 - (x_i - \bar{x})(y_i - \bar{y}) + (y_i - \bar{y})^2) / \sum (x_i^2 - x_i y_i + y_i^2)$ となる.

6.5.9 $L(\hat{\Omega}) = \hat{p}_1^{n_1 \hat{p}_1} (1 - \hat{p}_1)^{n_1 - n_1 \hat{p}_1} \hat{p}_2^{n_2 \hat{p}_2} (1 - \hat{p}_2)^{n_2 - n_2 \hat{p}_2}$ $L(\hat{\omega}) = \hat{p}^{n \hat{p}} (1 - \hat{p})^{n - n \hat{p}}$
$\therefore \Lambda = \dfrac{\hat{p}^{n\hat{p}} (1 - \hat{p})^{n - n\hat{p}}}{\Pi_{i=1}^2 p_i^{n_i \hat{p}_i} (1 - \hat{p}_i)^{n_i - n_i \hat{p}_i}}$.

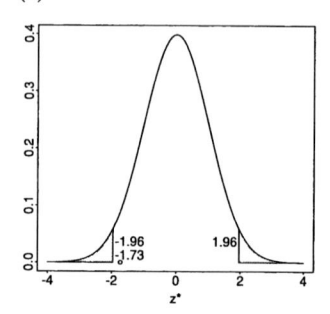

6.5.12 (a)

(b) $p_1 = \frac{37}{1000}$, $p_2 = \frac{53}{1000}$ を (6.5.25) に代入して, $Z^* = -1.73$. p 値 $= \Phi(-1.73) \times 2 = 0.084 > 0.05$ なので H_0 は棄却されない.

6.6.1 (c) 偏導関数を求めたうえで, それを 0 とおき, 2 次関数の解の公式を用いて解くと $(x_1 - 2x_2 - 2x_3 - x_4)/2n \pm \sqrt{(x_1 - 2x_2 - 2x_3 - x_4)^2 + 8nx_4}/2n$ となる. ここで, ルートの前の符号が負のとき常に $\hat{\theta} \leq 0$ となるため, 符号が正の場合が θ の推定値.

E. 練習問題略解

6.6.3 X の周辺分布の期待値は 2 項分布の期待値 np に等しく, $E[\hat{\theta}] = \frac{1}{n}E[X_1 - X_2 - X_3 + X_4] = \left(\frac{1}{2} + \frac{\theta}{4}\right) - \left(\frac{1}{4} - \frac{\theta}{4}\right) - \left(\frac{1}{4} - \frac{\theta}{4}\right) + \frac{\theta}{4} = \theta$ が成り立つ.

6.6.5 観測尤度は $L(\theta|\boldsymbol{x}) = \prod_{i=1}^{n_1} f(x_i - \theta)$ であり, 完全尤度は $L^c(\theta|\boldsymbol{x},\boldsymbol{z}) = \prod_{i=1}^{n_1} f(x_i - \theta) \prod_{i=1}^{n_2} f(z_i - \theta)$ となる. これらを用いて, $Q(\theta|\theta_0, \boldsymbol{x}) = E_{\theta_0}[\log L^c(\theta|\boldsymbol{x},\boldsymbol{z})]$ を θ で微分して 0 とおくと題意を得る.

6.6.6 $L(\theta|x) = [F(a-\theta)]^{n_2} \prod_{i=1}^{n_1} f(x_i - \theta)$ と $L^c(\theta|X,Z) = \prod_{i=1}^{n_1} f(x_i - \theta)\prod_{i=1}^{n_2} f(z_i - \theta)$ をもとに E ステップと M ステップを行うと $\hat{\theta}^{(m+1)} = \frac{n_1}{n}\bar{x} + \frac{n_2}{n}\hat{\theta}^{(m)} + \frac{n_2}{n}\frac{\phi(a-\hat{\theta}^{(m)})}{\Phi(a-\hat{\theta}^{(m)})}$ が得られる.

6.6.7 $\hat{\theta}^{(0)} = \bar{x}$ として (6.6.16) 式右辺の $\hat{\theta}^{(m)}$ に代入し, 得られた $\hat{\theta}^{(m+1)}$ を再び右辺へ代入することを繰り返す. 推定値は 0.775.

6.6.8 付録 B の R の関数 mixnormal によりこれらの結果が得られる.
(第 1 行目は最初の推定値であり, 第 2 行目は 500 回繰り返した後の推定値である).

μ_1	μ_2	σ_1	σ_2
105.00	130.00	15.00	25.00
98.76	133.96	9.88	21.50

π
0.600
0.704

第 7 章

7.1.1 $f(x,\theta)$ は $\alpha=1$, $\beta=\theta$ のガンマ分布の pdf. $E(X)=\theta$, $V(X)=\theta^2$. $Y = \frac{\sum_{i=1}^n X_i}{n}$ とする. $E[Y] = \frac{1}{n}\{E(X_1) + E(X_2) + \cdots + E(X_n)\} = \frac{1}{n}n\theta = \theta$ 同様に $V[Y] = \frac{1}{n^2}\{V(X_1) + V(X_2) + \cdots + V(X_n)\} = \frac{\theta^2}{n}$.

7.1.2 $\theta = E(x^2) - E(x)^2$, $E(x)=0$ より, $E(x^2) = \theta$ $\therefore E(Y) = \frac{1}{n}(n\theta) = \theta$. $M^{(4)}(0) = E(x^4) = 3\theta^2$ より, 同様に計算し題意を得る.

7.1.3 $F(x) = \frac{x}{\theta}$, $0 < x \leq \theta$ $(0 < \theta < \infty)$ より Y_1, Y_2, Y_3 の周辺 pdf, $\frac{3}{\theta} - \frac{6y_1}{\theta^2} + \frac{3y_1^2}{\theta^3}$, $\frac{6y_2}{\theta^2} - \frac{6y_2^2}{\theta^3}$, $\frac{3y_3^2}{\theta^3}$ を得る. 不偏推定量の分散はそれぞれ, $\frac{3\theta^2}{5}$, $\frac{\theta^2}{5}$, $\frac{\theta^2}{15}$.

7.1.4 $\frac{1}{3}, \frac{2}{3}$.

7.1.5 $\delta_1(y)$.

7.1.6 $b=0$, 存在しない.

7.1.7 存在しない.

7.1.8 $\theta^2 - 2\theta bE[Y] + b^2 E[Y^2]$. Y は $b(n,\theta)$ に従うので $E[Y] = n\theta$, $E[Y^2] = n\theta(1-\theta) + n^2\theta^2$ より題意を得る. $R(\theta,\delta)$ は条件のもとで最大値をとる関数になる. 極値 $\theta = \frac{-b^2 n}{2\{(bn-1)^2 - b^2 n\}}$ を代入し題意を得る. $\max_\theta R(\theta,\delta)$ を b の関数と見なし $b = \frac{1}{n}$ のときの傾きを求めると $\frac{1}{2}$ となり題意を得る.

7.2.1 $f(\boldsymbol{x};\theta) = \frac{1}{(2\pi\theta)^{n/2}} \exp\left\{\frac{-\sum_{i=1}^n x_i^2}{2\theta}\right\}$ 因子分解定理において, $k_1 = \frac{1}{(2\pi\theta)^{n/2}} \exp\left\{\frac{-\sum_{i=1}^n x_i^2}{2\theta}\right\}$, $k_2 = 1$ より, 題意を得る.

7.2.2 $f(\boldsymbol{x};\theta) = \prod_{i=1}^n \frac{e^{-\theta}\theta^{x_i}}{x_i!} = \left(\prod_{i=1}^n \frac{1}{x_i!}\right) e^{-n\theta} \theta^{\sum_{i=1}^n x_i}$. 因子分解定理により, 題意を得る.

7.2.3 $y = \max(x)$ とおく. 定義 7.2.1 について, 左辺分子は pdf より $(1/\theta)^n$, 分母は (5.2.2) 式より $ny^{n-1}(1/\theta)^n$ であり, $H(x_1,\cdots x_n) = 1/(ny^{n-1})$ となり題意を得る. pdf が $Q(\theta)M(x)$ である場合も同様に $H(x_1,\cdots x_n) = $

$(M(x))^n / (n (1/Q(y))^{n-1} M(y))$.

7.2.4 $\prod_{i=1}^n (1-\theta)^{x_i} \theta = (1-\theta)^{\sum_{i=1}^n x_i} \theta^n$.

7.2.5 無作為標本 $X_1, X_2, \ldots, X_n$ は $\Gamma(1,\theta)$ に従い, $Y_1 = \sum_{i=1}^n X_i$ は $\Gamma(n,\theta)$ に従うことを用いる.

7.2.6 $f(x;\theta)$ は $k_1 = \frac{\Gamma(\theta+2)}{\Gamma(\theta)+\Gamma(2)} \left(\prod_{i=1}^n\right)^\theta$ と θ に依存しない $\frac{\prod_{i=1}^n (1-x_i)}{\prod_{i=1}^n x_i}$ の積で表現されるので, 因子分解定理により $\prod_{i=1}^n x_i$ は θ の十分統計量である.

7.2.7 $f(x;\theta)$ は, $k_1 = \left(\frac{1}{\Gamma(\theta)6^\theta}\right)^n \times \left(\prod_{i=1}^n x_i\right)^{\theta-1}$ と, θ に依存しない $k_2 = e^{-x_i/6}$ の積として表現されるので, 因子分解定理により $\prod_{i=1}^n x_i$ は θ の十分統計量である.

7.2.8 $\prod_{i=1}^n [X_i(1-X_i)]$.

7.2.9 (a) $\left(\frac{1}{\theta}\right)^r e^{-\frac{1}{\theta}\sum_{i=1}^r y_i} e^{-\frac{1}{\theta}(n-r)y_r}$
(b) $r^{-1}[\sum_{i=1}^r y_i + (n-r)y_r]$.

7.3.1 (a) $\hat{\theta} = n^{-1}\sum X_i^2$ なので $\sum X_i^2$ の関数 (b) $\hat{\theta} = n^{-1}\sum X_i$ なので $\sum X_i$ の関数 (c) 例 6.1.5 より mle は十分統計量そのもの (d) $\hat{\theta} = n/(n+\sum X_i)$ なので $\sum X_i$ の関数.

7.3.2 $60y_3^2(y_5-y_3)/\theta^5$
$0 < y_3 < y_5 < \theta$;
$6y_5/5; \theta^2/7;$ かつ $\theta^2/35$.

7.3.3 $\frac{1}{\theta^2} e^{-y_1/\theta}, 0 < y_2 < y_1 < \infty$;
$y_1/2; \theta^2/2$.

7.3.4 (a) $f(y) = \int_0^y f(x,y) dx = 2/\theta \exp[-\frac{y}{\theta}] \left(\exp\left[\frac{y}{\theta}\right] - 1\right), 0 < y < \infty$ より, Y の期待値と分散を求める. (b) $f(y|x) = \frac{f(x,y)}{f(x)} = \frac{1}{\theta} \exp\left[\frac{x-y}{\theta}\right], 0 < x < y < \infty, \theta > 0$ より期待値を求めることで, $E[Y|x] = x + \theta$. $Z = X + \theta$ とすると z の cdf は $G(z) = P(Z \le z) = P(X \le x-\theta)$ より, z で微分して pdf は $g(z) = \frac{2}{\theta} \exp\left[2 - \frac{2z}{\theta}\right], 0 < \theta < z < \infty, \theta > 0$. 分散を求めると $\text{Var}(E[Y|x]) = \theta^2/4$.

7.3.5 $n^{-1}\sum_{i=1}^n X_i^2; n^{-1}\sum_{i=1}^n X_i;$
$(n+1)Y_n/n$.

7.3.6 $6\overline{X}$.

7.4.1 ベルヌイ分布の十分統計量 $Y_1 = \sum_{i=1}^2 X_i$ の pmf は $y_1 = 0,1,2$ のとき $f_{Y_1}(y_1;\theta) = \theta^{y_1}(1-\theta)^{2-y_1}$, それ以外では 0 となる. $0 = E_{\theta_0}[u(Y_1)] = (1-\theta)^2 \sum_{y_1=0}^2 u(y_1) \binom{2}{y_1} \left(\frac{\theta}{1-\theta}\right)^{y_1}$. 条件より $u(y_1)\binom{2}{y_1}$ が 0 となる.

7.4.2 (a) X; (b) X.

7.4.3 Y/n.

7.4.5 $Y_1 - \frac{1}{n}$.

7.4.7 (a) はい. (b) はい.

7.4.8 (a) $E(\overline{X}) = 0$.

7.4.9 (a) $\max\{-Y_1, 0, Y_n\}$; (b) はい; (c) はい.

7.4.10 (a) 変換式から $P(Z \le z) = 1 - P\left(Y_n \le \theta - \frac{z}{n}\right)$ となり, $H_n(z;\theta) = 1 - \int_0^{\theta-\frac{z}{n}} \frac{nt^{n-1}}{\theta^n} dt = 1 - \frac{1}{\theta^n}\left(\theta - \frac{z}{n}\right)^n$.
(b) (4.3.16) 式を利用すると, $\lim_{n\to\infty} H_n(z;\theta) = 1 - \lim_{n\to\infty} \left(1 + \frac{-\frac{z}{\theta}}{n}\right)^n = 1 - \exp\left(-\frac{z}{\theta}\right)$. この式を z について偏微分すると $\frac{1}{\theta}\exp\left(-\frac{z}{\theta}\right)$.

7.5.1 $Y_1 = \sum_{i=1}^n X_i; Y_1/4n;$ はい.

7.5.2 $f(x;\theta) = \exp\{-\theta x + \log\theta\}.p(\theta) = -\theta, q(\theta) = \log\theta, K(x) = x$ で定理 7.5.2 より, $Y = \sum_{i=1}^n X_i$ は完備. $E(Y) = \frac{n}{\theta}$ より, $Y_2 = \frac{n}{Y}$ となる. $E[n\frac{1}{\sum_{i=1}^n X_i}] = n\int_0^\infty \frac{\theta^n}{\Gamma(n)} x^{-1} x^{n-1} e^{-\theta x} = \theta\frac{n}{n-1}$ よって, 統計量 $\frac{n-1}{\sum_{i=1}^n X_i} = \frac{(n-1)}{Y}$ は θ の MVUE.

E. 練習問題略解

7.5.3 (a) $f(x;\theta) = \exp[\log\theta + \theta\log x - \log x]$
$K(x) = \log x$ とすると, $\log \Pi_{i=1}^n x_i$ は完備十分統計量である.
$\Pi_{i=1}^n x_i^{1/n} = \exp[\log \Pi_{i=1}^n x_i^{\frac{1}{n}}]$ より, $\Pi_{i=1}^n x_i^{\frac{1}{n}}$ もまた完備十分統計量.
(b) $\hat{\theta} = \frac{-n}{\log \Pi_{i=1}^n x_i} = \frac{-n}{\log\{(\Pi_{i=1}^n x_i)^{1/n}\}^n}$.

7.5.4 $\bar{x}$.

7.5.5 $\int f(x;\theta)[p'(\theta)K(x) + q'(\theta)]dx = 0$ より期待値を得る. $\int\{f(x;\theta)[p'(\theta)K(x)+q'(\theta)]^2 + f(x;\theta)[p''(\theta)K(x)+q''(\theta)]\}dx = 0$ より $V[K(X)] = \frac{1}{p'(\theta)^3}[p''(\theta)q'(\theta) - q''(\theta)p'(\theta)]$.

7.5.6 $\int f(x|\theta)dx = 1$ を考慮すると, $\int \exp[\theta K(\theta) + S(x)]dx = 1/\exp[q(\theta)]$ となる. $K(x)$ の mgf は, $\int \exp[(t+\theta)K(\theta) + S(x) + q(\theta)]dx$ となり, さきの結果を用いて変形を加えると題意を得る.

7.5.8 同時 pdf $f(x_1, x_2, ..., x_n; \theta) = \exp[p(\theta)\sum_{i=1}^n K(x_i) + nq(\theta)] \times \exp[\sum_{i=1}^n S(x_i)]$ に従う確率変数に対して変数変換 $Y_1 = \sum_{i=1}^n K(X_i)$, $Y_2 = X_2, ..., Y_n = X_n$ を考えると, すべての逆変換 $X_n = w_n(y_1, y_2, ..., y_n)$ とヤコビアン J が存在する. よって $Y_1, Y_2, ..., Y_n$ の同時 pdf を導き Y_1 の周辺 pdf を求め, $f(y_1; \theta) = \exp[p(\theta)y_1 + nq(\theta)] \int \cdots \int \exp[\sum_{i=1}^n S\{w_i(y_1, y_2, ..., y_n)\}]|J|dy_2 \cdots dy_n$ を得る. この式中の積分部分が y_1 のみに依存することから題意を得る.

7.5.9 $\bar{x}$.

7.5.10 (a) 同時 pdf は $f(x;\theta) = \exp(-\theta\sum_{i=1}^n x_i + n\log\theta^2 + \sum_{i=1}^n \log x_i)$ であるから, 正則な指数クラス. したがって $Y = \sum_{i=1}^n x_i$ は完備十分統計量である. (b) $Y = \sum_{i=1}^n X_i$ の分布はガンマ分布の再生性より, 母数 $\alpha = 2n, \beta = \theta$ のガンマ分布となる.
$E\left[\frac{1}{Y}\right] = \frac{\theta^{2n}}{\Gamma(2n)} \int_0^\infty y^{2n-2} e^{-\theta y} dy$
$= \frac{\theta}{2n-1}$ であり, MVUE は $\frac{2n-1}{\sum_{i=1}^n X_i}$.

7.5.11 (a) Y_1/n; (c) θ; (d) Y_1/n.

7.5.12 (a) $Y = \sum_{i=1}^n X_i$. (b) $\frac{n-1}{nY}$.

7.6.1 $\bar{X}^2 - \frac{1}{n}$.

7.6.2 $Y^2/(n^2 + 2n)$.

7.6.4 (a) $\left(\frac{n-1}{n}\right)^Y \left(1 + \frac{Y}{n-1}\right)$;
(b) $\left(\frac{n-1}{n}\right)^{n\bar{X}} \left(1 + \frac{n\bar{X}}{n-1}\right)$;
(c) $N\left(\theta, \frac{\theta}{n}\right)$.

7.6.5 (a) $X_1, ..., X_{n-1}$ の条件付 pdf は
$\frac{\theta^{(x_1+x_2+\cdots+x_n)}e^{-n\theta}}{x_1!x_2!\cdots x_n!} \cdot \frac{y_1!}{(n\theta)^{y_1}e^{-n\theta}}$.
$\sum_{x_1=0}^{y_1} \binom{y_1}{x_1} \left(-\frac{1}{n}\right)^{x_1} \left(1-\frac{1}{n}\right)^{y_1-x_1}$
を解くことにより題意を得る.
(b) 定理 6.1.2 と θ の mle が $\bar{X}$ であることを利用. (c) $\lim_{n\to\infty} (1 + \frac{b}{n})^{cn} = e^{bc}$ を利用.

7.6.7 $1 - e^{-2/\bar{X}}$; $1 - \left(1 - \frac{2/\bar{X}}{n}\right)^{n-1}$.

7.6.8 (b) $\bar{X}$; (c) $\bar{X}$; (d) $1/\bar{X}$.

7.6.10 $g(x) = x(1-x)$ とすると $g(x)$ は θ において微分可能なので, (4.3.9) 式の表現より $g\left(\frac{Y}{n}\right) = g(\theta) + g'(\theta)(\frac{Y}{n} - \theta) + o_p\left(\left|\frac{Y}{n} - \theta\right|\right)$. ここで $g'(\frac{1}{2}) = 0$ より,
$\sqrt{n}\left(\tilde{\delta} - \delta\right) = \sqrt{n}\left(g\left(\frac{Y}{n}\right) - g(\theta)\right) = o_p\left(\sqrt{n}\left|\frac{Y}{n} - \theta\right|\right)$. ところで中心極限定理より $\sqrt{n}\left(\frac{Y}{n} - \theta\right) \xrightarrow{D} N(0, \theta(1-\theta))$ であるから, 定理 4.3.6 および 4.3.8 より $\sqrt{n}\left(\tilde{\delta} - \delta\right) \xrightarrow{D} 0$. したがって $\sqrt{n}\left(\hat{\delta} - \delta\right) \xrightarrow{D} 0$.

7.7.1 $g(y_1, y_2, y_3) = \frac{6\exp\left(\frac{3\theta_1 - y_1 - y_2 - y_3}{\theta_2}\right)}{\theta_2^3}$
$g(z_1, z_2, z_3) = \frac{6\exp\left(\frac{3\theta_1 - z_3}{\theta_2}\right)}{\theta_2^3}$

$$g(z_1, z_3) = \frac{3\exp(\frac{3\theta_1 - z_3}{\theta_2})(-3z_1 + z_3)}{\theta_2^3}$$

$\frac{\Pi_{i=1}^3 f(x_i; \theta_1, \theta_2)}{g(z_1, z_3)} = \frac{1}{3(-3z_1 + z_3)}$ より，θ に依存しない．∴ 題意を得る．

7.7.2 (7.7.2) 式を $y_i = u_i(x_1, x_2, \ldots, x_n)$, $i = 1, \ldots, m$ と逆関数 $x_l = w_l(y_1, y_2, \ldots, y_m), l = 1, \ldots, n$ とヤコビアン J で変数変換する．$g(y_1, y_2, \ldots, y_m) = k_1(y_j; \theta)k_2(w_1, w_2, \ldots, w_n)|J|$ より，$k_2(w_1, w_2, \ldots, w_n)|J|$ は $\boldsymbol{y}$ のみの関数なので $R(\boldsymbol{y})$ と表せる．よって，$f_{\boldsymbol{Y}}(\boldsymbol{y}; \boldsymbol{\theta}) = R(\boldsymbol{y})\exp\left[\sum_{j=1}^m p_j(\boldsymbol{\theta})y_j + nq(\boldsymbol{\theta})\right]$.

7.7.3 はい．

7.7.4 $K_1'(x) = K_2'(x)$ の両辺を積分することで $K_1(x)$ と $K_2(x)$ は線形関係にあることが導かれる．したがって，$p_1(\theta_1, \theta_2) = p_2(\theta_1, \theta_2)$ となる．$p_1(\theta_1$ の係数を $K(x)$ とおけば証明完了．

7.7.5 $\frac{\Gamma[(n-1)/2]}{\Gamma[n/2]}\sqrt{\frac{n-1}{2}}S$.

7.7.6 (b) $\frac{Y_1 + Y_n}{2}$; $\frac{(n+1)(Y_n - Y_1)}{2(n-1)}$.

7.7.8 p_j, p_l の最尤推定量は (6.4.22) 式よりそれぞれ $\hat{p}_j = Y_j/n$, $\hat{p}_l = Y_l/n$ である．また，定理 6.1.2 より，$p_j p_l$ の最尤推定量は $\hat{p}_j \hat{p}_l = (Y_j/n)(Y_l/n) = n^{-2}Y_j Y_l$ となる．

7.7.9 (a) $\frac{1}{n-1}\sum_{h=1}^n (X_{ih} - \overline{X}_i)(X_{jh} - \overline{X}_j)$; (b) $\sum_{i=1}^n a_i \overline{X}_i$.

7.7.10 $\left(\sum_{i=1}^n x_i, \sum_{i=1}^n \frac{1}{x_i}\right)$.

7.7.11 (a) μ の周りの積率は $E[e^{t(X-\mu)}] = e^{\frac{\sigma^2 t^2}{2}}$ であり，テイラー展開によって k 次の積率は，k が奇数のとき 0, k が偶数のとき $1 \cdot 3 \cdot 5 \cdots (k-1)\sigma^k$ である．よって $k=4$ のとき $3\sigma^4$ であり題意を得る；(b) σ^k の MVUE は $\frac{\Gamma\left(\frac{n-1}{2}\right)}{2^{r/2}\Gamma\left(\frac{n+k-1}{2}\right)}(n-1)^{r/2}\hat{\sigma}^k$ で与えられる．$k=4$ のとき $\frac{(n-1)^2\hat{\sigma}^4}{n^2+1}$ であり，したがって $3\sigma^4$ の MVUE は $3\frac{(n-1)^2\hat{\sigma}^4}{n^2+1}$ となる．

7.8.1 (a) $\hat{\theta} = \frac{1}{n}\Sigma_{i=1}^n x_i$, (b) $\hat{\theta} = \frac{1}{n}\Sigma_{i=1}^n x_i$ (c) $\hat{\beta} = \frac{\Sigma_{i=1}^n x_i}{3n} = \frac{\bar{x}}{3}$, $\Sigma_{i=1}^n x_i$ は十分統計量であることから，題意を得る．(d) $\hat{\mu} = \frac{1}{n}\Sigma x_i = \bar{x}$, $\overline{X}$ は μ の十分統計量であることから，題意を得る．(e) $\hat{\sigma}^2 = \frac{1}{n}\Sigma_{i=1}^n x_i^2$, $\Sigma_{i=1}^n X_i^2$ は σ^2 の十分統計量より，題意を得る．

7.8.3 Y_1; $\sum_{i=1}^n (Y_i - Y_1)/n$.

7.9.3 Z が位置不変となることを示すことに問題は帰着される．そのためには，任意の実数 d に対して，$\sum a_i X_i = \sum a_i(X_i + d)$ となるための必要十分条件が $\sum_{i=1}^n a_i = 0$ であることを証明すればよい．

7.9.4 ヒントを利用すると，Y と X/Y が統計的に独立である点と定理 2.5.4 より $E(X^k)/E(Y^k) = E(Y^k(X/Y)^k)/E(Y^k) = E(Y^k)E((X/Y)^k)/E(Y^k) = E((X/Y)^k)$ である．

7.9.6 問題の pdf は指数分布であり，尺度不変モデルである．したがって，統計量 $X_1 + X_2/\sum_{i=1}^5 X_i$ は補助統計量であり，十分統計量の分母と独立である．

7.9.10 中心極限定理から $0.95 \doteq P(-1.96 < \frac{12\sqrt{n}(T_1 - \theta)}{(2 - t_2)^2} < 1.96)$ より，$c = \frac{1.96(2 - t_2)^2}{12\sqrt{n}}$. t_2 の範囲が大きいほど信頼区間は狭くなる．

7.9.13 (a) $\Gamma(3n, 1/\theta)$; いいえ；(c) $(3n-1)/Y$; (e) Beta $(3, 3n-3)$.

第 8 章

8.1.1 例 8.1.2 と同様に $\frac{L(\theta'; x)}{L(\theta''; x)} = \exp\left\{\sum_{i=1}^n x_i + \frac{n}{2}\right\}$ から $\sum_{i=1}^n x_i \leq$

E. 練習問題略解   739

$\log k - \frac{n}{2} = c$. $\bar{X} \leq \frac{c}{n} = c_1$ より最良の検定の検定力は $P_{H_1}(\bar{X} \leq c_1) = \int_{-\infty}^{0.329} \frac{1}{\sqrt{2\pi}\sqrt{\frac{1}{25}}} \exp\left[-\frac{\{\bar{x}-(-1)\}^2}{2(\frac{1}{25})}\right] d\bar{x}$
$= 0.9996$.

8.1.4 $\sum_{i=1}^{10} x_i^2 \geq 18.3$；はい；はい．

8.1.5 $\prod_{i=1}^{n} x_i \geq c$.

8.1.6 $3\sum_{i=1}^{10} x_i^2 + 2\sum_{i=1}^{10} x_i \geq c$.

8.1.7 約 96；76.7．

8.1.8 $\prod_{i=1}^{n}[x_i(1-x_i)] \geq c$.

8.1.9 約 39；15．

8.1.10 0.08；0.875．

8.2.1 $(1-\theta)^9(1+9\theta)$.

8.2.2 $1 - \frac{15}{16\theta^4}$, $1 < \theta$.

8.2.3 $1 - \Phi\left(\frac{3-5\theta}{5}\right)$.

8.2.4 約 54；5.6．

8.2.5 ネイマン・ピアソンの定理の (b) より，
$\left(\frac{\theta''}{\theta'}\right)^{n/2} \exp\left[-\left(\frac{\theta''-\theta'}{2\theta'\theta''}\right)\sum_1^n x_i^2\right] \geq k$ であり，$\sum_1^n x_i^2 \leq \frac{2\theta'\theta''}{\theta''-\theta'}\left[\frac{n}{2}\log\left(\frac{\theta''}{\theta'}\right) - \log k\right] = c$ が成立する．

8.2.7 もし $\bar{x} \geq 77.564$ なら H_0 を棄却する．

8.2.8 約 27；
もし $\bar{x} \leq 24$ なら H_0 を棄却する．

8.2.9 $\theta'' > \frac{1}{20}$ とすると，尤度の比は
$\frac{0.05^{\sum x_i} 0.95^{n-\sum x_i}}{\theta''^{\sum x_i}(1-\theta'')^{n-\sum x_i}} \leq k$ となる．これより $\sum_{i=1}^{n} x_i \geq c$ は一様最強力棄却域であることが導かれる．$\gamma(\frac{1}{10}) = \Phi(-z_\alpha - \frac{\sqrt{n}(\mu_0-\mu)}{\sigma}) = \Phi(-1.65 - \frac{\sqrt{n}(0.05-0.1)}{\sqrt{0.05 \times 0.95}}) = 0.90$ を解くことにより，n は約 163．

8.2.10 $\Gamma(n,\theta)$；もし $\sum_{i=1}^{n} x_i \geq c$ なら H_0 を棄却する．

8.2.11 十分統計量は $Y = \prod_{i=1}^{n} x_i$ であり，尤度比は $\frac{n\log 6 + 6\log\prod_{i=1}^{n} x_i}{n\log\theta + \theta\log\prod_{i=1}^{n} x_i}$ となる．$g(Y) \leq k \Leftrightarrow Y \geq g^{-1}(k)$ であり，かつ分布族が Y に関して単調尤度比をもつから，棄却域 $\prod_{i=1}^{n} x_i \geq \exp\left(\frac{kn\log\theta - n\log 6}{6-k\theta}\right)$ で表される検定は UMP 検定である．

8.2.12 (b) $\frac{6}{32}$；(c) $\frac{1}{32}$．
(d) もし $y=0$ なら H_0 を棄却する；もし $y=1$ なら確率 $\frac{1}{5}$ で棄却する．

8.3.1 $|t|=2.27 > 2.145$；H_0 を棄却する．

8.3.2 $\frac{\partial \log L(\omega)}{\partial \theta_1} = \frac{1}{\theta_3}\Sigma(x_i - \theta_1) + \frac{1}{\theta_3}\Sigma(y_i - \theta_1) = 0$；$\frac{\partial \log L(\omega)}{\partial \theta_3} = -\frac{n+m}{2}\frac{1}{\theta_3} + \frac{\Sigma(x_i-\theta_1)^2}{2\theta_3^2} + \frac{\Sigma(y_i-\theta_1)^2}{2\theta_3^2} = 0$

8.3.3 $\frac{\partial \log L(\Omega)}{\partial \theta_1} = \frac{1}{\theta_3}\sum_1^n(x_i - \theta_1)$；
$\frac{\partial \log L(\Omega)}{\partial \theta_2} = \frac{1}{\theta_3}\sum_1^m(y_i - \theta_2)$；
$\frac{\partial \log L(\Omega)}{\partial \theta_3} = -\frac{n+m}{2\theta_3} + \frac{1}{2\theta_3^2}[\sum_1^n(x_i-\theta_1)^2 + \sum_1^m(y_i-\theta_2)^2]$

8.3.4 (a) 期待値については，$E[X_i] = E[\theta_1] + E[Z_i] = \theta_1$．分散については $\text{Var}(Z_i) = \theta_3$ より $E[Z_i^2] = \theta_3$ を利用して，$\text{Var}(X_i) = \theta_1^2 + 2\theta_1 E[Z_i] + E[Z_i^2] - \theta_1^2 = \theta_3$．$Y_i$ についても同様．
(b) H_0 のもとでは例 6.5.3 と同様の手続きにより $\frac{\bar{X}-\bar{Y}}{\sqrt{\frac{\theta_3}{n}+\frac{\theta_3}{m}}} = \frac{\sqrt{\frac{nm}{n+m}}(\bar{X}-\bar{Y})}{\sqrt{\theta_3}} \xrightarrow{D} N(0,1)$. ところで $\sqrt{S} = \sqrt{\frac{\sum_{i=1}^n(X_i-\bar{X})^2+\sum_{i=1}^m(Y_i-\bar{Y})^2}{n+m-2}}$ は，$n, m \to \infty$ のときに標準偏差 $\sqrt{\theta_3}$ に確率収束するので，$\frac{\sqrt{\theta_3}}{\sqrt{S}} \frac{\sqrt{\frac{nm}{n+m}}(\bar{X}-\bar{Y})}{\sqrt{\theta_3}} = \frac{\sqrt{\frac{nm}{n+m}}(\bar{X}-\bar{Y})}{\sqrt{S}} \xrightarrow{D} N(0,1)$. (c) $|T| > z_{\frac{\alpha}{2}}$ ならば H_0 を棄却する．ただし z_α は標準正規分布における上側 α 分位．

8.3.5 尤度比検定において，単純仮説検定では複合仮説を2つの最尤推定量によって代表させる必要がなく，$H_0:\theta=\theta_0$, $H_1:\theta=\theta_1$ として2つの母数を直接尤度比に代入する．この尤度比を利用した検定は，ネイマン・ピアソンの基本定理より導かれたMP検定と同様のものである．

8.3.6 $f(x;\theta)=(\frac{1}{\sqrt{2\pi}})^n \exp\{\frac{-\sum_{i=1}^n(x_i-\bar{x})^2}{2}+\frac{n(\bar{x}-\theta)^2}{2}\}$. 尤度比が $\frac{f(x;\theta')}{f(x;\hat{\theta})}=\exp\{-\frac{n(\bar{x}-\theta')^2}{2}\}$ より，水準 α の尤度比検定の棄却域は $|\bar{x}-\theta'|>c$.
(a) いいえ ; (b) はい．

8.3.7 $\Lambda = \left(\frac{\hat{\theta}_2}{\theta'_2}\right)^{n/2} \exp\left\{-\frac{n\hat{\theta}_2}{2\theta'_2}+\frac{n}{2}\right\}$ である．$t=\sum_{i=1}^n(x_i-\bar{x})^2$ とおき上式を t によって微分すると $g'(n\theta'_2)=0$, $g''(n\theta'_2)<0$ を得る．したがって，$t \leq c_1$ または $t \geq c_2$ の場合，またその場合にかぎり $\Lambda \leq c$ となり，題意を得る．

8.3.9 もし $|y_3-\theta_0| \geq c$ なら H_0 を棄却する．

8.3.10 帰無仮説における母数を θ_0, 尤度関数を $L_{H_0}(\theta_0)$, 対立仮説における母数を θ_1, 尤度関数を $L_{H_1}(\theta_1)$ とおくと，尤度関数は $L_{H_0}(\theta_0)=\frac{1}{\theta_0^n}$, $L_{H_1}(\theta_1)=\frac{1}{\theta_1^n}\exp(-\sum_i^n x_i/\theta_1)$ である．母数にその最尤推定量を代入して比をとると，$\frac{L_{H_0}(\theta_0)}{L_{H_1}(\theta_1)} = \bar{X}^n /((\max(X))^n \exp(-\sum_i^n x_i/\bar{X}))$.

8.3.11 (a) $\prod_{i=1}^n(1-x_i) \geq c$.

8.3.13 平均のmleはそれぞれ，$\bar{X}$, $\bar{Y}$, 共通の分散のmleは，$\frac{2}{3n}\sum_{i=1}^n[(x_i-\mu_1)^2-(x_i-\mu_1)(y_i-\mu_2)+(y_i-\mu_2)^2]$ である．これを用いて $\Lambda=(\sum_{i=1}^n[(x_i-\mu_1)^2-(x_i-\mu_1)(y_i-\mu_2)+(y_i-\mu_2)^2]/(x_i^2-x_iy_i+y_i^2))^n$ となる．

8.4.1 $5.84n-32.42 ; 5.84n+41.62$.

8.4.2 $0.04n-1.66 ; 0.04n+1.20$.

8.4.4 $0.025, 29.7, -29.7$.

8.4.5 (a) $f(x,\theta)=\exp\{\log\theta+\theta\log x-\log x\}$ で正規な指数クラスに属する．定理7.5.2 より $Y_1=\sum_{i=1}^n K(x_i)=\log\prod_{i=1}^n x_i$ となるので，$\log\prod_{i=1}^n x_i$ が完備十分統計量．(b) $k_0=\frac{1}{9}, k_1=9$. $\frac{1}{9} < \frac{L(2,Y)}{L(3,Y)} < 9$ から，$c_0(n)=\frac{1}{9}\left(\frac{2}{3}\right)^n < \prod_{i=1}^n x_i < 9\left(\frac{2}{3}\right)^n = c_1(n)$ となる．よって，$\prod_{i=1}^n x_i \geq c_1(n)$ のとき H_0 を棄却し，$\prod_{i=1}^n x_i \leq c_0(n)$ のとき H_0 を採択する．

8.5.1 (a) $\frac{L(1)}{L(0)}=\prod_{i=1}^{20}\exp\left[\frac{2x_i-1}{10}\right]<k$ の両辺の対数を取って変形することで $\bar{x} \leq \frac{\log k+2}{4}=c$ より題意を得る．(b) $P(\bar{x}\leq c;\theta=1)=\Phi(c-1)=0.05$ を満たせばよいので，$c=-0.645$. 検定力は $P(\bar{X}\leq -0.645;\theta=0)=\Phi(-0.645)=0.260$. (c) $P(\bar{x}\leq c;\theta=1)=P(\bar{x}>c;\theta=0)$ より $\Phi(c-1)=1-\Phi(c)$ を満たせばよいので，$c=0.5$. 検定力はそれぞれ $P(\bar{X}\leq 0.5;\theta=0)=\Phi(0.5)=0.691$, $P(\bar{X}\leq 0.5;\theta=1)=\Phi(0.5-1)=0.309$.

8.5.2 (a) $L(\frac{1}{2})/L(1)=\frac{1}{2}\sum x_i e^{n/2}$. これは $\sum_1^n x_i \geq \left(\log k-\frac{n}{2}\right)/\log\frac{1}{2}=c$ と同等であることより題意．(b) H_0 のもとで $y=\sum x_i$ は平均5のポアソン分布に従うので $P_{H_0}(Y\geq 10)+P_{H_0}(Y=9)\times 0.5=0.05$ となる．(c) $\mathcal{L}(\frac{1}{2},1) \times [P_{H_0}(Y\geq 7)+P_{H_0}(Y=6)\times 0.08]=\mathcal{L}(1,\frac{1}{2})\times[P_{H_1}(Y\leq 5)+P_{H_1}(Y=6)\times 0.92] \doteq 0.250$ より題意を得る．

8.5.5 $(9y-20x)/30 \leq c \Rightarrow (x,y) \in \theta''_1, \theta''_2$.

8.5.6 H_0 と H_1 それぞれのもとでpdfを構成して比をとると，分類規則は，$8[x^2-xy+y^2-(\frac{x-1}{2})^2+(\frac{x-1}{2})(\frac{y-1}{3})-(\frac{y-1}{3})^2] \leq \log k$ となり2次の多項式を

E. 練習問題略解

含む.

8.5.7 $2w_1^2 + 8w_2^2 \geq c \Rightarrow (w_1, w_2) \in \Pi$.

第9章

9.1.1 $\sum_{i=1}^{a}(X_{ij}-\bar{X}_{\cdot j})^2/\sigma^2 = (a-1)\frac{S^2}{\sigma^2}$
より，自由度 $(a-1)$ のカイ2乗分布に従う．これより，題意を得る．

9.1.2 $+\bar{X}_{i\cdot}-\bar{X}_{i\cdot}+\bar{X}_{\cdot j}-\bar{X}_{\cdot j}+\bar{X}_{\cdot\cdot}-\bar{X}_{\cdot\cdot}$
を補助項として利用する．また，$\sum_{i=1}^{a}(\bar{X}_{i\cdot}-\bar{X}_{\cdot\cdot}) = a\bar{X}_{\cdot\cdot}-a\bar{X}_{\cdot\cdot} = 0$, $\sum_{j=1}^{b}(\bar{X}_{\cdot j}-\bar{X}_{\cdot\cdot}) = b\bar{X}_{\cdot\cdot}-b\bar{X}_{\cdot\cdot} = 0$.

9.1.4 前半部分は，$(X_{ijk}-\bar{X}_{\cdot\cdot\cdot})^2 = ((X_{ijk}-\bar{X}_{i\cdot\cdot})+(\bar{X}_{i\cdot\cdot}-\bar{X}_{\cdot\cdot\cdot}))^2$ とおくことで例9.1.1と同様となる．後半部分は，$(X_{ijk}-\bar{X}_{\cdot\cdot\cdot})^2 = ((X_{ijk}-\bar{X}_{ij\cdot})+(\bar{X}_{i\cdot\cdot}-\bar{X}_{\cdot\cdot\cdot})+(\bar{X}_{\cdot j\cdot}-\bar{X}_{\cdot\cdot\cdot})+(\bar{X}_{ij\cdot}-\bar{X}_{i\cdot\cdot}-\bar{X}_{\cdot j\cdot}+\bar{X}_{\cdot\cdot\cdot}))^2$ とおくことで例9.1.2, 例9.1.3と同様となる．

9.1.5 多項式を展開すると $\frac{3}{4}(X_1^2+X_2^2+X_3^2+X_4^2) - \frac{1}{2}(X_1X_3+X_1X_2+X_1X_4+X_2X_3+X_2X_4+X_3X_4)$ と変形できる．これは $\sum_{i=1}^{4}(X_i-\bar{X})$ の2次形式である．

9.2.1 $\sum_{j=1}^{b}\sum_{i=1}^{a_j}(X_{ij}-\bar{X}_{\cdot j})(\bar{X}_{\cdot j}-\bar{X}_{\cdot\cdot})$
$= \sum_{j=1}^{b}(X_{ij}-\bar{X}_{\cdot j})(a_j\bar{X}_{\cdot j}-a_j\bar{X}_{\cdot j})$
$= 0$ より $Q' = Q'_3 + Q'_4$ を得る．H_0 が真のもとで，検定は自由度 $(b-1, \sum_{j=1}^{b}a_j-b)$ の F 統計量により行われる．

9.2.2 例8.3.1における T の2乗，問題9.2.1における F にそれぞれ値を代入して整理することで，$\frac{nm}{n+m}(\bar{X}_{\cdot 1}-\bar{X}_{\cdot 2})^2 = n(\bar{X}_{\cdot 1}-\bar{X}_{\cdot\cdot})^2 + m(\bar{X}_{\cdot 2}-\bar{X}_{\cdot\cdot})^2$ を示せばよいことがわかる．右辺について，$\bar{X}_{\cdot\cdot} = \frac{n\bar{X}_{\cdot 1}+m\bar{X}_{\cdot 2}}{n+m}$ を代入して整理することで題意を得る．

9.2.4 6.39.

9.2.6 $7.875 > 4.26$; H_0 を棄却する．

9.2.7 $10.224 > 4.26$; H_0 を棄却する．

9.3.1 Y の積率母関数は $M_Y(t) = \frac{1}{(1-2t)^{\sum_{i=1}^{n}r_i/2}}\exp\left[\frac{t(\sum_{i=1}^{n}\theta_i)}{(1-2t)}\right]$ であることから題意が満たされる．

9.3.2 $r+\theta$; $2r+4\theta$.

9.3.3 平均:
$r_2(\theta+r_1)/[r_1(r_2-2)]$.

9.3.4 非心 t 確率変数 t の2乗は，$t^2 = \frac{w^2}{v/r}$ と表される．w^2 は自由度1の非心カイ2乗分布，v は自由度 r のカイ2乗分布に従うことから題意を得る．

9.3.6 $\chi^2(\sum a_j-b, 0)$; $\chi^2(b-1, \theta_4)$; $F(b-1, \sum a_j-b, \theta_4)$.

9.4.1 $k=l$ のときに不等式が成り立つと仮定すると，$k=l+1$ のとき $P(\bigcup_{i=1}^{l+1}A_i) = P(\bigcup_{i=1}^{l}A_i) + P(A_{l+1}) - P(\bigcap_{i=1}^{l+1}A_i)$
$\leq \sum_{i=1}^{l}P(A_i) + P(A_{l+1}) = \sum_{i=1}^{l+1}P(A_i)$ となり，ブールの不等式が成り立つ．また $P(\bigcup_{i=1}^{k}A_i) = 1 - P(\bigcap_{i=1}^{k}A_i^c)$ を用いて変形させると，題意を得る．

9.5.1 $\sum_{j}^{b}\sum_{i}^{a}(X_{ij}-\bar{X}_{i\cdot})^2 = \sum_{j}^{b}\sum_{i}^{a}[(\bar{X}_{\cdot j}-\bar{X}_{\cdot\cdot})+(X_{ij}-\bar{X}_{i\cdot}-\bar{X}_{\cdot j}+\bar{X}_{\cdot\cdot})]^2$,
$\sum_{j}^{b}\sum_{i}^{a}(\bar{X}_{\cdot j}-\bar{X}_{\cdot\cdot}) = a(b\bar{X}_{\cdot\cdot}-b\bar{X}_{\cdot\cdot}) = 0$ となることを利用する．

9.5.2 $\sigma^{-2}c\sum_{i=1}^{a}\sum_{j=1}^{b}(\bar{X}_{ij\cdot}-\bar{X}_{i\cdot\cdot}-\bar{X}_{\cdot j\cdot}+\bar{X}_{\cdot\cdot\cdot})^2 = \sigma^{-2}c\sum_{i=1}^{a}\sum_{j=1}^{b}(\mu+\alpha_i+\beta_j-\mu-\alpha_i-\mu-\beta_j-\mu)^2 = 0$; $\sigma^{-2}\sum\sum\sum(X_{ijk}-\bar{X}_{ij\cdot})^2 = \sigma^{-2}\sum\sum\sum(\mu+\alpha_i+\beta_j+\gamma_{ij}-\mu-\alpha_i-\beta_j)^2$

9.5.3 $-\log L(\mu, \alpha_i, \beta_j, \sigma^2) = \frac{ab}{2}\log(2\pi\sigma^2) + \frac{\sum_{i=1}^{a}\sum_{j=1}^{b}(x_{ij}-\mu-\alpha_i-\beta_j)^2}{2\sigma^2}$ より，2項目の分子を α_i, β_j, μ によって偏微分することにより題意を得る．$\hat{\alpha}_i, \hat{\beta}_j, \hat{\mu}$ の分散はそれぞれ $\frac{\sigma^2}{b}, \frac{\sigma^2}{a}, \frac{\sigma^2}{ab}$.

9.5.5 $7.00; 9.98$.

9.5.7 $4.79; 22.82; 30.73$.

9.5.8 加法モデルにおいて $j=J$ と固定した場合の $i=m$ と $i=n$ という任意の 2 つのセルの平均の差は, (9.5.1) 式より $\mu_{mJ} - \mu_{nJ} = \bar{\mu}_{m.} - \bar{\mu}_{n.}$ となり, 水準 j からの影響を受けないことから題意を得る.

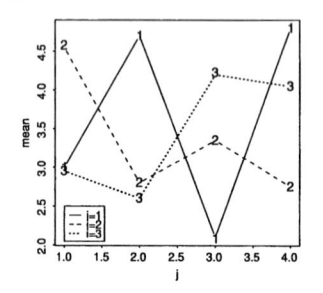

9.5.9 (a) $7.624 > 4.46$, H_A を棄却する; (b) $15.538 > 3.84$, H_B を棄却する.

9.5.10 $8; 0; 0; 0; 0; -3; 1; 2; -2; 2; -2; 2; 2; -2; 2; -2; 0; 0; 0; 0$.

9.6.1 (a) $4.483 + 6.483x$.

9.6.2 (a) $-26.0059 + 0.5041x$
(b)

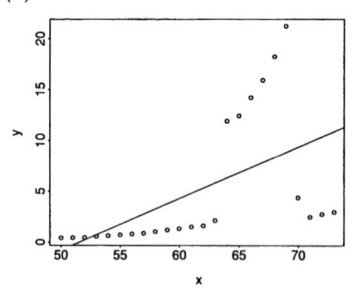

(c) 2本の1次式で近似すべき散布模様であるため.

9.6.3 T_1 と T_2 がそれぞれ $t(n-2)$ に従うことを用いて $P(|T_1| \leq t_{\alpha/2, n-2}) =$ $1-\alpha$ から $\hat{\alpha} - \sqrt{\frac{\hat{\sigma}^2}{n-2}} t_{\alpha/2, n-2} \leq \alpha \leq \hat{\alpha} + \sqrt{\frac{\hat{\sigma}^2}{n-2}} t_{\alpha/2, n-2}$. 同様の方法で $\hat{\beta} - \sqrt{\frac{n\hat{\sigma}^2}{(n-2)\sum_1^n (x_i - \bar{x})^2}} t_{\alpha/2, n-2} \leq \beta \leq \hat{\beta} + \sqrt{\frac{n\hat{\sigma}^2}{(n-2)\sum_1^n (x_i - \bar{x})^2}} t_{\alpha/2, n-2}$.

9.6.4 (a) 平均 $\alpha + (x_0 - \bar{x})\beta$, 分散 $\sigma^2 \left(\frac{1}{n} + \frac{(x_0 - \bar{x})^2}{\sum_{i=1}^n (x_i - \bar{x})^2} \right)$ の正規分布.

9.6.6 $\Sigma_i^n [Y_i - \alpha - \beta(x_i - \bar{x})]^2 = \Sigma_i^n [(\hat{\alpha} - \alpha) + (\hat{\beta} - \beta)(x_i - \bar{x}) + \{Y_i - \hat{\alpha} - \hat{\beta}(x_i - \bar{x})\}]^2$, $\Sigma_i^n (\hat{\beta} - \beta)(x_i - \bar{x}) = 0$, $\hat{\alpha} = \bar{Y}$ より, $\Sigma_i^n \{Y_i - \hat{\alpha} - \hat{\beta}(x_i - \bar{x})\} = 0$. 以上を利用して題意を得る.

9.6.7 $\hat{\beta} = \sum_{i=1}^n (X_i / nc_i^2)$, $\sum_{i=1}^n [(X_i - \hat{\beta}c_i)^2 / nc_i^2]$.

9.6.10 $E[(\hat{\alpha} - E(\hat{\alpha}))(\hat{\beta} - E(\hat{\beta}))] = E[(\bar{Y} - E(\bar{Y}))(\hat{\beta} - E(\hat{\beta}))] = E[(\bar{Y} - \bar{Y})(\hat{\beta} - E(\hat{\beta}))] = 0$.

9.6.11 (a) $\|Y - \hat{\alpha}\mathbf{1} - \hat{\beta}\boldsymbol{x}_c\|^2 = \sum_{i=1}^n [y_i - \hat{\alpha} - \hat{\beta}(x_i - \bar{x})]^2$ となる一方で, 最小2乗解 $\hat{\alpha}, \hat{\beta}$ は関数 $H(\alpha, \beta) = \sum_{i=1}^n [y_i - \alpha - \beta(x_i - \bar{x})]^2$ を最小化する値である. よって $H(\hat{\alpha}, \hat{\beta}) = \|Y - \hat{\alpha}\mathbf{1} - \hat{\beta}\boldsymbol{x}_c\|^2$ から, $\hat{\alpha}\mathbf{1} + \hat{\beta}\boldsymbol{x}_c$ は $\hat{\boldsymbol{\theta}}$ の定義そのもの. (b) 各要素について $y_i - \hat{\theta}_i = y_i - \hat{y}_i = e_i$ より題意を得る. (c) $\hat{\alpha} + \hat{\beta}(x_i - \bar{x}) + \hat{e}_i = \hat{y}_i + \hat{e}_i = y_i$ より $\boldsymbol{Y} = 1 \times \hat{\boldsymbol{\theta}} + \hat{\boldsymbol{e}}$ が成り立つので, $\hat{\boldsymbol{e}}$ は $\boldsymbol{Y}$ の $\hat{\boldsymbol{\theta}}$ と直交する成分. (d) $\hat{\alpha} = \bar{Y}$ より $\sum_{i=1}^n \hat{e}_i = \sum_{i=1}^n (y_i - \hat{y}_i) = \sum_{i=1}^n y_i - \sum_{i=1}^n \bar{Y} - \sum_{i=1}^n \hat{\beta}(x_i - \bar{x}) = n\bar{Y} - n\bar{Y} - \hat{\beta}(n\bar{X} - n\bar{X}) = 0$.

9.6.12 $\hat{a} = \frac{5}{3}$.

9.6.13 z と回帰平面との距離の2乗和は $H(a, b, c) = \sum_{i=1}^5 (z_i - a - bx_i - cy_i)^2$ となる. $H(a, b, c)$ を a, b, c それぞれに

E. 練習問題略解

関して1次偏微分を行い, 結果を0とおいて定数部分を整理すると $\sum_{i=1}^{5}(z_i - a - bx_i - cy_i) = 0$, $\sum_{i=1}^{5}(x_i(z_i - a - bx_i - cy_i)) = 0$, $\sum_{i=1}^{5}(y_i(z_i - a - bx_i - cy_i)) = 0$ である. これらに実際の値を代入し, 連立方程式を解くと, $z = 3.692 - 1.731x$ が導かれる.

9.6.14 (a) $E[\hat{\beta}] = \beta$, $V[\hat{\beta}] = E[((X'X)^{-1}X'e)^2] = \sigma^2(X'X)^{-1}$, (b) $\hat{\beta} = (5.25 \ \ 2.50 \ \ -1.22)'$.

9.6.16 μ の mle は $\bar{y}$, 対立仮説において, γ^2 の mle が $\hat{\gamma}^2 = \frac{1}{n}\sum_{i=1}^{n}(\frac{y_i - \mu}{x_i})^2$ となることを利用すると, 尤度比 $\Lambda = (\frac{1}{n}\sum_{i=1}^{n}(\frac{y_i - \bar{y}}{x_i})^2)^{n/2} \times \exp[\frac{-\sum_{i=1}^{n}(\frac{y_i - \bar{y}}{x_i})^2 + n}{2}]$ となる.

9.6.17 $\Lambda = [\sum(y_i - \hat{\beta}x_i)^2 / \sum y_i^2]^{n/2}$. $\beta = 0$ の下で $\sum(Y_i - \beta x_i)^2 = \sum(Y_i - \hat{\beta}x_i)^2 + \hat{\beta}^2 \sum x_i^2$ から, 検定は自由度 $n-1$ の t 統計量に基づく.

9.7.1 分子 $= \sum_{1}^{n} X_i Y_i - \bar{Y} n\bar{X} - \bar{X}n\bar{Y} + n\bar{X}\bar{Y}$. 分母 $= \sqrt{(\sum_{1}^{n} X_i^2 - 2\bar{X}n\bar{X} + n\bar{X}^2)} \times \sqrt{(\sum_{1}^{n} Y_i^2 - 2\bar{Y}n\bar{Y} + n\bar{Y}^2)}$ となることより.

9.7.2 H_0 を棄却する.

9.7.4 t 分布の pdf は $f(t) = \frac{\Gamma(\frac{n-1}{2})}{\sqrt{(n-2)\pi}\Gamma(\frac{n-2}{2})}(1 + \frac{t^2}{n-2})^{-\frac{n-1}{2}}$; $t = \frac{\sqrt{n-2}r}{\sqrt{1-r^2}}$ とし, $\frac{dt}{dr} = \sqrt{n-2} \times \frac{1}{(1-r^2)^{\frac{3}{2}}}$ から題意を得る.

9.7.5 4.5節より標本分散, 標本共分散はそれぞれ分散, 共分散に確率収束する点と定理4.5.2を用いる.

9.7.6 併合した標本の平均を $\bar{x}^*$, $\bar{y}^*$ とすると, $\sum_{i=1}^{n}(x_i - \bar{x}^*)^2 - \sum_{i=1}^{n}(x_i - \bar{x})^2 = \sum_{i=1}^{n}\{(2x_i - \bar{x}^* - \bar{x})(-\bar{x}^* + \bar{x})\}$ より併合後の分散は $s_x^2 = \frac{299}{9}$, $s_y^2 = \frac{800}{9}$ となる. $\sum_{i=1}^{n}(x_i - \bar{x}^*)(y_i - \bar{y}^*) - \sum_{i=1}^{n}(x_i - \bar{x})(y_i - \bar{y}) = \sum_{i=1}^{n}\{x_i(\bar{y} - \bar{y}^*) + y_i(\bar{x} - \bar{x}^*) + \bar{x}^*\bar{y}^* - \bar{x}\bar{y}\}$ より併合後の共分散は $s_{xy} = \frac{380}{9}$ となり $\rho \doteq 0.78$.

9.8.1 $Q/\sigma^2 = x'Ax$ となる対称行列の固有値は $-1/(2\sigma^2)$, $-1/(2\sigma^2)$, $1/(2\sigma^2)$, $1/(2\sigma^2)$ であり, 定理9.8.2から mgf は $M(t) = (1 + t/\sigma^2)^{-1}(1 - t/\sigma^2)^{-1}$ となる. しかしこれはカイ2乗分布の mgf ではない.

9.8.2 2; $\mu'A\mu$; $\mu_1 = \mu_2 = 0$.

9.8.3 (b) $A^2 = A$; $\text{tr}(A) = 2$; $\mu'A\mu/8 = 6$.

9.8.4 (a) $\sum \sigma_i^2 / n^2$.

9.8.5 $[1 + (n-1)\rho](\sigma^2/n)$.

9.8.7 (a) $(aa_{11} + bb_{11}) + \cdots + (aa_{nn} + bb_{nn}) = a(a_{11} + \cdots + a_{nn}) + b(b_{11} + \cdots + b_{nn})$; (b) $\text{tr}(ABC) = \sum_{i=1}^{m}\sum_{j=1}^{k}\sum_{l=1}^{n} a_{li}b_{ij}c_{jl}$, $\text{tr}(BCA) = \sum_{i=1}^{m}\sum_{j=1}^{k}\sum_{l=1}^{n} b_{ij}c_{jl}a_{li}$, $\text{tr}(CAB) = \sum_{i=1}^{m}\sum_{j=1}^{k}\sum_{l=1}^{n} c_{jl}a_{li}b_{ij}$; (c) $\text{tr}(\Gamma'A\Gamma) = \text{tr}(A\Gamma\Gamma') = \text{tr}A$; (d) A のスペクトル分解を $A = \Gamma'\Lambda\Gamma$ と表す. $\text{tr}A = \text{tr}\Gamma'\Lambda\Gamma = \text{tr}\Lambda\Gamma\Gamma' = \text{tr}\Lambda = \text{rank}(A)$.

9.8.8 $\text{tr}(A^2) = \text{tr}(\Gamma'\Lambda\Lambda\Gamma) = \text{tr}(\Gamma'\Lambda^2\Gamma) = \text{tr}(\Lambda^2\Gamma\Gamma') = \text{tr}(\Lambda^2) = \sum_{i=1}^{n}\lambda_i^2$.

9.8.9 $\Sigma^{\frac{1}{2}}\Sigma^{-\frac{1}{2}}$ を X に左から乗じて $Q = (\Sigma^{-\frac{1}{2}}X)'\Sigma^{\frac{1}{2}}A\Sigma^{\frac{1}{2}}(\Sigma^{-\frac{1}{2}}X)$. ここで X を標準化した $\Sigma^{-\frac{1}{2}}X \sim N_n(0, I_n)$ であるから, 定理9.8.4より $\Sigma^{\frac{1}{2}}A\Sigma^{\frac{1}{2}}$ がべき等であれば $Q \sim \chi^2(r)$. 仮に $\Sigma^{\frac{1}{2}}A\Sigma^{\frac{1}{2}}$ がべき等ならば $(\Sigma^{\frac{1}{2}}A\Sigma^{\frac{1}{2}})^2 = \Sigma^{\frac{1}{2}}A\Sigma A\Sigma^{\frac{1}{2}} = \Sigma^{\frac{1}{2}}A\Sigma^{\frac{1}{2}}$ でなければならないので, $A\Sigma A = A$. 逆に $A\Sigma A = A$ ならば $\Sigma^{\frac{1}{2}}A\Sigma^{\frac{1}{2}}$ がべき等であることは明らか.

9.8.10 A の固有値が0または1なので $A =$

9.9.1 従属する.

9.9.3 $0, 0, 0, 0$.

9.9.4 $\sum_{i=1}^{n} a_{ij} = 0$.

9.9.5 すべての i について $A_1 A_i = 0$ ならば, $Q_1, Q_2, \cdots, Q_k$ の同時 mgf は Q_1 の mgf とその他の Q_i の同時 mgf の積として表現される. ここから, すべての $i \neq j$ について $A_i A_j = 0$ ならば $Q_1, Q_2, \cdots, Q_k$ の同時 mgf は各 Q の mgf の積として表現される. 以上から題意は満たされる.

9.9.6 クレイグの定理および注意 9.9.2 より $\Sigma b' A = 0$ ならば, このときのみ $b'X$ と $X'AX$ は独立である. また $BA = bb'A = 0$ が成り立つならば, クレイグの定理より $X'BX$ と $X'AX$ は独立であり, そのときのみ $b'A = 0$ が成り立つ. このとき $b'X$ と $X'AX$ は独立であることから題意が満たされる.

9.9.9 Q_1 と Q_2 は $N(0,1)$ からの無作為標本の2次形式なので, それぞれカイ2乗分布に従う.

9.9.10 (a) 推定すべき母数の数を少なくし, 尤度を簡略化するため. (b) 定理 3.5.1 から示される. (c) $[(Y - X\hat{\beta}) + X(\hat{\beta} - \beta)]'[(Y - X\hat{\beta}) + X(\hat{\beta} - \beta)]$ を展開し, $(Y - X\hat{\beta})'X = Y'X - Y'X[(X'X)^{-1}]'X'X = O$ から示される. (d) $Q_1 = Z'IZ$ と表せる. ここで, I はサイズ p の単位行列であり, Z は標準正規分布に従う. 定理 9.8.2 から Q_1/σ^2 は $\chi^2(p)$ に従う. (e) Q は $N(0, \sigma^2)$ に独立に従う n 個の確率変数の2次形式であり, Q/σ^2 は $\chi^2(n)$ に従う. 一方, Q_2 は非負であるので, 定理 9.9.2 から Q_1 と Q_2 は独立である. (f) (e) の議論と定理 9.9.2 より Q_2/σ^2 は $\chi^2(n-p)$ に従う. (g) $c = (n-p)/p$ (h) 分布が得られたので β に対する仮説のもとで $Pr(cQ_2/Q_1 \leq d) = 1 - \alpha$ の式変形から β の信頼区間を構成する.

第10章

10.1.1 $a < 0$ のとき, $F_Y(aT(F_X)) = 1 - F_X(aT(F_X)/a) = 1 - F_X(T(F_X)) = 1 - p \neq p$ より題意を得る.

10.1.2 定理 1.7.1 より $X - a = Y = g(X)$, $-(X - a) = Z = h(X)$ の pdf はそれぞれ $f(y) = f(g^{-1}(y))$, $f(z) = f(h^{-1}(z))$. $f(x - a) = f(-(x - a))$ より, 題意を得る.

10.1.3 経験分布の p m f $\hat{f}_n(x) = 1/n$, $x \in X_i$, $i = 1, \ldots, n$ を, 離散型分布の平均値汎関数 $T(F_X) = \sum_x x p(x)$ に代入すると, $T(\hat{F}_n(x)) = \sum_{i=1}^{n} X_i \frac{1}{n} = \overline{X}$. また中央値汎関数に経験 cdf を代入した $T(\hat{F}_n(x)) = \hat{F}_n^{-1}\left(\frac{1}{2}\right)$ は, 標本分布における 50 パーセンタイル点の定義そのものである.

10.1.4 (a) (i) $a\sqrt{\sum_i (x_i - \mu)^2} = aT(F_X)$; (ii) $\sqrt{\sum_i ((x_i + b) - (\mu + b))^2} = T(F_X)$; (iii) $\sqrt{\sum_i (-x_i + \mu)^2} = T(F_X)$; (b) (i)(ii) 第1項, 第2項について例 10.1.1 と同様の関係が成立する点から導かれる. (iii) $-F_X^{-1}(3/4) = F_{-X}^{-1}(1/4)$, $-F_X^{-1}(1/4) = F_{-X}^{-1}(3/4)$ から導かれる.

10.2.1

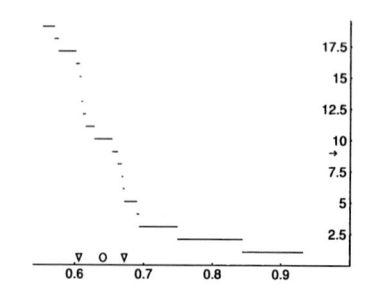

→がテスト統計量 (S(0.618)=9), ○が点推定値 (0.641), ▽〜▽が 95% 信頼

E. 練習問題略解　　　　　　　　　　　　　　　　　　　　　　　　　　　　　　　　745

区間 $((y_6, y_{15})=(0.606, 0.672))$.

10.2.2 S の帰無分布は平均 $\frac{n}{2}$, 分散 $\frac{n}{4}$ の 2項分布に従い, 中心極限定理より標準化した統計量は $N(0,1)$ に従う.

10.2.3 (a) 0.1148; (b) 0.7836.

10.2.5 (10.2.32) 式の θ による一次微分は $\frac{-\sum_{i=1}^{n} X_i + n\theta}{\sqrt{\sum(X_i - \theta)^2}}$. この式を 0 とおいて, θ について解くと $\theta = \frac{\sum_{i=1}^{n} X_i}{n} = \bar{X}$.

10.2.6 連続修正を用いると, $P_\theta(S(\theta) \leq c_1) \doteq P\left(Z \leq \frac{2c_1+1-n}{\sqrt{n}}\right)$ である. ここから, $\frac{2c_1+1-n}{\sqrt{n}} \doteq z_{\alpha/2}$ となり, $c_1 \doteq \frac{n}{2} - \frac{\sqrt{n} z_{\alpha/2}}{2} - \frac{1}{2}$ が導かれる.

10.2.7 $S = S(\theta_0) = \sharp\{X_i < \theta_0\}$ となり, $\gamma(\theta) = P_\theta[S(0) \geq c_\alpha]$. ここで $\theta_1 < \theta_2$ であると仮定し, $-\theta_1 > -\theta_2$. $S(-\theta_1) > S(-\theta_2)$ と系 10.2.1 より $\gamma(\theta_1) = P_{\theta_1}[S(0) \geq c_\alpha] = P_0[S(-\theta_1) \geq c_\alpha] \geq P_0[S(-\theta_2) \geq c_\alpha] = P_{\theta_2}[S(0) \geq c_\alpha] = \gamma(\theta_2)$ となり, 題意を得る.

10.2.8 (a) $P(Z > z_\alpha - (\sigma/\sqrt{n})\theta)$, ここで $E(Z) = 0$ かつ $\mathrm{Var}(Z) = 1$;
(c) 中心極限定理を用いる;
(d) $\left[\frac{(z_\alpha - z_{\gamma^*})\sigma}{\theta^*}\right]^2$.

10.3.1 (a) $E[\exp\{sT\}] = \frac{1}{8}e^{-6s} + \frac{1}{8}e^{-4s} + \frac{1}{8}e^{-2s} + \frac{2}{8}e^{0s} + \frac{1}{8}e^{2s} + \frac{1}{8}e^{4s} + \frac{1}{8}e^{6s}$; (b) $E[\exp\{sT\}] = \frac{1}{16}e^{-10s} + \frac{1}{16}e^{-8s} + \frac{1}{16}e^{-6s} + \frac{2}{16}e^{-4s} + \frac{2}{16}e^{-2s} + \frac{2}{16}e^{0s} + \frac{2}{16}e^{2s} + \frac{2}{16}e^{4s} + \frac{1}{16}e^{6s} + \frac{1}{16}e^{8s} + \frac{1}{16}e^{10s}$

10.3.2 $\int_{-\infty}^{\infty} f^2(x)dx = \int_{-\infty}^{\infty} \{\frac{(1-\epsilon)^2}{2\pi} \times \exp(-x^2) + \frac{\epsilon^2}{2\pi\sigma_c^2} \exp(-\frac{x^2}{\sigma_c^2}) + \frac{\epsilon(1-\epsilon)}{\pi\sigma_c} \times \exp(-\frac{x^2}{2} - \frac{x^2}{2\sigma_c^2})\}dx = \frac{(1-\epsilon)^2}{2\sqrt{\pi}} + \frac{\epsilon^2}{2\sqrt{\pi}\sigma_c} + \frac{\epsilon(1-\epsilon)\sqrt{2}}{\sqrt{\pi}\sqrt{\sigma_c^2+1}}$, $ARE(W,t) =$ $12[1 + \epsilon(\sigma_c^2 - 1)][\frac{(1-\epsilon)^2}{2\sqrt{\pi}} + \frac{\epsilon^2}{2\sqrt{\pi}\sigma_c} + \frac{\epsilon(1-\epsilon)\sqrt{2}}{\sqrt{\pi}\sqrt{\sigma_c^2+1}}]^2$.

10.3.3 漸近的に $\frac{(T^+ - n(n+1)/4)}{\sqrt{n(n+1)(2n+1)/24}}$ が標準正規分布に従うので, 連続修正を行い題意を得る.

10.3.6 mgf が 0 に関して対称であるならば, $E[e^{tX}] = E[e^{(-t)X}] = E[e^{t(-X)}]$ より X は 0 に関して対称. 逆に X が 0 に関して対称ならば, $E[e^{tX}] = E[e^{t(-X)}] = E[e^{(-t)X}]$ より mgf が 0 に関して対称.

10.3.7 i) $y = ax$ として, $\tau(y) = a/(\sqrt{12} \int_{-\infty}^{\infty} f^2(y/a)dy) = a/(\sqrt{12} \int_{-\infty}^{\infty} f^2(x)dx) = a\tau(x)$ より題意は満たされる. ii) $\tau(x+b) = 1/(\sqrt{12} \int_{-\infty}^{\infty} f^2(x+b)dx) = 1/(\sqrt{12} \int_{-\infty-b}^{\infty-b} f^2(x)dx) = \tau(x)$ より題意は満たされる. iii) $\tau(-x) = 1/(\sqrt{12} \int_{\infty}^{-\infty} -f^2(-x)dx)$ となる. $f(-x) = f(x)$ であるから $\tau(-x) = 1/(\sqrt{12} \int_{\infty}^{-\infty} -f^2(x)dx) = \tau(x)$ より題意は満たされる.

10.4.2 $1 - \Phi[z_\alpha - \sqrt{\lambda_1 \lambda_2}(\delta/\sigma)]$.

10.4.3 X の平均を μ とおくと, 中心極限定理より $\bar{X} \sim N(\mu, \sigma^2/n_1)$, $\bar{Y} \sim N(\mu + \Delta, \sigma^2/n_2)$ である. よって, 定理 3.4.2 を用いると $\bar{Y} - \bar{X}$
$\sim N\left(\Delta, \sigma^2\left(\frac{1}{n_1} + \frac{1}{n_2}\right)\right)$.

10.4.4 H_0 のもとで U は平均 $\frac{n_1 n_2}{2}$, 分散 $\frac{n_1 n_2 (n+1)}{12}$ に従う. また漸近的に正規分布に従うので, $P(U \leq \frac{n_1 n_2}{2} - z_{\frac{\alpha}{2}}\sqrt{\frac{n_1 n_2 (n+1)}{12}}) = \frac{\alpha}{2}$. 連続修正を利用することにより題意を得る.

10.4.5 $z(x=y)$ という定数を用いる. このとき
$P(X + \Delta \leq z) \leq P(X \leq z)$
$\Leftrightarrow P(X \leq z - \Delta) \leq P(X \leq z)$

$\Leftrightarrow F_X(z-\Delta) \leq F_X(z)$ が成り立つ．よって Y は X よりも確率的に大きい．

10.4.6 (a)

```
グループ1
 :--- - .
グループ2
 |---|---.-|--.--|-------|---.-|
 0   5   10  15  20   25  30
```

(b) $\bar{y}-\bar{x}=4.84-1.73=3.11$，グループ2 の外れ値のため．
(c) (5.4.21) 式を用いて，$3.11\pm 2.101 \times \sqrt{(9\times 2.296+9\times 74.227)/18} \sqrt{1/5}$ を解くことにより題意を得る．
(d) $T=3.11/(\sqrt{1/5}\times \sqrt{(9\times 2.296+9\times 74.227)/18}) \doteq 1.1242$．

10.5.2 $\frac{n(n-1)}{n+1}$．

10.5.3 $\lim_{n\to\infty}\frac{1}{n}s_a^2 = \lim_{n\to\infty}\sum_{i=1}^n \varphi^2\left(\frac{i}{n+1}\right)\frac{1}{n} \doteq \lim_{n\to\infty}\sum_{i=1}^n \varphi^2\left(\frac{i}{n}\right)\frac{1}{n}$ は幅 $\frac{1}{n}$ で分割したリーマン積分と見なせば $\int_0^1 \varphi^2(u)du=1$ に等しい．

10.5.4 $\Phi^{-1}(u)=z$ より，$u=\Phi(z)$ として変数変換を行い積分する．すると，$\int_0^1 \varphi_N(u)du = \int_{-\infty}^\infty \kappa z f(z)dz = 0$ となる．また，$\int_0^1 \varphi_N^2(u)du = \int_{-\infty}^\infty z^2 f(z)dz = 1$ となる．

10.5.5 $W_\psi(\Delta_1)-W_\psi(\Delta_2) = a_\psi(R(X_i)+1)-a_\psi(R(X_i)-1)$．最小値はすべての i,j に対して $\Delta > Y_j - X_i$ のときに発生するので，$X_i > Y_j - \Delta$ のとき．この場合，$Y_j - \Delta$ は低い順位のみを取らなければならないため $\min_\Delta W_\psi(\Delta) = \sum_{j=1}^{n_2} a_\psi(j)$．また，これが厳密に正である場合は $0 < \sum_{j=1}^{n_2} a_\varphi(j) \leq \sum_{j=1}^{n_1} a_\varphi(j) + \sum_{j=1}^{n_1} a_\varphi(j)=0$ という矛盾が生じる

ので非正．

10.5.9 正規分布 $f(x)$ を x で微分すると $-z/\sigma f(x)$．ここで $z=(x-\mu)/\sigma = \Phi^{-1}(u) = \varphi(u)$ であり，$\int_0^1 \varphi(u)^2 du = 1$ より $\tau_\varphi = (1/\sigma\times 1)^{-1} = \sigma$．

10.5.10 $-\frac{f_z'(z)}{f_z(z)} = -\frac{(1+\exp\{-z\})^2}{\exp\{-z\}} \times \frac{\exp\{-z\}(\exp\{-z\}-1)}{(1+\exp\{-z\})^3}$；$u=(1+\exp\{-z\})^{-1}$ とおくと $z=\log\frac{u}{1-u}$

10.5.13 (a) $W_S^* = 9; W_{XS}^* = 6$；(b) 1.2；(c) 9.5．

10.6.1 $Q_1 \leq 2, Q_2 \geq 2$ より ϕ_1 を選択する．漸近的検定統計量は 1.56 となり，p 値は 0.059．

10.6.2 $Q_1=16.56$，$Q_2=5.65$ より得点関数 φ_4 を選択する．$W_4=\frac{2}{3}$，また，$E_{H_0}(W_4)=0$，$V_{H_0}(W_4)=\frac{10\times 10}{20\times 19}\times 7.492 = 1.9716$ より，$z=\frac{2}{3}\times\frac{1}{\sqrt{1.9716}} = 0.474$ となり p 値は 0.32．

10.7.3 (10.7.3) 式のもとで $T_\varphi = \sum_{i=1}^n (x_i - \bar{x})a_\varphi(R(Y_i)) = \sum_{i=1}^n c_i a_\varphi(R(Y_i))$ が成り立つ．また (12.2.2) 式 $Y_i = \alpha + \Delta(x_i - \bar{x}) + \epsilon_i$ において，$c_i=0$ のとき，$Y_i = X_i, c_i=1$ のとき，$Y_i = Y_i$ だから $T_\varphi = \sum_{i=1}^{n_2} a_\varphi(R(Y_i))$ が成り立つ．これはウィルコクスン得点関数を想定した (10.4.3) 式の MWW 統計量である．

10.7.4 $E(T_\varphi) = \sum (x_i-\bar{x})^2 E[a_\varphi^2(R(Y_i))] + \sum_{i\neq i'}\sum E[(x_i-\bar{x})a_\varphi^2(R(Y_i))(x_{i'}-\bar{x}) \times a_\varphi^2(R(Y_{i'}))] = \frac{s_a^2}{n}\sum(x_i-\bar{x})^2 + \frac{1}{n(n-1)}s_a^2 \sum(x_i-\bar{x})^2 = \frac{s_a^2}{n-1}\sum(x_i-\bar{x})$．

10.7.5 $H_1: \beta > 0$ のとき検定力関数は $\gamma(\beta) = P_\beta[T_\varphi(0) \geq c_{1-\alpha}]$，ただし

E. 練習問題略解

$c_{1-\alpha}$ は T_φ の帰無分布の $(1-\alpha)100$ パーセンタイル点．ここで $\beta_1 < \beta_2$ とすると，$T_\varphi(-\beta_1) \leq T_\varphi(-\beta_2)$．よって (10.7.10) 式より $\gamma(\beta_1) = P_0[T_\varphi(-\beta_1) \geq c_{1-\alpha}] \leq P_0[T_\varphi(-\beta_2) \geq c_{1-\alpha}] = \gamma(\beta_1)$ となり，検定力関数は非減少．逆に $H_1:\beta>0$ のときは $\gamma(\beta) = P_\beta[T_\varphi(0) \leq c_\alpha]$ より，検定力関数は非増加．

10.8.1 確率は 0 から 1 の値を取るため，定義から $-1 \leq \tau \leq 1$ が考えられる．X, Y 両変数が完全な一致の関係にある場合 $\tau=1$，その逆の場合 $\tau=-1$ であることから，題意を得る．

10.8.2

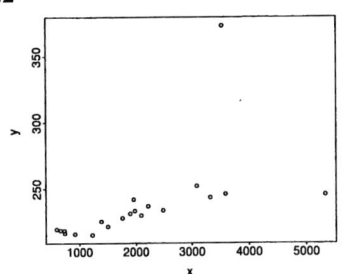

明らかな外れ値 (1896 年, $x=3530$, $y=373.2$) がうかがえる．

10.8.3 $\widehat{y}_{LS} = 205.9 + 0.015x$; $\widehat{y}_W = 211.0 + 0.010x$．

10.8.4 (a) $\widehat{y}_{LS} = 265.7 - 0.765(x-1900)$; $\widehat{y}_W = 246.9 - 0.436(x-1900)$;
(b) $\widehat{y}_{LS} = 3501.0 - 38.35(x-1900)$; $\widehat{y}_W = 3297.0 - 35.52(x-1900)$．

10.8.8 $r_{qc} = 16/17 = 0.941$, (0 は除外する)．

10.8.9 $r_N = 0.835$; $z = 3.734$．

第 11 章

11.1.1 $2.67, 8.00, 16.00, 21.33, 64$．

11.1.2 $p_1 + p_2 + d/2$ を受け取るこの人は $p_3 - d/4$ を支払うので最低でも $d/4$ だけ損をする．

11.1.3 この人は $P(\mathcal{C})=p<1$ と信じている．$d=1-p$ とし，胴元はこの人から割り増し評価の $1-d/2$ で $\mathcal{C}$ を譲り受けるとする．その結果，この人は胴元に 1 単位支払い，$1-d/2$ を得るので $d/2$ の損失となる．このダッチブックの状況を回避するためには $P(\mathcal{C})=1$ としなければならない．

11.1.4 ヒントより $P(C^c \cup C) = P(\mathcal{C})$. 左辺に定理 11.1.1，右辺に練習問題 11.1.3 を用いると，$P(C^c) + P(C) = 1$，よって $P(C^c) = 1 - P(C)$．

11.1.5 $C_1 \subset C_2$ から $P(C_1) \leq P(C_2)$. $C_2 \subset C_1$ から $P(C_2) \leq P(C_1)$．この 2 つを同時に満たすのは $P(C_1) = P(C_2)$ で題意を得る．

11.1.6 C_1, C_2, C_3 が互いに素であることと，定理 11.1.1 を 2 度用いて，$P(C_1 \cup C_2 \cup C_3) = P(C_1) + P(C_2 \cup C_3) = P(C_1) + P(C_2) + P(C_3)$ となる．

11.1.7 ヒント前半に定理 11.1.1 を用いると $P[C_1 \cup C_2] = P[C_1] + P[C_1^c \cap C_2]$．同様に後半より $P[C_2] = P[C_1 \cap C_2] + P[C_1^c \cap C_2]$．後者より $P[C_1^c \cap C_2] = P[C_2] - P[C_1 \cap C_2]$ を前者に代入することで題意を得る．

11.2.1 $0.45; 0.55$．

11.2.2 $g(\boldsymbol{x}|\theta) = \theta^{\sum x_i}(1-\theta)^{n-\sum x_i}$ であることを考慮し，ガンマ関数とベータ分布の基本性質を利用すると $k(\theta|\boldsymbol{x}) = \dfrac{\Gamma(\alpha+\beta+n)}{\Gamma(\sum x_i + \alpha)\Gamma(n-\sum x_i + \beta)} \theta^{\sum x_i + \alpha - 1}(1-\theta)^{n-\sum x_i + \beta - 1}$ と表記できる．ここで $Y = \sum x_i$ とおくと題意を得る．

11.2.3 $[y\tau^2 + \mu\sigma^2/n]/(\tau^2 + \sigma^2/n)$．

11.2.4 $\beta(y+\alpha)/(n\beta+1)$．

11.2.6 $\dfrac{y_1+\alpha_1}{n+\alpha_1+\alpha_2+\alpha_3}$; $\dfrac{y_2+\alpha_2}{n+\alpha_1+\alpha_2+\alpha_3}$．

11.2.7 θ の 95% 確信区間の下限と上限は $\dfrac{1.2}{2(24+1)} \times 322.31 \doteq 7.74$, $\dfrac{1.2}{2(24+1)} \times 429.47 \doteq 10.31$ である．$\widehat{\theta} = \overline{X} = 8.85$．

(6.2.29) 式と $I(\theta)=\frac{1}{\theta}$ を用いると, θ の近似的な 95% 信頼区間は $8.85\pm 1.96\times\frac{\sqrt{8.85}}{\sqrt{20}}$ より $[7.55, 10.15]$ となる.

11.2.8 (a) $\left(\theta-\frac{10+30\theta}{45}\right)^2+\left(\frac{1}{45}\right)^2 30\theta(1-\theta)$.

11.2.9 $\sqrt[6]{2}, y_4<1; \sqrt[6]{2} y_4, 1\le y_4$.

11.3.1 (a) $\frac{\theta_2^2}{[\theta_2^2+(x_1-\theta_1)^2][\theta_2^2+(x_2-\theta_1)^2]}$.

11.3.2 (a) 母数 β の十分統計量 $Y=\sum x_i$ は, ガンマ分布の加法性より Gamma $(30, 1/\theta)$ に従う. よって $f(Y|\theta)h(\theta)\propto \theta^{39}\exp[-\theta(Y+\frac{1}{2})^{-1}]$ より, θ の事後分布は Gamma$(40, (Y+\frac{1}{2})^{-1})$; (b)0.219; (c)0.214; (d) ガンマ分布とカイ 2 乗分布の関係より $2\theta(Y+\frac{1}{2})\sim \chi^2(80)$ を利用することができる. さらにカイ 2 乗分布を正規近似すれば, 左右対称な分布となる.

11.3.3 (a) 76.84; (b) (76.19, 77.48).

11.3.5 (a) $I(\theta)=\theta^{-2}$; (d) $\chi^2(2n)$.

11.3.6 (a) ポアソン pdf の対数尤度からフィッシャー情報量を求めると $\frac{n}{\theta}$ となる. $\sqrt{\frac{n}{\theta}}\propto \theta^{-1/2}$ となるので, $h(\theta)$ はジェフリーズの事前分布のクラスに属する. (b) 事後分布 $g(\theta|X)\propto \theta^{\sum_{i=1}^n x_i}e^{-n\theta}\frac{1}{\sqrt{\theta}}$ となり, θ の事後 pdf は, $\Gamma(\sum_{i=1}^n x_i+\frac{1}{2}, \frac{1}{n})$ に従う. したがって, $2n\theta$ の事後 pdf は $\Gamma(\sum_{i=1}^n x_i+\frac{1}{2}, 2)=\chi^2(2\sum_{i=1}^n x_i+1)=\chi^2(2y+1)$ に従う. (c) $(\frac{1}{2n}\chi^2_{1-(\alpha/2)}(2y+1),\frac{1}{2n}\chi^2_{(\alpha/2)}(2y+1))$. (d) $\theta\propto \Gamma(y+\frac{1}{2},\frac{1}{n})$ より, $P(\Gamma(y+\frac{1}{2},\frac{1}{n})\ge\theta_0)>P(\Gamma(y+\frac{1}{2},\frac{1}{n})<\theta_0)$ のとき H_0 を採択して, そうでなければ H_1 を採択する.

11.3.7 (a) 6.2 節のフィッシャー情報量より $h(\theta)\propto\sqrt{n/(\theta(1-\theta))}$. (b) 分布 $b(n,\theta)$ に従う母数の十分統計量 $Y=\sum_{i=1}^n X_i$ を考えると y の条件付き pdf は $g(y|\theta)=\binom{n}{y}\theta^y(1-\theta)^{n-y}$ となるので, $k(\theta|y)\propto\binom{n}{y}\theta^y(1-\theta)^{n-y}\times\sqrt{n/(\theta(1-\theta))}\propto \theta^{y+(1/2)-1}\times(1-\theta)^{n-y+(1/2)-1}$ より $k(\theta|y)\sim\beta(y+1/2, n-y+1/2)$ である. よって事後平均より $\hat{\theta}=\frac{y+1/2}{n+1}$ となる.

11.3.8 (a) $\beta(n\bar{x}+1, n+1-n\bar{x})$.

11.4.1 (a) U_1 と U_2 は iid な一様分布 $(0,1)$ に従うとする:
(1). $Y=-\log(1-U_1)$ を描く
(2). $X=Y-\log(1-U_2)$ を描く.

11.4.3 (b) $F_X^{-1}(u)=-\log(1-\sqrt{u})$, $0<u<1$.

11.4.5 (a) $1/\Gamma(\alpha)y^{\alpha-1}e^{-y}\times 1/x!y^x e^{-y}$
(b) $\frac{1}{\Gamma(\alpha)}y^{\alpha-1}e^{-1}\sum_{x=0}^{\infty}\frac{1}{x!}y^x e^{-y}=\frac{1}{\Gamma(\alpha)}y^{\alpha-1}e^{-1}$
(c) $\frac{1}{x!}\frac{1}{\Gamma(\alpha)}\int_0^{\infty}(2y)^{\alpha+x-1}e^{-2y}2dy$
$\times 2^{-(\alpha+x)}=\frac{1}{x!}\frac{\Gamma(\alpha+x)}{\Gamma(\alpha)}2^{-(\alpha+x)}=\frac{(\alpha+x-1)\cdots\alpha}{x!}2^{-(\alpha+x)}$
(d) $E(X)=\alpha\left(\frac{1}{2}\right)/\left(\frac{1}{2}\right)$.

11.4.7 (b) $f(x|y)$ は $b(n,y)$ pmf である; $f(y|x)$ は beta $(x+\alpha, n-x+\beta)$ pdf である.

11.5.1 (b) $\hat{\beta}=\frac{1}{2\bar{x}}$; (d) $\hat{\theta}=\frac{1}{\bar{x}}$.

11.5.2 (a) $\delta(y)=\dfrac{\int_0^1\left[\frac{a}{1-a\log p}\right]^2 p^y(1-p)^{n-y}dp}{\int_0^1\left[\frac{a}{1-a\log p}\right]p^{y-1}(1-p)^{n-y}dp}$.

11.5.3 (a) $g(p,y,\theta)=b(n,p)h(p|\theta)\gamma(1,a)$ より, $g(p|y,\theta)\propto p^y(1-p)^{n-y}p^{\theta-1}=p^{y+\theta-1}(1-p)^{n-y}$ となり, これは Beta$(y+\theta, n-y+1)$ に他ならな

E. 練習問題略解   749

い. (b) $g(\theta|y,p) \propto \theta p^{\theta-1}\frac{1}{a}e^{\frac{\theta}{a}} \propto \theta\exp[-\theta(\frac{1}{a}-\log p)]$ となり, これは $\Gamma(2,(\frac{1}{a}-\log p)^{-1})$ に他ならない. (c) $g(p_i|y,\theta_{i-1})$ から p_i を発生し, それを用いて $g(\theta_i|y,p_i)$ から θ_i を発生させることを繰り返す. $m+1$ 回目から n 回目までの繰り返しを用いて, $\hat{P}=\frac{1}{n-m}\sum_{i=m+1}^{n}p_i$ として p のベイズ推定を行う.

11.5.5 $g(y|\theta) = \int g(y|p)h(p|\theta)dp = \int \binom{n}{y} p^y(1-p)^{n-y}\theta p^{\theta-1}dp$. ベータ関数の pdf より $g(y|\theta) = \frac{\Gamma(n+1)\theta\Gamma(y+\theta)}{\Gamma(y+1)\Gamma(n+\theta+1)}$. ここから, $\frac{\partial}{\partial\theta}\log g(y|\theta) = \frac{1}{\theta} + \frac{\partial}{\partial\theta}\log\Gamma(y+\theta) - \frac{\partial}{\partial\theta}\log\Gamma(n+\theta+1)$.

11.5.6 $\hat{\tau^2} = 2\bar{x}^2 - \sigma^2/n$. $\hat{\theta} = \frac{\bar{x}\hat{\tau^2}}{\hat{\tau^2}+\sigma^2/n} = \frac{\bar{x}(2\bar{x}^2-\sigma^2/n)}{2\bar{x}^2-\sigma^2/n+\sigma^2/n} = \bar{x} - \frac{\sigma^2/n}{2\bar{x}}$.

第 12 章

12.1.1 $\eta = (\bar{y}+a)\mathbf{1}$ と仮定すると $\|\mathbf{Y}-\eta\|^2$ は $\sum_{i=1}^n(Y_i-\bar{y})^2 - 2a\sum_{i=1}^n(Y_i-\bar{y}) + na^2$ となり, 第 2 項が $-2a(\sum_{i=1}^n Y_i - n\bar{y}) = -2a(n\bar{y}-n\bar{y}) = 0$ となるので, $\sum_{i=1}^n(Y_i-\bar{y})^2 + na^2$ となる. $na^2 \geq 0$ であり, $a=0$ のときの η が $\hat{\eta}$ となることから $\hat{\eta} = \bar{y}\mathbf{1}$.

12.1.2 $S(y;\bar{Y}) = y$, $S(y;\hat{\theta}_{L_1,n}) = 16\hat{\theta}_{L_1,n+1}$. 標本中央値は標本平均に比べ外れ値に対してずっと敏感でないことが示された.

12.1.3 (a) $\int_{-\infty}^{\infty}[y-T(F_Y)]f_Y(y)dy = 0$
$\iff E[Y] = T(F_Y)$
$\iff E[Y] = E[\theta] + E[\epsilon]$
$\iff E[Y] = T(F) + \theta$
(b) $\sum_{i=1}^n \mathrm{sgn}(Y_i - \theta)\frac{1}{n} = 0$
$\iff \frac{1}{2} = F_Y[T(F_Y)]$
$\iff \frac{1}{2} = F_Y[T(F) + \theta]$
$\iff \frac{1}{2} = F[T(F) + \theta - \theta]$
$\iff \frac{1}{2} = F[T(F)]$
このとき $T(F_Y) = T(F) + \theta$ であり題意が満たされる.

12.1.4 $t<y$, $t>y$ の 2 つの場合に分けて考える.

12.1.5 (c) $y^2 - \sigma^2$.

12.1.7 (a) $n^{-1}\sum_{i=1}^n(Y_i-\bar{Y})^2$; (c) $y^2 - \sigma^2$.

12.1.8 (12.1.18) 式を u とおくと, $t = F_Y^{-1}\left(\frac{u-\epsilon\Delta_y(t)}{1-\epsilon}\right)$ となる. $t<y$, すなわち $u<F(y)$ のとき, $\Delta_y(t) = 0$. $t \geq y$, すなわち $u \geq F(y)$ のとき, $\Delta_y(t) = 1$.

12.1.9 0; $[4f^2(\theta)]^{-1}$.

12.2.1 $Q(\beta) = \|\mathbf{Y} - \mathbf{x}_c\beta\|^2 = \mathbf{Y}'\mathbf{Y} - 2\beta\mathbf{x}_c\mathbf{Y} + \mathbf{x}_c'\mathbf{x}_c\beta^2$ とおく. $Q(\beta)$ を β で微分し, 0 で評価したものを β について解くことで題意が示せる.

12.2.3 練習問題 12.2.2 より $\|\mathbf{Y}-\mathbf{X}_c\beta\|_W = \sum_{i=1}^n a(R(Y_i - x_{ci}\beta))(Y_i - x_{ci}\beta) = \sum_{i=1}^n a(R(Y_i - x_{ci}\beta))Y_i - \sum_{i=1}^n a(R(Y_i - x_{ci}\beta))x_{ci}\beta$. これに関して β の偏導関数を 0 とすることで題意を得る.

12.2.5 (12.2.12) 式については, $F(t-\beta x) = P(Y-\beta X \leq t-\beta x) = P(Y-\beta x \leq t-\beta x | X = x) = P(Y \leq t | X = x)$. 独立性については, $\beta = 0$ のとき $P(Y \leq t | X = x) = F(t) = P(e \leq t) = P(Y \leq t)$ より X と Y は独立. 逆に X と Y が独立な

らば, $P(Y \leq t|X=x)=P(Y \leq t)$ より $P(\beta x+e \leq t|X=x)=P(\beta X+e \leq t)$ が成立するためには $\beta=0$ が必要.

12.2.6 $\hat{y}_{LS}=3.14+.028x$; $\hat{y}_W=0.214+.020x$.

12.2.8 $\hat{y}_W=-1.1+4.0x$.

12.3.1 (a) $(Y-Xb)'(Y-Xb)$
$=Y'Y-Y'Xb-b'X'Y+b'X'Xb$
$b'X'Y=Y'Xb$ より, 題意を得る.
(b) $-2X'Y+2X'Xb=0$ より, $X'Xb=X'Y$.

12.3.3 (a) X は列フルランクであるから $\ker(X)=\{0\}$ が成り立つ. ここから $\ker(X'X)=\{b|X'Xb=0\}$ を満たすのは $b=0$ のときのみであり, したがって $\ker(X'X)=\{0\}$ である. (b) X は列フルランクなので $Xb=0$ であり, 従って $\|Xb\|=0$, $\|Xb\|^2=0$ が成り立つ. このとき行列 $X'X$ は正定行列であり, これは逆行列をもつから正則行列としての必要十分条件を満たす.

12.3.6 行列 X の列は直行しているため行列 $X'X$ の非対角要素は 0 となる. これより行列 $(X'X)^{-1}$ は対角要素に $1/n$, $1/\sum_{i=1}^n c_{i1}^2, \ldots, 1/\sum_{i=1}^n c_{ip}^2$ をもつ対角行列となる. したがって $\hat{b}'=[\frac{1}{n}\sum_{i=1}^n Y_i, (\sum_{i=1}^n c_{i1}Y_i)/\sum_{i=1}^n c_{i1}^2, \ldots, (\sum_{i=1}^n c_{ip}Y_i)/\sum_{i=1}^n c_{ip}^2]$ となり題意を得る.

12.3.7 (a) $\hat{y}_{LS,1}=49.54+1.25c_1$;
$\hat{y}_{LS,2}=49.54+1.69c_2$;
(b) $\hat{y}_{LS}=49.54-13.16c_1+16.34c_2$.

12.3.8 (a) $\hat{y}_{LS,i}=-22.113+16.06i$;
(b) $\hat{y}_{LS,i}=-2.113+6.057i+0.909i^2$.

12.3.9 (a) $E(\hat{b})=b+(X'X)^{-1}X'E(\epsilon)$
$=b$, $Cov(\hat{b})=E(b+(X'X)^{-1}X'\epsilon)$
$(b+(X'X)^{-1}X'\epsilon)'-bb'$
$=(X'X)^{-1}X'E(\epsilon\epsilon')X(X'X)^{-1}=$
$\sigma^2(X'X)^{-1}$. (b) $E(\hat{Y})=Xb+HE(\epsilon)=Xb$, $Cov(\hat{Y})=E((Xb+H\epsilon)(Xb+H\epsilon)')-Xbb'X'=HE(\epsilon\epsilon')H'=\sigma^2 H$. (c) $E(\hat{\epsilon})=(I-H)E(\epsilon)=0$, $Cov(\hat{\epsilon})=E((I-H)\epsilon\epsilon'(I-H))=\sigma^2(I-H)$.

12.3.12 $\hat{\beta}_j \sim N(\beta_j, \sigma^2(X_c'X_c)_{jj}^{-1})$ より, $\frac{\hat{\beta}_j-\beta_j}{\sqrt{\sigma^2(X_c'X_c)_{jj}^{-1}}} \sim N(0,1)$ となる. また, 定理 12.3.5(d) より, $(n-p-1)\hat{\sigma}^2/\sigma^2$ は $\chi^2(n-p-1)$ に従う. 以上から (12.3.15) 式が成立する.

12.3.13 $N\left(\alpha^*, \sigma^2\left[\frac{1}{n}+\overline{x}'(X_c'X_c)^{-1}\overline{x}\right]\right)$.

12.4.1 正規方程式は $X_c'X_c\beta=X_c'Y$. X_c は中心化されているので, 切片母数に対して不変である.

12.4.2 (12.4.13) 式を ϵ に対して陰関数微分を行い, $\epsilon=0$ で評価すると, $0=-E[\varphi'(e)]E(xx')\left.\frac{\partial T_\epsilon}{\partial \epsilon}\right|_{\epsilon=0}+\varphi[y_0-x_0'\beta]x_0$ となる.

12.4.3 (a) $\hat{y}_W=-22.4+16.1i$;
(b) $\hat{y}_W=-2.83+5.27i+0.996i^2$.

12.4.4 (b) $\hat{y}_{LS}=-90.91+63.91i-5.818i^2$; (b) $\hat{y}_W=-9.14+12.0i+0.246i^2$.

12.4.5 (a) $\hat{y}_W=71.95+1.48x_1+0.403x_2+0.082x_3-0.245x_4$.

12.4.6 $\tau E\{e_1\varphi[F(e_1)]\}\Sigma^{-1}$.

12.4.7 $\text{Var}\left(\Sigma^{-1}\sum_{i=1}^n \frac{r}{\sqrt{n}}x_{ci}\phi[F(e_i)]\right)$
$\iff \Sigma^{-1}\text{Var}(\sum_{i=1}^n W_{ni})\Sigma^{-1}=$
$\Sigma^{-1}\tau^2\Sigma\Sigma^{-1}=\tau^2 n(X_c'X_c)^{-1}$. 最後の式を n で除することにより題意が満たされる.

12.4.8 $\tau^2 H_c$.

12.4.10 $E(\sum_{i=1}^n W_{ni})=E(\sum_{i=1}^n \frac{1}{\sqrt{n}}x_{ci}e_i)=0$, $Cov(\sum_{i=1}^n W_{ni})=E[(\sum_{i=1}^n \frac{1}{\sqrt{n}}x_{ci}e_i)(\sum_{i=1}^n \frac{1}{\sqrt{n}}x_{ci}e_i)']$

E. 練習問題略解

$= \frac{1}{n}\sigma^2 X'_c X_c$ となる. さらに, 仮定 12.4.1(e) を用いると, 題意を得る.

12.5.5 要因 B の主効果に関する線形制約式は $3(\overline{\mu}_{.1} - \overline{\mu}_{.3}) = 0$ と $3(\overline{\mu}_{.2} - \overline{\mu}_{.3}) = 0$ である. 交互作用に関する線形制約式は γ_{11} に関して $9(\mu_{11} - \overline{\mu}_{1.} - \overline{\mu}_{.1} + \overline{\mu}_{..}) = 0$ であり, その他も同様である. これらを展開することにより題意を得る.

12.5.8 (b) $\mathbf{A} = \begin{bmatrix} 1 & -1 & 0 \\ 1 & 0 & -1 \end{bmatrix}$;
$F_{LS} = 10.22$; $F_W = 6.40$;
(c) $F_{LS} = 0.749$; $F_W = 5.43$.

12.5.9

効果	F_{LS}	F_W
A	30.726	31.312
B	22.825	23.268
$A \times B$	4.789	6.240

12.5.10

効果	F_{LS}	F_W
A	3.597	13.019
B	2.803	9.909
$A \times B$	2.670	4.591

12.5.11 (a), (c) の図. 実線はウィルコクスン解で, 破線が LS 解.

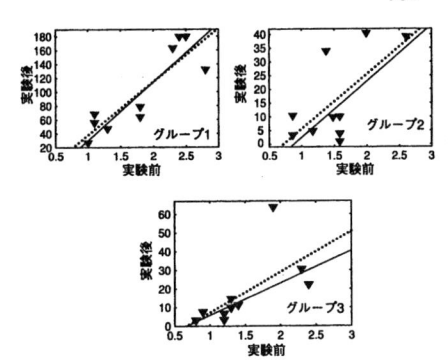

(b)

グループ	ウィルコクスン推定値 切片 傾き	LS 推定値 切片 傾き
1	-54.3 84.2	-39.1 76.8
2	-19.3 21.0	-15.6 20.5
3	-11.6 17.4	-14.7 21.9

(c) グループ 3 のように外れ値が 1 つだけの場合, LS 推定値は傾きにおいて影響を受ける. 対してグループ 2 のように外れ値が複数ある場合, LS 推定値が切片において影響を受けることもある.

(d) $\begin{bmatrix} 0 & 1 & 0 & 0 & 0 & -1 \\ 0 & 0 & 0 & 1 & 0 & -1 \end{bmatrix}$

(e) $F_W = 9.54 (p = .001)$, $F_{LS} = 8.15 (p = .002)$.

索　引

日本語索引

ア　行

iid　131
当てはめ値　505, 654
ANOVA　496, 672
アンチ順位　549

EM アルゴリズム　374
E ステップ　375, 376
位置尺度不変な統計量　427
位置・尺度モデル　361
位置汎関数　531
位置不変な統計量　426
位置母数　176
位置モデル　272, 336, 532
1 要因モデル　484
一様最強力棄却域　447
一様最強力検定　447
一様分布　50, 143, 301
一致推定量　217, 247
一致の位置にある組　589
一致の位置にない組　589
一般化パレート分布　205
一般化ワーリング pdf　207
因子空間　643

ウィルコクスン推定量　644
ウィルコクスンの符号付き順位　548
ウォルシュの平均　551
打ち切り　55

影響関数　637
X 空間　643

F 分布　197
mn 法則　17
mgf　68, 129
m 次のモーメント　68
M ステップ　376
LCL　470

オッズ　597

カ　行

回帰　502
回帰係数　650
階乗モーメント　71
階層ベイズモデル　626
カイ 2 乗検定　292
カイ 2 乗 pdf　162
カイ 2 乗分布　158
下極限　684
確信区間　608
確率　2
確率化検定　289, 290, 454
確率区間　268, 608
確率誤差　650
確率実験　1
確率集合関数　13
確率収束する　215
確率測度　2
確率的に大きい　57, 558
確率的に有界　226
確率度数関数　37, 46
確率の連続性に関する定理　20
確率ベクトル　80, 126
確率変数　36
確率密度関数　40, 50
片側仮説　286

偏った推定量　210
カバレッジ　265
下辺　256
加法モデル　496, 674
頑健　633, 637
完全尤度　375
観測尤度　375
感度曲線　635
完備十分統計量　403
完備な族　402
ガンマ (Γ) 分布　158

記憶をもたない　152
規格化定数　307
幾何分布　147
幾何平均　77, 409
棄却域　278, 436
危険関数　384, 605
危険率　170, 279, 436
期待値　58, 90
基底行列　652
擬ノルム　648
ギブスサンプラー　622
帰無仮説　277, 436
95%信頼区間　268
q–q プロット　257
キュムラント母関数　72
狭義の凸関数　76
共線性　658
共分散　110
共分散分析　676
共変量　676
共役分布族　612
極限標準正規分布　220
極限分布　220
局所対立仮説　539
局所的な感度　640
許容区間　265
許容限界　265

空間　5, 36, 126
空集合　4

組み合わせ　18

経験ベイズモデル　626
形状母数　176
決定　384
決定関数　384
決定規則　384
決定する　384
原像　330
検定　278, 436
検定力　279
検定力関数　279, 437
検定力の頑健性　460
ケンドールの τ　589
原理　413

合計確率の法則　27
高効率　554
交互作用母数　499, 674
効率　338, 540
コーシー分布　58
故障率　170
5数要約　255
ゴールドポスト損失関数　386
ゴンペルツ cdf　170

サ　行

最高密度領域　615
最小カイ2乗推定値　296
最小十分統計量　423
最小上界　683
最小2乗法　504, 643
最小分散不偏推定量　383
最小平均2乗誤差推定量　385
最大下界　683
最適得点関数　572
最頻値　56
最尤推定値　326
最尤推定量　326, 327, 358
最良の棄却域　437
3項分布　148
残差　505

索　引

残差プロット　651, 654
算術平均　77
散布図　503

ジェフリーズの事前分布　618
ジェンセンの不等式　77
σ 集合体　12
事後確率　28, 601
事後 pdf　602
事後分布　602
事象　1
事象の確率　2
指数クラス　405
指数分布　160
事前確率　28, 601
事前 pdf　602
実 2 次形式　479
ジップの法則　206
尺度不変な統計量　427
尺度母数　176
集合　3
集合関数　7
十分統計量　390, 391
周辺 pmf　84
主観確率　597
縮小推定値　613
主効果　497
主効果仮説　674
主成分　189
主成分ベクトル　189
受容–棄却　306
順位に基づいた　530
順列　18
上極限　684
象限帰属個数　596
条件付き確率　25
条件付き pmf　103
条件付き pdf　103
上辺　256
乗法法則　26
ショショニ族の矩形　535
死力　170

真値　326
信頼区間　248, 276
信頼係数　248, 268

推定方程式　328, 544, 634, 643
数学的期待値　58
数の集合　3
スコア型検定　351
スコア関数　335
スターリングの公式　223
スピアマンのロー　592
スペクトル分解　183
すべての場合を尽くしている　17
ずらし指数　219
スラツキーの定理　225

生起確率　2
生起行列　673
正規得点　573
正規分布　173
生起ベクトル　673
正規方程式　643, 654
正則　613
正則条件　326
正則な指数クラス　405
精度　615
制約されたモデル　668
積集合　5
積の法則　17
積率母関数　65
絶対誤差損失関数　386
漸近効率　341
漸近相対効率　342, 542
漸近的な検定力の補助定理　540
漸近的に有効　342
漸近分布　220
漸近理論　220
線形モデル　502
潜在的外れ値　256
尖度　72
全変動　189

相関係数　111
相互独立　31, 129, 131
相対頻度　2
相対頻度論アプローチ　2
損失関数　384

タ 行

台　47, 82, 83
大域的な感度　640
第 1 主成分　190
第 1 段階推定量　345
第 1 種の誤り　436
第 n 主成分　190
退化次数　657
退化した分布　71
対象の寄せ集め　3
対数ガンマ pdf　202
対数正規分布　214
第 2 種の誤り　436
対比　494
第 p 標本分位数　255
第 p 分位数　254
対立仮説　277, 436
互いに排反な事象　16
多項 pmf　148
多重比較　492
畳み込み公式　102
ダッチブック　598
妥当性の頑健性　460
多変量正規分布　183, 184
単純仮説　281
単調性　589
単調尤度比　450

チェビシェフの不等式　74
逐次確率比検定　466
中央値　56, 253
中心カイ 2 乗変数　490
中心極限定理　233
超幾何分布　47, 143
超母数　626
調和平均　78

対独立　31, 131
使い果たしている　390

定義　25
t 比　656
TV　189
t 分布　195
ディリクレ pdf　167
ディリクレ分布　166
適合度検定　294
てこ比　663
点関数　7
点推定値　247
点推定量　208, 247
点の集合　3

同一性　297
道具 pdf　307
統計的従属　118
統計的独立　30, 118
統計量　208, 247
同時確率度数関数　81
同時確率密度関数　82
同時条件付き pdf　128
同時累積分布関数　81
同様に確からしい　17
特性関数　69
得点関数　566
独立　29
独立実験　31
独立性のためのカイ 2 乗検定　298
独立同分布に従う　131
凸関数　76
ド・モルガンの法則　7

ナ 行

2 元配置　498
2 元配置 ANOVA モデル　496
2 項係数　18
2 項 pmf　144
2 項分布　144
2 次形式　479

索引

2重指数　99
2重指数分布　328
2乗　507
2乗誤差損失関数　386

ネイマンの因子分解定理　393
ネイマン・ピアソンの定理　439

ノルム　634

ハ行

破局　640
破局点　640
箱形図　256
箱ひげ図　256
外れ値　178
パーセンタイル　56
パーセンタイルブートストラップ信頼区間　314
パーセンタイルブートストラップ法　312
バー分布　206
パレート pdf　205
パレート分布　365
範囲　36, 253
範囲中央　253
汎関数　530, 636

psd　133, 183
pmf　46
比較箱ひげ図　465
非減少な列　10
非心 F 分布　491
非心カイ 2 乗分布　298, 490
非正則　613
非増加な列　10
p 値　289, 290
pd　183
非復元抽出　246
非負定値　133
標準誤差　269
標準正規確率変数　173
標準偏差　65

標準ラプラス分布　257
標本空間　1
標本相関係数　512
標本の $100p$ パーセンタイル　255
標本分散　208, 211
標本平均　208, 210, 248, 634
ヒンジ　255

フィッシャー情報量　335
復元抽出　246
複合　203
複合仮説　281
符号統計量　534
付随変数　676
ブートストラップ　312
負の 2 項分布　147, 203
部分集合　4
不偏推定量　210, 247
不偏である　455
ブールの不等式　16
フルモデル　668
分位　56
分割表　297
分散　65
分散・共分散行列　132
分散分析　484
分配法則　10
分布収束する　219, 242
分布によらない検定　534
分布によらない信頼区間　258
分布の最頻値　56
分布の中央値　56

平均　58, 132
平均値　64
平均プロファイルプロット　496
併合推定量　272
ベイジアン　599
ベイズ推定値　605
ベイズ推定量　605
ベイズ統計学　602
ベイズの定理　28

758　　　　　　　　　　　　　　　　　　　　　　　　　　　　索　引

平方根　183
ベータ (β) 分布　158
ベルヌイ試行　143
ベルヌイ実験　143
ベルヌイ分布　143
変換　47
変形パレート分布　206
変動　558

ポアソン過程　153
ポアソン pmf　153
ポアソン分布　153
包除公式　15
補集合　6
補助統計量　426
母数　144
ボレル σ 集合体　13
ボンフェローニの多重比較法　495
ボンフェローニの不等式　16

マ 行

マルコフの不等式　74
マルコフ連鎖　623
マルコフ連鎖モンテカルロ法　627
マン・ホイットニー・ウィルコクスン統計量　559

ミニマックス基準　385
ミニマックス決定関数　385
ミニマックス原理　385

無作為　301
無作為標本　208, 246
無情報事前分布　614
ムードの検定　575
ムードの中央値検定　577

目標 pdf　306
モーメント　68
モンテカルロ積分　303
モンテカルロ発生　300
モンテ・ホール問題　35

ヤ 行

ヤコビアン　53, 95
ヤングの定理　227

有意確率　290
有意水準　281, 436
有限標本破局点　640
有効　360
有効推定量　338
誘導推定量　531
尤度原理　386, 387
尤度比検定　348
ユークリッドノルム　508
UCL　470

要素　3
予測区間　189, 274
予測値　505, 654
予測分布　612

ラ 行

ラオ・クラメールの下限　337
ラオ・ブラックウェルの定理　397
ラプラス分布　99, 328
ランダムウォーク法　469

離散確率ベクトル　81
離散型確率変数　36, 45
隣接値　256

累積分布関数　39, 80
累積分布関数法　53

列空間　651
列フルランク　652
レーマン・シェフェの定理　403
連続　82
連続型確率変数　36, 49
連続修正　236

索　引

ワ　行

Y 空間　643
歪度　71

ワイブル分布　168
和集合　4
ワルド型検定　351

英語索引

100pth percentile of the sample　255
95% confidence interval　268

A

absolute-error loss function　386
accept-reject　306
additive model　496, 674
adjacent point　256
alternative hypothesis　277, 436
analysis of covariance　676
analysis of variance, ANOVA　484, 496, 672
ancillary statistic　426
anti-ranks　549
arithmetic mean　77
asymptotic distribution　220
asymptotic efficiency　341
asymptotic power lemma　540
asymptotic relative efficiency, ARE　342, 542
asymptotic theory　220
asymptotically efficient　342

B

basis matrix　652
Bayes' estimate　605
Bayes' estimator　605
Bayes' theorem　28
Bayesian　599
Bayesian statistics　602
Bernoulli distribution　143
Bernoulli experiment　143
Bernoulli trials　143
best critical region　437
beta distribution　158
biased estimator　210
binomial coefficient　18
binomial distribution　144
binomial pmf　144

Bonferroni multiple comparison procedure　495
Bonferroni's inequality　16
Boole's inequality　16
bootstrap　312
Borel σ-field　13
bounded in probability　226
box and whisker plot　256
boxplot　256
breakdown　640
breakdown point　640
Burr distribution　206

C

Cauchy distribution　58
censoring　55
central chi-square variable　490
central limit theorem　233
characteristic function　69
Chebyshev's inequality　74
chi-square pdf　162
chi-square test　292
chi-square test for independence　298
chi-square distribution　158
colinearity　658
collection of objects　3
column space　651
combination　18
comparison boxplot　465
complement　6
complete family　402
complete likelihood　375
complete sufficient statistic　403
composite hypothesis　281
compounding　203
concomitant variable　676
concordant pairs　589
conditional pdf　103
conditional pmf　103
conditional probability　25
confidence coefficient　248, 268
confidence interval　248

索　引

confidence interval for the ratio 276
conjugate family of distributions 612
consistent estimator 217, 247
contingency table 297
continuity correction 236
continuity theorem of probability 20
continuous 82
continuous random variable 36, 49
contrast 494
converge in distribution 219, 242
converge in probability 215
convex function 76
convolution formula 102
correlation coefficient 111
covariance 110
covariate 676
coverage 265
credible interval 608
critical region 278, 436
cummulative distribution function 80
cumulant generating function 72
cumulative distribution function
　　technique 53
cumulative distribution function, cdf 39

D

decide 384
decision 384
decision function 384
decision rule 384
definition 25
degenerate distribution 71
DeMorgan's law 7
Dirichlet distribution 166
Dirichlet pdf 167
discordant pairs 589
discrete random variable 36, 45
discrete random vector 81
distribution free confidence interval 258
distribution free test 534
distributive law 10
double exponential 99

double exponential distribution 328
Dutch book 598

E

E step 375
efficacy 540
efficiency 338
efficient 360
efficient estimator 338
element 3
EM algorithm 374
empirical Bayes model 626
equally likely 17
estimating equation, EE 328, 544, 634,
　　643
Euclidean norm 508
event 1
exhaust 390
exhaustive 17
expectation step 376
expectation 58
expected value 58, 90
exponential class 405
exponential distribution 160

F

F-distribution 197
factor space 643
factorial moment 71
failure rate 170
finite sample breakdown point 640
first principal component 190
fisher information 335
fitted value 505, 654
five number summary 255
force of mortality 170
full column rank 652
full model 668
functional 530, 636

G

gamma distribution 158

generalized Pareto distribution 205
generalized Waring pdf 207
geometric distribution 147
geometric mean 77, 409
Gibbs sampler 622
global sensitivity 640
goal post loss function 386
Gompertz cdf 170
goodness of fit test 294

H

harmonic mean 78
hazard rate 170
hierachical Bayes model 626
highest density region, HDR 615
highly efficient 554
hinge 255
homogeneity 297
hypergeometric distribution 47, 143
hyperparameter 626

I

iid 131
improper 613
incidence matrix 673
incidence vector 673
include estimator 531
inclusion–exclusion formula 15
independent 29
independent and identically distributed 131
independent experiment 31
independent in a probability sense 30
infimum 683
influence function 637
instrumental pdf 307
interaction parameter 499, 674
intersection 5

J

Jacobian 53, 95
Jeffreys prior 618

Jensen's inequality 77
joint conditional pdf 128
joint cummulative distribution function 81
joint probability density function 82
joint probability mass function 81

K

Kendall's τ 589
kurtosis 72

L

Laplace distribution 99, 328
law of total probability 27
LCL 470
least squares 643
Lehmann and Scheffé theorem 403
leverage 663
likelihood principle 387
likelihood ratio test 348
limit infimum 684
limit supremum 684
limiting distribution 220
limiting standard normal distribution 220
linear model 502
local alternative 539
local sensitivity 640
location and scale invariant statistic 427
location and scale model 361
location functional 531
location–invariant statistic 426
location model 272, 336, 532
location parameter 176
loggamma pdf 202
lognormal distribution 214
loss function 384
lower fence, LF 256

M

M step 376
mth moment 68

索　引

main effect　497
main effect hypothese　674
Mann–Whitney–Wilcoxon statistic　559
marginal pmf　84
Markov chain　623
Markov chain Monte Carlo method　627
Markov's inequality　74
mathematical expectation　58
maximization step　376
maximum likelihood estimate　326
maximum likelihood estimator, mle　326, 327, 358
mean　58, 132
mean profile plot　496
mean value　64
median　56, 253
median of distribution　56
memoryless　152
method of least squares　504
mgf　68, 129
midrange　253
minimal sufficient statistic　423
minimax criterion　385
minimax decision function　385
minimax principle　385
minimum chi–square estimate　296
minimum mean–squared–error estimator　385
minimum variance unbiased estimator, MVUE　383
mn–rule　17
mode　56
mode of distribution　56
moment　68
moment generating function　65
monotone likelihood ratio, mlr　450
monotonicity　589
Monte Carlo generation　300
Monte Carlo integration　303
Monte Hall problem　35
Mood's median test　577
Mood's test　575

multinomial pmf　148
multiple comparison　492
multiplication rule　17
multiplication rule for probabilities　26
multivariate normal distribution　183, 184
mutual indenpendent　131
mutually exclusive events　16
mutually independent　31, 129

N

nth principal component　190
negative binomial distribution　147, 203
Neyman–Pearson theorem　439
Neyman's factorization theorem　393
noncentral chi–square distribution　298, 490
noncentral F–distribution　491
nondecreasing sequence　10
nonincreasing sequence　10
noninformative prior　614
norm　634
normal distribution　173
normal equation　643, 654
normal score　573
normalizing constant　307
null hypothesis　277, 436
null set　4
nullity　657

O

observed likelihood　375
observed significance level　290
odds　597
one–sided hypothesis　286
one–way model　484
one–step estimator　345
optimal score function　572
outlier　178

P

pth sample quantile　255

pth–quantile 254
p–value 289, 290
pairwise independent 31, 131
parameter 144
Pareto distribution 365
Pareto pdf 205
pd 183
percentile 56
percentile bootstrap confidence interval 314
percentile bootstrap method 312
permutation 18
personal or subjective probability 2
pmf 46
point estimate 247
point estimator 208, 247
point function 7
Poisson distribution 153
Poisson pmf 153
Poisson process 153
pooled estimator 272
positive semi–definite 133
posterior distribution 602
posterior pdf 602
posterior probability 28, 601
potential outlier 256
power 279
power function 279, 437
precision 615
predicted value 505, 654
prediction interval 189, 274
predictive distribution 612
preimage 330
principal components 189
principal components vector 189
principle 413
prior pdf 602
prior probability 28, 601
probability 2
probability density function, pdf 40, 50
probability interval 608
probability mass function 37, 46

probability measure 2
probability of event 2
probability set function 13
probability value 290
proper 613
psd 133, 183
pseudo–norm 648

Q

q–q plot 257
quadrant count 596
quadratic form 479
quantile 56

R

random 301
random error 650
random experiment 1
random interval 268
random sample 208, 246
random variable 36
random vector 80, 126
random–walk procedure 469
randomized test 290, 454
range 36, 253
rank–based 530
Rao–Blackwell theorem 397
Rao–Cramér lower bound 337
real quadratic form 479
reduced model 668
regression 502
regression coefficient 650
regular exponential class 405
regularity condition 326
relative frequency 2
relative frequency approach 2
residual 505
residual plot 651, 654
risk function 384, 606
robust 633, 637
robustness of power 460
robustness of validity 460

索　引

S

sample correlation coefficient   512
sample mean   208, 210, 248, 634
sample space   1
sample variance   208, 211
sampling with replacement   246
sampling without replacement   246
scale parameter   176
scale-invariant statistic   427
scatterplot   503
score function   335, 566
score test   351
sensitivity curve   635
sequential probability ratio test   466
set   3
set function   7
set of numbers   3
set of points   3
shape parameter   176
shift   558
shifted exponential   219
Shoshoni rectangle   535
shrinkage estimate   613
σ-field   12
sign statistic   534
signed-rank Wilcoxon   548
significance level   281, 436
simple hypothesis   281
size   279, 436
skewness   71
Slutsky's theorem   225
space   5, 36, 126
Spearman's rho   592
spectral decomposition   183
square   507
square root   183
squared-error loss function   386
standard deviation   65
standard error   269
standard Laplace distribution   257
standard normal random variable   173

statistic   208, 247
statistically dependent   118
statistically independent   30, 118
Stirling's formula   223
stochastically independent   30
stochastically larger   57, 558
strictly convex   76
subjective probability   597
subset   4
sufficient statistic   390, 391
support   47, 82, 83
supremum   683

T

t-distribution   195
t-ratio   656
target pdf   306
test   278, 436
tolerance interval   265
tolerance limits   265
total variation   189
transformation   47
transformed Pareto distribution   206
trinomial distribution   148
true value   326
TV   189
two-way ANOVA model   496
two-way classification with one observation per cell   498
type I error   436
type II error   436

U

UCL   470
unbiased   455
unbiased estimator   210, 247
uniform   301
uniform distribution   50, 143
uniformly most powerful(UMP) critical region   447
uniformly most powerful(UMP) test   447
union   4

upper fence, UF 256

V

variance 65
variance–covariance matrix 132

W

Wald test 351
Walsh average 551
Weibull distribution 168
Wilcoxon estimator 644

X

X-space 643

Y

Y-space 643
Young's theorem 227

Z

Zipf's law 206

memo

監訳者略歴

豊田秀樹（とよだ ひでき）

1961年　東京都に生まれる
1989年　東京大学大学院教育学研究科博士課程修了（教育学博士）
現　在　早稲田大学文学学術院教授

〈主な著書〉
『項目反応理論［入門編］―テストと測定の科学―』（朝倉書店）
『項目反応理論［事例編］―新しい心理テストの構成法―』（編著）（朝倉書店）
『項目反応理論［理論編］―テストの数理―』（編著）（朝倉書店）
『共分散構造分析［入門編］―構造方程式モデリング―』（朝倉書店）
『共分散構造分析［応用編］―構造方程式モデリング―』（朝倉書店）
『共分散構造分析［技術編］―構造方程式モデリング―』（編著）（朝倉書店）
『共分散構造分析［疑問編］―構造方程式モデリング―』（編著）（朝倉書店）
『共分散構造分析［事例編］―構造方程式モデリング―』（編著）（北大路書房）
『SASによる共分散構造分析』（東京大学出版会）
『調査法講義』（朝倉書店）
『原因を探る統計学―共分散構造分析入門―』（共著）（講談社ブルーバックス）
『非線形多変量解析―ニューラルネットによるアプローチ―』（朝倉書店）
『違いを見ぬく統計学―実験計画と分散構造分析入門―』（講談社ブルーバックス）
『金鉱を掘り当てる統計学―データマイニング入門―』（講談社ブルーバックス）

数理統計学ハンドブック

2006年7月5日　初版第1刷
2022年1月25日　　　第7刷

監訳者	豊　田　秀　樹
発行者	朝　倉　誠　造
発行所	株式会社　朝　倉　書　店

東京都新宿区新小川町6-29
郵便番号　162-8707
電　話　03(3260)0141
FAX　03(3260)0180
https://www.asakura.co.jp

〈検印省略〉

© 2006〈無断複写・転載を禁ず〉

東京書籍印刷・渡辺製本

ISBN 978-4-254-12163-6　C 3541　　Printed in Japan

JCOPY 〈出版者著作権管理機構 委託出版物〉
本書の無断複写は著作権法上での例外を除き禁じられています．複写される場合は，そのつど事前に，出版者著作権管理機構（電話 03-5244-5088, FAX 03-5244-5089, e-mail: info@jcopy.or.jp）の許諾を得てください．

好評の事典・辞典・ハンドブック

数学オリンピック事典	野口　廣 監修 Ｂ５判 864頁
コンピュータ代数ハンドブック	山本　慎ほか 訳 Ａ５判 1040頁
和算の事典	山司勝則ほか 編 Ａ５判 544頁
朝倉　数学ハンドブック ［基礎編］	飯高　茂ほか 編 Ａ５判 816頁
数学定数事典	一松　信 監訳 Ａ５判 608頁
素数全書	和田秀男 監訳 Ａ５判 640頁
数論＜未解決問題＞の事典	金光　滋 訳 Ａ５判 448頁
数理統計学ハンドブック	豊田秀樹 監訳 Ａ５判 784頁
統計データ科学事典	杉山高一ほか 編 Ｂ５判 788頁
統計分布ハンドブック（増補版）	蓑谷千凰彦 著 Ａ５判 864頁
複雑系の事典	複雑系の事典編集委員会 編 Ａ５判 448頁
医学統計学ハンドブック	宮原英夫ほか 編 Ａ５判 720頁
応用数理計画ハンドブック	久保幹雄ほか 編 Ａ５判 1376頁
医学統計学の事典	丹後俊郎ほか 編 Ａ５判 472頁
現代物理数学ハンドブック	新井朝雄 著 Ａ５判 736頁
図説ウェーブレット変換ハンドブック	新　誠一ほか 監訳 Ａ５判 408頁
生産管理の事典	圓川隆夫ほか 編 Ｂ５判 752頁
サプライ・チェイン最適化ハンドブック	久保幹雄 著 Ｂ５判 520頁
計量経済学ハンドブック	蓑谷千凰彦ほか 編 Ａ５判 1048頁
金融工学事典	木島正明ほか 編 Ａ５判 1028頁
応用計量経済学ハンドブック	蓑谷千凰彦ほか 編 Ａ５判 672頁

価格・概要等は小社ホームページをご覧ください．